le Guide du **routard**

Directeur de collection et auteur
Philippe GLOAGUEN

Cofondateurs
Philippe GLOAGUEN et Michel DUVAL

Rédacteur en chef
Pierre JOSSE

Rédacteurs en chef adjoints
Amanda KERAVEL et Benoît LUCCHINI

Directrice de la coordination
Florence CHARMETANT

Directrice administrative
Bénédicte GLOAGUEN

Rédaction
Olivier PAGE, Véronique de CHARDON,
Isabelle AL SUBAIHI, Anne-Caroline DUMAS,
Carole BORDES, André POU...
Marie BURIN ... RD,
Géral...
Anne POINS... R,
Alain PALL...
et ...

CALIFORNIE

2009

Hachette

Avis aux hôteliers et aux restaurateurs

Les enquêteurs du *Guide du routard* travaillent dans le plus strict anonymat. Aucune réduction, aucun avantage quelconque, aucune rétribution n'est jamais demandé en contrepartie. Face aux aigrefins, la loi autorise les hôteliers et restaurateurs à porter plainte.

Hors-d'œuvre

Le *Guide du routard,* ce n'est pas comme le bon vin, il vieillit mal. On ne veut pas pousser à la consommation, mais évitez de partir avec une édition ancienne. Les modifications sont souvent importantes.

routard.com dépasse 1,3 million de visiteurs uniques par mois !

● *routard.com* ● Sur notre site, tout pour préparer votre périple. Des fiches pratiques sur plus de 190 destinations, de nombreuses informations et des services : photos, cartes, météo, dossiers, agenda, itinéraires, billets d'avion, réservation d'hôtels, location de voitures, visas... Et aussi un vaste forum pour échanger ses bons plans, partager ses photos ou trouver son compagnon de voyage. Sans oublier *routard mag,* ses reportages, ses carnets de route et ses infos pour bien voyager. La boîte à outils indispensable du routard.

Petits restos des grands chefs

Ce qui est bon n'est pas forcément cher ! Partout en France, nous avons dégoté de bonnes petites tables de grands chefs aux prix aussi raisonnables que la cuisine est fameuse. Évidemment, tous les grands chefs n'ont pas été retenus : certains font payer cher leur nom pour une petite table qu'ils ne fréquentent guère. Au total, plus de 500 adresses réactualisées dont une centaine de nouveautés, retenues pour la qualité et la créativité de la cuisine, sans pour autant ruiner votre portefeuille. À proximité des restaurants sélectionnés, des hôtels de charme sont indiqués pour prolonger la fête.

Nos meilleurs campings en France

Se réveiller au milieu des prés, dormir au bord de l'eau ou dans une hutte, voici nos 1 700 meilleures adresses en pleine nature. Du camping à la ferme aux équipements les plus sophistiqués, nous avons sélectionné les plus beaux emplacements : mer, montagne, campagne ou lac. Sans oublier les balades à proximité, les jeux pour enfants... Des centaines de réductions pour nos lecteurs.

Avis aux lecteurs

Les réductions accordées à nos lecteurs ne sont jamais demandées par nos rédacteurs afin de préserver leur indépendance. Les hôteliers et restaurateurs sont sollicités par une société de mailing, totalement indépendante de la rédaction, qui reste donc libre de ses choix. De même pour les autocollants et plaques émaillées.

Le contenu des annonces publicitaires insérées dans ce guide n'engage en rien la responsabilité de l'éditeur.

Mille excuses, on ne peut plus répondre individuellement aux centaines de CV reçus chaque année.

TABLE DES MATIÈRES

**Attention, les parcs nationaux de l'Ouest américain
et Las Vegas font l'objet d'un autre guide.**

SAN FRANCISCO, LA ROUTE DU VIN ET LA SILICON VALLEY

LA ROUTE DU VIN

LA SILICON VALLEY

DE SAN FRANCISCO À LOS ANGELES PAR LA CÔTE

L'INTÉRIEUR DE LA CALIFORNIE (LA SIERRA NEVADA)

LOS ANGELES ET LE SUD DE LA CALIFORNIE

Nous avons divisé les États-Unis en plusieurs titres. En effet, la très grande majorité d'entre vous ne parcourent pas toute la région. Et ces contrées sont tellement riches culturellement qu'elles nécessitent 6 ou 7 guides à elles seules. Rassemblés en un seul volume, nos ouvrages atteindraient 1 500, voire 2 000 pages. Ils seraient alors intransportables et coûteraient... 3 fois plus cher ! Nous souhaitons conserver un format pratique à un prix économique, tout en vous fournissant le maximum d'informations sur des régions qui méritent d'être développées. Voilà !

La rédaction.

NOS NOUVEAUTÉS

LIMOUSIN (paru)

Du vert, du vert, toujours du vert... bienvenue dans le Limousin ! Ici, l'herbe pousse à foison et fait le régal des vaches réputées pour leur viande savoureuse. Mais la richesse du Limousin ne s'arrête pas là. En plus de ses merveilles de bouche, vous serez étonné, au fil de votre balade, de découvrir des richesses insoupçonnées. L'artisanat y connaît un vrai succès. La porcelaine continue de faire la fierté des Limougeauds et, si on pousse un peu plus loin, on découvre tanneries, ganteries, moulins à papier... Eh oui, la forêt, qui couvre une bonne partie de la région, ne ravit pas que les promeneurs mais aussi les imprimeurs. Et puis, voici le Limousin citadin : Limoges, Brive-la-Gaillarde ou encore Guéret, qui sont des villes chargées d'histoire.

AUVERGNE (paru)

Ah les monts d'Auvergne ! Les amoureux de la rando trouveront plus que leur compte en visitant le cœur de la France. Attention, ouvrez grand les yeux : ici, un volcan, un massif, une réserve, un lac ; là-bas, une vallée, des thermes... Voici l'Auvergne ! Une nature verdoyante que les bougnats ont su préserver. En suivant les courbes voluptueuses de ses volcans, vous atteindrez la capitale, Clermont-Ferrand. Il y fait bon vivre, à en croire tous les étudiants qui animent la ville. Sur les terres de Vercingétorix, vous découvrirez une région qui porte encore les traces de son histoire, les vendeurs de charbon, l'exode, Vichy... Enfin, pour finir, sachez qu'il existe une vraie tradition culinaire dont seuls les Auvergnats ont le secret.

LES GUIDES DU ROUTARD
2009-2010

(dates de parution sur **routard.com**)

France

Nationaux

- Nos meilleures chambres d'hôtes
  en France
- Nos meilleurs campings
  en France
- Nos meilleurs hôtels et restos
  en France
- Petits restos des grands chefs
- Tables à la ferme et boutiques du terroir

Régions françaises

- Alpes
- Alsace (Vosges)
- Aquitaine
- Ardèche, Drôme
- **Auvergne (nouveauté)**
- Bourgogne
- Bretagne Nord
- Bretagne Sud
- Châteaux de la Loire
- Corse
- Côte d'Azur
- Franche-Comté
- Languedoc-Roussillon
- **Limousin (nouveauté)**
- Lorraine
- Lot, Aveyron, Tarn
- Nord-Pas-de-Calais
- Normandie
- Pays basque (France, Espagne), Béarn

- Pays de la Loire
- **Picardie (avril 2009)**
- Poitou-Charentes
- Provence
- Pyrénées, Gascogne et Pays toulousain

Villes françaises

- Bordeaux
- Lille
- Lyon
- Marseille
- Montpellier
- Nice
- Strasbourg
- Toulouse

Paris

- Environs de Paris
- Junior à Paris et ses environs
- Paris
- Paris balades
- Paris la nuit
- Paris, ouvert le dimanche
- Paris à vélo
- Paris zen
- Restos et bistrots de Paris
- Le Routard des amoureux à Paris
- Week-ends autour de Paris

Europe

Pays européens

- Allemagne
- Andalousie
- Angleterre, pays de Galles
- Autriche
- Baléares
- Belgique
- Catalogne (+ Valence et Andorre)
- Crète
- Croatie
- Danemark, Suède
- Écosse
- Espagne du Nord-Ouest (Galice,
  Asturies, Cantabrie)
- Finlande
- Grèce continentale
- Hongrie, République tchèque, Slovaquie

- Îles grecques et Athènes
- Irlande
- Islande
- Italie du Nord
- Italie du Sud
- Lacs italiens
- Madrid, Castille (Aragon et Estrémadure)
- Malte
- Norvège
- Pologne et capitales baltes
- Portugal
- Roumanie, Bulgarie
- Sicile
- Suisse
- Toscane, Ombrie

LES GUIDES DU ROUTARD
2009-2010 (suite)

(dates de parution sur **routard.com**)

Villes européennes

- Amsterdam et ses environs
- Barcelone
- Berlin
- Florence
- Lisbonne
- Londres
- Moscou, Saint-Pétersbourg
- Prague
- Rome
- Venise

Amériques

- Argentine
- Brésil
- Californie
- Canada Ouest et Ontario
- Chili et île de Pâques
- Cuba
- Équateur et Galápagos
- États-Unis côte Est
- Floride
- Guadeloupe, Saint-Martin, Saint-Barth
- Guatemala, Yucatán et Chiapas
- Louisiane et les villes du Sud
- Martinique
- Mexique
- New York
- Parcs nationaux de l'Ouest américain et Las Vegas
- Pérou, Bolivie
- Québec et Provinces maritimes
- République dominicaine (Saint-Domingue)

Asie

- Bali, Lombok
- Birmanie (Myanmar)
- Cambodge, Laos
- Chine (Sud, Pékin, Yunnan)
- Inde du Nord
- Inde du Sud
- Istanbul
- Jordanie, Syrie
- Malaisie, Singapour
- Népal, Tibet
- Sri Lanka (Ceylan)
- Thaïlande
- Tokyo-Kyoto
- Turquie
- Vietnam

Afrique

- Afrique de l'Ouest
- Afrique du Sud
- Égypte
- Île Maurice, Rodrigues
- Kenya, Tanzanie et Zanzibar
- Madagascar
- Maroc
- Marrakech
- Réunion
- Sénégal, Gambie
- Tunisie

Guides de conversation

- Allemand
- Anglais
- Arabe du Maghreb
- Arabe du Proche-Orient
- Chinois
- Croate
- Espagnol
- Grec
- Italien
- Japonais
- Portugais
- Russe

Et aussi...

- Le Guide de l'humanitaire
- **Tourisme durable (mai 2009)**
- G'palémo

Nous tenons à remercier tout particulièrement Loup-Maëlle Besançon, Thierry Bessou, Gérard Bouchu, Grégory Dalex, Fabrice Doumergue, Cédric Fischer, Carole Fouque, Michelle Georget, David Giason, Lucien Jedwab, Emmanuel Juste, Fabrice de Lestang, Pierre Mitrano, Jean-Sébastien Petitdemange, Thomas Rivallain, Claudio Tombari et Solange Vivier pour leur collaboration régulière.

Et pour cette nouvelle collection, nous remercions aussi :

David Alon et Andréa Valouchova
Ariadna Barroso Calderon
Jean-Jacques Bordier-Chêne
Michèle Boucher
Déborah Bueche
Stéphanie Campeaux
Nathalie Capiez
Louise Carcopino
Raymond Chabaud
Alain Chaplais
Bénédicte Charmetant
François Chauvin
Cécile Chavent
Stéphanie Condis
Agnès de Couesnongle
Agnès Debiage
Isabelle Delpière Revéret
Jérôme Denoix
Solenne Deschamps
Tovi et Ahmet Diler
Céline Druon
Nicolas Dubost
Clélie Dudon
Aurélie Dugelay
Sophie Duval
Alain Fisch
Aurélie Gaillot
Adrien et Clément Gloaguen
Angela Gosmann
Romuald Goujon
Stéphane Gourmelen
Claudine de Gubernatis
Xavier Haudiquet
Claude Hervé-Bazin

Bernard Hilaire
Sébastien Jauffret
François et Sylvie Jouffa
Hélène Labriet
Francis Lecompte
Dimitri Lefèvre
Jacques Lemoine
Sacha Lenormand
Amélie Lepley
Valérie Loth
Béatrice Marchand
Amanda de Martino
Kristell Menez
Delphine Meudic
Romain Meynier
Éric Milet
Jacques Muller
Anaïs Nectoux
Hélène Odoux
Caroline Ollion
Nicolas Pallier
Martine Partrat
Odile Paugam et Didier Jehanno
Mathilde Pilon
Xavier Ramon
Dominique Roland et Stéphanie Déro
Corinne Russo
Caroline Sabljak
Prakit Saiporn
Jean-Luc et Antigone Schilling
Julien Vitry
Céline Vo
Fabian Zegowitz

Direction : Nathalie Pujo
Contrôle de gestion : Joséphine Veyres, Vincent Leav et Héloïse Morel d'Arleux
Responsable éditoriale : Catherine Julhe
Édition : Matthieu Devaux, Marine Barbier-Blin, Géraldine Péron, Jean Tiffon, Olga Krokhina, Vanessa Di Domenico, Julie Dupré, Gaëlle Leguéné, Gia-Quy Tran et Laura Gélie
Secrétariat : Catherine Maîtrepierre
Préparation-lecture : Émilie Guerrier
Cartographie : Frédéric Clémençon et Aurélie Huot
Fabrication : Nathalie Lautout et Audrey Detournay
Couverture : Seenk
Direction marketing : Dominique Nouvel, Lydie Firmin et Juliette Caillaud
Responsable des partenariats : André Magniez
Édition des partenariats : Juliette de Lavaur, Raphaële Wauquiez et Mélanie Radepont
Informatique éditoriale : Lionel Barth
Relations presse France : COM'PROD, Fred Papet. ☎ 01-56-43-36-38. ● info@comprod.fr ●
Relations presse : Martine Levens (Belgique) et Maureen Browne (Suisse)
Régie publicitaire : Florence Brunel

NOS NOUVEAUTÉS

G'PALÉMO (paru)

Un dictionnaire visuel universel qui permet de se faire comprendre aux 4 coins de la planète et DANS TOUTES LES LANGUES (y compris le langage des signes), il suffisait d'y penser !... Que vous partiez trekker dans les Andes, visiter les temples d'Angkor ou faire du shopping à Saint-Pétersbourg, ce petit guide vous permettra d'entrer en contact avec n'importe qui. Compagnon de route indispensable, véritable tour de Babel... Drôle et amusant, *G'palémo* vous fera dépasser toutes les frontières linguistiques. Pointez simplement le dessin voulu et montrez-le à votre interlocuteur... Vous verrez, il comprendra ! Tout le vocabulaire utile et indispensable en voyage y figure : de la boîte de pansements au gel douche, du train-couchettes au pousse-pousse, du dentiste au distributeur de billets, de la carafe d'eau à l'arrêt de bus, du lit *king size* à l'œuf sur le plat... Plus de 200 dessins, déclinés en 5 grands thèmes (transports, hébergement, restauration, pratique, loisirs) pour se faire comprendre DANS TOUTES LES LANGUES. Et parce que le *Guide du routard* pense à tout, et pour que les langues se délient, plusieurs pages pour faire de vous un(e) séducteur(trice)...

TOKYO-KYOTO (paru)

On en avait marre de se faire malmener par nos chers lecteurs ! Enfin un *Guide du routard* sur le Japon ! Voila l'empire du Soleil-Levant accessible aux voyageurs à petit budget. On disait l'archipel nippon trop loin, trop cher, trop incompréhensible. Voici notre constat : avec quelques astuces, on peut y voyager agréablement et sans se ruiner. Dormir dans une auberge de jeunesse ou sur le tatami d'un *ryokan* (chambres chez l'habitant), manger sur le pouce des sushis ou une soupe *ramen,* prendre des bus ou acheter un *pass* ferroviaire pour circuler à bord du *shinkansen* (le TGV nippon)... ainsi sommes-nous allés à la découverte d'un Japon accueillant, authentique mais à prix sages ! Du mythique mont Fuji aux temples millénaires de Kyoto, de la splendeur de Nara à la modernité d'Osaka, des volcans majestueux aux cerisiers en fleur, de la tradition à l'innovation, le Japon surprend. Les Japonais étonnent par leur raffinement et leur courtoisie. Tous à Tokyo ! Cette mégapole électrique et fascinante est le symbole du Japon du IIIe millénaire, le rendez-vous exaltant de la haute technologie, de la mode et du design. Et que dire des nuits passées dans les bars et les discothèques de Shinjuku et de Ropponggi, les plus folles d'Asie ?

LES QUESTIONS QU'ON SE POSE LE PLUS SOUVENT

➤ Quels sont les papiers indispensables pour se rendre en Californie ?
Passeport électronique ou passeport individuel à lecture optique valide et émis avant le 26 octobre 2005, même pour les enfants, ainsi qu'un billet aller-retour et, depuis 2009, une autorisation de voyage à remplir sur Internet. Visa nécessaire pour un séjour de plus de 3 mois.

➤ Quel est le décalage horaire ?
Il est de 9h par rapport à l'heure française d'hiver. Quand il est 16h en France, il est donc 7h à Los Angeles.

➤ Quel est le climat ?
Il fait doux presque toute l'année ! Évitez l'été, caniculaire dans la vallée de la Mort (qui porte bien son nom !). Préférez le printemps et l'automne (il y a moins de monde qu'en été).

➤ La vie est-elle chère ?
Très chère à priori, mais le cours du dollar penche ces derniers temps en notre faveur ! Aux prix affichés, n'oubliez pas d'ajouter les taxes (entre 5 et 15 % selon le type d'achat) et le service (minimum fixé entre 15 et 20 % !).

➤ Comment se loger au meilleur prix ?
Le motel de bord de route reste la solution la moins chère, d'autant qu'une famille de quatre personnes peut dormir dans la même chambre pour le même prix.

➤ Peut-on y aller avec des enfants ?
Les États-Unis sont le royaume des enfants, et la Californie ne manque pas à la règle. Sachez quand même que ça reste cher.

➤ Comment se déplacer ?
À San Francisco, en transports en commun (parkings exorbitants). À Los Angeles, voiture obligatoire. Le prix du carburant est encore bon marché et les voitures de location sont bien plus spacieuses et confortables qu'en France.

➤ A-t-on des chances de croiser des stars à Hollywood ?
Pas vraiment, leurs propriétés sont jalousement gardées. Consolez-vous en allant voir leurs empreintes figées dans le ciment sur Hollywood Boulevard !

➤ Que doit-on absolument voir en Californie ?
San Francisco évidemment, une des plus belles villes américaines, dotée de superbes musées et connue aussi pour son esprit avant-gardiste et libertaire (c'est La Mecque des homos) ; Los Angeles, pour son gigantisme et les mythiques studios d'Hollywood ; et, pour les amateurs de paysages, la côte entre San Francisco et Los Angeles, la vallée de la Mort et le Yosemite.

➤ Y a-t-il des problèmes d'insécurité dans cette région ?
Certains quartiers de Los Angeles et de San Francisco sont à éviter à la tombée de la nuit. Sinon, il suffit de respecter quelques consignes de bon sens, valables pour la plupart des grandes villes du monde.

LES COUPS DE CŒUR DU ROUTARD

- À San Francisco, prendre le bus qui mène au Golden Gate Bridge et traverser le fameux pont rouge à pied pour admirer l'une des baies les plus célèbres du monde.

- Le dimanche, bruncher dans le quartier de Haight Ashbury (bobo, mais tellement San Francisco) puis flâner dans le Golden Gate Park et s'offrir un thé au Japanese Tea Garden.

- Grimper dans le *cable-car* le plus mythique de la ville (la ligne Powell-Hyde), qui traverse tous les jolis quartiers et emprunte les rues les plus pentues avant de redescendre en beauté sur Alcatraz.

- Le dernier dimanche de juin, ne rater sous aucun prétexte la Gay Pride, une des journées les plus folles de San Francisco !

- Monter à Glacier Point au coucher du soleil, pour profiter du panorama époustouflant sur la vallée de Yosemite.

- Prendre la mesure de l'immensité de Death Valley depuis Dante's View, et assister au lever du soleil sur les roches orangées de Zabriskie Point.

- S'émerveiller devant les séquoias géants du Sequoia National Park, qui figurent parmi les plus vieux arbres du monde : de 2 000 à 2 700 ans !

- Sur la route du Vin, se concocter un pique-nique d'anthologie à la Sonoma Cheese Factory, et le savourer dans un champ de vignes en débouchant une bonne bouteille.

- À Point Lobos ou vers Pacific Grove, observer loutres, phoques et otaries depuis le rivage. Et si pour une fois ils manquent à l'appel, aller en voir à l'extraordinaire Aquarium de Monterey.

- Arpenter les sentiers de randonnées de Big Sur et s'extasier devant la beauté sauvage de cette microrégion qui séduisit de nombreux artistes.

- Revivre la fantastique épopée de la ruée vers l'or en visitant Bodie, ville-fantôme de l'arrière-pays californien.

- À Venice, louer des rollers et se la jouer Angelino à fond en arpentant le front de mer. Frimer aussi à Muscle Beach, un centre de body-building en plein air, où Arnold Schwarzenegger venait montrer ses biscotos dans sa jeunesse.

- S'éclater aux Universal Studios, un parc d'attractions dédié au cinéma, construit à côté des véritables studios d'Hollywood.

- Enfin, casser sa tirelire pour se faire une bonne table : la Californie accueille une ribambelle de chefs inventifs, travaillant avec talent les produits locaux et, de plus en plus souvent, bio.

COMMENT Y ALLER ?

LES LIGNES RÉGULIÈRES

▲ AIR FRANCE

Rens et résas :
– *En France :* ☎ 36-54 (0,34 €/mn, tlj 24h/24). ● *airfrance.fr* ● *Dans les agences Air France et dans ttes les agences de voyages (fermées dim).*
– *À Los Angeles :* Ernst & Young LLP, 725 S Figueroa St, suite 3250. ☎ 1-800-237-2747. Fax : (213) 624-6854.
– *À San Francisco :* 100 Pine St, suite 230. ☎ 1-800-237-2747. Fax : (415) 362-1835.
➤ Air France dessert Los Angeles avec 20 vols hebdomadaires directs au départ de l'aéroport de Roissy-Charles-de-Gaulle, terminal 2C. Air France dessert San Francisco avec un vol quotidien direct au départ de l'aéroport de Roissy-Charles-de-Gaulle, terminal 2C.
Enfin, Air France dessert, en partage de codes avec *Delta Air Lines* et *KLM*, des destinations comme San Diego, Las Vegas, Seattle, Phoenix et Albuquerque.
Air France propose une gamme de tarifs accessibles à tous, du *Tempo 1* (le plus souple) au *Tempo 5* (le moins cher) selon les destinations. Pour les moins de 25 ans, Air France offre des tarifs attractifs *Tempo Jeunes* ainsi qu'une carte de fidélité, « Fréquence Jeune », gratuite et valable sur l'ensemble des compagnies membres de *Skyteam*. Cette carte permet de cumuler des miles.
Tous les mercredis dès minuit, sur ● *airfrance.fr* ●, Air France propose les tarifs « Coup de cœur », une sélection de destinations en France pour des départs de dernière minute.
Sur Internet, possibilité de consulter les meilleurs prix du moment, rubrique « Offres spéciales », « Promotions ».

Les compagnies américaines

▲ AMERICAN AIRLINES

Rens et résas : ☎ 01-55-17-43-41 (prix d'un appel local) ; lun-ven 8h-20h, w-e 9h30-18h. ● *americanairlines.fr* ●
➤ American Airlines propose, au départ de Paris-Roissy, des vols vers San Francisco et Los Angeles via New York, Dallas ou Chicago. Aux États-Unis, correspondances sur près de 200 destinations domestiques, ainsi que vers le Canada, l'Amérique centrale, la zone Caraïbe et l'Amérique du Sud.

▲ DELTA AIR LINES

Rens et résas : ☎ 0811-640-005 (n° Azur), lun-ven 8h-21h ; w-e et j. fériés 9h30-17h30. ● *delta.com* ●
Le réseau outre-Atlantique de Delta aux États-Unis est l'un des plus étendus, avec plus de 160 villes desservies.
Vers la Californie, depuis Roissy-Charles-de-Gaulle, Delta propose quotidiennement jusqu'à 3 vols/j. pour Los Angeles (via Atlanta), un vol pour San Francisco (via Atlanta) ainsi que San Diego, Sacramento via Atlanta et bien d'autres villes de Californie.

▲ US AIRWAYS

Rens et résas : ☎ 0810-63-22-22 (n° Azur), 8h-21h en sem, 9h-17h w-e. ● *usairways.com* ●

En CLASSE TEMPO, 25 dessins animés,
85 films sur écran individuel, glace pour les enfants
pour FAIRE DU CIEL LE PLUS BEL ENDROIT DE LA TERRE.

AIR FRANCE

AIR FRANCE KLM.

AIRFRANCE.FR

➤ US Airways propose un vol quotidien sur San Francisco, San Diego ou Los Angeles via Philadelphie. Nombreuses liaisons intérieures sur la côte ouest des États-Unis. Au départ de Paris, plus de 225 destinations au total sur tous les États-Unis, le Canada, les Caraïbes, Hawaii et l'Amérique latine.

LES ORGANISMES DE VOYAGES

EN FRANCE

– Ne pas croire que les vols à tarif réduit sont tous au même prix pour une même destination à une même époque : loin de là. On a déjà vu, dans un même avion partagé par deux organismes, des passagers qui avaient payé 40 % plus cher que les autres. De plus, une agence bon marché ne l'est pas forcément toute l'année (elle peut n'être compétitive qu'à certaines dates bien précises). Donc, contactez tous les organismes et jugez vous-même.

– Les organismes cités sont classés par ordre alphabétique, pour éviter les jalousies et les grincements de dents.

▲ AVENTURIA

– *Lyon : agence et siège au 42, rue de l'Université, 69002.* ☎ 04-78-69-35-06.
– *Paris Raspail : 213, bd Raspail, 75014.* ☎ 01-44-10-50-50.
– *Paris Opéra : 20, rue des Pyramides, 75001.* ☎ 01-44-50-58-40.
– *Bordeaux : 9, rue Ravez, 33000.* ☎ 05-56-90-90-22.
– *Lille : 21, rue des Ponts-de-Comines, 59800.* ☎ 03-20-06-33-77.
– *Marseille : 2, rue Edmond-Rostand, 13006.* ☎ 04-96-10-24-70.
– *Nantes : 2, allée de l'Erdre, cours des 50-Otages, 44000.* ☎ 02-40-35-10-12.
– *Strasbourg : 13 A, bd du Président-Wilson, 67000.* ☎ 03-88-22-08-09.
Brochure sur demande par téléphone ou sur • aventuria.com •
Spécialiste des États-Unis, ce tour-opérateur original fabrique entièrement ses programmes et les distribue exclusivement dans ses propres agences. Avec l'aide de conseillers en voyage expérimentés, vous construirez votre itinéraire idéal et vous personnaliserez totalement votre voyage à l'aide de leur sélection d'étapes de charme et de modules variés d'escapades. Découverte individuelle à votre rythme, hébergements authentiques en hôtels, étapes de charme, ranchs ou tipis... tout est à la carte !

▲ BACK ROADS

– *Paris : 14, pl. Denfert-Rochereau, 75014.* ☎ 01-43-22-65-65. *• backroads.fr •*
Ⓜ *ou RER B : Denfert-Rochereau. Lun-ven 10h-19h ; sam 10h-18h.*
Depuis 1975, Jacques Klein et son équipe sillonnent chaque année les routes américaines, ce qui fait d'eux de grands connaisseurs des États-Unis, de New York à l'Alaska en passant par le Far West. Pour cette raison, ils ne vendent leurs produits qu'en direct. Ils vous feront partager leurs expériences et vous conseilleront sur les circuits les plus adaptés à vos centres d'intérêt. Spécialistes des autotours, qu'ils programment eux-mêmes, ils ont également le grand avantage de disposer de contingents de chambres dans les parcs nationaux ou à proximité immédiate. Dans leur brochure, ils offrent également un grand choix d'activités, allant du séjour en ranch aux expéditions à VTT, en passant par le jeeping, le trekking ou le rafting.
De plus, Back Roads représente deux centraux de réservation américains lui permettant d'offrir des tarifs très compétitifs pour la réservation. D'abord *Amerotel* : des hôtels sur tout le territoire, des *Hilton* aux *YMCA*. Ensuite *Car Discount* : un courtier en location de voitures, motos (Harley notamment).

▲ BOURSE DES VOLS / BOURSE DES VOYAGES

Infos : • bdv.fr • ou par téléphone, au ☎ 01-42-61-66-61, *lun-sam 8h-22h.*
Agence de voyages en ligne, • bdv.fr • propose une vaste sélection de vols secs, séjours et circuits à réserver en ligne ou par téléphone. Pour bénéficier des meilleurs tarifs aériens, même à la dernière minute, le service de Bourse des Vols référence

Location de voitures en californie

50% de remise sur l'option franchise remboursable*

EN INDIQUANT LE NUMÉRO DE PAGE DE CETTE ANNONCE

Réservez au meilleur prix votre location de voiture auprès d'un spécialiste. Toutes nos offres sont simples, claires et flexibles, sans supplément caché :
- ☺ Kilométrage illimité
- ☺ Assurances et taxes obligatoires incluses
- ☺ Modification annulation sans frais
- ☺ Le meilleur service client avant, pendant et après la location
- ☺ Des conseillers téléphoniques disponibles sur simple appel

Engagement N°1
Vous offrir le meilleur de la location de voitures loisirs en tant que spécialistes des locations de **voitures loisirs en Californie et dans 125 pays.**

Engagement N°2
Vous garantir **le meilleur rapport qualité/prix** du marché sur les plus grandes enseignes.

Engagement N°3
Nos prix affichés sont ceux que vous payerez, sans supplément caché, **pas 1 euro de plus !**

Engagement N°4
Tout le monde peut changer d'envie : modification ou annulation sans frais. **Même à la dernière minute et sans justificatif.**

Engagement N°5
En option : **le 0 franchise assurance "tous risques"** quelle que soit la catégorie du véhicule et quel que soit le pays de destination.

Engagement N°6
Avoir la garantie d'**un prix tout compris ferme et définitif** avec toutes les inclusions nécessaires et suffisantes avec une assistance téléphonique gratuite pour vous conseiller à tout moment.

www.antidote-design.com - Crédit photos : Fotolia

autoescape.com   0 820 150 300
0,12€/min

partout dans le monde

* Offre non cumulable hors camping car et promotions.

en temps réel un large panel de vols réguliers, charters et dégriffés au départ de Paris et de nombreuses villes de province à destination du monde entier.

▲ COMPAGNIE DES ÉTATS-UNIS & DU CANADA

– *Paris : 3, av. de l'Opéra, 75001.* ☎ *01-55-35-33-55 (pour les États-Unis) et* ☎ *01-55-35-33-50 (pour le Canada).* Ⓜ *Palais-Royal-Musée du Louvre. Lun-ven 9h-19h ; sam 10h-19h.*

– *Paris : 82, bd Raspail (angle rue de Vaugirard), 75006.* ☎ *01-53-63-29-29 (pour les États-Unis) et* ☎ *01-53-63-29-28 (pour le Canada).* Ⓜ *Rennes ou Saint-Placide. Mêmes horaires.*

• *compagniesdumonde.com* •

Après plus de 20 ans d'expérience, Jean-Alexis Pougatch, passionné de l'Amérique du Nord, a ouvert à Paris le centre des voyages à la carte et de l'information sur les États-Unis et le Canada.

D'un côté, la compagnie propose 1 500 vols négociés sur les États-Unis et le Canada. De l'autre, deux brochures très complète sur les États-Unis et sur le Canada. Elles offrent toutes formules de voyages sur mesure : des circuits thématiques (en Harley-Davidson, en avion privé, en camping, en trekking, etc.), de nombreux circuits individuels en voiture, des circuits accompagnés en français, et des séjours plage.

Les circuits et les séjours sur mesure représentent la spécificité de ce voyagiste. La compagnie est aussi spécialisée dans les séjours tournés vers l'art, les grands musées, les expositions. Elle propose de nombreux séjours à New York, Philadelphie, Boston, Chicago, Las Vegas, sans oublier chaque année deux forfaits de 7 jours pour les réveillons de Noël et du Jour de l'an à New York.

Compagnie des États-Unis & du Canada fait partie du groupe Compagnies du Monde, comme Compagnie d'Amérique Latine & Caraïbes, Compagnie des Indes & de l'Extrême Orient et Compagnie de l'Afrique Australe & de l'Océan Indien.

Une envie de croisière, consultez le site le plus complet • *mondeetcroisieres.com* •

▲ COMPTOIR DES ÉTATS-UNIS ET DU CANADA

– *Paris : 6, rue Saint-Victor, 75005.* ☎ *01-53-10-47-70.* • *comptoir.fr* • Ⓜ *Maubert-Mutualité. Lun-ven 9h30-18h30, sam 10h-18h30.*

– *Toulouse : 43, rue Peyrolières, 31000.* ☎ *0892-238-438 (0,34 €/mn).* Ⓜ *Esquirol. Lun-sam 10h-18h30.*

– *Lyon : 10 quai de Tilsitt, 69002.*

La diversité culturelle, le dynamisme de l'Est et les légendes de l'Ouest ne sont jamais bien loin lorsque leurs conseillers vous aident à bâtir un voyage. Comptoir des États-Unis propose un grand choix d'hébergements et des idées de voyages originales à combiner selon son budget et ses envies.

Chaque Comptoir est spécialiste d'une ou plusieurs destinations : Afrique, Brésil, États-Unis, Canada, déserts, Italie, Islande, Groenland et Terres polaires, Maroc, Pays celtes, Égypte, Pays scandinaves, pays du Mékong, Pays andins et Grèce.

▲ EXPERIMENT

– *Paris : 89, rue de Turbigo, 75003.* ☎ *01-44-54-58-00.* • *experiment-france.org* • Ⓜ *Temple ou République. Lun-ven 9h-18h.*

Partager en toute amitié la vie quotidienne d'une famille, c'est ce que vous propose l'association Experiment. Cette formule de séjour chez l'habitant à la carte existe dans une douzaine de pays à travers le monde (Amériques, Europe, Asie ou Océanie).

Aux États-Unis, Experiment offre également la possibilité de suivre des cours intensifs d'anglais sur 3 campus pendant une durée de 2 semaines à 9 mois. Les cours d'anglais avec hébergement chez l'habitant existent aussi en Irlande, en Grande-Bretagne, à Malte, au Canada, en Australie et en Nouvelle-Zélande. Experiment propose aussi des cours d'espagnol, de brésilien, d'allemand, d'italien, d'arabe, de chinois et de japonais dans les pays où la langue est parlée. Ces différentes formules s'adressent aux adultes et adolescents.

Sont également proposés : des jobs en Grande-Bretagne, au Canada, en Afrique du Sud, ; des stages en entreprise aux États-Unis, en Angleterre, en Irlande, en Espagne et en Allemagne ; des programmes de bénévolat aux États-Unis, au Costa Rica et au Mexique. Service *Départs à l'étranger* : ☎ 01-44-54-58-00.

Pour les 18-26 ans, Experiment organise des séjours « au pair » aux États-Unis (billet aller-retour offert, rémunération de 139 US$ par semaine, formulaire DS 2019, etc.). Service *Au Pair* : ☎ 01-44-54-58-09. Également en Espagne, en Angleterre, en Italie, en Irlande et en Allemagne.

▲ FUAJ

– *Paris : antenne nationale, 27, rue Pajol, 75018.* ☎ *01-44-89-87-27.* ● *fuaj.org* ● Ⓜ *La Chapelle, Marx-Dormoy ou Gare-du-Nord. Lun, 10h-17h, mar-ven 10h-18h. Rens dans ttes les auberges de jeunesse, les points d'info et de résas en France et sur le site* ● *hihostels.com* ●

La FUAJ (Fédération unie des auberges de jeunesse) accueille ses adhérents dans 160 auberges de jeunesse en France. Seule association française membre de l'IYHF *(International Youth Hostel Federation)*, elle est le maillon d'un réseau de 4 200 auberges de jeunesse réparties dans 81 pays. La FUAJ organise, pour ses adhérents, des activités sportives, culturelles et éducatives ainsi que des rencontres internationales. Les adhérents de la FUAJ peuvent obtenir gratuitement les brochures *Voyages en liberté/Go as you please, Printemps-Eté, Hiver, le Guide des AJ en France.* Le guide international regroupe la liste de toutes les auberges de jeunesse dans le monde. Ils sont disponibles à la vente (8 €) ou en consultation sur place.

▲ JETSET – ÉQUINOXIALES

Rens : ☎ *01-53-67-13-00.* ● *jetset.to* ● *Et dans les agences de voyages.*

Jetset est l'un des spécialistes de la destination. Jetset propose des autotours dans l'Ouest, des circuits accompagnés et des circuits « suntrek » en minibus avec hébergement sous tente et en motels. Choix important d'itinéraires dans l'Ouest. Choix très étoffé de prestations à la carte permettant de bâtir son itinéraire personnalisé avec hôtels, *lodges* dans les parcs, ranchs, excursions variées.

▲ LASTMINUTE.COM

Leurs offres sont accessibles au ☎ *0899-785-000 (1,34 € l'appel TTC puis 0,34 €/ mn), sur* ● *lastminute.com* ● *, et dans 9 agences de voyages situées à Paris, Aix-en-Provence, Bordeaux, Lyon, Montpellier, Nice et Toulouse.*

● lastminute.com ● propose une vaste palette de voyages et de loisirs : billets d'avion, séjours sur mesure ou clés en main, week-ends, hôtels, locations en France, location de voitures, spectacles, restaurants... pour penser ses vacances selon ses envies et ses disponibilités.

▲ NOUVELLES FRONTIÈRES

– *Rens et résas dans tte la France :* ☎ *0825-000-825 (0,15 €/mn).* ● *nouvelles-fron tieres.fr* ●

Les brochures Nouvelles Frontières sont disponibles gratuitement dans les 240 agences du réseau, par téléphone et sur Internet. Plus de 40 ans d'existence, 1 million de clients par an, 250 destinations, deux chaînes d'hôtels-clubs *Paladien et Koudou* et une compagnie aérienne, *Corsairfly.* Pas étonnant que Nouvelles Frontières soit devenu une référence incontournable, notamment en matière de tarifs. Le fait de réduire au maximum les intermédiaires permet d'offrir des prix « super-serrés ». Un choix illimité de formules vous est proposé : des vols sur la compagnie aérienne de Nouvelles Frontières au départ de Paris et de province, en classe Horizon ou Grand Large, et sur toutes les compagnies aériennes régulières, avec une gamme de tarifs selon votre budget. Sont également proposés toutes sortes de circuits, aventure ou organisés ; des séjours en hôtels, en hôtels-clubs et en résidences ; des week-ends, des formules à la carte (vol, nuits d'hôtel, excur-

BACK ROADS

Le Club des Grands Voyageurs
présente
Le guide gratuit du voyage en AMÉRIQUE

BACK ROADS

C'est d'abord une équipe de grands voyageurs, de véritables artisans du voyage, qui aiment faire partager leur passion.

Notre Amérique : de l'Alaska à la Floride et aux grands parcs nationaux de l'Ouest, nous la parcourons depuis 30 ans.

Notre guide du voyage :
- Tout pour monter un voyage sur mesure
- Vols à prix réduits
- Location de voitures et de motos
- Location de camping-cars
- Plus de 1 000 hôtels, motels, lodges de parcs nationaux et hôtels de villégiature
- Autotours : des dizaines de modèles d'itinéraires
- Circuits en autocar

Nos produits « aventures » :
- De l'aventure pour débutants ou baroudeurs, en solo ou en famille, en été ou en hiver.
- Des randonnées pédestres de tous niveaux
- Des séjours en ranch ou des randonnées équestres
- Des descentes de rivières en raft
- Observation de la nature
- Circuits camping
- De l'aventure à la carte

BACK ROADS

14 place Denfert-Rochereau - 75014 Paris
Tél : 01 43 22 65 65 – Fax : 01 43 20 04 88
E-mail : contact@backroads.fr
Licence : 075 96 0068

sions, location de voitures...), des séjours neige, des croisières, des séjours thématiques, plongée, thalasso.

Avant le départ, des réunions d'information sont organisées. Intéressant : des brochures thématiques (plongée, aventure, rando, trek et sport).

▲ OBJECTIF USA

– 11, quai Jules-Courmont, 69002 Lyon. ☎ *04-72-77-98-98. Brochure sur demande par téléphone ou sur* ● *objectif-ameriques.com* ●

Depuis 17 ans, ce tour-opérateur, spécialiste des USA, est le leader en Rhône-Alpes sur cette destination. Leur passion, c'est de vous offrir un dépaysement total et un séjour inoubliable et original dans le Nouveau Monde. Découverte individuelle à votre rythme, hébergement authentique en hôtels et étapes de charme, les conseillères Objectif vous feront partager leur grande connaissance du continent Nord-Américain et vous fabriqueront un séjour totalement à votre mesure.

▲ PLEIN VENT VOYAGES

Résas et brochures dans les agences du Sud-Est et de Rhône-Alpes, ainsi que sur ● *pleinvent-voyages.com* ●

Premier tour-opérateur du Sud-Est, Plein Vent assure toutes ses prestations (circuits et séjours) au départ de Lyon, Marseille et Nice. Parmi ses destinations phares, les États-Unis. Nouveautés : l'Afrique du Sud et le Japon. Plein Vent garantit ses départs et propose un système de « garantie annulation » performant.

▲ PROMOVACANCES.COM

Les offres Promovacances sont accessibles sur ● *promovacances.com* ● *ou au* ☎ *0899-654-850 (1,35 € l'appel puis 0,34 €/mn) et dans 10 agences situées à Paris (Bonne-Nouvelle, Chaussée-d'Antin, Voltaire, Forum des Halles...) et à Lyon.*

N° 1 français de la vente de séjours sur Internet, Promovacances a fait voyager plus de 2 millions de clients en 10 ans. Le site propose plus de 10 000 voyages actualisés chaque jour sur 300 destinations : séjours, circuits, week-ends, thalasso, plongée, golf, voyage de noces, locations, vols secs... L'ambition du voyagiste : prouver chaque jour que le petit prix est compatible avec des vacances de qualité. Grâce aux avis clients publiés sur le site et aux visites virtuelles des hôtels, vous réservez vos vacances en toute tranquillité.

▲ USA CONSEIL

Devis et brochures sur demande, réception sur rdv, agence Paris 16ᵉ. Rens : ☎ *01-45-46-51-75.* ● *usaconseil.com* ● *ou* ● *canadaconseil.com* ●

Spécialiste des voyages en Amérique du Nord, USA Conseil s'adresse particulièrement aux familles ainsi qu'à toutes les personnes désireuses de visiter et de découvrir les États-Unis et le Canada en maintenant un bon rapport qualité-prix. USA Conseil propose une gamme complète de prestations adaptées à chaque demande et en rapport avec le budget de chacun : vols, voitures, hôtels, motels, bungalows, circuits individuels et accompagnés, itinéraires adaptés aux familles, excursions, motor homes, motos, bureau d'assistance téléphonique tout l'été avec n° Vert USA et Canada. Sur demande par téléphone, mail ou fax, USA Conseil adresse un devis gratuit et détaillé pour tout projet de voyage.

▲ VACANCES FABULEUSES

– Paris : 36, rue de Saint-Pétersbourg, 75008. ☎ *01-42-85-65-00.* ● *vacancesfabuleuses.fr* ● Ⓜ *Place-de-Clichy. Lun-ven 10h-18h.*
Et dans ttes les agences de voyages.

Vacances Fabuleuses, c'est « l'Amérique à la carte ». Ce spécialiste de l'Amérique du Nord (États-Unis, Canada, Bahamas, Mexique et Amérique centrale) vous propose de découvrir l'Amérique de l'intérieur, avec un large choix de formules allant de la location de voitures aux formules sportives en passant par des circuits individuels de 6 à 21 jours.

Le transport est assuré sur compagnies régulières, le tout proposé par une équipe de spécialistes.

D 211

LOSSE
-EN-GELAISSE

▲ VACANCES USA

– *Paris : 4, rue Gomboust (angle 31, av. de l'Opéra), 75001.* ☎ *01-40-15-15-15.*
Lun-ven 8h30-20h ; sam 10h-18h30. ● *cercledesvacances.com* ● *Vacances USA*
est une marque de la société « Le Cercle des Vacances ».
Voyagiste spécialiste des USA, Vacances USA propose des voyages à travers tous
les États du pays, des destinations phares et incontournables à celles plus insolites, pour tous les types de budget, pour les individuels comme pour les groupes,
grâce à des conseillers voyages ayant vécu sur place. Découverte, culture, parcs
nationaux et aventure, plusieurs formules sont proposées dans leurs brochures
(été) et sur leur site internet. Au programme : vols sur toutes les compagnies régulières, circuits accompagnés, week-ends, voyages à la carte, circuits aventure,
hébergements variés, location de voitures à prix très attractifs...

▲ VOYAGES ET DÉCOUVERTES

– *Paris : 58, rue Richer, 75009.* ☎ *01-47-70-28-28 et 01-42-61-00-01.* Ⓜ *Grands-*
Boulevards. Lun-jeu 10h-18h ; ven 10h-15h.
Voyagiste proposant d'excellents tarifs sur lignes régulières. Difficile de trouver des
vols moins chers sur Israël et les États-Unis. Grâce à ses accords spécifiques, tarifs
assez exceptionnels sur plus de 200 destinations. Voyages et Découvertes propose des vols charters au départ de Paris tous les jeudis et dimanches sur Tel-Aviv,
et sur place, trouve des formules d'hébergement intéressantes.

▲ VOYAGES-SNCF.COM

Voyages-sncf.com, 1ʳᵉ agence de voyages sur Internet, propose des billets de train,
d'avion, des chambres d'hôtel, des location de voitures et des séjours clés en main
ou Alacarte® sur plus de 600 destinations et à des tarifs avantageux.
Leur site ● voyages-sncf.com ● permet d'accéder tous les jours, 24h/24 à plusieurs services : envoi gratuit des billets à domicile, Alerte Résa pour être informé
de l'ouverture des résas et profiter du plus grand choix, calendrier des meilleurs
prix (TTC), mais aussi des offres de dernière minute et des promotions...
Et grâce à l'Écocomparateur, en exclusivité sur ● voyages-sncf.com ●, possibilité
de comparer le prix, le temps de trajet et l'indice de pollution pour un même trajet
en train, en avion ou en voiture.

▲ VOYAGEURS AUX ÉTATS-UNIS, AU CANADA ET AUX BAHAMAS (Alaska, Bahamas, Canada, Québec, Hawaii, USA)

☎ *0892-23-63-63 (0,34 €/mn).*
Le grand spécialiste du voyage en individuel sur mesure. ● *vdm.com* ●
– *Paris : La Cité des Voyageurs, 55, rue Sainte-Anne, 75002.* ☎ *0892-23-56-56*
(0,34 €/mn). Ⓜ *Opéra ou Pyramides. Lun-sam 9h30-19h.*
Également des agences à Bordeaux, Caen, Grenoble, Lille, Lyon, Marseille, Mont-
pellier, Nantes, Nice, Rennes, Rouen, Strasbourg et Toulouse.
Sur les conseils d'un spécialiste de chaque pays, chacun peut construire un
voyage à sa mesure...
Pour partir à la découverte de plus de 150 pays, des conseillers-voyageurs, de près
de 30 nationalités et grands spécialistes des destinations, donnent des conseils,
étape par étape et à travers une collection de 30 brochures, pour élaborer son
propre voyage en individuel.
Voyageurs du Monde propose également une large gamme de circuits accompagnés (Famille, Aventure, Routard...). Voyageurs du Monde a développé une politique de « vente directe » à ses clients, sans intermédiaire.
Dans chacune des *Cités des Voyageurs*, tout rappelle le voyage : librairies spécialisées, boutiques d'accessoires de voyage, expositions-vente d'artisanat ou encore
cocktails-conférences. Toute l'actualité de VDM à consulter sur leur site internet.

▲ WEST FOREVER

– *Wolfisheim : 4, impasse Joffre, 67202.* ☎ *03-88-68-89-00.* ● *westforever.fr* ● *Lun-*
ven 9h-12h30, 14h-18h (17h ven).

Voyageurs
DU MONDE

LIC.075950346 · © SFCVB · P.H. Coblentz

À nous de repérer, sélectionner, conseiller, écouter, informer.

À vous de voir.

West Forever est le spécialiste français du voyage en Harley-Davidson. Il propose des séjours et des circuits aux États-Unis (Floride, Rocheuses, Grand Ouest, etc.), au Mexique, mais aussi en Australie et en France. Agence de voyages officielle Harley-Davidson, West Forever propose une large gamme de tarifs pour un savoir-faire dédié tout entier à la moto. Si vous désirez voyager par vous-même, West Forever pourra vous concocter un voyage à la carte, sans accompagnement, grâce à sa formule « Easy Ride ».

EN BELGIQUE

▲ CONNECTIONS
Rens et résas : ☎ 070-233-313. ● connections.be ● *Lun-ven 9h30-21h ; sam 10h-17h.*
Spécialiste du voyage pour les étudiants, les jeunes et les *independent travellers*. Le voyageur peut y trouver informations et conseils, aide et assistance (revalidation, routing...) dans 27 points de vente en Belgique et auprès de bon nombre de correspondants de par le monde.
Connections propose une gamme complète de produits : des tarifs aériens spécialement négociés pour sa clientèle (licence IATA), une très large offre de « last minutes », toutes les possibilités d'arrangement terrestre (hébergement, location de voitures, *self-drive tours,* vacances sportives, expéditions) ; de nombreux services aux voyageurs comme l'assurance voyage « Protections » ou les cartes internationales de réductions (carte internationale d'étudiant ISIC).

▲ GLOBE-TROTTERS
– *Bruxelles :* rue *Victor-Hugo, 179 (coin av. E.-Plasky), 1030.* ☎ 02-732-90-70. ● globe-trotters.be ● *Lun-ven 9h30-13h30, 15h-18h ; sam 10h-13h.*
En travaillant avec des prestataires exclusifs, cette agence permet de composer chaque voyage selon ses critères : de l'auberge de jeunesse au *lodge* de luxe isolé, du *B & B* à l'hôtel de charme, de l'autotour au circuit accompagné, d'une descente de fleuve en pirogue à un circuit à vélo... Motoneige, héliski, multiactivités estivales ou hivernales, équitation... Spécialiste du Québec, du Canada et des États-Unis, Globe-Trotters propose aussi des formules dans le Sud-Est asiatique...). Assurances voyages. Cartes d'auberges de jeunesse (IYHF). Location de voitures, motor homes, motos.

▲ NOUVELLES FRONTIÈRES
– *Bruxelles (siège) :* bd *Lemonnier, 2, 1000.* ☎ 02-547-44-22. ● nouvelles-frontie res.be ●
– Également d'autres agences à *Bruxelles, Charleroi, Liège, Mons, Namur, Waterloo, Wavre* et au *Luxembourg.*
Voir texte dans la partie « en France ».

▲ SERVICE VOYAGES ULB
– *Bruxelles :* campus ULB, av. *Paul-Héger, 22, CP 166, 1000.* ☎ 02-648-96-58
– *Bruxelles :* rue *Abbé-de-l'Épée, 1, Woluwe, 1200.* ☎ 02-742-28-80.
– *Bruxelles :* hôpital universitaire *Érasme, route de Lennik, 808, 1070.* ☎ 02-555-38-49.
– *Bruxelles :* chaussée *d'Alsemberg, 815, 1180.* ☎ 02-332-29-60.
– *Ciney :* rue *du Centre, 46, 5590.* ☎ 083-216-711.
– *Marche (Luxembourg) :* av. *de la Toison-d'Or, 4, 6900.* ☎ 084-31-40-33.
– *Wepion :* chaussée *de Dinant, 1137, 5100.* ☎ 081-46-14-37.
● servicevoyages.com ●
Service Voyages ULB, c'est le voyage à l'université. L'accueil est donc très sympa. Billets d'avion sur vols charters et sur compagnies régulières à des prix hyper-compétitifs.

▲ **VOYAGEURS DU MONDE**
– *Bruxelles : chaussée de Charleroi, 23, 1060.* ☎ *0900-44-500 (0,45 €/mn).* ● *vdm. com* ●
(Voir texte dans la partie « En France »).

EN SUISSE

▲ **STA TRAVEL**
● *statravel.ch* ●
– *Fribourg : rue de Lausanne, 24, 1701.* ☎ *058-450-49-80.*
– *Genève : rue de Rive, 10, 1204.* ☎ *058-450-48-00.*
– *Genève : rue Vignier, 3, 1205.* ☎ *058-450-48-30.*
– *Lausanne : bd de Grancy, 20, 1006.* ☎ *058-450-48-50.*
– *Lausanne : à l'université, Anthropole, 1015.* ☎ *058-450-49-20.*
Agence spécialisée notamment dans les voyages pour jeunes et étudiants. Gros avantage en cas de problème : 150 bureaux STA et plus de 700 agents du même groupe répartis dans le monde entier sont là pour donner un coup de main *(Travel Help).*
STA propose des voyages très avantageux : vols secs *(Blue Ticket),* hôtels, écoles de langues, *work & travel,* circuits d'aventure, voitures de location, etc. Délivre la carte internationale d'étudiant et la carte Jeune.
STA est membre du fonds de garantie de la branche suisse du voyage ; les montants versés par les clients pour les voyages forfaitaires sont assurés.

▲ **TUI – NOUVELLES FRONTIÈRES**
– *Genève : rue Chantepoulet, 25, 1201.* ☎ *022-716-15-70.*
– *Lausanne : bd de Grancy, 19, 1006.* ☎ *021-321-41-11.*
(Voir texte dans la partie « En France ».)

AU QUÉBEC

▲ **EXOTIK TOURS**
Rens sur ● *exotiktours.com* ● *ou auprès de votre agence de voyages.*
La Méditerranée, l'Europe, l'Asie et les Grands Voyages : Exotik Tours offre une importante programmation en été comme en hiver. Ses circuits estivaux se partagent notamment entre la France, l'Autriche, la Grèce, la Turquie, l'Italie, la Croatie, le Maroc, la Tunisie, la République tchèque, la Russie, la Thaïlande, le Vietnam, la Chine... Dans la rubrique « Grands Voyages », le voyagiste suggère des périples en petits groupes ou individuel. Au choix : l'Amérique du Sud (Brésil, Pérou, Argentine, Chili, Équateur, îles Galápagos), le Pacifique sud (Australie et Nouvelle-Zélande), l'Afrique (Afrique du Sud, Kenya, Tanzanie), l'Inde et le Népal. L'hiver, des séjours sont proposés dans le Bassin méditerranéen et en Asie (Thaïlande et Bali). Durant cette saison, on peut également opter pour des combinés plage + circuit. Le voyagiste a par ailleurs créé une nouvelle division : Carte Postale Tours (circuits en autocar au Canada et aux États-Unis). Exotik Tours est membre du groupe *Intair* comme Intair Vacances (voir ci-dessous).

▲ **INTAIR VACANCES**
Membre du groupe Intair comme Exotik Tours, Intair Vacances propose un vaste choix de prestations à la carte incluant vol, hébergement et location de voitures en Europe, aux États-Unis ainsi qu'aux Antilles, au Mexique et au Costa Rica. Sa division Boomerang Tours présente par ailleurs des voyages sur mesure et des circuits organisés dans le Pacifique sud. Cette année, Intair propose une nouvelle gamme d'hôtels en France et un programme inédit en Europe de l'Est. Également au menu, des courts ou longs séjours, en Espagne (Costa del Sol) et en France (hôtels et appartements sur la Côte d'Azur et en région). Également un choix d'achat-rachat en France et dans la péninsule Ibérique.

Vacances USA

(est une marque de la société Le Cercle des Vacances)

le CERCLE des VACANCES
Explorateurs de Liberté

4, rue Gomboust (angle 31, avenue de l'Opéra)
75001 Paris
Tél : 01 40 15 15 15 - www.cercledesvacances.com

Des spécialistes de la Californie
à votre écoute.
Des prix intéressants.
Circuits, autotours, hôtels et
excursions à la carte...

NOUVEAUTÉ

PICARDIE (avril 2009)

Beaucoup de lecteurs s'extasient sur la beauté de la cathédrale de Beauvais, le musée du château de Chantilly ou le charme de Gerberoy, véritable village d'opérette à 100 km de Paris, sans savoir qu'ils ont déjà les pieds en pays picard ! La Picardie, c'est l'une des dernières *terrae incognita* de France. Outre le fabuleux parc de Marquenterre et la magie des hortillonnages d'Amiens, elle offre d'autres sites naturels totalement préservés (la forêt d'Halatte, la verte Thiérache), des cathédrales d'anthologie, comme celle d'Amiens évidemment, mais aussi celles de Laon et de Saint-Quentin (choisie par Patrice Chéreau pour y tourner *La Reine Margot*), et nombre de coutumes encore bien vivantes, tel le parler picard. Émotion garantie lors de la visite des champs de bataille de la Somme de 1916 où soldats des deux côtés payèrent un si lourd tribut... Quant aux lecteurs utopistes, ils rendront un vibrant hommage, à Guise, au vieux père Godin, qui ne se contenta pas de chauffer les corps, mais aussi les cœurs. Allez, laissez-vous surprendre par cette région discrète mais riche, et bienvenue chez les Picards !

▲ **MERIKA TOURS** (anciennement Kilomètre Voyages) :

• *merikatours.com* • *Vendu dans les agences de voyages. C'est une division de Jonview Canada Inc., membre de Transat A.T.Inc.*

Merika Tours propose des voyages au Canada et aux États-Unis (côte est et côte ouest). Sa brochure présente des circuits accompagnés, de courts forfaits individuels, des autotours, des hôtels à la carte, des locations de voitures, des véhicules récréatifs et, en hiver, des forfaits ski. En été, des croisières au départ de Montréal sur les îles de la Madeleine et dans le Grand Nord canadien. Plusieurs départs garantis toute l'année sur New York et, pendant la saison estivale, vers les chutes du Niagara.

▲ **SPORTVAC TOURS**

– *Québec : 538 Notre-Dame, St-Lambert, J4P-2K7.* ☎ *1-888-776-7882 poste 234.*
• *sportvac.com* •

Sportvac est une agence de voyages spécialisée dans les activités sportives : ski alpin, golf et marche. Du printemps à l'automne, elle propose de nombreuses destinations (une ou plusieurs journées) pour la marche en groupe dans diverses régions de la province. L'hiver, des forfaits pour le ski alpin au Québec ou dans l'Ouest canadien sont disponibles.

▲ **STANDARD TOURS**

Ce grossiste né en 1962 programme les États-Unis, le Mexique, les Caraïbes, l'Amérique latine et l'Europe. Spécialité : les forfaits sur mesure.

▲ **TOURSMAISON**

Spécialiste des vacances sur mesure, ce voyagiste sélectionne plusieurs « Évasions soleil » (plus de 600 hôtels ou appartements dans quelque 45 destinations), offre l'Europe à la carte toute l'année (plus de 17 pays) et une vaste sélection de compagnies de croisières (11 compagnies au choix). Toursmaison concocte par ailleurs des forfaits escapades à la carte aux États-Unis et au Canada. Au choix : transport aérien, hébergement (variété d'hôtels de toutes catégories ; appartements dans le sud de la France ; maisons de location et condos en Floride), location de voitures pratiquement partout dans le monde. Des billets pour le train, les attractions, les excursions et les spectacles peuvent également être achetés avant le départ.

▲ **VACANCES AIR CANADA**

• *vacancesaircanada.com* •

Vacances Air Canada propose des forfaits loisirs (golf, croisières et excursions diverses) flexibles vers les destinations les plus populaires des Antilles, de l'Amérique centrale et du Sud, de l'Asie et des États-Unis. Vaste sélection de forfaits incluant vol aller-retour, hébergement. Également des billets vol + hôtel / vol + voiture.

▲ **VOYAGES CAMPUS / TRAVEL CUTS**

• *voyagescampus.com* •

Campus / Travel Cuts est un réseau national d'agences de voyages qui propose des tarifs aériens sur une multitude de destinations pour tous et plus particulièrement en classe étudiante, jeunesse, enseignant. Il diffuse la carte d'étudiant international (ISIC), la carte Jeune (IYTC) et la carte d'enseignant (ITIC). Voyages Campus publie quatre fois par an le *Müv,* le magazine du nomade (muvmedia.com). Voyages Campus propose un programme de Vacances-Travail (SWAP), son programme de volontariat *(Volunteer Abroad)* et plusieurs circuits au Québec et à l'étranger. Le réseau compte quelque 70 agences à travers le Canada, dont neuf au Québec.

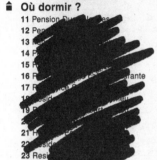
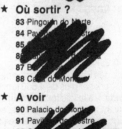

■ Adresses utiles

- **i** 1 Office de tourisme
- **i** 2 Office de tourisme

⌂ Où dormir ?

- 11 Pension
- 12 Pension
- 13
- 14
- 15
- 16
- 17
- 18
- 19
- 21 Hotel
- 22
- 23 Rest
- 24 Hotel
- 25 Hotel

◖◗ Où manger ?

- 30 Restaurante Don
- 31 Resta
- 32 Rest
- 33 Café
- 34 Tasc
- 35 R
- 36 Ter
- 37 Re
- 38 Restau
- 39 Cafet
- 40 Club
- 41 Res
- 42 R
- 43 Restaur

- 44 Restaura
- 45 Res
- 46
- 47
- 48 Te
- 49 R
- 50 Ter
- 51 Res
- 52 Re
- 53
- 54
- 55
- 56 P
- 57 Restaurante

▼ Où boire un verre ?

- 61 Bar Patin
- 62 Bar do
- 63 Pin
- 64 B
- 65 C
- 66
- 67
- 68 Ca
- 69
- 70 B
- 71
- 72 O
- 73 Ti Ve
- 74 Café
- 75 Ca
- 76 Estom

★ Où sortir ?

- 83 Pingouin do Norte
- 84 Pav
- 85
- 86
- 87 B
- 88 Casa do Mon

★ A voir

- 90 Palacio do
- 91 Pavilh
- 92 C
- 93
- 94

Espace offert par le guide du Routard

SAATCHI & SAATCHI

CALIFORNIE UTILE

Pour la carte générale des États-Unis et celle de la Californie, se reporter au cahier couleur.

« Les États-Unis, le pays qui a trop de géographie mais pas assez d'histoire. »

Un inconnu célèbre, 1997.

ABC DE LA CALIFORNIE

- **Superficie :** 424 002 km^2 (4,5 % de la superficie américaine, 3e État par sa superficie après le Texas et l'Alaska).
- **Capitale :** Sacramento, 445 335 hab.
- **Population :** 36 millions d'hab. (c'est l'État le plus peuplé : 12,2 % de la population américaine).
- **Population des grandes villes :** Los Angeles, 3,8 millions d'hab. (près de 10 millions pour le Los Angeles County) ; San Francisco, 752 000 hab. (7 millions pour la Bay Area) ; San Diego, 1,3 million d'hab.
- **Langue officielle :** l'américain. Deuxième langue, l'espagnol, parlé par 46 % des Californiens.
- **Monnaie :** le dollar américain ($).
- **Régime :** démocratie présidentielle.
- **Nature de l'État :** république fédérale (50 États et le district de Columbia).
- **Président des États-Unis :** Barack Obama, démocrate, élu en novembre 2008.
- **Gouverneur de Californie :** Arnold Schwarzenegger (depuis octobre 2003, réélu fin 2006).

À l'ouest des États-Unis, bordée par l'azur profond de l'océan Pacifique et séparée de New York par plus de 4 500 km, la Californie représente tout l'attrait d'un « bout du monde », à la fois fortement urbanisé et très sauvage. Mer, montagne et désert se trouvent aux portes des villes, elles-mêmes plutôt ouvertes sur la nature. Pour nous Européens, la Californie, ce sont d'abord des clichés familiers aperçus dans les médias et qui s'exportent avec emphase, principalement dans les feuilletons télévisés : les stars du cinéma d'Hollywood ; les joggeurs et les rollers de Venice Beach ; les sirènes de Santa Barbara et les surfeurs de Malibu ; mais aussi le fameux Golden Gate Bridge qui domine l'entrée de la baie de San Francisco ; les usines à la campagne de la Silicon Valley et la mégapole tentaculaire de Los Angeles. Quelle image retenir de la Californie ? Il y en a trop. Tout commence par une couleur et une sensation : ciel bleu et température douce presque à longueur d'année ; bref, une qualité de vie incomparable. Si l'on ajoute à cela une santé économique qui fut longtemps enviable, on comprend pourquoi beaucoup d'Américains et de migrants veulent encore s'y installer. Car le « Golden State », comme on le surnomme là-bas, est devenu, au fil des années, un nouveau centre du monde, où des vecteurs de croissance économique particulièrement originaux (d'abord la ruée vers l'or,

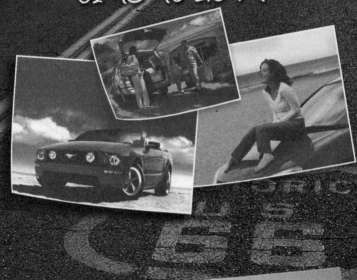

puis l'industrie du cinéma, et aujourd'hui les nouvelles technologies et la viticulture) ont longtemps assuré une prospérité sans pareille dans l'histoire du pays. Aujourd'hui, malgré la récession de l'économie nationale et les vicissitudes de l'actualité, le creuset du développement et de la richesse des États-Unis se trouve toujours entre San Francisco et San Diego. La Californie demeure donc le moteur du rêve américain, qui poursuit sûrement sa course vers le futur, au rythme inlassable des vagues qui bercent les côtes...

UN PEU D'HISTOIRE

C'est en 1540 que le premier homme blanc, Hernando de Alaron, posa le pied en Californie. On estime qu'à l'époque cette *terra incognita* regroupait une population de plus de 300 000 Indiens, répartis en plusieurs centaines de tribus (dont les Pomos, les Miwoks, les Chumashs, les Gabrielenos et les Tulares). Pendant que les Français et les Anglais livraient bataille sur la côte est, la Californie resta beaucoup plus longtemps à l'écart ; certainement à cause des difficultés d'accès par l'océan Pacifique (il fallait passer par le cap Horn, un long et dangereux voyage) ou par voie terrestre à travers les plaines interminables du Far West encore mal connu... En tout cas, les premiers colons n'y vinrent que tardivement. En 1769, le père espagnol Junipero Serra construisit la première mission à San Diego. Cette dernière comprenait une église, une école, des bâtiments pour les prêtres, des dortoirs pour les convertis. L'agriculture et l'élevage se développèrent sur de grands pâturages fertiles. Puis d'autres colons espagnols, ainsi qu'une poignée de Russes, se fixèrent sur cette terre nouvelle au début du XIXe s (d'où le quartier de Russian Hill à San Francisco).

La guerre et la ruée vers l'or

En 1822, le Mexique se libéra de la couronne espagnole et devint indépendant, proclamant la Haute-Californie province mexicaine. Mais les États-Unis furent insatisfaits : ils rêvaient de s'approprier ce grand territoire de l'Ouest, très riche et peu peuplé. En 1846, une guerre éclata entre les États-Unis et le Mexique. Ce fut une défaite pour le Mexique qui fut contraint de signer le traité de Guadalupe Hidalgo en 1848. Résultat : la Haute-Californie passa aux mains des Américains, la Basse-Californie restant sous souveraineté mexicaine (elle l'est toujours aujourd'hui). Ce fut une bonne affaire pour les Yankees car, la même année, de l'or fut découvert en quantité dans le sous-sol californien. L'histoire de la Californie commence donc avec cet épisode unique : la ruée vers l'or. Des milliers de pionniers affluent vers cette région prometteuse pour tenter leur chance. Il y a du travail et ils peuvent s'enrichir. Pour transporter les hommes et les marchandises entre l'Est et l'Ouest nouvellement conquis, on prolonge le réseau ferroviaire américain. Pour construire les voies ferrées, des immigrants chinois quittent même leur pays natal pour ce nouvel « Eldorado ». Mais ils déchantent très vite, car la vie de pionnier de l'Ouest est très dure et les conditions de travail abominables. Arrivent aussi des migrants noirs qui fuient les États du Sud esclavagistes à la recherche d'une vie meilleure, plus digne, plus libre. De même, dans les années 1980, une vague d'immigration amène des milliers de Vietnamiens, les boat people, chassés de leur pays par la guerre et le communisme. Enfin, les Mexicains représentent la population majoritaire de cette société californienne multiculturelle, et beaucoup franchissent illégalement la frontière, fuyant la pauvreté de leur pays.

Le rêve américain en marche

Longtemps éblouie par les feux d'Hollywood, quartier de Los Angeles chéri des réalisateurs de cinéma, la Californie s'impose maintenant comme le creuset des nouvelles technologies de l'information, dont les entreprises de pointe se situent au cœur de la Silicon Valley, banlieue de San Francisco. Aujourd'hui, malgré les turpitudes de l'histoire (les attentats du 11 septembre 2001 ayant accentué les affres d'une crise économique majeure), le « Golden State » continue d'incarner le rêve américain où tout est possible. Moderne, riche, il représente un modèle de réussite facile et attire ainsi des milliers d'immigrants chaque année.

AVANT LE DÉPART

Adresses utiles

En France

🗊 *Office de tourisme – USA (c/o Visit USA Committee) :* ☎ 0899-702-470 (1,35 €/l'appel + 0,34 €/mn). • *office-tourisme-usa.com* • Bureau d'informations privé, représentant certains États, mais aussi des sociétés (chaînes d'hôtels, loueurs de voitures...) et des services. Fermé au public, mais nombreux renseignements sur le site internet et par téléphone.

🗊 *Bureau du tourisme de San Francisco :* ☎ 01-41-05-49-81. • *onlyinsanfrancisco.com* • Envoi de brochures sur demande.

■ *Consulat américain :* 2, rue Saint-Florentin, 75001 Paris. Fermé au public. Rens sur les visas : • *amb-usa.fr* •, puis cliquer sur « Visas ». Également rens au ☎ 0892-23-84-72 (serveur vocal 24h/24 : 0,34 €/mn). Lire plus loin le paragraphe concernant les formalités d'entrée et l'obtention d'un visa.

■ *Ambassade des États-Unis, section consulaire :* 2, av. Gabriel, 75008 Paris. ☎ 01-43-12-22-22. Ⓜ *Concorde.* Lire plus loin le paragraphe concernant les

formalités d'entrée et l'obtention d'un visa. Rens sur les visas : • *france.usembassy.gov* •, puis cliquer sur « Visas ». Également rens au ☎ 0892-238-472 (serveur vocal 24h/24 : 0,34 €/mn).

■ *Librairie Brentano's :* 37, av. de l'Opéra, 75002 Paris. ☎ 01-42-61-52-50. • *brentanos.fr* • Ⓜ *Pyramides ou Opéra.* Lun-sam 10h-19h30 ; dim 13h-19h. La plus grande librairie américaine de la capitale. Section tourisme bien fournie.

■ *Réservation de spectacles et autres billets (Keith Prowse) :* résa au ☎ 01-71-23-06-35 ou via le site • *keithprowse.com* • Agence internationale de spectacles, *Keith Prowse* est spécialisée dans la billetterie de divertissements. Avant le départ, vous pouvez réserver par exemple vos *passes* pour les parcs d'attractions de Californie, ou des billets pour assister aux rencontres sportives des célèbres ligues américaines de basket (NBA), hockey (NHL), football américain (NFL), base-ball (MLB), où que vous soyez aux États-Unis.

En Belgique

🗊 *Visit USA Marketing & Promotion Bureau :* PO Box 1, Berchem, 3, Berchem 2600. • *visitusa.org* • Bureau d'informations privé qui pallie l'absence d'office de tourisme. Les demandes de renseignements peuvent être communiquées par courrier, fax ou Internet. Participation aux frais pour l'envoi de

documentation ou brochures.

■ *Ambassade et consulat des États-Unis :* bd du Régent, 25, Bruxelles 1000. ☎ 02-508-21-11. • *french.belgium.usembassy.gov* • Le visa n'est pas obligatoire pour les Belges pour un séjour de moins de 90 jours (voir « Formalités d'entrée », plus bas).

En Suisse

■ *Ambassade des États-Unis :* Sulgeneckstrasse, 19, 3007 Berne. ☎ 031-357-70-11. • *bern.usembassy.gov* • Le

visa n'est pas obligatoire pour les Suisses pour un séjour de moins de 90 jours (voir « Formalités d'entrée », plus bas).

Au Québec

■ *Consulat général des États-Unis :* 1155 rue Saint-Alexandre, Montréal. Adresse postale : CP 65, succursale Desjardins, Montréal H5B-1G1. ☎ (514) 398-9695 (serveur vocal). ● montreal.us consulate.gov ●
■ *Consulat général des États-Unis :* 2 pl. Terrasse-Dufferin (derrière le châ- teau Frontenac), Québec. Adresse postale : CP 939, Québec G1R-4T9. ☎ (418) 692-2095 (serveur vocal). ● que bec.usconsulate.gov/content/index. asp ● Le visa n'est pas obligatoire pour les Canadiens pour un séjour de moins de 90 jours (voir « Formalités d'entrée », ci-dessous).

Formalités d'entrée

Attention : les mesures de sécurité concernant les formalités d'entrée sur le sol américain n'ont cessé de se renforcer depuis le 11 septembre 2001. *Avant d'entreprendre votre voyage, consultez impérativement le site de l'ambassade des États-Unis,* très détaillé et constamment remis à jour, pour vous tenir au courant des toutes dernières mesures : ● france.usembassy.gov ●, rubrique « Visas ».

– *Passeport électronique en cours de validité, ou passeport individuel à lecture optique* (modèle Delphine) en cours de validité et émis avant le 26 octobre 2005. À défaut, un visa est obligatoire. Les enfants de tous âges doivent impérativement posséder leur propre passeport. *Depuis le 12 janvier 2009,* les voyageurs (y compris les enfants) doivent aussi être en possession d'une autorisation électronique de voyage, à remplir en ligne sur le site internet d'*ESTA* (● https :// esta.cbp.dhs.gov ●) avant d'embarquer aux États-Unis, que ce soit par voie maritime ou aérienne. La demande d'autorisation de voyage peut être faite au plus tard 72h avant le départ, mais le plus tôt est bien sûr le mieux. Elle remplace le formulaire vert auparavant distribué dans l'avion, que l'on devait présenter aux contrôles d'immigration.

Enfin, tous les voyageurs se rendant aux États-Unis doivent se soumettre au rituel des empreintes digitales et de la photo, lors du passage de l'immigration.

– *Le visa* n'est à priori pas nécessaire pour les *Français* qui se rendent aux États-Unis pour tourisme (lire plus haut). Cependant, votre séjour ne doit pas dépasser 90 jours.

Attention : le visa reste indispensable pour les diplomates, les étudiants poursuivant un programme d'études, les stagiaires, les jeunes filles et garçons au pair, les journalistes en mission et autres catégories professionnelles.

– Le visa n'est pas obligatoire pour les *Belges* et les *Suisses* pour un séjour de tourisme de moins de 90 jours, sous certaines conditions (grosso modo les mêmes que les Français).

Quant aux *Canadiens,* ils doivent être aussi munis d'un passeport valide.

Avant tout voyage, il est impératif de vérifier ces formalités via les sites internet des ambassades (voir plus haut).

– Si vous allez aux États-Unis en passant par le Mexique ou le Canada, il n'est pas non plus nécessaire d'avoir un visa (mais une taxe de 6 $, payable en espèces, vous sera demandée).

– Pas de *vaccination* obligatoire (voir « Santé » plus loin).

– *Pour conduire sur le sol américain :* impératif d'avoir son *permis de conduire national.* Le *permis international* n'est pas une obligation mais une facilité, même si l'on ne conduit pas. Il est beaucoup plus souvent demandé, comme preuve d'identité, que le passeport (les Américains s'en servent comme carte d'identité).

– *Interdiction d'importer des denrées périssables non stérilisées* (charcuterie, fromage, biscuits...) *et des végétaux.* Seules les conserves sont tolérées. Une bouteille d'alcool par personne est autorisée.

– *Aucun objet coupant autorisé en cabine.* Même les ciseaux à bout rond des bambins seront confisqués !

– *Les liquides, gels, crèmes, pâtes dentifrice sont restreints en cabine* (sauf aliments pour bébés). Ils doivent être conditionnés dans des flacons ou tubes de 100 ml maximum et placés dans une pochette plastique transparente (type sac de congélation).

– *Évitez de verrouiller vos valises* de soute, sous peine de retrouver leurs serrures forcées par les services de sécurité qui fouillent régulièrement les bagages. À noter qu'il existe maintenant des cadenas agréés *TSA*, qui permettent à la *Transportation Security Administration* d'ouvrir les bagages sans les endommager.

– *Attention :* en arrivant aux États-Unis, à la police des frontières, ne dites jamais que vous êtes au chômage ou entre deux contrats de travail. Vous pourriez être refoulé illico presto !

Assurances voyage

■ *Routard Assurance :* c/o AVI International, *28, rue de Mogador, 75009 Paris.* ☎ 01-44-63-51-00. ● avi-international.com ● Ⓜ *Trinité.* Depuis 1995, *Routard Assurance,* en collaboration avec *AVI International,* spécialiste de l'assurance voyage, propose aux routards un tarif à la semaine qui inclut une assurance bagages de 1 000 € et appareils photo de 300 €. Pour les séjours longs (2 mois à 1 an), il existe le Plan *Marco Polo. Routard Assurance* est aussi disponible en version « *light* » (durée adaptée aux week-ends et courts séjours en Europe). Bulletin d'inscription dans les dernières pages de chaque guide.

■ *AVA :* 25, rue de Maubeuge, 75009 Paris. ☎ 01-53-20-44-20. ● ava.fr ● Ⓜ Cadet. Un autre courtier fiable qui propose un contrat *Snowcool* pour les vacances d'hiver. *Capital* pour ceux qui souhaitent s'assurer en cas de décès invalidité accident lors d'un voyage à l'étranger. Attention, franchises pour leurs contrats d'assurance voyage.

■ *Pixel Assur :* 18, rue des Plantes, 78600 Maisons-Laffitte. ☎ 01-39-62-28-63. ● pixel-assur.com ● Assurance de matériel photo et vidéo tous risques dans le monde entier. Devis basé sur le prix d'achat de votre matériel. Garantie à l'année.

Carte FUAJ internationale des auberges de jeunesse

Cette carte, valable dans plus de 80 pays, permet de bénéficier des 4 200 AJ du réseau *Hostelling International* réparties à travers le monde. Les périodes d'ouverture varient selon les pays et les AJ. À noter, la carte des AJ est surtout intéressante en Europe, aux États-Unis, au Canada, au Moyen-Orient et en Extrême-Orient (Japon...). On conseille de l'acheter en France, car elle est moins chère qu'à l'étranger.

Pour tous renseignements et réservations en France

Sur place

■ *Fédération unie des auberges de jeunesse (FUAJ) :* 27, rue Pajol, 75018 Paris. ☎ 01-44-89-87-27. ● fuaj.org ● Ⓜ Marx-Dormoy, Gare-du-Nord ou La Chapelle. Lun 10h-17h ; mar-ven 10h-18h. Montant de l'adhésion : 11 € pour les moins de 26 ans et 16 € pour les autres (tarifs 2008). Munissez-vous de votre pièce d'identité lors de l'inscription. Pour les mineurs, une autorisation des parents leur permettant de séjourner seul(e) en auberge de jeunesse est nécessaire (une photocopie de la carte d'identité du parent qui autorise le mineur est absolument obligatoire).

Par correspondance

Envoyez une photocopie recto verso d'une pièce d'identité et un chèque correspondant au montant de l'adhésion. Ajoutez 2 € pour les frais d'envoi de la FUAJ. Vous recevrez votre carte sous une quinzaine de jours.

– La FUAJ propose aussi une **carte d'adhésion « Famille »,** valable pour les familles de deux adultes ayant un ou plusieurs enfants âgés de moins de 14 ans. Prix : 23 €. Fournir une copie du livret de famille.
– La carte donne également droit à des réductions sur les transports, les musées et les attractions touristiques de plus de 80 pays. Ces avantages varient d'un pays à l'autre, ce qui n'empêche pas de la présenter à chaque occasion. Liste de ces réductions disponible sur ● hihostels.com ●

– Inscription possible également dans toutes les AJ, points d'information et de réservation FUAJ en France.

En Belgique

Le prix de la carte varie selon l'âge : entre 3 et 15 ans, 3 € ; entre 16 et 25 ans, 9 € ; après 26 ans, 15 €.

Renseignements et inscriptions

■ **LAJ :** *rue de la Sablonnière, 28, Bruxelles 1000.* ☎ *02-219-56-76.* ● *laj. be* ●

■ **Vlaamse Jeugdherbergcentrale (VJH) :** *Van Stralenstraat, 40, Antwerpen 2060.* ☎ *03-232-72-18.* ● *vjh.be* ●

En Suisse

Le prix de la carte dépend de l'âge : 22 Fs pour les moins de 18 ans, 33 Fs pour les adultes et 44 Fs pour une famille avec des enfants de moins de 18 ans.

Renseignements et inscriptions

■ **Schweizer Jugendherbergen (SJH) :** *service des membres des AJ suisses, Schaffhauserstraat 14, 8042 Zurich.* ☎ *044-360-14-14.* ● *youthhostel.ch* ●

Au Canada

La carte coûte 35 $Ca pour 16 à 26 mois et 175 $Ca à vie (tarifs 2008) ; gratuit pour les enfants de moins de 18 ans qui accompagnent leurs parents. Pour les juniors voyageant seuls, la carte est gratuite, mais la nuitée est payante (moindre coût). Ajouter systématiquement les taxes.

Renseignements et inscriptions

■ **Auberges de jeunesse du Saint-Laurent/St-Laurent Youth Hostels :**
– *À Montréal : 3514, av. Lacombe, Montréal (Québec) H3T-1M1.* ☎ *(514) 731-10-15. N° gratuit (au Canada) :* ☎ *1-866-754-10-15.*
– *À Québec : 94, bd René-Lévesque Ouest, Québec (Québec) G1R-2A4.* ☎ *(418) 522-2552.*

■ **Canadian Hostelling Association :** *205 Catherine Street (c'est à deux pas de la gare d'autobus interurbains), bureau 400, Ottawa (Ontario) K2P-1C3.* ☎ *(613) 237-7884.* ● *hihostels.ca* ●
■ **Voyages Campus,** qui a 7 agences à travers le Québec, distribue aussi la carte de membre ● voyagescampus. ca ●

ARGENT, BANQUES, CHANGE

La monnaie américaine

Mi-2008, 1 $ valait 0,65 € environ.
– **Les pièces :** 1 cent (penny), 5 cents (nickel), 10 cents (dime), plus petite que la pièce de 5 cents, 25 cents (quarter) et 1 $, cette dernière ayant du mal à s'imposer face au billet que les Américains préfèrent. On peut faire la collection des différents types de quarters, car chaque État frappe le sien.
– **Les billets :** sur chaque billet, le visage d'un président des États-Unis : 1 $ (Washington), 5 $ (Lincoln), 10 $ (Hamilton), 20 $ (Jackson), 50 $ (Grant), 100 $ (Franklin). Il existe aussi un billet de 2 $ (bicentenaire de l'Indépendance, avec l'effigie de Jefferson), très peu en circulation, mais que les collectionneurs s'arrachent. En argot, un dollar se dit souvent a buck. L'origine de ce mot remonte au temps des trappeurs, lorsqu'ils échangeaient leurs peaux de daims (bucks) contre des dollars.

Les banques

Généralement ouvertes en semaine de 9h à 15h ou 17h et parfois le samedi matin.

Argent liquide, change et chèques de voyage

– En gros, les bureaux de change et certaines banques convertissent les euros en dollars aux États-Unis, mais moyennant souvent une commission exorbitante... On vous recommande donc d'emporter quelques dollars changés en Europe, et de retirer le reste sur place, selon vos besoins, aux **distributeurs automatiques** au moyen d'une **carte bancaire.** Il y a des distributeurs de billets (appelés ATM, pour Automated Teller Machine ou cash machines) partout, jusque dans certaines petites épiceries ! Chaque retrait d'argent liquide étant soumis à une taxe de votre banque (pouvant aller jusqu'à 8 € quand même) et souvent une taxe sur place (2 $ en moyenne), évitez absolument de retirer des sommes trop riquiqui à tout bout de champ. N'oubliez pas non plus qu'il y a un seuil maximal de retrait par semaine, fixé par votre banque (téléphonez-leur pour le connaître et éventuellement négocier une extension temporaire).
– Pour ceux qui ne disposeraient pas de carte de paiement, avoir presque tout son argent sous forme de **chèques de voyage** est plus sécurisant, car on est assuré en cas de perte ou de vol. Sachez, à ce propos, qu'aux États-Unis vous n'êtes pas obligé, comme souvent en Europe, d'aller dans un bureau de change pour convertir vos chèques en liquide : la plupart des restaurants, motels et grands magasins les acceptent sur simple présentation du passeport.

Les cartes de paiement

C'est le moyen de paiement le plus économique ! Tout simplement parce que l'opération se fait à un meilleur taux que si vous achetiez des dollars dans une banque ou un bureau de change. Ici, on surnomme les cartes de paiement **plastic money.** Les plus répandues aux États-Unis sont la MasterCard et la Visa qui génèrent à chaque achat une commission prélevée par votre banque. Sinon, la carte American Express est également acceptée pratiquement partout, avec l'avantage d'être exonérée de taxe bancaire... Une carte est indispensable pour louer une voiture ou réserver une chambre d'hôtel (même si vous avez tout réglé avant le départ par l'intermédiaire d'une agence), car on prendra systématiquement l'empreinte de votre carte. Précaution au cas où vous auriez l'idée saugrenue de partir sans payer les prestations supplémentaires, qu'on appelle en anglais les incidentals (parking, petit déj, téléphone, minibar...).

Les Américains paient tout en carte, même 5 $, les commerces n'imposant généralement pas de montant minimum, sauf les petites épiceries isolées dans des trous perdus ! C'est plus simple et cela permet aussi de garder une trace de l'achat et de bénéficier de certaines assurances souscrites avec la carte, sans frais supplémentaires.

Vous noterez que de plus en plus de commerces sont munis d'écrans de paiement sur lesquels vous signez au moyen d'un stylo électronique. Attention, au restaurant, n'oubliez pas de remplir vous-même la case *Gratuity* (pourboire) ou de la barrer si vous laissez le pourboire en liquide. N'oubliez pas non plus que *1* s'écrit *I* aux États-Unis, sinon il risque d'être prix pour un *7* !

– **En cas de perte ou de vol :** *quelle que soit la carte, chaque banque gère elle-même le processus d'opposition, et le numéro de téléphone correspondant !* Avant de partir, notez bien le numéro d'opposition propre à votre banque en France (il figure souvent au dos des tickets de retrait, sur votre contrat ou à côté des distributeurs de billets), ainsi que le numéro à seize chiffres de votre carte. Bien entendu, conservez ces informations en lieu sûr, et séparément de votre carte. Par ailleurs, l'assistance médicale se limite aux 90 premiers jours du voyage.

– **Carte MasterCard :** *assistance médicale incluse ; n° d'urgence :* ☎ *00-33-1-45-16-65-65.* ● *mastercardfrance.com* ● *En cas de perte ou de vol, composez le numéro communiqué par votre banque ou, à défaut, le n° général :* ☎ *00-33-892-69-92-92 pour faire opposition 24h/24. Numéro également valable pour les autres cartes de paiement émises par le Crédit Agricole et le Crédit Mutuel.*

– **Carte Bleue Visa :** *assistance médicale incluse ; n° d'urgence (EuropAssistance) :* ☎ *00-33-1-41-85-88-81. Pour faire opposition des États-Unis, contactez le* ☎ *1-800-847-2911 (gratuit) ou 1-410-581-9994 (PCV accepté).* ● *carte-bleue.com* ●

– **Carte American Express :** *en cas de pépin, appelez le* ☎ *00-33-1-47-77-72-00, 24h/24, PCV accepté en cas de perte ou de vol.* ● *americanexpress.com* ●

– *Pour ttes les cartes de paiement émises par* **La Banque postale,** *composez le* ☎ *0825-809-803 (pour les DOM ou de l'étranger :* ☎ *05-55-42-51-97).*

– *Également un numéro d'appel valable quelle que soit votre carte de paiement :* ☎ *0892-705-705 (serveur vocal à 0,34 €/mn). Ne fonctionne ni en PCV ni depuis l'étranger.*

Dépannage d'urgence

Bien sûr, c'est très cher, mais en cas de besoin urgent d'argent liquide, vous pouvez être dépanné en quelques minutes grâce au système **Western Union Money Transfer.** ● *westernunion.com* ●

– *Aux États-Unis :* ☎ *1-800-325-6000.*

– *En France :* demandez à un proche de déposer de l'argent à votre attention dans l'un des bureaux *Western Union.* Les correspondants en France sont *La Banque postale* (fermée sam ap-m, n'oubliez pas ! ☎ *0825-00-98-98 ; 0,15 €/mn)* et *Travelex* en collaboration avec la *Société financière de paiement* (☎ *0825-825-842 ; lun-sam 9h-19h.* L'argent vous est transféré en 10-15 mn aux États-Unis. Évidemment, avec le décalage horaire, il faut que l'agence soit ouverte de l'autre côté de l'Atlantique, mais certaines restent ouvertes la nuit. La commission, assez élevée donc, est payée par l'expéditeur. Possibilité d'effectuer un transfert en ligne 24h/24 par carte de paiement (*Visa* ou *MasterCard* émise en France).

ACHATS

Certains achats restent très intéressants aux États-Unis, d'autant plus que le taux de change nous est, pour le moment, vraiment favorable. En Californie, San Francisco est assurément la cité culte du shopping. Attention toutefois : les prix sont toujours affichés hors-taxes (ajouter 6 à 10 %). Voici quelques articles à rapporter dans vos bagages :

– *Les jeans,* bien sûr. Les modèles *Levi's* coûtent bien moins cher qu'en France (facilement moitié prix), même si vous les achetez dans les *Levi's Stores.* Attention toutefois, il n'est pas toujours facile de retrouver aux États-Unis un modèle repéré en France (hormis les classiques *501* et *Boot Cut*) car les numéros de référence ne sont pas les mêmes qu'en Europe.

– *Les chaussures et vêtements de sport, de loisirs et le prêt-à-porter décontracté,* particulièrement les T-shirts (choix incroyable), les baskets (*Converse* et Cⁱᵉ) et les vêtements pour enfants.

– Pour mesdames, les *produits de beauté et de maquillage,* genre L'Oréal, Maybelline ou *Neutrogena* coûtent moitié moins cher qu'en France. On les trouve dans les grands drugstores comme *Walgreens*, *Duane Reade*, *CVS* ou *Rite Aid.* Les grandes marques américaines comme *Clinique* sont également plus intéressantes aux États-Unis.

– *L'artisanat indien :* souvent beau mais cher. Achetez de préférence aux Indiens eux-mêmes ou dans les boutiques spécialisées et agréées qui reversent les bénéfices aux artisans indiens. Les produits des boutiques touristiques sont généralement importés (les tapis, du Mexique, et les porte-monnaie... de Chine !).

– *Les appareils photo, les caméras* (et surtout leurs accessoires), *les iPod* (Apple offre en prime la garantie internationale sur tous ses produits, sans frais supplémentaires).

– *Les DVD.* S'assurer avant tout que votre lecteur puisse les décrypter. Les États-Unis utilisent un standard zone 1, alors que la France est en zone 2.

– *ATTENTION,* si vous devez acheter des *appareils électroniques,* assurez-vous qu'ils peuvent fonctionner correctement en France (tension et fréquence, notamment). La plupart des consoles de jeux vidéo achetées aux États-Unis ne sont pas compatibles ; même si le vendeur vous affirme le contraire, le système électronique est différent. Bon à savoir, les *Nintendo DS, les PSP et les PS3,* elles, sont compatibles (consoles et jeux, mais attention toutefois à la langue). Quant aux TV et lecteurs DVD, ils répondent à la norme américaine NTSC, incompatible avec notre procédé Secam. Sachez enfin que si, au retour, vous ne déclarez pas ces achats auprès du service des douanes, vous risquez de payer de fortes amendes (idem pour les appareils photo et caméras). En fait, pour de petits achats comme un appareil photo numérique classique, le jeu n'en vaut pas toujours la chandelle.

Acheter moins cher

D'une manière générale, profitez absolument des **soldes** *(sales)* pour faire vos emplettes. Toutes les occasions sont bonnes pour attirer le consommateur ! Du coup, les **malls** (ces grands centres commerciaux typiquement américains qui regroupent pléthore de magasins de chaîne) et même les petites boutiques organisent des opérations spéciales les week-ends et jours fériés, pour la Saint-Valentin... En janvier, les réductions atteignent des sommets, surtout lorsque les commerçants font une remise supplémentaire sur le prix déjà soldé, à partir d'un certain montant d'achats. C'est le moment de renouveler sa garde-robe !

Très bon plan : les **factory outlets,** d'énormes centres commerciaux situés à la périphérie des villes et signalés par des panneaux publicitaires le long des *interstates* (autoroutes). Les Américains y passent volontiers tout un après-midi en famille. Ces *outlets* regroupent les magasins d'usine de grandes marques américaines de vêtements et chaussures : *Ralph Lauren, Timberland, Reebok, Nike, OshKosh, Gap, Calvin Klein, Esprit, Tommy Hilfiger, Quicksilver,* etc. Les articles sont souvent écoulés toute l'année à des prix défiant toute concurrence (parfois jusqu'à 75 % de réduction en période de soldes !) et proviennent souvent du stock des collections précédentes. Ils peuvent parfois présenter des défauts (mention *irregular* sur l'étiquette). Nous indiquons quelques adresses de ces véritables « temples des soldes », mais vous obtiendrez leur liste complète auprès du *Visitor Center* local.

Tableau comparatif entre les tailles

HOMMES								
Costume	USA	34	36	38	40	42	44	46
	Métrique	44	46	48	50	52	54	56
Chemise	USA	14	14 1/2	15	15 1/2	16	16 1/2	17
	Métrique	36	37	38	39	41	42	43
Chaussures	USA	8	8,5	9	9,5	10	10,5	11
	Métrique	41	42	42-43	43	44	44-45	45
Chaussures	USA	11,5	12	13				
	Métrique	46	46-47	47				

FEMMES								
Pulls et chemisiers*	USA	28 / XS	30 / S	32 / M	34 / L	36 / XL	38 / XXL	40
	Métrique	36	38	40	42	44	46	48
Pantalons et jupes*	USA	8	10	12	14	16	18	20
	Métrique	36	38	40	42	44	46	48
Chaussures	USA	5	5 1/2	6	7 1/2	8	8 1/2	9
	Métrique	35	36	37	38	39	40	41
Lingerie (la taille de bonnet est la même)	USA	28	30	32	34	36	38	40
	Métrique	75	80	85	90	95	100	105

ENFANTS								
Bébés	Âge		– 3 mois	3 mois	6 mois	12 mois	18 mois	24 mois
	USA		19-20 in	22-24 in	24-27 in	27-29 in	29-31 in	31-33 in
	Métrique		48-56 cm	56-61 cm	61-69 cm	69-75 cm	75-79 cm	79-84 cm
Enfants	USA		2	4	6	8	10	12
	Métrique		40/45	50/55	60/65	70/75	80/85	90/95
Chaussures	USA	4	5	6	7	7 1/2	8	9
	Métrique	20	21	22	23	24	25	26

* Pour les femmes mesurant moins de 1 m 55, il existe souvent un rayon « Petites » dans les magasins. Les tailles sont les mêmes, mais pour un plus petit gabarit – très pratique !

BUDGET

Si le coût de la vie est assez comparable aux États-Unis et en France, la force de l'euro par rapport au dollar favorise pour l'instant les visiteurs de la zone euro. Et les bonnes surprises demeurent : le burger-frites à 6 $ au resto et l'essence meilleur marché, malgré la consommation plus élevée des voitures américaines et une tendance récurrente à la hausse du prix du *gallon,* flambée des cours du baril oblige (environ 3,50 $ le *gallon,* soit 3,8 litres)...

– Très important : les prix affichés (dans les restaurants, hôtels, boutiques...) s'entendent toujours SANS LA TAXE, qui varie de 10 à 15 % dans l'hôtellerie et entre 5 et 10 % dans les autres secteurs (restauration, magasins...). Seuls les musées échappent à cette règle.

Les moyens de locomotion

À l'exception de San Francisco, qui se visite à pied et en transports publics, la voiture demeure le moyen de transport le plus pratique en Californie, et certainement le plus rentable (même en couple) en considérant le temps gagné. À Los Angeles, elle est même indispensable !

Le logement

Dans certaines régions de Californie, notamment sur la côte, la part du budget consacrée au logement risque d'être importante, surtout si vous voyagez en haute saison et le week-end, où les prix s'enflamment.

Nous indiquons les tarifs pour deux personnes, en haute saison principalement. Exception faite naturellement pour les AJ (prix par personne) et les campings (prix par emplacement). Tous les tarifs sont généralement mentionnés hors-taxes, il faut donc toujours ajouter de 10 à 15 % !

Le plus économique est de circuler en voiture et de *camper* dans les parcs nationaux. Les prix sont raisonnables (15-25 $ l'emplacement, celui-ci pouvant le plus souvent accueillir jusqu'à 6 personnes, mais une seule voiture), un peu plus élevés dans les campings privés. Ceux qui n'ont pas la possibilité de planter leur tente pousseront la porte d'une *AJ* ou d'une *YMCA/YWCA.* On y trouve toujours prendre des lits en dortoirs (environ 25 $ la nuit par personne). Ensuite, dans les *motels,* compter 70-100 $ en moyenne pour une nuit en chambre double en saison. Ils disposent souvent de chambres pouvant accueillir quatre personnes, dont le prix n'est curieusement pas beaucoup plus élevé que celui d'une double. Enfin, pour une nuit dans un *hôtel* ou un *B & B,* il faudra s'intéresser plutôt aux catégories « Très chic ».

Les prix varient généralement selon la saison, sauf dans les AJ, les *YMCA* et les *B & B,* qui pratiquent souvent les mêmes tarifs toute l'année. La haute saison débute grosso modo en mai pour s'achever en septembre, mais certains établissements débutent en mars et poussent jusqu'en novembre ! Dans les régions désertiques du Sud, elle s'étire de novembre à mars-avril. En basse saison, les tarifs diminuent de 20 à 40 %, et plus encore (il faut bien attirer le client !) dans les régions du Sud, particulièrement torrides en été... Il faut savoir aussi que, bien souvent, les hôtels et motels font payer un supplément le week-end, ou lorsque la période est *busy* en raison d'un événement local.

Voici nos fourchettes de prix ; attention, les prix sur la côte de San Francisco à Los Angeles sont plus élevés.
– *Très bon marché :* moins de 25 $ (lit pour une personne).
– *Bon marché :* de 35 à 60 $ (chambre double).
– *Prix moyens :* de 60 à 90 $ (chambre double).
– *De plus chic à chic :* de 90 à 130 $ (chambre double).
– *Très chic :* plus de 130 $ (chambre double).

Bonne nouvelle, le petit déj (léger...) est de plus en plus souvent inclus dans le prix de la chambre. Si ce n'est pas le cas, compter 7-10 $ en sus pour le prendre à l'extérieur. Très pratiques, les cafetières à disposition dans les chambres d'hôtel permettent de se bricoler un petit déj économique, avec quelques cookies ou muffins achetés au supermarché.

Le parking est souvent payant dans les grandes villes (compter de 8 à 25 $ pour 24h). Les prix indiqués sont parfois négociables, en fonction du taux de remplissage de l'hôtel.

Les repas

Là encore, votre budget dépendra de ce que vous aimez manger. Il est souvent possible de se caler vite fait bien fait sans se ruiner. Pour environ 6 $, on trouve un peu partout des sandwichs et des burgers à emporter. Pour 10-15 $, on peut faire un vrai repas. Cependant, si vous êtes un peu regardant sur ce que vous avalez, sur la qualité des aliments, votre budget repas risque vite de s'alourdir.

Il faut savoir que dans de nombreux restaurants, en particulier dans les grandes villes, les mêmes plats coûtent plus cher le soir que le midi (3 à 4 $ de plus), surtout si le cadre est joli. Ainsi, de nombreux restos offrent sandwichs, burgers et salades pour un lunch à des prix « Bon marché ». Puis, au moment du *dinner*, la carte propose des plats de viande et de poisson plus cuisinés dont les prix flirtent souvent avec la catégorie « Chic ». On entre franchement dans la catégorie « Très chic » lorsque l'on souhaite s'offrir un bon steak dans une *Steakhouse,* sans doute le type de resto où l'on fait les repas les plus consistants (et les plus chers). Le montant de l'addition dépend donc plus de ce qu'on mange et de l'heure à laquelle on le mange que de la catégorie du resto et il est difficile de classer les restos selon leurs prix.

Bon à savoir : les Américains grignotent toute la journée, et personne ne s'offusquera si vous vous contentez d'un plat ou d'une entrée (les portions sont généreuses), ni même si vous partagez votre assiette. Au contraire, c'est une tradition ici, au même titre que le *doggy bag,* pour emporter ses restes ! Les fourchettes moyennes indiquées sont valables pour un plat principal.

– **Bon marché :** moins de 11 $.
– **Prix moyens :** de 11 à 16 $.
– **Chic :** de 16 à 22 $.
– **Très chic :** plus de 22 $.

Attention encore : pour obtenir l'addition finale, ne pas oublier d'ajouter la taxe aux prix indiqués sur la carte (entre 5 et 10 %), ainsi que le pourboire ou *tip* (voir « Taxes et pourboires », plus loin).

Les loisirs

Petit avertissement pour ceux qui sont ric-rac côté finances : les sirènes de la consommation ont plus d'un tour dans leur sac pour vous séduire. Bref, lors de la préparation budgétaire de votre futur merveilleux voyage, ne vous serrez pas trop la ceinture côté plaisir, car vous allez le regretter sur place.

CLIMAT

Du fait de l'immensité du territoire californien, les climats sont très variés. San Francisco connaît de faibles écarts de température d'une saison à l'autre et un bon ensoleillement général d'avril à septembre. Pluies fréquentes en hiver. Méfiez-vous cependant du brouillard matinal qui sévit toute l'année. Dans les Rocheuses, le climat est continental (hivers très froids, étés chauds) alors que le climat du sud de la Californie est de type méditerranéen (hivers doux, étés secs et chauds). Notez que la température de la mer atteint à peine 19 °C au cœur de l'été à Los Angeles et 16 °C à San Francisco. À cette même période, les brouillards sont fréquents sur la côte et le vent froid. Le nord-est de L.A. est désertique ; il est d'ailleurs préférable de visiter la Death Valley à l'automne ou au printemps car l'été est torride. Pour éviter l'insolation, buvez beaucoup d'eau, munissez-vous de lunettes de soleil, d'un chapeau et enduisez-vous d'écran total. Un conseil pour Yosemite : renseignez-vous avant de vous y aventurer en dehors de la période estivale. Au printemps, par exemple, les températures sont très variables, imprévisibles et peuvent être franchement froides. On en a vu mettre les chaînes en plein mois d'avril !

Il est difficile de transformer de tête les degrés Fahrenheit en degrés Celsius. Aux degrés Fahrenheit, soustraire trente, diviser par deux et ajouter 10 % – ou enlever 32 et diviser par 1,8. Une dernière méthode de conversion (approximative, certes) pour les nuls en calcul mental : retrancher 26 °F, puis diviser par deux et vous aurez des Celsius !

Fahrenheit	Celsius	Fahrenheit	Celsius
108	42,2	52	11,1
104	40	48	8,9
100	37,8	44	6,7
96	35,6	40	4,4
92	33,3	36	2,2
88	31,1	32	0
84	28,9	28	- 2,2
80	26,7	24	- 4,4
76	24,4	20	- 6,7
72	22,2	16	- 8,9
68	20	12	- 11,1
64	17,8	8	- 13,3
60	15,6	4	- 15,6
60	15,6	4	- 15,6
56	13,3	0	- 17,8

– *Infos sur la météo :* ● weather.com ● Utile pour bien préparer ses itinéraires en voiture ou à pied.

DANGERS ET ENQUIQUINEMENTS

Il n'y a pas de commune mesure entre l'atmosphère quasi provinciale des villes de San Francisco, Santa Barbara, Monterey, Carmel, et celle de Los Angeles. Les quatre premières, à taille humaine, ont à gérer les problèmes de délinquance banals pour ce type de ville, mais ne sont en rien des « cas » dans le paysage urbain américain. Elles seraient même plutôt beaucoup plus tranquilles que bien d'autres. Donc rien à craindre, si ce n'est les classiques pickpockets dans les sites les plus touristiques.

Pour Los Angeles, c'est une autre histoire : pour résumer, il ne faut jamais traîner le soir dans le centre-ville ni dans les quartiers chauds dans lesquels habitent des minorités ethniques particulièrement pauvres, et où votre seule présence peut déjà être considérée comme une bravade ou une insulte. Ne rien laisser dans votre véhicule, car les voitures de location sont vite repérées et forcées. Petit conseil : quand vous vous garez, laissez donc visible l'intérieur de votre coffre en ôtant le rabat, si c'est possible. Les voleurs potentiels, observant qu'il n'y a rien à voler, passent leur chemin. Attention, toujours à L.A., certains secteurs, qui semblent particulièrement avenants dans la journée, peuvent changer radicalement de visage la nuit tombée. C'est le cas de *Venice* par exemple. De même le *Downtown* est à éviter le soir venu, mais ça c'est valable pour tous les centres-ville et on l'a déjà dit. N'oubliez jamais qu'à Los Angeles tout n'est que façade et superficialité, mais que la terre promise n'a pas tenu ses promesses pour tout le monde ! La décontraction du mode de vie ne doit pas empêcher d'être sur ses gardes.

Si vous optez pour des motels modestes, évitez d'y laisser des objets de valeur lorsque vous quittez votre chambre, même si vous allez juste au resto en ville, car les serrures sont souvent enfantines à crocheter. En revanche, pour les établissements possédant des cartes-clés, pas de problème.

En ce qui concerne les grands espaces, et notamment les parcs nationaux, aucun danger à signaler. Mis à part une rencontre inopportune avec un grizzli mal léché ou un serpent à sonnette, vous ne risquez pas grand-chose ! Évidemment, ne laissez pas votre argent dans votre tente, ni votre carte de paiement à portée de vol. Dans tous les parcs, les rangers assurent la sécurité de tous et sont là pour vous

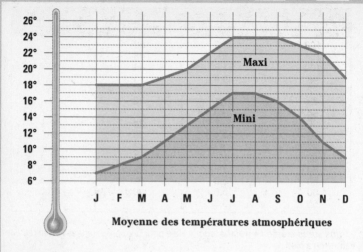

Moyenne des températures atmosphériques

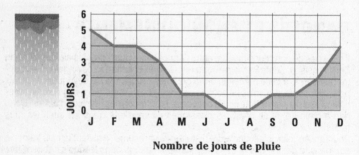

Nombre de jours de pluie

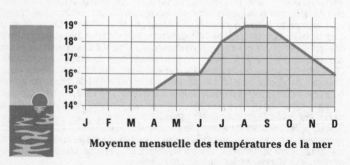

Moyenne mensuelle des températures de la mer

CALIFORNIE (Los Angeles)

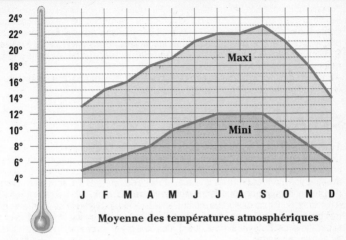

Moyenne des températures atmosphériques

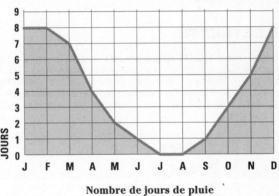

Nombre de jours de pluie

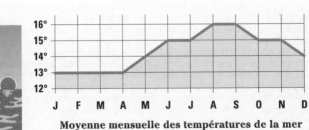

Moyenne mensuelle des températures de la mer

CALIFORNIE (San Francisco)

conseiller. Ils connaissent les balades les plus adaptées à une population donnée, les difficultés à surmonter et les durées précises des randos. La majorité des incidents survenant dans les parcs sont le fait des touristes eux-mêmes : mauvaise préparation, manque d'eau, chaussures inadaptées, forme physique surévaluée. S'aventurer dans le Yosemite Park, par exemple, nécessite un minimum de préparation et de précautions (gare aux moustiques !).

– Enfin, en cas de problème urgent, composer le ☎ 911 (gratuit de n'importe quel téléphone public ; inutile d'introduire des pièces).

DÉCALAGE HORAIRE

Il y a quatre fuseaux horaires aux États-Unis (six avec l'Alaska et Hawaii), et 9h de décalage entre Paris et la Californie (et le Nevada). Un exemple, quand il est 12h en France, il est 3h du matin en Californie. D'avril à fin octobre, comme chez nous, avancez vos montres de 1h dans la quasi-totalité des États. Enfin, comme en Grande-Bretagne, quand on vous donne rendez-vous à 8.30 p.m., cela veut dire à 20h30. À l'inverse, 8.30 a.m. désigne le matin. Pensez-y, cela vous évitera de vous lever de très bonne heure pour rien ! Enfin, notez que 12 a.m. c'est minuit et 12 p.m. midi... et pas l'inverse. Retenez surtout que si vous êtes crevé les premiers jours, c'est dû au décalage horaire.

ÉLECTRICITÉ

Généralement : 110-115 volts et soixante périodes (en France : 220 volts et cinquante périodes). Attention : si vous achetez du matériel aux États-Unis, prévoyez l'adaptateur électrique qui convient. De même, sachez que les fiches électriques américaines sont plates. On conseille d'apporter un adaptateur de France (difficile à trouver sur place) si vous voulez recharger la batterie de votre appareil numérique par exemple.

HÉBERGEMENT

De tout et à tous les prix. Toutefois, il existe un type d'établissement omniprésent sur le territoire américain et qu'on ne trouve pas, ou pas beaucoup, en Europe : le motel. Plus d'infos sur ce dernier dans la rubrique qui lui est consacrée plus bas. À part ça, l'hébergement est très varié : il va du camping au palace design en passant par l'AJ, le ranch, le *B & B* et, bien sûr donc, le motel. Un bon plan consiste à récupérer des coupons de réduction pour les hôtels et motels dans certains journaux distribués gratuitement en ville (dans les *Visitor Centers,* les restos, etc.).

Dans les endroits touristiques, il est conseillé de réserver son hôtel le plus longtemps possible à l'avance. Les moyens les plus utilisés sont tout simplement l'e-mail et le téléphone (il s'agit d'ailleurs très souvent de numéros gratuits si vous téléphonez depuis les États-Unis). On vous demandera votre numéro de carte de paiement. Attention, si vous ne pouvez pas prendre votre chambre et si vous n'en informez pas l'hôtel au moins un ou deux jours à l'avance (voire trois dans les zones les plus touristiques), vous serez débité quand même. Dans les *B & B,* le délai d'annulation est souvent plus long.

Le prix des chambres est quelquefois négociable, en période creuse notamment (surtout si vous arrivez en fin de journée et que vous payez en liquide). La phrase-clé est donc : « *Could I have a discount ?* » Signalons enfin le site internet ● hotels. com ● qui recense des milliers d'hôtels à prix cassés partout aux États-Unis (également par téléphone : ☎ 0892-393-393 depuis la France et 1-800-246-8357 des États-Unis). Réservations possibles plusieurs mois à l'avance.

LES FUSEAUX HORAIRES

Les auberges de jeunesse

Outre les auberges privées, assez nombreuses, il existe une bonne vingtaine d'AJ membres de l'association *Hostelling International* dans l'État de Californie.

Pour connaître la situation, les tarifs, coordonnées, etc., des auberges officielles, rendez-vous sur le site ● hiusa.org ●, très bien fait.

Compter de 15 à 25 $ un lit en dortoir individuel selon confort (draps – *linen* – compris) et à partir de 55 $ pour une chambre double avec salle de bains privée. La plupart des auberges disposent d'une cuisine bien équipée et d'une salle commune. Les services ne coûtent pas cher : accès Internet et wi-fi, laverie libre-service, navettes diverses, TV, billard (souvent), et c'est souvent une mine d'infos en tout genre. Aucune limite d'âge pour y séjourner.

La carte de membre *Hostelling International* n'est généralement pas obligatoire pour y être admis, mais vous paierez un peu plus cher (3 $ par nuit) si vous ne l'avez pas. Cette carte coûte un peu plus de 15 € en France (réduction pour les moins de 26 ans) et environ 28 $ aux États-Unis (18 $ pour les plus de 55 ans, gratuite pour les moins de 18 ans ; voir « Avant le départ », plus haut). En cas d'oubli, on peut se la procurer dans toutes les AJ membres du réseau ou sur Internet.

Dans les grandes villes, les AJ sont souvent installées dans de beaux bâtiments historiques et restent ouvertes 24h/24, contrairement à bon nombre d'AJ rurales, qui ferment entre 10h et 17h (pour entretien). Dans les plus anciennes et les plus reculées, on vous demandera peut-être encore de participer aux tâches ménagères... alors que dans d'autres, renseignez-vous, il sera possible d'« échanger » votre séjour contre quelques heures de travail.

En haute saison, il est conseillé de réserver à l'avance. Plusieurs possibilités.

– *Sur Internet :* ● hiusa.org ● (cliquez sur « Réservations »).

– *Par téléphone ou fax,* en contactant directement l'AJ.

– *Par téléphone, depuis les États-Unis :* ☎ 1-800-909-4776. Avoir sa carte de paiement sous la main et taper les trois premières lettres de la ville où se trouve l'AJ. Pour composer les numéros avec des lettres, voir « Téléphone et télécommunications » plus loin.

– Pour ceux qui désirent se procurer la carte *Hostelling International* avant de partir, l'organisation **Hostelling International** est représentée à Paris par la **Fédération** *unie des auberges de jeunesse (FUAJ).* Coordonnées plus haut, dans « Avant le départ ». La FUAJ propose deux guides répertoriant toutes les AJ : un pour la France et un pour le reste du monde (ce dernier est payant).

Les campings

On en trouve partout ou presque, des grands, des petits, des beaux, des modestes. Beaucoup sont situés en pleine nature, mais, bien sûr, il y a aussi des campings urbains où s'entassent les RV (les camping-cars américains), laissant parfois très peu de place pour les tentes. Il existe deux types de campings.

Les campings nationaux ou d'État (National ou State Campgrounds)

Ce sont les moins chers (entre 10 et 25 $), et l'on paie en principe pour l'emplacement (ou par véhicule) jusqu'à six personnes ; l'équipement des sites les moins chers est généralement très sommaire. En prime, ces *campgrounds* sont généralement situés dans les meilleurs endroits, en pleine nature. Dans certains sites non équipés, il arrive encore que ce soit gratuit, mais c'est de plus en plus rare. On les trouve partout dans les National Parks, National Monuments, National Recreation Areas, National Forests et State Parks. Dans ces *campgrounds* les moins fréquentés, il faut déposer une enveloppe avec le prix de la nuit dans une urne, en notant sur l'enveloppe vos nom et adresse, le numéro minéralogique de la voiture et celui de l'emplacement de camping retenu. N'essayez pas de gruger, car les rangers veillent et l'amende est salée.

L'espace entre les emplacements des tentes est le plus souvent très grand. Mais ce n'est pas une raison pour faire du bruit le soir, car beaucoup de parcs imposent des *quiet hours* dès 22h. Il y a toujours des w-c et lavabos, mais pas nécessairement de douche ni d'électricité. Presque partout, un emplacement est prévu pour le feu de camp (pensez à bien éteindre avant de vous coucher, c'est une des hantises des parcs nationaux, surtout en été) et pour le barbecue. Également une table et des bancs dans la plupart des cas.

Arrivez tôt le matin pour réserver votre emplacement dans les parcs ou, mieux, réservez à l'avance quand c'est possible (on peut le faire jusqu'à cinq mois à l'avance) car, en été, la demande peut être forte. Dans certains parcs, il n'est pas possible d'obtenir une réservation. Dans ce cas, le premier arrivé est le premier servi *(first come, first served !).* Pensez aussi à faire vos courses dans un supermarché avant d'arriver, les boutiques sont rares ou alors plus chères et moins bien fournies. Enfin, n'oubliez pas d'emporter des vêtements chauds. Certains parcs sont en altitude et il arrive qu'en septembre ou en juin il gèle la nuit. Important : dans les parcs nationaux peuplés d'ours (Yosemite par exemple), suivez scrupuleusement les consignes des rangers concernant la cuisine. L'odorat de ces jolis nounours n'est plus à prouver, de même que leur férocité, au point de vous contraindre à changer de vêtements si vous étiez de corvée de popote.

– *Réservations pour camper dans les parcs nationaux :*
➤ *Sur Internet :* ● recreation.gov ● *C'est le plus pratique.* Tlj 10h-22h, heure de la côte est (6h de moins par rapport à la France).
➤ *Par téléphone :* ☎ 1-877-444-6777 ou (518) 885-3639 depuis l'étranger. Numéro spécial pour Yosemite : ☎ 1-800-436-7275. On donne son numéro de carte de paiement et sa date d'expiration au téléphone. Un numéro de réservation vous est donné, à ne pas perdre puisque ce sera votre sésame une fois arrivé au parc.
– *Réservations pour camper dans les parcs d'État :* cela permet de retenir à l'avance un emplacement dans un des campings d'État de Californie ouverts à la réservation (ce n'est pas le cas de tous). Comme pour les parcs nationaux, le règlement se fait de préférence par carte de paiement (compter 7,50 $ de commission). On peut réserver jusqu'à sept mois à l'avance.

➤ *Par téléphone :* ☎ 1-800-444-7275 ou 916-638-5883 *(de l'étranger), tlj, mars-sept 8h-18h, oct-nov et janv-fév 9h-17h (15h w-e), déc 8h-15h (Pacific Time).* En été, ce système est assailli par les appels. Appelez en milieu de journée et en milieu de semaine.
➤ *Sur Internet :* • parks.ca.gov •

Les campings privés

Globalement moins bien situés, car dans un environnement moins sauvage. En revanche, ils offrent souvent plus de commodités : sanitaires complets, électricité, machines à laver, boutique avec produits de première nécessité, ainsi que des tables de pique-nique et des grilles pour barbecue (si vous prévoyez d'emporter un brûleur, adoptez un modèle récent de la marque *Camping-gaz* ; on trouve assez facilement les recharges sur place). Dans certains, il y a même une piscine et des bungalows en bois *(cabins)* ou des mobile homes à louer au même prix qu'une chambre dans un petit hôtel. Bien sûr, ils sont aussi plus chers que les campings d'État : compter grosso modo 30 $ pour deux avec une tente. Il existe également des chaînes de camping comme *KOA (Kampgrounds of America),* qui éditent une brochure (disponible dans tous leurs campings) avec toutes les adresses dans les cinquante États et leur positionnement précis sur une carte routière. *KOA* propose également une carte d'abonnement qui coûte environ 24 $ et donne droit à 10 % de réduction.

■ **KOA** *(Kampgrounds of America) :* PO Box 30558, Billings, MT 59114-0558. ☎ *(406) 248-7444.* • koa.com •
■ Utiles (mais encombrants), le *Woo-* *dall's Campground Directory (* • *woo dalls.com* •*)* ou le *Trailer Life (* • *trailerli fedirectory.com* •*)* qui recensent les campings du pays.

Les motels

Le nom provient de la contraction des mots « motor » (moteur, donc voiture) et « hotel ». Logique, puisqu'ils sont conçus pour que l'on puisse se garer directement devant sa chambre. Comme vous le savez sans doute, c'est le type d'établissement le plus répandu aux États-Unis. Un motel, c'est donc un hôtel au bord d'un axe routier... plus ou moins fréquenté, généralement un bâtiment aux autour d'une vaste cour qui fait office de parking. Ils sont plutôt anonymes et proposent des chambres à la déco très standardisée, avec salle de bains et TV, souvent propres mais parfois aussi un peu vétustes, ça dépend de chacun et, surtout, de la catégorie. En général, cela dit, ils sont plus convenables que les hôtels de mêmes tarifs. À propos de tarifs justement, ceux-ci varient le plus souvent selon le type de chambre et le nombre de personnes qui l'occupent. Généralement intéressant pour les familles, qui peuvent occuper une chambre avec deux *queen beds* (1,40 m de large) pour un prix avantageux (en général, les enfants de moins de 17 ans ne paient pas s'ils sont dans la chambre des parents). Très courant aussi, les chambres avec un *king size bed,* ou lit de 1,80 m de large ! Sinon, il y a aussi les chambres avec un seul *queen,* mais quasiment jamais avec deux lits simples comme en Europe. Le parking est gratuit, bien sûr (c'est le principe !). Les *motels indépendants* sont souvent plus conviviaux que les établissements de chaîne, et le petit déj (continental) est la plupart du temps inclus. Attention, parfois les bureaux de réception ferment assez tôt. Téléphoner avant.
Les *motels franchisés* : les chaînes les plus importantes dans l'Ouest américain sont *Days Inn, Holiday Inn, Hampton Inn, Best Western* et *Howard Johnson.* Le confort et la propreté y sont très satisfaisants. On recommande aussi des chaînes de motels plus économiques, au confort simple mais à la propreté sans faille et à la réputation sans histoire, comme *Motel 6, Econo-Lodge* ou *Super 8 Motel.* Il arrive que certains établissements fassent à la fois hôtels et motels. Les tarifs y sont souvent plus élevés que dans les motels indépendants, cela dit les parties communes

et la réception sont parfois plus soignées, et la piscine est généralement plus grande et jolie ! Pour le reste, c'est du pareil au même. Attention, les tarifs changent d'un établissement à l'autre, en fonction de la situation géographique surtout. Ici, un *Motel 6* sera un bon marché alors que, là, il sera dans les « Prix moyens ». Il existe également les *Studio 6*, tout équipés, avec une cuisine, pour les séjours supérieurs à quatre nuits.

Quelques infos en vrac, valables pour les hôtels et les motels

– Les prix que nous indiquons s'entendent sans la *taxe* de l'État (de 10 à 15 %).
– Dans les endroits touristiques, *mieux vaut réserver sa chambre à l'avance.* En haute saison, c'est même parfois indispensable. Cela se fait surtout via le site internet de l'hôtel (plus simple, surtout d'Europe, et souvent des promos) et par téléphone (beaucoup d'hôtels proposent un numéro gratuit mais utilisable uniquement aux États-Unis). Quel que soit le moyen choisi, on vous demandera un numéro de carte de paiement. Dans la plupart des hôtels, vous pourrez annuler sans frais votre réservation jusqu'à 48h ou même parfois 24h avant la date d'arrivée. Notez aussi que dès votre arrivée, on prendra l'empreinte de votre carte de paiement, pour les *incidentals* comme ils disent, à savoir les éventuels frais de téléphone (beaucoup plus élevés que d'une cabine, lire plus loin), minibar, *pay TV*, etc.
– La plupart des hôtels proposent des chambres équipées de *TV, AC et sanitaires complets.* Si tel n'est pas le cas, nous le précisons dans le commentaire.
– *De plus en plus d'hôtels proposent le petit déjeuner* (inclus dans le prix de la nuitée). Le plus souvent, il s'agit d'un petit déj continental servi dans le *lobby,* avec du thé, du café, et un choix de muffins, bagels, donuts ou gaufres en libre-service. Mais il arrive que ce soit un buffet plus varié, avec céréales, fruits et même des œufs. Si le petit déj n'est pas compris, allez plutôt le prendre à l'extérieur, d'autant que les restos dédiés à cela ne manquent pas aux USA : en dehors de nos adresses « Spécial petit déjeuner », bien sûr, on trouve des *diners* (restos traditionnels américains) ou des *coffee shops* un peu partout. Enfin lorsque le petit déj n'est pas servi du tout, l'hôtel met souvent à disposition des clients du café et du thé près de la réception.
– Cela peut surprendre dans ce pays, mais il y a encore des hôtels et des motels qui proposent des chambres *fumeurs.* Bien le demander au départ : risque de surtaxe élevée pour avoir perverti l'atmosphère de la chambre avec l'odeur du tabac !
– Faites attention au *checkout time,* heure au-delà de laquelle vous devez payer une nuit supplémentaire. C'est généralement midi, parfois 11h.
– *Téléphoner des hôtels* coûte très, très cher. La solution la plus économique consiste à acheter plutôt une carte téléphonique prépayée (voir plus loin « Téléphone et télécommunications ») que vous utiliserez depuis votre chambre d'hôtel. Une taxe d'environ 1 $ par appel vous sera parfois prélevée (même si la communication n'a pas abouti, mieux vaut le savoir !), mais ce n'est rien à côté du montant que vous auriez dû payer sans carte. Surprise, les communications avec la France fonctionnent bien depuis la plupart des cabines à pièces. Certes, il faut avoir un peu de monnaie sur soi, mais parfois cela fonctionne mieux ainsi qu'avec une carte prépayée, notamment dans les toutes petites bourgades du Sud-Ouest américain.

Les *Bed & Breakfast*

Ils sont assez répandus et permettent de faire un séjour bien agréable dans d'anciennes demeures de charme où règne une atmosphère souvent familiale. Nettement plus personnalisés que l'hôtel donc, mais attention, ils se situent souvent dans les catégories « Plus chic » ou « Très chic ». Même si l'ambiance reste intime, on est parfois étonné du nombre de chambres dont disposent certains d'entre eux (une bonne dizaine, voire plus). Et, bien sûr, ils comprennent un bon petit déj, très copieux. Leur *checkout* est souvent assez tôt (11h maximum). Enfin, les fumeurs et les enfants de moins de 10 ans y sont rarement les bienvenus (pour préserver le calme des hôtes).

L'échange d'appartements

Une formule de vacances originale et très pratiquée outre-Atlantique. Il s'agit d'échanger son propre logement (que l'on soit proprio ou locataire) contre celui d'un adhérent du même organisme dans le pays de son choix, pendant la période des vacances. Cette formule offre l'avantage de passer des vacances aux États-Unis à moindres frais, et intéressera en particulier les jeunes couples avec enfants. Voici deux agences qui ont fait leurs preuves :

■ *Intervac :* 230, bd Voltaire, 75011 Paris. ☎ 820-888-342. ● *intervac. com* ● Ⓜ *Rue-des-Boulets. Adhésion : 100 €/an, avec annonce valable 1 an sur Internet (avec photo), 145 € avec une parution sur catalogue en plus.*

■ *Homelink International :* 19, cours des Arts-et-Métiers, 13100 Aix-en-Provence. ☎ 04-42-27-14-14. ● *home link.fr* ● *Adhésion : 115 €, avec annonce sur Internet valable un an.*

ITINÉRAIRES CONSEILLÉS

Dix jours

– San Francisco et environs : 4 jours.
– Yosemite National Park : 2 jours.
– Death Valley : 1 jour.
– Los Angeles et environs : 3 jours.
Ou
– San Francisco et environs : 4 jours.
– La côte de San Francisco à Los Angeles : 3 jours.
– Los Angeles et environs : 3 jours.

Deux semaines

– San Francisco et environs : 5 jours.
– Yosemite National Park : 2 jours.
– Death Valley : 1 jour.
– San Diego : 1 ou 2 jours.
– Los Angeles et environs : 3 jours.
– La côte de Los Angeles à San Francisco : 2 jours.

Trois semaines

– San Francisco et environs : 5 ou 6 jours.
– La route du vin : 1 jour.
– South Lake Tahoe et Reno : 2 jours.
– Yosemite National Park : 2 jours.
– Death Valley : 1 ou 2 jours.
– San Diego et environs : 2 jours.
– Los Angeles et environs : 4 jours.
– La côte de Los Angeles à San Francisco : 3 jours.

LANGUE

Voici un lexique de base pour vous débrouiller dans les situations de tous les jours. Si vous souhaitez quelque chose de plus fouillé, pensez à notre *Guide de conversation du routard* en anglais.

Vocabulaire anglais de base utilisé aux États-Unis

Oui	*Yes*
Non	*No*
D'accord	*Okay*

Politesse

S'il vous plaît	*Please*
Merci (beaucoup)	*Thank you (very much)*
Bonjour !	*Hello ! (Hi !)*
Au revoir	*Good bye/Bye/Bye Bye*
À plus tard, à bientôt	*See you (later)*
Pardon	*Sorry*

Expressions courantes

Parlez-vous le français ?	*Do you speak French ?*
Je ne comprends pas	*I don't understand*
Combien ça coûte ?	*How much is it ?*

Vie pratique

Bureau de poste	*Post office*
Office de tourisme	*Visitor Center*
Banque	*Bank*
Médecin	*Doctor/Physician*
Hôpital	*Hospital*

Transports

Billet	*Ticket*
Aller simple	*One-way*
Aller-retour	*Round-trip*
Aéroport	*Airport*
Gare ferroviaire	*Train station*
Gare routière	*Bus station*
À quelle heure y a-t-il un bus/train pour... ?	*At what time is there a bus/train to... ?*

À l'hôtel et au restaurant

J'ai réservé	*I have a reservation*
Un dortoir	*A dorm*
C'est combien par nuit ?	*How much is it per night ?*
Petit déjeuner	*Breakfast*
Déjeuner	*Lunch*
Dîner	*Dinner*
L'addition, s'il vous plaît	*The check, please*
Le pourboire	*The tip, the gratuity*

Les chiffres, les nombres

1	*one*
2	*two*
3	*three*
4	*four*
5	*five*
6	*six*
7	*seven*
8	*eight*
9	*nine*
10	*ten*
20	*twenty*

50	*fifty*
100	*one hundred*

MESURES

Même s'ils ont coupé le cordon avec la vieille Angleterre, même s'ils roulent à droite, pour ce qui est des unités de mesure, les Américains ont conservé un système « rustique ». Après les Fahrenheit (voir « Climat ») et le voltage électrique (voir « Électricité »), une autre différence à assimiler. On a essayé de limiter les dégâts en vous donnant les mesures : bon courage pour les calculs !

Longueurs
1 yard = 0,914 m
1 foot = 30,48 cm
1 inch = 2,54 cm
0,62 mile = 1 km
ou 1 mile = 1,6 km
1,09 yard = 1 m
3,28 feet = 1 m
0,39 inch = 1 cm

Poids
1 pound = 0,4536 kg
1 ounce (oz) = 28,35 g

Capacité
1 gallon = 3,785 l
1 quart = 0,946 l
1 pint = 0,473 l
1 fl. Ounce = 29,573 ml

ORIENTATION

Dans les grandes villes, une rue sépare les secteurs nord et sud. Idem entre l'Est et l'Ouest. Très utile de connaître ces deux rues (ou avenues) de « référence » pour se repérer lorsqu'on cherche une adresse.

Il faut savoir un truc : les numéros des rues sont très longs... par exemple, le n° 3730 se situe entre le 37e bloc, ou rue, et le 38e ; ça peut ensuite passer de 3768 à 3800. C'est pas compliqué. Le *120 N 4th St* est donc théoriquement très facile à repérer. En réalité, on se plante, du moins au début !

Autre principe à intégrer : le nom de la rue indiqué sur le panneau correspond à la rue que vous croisez et non à celle où vous vous trouvez.

Attention, il arrive (rarement) que ça ne marche pas comme ça, par exemple dans le quartier de Mission à San Francisco.

D'autre part, sachez que traverser hors des clous ou au feu vert peut être passible d'une amende (environ 30 $) ; on vous aura prévenu !

Les abréviations suivantes ont été utilisées dans ce guide

Ave	Avenue	**Hwy**	Highway
Blvd	Boulevard	**Pl**	Place
Dr	Drive	**N**	North
Rd	Road	**S**	South
Sq	Square	**W**	West
St	Street	**E**	East
Gr	Grove		

PARCS ET MONUMENTS NATIONAUX

Dans ces régions de grands espaces particulièrement privilégiées par la nature, les parcs nationaux ou d'État *(National or State Parks)* et les monuments nationaux *(National Monuments)* sont des endroits rigoureusement protégés. En réalité, pas de grande différence entre eux. Les premiers sont créés après un vote du Congrès, ou décision du gouverneur de l'État, les seconds le sont par simple décret signé par le président des États-Unis. Ils sont gérés par la même administration, et des réglementations très strictes les préservent de toute dégradation d'origine humaine

(50 $ d'amende si vous ramassez du bois mort). Le résultat est fabuleux : le Yosemite, par exemple, est un merveilleux enclos de beauté naturelle (très fréquenté, cela dit).

Pourtant, les Américains ont réussi à y intégrer toutes les commodités possibles en matière de logement champêtre : il est possible d'y passer la nuit dans une cabane améliorée (bains, douche, kitchenette, TV...), sous une tente ou dans une caravane. Pour dormir dans un parc en été, il est bon de réserver longtemps à l'avance (plusieurs mois pour les parcs célèbres comme le Yosemite), ou de s'y prendre très tôt le matin lorsque la réservation n'est pas possible.

Tous ces parcs proposent des programmes de visite en groupe mais, si vous possédez une voiture, procurez-vous de bonnes cartes, une gourde et quelques sandwichs et n'hésitez pas à vous enfoncer dans ces forêts de rêve, ces canyons dont les cartes postales ne seront jamais que le piètre reflet, ces vallées dont le cinéma ne restituera jamais la vraie grandeur. Un bon plan suggéré par un de nos lecteurs : achetez au début de votre séjour une glacière bon marché. Mettez-y des glaçons (la majorité des motels ont des distributeurs gratuits) pour avoir des boissons fraîches toute la journée. En fin de séjour, vous pouvez laisser votre glacière dans le coffre de la voiture de location, ça pourra servir au routard suivant.

Enfin, on constate une forte affluence au Yosemite, à Yellowstone (4 millions de visiteurs par an) ou au Grand Canyon (4,5 millions de visiteurs). L'avantage, c'est que les touristes ont tendance à s'agglutiner toujours aux mêmes endroits au lieu d'explorer les milliers d'hectares dont ils peuvent parfois disposer. Pour la plupart, ils ne s'éloignent guère de leur voiture... Les plus dégourdis éviteront facilement la foule en marchant un peu.

– **Droits d'entrée :** ils ont augmenté récemment. La moyenne des droits d'entrée des parcs nationaux tourne autour de 15 $ par véhicule (et non par personne). Sept parcs (Death Valley, Bryce Canyon, Grand Canyon, Grand Teton, Yellowstone, Yosemite et Zion) ont un tarif plus élevé : 25 $. Le parc le moins cher, Capitol Reef, ne coûte que 7 $ par véhicule. Les monuments nationaux sont un peu moins chers (parfois gratuits, mais c'est rare, comme le canyon de Chelly). Il arrive que le droit d'entrée soit par personne. Attention, toutes les routes qui traversent un parc national obligent à payer le droit d'entrée. Bon à savoir, le droit d'entrée est valable sept jours consécutifs.

– **Pass America The Beautiful** (ex-Interagency Annual Pass) : 80 $ pour une voiture et quatre passagers maximum, chauffeur inclus (gratuit pour les moins de 16 ans). Vendu à l'entrée de chaque parc, il est valable un an et généralement rentabilisé à partir de trois parcs. Ce pass donne droit à l'accès aux parcs et monuments nationaux des États-Unis (nombre d'entrées illimité). Attention, il ne donne pas accès à Monument Valley par exemple (logique, ce n'est pas un monument national !) ni aux State Parks (logique, ce sont des parcs d'État). Franchement, ce pass peut largement suffire pour des vacances déjà bien remplies. Notez que si vous décidez de payer un ticket d'entrée à chaque parc, gardez tous vos tickets car, si la somme finit par atteindre les 80 $, vous êtes en droit de demander un pass afin d'entrer gratuitement dans les suivants. Sympa, non ? Infos au ☎ 1-888-ASK-USGS (extension 1). ● http://store.usgs.gov/pass ●

– **Les centres d'accueil ou Visitor Centers :** dans tous les parcs naturels, il existe un ou plusieurs Visitor Centers où l'on trouve le plan et le journal du parc (avec des infos pratiques sur les sites, les randos, les activités, etc.), une variété remarquable de cartes topographiques (randonnées pédestres, équestres, cyclistes...), de superbes cartes postales et des livres splendides. Ils sont souvent tenus par des rangers qui peuvent vous donner de nombreux conseils pour les balades et l'hébergement. C'est le premier endroit où se rendre en arrivant. C'est souvent aussi le point de départ des visites et toujours une mine de renseignements. La plupart sont même de véritables petits musées avec panneaux explicatifs sur la géologie locale, la faune et la flore, projection de film, etc.

– *Sites internet des parcs nationaux américains :* pour toutes infos utiles, tarifs d'entrée, etc. : ● nps.gov ● suivi des premières lettres ou des initiales du parc. Ça marche presque à tous les coups ! Exemple : ● nps.gov/yose ● pour le Yosemite. Pour réserver un hébergement dans tous les parcs nationaux : ● recreation.gov ●
– *Les chèques de voyage en dollars* sont acceptés très facilement dans les *boutiques* et les *restos* (même pour de petites sommes).

Abréviations utiles

NM = *National Monument* = monument national.
NP = *National Park* = parc national.
NHP = *National Historic Park* = parc national historique.
NHS = *National Historic Site* = site historique national.
NRA = *National Recreative Area* = zone récréative nationale.

POSTE

– *Les bureaux de poste :* pour la plupart ouverts du lundi au vendredi de 8h à 17h et le samedi matin pour les achats de timbres, dépôts de lettres ou paquets.
– Vous pouvez vous faire adresser des lettres à la poste principale de chaque ville par la *poste restante.* Exemple : Harry Cover, General Delivery, Main Post Office, ville, État. Attention, les postes restantes ne gardent pas toujours le courrier au-delà de la durée légale, soit trente jours.
– À noter, si vous achetez des *timbres* : vous pouvez vous en procurer dans les guichets de poste *(US Mail)* ; mais aussi dans les distributeurs *(automats)* situés dans les papeteries, dans certaines AJ et *YMCA* mais, comme ils ne rendent pas la monnaie, ils reviennent plus cher. Ils sont également plus chers chez les marchands de souvenirs. Enfin, il existe des distributeurs de timbres à l'entrée des postes, accessibles jusqu'à des heures assez tardives, en tout cas bien après la fermeture des bureaux.
– Notez que les bureaux de poste dans les *aéroports* sont rarissimes, voire inexistants. Si vous comptez poster la carte postale pour mamie à la dernière minute, c'est raté. Seule solution, trouver un distributeur automatique et une boîte mais ce n'est pas garanti.
– Compter *94 cents pour l'envoi d'une lettre ou d'une carte postale* en Europe.

SANTÉ

La sécurité sanitaire est excellente aux États-Unis, mais extrêmement chère, même pour les Américains. Pas de consultation médicale à moins de 100 $. Pour les médicaments, multiplier par deux au moins les prix français. D'où l'importance de souscrire, avant le départ, une *assurance voyage intégrale avec assistance-rapatriement* (voir « Avant le départ »).

Les médicaments et consultations

– *Prévoyez une bonne pharmacie de base* dans vos bagages, avec éventuellement un antibiotique à large spectre prescrit par votre généraliste (au cas où), à fortiori si on voyage avec des enfants. Sur place, si vous souffrez de petits bobos courants ou facilement identifiables (rhume, maux de gorge, gastro...), on peut pratiquer en premier lieu l'automédication, comme le font les Américains. De nombreux médicaments, délivrés uniquement sur ordonnance en France, sont vendus en libre-service dans les drugstores type *Walgreens, Duane Reade, CVS* ou *Rite Aid* (certains sont ouverts 24h/24). En revanche, les lentilles de contact sont parfois difficiles à obtenir rapidement, surtout sans ordonnance (prévoir un petit stock).

Évidemment, si cela vous semble grave ou s'il s'agit d'enfants, un avis médical s'impose. Vous trouverez les coordonnées des médecins dans les pages jaunes (sur Internet : ● yellowpages.com ●) à *Clinics* ou *Physicians and surgeons*. Attention, on le répète : les consultations privées sont chères (100-200 $ minimum chez un généraliste...).
– Voir aussi « Urgences » plus loin.

Les maladies

Pas de panique à la lecture des lignes suivantes, qui n'ont pour but que d'améliorer les conditions de votre voyage et en aucun cas de vous angoisser sur ses risques potentiels.

Attention aux tiques dans les zones boisées, comme dans les parcs nationaux par exemple : leurs piqûres transmettent la redoutable maladie de Lyme *(Lyme disease)*. Pour éviter les piqûres, prévoir un répulsif spécial (on en trouve en France ou sur place) et bien se couvrir la tête (chapeau), les bras, les jambes et les pieds. Examinez-vous régulièrement pour limiter les risques de transmission (il faut 24h à une tique pour transmettre la maladie). Dans la moitié ouest du pays, diverses maladies, dont les rongeurs sont le réservoir de germes et les insectes les agents transmetteurs, sont présentes et en croissance (mais dans des proportions faibles), comme la peste (oui, vous avez bien lu) essentiellement dans les parcs nationaux, et les hantaviroses (fièvres « hémorragiques »).

La virose à West Nile, et sa redoutable complication, l'encéphalite, est implantée aux États-Unis depuis 1999. Elle est transmise par les piqûres de moustiques très communs et partout répandus. Depuis 2003, l'épidémie se calme mais peut reprendre à tout moment sa virulence du début. Quoi qu'il en soit, dès le mois de mai et jusqu'au début de l'hiver, il convient d'éviter les piqûres de moustiques dans l'ensemble du pays : répulsifs cutanés à 50 % de DEET, imprégnation des vêtements, voire des moustiquaires.

Même si tous les moustiques ne sont pas vecteurs de maladies, ils gâchent parfois un peu le voyage ! Pensez à emporter dans vos bagages des produits antimoustiques efficaces (par exemple *Insect Ecran*) car ils sont beaucoup plus chers là-bas. On en trouve en pharmacie ou en parapharmacie ou via le site ● sante-voyages. com ● qui propose la vente en ligne de matériel pour voyageurs (lire ci-dessous).

● **sante-voyages.com** ● Infos complètes toutes destinations, boutique en ligne en paiement sécurisé, expéditions par Colissimo Expert en Europe et Dom-Tom et autres pays desservis par Colissimo ou Chronopost. Téléchargement gratuit du catalogue sur la page d'accueil du site. ☎ *01-45-86-41-91 (lun-ven 14h-19h). Dépôt-vente : 30, av. de la Grande-Armée, 75017 Paris.* Ⓜ *Argentine. Lun-sam 10h-19h.*

Vaccins

Aucun vaccin exigé sur le sol américain mais, comme partout, soyez à jour de vos vaccinations « universelles » : tétanos, polio, diphtérie (DTP) et hépatite B. Le vaccin préventif contre la rage (maladie transmissible par à peu près tous les mammifères, y compris les chauves-souris) est recommandé pour tout séjour prolongé en zone rurale ou en contact avec des animaux.

SITES INTERNET

● **routard.com** ● Tout pour préparer votre périple. Des fiches pratiques sur plus de 180 destinations, de nombreuses informations et des services : photos, cartes, météo, dossiers, agenda, itinéraires, billets d'avion, réservation d'hôtels, location de voitures, visas... Et aussi un espace communautaire pour échanger ses bons plans, partager ses photos ou trouver son compagnon de voyage. Sans oublier *routard mag,* ses reportages, ses carnets de route et ses infos pour bien voyager. La boîte à outils indispensable du routard.

Les médias

● *cnn.com* ● *http://abcnews.com* ● *time.com* ● *washingtonpost.com* ● *nyti mes.com* ● *iht.com* ● figurent parmi les meilleurs sites d'actualité.

Sur la Californie

● *visitcalifornia.com* ● Des informations pratiques et utiles qui vous donnent un bon aperçu de la Californie (géographie, histoire, plan des grandes villes, réservations d'hôtels et de voitures, sites à visiter, etc.). Et aussi, possibilité de télécharger une carte très précise de toute la Californie.

● *america-dreamz.com* ● Un autre site utile (en français) avec un tas de conseils pratiques, cartes, photos et des orientations de lecture.

● *state.ca.us* ● Site officiel complet sur le gouvernement, le business, l'agriculture, l'histoire, la culture. Avec des liens.

● *sanfranciscodream.com* ● Consultable en français. Site animé et drôle avec des photos, des propositions d'itinéraires (à pied et en voiture) et la possibilité de les imprimer.

● *rendezvousla.com* ● Le site des francophones de Los Angeles.

● *atlasmagazine.com* ● Webzine sur l'art déjanté de Californiens.

Sur les Indiens

● *aimovement.org* ● Le site de l'*American Indian Movement.*

● *geocities.com/bazarnik/index.html* ● Très beau site hommage ; chouettes photos noir et blanc, nombreux liens vers d'autres sites sur la culture indienne, mais aussi sur des associations de défense de la nature.

Sur des personnalités

● *seeing-stars.com* ● Tout ce que vous avez toujours voulu savoir sur les *people* d'Hollywood sans jamais oser le demander : les restos tenus par des célébrités, les endroits où les stars habitent, font du sport ou leurs courses, où elles sont enterrées... Et plein de trucs pour devenir célèbre !

● *jamesdean.com* ● Site officiel (en anglais) sur James Dean.

TABAC

Depuis 1998, l'État de Californie interdit de fumer dans les bars, les restaurants, les boîtes de nuit et autres casinos. Les établissements qui ne respectent pas cette législation risquent des fermetures administratives plus ou moins longues. Quant aux particuliers, les amendes sont quelque peu dissuasives : de 10 à 250 $. Aux États-Unis, d'une manière générale, il est interdit de fumer dans les lieux publics (bus, magasins, cinémas, théâtres, musées, hôtels, restaurants, etc.) d'une bonne trentaine d'États. Les cigarettes s'achètent dans les stations-service, les supermarchés, les boutiques d'alcool, etc., mais aussi dans des distributeurs automatiques, où elles sont souvent plus chères.

TAXES ET POURBOIRES

D'abord les taxes

Dans tous les États-Unis, les prix affichés dans les magasins, les hôtels, les restos, etc., s'entendent SANS TAXE. Celle-ci s'ajoute au moment de payer, et diffère selon

l'État et le type d'achat. Dans les hôtels, elle oscille entre 10 et 15 % ; pour tout ce qui est restos, vêtements, location de voitures... elle varie entre 5 et 10 %.
Les commerçants, les restaurateurs et les hôteliers l'ajoutent donc à la caisse. Seuls les produits alimentaires vendus en magasin ne sont pas soumis à la taxe (en fait, cela dépend des États). De même, certains secteurs, il est vrai peu nombreux, en sont exonérés.

Puis les pourboires (*tips* ou *gratuities*)

Dans les restos, les serveurs ayant un salaire fixe ridiculement faible, la majeure partie de leurs revenus provient des pourboires. Voilà tout le génie de l'Amérique : laisser aux clients, selon leur degré de satisfaction, le soin de payer le salaire des serveurs, pour les motiver. Le *tip* est une institution à laquelle vous ne devez pas déroger (sauf dans les fast-foods et endroits self-service). Un oubli vous fera passer pour le plouc total. Les Français possèdent la réputation d'être particulièrement radins et de laisser plutôt moins de 10 % que les 15-20 % attendus. Pour savoir quel pourboire donner, il suffit en général de doubler la taxe ajoutée au montant de la note, ce qui représente, selon l'État, environ 15-17 % (et donc un pourboire honnête). Parfois, le service est ajouté d'office au total, après la taxe ; ce qui n'est pas très correct, car il est alors trop tard pour marquer son désaccord si la prestation n'est pas à la hauteur... Heureusement (allez savoir pourquoi), cela se passe surtout avec les *parties* (groupes) de huit ou plus. Si vous payez une note de resto par carte de paiement, n'oubliez pas non plus de remplir vous-même la case *Gratuity* qui figure sur la facturette, car, sinon, le serveur peut s'en charger lui-même... et du coup doper carrément l'addition en vous imposant un pourboire plus élevé que celui que vous auriez consenti ; vous ne vous en apercevriez qu'à votre retour, en épluchant votre relevé de compte bancaire. Pas la peine non plus de rajouter des *tips* sur la facturette si le service *(gratuity)* vous a déjà été compté sur l'addition ! Enfin, gardez bien en tête qu'aux États-Unis, *1* s'écrit *I*, sinon vous avez de fortes probabilités que votre *1* soit pris pour un *7* !
Idem, dans les *bars* : le barman, qui n'est pas mieux payé qu'un serveur de restaurant, s'attend à ce que vous lui laissiez un petit quelque chose, par exemple 1 $ par bière, même prise au comptoir... Pour les *taxis* : il est coutume de laisser un *tip* de 10 à 15 % en plus de la somme au compteur. Là, gare aux jurons d'un chauffeur mécontent ; il ne se gênera pas pour vous faire remarquer vertement votre oubli.
Prévoir des billets de 1 $ pour tous les petits boulots de service où le pourboire est légion (bagagiste dans un hôtel un peu chic par exemple).

TÉLÉPHONE ET TÉLÉCOMMUNICATIONS

Téléphone

– *États-Unis* ➙ *France :* 011 + 33 + numéro du correspondant à neuf chiffres (sans le 0 initial).
– *France* ➙ *États-Unis :* 00 + 1 + indicatif de la ville (sans le 1 initial) + numéro du correspondant.

Tuyaux

– Les numéros de téléphone américains à 7 chiffres sont précédés d'un *area code* (indicatif régional). Exemple : 415 pour San Francisco. Pour passer un appel local, il ne faut pas composer cet *area code,* sauf dans quelques zones spécifiques... En revanche, pour appeler d'une région à une autre, il faut composer le 1, puis l'*area code* et enfin le numéro de téléphone à sept chiffres.
Pour connaître un numéro local, composez le 411 (ou 1-411, cela dépend de l'endroit où vous vous trouvez) ; pour un numéro interurbain, composez l'indicatif + 555-1212 ; pour un numéro gratuit, le 1-800 + 555-1212.

– *Utilisez le téléphone au maximum :* d'abord, les appels locaux sont souvent gratuits depuis les motels (attention, quand même pas tous et pas depuis les grands hôtels, renseignez-vous). En tout cas, cela vous fera gagner pas mal de temps. Au début de l'annuaire des pages jaunes, vous trouverez un tas d'infos intéressantes concernant les transports (intérieurs et extérieurs), les parcs, les sites, les musées, les théâtres...

– *Tous les numéros de téléphone commençant par 1-800, 1-888, 1-877 ou 1-866 sont gratuits* (compagnies aériennes, chaînes d'hôtels, agences de location de voitures...). On appelle ça les *toll free numbers* : nous les indiquons dans le texte, ça vous fera faire des économies pour vos réservations d'hôtels et vos demandes de renseignements (la plupart des *Visitor Centers* en ont un).

– *Les numéros gratuits sont parfois payants depuis les hôtels* et ne fonctionnent pas quand on appelle de l'étranger. Ceux des petites compagnies fonctionnent parfois uniquement à l'intérieur d'un État.

– *Certains numéros sont composés de mots,* ne vous affolez pas, c'est normal ! Chaque touche de téléphone correspond à un chiffre et à trois lettres. Ce qui permet de retenir facilement un numéro (exemple : pour contacter les chemins de fer Amtrak, ☎ 1-800-USA-RAIL, ça équivaut à 1-800-872-7245). Ne vous étonnez pas si certains numéros dépassent les onze chiffres, c'est tout simplement pour faire un mot complet, plus facile à retenir.

Les règles de base

Joindre la France ou même les États-Unis depuis une cabine aux États-Unis peut être parfois déroutant. La carte prépayée est donc conseillée dans les grandes villes ou pour appeler depuis une chambre d'hôtel. Cela dit, après nous être escrimé à composer dix fois le code secret d'une carte prépayée totalement inopérante dans un trou perdu du Sud-Ouest américain, le technicien est venu nous dire qu'une pièce de 25 cents suffisait à joindre la France... Ce qui s'est avéré exact (même s'il faut ensuite alimenter un peu la cabine pour faire durer le plaisir) ! Sachez tout de même que la plupart des cabines n'acceptent malheureusement pas les cartes de paiement. Moralité : achetez toujours une carte prépayée pour appeler d'un hôtel et prévoir des pièces de monnaie pour les cabines publiques. En effet, les hôtels pratiquent toujours des tarifs abusifs qui ne laissent que le choix de la carte de téléphone *(phone card)*. Dans certains hôtels, on peut aussi vous facturer une communication téléphonique même si l'appel n'a pas abouti ! Il suffit parfois de laisser sonner quatre ou cinq coups dans le vide pour que le compteur tourne. Dans le même ordre d'idées, il arrive souvent que les hôtels (sauf les petits motels) fassent payer les communications locales, qui sont normalement gratuites... Pour éviter les surprises, renseignez-vous avant de décrocher votre combiné.

Les cartes téléphoniques prépayées (prepaid phone cards)

Les cartes téléphoniques demeurent donc souvent le moyen le plus pratique et le moins cher pour téléphoner aux États-Unis. Éditées par des dizaines de compagnies différentes, elles sont en vente un peu partout (supermarchés, drugstores, réceptions d'hôtels, certains *Visitor Centers*...) à des prix variables selon le crédit disponible de la carte (généralement 5, 10 ou 20 $). Il faut d'abord appeler un numéro gratuit indiqué sur la carte qui commence par 1-800, puis, en vous laissant guider par la voix enregistrée, composer le code d'accès confidentiel inscrit aussi dessus (à gratter préalablement), et enfin le numéro que vous souhaitez joindre (pour la France : 011-33 + le numéro de votre correspondant à 9 chiffres, sans le 0 initial). Ça fait un paquet de chiffres en tout ! On n'introduit donc pas la carte dans le téléphone. Le montant du crédit téléphonique disponible est indiqué automatiquement par la voix enregistrée. Quand il est épuisé, mieux vaut acheter une autre carte plutôt que de recharger son compte en communiquant son numéro de carte de paiement. Avec 5 $, on peut parler plusieurs heures avec la France en appelant un poste fixe, à condition de ne pas appeler quinze personnes différentes à l'aide de la même carte (les frais de connexion pour chaque appel sont élevés). Bien sûr, les unités défilent bien plus vite avec les portables !

Pour les coups de fil locaux, s'ils ne sont pas gratuits depuis votre hôtel, préférez donc les pièces aux cartes téléphoniques (toujours à cause des frais de connexion).

Téléphoner avec un portable

Attention, votre téléphone portable français peut ne pas être compatible avec le réseau américain. Il faut d'abord que votre mobile soit tribande GSM (les modèles les plus récents le sont). Ensuite, tout dépend de l'endroit où vous vous rendez aux États-Unis : la norme n'est pas toujours la même. Et la région des parcs est particulièrement mal desservie par les opérateurs américains... Bref, contactez le service clients de votre opérateur pour vous faire confirmer ces deux paramètres.

Sinon, vous aurez toujours la possibilité d'acheter sur place un portable américain à crédit de communication rechargeable (dans les magasins *Radio Shack* par exemple). Le modèle de base coûte autour de 10 $ et les recharges, sous forme de cartes, se trouvent très facilement dans la plupart des drugstores... L'avantage est de pouvoir passer des coups de fil locaux, nationaux et internationaux à prix acceptables, et d'être appelé (on vous octroie un numéro de téléphone américain au moment de l'achat) à tout moment. Dans ce cas, si votre interlocuteur se trouve en France et dispose d'une ligne numérique ADSL dont l'opérateur a des accords avec les États-Unis (*Freebox* par exemple), la communication est gratuite. Malin, non ?

Urgence, en cas de perte ou de vol de votre téléphone portable

Suspendre aussitôt sa ligne permet d'éviter de douloureuses surprises au retour du voyage ! Voici les nᵒˢ des trois opérateurs français, accessibles depuis la France et l'étranger :

– **SFR :** depuis la France, ☎ 10-23 ; depuis l'étranger, ☎ + 33-6-1000-1900.

– **Bouygues Télécom :** depuis la France comme depuis l'étranger, ☎ 0-800-29-1000 (remplacer le « 0 » initial par « + 33 » depuis l'étranger).

– **Orange :** depuis la France comme depuis l'étranger, ☎ + 33-6-07-62-64-64.

Le blocage de votre portable peut aussi se faire via Internet.

Internet

Le développement d'Internet et des nouvelles technologies a eu pour creuset la Silicon Valley, en Californie, qui compte aujourd'hui quelques milliers de jeunes entreprises de pointe (les fameuses *start-up*) sur le créneau de la nouvelle économie. Fabricants de micro-ordinateurs, fournisseurs d'accès Internet, créateurs de logiciels (*Microsoft* est le plus important), prestataires de services, etc., tous tentent à nouveau de révolutionner le réseau, après avoir essuyé une crise sans précédent et plusieurs centaines de faillites.

D'ARPANET À INTERNET

Le réseau Internet est né aux États-Unis dans les années 1960, en pleine guerre froide. Il s'appelait alors Arpanet et était destiné à relier les militaires, avant de s'étendre aux centres de recherche et aux universités. La grande nouveauté de ce réseau était de répartir les ressources sur tout le territoire au lieu de les concentrer sur un seul lieu. Ensuite, c'est l'invention du World Wide Web, au début des années 1990, qui a révolutionné ce réseau en le rendant multimédia (image et son) et accessible au grand public.

Aux États-Unis, plus d'un foyer sur deux dispose d'un ordinateur connecté à Internet, utilisé avant tout pour le courrier électronique. Les routards qui souhaitent rester en contact avec leur tribu n'auront pas vraiment le choix des cafés Internet, plutôt rares (même dans les grandes villes), en raison du fort taux d'équipement informatique des foyers américains. Cela dit, de plus en plus de lieux (hôtels, cafés, bars, restos, et même certains campings...) sont équipés wi-fi. Pour ceux qui ne voyageraient pas avec leur portable (on dit *laptop* en anglais), on trouve aussi des accès Internet en libre-service un peu partout... Il s'agit de bornes qui fonctionnent soit comme des distributeurs (la machine avale les billets ou la carte de paiement) soit avec des codes à entrer après avoir payé à la caisse pour la durée souhaitée. Cela peut être parfois assez cher dans certains hôtels. Le bon plan dans les grandes villes (San Francisco et Los Angeles) : les boutiques *Apple* où la connexion est gratuite sur tous les ordinateurs de démonstration, à condition de ne pas squatter des heures non plus. Sinon, les bibliothèques *(public libraries)* disposent toutes d'un accès Internet gratuit (généralement limité à 30 mn ou 1h de connexion par personne et par jour). En revanche, l'impression de pages web est un service payant.

Une sélection de sites internet à consulter avant le départ est détaillée plus haut, dans « Sites internet ».

TRANSPORTS

Pour ceux qui n'ont pas bien appris leur géographie à l'école, les États-Unis sont un très grand pays, les distances sont donc longues, très longues.

L'avion

Les compagnies desservant l'intérieur des États-Unis sont nombreuses. À bord des avions, le service est réduit à sa plus simple expression, et la plupart des prestations sont payantes (boissons, repas, écouteurs...).

On conseille d'arriver bien à l'avance pour l'embarquement à cause des mesures de sécurité qui entourent les aéroports américains depuis *September 11th*.

Les compagnies aériennes

■ **Air France :** ☎ 1-800-237-27-47 (aux États-Unis) ou 0820-820-820 (en France). ● airfrance.fr ●
■ **Continental Airlines :** ☎ 1-800-523-3273. ● flycontinental.com ●
■ **Delta Air Lines :** ☎ 1-800-221-1212. ● delta-air.com ●

■ **Northwest Airlines :** ☎ 1-800-225-2525. ● nwa.com ●
■ **United Airlines :** ☎ 1-800-241-6522. ● ual.com ●
■ **US Airways :** ☎ 1-800-428-4322. ● usairways.com ●

Les forfaits (passes)

En gros, c'est une fleur que font certaines compagnies aériennes aux passagers résidant en dehors des États-Unis et munis d'un billet transatlantique. Le prix des distances en est réduit. Il est nécessaire de fixer l'itinéraire avant de partir. Inscrire le plus de villes possible. Si l'on ne va pas à un endroit, on peut le sauter, mais on ne peut pas ajouter d'escale, à moins de payer parfois un supplément. Attention : un trajet n'est pas forcément égal à un coupon, faites-vous bien préciser, avant le départ, le nombre de coupons nécessaires pour chaque voyage.

La voiture

Ah, quel bonheur de conduire aux États-Unis ! Quel plaisir de rouler sur les larges *highways* rectilignes en écoutant les Doors ou le meilleur de la country, le tout *piano piano*, limite de vitesse oblige... Du coup, les déplacements se calculent plus en temps qu'en miles. On a tout le loisir d'admirer au passage les énormes camions aux essieux rutilants comme des miroirs ! Évidemment, on fait abstraction des grandes villes et de leurs abords où, là, se diriger (et se garer) tient parfois du calvaire. L'option GPS peut d'ailleurs s'avérer rentable. Mais pour tout le reste, quel pied ! Même si les voitures de location américaines consomment plus que les nôtres, l'essence est encore moins chère qu'en France et il n'y a que très peu de péages. Ces derniers sont surtout présents dans la périphérie des grandes villes et presque systématiques pour les ponts et tunnels majeurs.

Conduire une voiture automatique

Il n'y a pratiquement que cela aux États-Unis. Voici la signification des différentes commandes internes :

P : Parking (à enclencher lorsque vous stationnez, mais à ne pas utiliser comme frein à main).

R : Reverse (marche arrière).

N : Neutral (point mort).

D : Drive (position de conduite que vous utiliserez quasiment tout le temps).

1, 2 et *3 ou I* et *L :* vous sélectionnez votre propre rapport de boîte (bien utile en montagne ou dans certaines côtes, mais ça consomme plus d'essence).

Pour oublier vos vieux réflexes, calez votre pied gauche dans le coin gauche, et ne l'en bougez plus jusqu'à la fin de votre périple. On se sert uniquement du pied droit pour accélérer ou freiner. Et quelques conseils : pour freiner, posez délicatement votre pied sur la pédale et n'écrasez pas le champignon, même à très basse vitesse (le frein des automatiques est vraiment très sensible) ! Lorsque vous passez de la position « P » à une autre, appuyez toujours sur le frein, sinon vous risquez de faire un bond ! D'ailleurs, certains véhicules refusent de quitter le point « P » tant que vous n'avez pas posé le pied sur le frein, non mais ! Autre astuce : les voitures américaines sont toutes équipées d'un *cruise control,* dispositif qui maintient votre vitesse, quel que soit le profil de la route, tant que vous n'appuyez pas sur le frein ou l'accélérateur. Très pratique sur les longues autoroutes américaines, mais ingérable (et inutile) en ville.

Les règles de conduite

Certaines agences de location de voitures distribuent des fiches des règles de conduite spécifiques à l'État dans lequel on loue le véhicule.

– **La signalisation :** les panneaux indiquant le nom des rues que l'on croise sont généralement accrochés aux feux ou aux poteaux des carrefours, ce qui permet de les localiser un peu à l'avance.

– **Les feux tricolores :** ils sont situés après le carrefour et non avant comme chez nous. Si vous marquez le stop au niveau du feu, vous serez donc en plein carrefour. Pas d'inquiétude, après une ou deux incartades, on flippe tellement qu'on s'habitue vite.

– **La priorité à droite :** elle ne s'impose que si deux voitures arrivent en même temps à un croisement. La voiture de droite a alors la priorité. Dans tout autre cas, le premier arrivé est le premier à passer !

– **Tourner à gauche, avec une voiture en face :** contrairement à la circulation dans certains pays, dont la France, un tournant à gauche, à un croisement, se fait au plus court. Autrement dit, vous passerez l'un devant l'autre, au lieu de tourner autour d'un rond-point imaginaire situé au centre de l'intersection. Attention : si une pancarte indique *« no left turn »* ou *« no U turn »,* vous devrez attendre la prochaine intersection pour vous engager à gauche ou faire demi-tour ; ou alors : tourner à droite et revenir sur vos pas.

– **Tourner à droite, à une intersection :** à condition d'être sur la voie de droite, vous pouvez tourner à droite au feu rouge après avoir observé un temps d'arrêt et vous être assuré que la voie est libre. Attention ! Vrai dans certains États seulement, dont la Californie. Bien entendu, on ne le fait pas si une pancarte indique *« No red turn ».*

– **Une fois sur l'autoroute :** gare aux erreurs de direction, qui se paient cher... en kilomètres, notamment sur les routes à péage. Il n'est pas rare de devoir faire 10, 20, voire 30 km sans pouvoir faire demi-tour.

Distances entre les principales villes

Distances en miles	Los Angeles	Monterey	Palm Springs	Reno Nev.	San Diego	San Francisco	San Jose	San Luis Obispo	Santa Barbara	Sequoia Nat'l Park	Yosemite Nat'l Park
Los Angeles		334	104	470	131	406	361	204	96	236	309
Monterey	334		436	315	462	116	69	144	237,5	228	201
Palm Springs	104	436		513	136	507	462,5	307,5	200	236	411
Reno Nev.	470	315	513		557,5	223	256	426	539	387,5	214
San Diego	131	462	136	557,5		551	489	323	229	363	436
San Francisco	406	116	507	223	551		46	229	323	274	185
San Jose	361	69	462,5	256	489	46		183	277	229	179
San Luis Obispo	204	144	307,5	426	323	229	183		94	179	237,5
Santa Barbara	96	237,5	200	539	229	323	277	94		277,5	331
Sequoia Nat'l Park	236	228	236	387,5	363	274	229	179	277,5		177
Yosemite Nat'l Park	309	201	411	214	436	185	179	237,5	331	177	

– **Sur les routes nationales et les autoroutes :** les voies venant de la droite ont soit un « *STOP* », soit un « *YIELD* » (cédez le passage), et la priorité à droite n'est pas obligatoire.

– **Les ronds-points (ou giratoires) :** plutôt rares, ils donnent la priorité aux voitures qui sont déjà engagées dans le giratoire.

– **Les 4-way stops :** carrefour avec stop à tous les coins de rue. S'il y a plusieurs voitures, le premier qui s'est arrêté est le premier à repartir. Assez fréquent aux États-Unis et totalement inédit chez nous.

– **Le système du car pool :** sur certains grands axes, pour faciliter la circulation et encourager le covoiturage, il existe une voie dénommée *car pool* (ou *HOV* pour *High Occupancy Vehicle*), réservée aux usagers qui roulent à deux ou plus par voiture. Il y a bien sûr beaucoup moins de monde que sur les autres voies. Très utile aux heures de pointe (parfois la règle ne s'applique qu'à certaines périodes de la journée) et assez répandu à Los Angeles ; mais à n'emprunter évidemment d'aucune façon si vous êtes seul à bord, sous peine d'amende.

– **La limitation de vitesse :** elle est fixée par les États. Maximum 55 mph (88 km/h) sur de nombreuses routes. Mais sur les autoroutes *(interstates),* elle peut atteindre 65 mph (104 km/h). Depuis quelques années, la limite a même été remontée dans de nombreux États de l'Ouest : 70 mph (112 km/h) en Californie et même 75 mph (120 km/h) dans le Nevada. En ville : 20-35 mph (32-56 km/h). À proximité d'une école (à certaines'heures), elle chute à 15 mph (24 km/h), et tout le monde respecte ! Les radars sont très nombreux, et la police, très présente et très vigilante, aime beaucoup faire mugir ses sirènes.

– **Le stationnement :** faites attention où vous garez votre voiture. Les PV fleurissent très vite sur votre pare-brise. Des panneaux « *No Parking* » signalent les stationnements interdits. Ne vous arrêtez JAMAIS devant un arrêt d'autobus, ni devant une arrivée d'eau pour incendie *(fire hydrant),* ni s'il y a un panneau « *Tow Away* », qui signifie « enlèvement demandé » : on vous enlèvera la voiture en quelques minutes, et la fourrière comme l'amende sont très chères (plus de 200 $).

– **Le stationnement en ville :** le problème du parking est crucial dans certaines grandes villes, où il est très cher. Il vaut mieux trouver un *park and ride,* grand parking aux terminaux et grandes stations de bus et métro (généralement indiqués sur les plans des villes). Arriver tôt car ils sont vite complets. À San Francisco, où le stationnement automobile est complexe, on trouve souvent de petits parkings gardés entre les immeubles et qui, si vous n'avez pas le choix, sont bien moins chers que les parkings couverts ou ceux des hôtels.

– **Les parcmètres :** le système de stationnement en ville est compliqué. La présence de parcmètres ne veut pas forcément dire qu'on peut se garer tout le temps et vérifiez bien les périodes où ils sont payants (parfois 24h !). Dans certaines villes, il faut observer la couleur du marquage sur le trottoir : rouge (interdit), blanc (réservé à la dépose de passagers, comme devant les hôtels), vert (limité à 15 mn), etc. Attention aux places réservées à la livraison. De plus, il faut observer les petits panneaux sur les trottoirs indiquant des restrictions comme le nettoyage des rues *(street clearing).* Ainsi, aux jours et heures indiqués, mieux vaut débarrasser le trottoir, sous peine de voir sa voiture expédiée à la fourrière. Et si le parcmètre est hors service, ne pensez pas faire une bonne affaire : vous devez alors vous garer devant un parcmètre qui fonctionne !

La liste n'est pas exhaustive, et vous découvrirez encore plein de surprises par vous-même. Ainsi, dans les rues pentues de San Francisco, il est obligatoire de se garer les roues braquées vers le trottoir. Globalement, sachez enfin que l'Américain est généralement civique et qu'il ne lui viendrait pas à l'idée de bloquer en double file la circulation pour acheter son journal. Que ceux qui se reconnaissent lèvent le doigt...

– **Les bus scolaires à l'arrêt :** très important, lorsqu'un *school bus* (on ne peut pas les louper, ils sont toujours jaunes) s'arrête et qu'il met ses feux clignotants rouges, l'arrêt est obligatoire dans les deux sens, pour laisser traverser les enfants qui en descendent, et si on le suit, ne surtout pas le doubler. Tant que les feux clignotants sont orange, le bus ne fait que signaler qu'il va s'arrêter. À l'arrêt, un petit panneau triangulaire est parfois automatiquement déployé, sur la gauche du véhicule, pour vous intimer l'arrêt. C'est l'une des pénalités les plus gravement sanctionnées aux États-Unis.

– **Le respect dû aux piétons :** le respect des passages protégés n'est pas un vain mot, et le piéton a VRAIMENT la priorité. Dès qu'un piéton fait mine de s'engager sur la chaussée pour la traverser, tout le monde s'arrête (enfin, presque tout le monde...). Par ailleurs, sachez que traverser hors des clous ou au feu rouge (pour les piétons) peut être passible d'une amende dans certains États ! Il y a même un terme pour ça : le *jaywalking...*

– **Les PV :** si vous avez un PV *(a ticket)* avec une voiture de location, mieux vaut le payer sur place et non une fois rentré chez vous. Car lorsque vous signez le contrat de location, vous donnez implicitement l'autorisation au loueur de régler les contraventions pour vous (avec majoration). La solution la plus simple consiste à payer en se rendant directement à la *Court House* locale. Autre possibilité : régler par carte de paiement. Au dos du PV, un numéro de téléphone et un site internet vous permettent de le faire. Votre compte est ensuite débité par la police. D'ailleurs, certains lecteurs nous ont signalé que leur carte n'a pas été débitée parce qu'elle n'était pas émise par une banque américaine. On ne va pas s'en plaindre. Enfin, il semblerait que, moyennant une commission, certains organismes de location possèdent un service qui règle l'amende auprès des instances concernées. À vérifier avant de perdre du temps dans des démarches.

L'essence

Faites le plein avant de traverser des zones inhabitées, certaines stations-service *(gas stations)* sont fermées la nuit et le dimanche. Parfois, sur les autoroutes, on peut rouler pendant des heures sans en trouver une. Or, la plupart des voitures américaines ont une consommation plus élevée que les voitures européennes et on roule facilement sur des longues distances. Le prix de l'essence *(gas),* en forte hausse en ce moment, varie selon les États. Malgré cela, elle reste bien moins chère que chez nous (entre 3,30 et 3,70 $ dans les zones touristiques pour 1 *gallon* = 3,8 l environ) ; ce qui n'encourage pas assez les constructeurs à concevoir des voitures moins gourmandes, et surtout moins polluantes. Sachez que vous paierez l'essence plus cher aux abords et à l'intérieur des parcs nationaux, donc pensez à faire le plein dès que vous en sortez ou avant d'y arriver.

– *Bon plan :* les supermarchés *Wall Mart* ainsi que certaines stations-service qui disposent de cartes de fidélité donnant droit à des réductions immédiates sur un plein. Les bouchons de réservoir indiquent parfois le carburant à utiliser, généralement du *unleaded* (sans-plomb), dont il existe plusieurs qualités. La moins chère, la *regular,* convient parfaitement. Enfin, il y a le diesel, mais peu de véhicules l'utilisent. Dans les stations-service, deux possibilités : le *full-serve* (on vous sert et on vous fait le pare-brise) et le *self-service* (10 % moins cher et le plus fréquent en ville). Un truc à savoir : pour remettre le compteur de la pompe à zéro et l'amorcer, il faut encore parfois détacher le tuyau et relever le bras métallique. On paie parfois à la caisse avant de se servir. Mais si on ne sait pas combien on veut d'essence (si on fait le plein, par exemple), on laisse sa carte de paiement ou un gros billet au caissier et on revient prendre la monnaie ou signer ensuite. Sinon, la plupart des stations-service ont des pompes avec règlement automatique par carte de paiement, mais les cartes étrangères ne sont pas toujours reconnues. La plupart des *gas stations* offrent une grande variété de services : des w-c à disposition, du café ou des cigarettes, souvent une petite épicerie. Elles vendent aussi des cartes très précises de la localité où l'on se trouve et qui couvrent en général toute la périphérie.

Circuler et s'orienter

En France, si vous connaissez le nom de la ville où vous allez, vous pourrez toujours vous débrouiller. Aux États-Unis, il faut connaître en plus le nom et le numéro de la route ainsi que votre orientation (nord, sud, est ou ouest). Par exemple, pour aller de New York à San Francisco, il faut prendre l'« Interstate 80 West » (sur les panneaux, c'est inscrit « I 80 W »). C'est particulièrement vrai pour les abords des grandes villes. Un conseil : munissez-vous d'une carte routière, car les panneaux indiquent en priorité les numéros de route et plus rarement les directions.

On distingue les *freeways* (larges autoroutes aux abords des grandes villes), les *interstates,* qui effectuent des parcours transnationaux (elles sont désignées par deux chiffres), et les routes secondaires (par trois chiffres). Elles sont signalisées de manière différente et faciles à repérer. Simplement, ouvrez bien l'œil et sachez vers quel point cardinal vous allez. Sur les *interstates,* le numéro de la sortie correspond au mile sur lequel elle se trouve. Ainsi, la prochaine sortie après la 189 peut très bien être la 214.

Si vous rencontrez des *turnpikes* (rares), sachez que ce sont des autoroutes payantes. Les grands ponts (comme le Golden Gate) et beaucoup de tunnels majeurs sont aussi souvent payants.

La signalisation routière utilise peu de symboles contrairement à l'Europe. Impératif de bien connaître l'anglais, surtout pour le stationnement.

Les cartes routières

Pas très utile d'acheter des cartes détaillées en France. Pratiquement toutes les stations-service vous en proposeront à des prix bien moins élevés. Les cartes des agences de location de voitures sont également utiles (bien qu'un peu sommaires), ainsi que celles des offices de tourisme ; et elles sont gratuites.

– Se procurer l'atlas des routes de *Rand MacNally,* la bible du voyageur au long cours aux États-Unis : une page par État, très bien fait. Indique les parcs nationaux et les campings. L'atlas de l'*American Automobile Association* n'est pas mal non plus.

– Lorsqu'on traverse la frontière d'un État, il y a très souvent un *Visitor Center* où il est possible d'obtenir gratuitement des cartes routières de l'État dans lequel on entre. Vous trouverez aussi moult brochures et coupons de réduction.

Les voitures de location

La location depuis la France

■ **Auto Escape :** ☎ 0800-920-940 (numéro gratuit) ou 04-90-09-28-28. ● au toescape.com ● Vous trouverez également les services d'*Auto Escape* sur ● routard.com ● L'agence *Auto Escape* réserve auprès des loueurs de gros volumes d'affaires, ce qui garantit des tarifs très compétitifs. Il est recommandé de réserver à l'avance. *Auto escape* offre 50 % de remise sur l'option d'assurance « zéro franchise » (soit 2,50 €/j. au lieu de 5 €) pour les lecteurs du *Guide du routard.*

■ **BSP Auto :** ☎ 01-43-46-20-74 (tlj).

Fax : 01-43-46-20-71. ● resa@bsp-au to.com ● bsp-auto.com ● Les prix proposés sont attractifs et comprennent le kilométrage illimité et l'assurance tous risques sans franchise. BSP Auto vous propose exclusivement les grandes compagnies de location sur place, vous assurant un très bon niveau de services. Le plus : vous ne payez votre location que 5 jours avant le départ.

■ Et aussi : *Hertz* (☎ 01-41-919-525 ; 0,15 €/mn) ; *Avis* (☎ 0820-050-505 ; 0,12 €/mn) et **Budget** (☎ 0825-003- 564 ; 0,15 €/mn).

La location aux États-Unis

Les prix peuvent varier du simple au double pour les mêmes prestations. La taxe, qui est d'environ 9 % est rarement incluse dans les *vouchers* des agences de location ; quant aux assurances, ça dépend des compagnies, d'où l'intérêt de bien se renseigner. Si vous pensez faire peu de kilomètres, mieux vaut prendre le tarif le plus avantageux à la journée, même si le coût au kilomètre est plus cher. Pour un très long parcours, la formule « kilométrage illimité » est toujours plus rentable, en tout cas à partir de 150 miles (240 km) par jour. Les voitures de location les moins chères sont les *economies* et les *compacts* (catégorie A) avec trois ou cinq portes ; très bien jusqu'à trois personnes. Ensuite viennent les *mid-sizes* et les *full-sizes.* De façon générale, les voitures sont beaucoup plus spacieuses et confortables qu'en Europe, à catégorie égale.

Quelques règles générales

– Il est impossible de louer une voiture si l'on a *moins de 21 ans,* voire 25 ans pour les grandes compagnies.
– Avoir absolument une *carte de paiement* (*MasterCard* et *Visa* sont acceptées partout). Très rares sont les compagnies qui acceptent le liquide. De plus, si tel est le cas, on doit laisser une grosse caution. Un truc en or : avec les cartes prestige style *MasterCard Gold* ou *Visa Premier,* vous bénéficiez gratuitement de l'assurance vol et dégradations. Certes, ces cartes ne sont pas données, mais vous aurez vite amorti votre investissement si vous louez votre voiture pour quinze jours et plus.
– Bien souvent, le permis international (délivré gratuitement dans les préfectures) est facultatif ; la plupart des agences refusent de louer une voiture sans le *permis national.*
– Attention, il arrive fréquemment que les loueurs vous incitent à prendre une *catégorie supérieure* à celle que vous avez réservée, « pour votre confort personnel », mais le supplément vous sera bien facturé ! Méfiance donc, et lisez bien la facture avant de partir avec votre véhicule.
– Seules les *grandes compagnies* sont représentées dans les aéroports. Les moins chères se trouvent en ville (en fait, les taxes sont moins élevées) mais, si vous arrivez en avion, elles peuvent vous livrer le véhicule.
– Les *tarifs les moins chers* sont à la semaine. Si vous louez pour plus de deux semaines, n'hésitez pas à demander une ristourne, ça peut marcher. Il existe aussi des réductions week-end *(week-end fares)* : du vendredi midi au lundi midi. De même, si vous réservez à l'avance, vous paierez moins cher qu'en vous y prenant le jour même.
– Dans de nombreuses compagnies, on peut rendre le véhicule dans un endroit différent de celui où on l'a pris *(one-way rental),* mais il faudra payer un *drop off charge (frais d'abandon),* qui va de 50 à 500 $.
– Les véhicules disposent tous de la *clim',* ce qui peut être confortable en été. Bien sûr, ça consomme plus d'essence et ça pollue l'atmosphère...
– Avant de ramener votre voiture, vérifiez sur votre contrat si vous devez la rendre *avec le plein* (parfois l'option vous est ajoutée – et facturée – sans même qu'on vous demande votre avis. Si cette option n'est pas clairement stipulée dans votre contrat, faites le plein avant de rendre le véhicule. Sinon, on vous facturera le gallon deux ou trois fois plus cher que le prix à la pompe.

Les assurances

Elles sont nombreuses, et l'on s'emmêle rapidement les pinceaux. Tous les véhicules possèdent une assurance minimum obligatoire, comprise dans le tarif proposé. Au-delà, tout est bon pour essayer de vous vendre le maximum d'options qui ont vite fait de revenir plus cher que la location de voiture elle-même. Renseignez-vous bien aussi sur les franchises qui varient d'une compagnie à l'autre. Avec une carte de paiement haut de gamme *(MasterCard Gold, Visa Premier...),* il est inutile de prendre l'assurance *CDW* ou *LDW,* car le paiement par ces cartes donne automatiquement droit à ces deux options. Ne prenez, dans ce cas, que l'*ALI,* également appelée *LIS* (responsabilité civile) si vous le souhaitez.
– *LDW (Loss Damage Waiver)* ou *CDW (Collision Damage Waiver)* : c'est l'assurance tous risques avec suppression de franchise, partielle *(CDW)* ou totale *(LDW).* Elle est à présent obligatoire dans la plupart des États. Son prix : de 10 à 20 $ par jour selon les États. Elle couvre votre véhicule pour tous dégâts (vol, incendie, acci-

dents... mais pas le vandalisme) si vous êtes en tort, mais pas les dégâts occasionnés aux tiers si vous êtes responsable.

– **ALI (Additional Liability Insurance) ou LIS :** c'est une assurance supplémentaire qui vous couvre si vous êtes responsable de l'accident. Aucune carte de paiement ne l'inclut dans ses services. Il faut savoir qu'aux États-Unis, si vous renversez quelqu'un et que cette personne est hospitalisée pour six mois, votre responsabilité sera engagée bien au-delà de vos revenus. Il est donc important d'avoir une couverture béton. Attention toutefois, si vous roulez en état d'ivresse, cette assurance ne fonctionne pas.

– **PAI (Personal Accident Insurance) :** elle couvre les accidents corporels. Inutile si vous avez par ailleurs souscrit une assurance personnelle (responsabilité civile) incluant les accidents de voiture. La *PAI* ferait alors double emploi.

– **PEP (Personal Effect Protection) :** elle couvre les effets personnels volés dans la voiture. À notre avis, cette assurance est inutile. Il suffit de faire attention et de ne jamais rien laisser de valeur à l'intérieur. À cet égard, une nouvelle loi interdit aux loueurs de matérialiser la voiture de location avec des macarons et autocollants. C'était du pain bénit pour les voleurs qui repéraient ainsi les véhicules à « visiter ». Enfin, sachez que certaines compagnies proposent une petite assurance complémentaire (encore !) couvrant tous les petits dégâts possibles au cours d'un voyage : pare-brise fissuré, pneu crevé, rayures grosses comme le bras, etc. Encore un moyen de vous prélever autour de 5 $ par jour mais, sur un long trajet, cela peut éviter d'avoir à payer 100 $ par ci, 100 $ par là...

Les petites compagnies

Si vous désirez faire seulement un *U-drive,* c'est-à-dire partir pour revenir au même endroit, il est préférable de louer une voiture dans une petite compagnie locale : c'est nettement moins cher et, en principe, ils accepteront de l'argent liquide en guise de caution. De toute façon, si vous reconduisez la voiture à l'endroit où vous l'avez louée, vous avez des chances de payer moins cher. Pratique pour visiter les parcs nationaux. Voici quelques petites compagnies (nationales tout de même !) avec leur *toll free number* (numéro gratuit). Pour les appeler de France, voir « Téléphone et télécommunications », plus haut.

■ **Thrifty Rent-a-Car :** ☎ 1-800-THRIFTY (847-4389). ● thrifty.com ● Site en français.
■ **Payless Rent-a-Car :** ☎ 1-727-321-6352. ● paylesscarrental.com ●
■ **Caflatours :** ☎ 1-800-636-9683 ou (818) 785-4569. ● caflatours.com ●

Cafla négocie des contrats en formule tout compris, incluant toutes assurances auprès des plus grands loueurs. Équipe francophone basée à Los Angeles, tarifs attractifs.
■ **Dollar Rent-a-Car :** ☎ 1-800-800-6000. ● dollar.com ●

Les grandes compagnies

– Inconvénient : elles acceptent rarement une caution en liquide.

– Avantages : les voitures sont généralement neuves, donc plus sûres ! En cas de pépin mécanique, le représentant local de la compagnie vous changera aussitôt la voiture.

– Possibilité (généralement) de louer une voiture dans une ville et de la laisser dans une autre (supplément à payer). Si vous la rendez dans un autre État, les frais seront d'autant plus élevés.

Voici quelques-unes d'entre elles, avec leurs numéros de téléphone gratuits :

■ **Hertz :** ☎ 1-800-654-3001. ● hertz. com ●
■ **Avis :** ☎ 1-800-331-1084. ● avis. com ●

■ **National :** ☎ 1-800-CAR-RENT. ● nationalcar.com ●
■ **Budget :** ☎ 1-800-527-0700. ● budget.com ●

La location d'un camping-car (ou *RV* ou *motor-home*)

Voyager en *RV* (prononcer « harviii ») est une expérience unique pour les enfants. Comparés à nos camping-cars, les *RV* américains sont le plus souvent énormes ! Cela dit, c'est assez lent et surtout très cher, même à 4 ou 6 personnes (à partir de 1 200 $ la semaine en haute saison, kilométrage en plus) comparativement à un séjour voiture + motels. D'autant qu'au prix de la location s'ajoutent évidemment l'essence (de 12 à 45 l aux 100 km selon les modèles !) et l'emplacement dans les campings puisqu'il est interdit de passer la nuit en dehors des *campgrounds*. Compter 10 à 30 $ la place seule, sans compter le *hook-up* (branchements eau et électricité dont vous aurez besoin pour l'AC et le chauffage ; *full hook up* avec la vidange en plus), payant dans les terrains aménagés. Même en journée, il est interdit de se garer n'importe où ; dans certaines grandes villes, on vous met en fourrière sur l'heure. Les parkings des hypermarchés ou des magasins sont parfois autorisés, à condition évidemment d'éviter tout déballage et de laisser les lieux propres.

Un permis classique suffit pour conduire ce genre de véhicule, encore faut-il évidemment se sentir capable de le faire ! Si vous êtes intéressé, mieux vaut louer le véhicule depuis Paris car, en haute saison, il est parfois difficile d'en trouver sur place.

Dernière chose, les campings des parcs nationaux sont souvent pleins en haute saison, et il faut souvent jouer des coudes pour arriver les premiers (la plupart fonctionnant selon le principe « *first come, first served* »).

■ *Une bonne adresse avec plus de 150 agences aux États-Unis :* **Cruise America RV Rental & Sales,** 11 W Hampton Ave, Mesa, AZ 85210. ☎ (480) 464-7300 ou 1-800-671-8042. ● *cruiseamerica.com* ● Loue des camping-cars (*RV*) et *trailers* (caravanes) dans tout le pays, depuis les aéroports ou les diverses agences en ville. La location du véhicule ne comprend pas le kilométrage : forfait 700 miles (environ 1 150 km) à environ 225 $, assurances incluses. Loue également des *RV* équipés pour les personnes handicapées.

■ *Pour tte info complémentaire :* ● *motorhomerentals.com* ●, *un site internet complet sur les locations de motor-homes aux États-Unis.* Présentation des différents types de véhicules, liens vers les principaux loueurs par région, infos touristiques sur chaque destination...

L'auto-stop *(hitchhiking)*

De moins en moins pratiqué, voire interdit dans certains États. La législation californienne reste assez floue sur le sujet... De toute façon, aux États-Unis, c'est louche de ne pas avoir de voiture, et, depuis le 11 Septembre, les Américains se méfient encore plus de tout. Ne soyez donc pas étonné que les clients ne se bousculent pas pour vous offrir un brin de conduite...

La moto

Quelques loueurs de motos – essentiellement de grosses Harley-Davidson – dans cette partie des États-Unis. Si vous avez décidé d'accomplir tout votre périple à moto façon *Easy Rider,* mieux vaut la louer depuis la France. Sinon, possibilité de location sur place à la journée, histoire de prendre un bon bol d'air ! On déconseille de venir avec sa propre moto ou même d'en acheter une sur place, qu'il faudra revendre à la fin du voyage ; trop de tracasseries administratives, d'assurance... Enfin, le port du casque n'est pas toujours obligatoire (une folie !) selon les États, mais on le recommande rigoureusement.

Le bus

Le réseau des bus *Greyhound* couvre la quasi-totalité du pays. *Infos :* ☎ 1-800-231-2222. ● *greyhound.com* ●

Les bus *Greyhound* ont, à tort, mauvaise réputation dans cette Amérique où la voiture et l'avion priment. Ils sont en effet considérés comme le moyen de transport des pauvres, à éviter dès qu'on a les moyens de voyager autrement. C'est vrai que se pointer dans une station de bus le soir est la meilleure façon d'être confronté à l'Amérique profonde, avec tous ses échoués du rêve américain. On déconseille d'ailleurs de passer la nuit dans les terminaux de bus, souvent situés dans des quartiers difficiles, excentrés et dépourvus de services (transports urbains, location de voitures...). Cela dit, on peut tout à fait parcourir le pays de long en large sans danger et faire des rencontres qui pimentent le voyage, les Américains étant souvent curieux et bavards...

Dans cette région des États-Unis, la solution la moins galère demeure donc de louer une voiture dès votre arrivée à l'aéroport ; que les fanas du voyage en bus ne décrochent pas pour autant ! Nous les renseignons ci-dessous sur les généralités des déplacements en bus *Greyhound* aux États-Unis, sans oublier les infos de nos rubriques « Arriver – Quitter » à chaque ville présentée dans ce guide.

Les billets

Ils s'achètent dans toutes les gares routières et agences *Greyhound* et par téléphone (☎ 1-800-231-2222). Possibilité de réductions (notamment 15 % avec la *Student Advantage Card ;* voir « Avant le départ » plus haut). Consultez leur site internet pour les offres spéciales et les billets à prix réduits achetés à l'avance. Attention, pas de place numérotée sur les billets, donc si vous ne voulez pas être obligé d'attendre le prochain bus, prévoyez au moins 30 mn d'avance, un peu plus si vous avez des bagages à mettre en soute, car il vous faudra passer au guichet pour faire imprimer un *baggage tag,* et il y a souvent la queue !

Les forfaits

Si vous comptez traverser en bus les États-Unis d'est en ouest, sachez que les forfaits sont alors vite amortis. Environ 120 petites compagnies régionales de bus acceptent les forfaits *Greyhound* sur tout le territoire américain.
– *Greyhound* propose les forfaits *Discovery Pass,* avec plusieurs durées possibles : 7, 15, 30 ou 60 jours. Plus la durée est longue, plus le prix est intéressant (environ 330 $ pour 7 jours et 750 $ pour 2 mois). Ces forfaits sont également valables pour le Canada et certaines villes du nord du Mexique. Ils doivent être achetés avant l'arrivée en Amérique du Nord, au moins 21 jours avant la première utilisation. Distance illimitée et consignes des bagages incluses. Pour effectuer un trajet avec *Greyhound,* faire valider le *pass* au comptoir puis le présenter au chauffeur, avec une pièce d'identité. Pour utiliser le *Discovery Pass* sur une autre compagnie que *Greyhound* (et qui a passé un accord avec la compagnie nationale), il est nécessaire de se présenter au guichet pour y recevoir un billet de transport. Ne plastifiez pas cette carte, car la colle dissout le texte du *pass* ! Attention, pas de réservation pour un trajet, donc se présenter suffisamment tôt pour avoir de la place (1 h avant). *Se procurer les forfaits Discovery Pass : achat en ligne sur le site ● greyhound. com ● (cliquer sur* Discovery Pass *dans le menu* « Products and Services »).
– Les forfaits sont aussi vendus en France par *Voyageurs aux États-Unis et au Canada.* Voir leurs coordonnées ainsi que celles des autres agences dans « Comment y aller ? » au début du guide. On peut obtenir auprès d'eux tous les renseignements utiles sur le fonctionnement général des bus *Greyhound,* sauf les horaires. Concernant les *Discovery Passes,* pensez à vérifier auprès d'eux qu'il y a bien un bureau *Greyhound* dans votre ville de départ, car ils vous remettent un bon à échanger auprès de la compagnie.

Les bagages en bus

Pour vos bagages en soute, retirez un *baggage tag* au guichet et rejoignez, avec vos bagages, la file d'attente pour votre destination. Au moment de monter dans le bus, laissez vos bagages le long du véhicule ; un employé les placera dans la soute. En règle générale, c'est à vous de récupérer vos bagages à l'arrivée ou dans une station où vous changez de bus. Dans ce dernier cas, prenez vos bagages et mettez-vous dans la file d'attente pour votre nouveau bus à l'intérieur de la station. C'est aussi simple que ça... Sinon, le personnel se charge de tous les bagages non transférés par les voyageurs eux-mêmes, mais là, attention, il y a parfois des pertes ou plutôt des égarements : vous vous trouvez à San Francisco et vos bagages se dirigent vers La Nouvelle-Orléans, ou, au mieux, ils arriveront dans le bus suivant ! Cela arrive un peu trop fréquemment. Si nous avions un conseil à vous donner, ce serait de prendre vos bagages avec vous chaque fois que c'est possible et de les mettre dans les filets...

À l'arrivée, un truc pour éviter de payer la consigne, dans les grandes villes : ne récupérez pas vos bagages dès la sortie du bus, ils seront gardés gratuitement au guichet bagages. Attention, les consignes automatiques *Greyhound* sont vidées au bout de 24h, et les bagages sont alors mis dans un bureau fermé la nuit et le week-end. Si vous avez besoin de laisser vos affaires plus de 24h, mettez-les directement en consigne au guichet bagages (forfait journalier pas très cher). Là encore, notez les heures d'ouverture ! Une précision : pour entrer dans les consignes automatiques, votre sac à dos (même de marque américaine) ne doit pas dépasser 82 cm de long. Pour les routards chargés : la limite de poids des bagages en soute (deux autorisés, plus deux bagages à main) est de 27 kg par bagage et la longueur totale (longueur + largeur + hauteur) ne doit pas dépasser 155 cm (62 *inches*).

Le confort des bus

Outre leur rapidité, ces bus offrent un certain confort : ils sont non-fumeurs, avec w-c à bord et l'AC, ce qui veut dire qu'il peut y faire très frais ; prévoyez un pull, surtout si vous avez l'intention de dormir. Ces bus sont particulièrement intéressants de nuit car ils permettent de couvrir des distances importantes tout en économisant une nuit d'hôtel ! Mais les sièges ne s'inclinent que faiblement. Si vous avez de grandes jambes, préférez les sièges côté couloir. En principe, quand un bus est plein, dans les grandes stations, un second prend le restant des voyageurs. C'est moins évident dans les petites stations. Même si cela apparaît plus intéressant de voyager dans le second bus à moitié vide (pour s'étendre), sachez que parfois, dès qu'il y a de la place dans le premier, on transfère les voyageurs et, en pleine nuit, ce n'est pas marrant ! Ne pas se mettre à l'avant (on est gêné par la portière, mais si vous voulez admirer le paysage, c'est toutefois la meilleure place), ni à l'arrière (*because* les relents des w-c, et la banquette du fond ne s'abaisse pas). Enfin, sachez que *Greyhound* propose un service d'aide pour les personnes handicapées, à condition d'appeler 48h à l'avance (☎ *1-800-752-4841*).

En vrac

– Faites attention aux diverses formes de trajet : *express, non-stop, local...* Comparez simplement l'heure de départ et l'heure d'arrivée, vous saurez ainsi quel est le plus rapide.
– En période de fêtes, les bus sont pris d'assaut par tous ceux qui ne peuvent pas payer un billet d'avion (et ils sont nombreux !). Donc, arrivez impérativement à la station en avance et ne vous attendez pas à ce que votre bus parte à l'heure prévue.
– Les arrêts en route ne sont pas mentionnés sur les billets (seuls ceux avec changement de bus sont indiqués). Un conseil : respectez impérativement le temps donné par le chauffeur pour la pause. Ce dernier repartira en effet à l'heure annoncée, sans états d'âme pour ceux qui ne seront pas remontés dans le bus. Outre le risque de rester coincé sur une aire de repos au milieu de nulle part en attendant le prochain bus (qui peut arriver quelques heures plus tard), vos affaires continueront à faire le voyage sans vous... En descendant lors d'une pause, relevez aussi le numéro du bus pour bien remonter dans le même, d'autres bus pour la même destination pouvant arriver entre-temps. Lors d'un arrêt prolongé dans une station, le

chauffeur vous donnera un *reboarding pass* qui vous permettra de remonter dans le bus avant les nouveaux passagers, pour conserver votre place ou en choisir une meilleure qui se serait libérée. Attention, pour vous inviter à remonter dans le bus, le chauffeur fera une annonce dans le terminal en évoquant le numéro du *reboarding pass* (et non pas celui du bus ou la destination !).

– Pour les voyages longue distance, apportez de quoi grignoter. Sinon, profitez de l'occasion si le bus fait une pause dans une aire avec un fast-food, car la nourriture vendue dans les snacks des stations *Greyhound* est en général immonde. Si vous croyiez que jamais ça ne vous arriverait de prier pour que le bus s'arrête dans un *McDo*...

Les bus urbains

– Les abonnements à la journée ou pour plusieurs jours sont très rapidement rentabilisés.

– Pensez toujours à demander un *transfer.* Pour un petit supplément générale- ment, ils permettent, à l'intérieur d'un même trajet, de changer de ligne sans être obligé de racheter un autre billet.

– Attention : les chauffeurs de bus rendent rarement la monnaie. Avoir de la mon- naie sur soi et payer le compte juste.

Le train

Aux États-Unis, le train est très confortable mais ne couvre pas l'ensemble du ter- ritoire, et demeure plus cher que le bus. Reconnaissons-le, voyager en train dans l'Ouest américain n'est pas franchement pratique. En dehors de San Francisco, la voiture s'impose...

Pour les longues distances, **Amtrak** propose une série de *USA Rail Passes* vala- bles sur tout ou une partie (Ouest, Est, Nord-Est) du territoire américain, permettant de faire un nombre de trajets et d'arrêts illimité. Valables 15 ou 30 jours et moins chers de septembre à fin mai (sauf la seconde quinzaine de décembre). À titre d'exemple, pour le forfait national, compter de 330 à 600 $ environ selon la saison et la durée.

■ *On peut se procurer billets et forfaits en France (sans frais supplémentaires) en téléphonant au* ☎ *01-53-25-03-56 ou 01-53-25-11-18 (ligne directe).* ● *in* terfacetourism.fr ● *Coordonnées aux États-Unis :* ☎ *1-800-872-7245.* ● *am trak.com* ●

TRAVAILLER AUX ÉTATS-UNIS

ATTENTION : le visa touristique interdit formellement tout travail rémunéré et toute recherche de travail sur le territoire américain. Pour effectuer n'importe quel travail déclaré, il faut absolument se procurer un **visa spécifique,** que l'on peut obtenir soit par le biais d'un organisme d'échange agréé (lire plus loin), soit (et c'est beau- coup plus difficile) par l'employeur directement qui effectue les démarches néces- saires pour l'obtention d'un visa approprié, et ce avant le départ du territoire fran- çais. Régulariser sur place, une fois le travail trouvé, n'est pas impossible légalement, mais quel employeur voudrait s'enquiquiner avec une montagne de paperasses (coûteuses) alors qu'il est si facile d'engager quelqu'un qui a déjà une carte verte *(Green Card)* ? De toute façon, vous l'aurez compris, il est très difficile de travailler aux États-Unis pour un étranger. Mais la chance peut vous sourire, on ne sait jamais.

– Pour tout **renseignement,** contactez :

■ **Commission franco-américaine :** 9, *rue Chardin, 75116 Paris.* ☎ *0892-680-* 747 (0,34 €/mn) ou 01-44-14-53-60 (administration). ● fulbright-france.org ●

Ⓜ *Passy ou Trocadéro*. Organisme spécialisé dans les échanges éducatifs entre la France et les USA. Intéressant pour son centre d'information « *Education USA* » *(ouv mar-ven 14h-17h ; fermé 2 sem en août)*. Accès gratuit en autodocumentation sans prêt. Possibilité aussi de consultations individuelles payantes (env 20 €, sur rdv).

■ *Département Green Card :* 19, rue Jean-Lolive, 93170 Bagnolet. ☎ 01-72-36-55-55. ● carteverteusa.org ● green carddepartment.org ● À partir de 60 € pour une aide personnalisée à la constitution du dossier. Clôture des inscriptions mi-nov. Cet organisme sert d'intermédiaire entre les services américains d'immigration et les candidats à la fameuse loterie fédérale américaine. Tous les ans, 55 000 *Green Cards* (permis de séjour et de travail sur le sol américain sans limite dans le temps) sont ainsi attribuées en décembre par tirage au sort.

■ *France Service :* 311 N Robertson Blvd, #813, Beverly Hills, CA 90211, USA. ● franceservice.com ● Ce journal mensuel (basé à Los Angeles) s'adresse à tous les Français vivant aux États-Unis ou souhaitant y habiter. *France Service* donne aussi des infos sur la loterie des cartes vertes *(Green Cards)* et les autres types de visas.

■ Site internet de la *Maison des Français de l'étranger* : ● mfe.org ● La MFE est un service du ministère des Affaires étrangères destiné à renseigner les Français qui souhaitent s'installer à l'étranger, pour y vivre et/ou y travailler.

■ *Site internet de l'ambassade des États-Unis* à Paris pour obtenir des infos sur les types de visas : ● france.usembassy.gov ● puis cliquer sur « Visas ».

Les organismes d'échanges agréés

■ *Parenthèse :* 39, rue de l'Arbalète, 75005 Paris. ☎ 01-43-36-37-07. ● parenthese-paris.com ● Ⓜ *Censier-Daubenton. Lun-ven 9h-12h, 14h-18h.* Pour décrocher un *job d'été* aux États-Unis, il faut déjà être majeur et « bac + 1 ». Ensuite, les autorités américaines exigent que l'étudiant soit en possession d'un visa spécifique. Ce dernier n'est délivré que si l'étudiant participe à un programme d'échange intergouvernemental, proposé par un organisme agréé. Le rôle de *Parenthèse* est de vous aider à monter ce dossier pour obtenir le fameux visa et ensuite d'assurer le suivi une fois sur place. Attention, ce n'est pas une société de placement, c'est à vous de trouver l'entreprise. Mais on pourra vous donner des pistes, notamment les grands parcs d'attractions qui proposent régulièrement des emplois saisonniers, et vous orienter vers des sites internet spécialisés dans les jobs (● summerjobs.com ●). Nombreux liens et infos utiles sur leur site internet, notamment pour chercher des stages en entreprise.

■ *Inter Exchange :* pas d'agence en France, slt aux États-Unis ; 161 6th Ave, New York, NY 10013. ☎ 1-212-924-0446. ● interexchange.org ● Cette association s'occupe d'échanges internationaux, culturels et éducatifs depuis une trentaine d'années. Nombreux programmes pour les jeunes : au pair, jobs d'été (et d'hiver), toujours pendant une période de quelques mois maximum, dans l'hôtellerie, la restauration, les parcs nationaux, les parcs d'attractions, les stations de sports d'hiver ; offres de stages en entreprise pour les étudiants. Possibilité enfin d'être moniteur dans un *summer camp*.

■ *Experiment :* 89, rue de Turbigo, 75003 Paris. ☎ 01-44-54-58-00. ● experiment-france.org ● Ⓜ *Temple*. Cette association à but non lucratif, établie en France depuis 1934, propose des jobs au pair et également des stages non rémunérés en entreprise ou du bénévolat.

■ *French-American Center :* 4, rue Saint-Louis, 34000 Montpellier. ☎ 04-67-92-30-66 ou 04-67-58-98-20. ● frenchamericancenter.com ● Ce programme offre le choix entre 2 sortes de job : moniteur de centre de vacances et au pair. Pour être mono dans un *summer camp*, il faut être majeur et disponible pour 9 semaines minimum. Prendre contact avec eux avant fin mars de l'année en cours. Pour le programme au pair, lire ci-dessous.

CALIFORNIE UTILE

Le travail au pair

Important : on ne négocie pas un contrat au pair directement avec la famille de son choix ; tout se passe par l'intermédiaire d'organismes spécialisés dans ce type d'échanges qui se chargent de mettre en relation les familles d'accueil et les jeunes filles (eh oui, les garçons sont presque automatiquement refusés !). On en cite quelques uns ci-dessus. Conditions très strictes : avoir entre 18 et 26 ans, se débrouiller en anglais et avoir le baccalauréat ou équivalent, justifier de 200h d'expérience avec les enfants, être titulaire du permis de conduire (la plupart des familles l'exigent), avoir un casier judiciaire vierge et être disponible pour une année entière. Si vous répondez à tous ces critères (bravo !), il faut encore être prête à travailler entre 30h et 45h par semaine, et cela pendant les 12 mois maximum du contrat. En revanche, votre voyage est payé et l'argent de poche est assez conséquent (environ 140 $ par semaine).

Les chantiers de travail bénévole

■ *Concordia :* 17-19, rue Etex, 75018 Paris. ☎ 01-45-23-00-23. ● concordia-association.org ● Ⓜ Guy-Môquet. Travail bénévole. Logé, nourri. Chantiers très variés : restauration de patrimoine, valorisation de l'environnement, travail d'animation, etc. Places limitées. *Attention,* voyage à la charge du participant et frais d'inscription obligatoires.

URGENCES

– *Pour une urgence (médicale ou autre), téléphonez au* ☎ *911* (numéro national gratuit). Si vous ne parlez pas l'anglais, précisez-le à l'opérateur (« *I don't speak English, I am French* ») qui vous mettra en relation, selon votre problème, avec le service adéquat (la police, les pompiers ou les ambulances).

HOMMES, CULTURE ET ENVIRONNEMENT

BOISSONS

Les alcools

Le rapport des Américains à l'alcool n'est pas aussi simple que chez nous. La société, conservatrice et puritaine, autorise la vente des armes à feu, mais réglemente de manière stricte tout ce qui touche aux plaisirs « tabous » (sexe, marijuana, alcool). L'héritage de la prohibition et, bien sûr, les lobbies religieux n'y sont pas pour rien. On peut acheter un pistolet mitrailleur et des caisses de munitions sans presque aucun permis, mais, paradoxalement, on vous demande quasiment toujours une pièce d'identité quand vous achetez une simple bière ou une bouteille de vin au supermarché si vous paraissez un peu jeunot ! Il est impératif de sortir avec ses papiers (*ID*, prononcer « aïdii ») car de nombreux bistrots, bars et boîtes de nuit les exigent à l'entrée, sans compter ceux qui, n'ayant pas la licence, demandent que vous mangiez quelque chose ou que vous achetiez une *member card* (carte de membre), parfois même temporaire, soit un petit droit à payer (ou alors trouver un parrain local à qui il vous faudra payer un coup à boire !). Enfin, dans certains *counties* (comtés), il est même impossible d'acheter de l'alcool le dimanche dans les supermarchés, voire tous les jours dans les *dry counties*.

– ***Âge minimum :*** le *drinking age* est 21 ans ; on ne vous servira pas d'alcool si vous n'êtes pas majeur ou si vous ne pouvez pas prouver que vous l'êtes. Il vous faudra donc impérativement votre *ID* (en fait, un permis de conduire ou n'importe quel document « officiel » où figurent votre photo et votre date de naissance) sous peine de vous voir refuser l'entrée des bars et des boîtes de nuit.

– ***Vente et consommation surveillées :*** dans la plupart des États, il est strictement interdit de boire de l'alcool (bière comprise) dans la rue. Vous serez surpris par le nombre de gens cachant leur canette de bière dans un sachet en papier ou dans une housse en Néoprène censée conserver la fraîcheur. Interdit d'avoir des bouteilles ou canettes d'alcool dans la voiture, elles doivent impérativement être dans le coffre, en cas de contrôle par la police. Certains États sont plus permissifs, mais il vaut mieux respecter cette règle. N'oubliez pas non plus que la vente d'alcool est en principe interdite dans les réserves indiennes. Les horaires de fermeture des boîtes sont aussi fixés par décret dans chaque État : ça peut être très tôt (à 2h, tout le monde remballe), ou pas du tout...

– ***Les bières :*** vous aurez l'embarras du choix, mais on ne saurait trop vous recommander de privilégier les microbrasseries *(microbrewery)*. Grande variété de *pale ale, lagers,* bières ambrées, blondes, plus rarement des *stouts*, filtrées ou pas, et portant des noms parfois rigolos ou même historiques. Ces bars spécialisés sont évidemment repérables aux grands fûts métalliques trônant derrière le comptoir. Bref, c'est l'occasion de goûter de nouveaux parfums et de nouvelles saveurs pour tous les amateurs de bière. Attention en repartant, cependant... Faites conduire quelqu'un d'autre (de votre connaissance, quand même, et à jeun !).

– ***Les vins :*** ce n'est plus une surprise pour personne, on trouve de bons vins californiens qui enchanteront la curiosité des amateurs. Les progrès des vignerons sont considérables depuis quelques années (ils sont nombreux à avoir appris le métier en France pendant plusieurs vendanges), et certains crus n'ont plus à rougir de la comparaison. On pense notamment aux vins d'exception de grands domaines comme Beringer ou Mondavi. Cela dit, la plupart des *wineries* vinifient des vins souvent charmeurs, faciles à apprécier, mais généralement sans complexité... Seule véritable ombre au tableau, les crus, même les moins élaborés, sont proposés à des prix toujours très élevés (goûter au célèbre *Opus One* relève même du fantasme !). Il en va de même pour les vins français ou italiens, bien représentés sur les cartes de certains restaurants (dans les grandes villes). Le vin au verre se pratique de plus en plus, mais à des tarifs peu démocratiques (environ 6 ou 7 $ en moyenne !).

– **Les cocktails :** les plus répandus sont le *Manhattan* (vermouth rouge et bourbon), le *Cocktail Martini* (gin et vermouth mélangés dans un shaker avec des glaçons), le *Bloody Mary* (vodka et jus de tomate), la *Margarita* (tequila, Cointreau, jus de citron vert, auquel on ajoute souvent de la glace pilée), le *Mojito*, la *Caipirinha* (citron vert, sucre et cachaça, l'alcool de canne à sucre brésilien), le *Cuba Libre* (à base de rhum, bien sûr) et le *Mimosa* (champagne, jus d'orange et Cointreau ou triple-sec), servi à l'heure du brunch.

> ### LES INDIENS DU COMPTOIR
> *Savez-vous que le cocktail est une invention américaine ? Peu de gens connaissent l'origine du mot qui signifie « queue de coq ». Autrefois, on apposait sur les verres des plumes de coq de couleurs différentes pour que les consommateurs puissent retrouver leur breuvage.*

– **Le bourbon** (prononcer « beurbeun » !) **:** impossible de passer sous silence ce whisky américain *(whiskey),* dont la production est fournie pour une bonne moitié par le Kentucky. Cette région s'appelait autrefois le *Bourbon County*, nom choisi en l'honneur de la famille royale française. C'est ainsi, depuis 1790 (en pleine Révolution française !), que le célèbre whisky américain porte le nom de bourbon. Pas étonnant non plus que la capitale du bourbon s'appelle Paris !

– **Happy hours :** beaucoup de bars attirent les foules après le travail, généralement entre 16h et 19h, en leur proposant de grosses réductions sur certains alcools.

Les boissons non alcoolisées

– **L'eau glacée :** dans les restaurants, la coutume est de servir d'emblée un verre d'eau glacée à tout consommateur. Quand on dit glacée, ce n'est pas un euphémisme, donc n'hésitez pas à demander sans glaçon *(without ice)* ou avec peu de glace *(with little ice)*. Les Américains sont des adeptes de l'eau du robinet *(tap water)* et consomment très peu d'eau minérale dans les restaurants. D'ailleurs, une fois vide, votre verre sera immédiatement rempli (et avec le sourire !).

– **Le thé et le café :** dans de nombreux restos et cafés (en particulier pour le petit déj), on peut redemander le café de base (*regular* ou *American coffee*) autant de fois qu'on le désire *(free refill)*. Notez que cela ne s'applique pas à tous les restos, ni à tous les repas, ni surtout aux cafés spéciaux (expresso, capuccino et consorts). Sachez par ailleurs que le café américain de base est plus proche du café très allongé que du *ristretto* italien. Dans le même ordre d'idées, n'oubliez pas de préciser *black coffee* (café noir), sinon on vous le sert automatiquement avec du lait ! Bien heureusement, on peut déguster des *espressos* un peu partout. Chez *Starbucks* et consorts – les Américains ne faisant jamais les choses à moitié –, la carte des cafés présente un choix impressionnant de *cappuccini, mochas, caffè latte,* etc., servis chauds ou glacés.

Enfin, les amateurs de thé ne seront pas gâtés : dans beaucoup de restos (notamment les *diners*), c'est *Lipton* bas de gamme garanti ! Heureusement, le *Chai Latte* (thé sucré et épicé, avec du lait) a de plus en plus la cote.

– **Jus de fruits frais et smoothies :** de plus en plus de *coffee shops*, voire des chaînes comme *Jamba Juice,* mesurent désormais la nécessité d'une alimentation saine. Aussi, vous trouverez de plus en plus souvent des jus de fruits pressés et des

smoothies, mélanges de fruits mixés avec de la glace, du yaourt, parfois du lait de soja ou même du thé vert, des céréales, etc. Existe aussi avec des légumes. Des dizaines de variantes pour le plus grand bonheur de votre petite santé, et ce dès le petit déj. Pas tous *diet,* cela dit... Le diable en a inventé de très sucrés !
– **Les cream sodas :** encore une expérience culturelle à ne pas manquer ! Il s'agit d'un soda (en général du Coca-Cola ou de la limonade) mélangé à de la glace à la vanille. Hyper-sucré et... euh, un retour en enfance assuré.
– **La root beer :** ce sinistre breuvage au goût de chewing-gum médicamenteux est très apprécié par les *kids* américains, mais il n'a rien à voir avec de la bière. Exercez-vous longtemps pour prononcer le mot (bien dire « route bir » ; la marque la plus courante est la *A & W*). Dans le même genre, vous pouvez essayer le *Dr. Pepper.* Une fois, mais sans doute pas deux.
– **Habitudes :** les Américains ont inventé le Coca-Cola (« Coke » comme on dit là-bas) et ils consomment des sodas sucrés à longueur de journée ! D'ailleurs, dans de nombreux restaurants de chaîne, fast-foods, *coffee shops* et autres petits restos, les sodas *(fountain drinks)* sont souvent à volonté. Soit on se sert soi-même « à la pompe », soit on demande un *free refill.* Autre habitude de plus en plus en vogue : les *energy drinks,* ces boissons à base de caféine, parfois de guarana et, en ce qui concerne le Red Bull (la boisson la plus vendue au monde devant le Coca et autre Pepsi), de la taurine, une molécule longtemps interdite en France. Ces boissons énergisantes ont souvent un goût chimique assez... improbable.

CUISINE

Dire que l'Américain moyen mange mal et trop est à la fois vrai et très simpliste. Certes, aucune hygiène alimentaire n'est apprise à l'école ou à la maison. Même les tout petits enfants consomment quotidiennement frites, hot dogs, bacon et saucisses... Seule la quantité importe. Pour quelques cents de plus, on est souvent tenté de prendre le menu « extra large » (la taille du menu ou celle du pantalon ?). Mais cela ne veut pas dire qu'il n'y a pas de cuisine américaine. Dès qu'on s'intéresse à un État en particulier, on s'aperçoit des différences culinaires et même des antagonismes entre régions. Cuisine cosmopolite (française, asiatique, mexicaine...) et branchée (bio et végétarienne) en Californie, viandes grillées à l'honneur dans les États du Sud, en sauce et avec beaucoup de légumes dans le Tennessee et la Georgie, cubaine en Floride, créole en Louisiane, cosmopolite et débridée à New York... On trouve de tout et à tous les prix, du snack vendu à tous les coins de rue au restaurant gastronomique inspiré du modèle français. En tout cas, « bouffer » (c'est le mot) est l'un des péchés mignons de nombreux Américains, d'ailleurs ils n'arrêtent pas de grignoter toute la journée : bretzels, burgers, sodas...
À ce sujet, vous serez frappé par le nombre d'obèses. Près de 30 % des Américains le sont... Et l'obésité coûte si cher au pays que le président Bush lui-même l'a pendant son dernier mandat considérée comme ennemi national numéro deux, après Ben Laden bien sûr ! D'où la récente mode *eating healthy* (« mangeons sain ») et le succès des aliments *organic* (bio) que l'on trouve un peu partout maintenant. Cela dit, les Américains ont du mal à abandonner le registre « malbouffe » et se donnent bonne conscience en achetant pop-corn bio, burgers bio, chips bio...

Le *breakfast*

Le *breakfast made in America* est l'un des meilleurs rapports qualité-quantité-prix que l'on connaisse. Pour les Américains, c'est souvent un vrai repas, copieux et varié (qui inclut des plats salés) et qu'ils prennent souvent dehors. Un peu partout, vous trouverez des restos qui servent le petit déj (certains ne font même que ça), des cafétérias, des *diners,* des *coffee shops*...
La carte est souvent longue comme le bras avec, au choix, jus de fruits, céréales, *hash browns* (pommes de terre râpées et grillées), *pancakes* (petites crêpes épais-

ses), pain perdu que l'on appelle ici *French toast,* et puis, bien sûr, des œufs *(eggs),* servis brouillés *(scrambled),* en omelette *(omelette* en anglais) ou surfrits *(fried).* Sur le plat, ils peuvent être ordinaires *(sunny side up)* ou retournés et cuits des deux côtés comme une crêpe *(over).* Dans ce cas, pour éviter que le jaune ne soit trop cuit, demandez-les *over easy* (légèrement). Ils peuvent également être pochés *(poached),* mollets *(boiled)* ou durs *(hard boiled).* Le fin du fin, les *eggs Benedict :* pochés, allongés sur un petit pain toasté et nappés de sauce hollandaise. On peut aussi y ajouter du jambon, du bacon, des saucisses, des haricots *(beans),* beaucoup de ket-

chup, quelques *buttered toasts,* des *French fries* (« frites françaises »). Slurp !
Ne pas oublier les muffins, aux myrtilles, à la framboise, à la banane, etc., moelleux et délicieux, qu'on trouve surtout dans les *coffee shops.* Beaucoup d'Américains mangent des *donuts* (beignets en forme d'anneau, un peu gras forcément), ou, bien meilleurs à notre avis et surtout beaucoup plus digestes, des *bagels* (petits pains ronds troués au milieu), traditionnellement grillés *(toasted)* puis tartinés de *cream cheese* (cousin américain du *Kiri)* ou de beurre et confiture. Inventés en Pologne au XVIIe s, les *bagels* ont suivi les émigrés juifs jusqu'à New York pour devenir un *breakfast food* incontournable. Attention, dans les petits déj ou bien les brunchs tout compris à prix défiant toute concurrence, la boisson chaude n'est pas incluse (demandez un café *regular,* en principe servi à volonté...).

Le brunch

Les samedi et dimanche matin, les Américains ont l'habitude de bruncher. Après la grasse matinée, il est un peu tard pour le petit déj, mais on a trop faim pour attendre l'heure du déjeuner. Ainsi, bon nombre de restaurants servent, de 10h-11h à 16h en général, le brunch, qui contient des plats à mi-chemin entre le *breakfast* et le lunch, à accompagner d'une boisson chaude, ou parfois d'un cocktail genre *Bloody Mary* ou *Mimosa.* On trouve souvent des formules de brunch arrosé au champagne (mieux vaut alors ne pas y aller trop tôt...). En général, on en a pour sa faim ; ne négligez donc pas cette option qui peut vous faire deux repas en un.

Le lunch et le *dinner*

Dans la plupart des restos (on ne parle pas de fast-foods, mais bien de vrais restos), le lunch est généralement servi de 11h à 14h30. Puis les portes se ferment pour rouvrir vers 17h. En dehors des grandes villes de la côte pacifique, on dîne tôt ; rien de plus normal que de se rendre au restaurant à partir de 17h30-18h. D'ailleurs, passé 21h-21h30 en semaine, vous aurez le plus grand mal à mettre les pieds sous une table. Heureusement, les chaînes de restauration ferment bien plus tard.
– Sachez que **la carte n'est pas la même le midi et le soir.** Au déjeuner, elle est souvent plus réduite et moins chère, avec principalement des salades, sandwichs, pizzas et autres burgers. Le soir, en revanche, les plats (que l'on appelle *entrees* en américain, mais qui se prononce à la française !) sont plus élaborés et les prix plus élevés. Mieux vaut donc bien manger le midi et se contenter d'un repas plus léger

le soir. Ou alors, si, à cause du décalage horaire, vous avez faim en fin d'après-midi, profitez des tarifs **early bird** (spécial couche-tôt) : pour étendre leurs heures de service et faire plus de profit, certains restaurants ouvrent dès 17h-17h30 et proposent, pendant 1h ou un peu plus, des prix spéciaux pouvant atteindre - 30 % sur une gamme de plats.

– Les **today's specials** (ou *specials* tout court, ou encore *specials of the day*), ce sont les incontournables plats du jour, servis en fait midi et soir, que les serveurs vous encouragent à choisir. Si vous optez pour un *special* ou un plat principal, vous aurez parfois droit à une soupe ou une salade d'accompagnement à prix réduits, ce qui cale son homme pour une poignée de dollars. Très fréquent le soir, un peu moins le midi.

– Un bon truc assez économique, rapide et sain : les **salad bars** dans les *deli-sections* des supermarchés, qu'on trouve un peu partout aux États-Unis (ne pas confondre avec les *delicatessen* de New York). Un choix de crudités, de salades (à accompagner de nombreuses sauces), plats cuisinés chauds ou froids de toutes sortes, y compris des plats chinois ou mexicains, des desserts, des fruits frais, etc., à consommer sur place (*for here* ou *to stay*) ou à emporter *(to go)* dans une barquette en plastique. Idéal pour les végétariens qui font le plein de verdure pour trois fois rien. Il vous suffit de remplir une barquette et de passer à la caisse : on paie au poids (de 5 à 10 $ la *pound,* soit 454 g) et on assaisonne à sa façon. On vous donne même des couverts en plastique, une serviette, du sel et du poivre... Attention, dans certaines épiceries, les aliments ne sont pas de toute première fraîcheur. Privilégiez les hypermarchés car le débit est important, notamment *Whole Foods Market,* un des meilleurs dans le genre.

– Les **food courts :** très courants aux États-Unis, ce sont des espaces type cafétéria regroupant des stands de cuisines différentes : asiatique, mexicaine, italienne, mais aussi BBQ, bars à jus de fruits et smoothies, etc. On navigue d'un comptoir à l'autre pour se concocter un menu sur mesure, à déguster sur place ou à emporter. On trouve des *food courts* dans les aéroports, les centres commerciaux mais aussi en plein centre-ville. Une formule pas chère, pratique et rapide.

– Certains restos proposent des formules buffets appelées **all you can eat** (ou *ACE,* c'est-à-dire « tout ce que vous pouvez manger »). Pour une poignée de dollars, vous pouvez vous en mettre plein la lampe. Une bonne manière de goûter à tout. L'abondance est garantie, la qualité un peu moins. Dans les grandes villes, certains restos font ça une fois par semaine, le jour le plus creux. Sympa et pas cher.

– La plupart des bars proposent des **happy hours** (généralement de 16h à 19h). La nourriture est souvent proposée à prix réduits si l'on a consommé une boisson. L'idée des *happy hours,* c'est donc de boire et de grignoter *avant* le dîner, ce qui explique que, souvent, un restaurant soit adjacent au bar.

– Voir aussi « Savoir-vivre et coutumes » plus loin.

Les spécialités américaines

– **La viande :** la viande de bœuf est de premier ordre, mais assez chère. Pour nous, le meilleur morceau (et le plus tendre) est le *prime rib* (à ne pas confondre avec le *spare ribs* qui est du travers de porc). On oserait dire qu'il n'y a pas d'équivalent chez nous. Essayer, c'est l'adopter. Détail intéressant : la tendreté de la viande américaine provient aussi de sa découpe (perpendiculaire aux fibres du muscle), différente de celle des bouchers français. Comme les animaux sont de plus petite taille que les nivernais ou les charolais, on peut s'attaquer à un *T-bone,* c'est-à-dire la double entrecôte avec l'os en T. Si vous aimez la viande cuite à point, comme en France, demandez-la *medium,* saignante se disant *rare* (et non *bloody...*). Mais il est souvent encore difficile d'obtenir de la viande *vraiment* saignante ! Si au contraire vous préférez votre steak bien cuit, demandez-le *well done.* L'Ouest des cow-boys et des *cattlemen* a donné à l'Amérique et au reste du monde la recette indispensable : le barbecue, accompagné de son cortège de sauces en flacons. Le poulet frit du Kentucky (ou d'ailleurs) est également l'une des bases du menu américain. Dans les supermarchés, vous vous demanderez sans doute ce qui se cache dans les sachets de *beef jerky,* vendus près des caisses ou au rayon des chips... Non, ce ne sont pas des friandises pour chiens, mais du bœuf séché sous vide, en version *original* (nature, donc) ou aromatisée (au poivre, façon teriyaki, etc.). Contre toute attente, c'est plutôt bon, assez proche en goût de la viande des Grisons, et bien pratique à mâchonner en randonnée !

Le hamburger (ou burger) : depuis quelques années, le *burger* est en perte de vitesse dans les fast-foods (même chez *McDo*), sans doute parce qu'il est associé à la malbouffe engendrant l'obésité.

Cela dit, le hamburger n'est pas forcément mauvais. Pour l'apprécier, ce n'est surtout pas dans les fast-foods qu'il faut aller, mais dans les vrais restos, qui servent des viandes fraîches, *juicy,* tendres et moelleuses (on vous en demande la cuisson), prises entre deux tranches de bon pain. Attention, les frites *(fries)* ne sont pas toujours servies avec, il faut parfois les commander en plus.

> ### ET VOGUE LE BURGER
>
> *Fin d'un mythe, le hamburger n'est pas américain ! Il est né en Allemagne, à Hambourg comme son nom l'indique. À la fin du XIXe s, les immigrés allemands de la région de Hambourg affluaient en masse vers les États-Unis, et le hamburger désignait alors le bifteck haché qu'on leur servait à bord des transatlantiques. C'est donc grâce aux immigrants que le* burger *a fait son apparition dans le Nouveau Monde, avant d'en devenir un des symboles.*

– Les salades : les Américains sont les champions des salades composées. Toujours fraîches, appétissantes et copieuses, elles constituent un repas sain et équilibré. La star est la *Caesar salad,* à base de romaine, parmesan râpé, croûtons et d'une sauce crémeuse à l'ail. En version *deluxe,* elle s'accompagne de poulet grillé ou de grosses crevettes *(shrimp).*

– Les sauces (dressings) : impossible d'évoquer les salades sans le cortège de sauces qui vont avec. Les plus populaires sont la *Ranch,* relevée d'ail et de poivre, la *Blue cheese* au bleu, la *Thousand Island,* de couleur rosée (un peu l'équivalent de notre « sauce cocktail ») avec des cornichons et des œufs durs hachés, et la *Caesar,* au parmesan et à l'ail, qui accompagne la *Caesar salad.* Pour ceux qui font attention à leur ligne, toutes ces sauces existent en version allégée. Enfin, on trouve aussi des vinaigrettes variées, souvent à base de vinaigre balsamique et d'huile d'olive. Vous voilà paré pour répondre à la rituelle question que l'on vous posera si vous commandez une salade : « *What kind of dressing would you like ?* »

– Les sandwichs : le sandwich que nous connaissons en Europe s'appelle en américain *cold sandwich.* À ne pas confondre avec les *hot sandwiches,* qui sont de véritables repas chauds servis avec frites (ou chips) et salade dans les restaurants, donc plus chers. Au fait, savez-vous d'où vient le nom « sandwich » ? Il tire son nom du comte Sandwich (un Anglais), joueur invétéré, qui, pour ne pas quitter la table de jeux, demanda à son cuisinier de lui inventer ce nouveau type de repas.

– Et le hot dog alors ? Il est né en 1941, lorsque l'Amérique entra en guerre contre l'Allemagne. Ainsi, les *frankfurters* (saucisses de Francfort) commencèrent à être cuites « hot » ; mesure de rétorsion symbolique contre ces « dogs » de nazis !

– Le pop-corn : si vous achetez du pop-corn, précisez si vous le voulez avec du sucre, sinon ils le servent salé. On peut aussi le demander avec du beurre fondu. Dans les cinémas ou les salles de spectacles, les mômes achètent des seaux entiers de pop-corn (et un litre de Coca !) et grignotent durant toute la séance.

– Les glaces (et dérivés) : plusieurs marques se partagent le gâteau, comme *Dairy Queen,* une chaîne nationale, *Baskin-Robbins* (plus de trente parfums !) ou *Ben & Jerry's.* En plus de faire des glaces succulentes, *Ben & Jerry's* est une entreprise citoyenne et originale, qui emploie des personnes en difficulté et achète des produits bio.

La glace est présentée en cornet, ou bien dans un petit récipient en carton avec, par-dessus, toutes sortes de garnitures *(toppings)*... Cela s'appelle un *sundae*... à la fraise, à la noix de coco râpée, avec des ananas, au caramel, ou au *hot fudge* (avec du chocolat chaud et fondu, plus des noix ou des cacahuètes).

Outre la glace classique, il existe aussi le ***frozen yogurt*** (yaourt glacé), un peu plus léger en matières grasses tout en ayant une texture onctueuse. On peut y ajouter des *toppings* comme des *M & M's,* des noix ou des céréales. Et puis on trouve bien sûr de délicieux ***milk-shakes,*** mixés avec de grandes louchées de glace à la vanille, à la banane ou à la fraise, et des ***malts*** (avec de la poudre de malt dedans, un délice). Enfin, les ***smoothies*** (cocktails de fruits mélangés à du yaourt, du lait ou de la glace, un autre délice) remportent un gros succès.

– ***Les pâtisseries :*** certains les trouvent alléchantes, d'autres écœurantes rien qu'à regarder... Les desserts traditionnels sont les *cheese cakes* (gâteau au fromage blanc vraiment excellent quand il est réussi), *carrot cakes* (gâteau aux carottes et aux noix, sucré et épicé, nappé d'un glaçage blanc crémeux) ; mais il y a aussi les *chocolate cakes, pumpkin pies* (célèbre tarte au potiron, typique de la période d'Halloween), sans oublier les muffins et cookies.

Les restaurants de chaîne

Disséminées dans tous les États-Unis, ces chaînes de restaurants vous garantissent une même qualité de Boston à San Francisco. Les Américains en sont assez friands. Côté fast-foods, on vous recommande les burgers de *Carl's Jr. (*pas plus chers que ceux des incontournables *McDonald's, Burger King et Wendy's,* et bien meilleurs). Sinon, on peut essayer les *Denny's* (familial ; on y sert à table de traditionnels et copieux burgers), *Applebees,* les *Country Kitchen, Jack in the Box* (assez « prolo »), les *Houses of Pancakes* et autres *Dunkin' Donuts* pour les petits creux. Côté buffets, notre préférence va sans hésiter à *Shoney's, Ryan's* et *Sweet Tomatoes* (ce dernier est spécialisé dans les salades, soupes et pâtes), où, pour environ 8 $, vous serez rassasié. Dans un genre plus élaboré, on conseille *Chili's* pour, comme son nom l'indique, son excellent *chili* mais aussi ses très bons burgers (et son *cajun chicken,* vous nous en direz des nouvelles !). De plus, le cadre coloré et l'atmosphère familiale à la fois sont une vraie carte postale à l'américaine sans le côté bas de gamme de certains fast-foods. Même recommandation pour *Mel's Diner,* pour son décor *fifties* souvent très réussi et sa carte de spécialités ricaines longues comme le bras, *Olive Garden* (cuisine d'inspiration méridionale), et enfin *Cracker Barrel,* qui propose une cuisine saine et roborative dans un cadre qui rappelle *La Petite Maison dans la prairie.* Mais, dans tous les cas, ne vous hasardez pas dans les *Subway* : cuisine graillonneuse garantie !

DROITS DE L'HOMME

Habeas corpus : une nouvelle fois, le vieux principe anglo-saxon de protection contre la détention arbitraire a été utilisé par la Cour suprême en juin 2008, pour refuser l'utilisation de juridictions d'exception pour les prisonniers de Guantanamo. Malgré cet arrêt, le premier jugement concernant l'un de ces détenus (l'ancien chauffeur de Ben Laden) devant un tribunal militaire d'exception a bel et bien débuté le mois suivant. Cette affaire illustre bien les tensions auxquelles sont soumises les institutions et les forces armées américaines depuis le 11 septembre 2001. Le Center for Constitutionnal Rights (CCR) n'a ainsi jamais cessé depuis de dénoncer les cas de torture, les centres de détention secrets, ainsi que les lois liberticides (Patriot Act) adoptées dans le cadre de la lutte antiterroriste. Le bilan laissé par G. W. Bush dans ce domaine n'est guère brillant. La FIDH a par ailleurs récemment dénoncé l'arsenal répressif anti-immigrants, désormais symbolisé par un « mur » (barrière électrifiée, placée sous haute surveillance) construit en bordure de la frontière mexicaine. Les inégalités raciales sont toujours présentes et Amnesty dénonce entre autres les contrôles au faciès, qui tournent parfois assez mal. L'organisation souligne également la persistance des violences policières, et l'utilisation du Taser (arme paralysante) par la police, soupçonnée dans certains cas de provoquer la mort des personnes visées.

Certains États qui avaient suspendu l'application de la peine de mort en attendant le verdict – malheureusement favorable – de la Cour suprême sur la constitutionnalité de l'injection létale, ont repris les exécutions début 2008. Mais d'autres maintiennent toujours aujourd'hui un moratoire de fait, en partie par crainte de l'erreur judiciaire, et le New Jersey est même devenu le premier État à avoir de nouveau aboli la peine de mort depuis sa réintroduction en 1976. Enfin, l'un des condamnés à mort les plus célèbres, Mummia Abbu Jammal, a vu sa peine commuée en peine de prison à perpétuité en mars 2008, après 26 ans passés dans les couloirs de la mort.

Pour en savoir plus, n'hésitez pas à contacter :

■ **Fédération internationale des Droits de l'homme (FIDH) :** *17, passage de la Main-d'Or, 75011 Paris.* ☎ *01-43-55-25-18.* ● *fidh.org* ● Ⓜ *Ledru-Rollin.*

■ **Amnesty International (section française) :** *76, bd de La Villette, 75940 Paris Cedex 19.* ☎ *01-53-38-65-65.* ● *amnesty.fr* ● Ⓜ *Belleville ou Colonel-Fabien.*

N'oublions pas qu'en France aussi les organisations de défense des Droits de l'homme continuent de se battre contre les discriminations, le racisme et en faveur de l'intégration des plus démunis.

ÉCONOMIE

L'économie américaine s'appuie sur la dalle de granit du libéralisme absolu, un credo souvent discuté, voire exagéré mais jamais renié. Celui-ci tient en quelques principes simples : voir les choses en grand, laisser faire les lois du marché, ne jamais contrarier la liberté des financiers, des industriels et des commerçants, travailler sans relâche (la répugnance au travail est un signe de disgrâce divine, selon l'éthique protestante puritaine), être à la pointe de l'innovation technologique, ne pas trop dépenser, payer le moins possible d'impôts, et laisser le secteur public s'occuper du reste. Un minimum d'intervention, tel est le credo du chantre du libéralisme. Sauf quand ça va mal, bien entendu. Et là, ça va très mal… En témoignent les faillites de Lehman Brothers et de la WaMu, véritables institutions du système financier américain. La crise des *subprimes,* survenue en juillet 2007, s'est muée en crise financière mondiale un an après, à la fin de l'été 2008, provoquant des licenciements par wagons entiers et la prolifération de publicités incitant les Américains à acheter de l'or, pour mettre leurs avoirs à l'abri. La dette nationale, déjà colossale, grossit de plus en plus vite et sur les billets verts, George Washington fait la « crise mine », à mesure que le pays essuie les affres de sa campagne en Irak, qui coûte des milliards de dollars, et les catastrophes dont mère nature l'accable. Les dommages générés par les ouragans Katrina en 2005 et Ike en septembre 2008, s'élèvent en effet à plus de 130 milliards de dollars ! Face à ce qui s'apparente de plus en plus à un marasme économique, c'est forcé et contraint que le Congrès a adopté le plan Paulson : 700 milliards de dollars destinés, entre autres, à racheter les *bonds, junk bonds* (obligations pourries) d'institutions de crédit en perdition. « Bienvenue dans la République socialiste soviétique d'Amérique ! », ont alors titré certains éditorialistes.

Difficile dans ces conditions de prévoir la suite, avec un gouvernement aussi endetté et des consommateurs dans le même cas, les signes de reprise sont attendus avec anxiété.

Si la Californie, fer de lance de l'économie *Yankee,* demeure l'État le plus riche des États-Unis, c'est aussi le plus endetté (au moins 8,6 milliards de déficit). Le « Golden State », comme on l'appelle là-bas, dont le budget arbore la sixième place au niveau mondial, ne s'est toujours pas remis de la crise énergétique de 2001. Cependant, son économie est plutôt diversifiée : de l'agriculture aux nouvelles technologies de l'information, en passant par le tourisme et le cinéma.

Au cœur de la Californie, la fameuse *Silicon Valley* détient le record mondial du plus grand nombre d'informaticiens et de techniciens au kilomètre carré. La grande aventure des nouvelles technologies y a débuté dans le milieu des années 1970, et la région compte aujourd'hui quelques milliers de jeunes entreprises de pointe sur le créneau de la Net-économie. Rapidement prospère, cette dernière traverse depuis quelques années une crise sans précédent. Les investissements sont au plus bas, et plusieurs centaines de sociétés ont déjà fait faillite, bien avant les attentats... Toutefois, il semblerait que les spécialistes constatent les premiers frissons d'une reprise. Mais les deux plus grosses faillites de l'histoire américaine, celles d'Enron, le courtier en énergie, fin 2001, et surtout de WorldCom, le géant des télécoms, en 2002, ont bel et bien changé la donne. La *Silicon Valley* compte enfin quelques entreprises des secteurs aéronautique et armement, favorisées depuis l'augmentation des crédits militaires par l'administration Bush.

De son côté, l'agriculture demeure l'un des points forts de l'économie californienne et fait du « Golden State » le véritable grenier de l'Amérique. Grâce aux nombreux travaux d'irrigation, la Californie s'est hissée dans le peloton de tête des producteurs mondiaux de vin (les cépages des *Napa Valley* et *Sonoma Valley* connaissent un essor considérable) et de coton. De même, l'élevage extensif, ainsi que la culture du riz et des agrumes, dans la grande plaine de Sacramento notamment, couvrent près de la moitié de la production agroalimentaire nationale. Ainsi, l'agrobusiness, fondé sur de gigantesques exploitations agricoles (et surtout sur la main-d'œuvre mexicaine bon marché !), permet une grande variété de cultures. Forte d'un potentiel de 360 millions de consommateurs grâce aux accords de libre-échange avec le Canada et le Mexique (dans le cadre de l'ALENA), l'agriculture californienne a, espérons-le, encore de beaux jours devant elle.

ENVIRONNEMENT

Les Californiens sont en train de se faire manger par leurs villes. Et elles ont de l'appétit ! Avec 32 millions de véhicules pour 35 millions d'habitants, l'État de la Californie est le 12ᵉ plus gros pollueur du monde. À lui seul il émet autant de gaz à effet de serre que le Brésil. Le rêve américain risque t-il de partir en fumée ?

Arrêt sur image, flash back. Dès 2002, l'État californien vote une loi visant à imposer aux grands constructeurs automobiles une diminution de 30 % des gaz polluants entre 2009 et 2016. Une première outre-Atlantique quand on connaît, économie oblige, le peu d'intérêt que témoignaient jusqu'ici les hommes de pouvoir américains pour les politiques environnementales. En agissant ainsi, la Californie abonde dans le sens des réflexions et lois sur le réchauffement climatique, et se met au diapason du fameux protocole de Kyoto, en application depuis mars 2005 et qui définit à l'échelle planétaire les contraintes relatives aux émissions de gaz polluants.

En juillet 2005 pourtant, George Bush reconnaît pour la première fois que l'émission des gaz à effet de serre pouvait être responsable du réchauffement climatique, mais il ne ratifie pas les accords pour autant. Du coup l'Amérique est pointée du doigt par une partie de la communauté internationale, notamment par les Européens. En jouant la politique du « toi d'abord », l'Amérique stigmatise les pays à forte croissance, comme l'Inde et surtout la Chine, lesquels ne sont soumis à aucun engagement vis-à-vis dudit protocole. L'enjeu économique est donc de première importance pour l'industrie américaine, qui n'entend pas se faire « fragiliser » de la sorte et préfère réétudier le problème sous un autre angle dès que ledit protocole expirera à l'horizon 2012.

Mais Schwarzy ne l'entend pas de cette oreille. Fort de son investiture, Musclor décide de contrer la politique de Dobeuliou en annonçant, à l'été 2006, un plan drastique de réduction des vilains gaz (25 % d'ici 2020). Qui plus est, l'annonce est suivie d'une opération commando dans le domaine médiatique : La Californie porte plainte

« au nom du peuple californien » contre une demi-douzaine des plus grands fabricants d'automobiles pour « atteinte à la santé publique ». Plainte qui sera déboutée par le juge en charge du dossier qui estime les accusations non fondées. Du coup l'empereur contre-attaque. Le 8 novembre 2007, Schwarzy somme Washington de prendre position en décidant si oui ou non l'État de Californie est en droit d'imposer aux constructeurs une restriction stricte sur les émissions de gaz polluants. Le ton monte, car dans le sillage de la Californie, une douzaine d'États sont prêts à lui emboîter le pas, ce qui pour l'économie américaine aurait des conséquences désastreuses. Les constructeurs américains, déjà en grave difficulté, se verraient obligés de procéder à des investissements très lourds qui risqueraient de leur faire mordre la poussière, comme on dit chez les cow-boys. L'enjeu est donc de taille.

Mais ce regain soudain de conscience écolo ne satisfait pas pour autant les scientifiques, qui pensent que ce n'est pas tant les programmes actuels qu'il est urgent de réformer que l'*American way of life* proprement dit qu'il faudrait revoir. En Californie on consomme à tout va. Qui plus est, la population s'accroît annuellement de l'ordre de 14 % ! Les besoins en eau augmentent et les nappes phréatiques s'assèchent à vue d'œil. N'oublions pas que la cité des Anges est née du désert. Aujourd'hui la poussée démographique engendre des besoins de consommation que l'agriculture, pourtant intensive, a du mal à satisfaire. Il devient urgent de juguler la poussée de fièvre. On a beau voir fleurir des éoliennes un peu partout, le véritable problème consiste à mettre en œuvre les moyens nécessaires au transport de l'énergie qu'elles produisent. Et tout cela a un coût. C'est vrai que traquer le barbu à l'autre bout de la planète grève sérieusement le budget de l'État. L'administration Bush a fait des choix, et sous le soleil californien, on a beau savoir porter le chapeau, on trouve que la note est presque aussi amère qu'une tequila.

Du coup, puisque les crédits se font rares, tout le monde s'y met : associations de quartiers, ONG écologistes, planteurs d'arbres et constructeurs de maisons « équitables » occupent le devant de la scène. Le mythe du dieu solaire en profite même pour pointer le bout de son nez. Edison, qui détient le monopole de la production d'électricité en Californie, bâtit une ferme solaire géante dans le Mojare Desert. C'est sans doute un mirage. Mais force est de constater qu'en dépit d'une série de réformettes visant à conforter le péquin sur le chemin de sa bonne conscience, l'acte est avant tout médiatique. De Daryl Hannah roulant à l'huile de friture récupérée dans les fast-foods à Leonardo Di Caprio vantant les mérites de la *Toyota Prius,* la mise est surtout théâtrale. Normal, on est à Hollywood ! Il n'y a qu'à passer quelques jours en Californie pour prendre la mesure de cette gentille mascarade. Les Californiens ne sont pas près de remettre en cause leurs modes de consommation, voire leur mode de vie, tout simplement par peur d'écailler leur vernis culturel. En effet, seraient-ils prêts à se passer de silicone, de V8 et du packaging-tape-à-l'œil qui sert de faire-valoir à leur désir de conso ? Éteindraient-ils subitement les néons qui brillent jour et nuit dans leurs tours de verre, leurs parkings et parfois même dans leurs propres demeures ? Cesseraient-ils d'arroser les golfs en plein désert, de distribuer des *flyers* à tour de bras pour pousser les foules vers les *outlets,* de laver leurs voitures ?

Alors en attendant que le tollé californien ne fasse tâche d'huile (recyclée) sur l'ensemble du continent, on peut toujours rêver... Ceci dit, connaissant le pouvoir de l'Image sur l'Américain moyen, la parade médiatique demeure peut-être, tout compte fait, le meilleur atout ; même si l'on n'y croit guère ! Laissons faire les Anges, Schwarzy à leur tête... Manquerait plus qu'on appelle Rambo !

FÊTES ET JOURS FÉRIÉS

Les jours fériés

Ils varient suivant les États. Mais voici les jours fériés sur l'ensemble du territoire. Attention, presque toutes les boutiques sont fermées ces jours-là.

– *New Year Day :* le 1er janvier.
– *Martin Luther King Jr Birthday :* vers le troisième lundi de janvier, celui le plus près de son anniversaire, le 15 janvier. Un jour très important pour la communauté noire américaine.
– *Presidents' Day :* le troisième lundi de février, pour honorer la naissance du président Washington, le 22 février 1732.
– *Easter (Pâques) :* les boutiques sont souvent fermées le dimanche et certaines aussi le lundi.
– *Memorial Day :* le dernier lundi de mai. En souvenir de tous les morts au combat. Correspond au début de la saison touristique.
– *Independence Day :* le 4 juillet, fête nationale, qui commémore l'adoption de la Déclaration d'indépendance en 1776.
– *Labor Day :* le premier lundi de septembre, la fête du Travail. Marque la fin de la saison touristique.
– *Colombus Day :* le deuxième lundi d'octobre, en souvenir de la découverte de l'Amérique par Christophe Colomb.
– *Veteran's Day :* le 11 novembre.
– *Thanksgiving Day :* le quatrième jeudi de novembre. Fête typiquement américaine commémorant le repas donné par les premiers immigrants (les Pères pèlerins) en remerciement à Dieu et aux Indiens de leur avoir permis de survivre à leur premier hiver dans le Nouveau Monde. Fête familiale et chômée par à peu près tout le monde.
– *Christmas Day :* le 25 décembre.
– Difficile, dans une rubrique sur les fêtes, de ne pas évoquer celle d'*Halloween,* la nuit du 31 octobre au 1er novembre. Cette tradition celte, importée par les Écossais et les Irlandais, est aujourd'hui célébrée avec une grande ferveur aux États-Unis. Sorcières ébouriffantes, fantômes et morts vivants envahissent les rues, tandis que les enfants, déguisés eux aussi, font du porte-à-porte chez les voisins en demandant « *Trick or treat ?* » (« Une farce ou un bonbon ? »), et repartent les poches pleines de bonbecs.

Fêtes californiennes

En plus des jours nationaux, dans les grandes villes de Californie, chaque communauté a sa parade. Les Américains en raffolent. Alors, dès que l'occasion se présente, on parade en toute fanfare. Pour connaître les dates exactes de ces parades, voir le *Visitor Center* de chaque ville.
– *Chinese New Year et Golden Parade* (Los Angeles et San Francisco) *:* entre fin janvier et début mars, selon les années. Parades, feux d'artifice, dragons à Chinatown. La plus grande fête pour la communauté asiatique.
– *Saint Patrick's Day* (San Francisco) *:* le dimanche le plus près du 17 mars. La bière coule à flots dans les bars irlandais.
– *Cherry Blossom* (San Francisco) *:* début avril. Japantown fête les cerisiers en fleur.
– *Cinco de Mayo* (Los Angeles et San Francisco) *:* le 5 mai. La plus grande fête mexicaine. On chante et on danse dans la rue jusqu'au petit matin.
– *Northwest Folklife Festival :* le week-end de Memorial Day. Une centaine de pays représentés par leur musique, leurs danses, leur artisanat.
– *Gay Pride Day* (San Francisco) *:* fin juin. C'est la fête homosexuelle par excellence, avec des défilés et des chars délirants. Convivialité et musique techno assurées.
– *International Surf Festival* (Los Angeles) *:* fin juillet. Démonstrations des beaux surfeurs bodybuildés de la côte ouest.
– *California State Fair* (Sacramento) *:* de mi-août à début septembre. Bovidés, porcins et chevaux sont à l'honneur. Concours de rodéos, spectacles.

– **Wine & Craft** (Napa Valley) **:** début septembre. Démonstration du savoir-faire des vignerons californiens et dégustation gratuite des meilleurs crus.
– **Oktoberfest** (Torrance) **:** septembre-octobre. L'équivalent de la Fête de la bière à Munich.
– **International Festival of Masks** (Los Angeles) **:** le dernier dimanche d'octobre. Manifestation en l'honneur de toutes les communautés de la ville. Parades et défilés gais, colorés et bon enfant.
– **Día de los Muertos** (San Francisco et Los Angeles) **:** le 2 novembre. Fête mexicaine de la Toussaint, assez flippante car les morts viennent rendre visite (on a un peu de mal à imaginer) à leurs familles toujours en vie...
– **Hollywood Christmas Parade** (Los Angeles) **:** le jeudi suivant Thanksgiving. Sur Hollywood Boulevard et Sunset Boulevard : visiteurs, autochtones et stars du showbiz se côtoient pour la parade médiatique de l'année.

GÉOGRAPHIE

La Californie, troisième État par la superficie après l'Alaska et le Texas, s'étend sur 424 000 km^2. Elle est bordée au nord par l'Oregon, à l'ouest par l'océan Pacifique (sur 1 350 km), à l'est par le Nevada et au sud par le Mexique.
C'est une région tectonique instable ; les phénomènes sismiques y sont nombreux. La fautive, c'est la faille de San Andreas, fracture de l'écorce terrestre, qui traverse l'océan Pacifique et sillonne l'État, entre le golfe de Californie et le nord de San Francisco. Cette ville détient le triste record des tremblements de terre. Le plus dramatiquement célèbre reste celui de 1906 : l'incendie déclenché par le séisme a détruit les quatre cinquièmes de la ville. En 1989, nouveau tremblement de terre (7,1 sur l'échelle de Richter) qui provoque cette fois l'effondrement du Bay Bridge, mais cause finalement peu de victimes en ville grâce à l'efficacité des nouvelles normes antisismiques. Jusqu'ici, on ne parlait que de la faille de San Andreas, qui provoque une ou deux secousses de magnitude 3 chaque jour et qui, d'après les spécialistes de la chose, devrait causer dans les trente prochaines années le fameux Big One. Mais depuis quelque temps, les scientifiques s'intéressent à une autre faille, nommée Hayward, proche de Berkeley et de San Jose. Elle traverse Oakland, une région très peuplée et peu préparée aux risques de séismes. Chaque soir, à la TV, l'*earthquake report* fait le détail des secousses de la journée.
Chaînes côtières de l'Ouest, crêtes, petites vallées et rivières dessinent également le paysage de la Californie. Sur une longueur de 800 km et une largeur allant de 80 à 120 km, les chaînes côtières (riches en argent, métaux non ferreux, pétrole et potentiel hydroélectrique) se divisent pour laisser place à la baie de San Francisco. Les rivières de l'ouest de la Sierra Nevada et les plaines de la vallée Centrale s'y faufilent pour rejoindre le Pacifique. La vallée Centrale (Central Valley), qui s'étend des chaînes côtières de l'ouest à la Sierra Nevada à l'est, est délimitée au nord par la rivière Sacramento et au sud par la rivière San Joaquin. Cette immense vallée compte parmi les zones agricoles les plus riches et variées du pays.
À l'est de la vallée Centrale, la Sierra Nevada (« chaîne enneigée » en espagnol) offre de magnifiques canyons formés par l'érosion. En se promenant dans les parcs nationaux de Yosemite, Sequoia et de Canyon Kings, on profite de ces paysages granitiques.
Encore plus au sud s'étire une ceinture de déserts, depuis la Californie jusqu'au Nouveau-Mexique, avec des forêts de cactus près de la frontière mexicaine. Le désert le plus aride est la fameuse vallée de la Mort (Death Valley). C'est ici, à Badwater, que se trouve le point le plus bas des États-Unis (86 m au-dessous du niveau de la mer). Enfin, culminant à plus de 1 000 m d'altitude, le désert Mojave est le plus irrigué et le plus haut.

HISTOIRE

Quelques dates

– *35000 à 10000 av. J.-C. :* premières migrations de populations d'origine asiatique à travers le détroit de Béring.

– *2640 av. J.-C. :* les astronomes chinois Hsi et Ho auraient descendu la côte américaine par le détroit de Béring.

– *1000-1002 apr. J.-C. :* Leif Erikson, fils du Viking Erik le Rouge, explore les côtes de Terre-Neuve et du Labrador, et atteint peut-être ce qui est aujourd'hui le nord-est des États-Unis.

– *1492 :* découverte de l'Amérique par Christophe Colomb.

– *1524 :* découverte de la baie de New York par Giovanni Da Verrazano.

– *1585 :* fondation d'une colonie anglaise sur l'île de Roanoke.

– *1607 :* fondation de Jamestown (Virginie) par le capitaine John Smith.

– *1613 :* découverte des chutes du Niagara par Samuel de Champlain.

– *1619 :* premiers esclaves noirs dans les plantations de Jamestown.

– *1620 :* le *Mayflower* débarque à Cape Cod avec cent pèlerins qui fondent Plymouth (les Pères pèlerins).

– *1636 :* création du collège *Harvard,* près de Boston.

– *1647 :* Peter Stuyvesant, premier gouverneur de La Nouvelle-Amsterdam, rebaptisée ensuite New York par les Anglais.

– *1650 :* légalisation de l'esclavage.

– *1692 :* chasse aux sorcières à Salem (Massachusetts).

– *1718 :* fondation de La Nouvelle-Orléans par Jean-Baptiste Le Moyne.

– *1776 :* adoption de la Déclaration d'indépendance le 4 juillet.

– *1784 :* New York élue provisoirement capitale des États-Unis.

– *1789 :* George Washington désigné premier président des États-Unis.

– *1790 :* Philadelphie devient provisoirement capitale des États-Unis.

– *1800 :* Washington devient la capitale des États-Unis à la place de Philadelphie.

– *1830 :* fondation de l'Église mormone par Joseph Smith à Fayette (État de New York).

– *1831 :* deux millions d'esclaves aux États-Unis.

– *1843 :* invention de la machine à écrire.

– *1847 :* invention du jean par Levi Strauss.

– *1849 :* ruée vers l'or en Californie.

– *1857 :* invention de l'ascenseur à vapeur par E. G. Otis.

– *1861-1865 :* guerre de Sécession. En 1865, Abraham Lincoln proclame l'abolition de l'esclavage.

– *1867 :* les États-Unis achètent l'Alaska à la Russie.

– *1871 :* création du Yellowstone National Park.

– *1872 :* invention du chewing-gum par T. Adams. Premier brevet pour la télégraphie sans fil déposé par Mahlon Loomis.

– *1876 :* *Les Aventures de Tom Sawyer* de Mark Twain. Invention du balai mécanique par M. R. Bissel.

– *1880 :* premier gratte-ciel en acier à Chicago.

– *1886 :* invention du *Coca-Cola* par J. Pemberton. La statue de la Liberté, de Auguste Bartholdi, est offerte aux États-Unis pour symboliser l'amitié franco-américaine à New York (une copie est érigée sur le pont de Grenelle à Paris).

– *1895 :* *Sea Lion Park,* premier parc d'attractions américain, à Coney Island.

– *1898 :* guerre hispano-américaine.

– *1903 :* fabrication du fameux Teddy Bear par Morris Michtom, surnom au départ donné à Theodore Roosevelt qui chassait l'ours dans le Mississippi et qui refusa de tuer un ours attaché à un arbre.

– *1906 :* grand séisme de San Francisco.

– *1911 :* premier studio de cinéma à Hollywood.

– *1913 :* construction à New York du Woolworth Building par Cass Gilbert (le plus élevé à l'époque).

– *1914 :* création de la *Paramount.*

– *1916 :* premier magasin d'alimentation libre-service à Memphis, Tennessee.

– *1921 :* première Miss America.

– *1923 :* création de la *Warner Bros* par Harry M. Warner.

– *1924 :* l'Indian Citizenship Act octroie la citoyenneté américaine aux Indiens.

– *1925 :* Hoover est le premier président à utiliser la radio pour sa campagne électorale.

– *1927 :* création de l'oscar du cinéma par Louis Mayer.

– *1928 :* Walt Disney crée le personnage de Mickey Mouse.

– *1929 :* construction du *Royal Gorge Bridge,* pont le plus haut du monde (321 m), au-dessus de l'Arkansas dans le Colorado. Krach de Wall Street le jeudi 24 octobre. Ouverture du MoMA à New York.

– *1930 :* premier supermarché, ouvert à Long Island.

– *1931 :* construction de l'Empire State Building à New York.

– *1932 :* New Deal instauré par Franklin Roosevelt pour remettre sur pied l'économie américaine.

– *1933 :* invention du *Monopoly* par Charles B. Darrow.

– *1936 :* l'athlète noir américain Jesse Owens remporte 4 médailles d'or aux J.O. de Berlin.

– *1937 :* premier caddie (créé en 1934 par Raymond Josef) testé dans un magasin d'Oklahoma City.

– *1939 : La Chevauchée fantastique* de John Ford. *Autant en emporte le vent,* réalisé par Victor Fleming, Sam Wood et George Cukor.

– *1941 :* attaque japonaise à Pearl Harbor (Hawaii) le 7 décembre. Déclaration de guerre des États-Unis au Japon le 8 décembre. Déclaration de guerre de l'Allemagne et de l'Italie aux États-Unis le 11 décembre.

– *1944 :* débarquement allié en Normandie le 6 juin.

– *1945 :* bombes atomiques sur Hiroshima et Nagasaki les 6 et 9 août.

– *1946 :* début de la guerre froide. Winston Churchill parle du « rideau de fer ».

– *1948 :* premier fast-food, créé par deux frères, Maurice et Richard MacDonald.

– *1949 :* naissance de l'OTAN à New York.

– *1950 :* début du maccarthysme, croisade anticommuniste menée par le sénateur MacCarthy.

– *1951 :* construction du musée Guggenheim à New York par l'architecte Frank Lloyd Wright.

– *1952 :* début de l'Action Painting (ou expressionnisme abstrait) lancé par Rosenberg qui consiste à projeter des couleurs liquides (Pollock, De Kooning, Kline, Rothko).

– *1953 :* exécution des Rosenberg, accusés d'espionnage.

– *1955 :* ouverture du parc d'attractions *Disneyland* en Californie.

– *1960 :* début du pop art lancé par Andy Warhol.

– *1962 :* décès de Marilyn Monroe le 5 août.

– *1963 : Ich bin ein Berliner,* discours historique de Kennedy le 26 juin. Assassinat de John F. Kennedy à Dallas le 22 novembre.

– *1964 :* début de la guerre du Vietnam.

– *1966 :* fondation des Black Panthers à Oakland par des amis de Malcom X. *Black Power,* expression lancée par Stockeley Carmichael, prônant le retour des Noirs en Afrique.

– *1968 :* assassinat de Martin Luther King le 4 avril. Le 5 juin, Bob Kennedy, frère de John, meurt lui aussi assassiné.

– *1969 : Easy Rider* de Dennis Hopper. Premiers pas d'Armstrong sur la Lune. Mythique concert de Woodstock, dans l'État de New York.

– *1971 :* ouverture du premier *Starbucks Cafe* à Seattle.

– *1973 :* inauguration du World Trade Center (417 m) à New York. Élections des premiers maires noirs à Los Angeles, Atlanta et Detroit. Cessez-le-feu au Vietnam. Insurrection indienne à Wounded Knee (Dakota).

– *1974 :* la crise du Watergate entraîne la démission de Richard Nixon.

– *1975 :* légalisation partielle de l'avortement.

– *1976 :* rétablissement de la peine de mort (après sa suspension en 1972).

– *1979 :* accident nucléaire à Three Mile Island.

– *1981 :* attentat contre Ronald Reagan.

– *1982 :* courant artistique Figuration libre, inspiré des graffitis, de la B.D. et du rock. Keith Haring en est l'un des plus célèbres représentants.

– *1984 :* la statue de la Liberté est inscrite sur la liste du Patrimoine mondial de l'Unesco. J.O. de Los Angeles boycottés par les pays de l'Est.

– *1986 :* la navette *Challenger* explose en direct à la télévision.

– *1987 :* création d'Act Up (mouvement d'action et de soutien en faveur des malades du sida).

– *1988 :* gigantesque incendie au parc de Yellowstone. Un cinquième du parc est détruit.

– *1989 :* séisme de magnitude 7,1 à San Francisco (55 morts).

– *1991 :* du 17 janvier au 27 février, guerre du Golfe.

– *1992 :* émeutes à Los Angeles (59 morts et 2 300 blessés). Élection de Bill Clinton.

– *1993 :* le 19 avril, 80 membres (dont 25 enfants) d'une secte millénariste, les davidiens, périssent à Waco dans l'incendie de leur ferme assiégée depuis 51 jours par le FBI. La même année, Toni Morrisson reçoit le prix Nobel de littérature.

– *1994 :* séisme à Los Angeles (51 morts). Signature de l'ALENA, accord de libre-échange avec le Mexique et le Canada. Affaire Whitewater, enquête liée aux investissements immobiliers des Clinton.

– *1995 :* le Sénat du Mississippi ratifie enfin le 13e amendement de la constitution des États-Unis, mettant un terme à l'esclavage ! Attentat d'Oklahoma City par des extrémistes de droite (170 morts).

– *1996 :* J.O. à Atlanta. Réélection de Bill Clinton.

– *1998 :* début du Monicagate le 21 janvier.

– *1999 :* tuerie de Littleton (Colorado) ; deux ados se suicident après avoir abattu douze de leurs camarades et un professeur du lycée de Columbine. Décès de Bill Bowerman, cofondateur de la firme *Nike*. La légende raconte qu'il avait créé la chaussure mythique dans sa cuisine avec... un moule à gaufres.

– *2000 :* en décembre, George W. Bush devient le 43e président des États-Unis.

– *2001 :* le 11 septembre, les États-Unis sont victimes de la plus grave attaque terroriste de l'histoire mondiale (3 000 morts).

– *2003 :* en mars-avril, guerre en Irak, suivie par l'occupation militaire du pays par la coalition formée par les États-Unis. En septembre, les États-Unis rejoignent l'Unesco, après vingt ans de désertion. Le 7 octobre, Arnold Schwarzenegger est élu gouverneur de la Californie.

– *2004 :* en mai, Michael Moore reçoit la Palme d'or à Cannes pour son film-pamphlet contre l'Amérique de Bush, *Fahrenheit 9/11*. George W. Bush est réélu président en novembre, face à John Kerry.

– *2005 :* fin août, le cyclone Katrina, un des plus dévastateurs de l'histoire américaine, provoque une catastrophe humanitaire, écologique et économique sans précédent dans trois États : Louisiane, Mississippi et Alabama.

– *2006 :* le Dakota du Sud adopte la première loi du pays qui interdit l'avortement, même en cas de viol ou d'inceste. La population américaine atteint la barre des 300 millions d'habitants. En novembre, condamnation à mort de Saddam Hussein. Victoire des démocrates aux *mid-elections*.

– *2007 :* en octobre, le prix Nobel de la paix est décerné à Al Gore et au Groupe d'Experts Intergouvernemental sur l'Évolution du Climat, pour leur rôle dans la lutte contre les changements climatiques ; de très violents incendies ravagent le sud de la Californie, où l'état d'urgence est déclaré.

– *2008 :* la Californie vit sa deuxième année de sécheresse consécutive (nombreux incendies au cours de l'été).

Début octobre, l'épave de l'avion du millionnaire Steve Fossett (disparu en septembre 2007) est retrouvée près de Mammoth Lakes.

La saison des ouragans se termine avec Gustav, qui a provoqué l'évacuation de La Nouvelle-Orléans en faisant plus de peur que de mal, mais surtout par Ike, qui a durement touché la côte texane du côté de Galveston, provoquant la mort de 50 personnes et plus de 10 milliards de dollars.

La crise financière sans précédent qui frappe le système bancaire américain oblige une administration républicaine traditionnellement peu interventionniste à injecter 1 000 milliards de dollars dans l'économie, pour endiguer les faillites en cascade. On ne mesure pas encore toutes les conséquences au niveau mondial.

Le démocrate Barack Obama succède à George W. Bush et devient ainsi le premier président noir à entrer à la Maison-Blanche.

Le Nouveau Monde

Tout au bout de nos rêves d'enfant se trouve un pays, un pays dont on partage les clichés et les mythes avec le monde entier. Des bidonvilles asiatiques aux intellectuels occidentaux, en passant par les hommes d'affaires japonais et les apparatchiks de l'ex-Union soviétique, nous avons tous bien plus que « quelque chose de Tennessee » en nous ! Certains s'élèvent contre un impérialisme culturel et/ou politique et en dénoncent les dangers. D'autres vont boire à ces sources qui leur inspirent des œuvres, telles que *Paris, Texas* qui sont tellement américaines qu'elles ne peuvent être qu'européennes !

Cette fascination assez extraordinaire que nous éprouvons pour ce pays ne peut être expliquée seulement par sa puissance industrielle ou son dollar... Peut-être avons-nous tous, imprimé dans notre subconscient, ce désir, ce rêve d'un nouveau monde... La preuve, Mickey et les westerns ont fini par appartenir à notre culture. Un comble !

Le détroit de Béring

Les colons nommèrent les Indiens « Peaux-Rouges », non en raison de la couleur naturelle de leur peau (qui est d'ailleurs plutôt jaune), mais de la teinture rouge dont ils s'enduisaient parfois. Certains spécialistes placent les premières migrations en provenance d'Asie dès 50 000 ans av. J.-C., d'autres, plus nombreux, avancent les dates de 40 000, 30 000, 22 000 ans av. J.-C. Cette toute première vague d'immigration dura jusqu'au XIe ou Xe millénaire av. J.-C. Ces « pionniers » américains franchirent le détroit de Béring. Suivant la côte ouest, le long des Rocheuses, ces hordes d'hommes préhistoriques pénétrèrent peu à peu le nord et le sud du continent américain. La migration dura 25 000 ans. La superficie de ce continent et les vastes étendues d'eau qui le séparent du reste du monde font que les Indiens, tant dans le Nord que dans le Sud, imaginèrent longtemps être seuls au monde.

Si, à l'arrivée des premiers colons, les Indiens furent une fois pour toutes catalogués « sauvages », notre ignorance à leur sujet aujourd'hui, quoique moins profonde, demeure impressionnante.

Contrairement à une certaine imagerie populaire, il n'y a jamais eu de « nation indienne », mais une multitude de tribus réparties sur l'ensemble du territoire nord-américain. Le continent était si vaste qu'on estime qu'avant l'arrivée de l'homme blanc il y avait plus de mille langues indiennes, chacune étant inintelligible aux membres d'un autre groupe linguistique. Isolés les uns des autres, ils n'ont jamais mesuré l'étendue de leur diversité, mais commerçaient cependant activement. Depuis l'arrivée des Blancs, plus de 300 langues ont disparu. Les modes de vie variaient selon les tribus, certaines sédentaires comme les Pueblos (baptisés ainsi par les Espagnols parce qu'ils habitaient dans des villages) et d'autres semi-nomades, mais la plupart vivaient de chasse, de pêche et de cueillette, se déplaçant au gré du gibier et des saisons. Quant à leur nombre avant l'arrivée de l'homme blanc, certains ethnologues avancent le chiffre de dix à douze millions d'individus ! D'autres, plus méfiants ou ayant plus mauvaise conscience, disent qu'ils étaient à peine un million.

La découverte

Leif Erikson (le fils d'Erik le Rouge), un Viking, se lança dans l'exploration du Nouveau Monde. En 1000, avec un équipage de 35 hommes, il partit du sud du Groenland, récemment colonisé, puis explora toute la côte atlantique du Canada. D'autres expéditions suivirent et il y eut des tentatives de colonisation, puis les Vikings rentrèrent chez eux, victimes, semble-t-il, des attaques indiennes. Cela se passait presque 500 ans avant que Christophe Colomb ne « découvre » l'Amérique ! À notre avis, un attaché de presse était plus efficace que celui des Vikings.

Colomb, lui, cherchait un raccourci pour les Indes. La plupart des hommes cultivés de son époque étant arrivés à la conclusion que la terre était ronde, il y avait donc forcément une autre route vers les trésors de l'Orient que celle de Vasco de Gama, même si, paradoxalement, elle se trouvait à l'ouest. D'origine génoise, Colomb vivait au Portugal, et c'est donc vers le roi Jean II de Portugal qu'il se tourna pour financer son expédition. Ledit roi n'était pas intéressé, et finalement c'est grâce à un moine espagnol, Perez, confesseur de la reine Isabelle d'Espagne, que Colomb put l'approcher et monter son expédition. Son bateau, la *Santa Maria,* ainsi que deux autres petites caravelles partirent le 3 août 1492. La *Santa Maria,* lourde, peu maniable et lente, n'était pas le navire idéal pour ce genre d'expédition. Mais deux mois plus tard, le 12 octobre 1492, Colomb débarquait, aux Bahamas sans doute, muni d'une lettre d'introduction... pour le Grand Khan de Chine !

Le roi François Ier envoya à son tour Jacques Cartier qui, lui, fit trois voyages entre 1534 et 1541. Cartier remonta le Saint-Laurent jusqu'au Mont-Royal où des rapides arrêtèrent son entreprise, lesquels rapides furent d'ailleurs nommés Lachine, puisque la Chine devait être en amont ! Puis, en 1520, Ferdinand de Magellan trouva le fameux détroit qui mène à l'océan Pacifique, en traversant la Patagonie, à quelques encablures au nord du cap Horn. Ainsi, le malheur des Indiens et la colonisation de l'Amérique n'eurent pour origine que la volonté de trouver un autre accès plus facile vers l'Asie !

Les premières tentatives de colonisation

En 1513, Juan Ponce de León atteint la Floride, qu'il croit être une île ; le 7 mars 1524, le Florentin Giovanni Da Verrazano, envoyé lui aussi par François Ier, débarque au Nouveau Monde – depuis peu baptisé *Amérique* en souvenir de l'explorateur et géographe Amerigo Vespucci – et promptement le rebaptise *Francesca* pour honorer sa patrie d'adoption et son maître. La Nouvelle-France (futur Canada) est née. De 1539 à 1543, Hernando de Soto découvre et explore des cours d'eau comme la Savannah, l'Alabama et le majestueux Mississippi, mais il est finalement vaincu par la jungle ; au même moment, Francisco Vasquez de Coronado part du Mexique, franchit le rio Grande et parcourt l'Arizona. Toujours dans le même temps, la première tentative de christianisation par les moines de Santa Fe reçoit le salaire du martyr... Ils sont massacrés par les Indiens pueblos et, petit à petit, le cœur n'y est plus. L'or tant recherché n'est pas découvert. Les volontaires nécessaires à une véritable colonisation ne se manifestent pas. Et puis, finalement, pourquoi étendre l'empire déjà si vaste, se dit la couronne espagnole ?

L'arrivée des Anglais

Le premier Anglais, John Cabot, n'est pas un Anglais d'origine mais un Génois habitant la ville de Bristol. Lui aussi recherche, en 1497, un passage vers l'Orient et navigue le long de la côte. Faute de trouver ce fameux passage, il laissera son nom à la postérité avec la pratique du... cabotage ! Trois quarts de siècle passent, l'Angleterre est plus prospère, les querelles religieuses s'apaisent, et Élisabeth Iʳᵉ est montée sur le trône depuis 1558. L'heure américaine a sonné. Sir Humphrey Gilbert propose d'installer une colonie en Amérique qui fournirait, le moment venu, les vivres aux marins en route pour la Chine. Élisabeth lui accorde une charte, mais la colonie ne se matérialise pas.

Une nouvelle charte est accordée, cette fois à son demi-frère sir Walter Raleigh. Il serait à l'origine de deux tentatives d'implantation. Il jette l'ancre près de l'île Roanoke et baptise la terre Virginia (Virginie) – le surnom de la reine Élisabeth : la Vierge. Mais après le premier hiver, les colons préfèrent rentrer en Angleterre. La seconde tentative aura lieu un an plus tard : le 8 mai 1587, 120 colons débarquent. Un événement marque cette deuxième tentative : la naissance sur le sol du Nouveau Monde – d'après le carnet de bord du bateau avant qu'il ne reprenne la mer – de la première « Américaine », une petite fille nommée Virginia Dare (nom lourd de sous-entendus, *dare* signifiant en anglais « ose » !). Mais c'est encore un échec, tragique cette fois-ci, car, quand le bateau revient, en 1590, les colons ont disparu sans laisser de traces.

Malgré ces échecs successifs, le virus du Nouveau Monde s'empare de l'Angleterre, mais il faudra attendre le successeur d'Élisabeth, Jacques Iᵉʳ, pour un véritable début de colonisation.

Le 26 avril 1607, après quatre mois de traversée, 144 hommes et femmes remontent la rivière James dans trois navires et choisissent un lieu de mouillage qu'ils baptisent James Town. C'est un aventurier-marchand de 27 ans, le capitaine John Smith, qui a combattu en Europe et sait maintenir une discipline (essentielle pour ne pas sombrer dans le désespoir), qui dirige les colons. Il s'enfonce dans le pays, fait des relevés topographiques... Le rôle d'un chef est primordial dans ce genre de situation, et l'anecdote suivante illustre bien à quel point. John Smith est capturé par les Indiens et il aura la vie sauve grâce à la fille du roi Powhatan, nommée Pocahontas. Il comprend, ayant vécu avec cette tribu, que les colons ne survivront que par la culture du « blé indien » : le maïs. À son retour parmi les siens, et sur son ordre, les colons (très réticents car ils voulaient bien chasser, chercher de l'or ou faire du troc avec les indigènes, mais pas se transformer en agriculteurs) cultivent le maïs à partir de grains offerts par les Indiens. Le maïs contribua pour beaucoup à la culture américaine, toutes époques confondues.

La Nouvelle-Angleterre

En 1620, une nouvelle colonie est fondée par les pèlerins – *Pilgrim Fathers* – arrivés sur le *Mayflower*. Ces immigrants protestants transitent par la Hollande, fuyant les persécutions religieuses en Angleterre. Ils aspirent à un christianisme plus pur, sans les concessions dues selon eux aux séquelles du papisme que l'Église anglicane charrie dans son organisation et ses rites. Ce sont au total cent hommes et femmes avec 31 enfants qui arrivent au cap Cod (« cap de la morue »). Rien n'a préparé ces hommes à l'aventure américaine. Il faudrait pêcher, mais ils ne sont pas pêcheurs ; de plus, ils sont de piètres chasseurs et se défendent difficilement contre les Indiens qu'ils jugent sauvages et dangereux. Plus grave encore, voulant atteindre la Virginie et sa douceur, les voilà en Nouvelle-Angleterre, une région éloignée, avec un climat rude et une terre ingrate. La moitié d'entre eux meurent le premier hiver. Pourtant, l'année suivante, ils célèbrent le tout premier Thanksgiving – une journée d'action de grâces et de remerciements –, symbolisé par la dégustation d'une dinde sauvage. Ces immigrants austères et puritains incarnent encore dans l'Amérique d'aujourd'hui une certaine aristocratie, et nombreux sont ceux qui se réclament – ou voudraient bien se réclamer ! – d'un aïeul venu sur le *Mayflower* ! La ténacité, la volonté farouche et une implication religieuse proche de l'hystérie (voir l'épisode de la chasse aux sorcières à Salem de 1689 à 1692 – suite au prétendu ensorcellement de deux enfants, 150 personnes furent emprisonnées et on en pendit une vingtaine –, pour ne citer que la plus célèbre illustration de leur fanatisme religieux) vont garantir le succès de cette nouvelle colonie qui compte déjà 20 000 âmes en 1660 !

Les Français et le Nouveau Monde

C'est grâce à René-Robert Cavelier de La Salle, un explorateur français né à Rouen en 1643, que la France, elle aussi, eut pendant une période un peu plus longue que la précédente, une part du « gâteau » nord-américain. Après avoir obtenu une concession en amont de Montréal au Canada et appris plusieurs langues indiennes, il partit explorer les Grands Lacs, puis il descendit le Mississippi jusqu'au golfe du Mexique. Il prit possession de ces nouvelles contrées pour la France et tenta d'y implanter une colonie en 1684. En l'honneur du roi Louis XIV, cette terre prit le nom de Louisiane.

Cette nouvelle colonie s'avéra être une catastrophe financière, sous un climat très malsain. La couronne française céda la concession à Antoine Crozat, qui ne la trouva pas plus rentable et qui, à son tour, vendit ses parts à un Écossais que l'histoire de France a bien connu puisqu'il s'agit de John Law, contrôleur général des Finances en France sous Louis XV, inventeur probable du crédit, du papier-monnaie... et de la banqueroute !

Grâce à l'aide de la *Banque générale* en France, il fonda en août 1717 la Compagnie de la Louisiane. Le succès fut fulgurant mais de courte durée. Devant la montée spectaculaire des actions, beaucoup prirent peur et l'inévitable krach s'ensuivit, probablement le premier de l'histoire de la finance. La ville de La Nouvelle-Orléans fut fondée en 1718 par Jean-Baptiste Le Moyne de Bienville. Un premier lot de 500 esclaves noirs fut importé en 1718 et la culture du coton commença en 1740. Puis, par un traité secret, une partie de la Louisiane fut cédée aux Espagnols en 1762, et l'autre aux Britanniques ! Les 5 552 colons français de la Louisiane de l'époque ne goûtèrent guère ce tour de passe-passe, mais dans l'ensemble le règne dit « espagnol » fut calme et prospère. C'est d'ailleurs à cette période que les exilés d'Acadie, persécutés par les Anglais devenus maîtres du territoire, émigrèrent en Louisiane (lors d'un épisode appelé le « Grand Dérangement »).

Lors de la naissance de la jeune république américaine, désireux de s'émanciper de la couronne britannique, Benjamin Franklin vint rendre visite à Louis XVI afin de lui demander de l'aide pour les *insurgents.* Les Français, avec La Fayette, puis avec le maréchal de Rochambeau et son corps expéditionnaire, appuyèrent avec succès les tentatives de libération de Washington contre les Anglais. La victoire de Yorktown, le 19 octobre 1781, marqua le début de la reconnaissance de l'indépendance américaine. Le traité de Versailles, signé un an plus tard, sera l'aboutissement des luttes franco-américano-anglaises sur le nouveau continent.

Chateaubriand vint en Amérique entre 1791 et 1792, il en décrivit quelques sites.

Après une nouvelle distribution des cartes politiques, la Louisiane « espagnole » redevint française en 1800. À peine le temps de dire « ouf », et Bonaparte – à court d'argent pour combattre l'ennemi héréditaire – revendit la colonie aux États-Unis le 30 avril 1803.

William Penn et les quakers

La plus sympathique implantation de l'homme blanc en Amérique fut sans conteste celle des quakers. Avec son principe de non-violence, son refus du pouvoir des Églises quel qu'il soit et son doute quant à la nécessité des prêtres en tant qu'intermédiaires entre l'homme et Dieu, le quaker est appelé à une liberté radicale, irrépressible puisqu'elle se fonde sur Dieu lui-même. George Fox, qui fut à l'origine de ces thèses révolutionnaires et subversives, naquit en 1624. « Songez qu'en vous il y a quelque chose de Dieu ; et ce quelque chose existant en chacun le rend digne du plus grand respect, qu'il soit croyant ou pas. » Pour mieux mesurer l'extravagance de cette déclaration de George Fox, il faut se souvenir qu'à cette époque l'Inquisition espagnole battait son plein. *Quakers* signifie « trembleurs » (devant

Dieu), et ce surnom leur fut donné par moquerie, leur véritable appellation étant la *Society of Friends* (« Société des Amis »).

Hormis le célèbre paquet de céréales, c'est surtout le nom de William Penn qui vient immédiatement à l'esprit dès qu'on prononce le mot « quaker » (les deux sont d'ailleurs liés, car l'emblème de la marque est effectivement un portrait de Penn, la compagnie – à sa fondation, en 1901 – ayant choisi ce créneau de marketing pour souligner la pureté de ses produits !). Cela dit, cette compagnie n'avait rien à voir avec la *Society of Friends,* et un procès lui fut intenté en 1915 par les vrais quakers, sans succès.

William Penn, né en 1645, était un fils de grande famille extrêmement aisée, avec moult propriétés en Irlande comme en Angleterre. À l'âge de 13 ans, il rencontre pour la première fois celui qui allait marquer sa vie, Thomas Loe, quaker et très brillant prédicateur. Quittant rubans, plumes et dentelles, William ne conserve de sa tenue de gentilhomme que l'épée qu'il déposera aussi par la suite, soulignant ainsi publiquement son refus de la violence et son vœu d'égalité entre les hommes. À partir de 1668, ses vrais ennuis vont commencer ; il a alors 24 ans. De prisons (la tour de Londres, entre autres) en persécutions, Penn publiera rien moins que 140 livres et brochures et plus de 2 000 lettres et documents. *Sans croix, point de couronne,* publié en 1669, sera un classique de la littérature anglaise.

À la mort de son père, Penn devient lord Shanagarry et se retrouve à la tête d'une fortune considérable. Il met aussitôt sa richesse au service de ses frères. Les quakers avaient déjà tourné leurs regards vers le Nouveau Monde afin de fuir la persécution, mais les puritains de la Nouvelle-Angleterre ressentent la présence des quakers sur leur territoire comme une invasion intolérable. Des lois antiquakers sont votées. En 1680, après avoir visité le Nouveau Monde, William Penn obtient du roi Charles II (en remboursement des sommes considérables que l'État devait à son père) le droit de fonder une nouvelle colonie sur un vaste territoire qui allait devenir la Pennsylvanie (« forêt de Penn », une terre presque aussi grande que l'Angleterre). Les Indiens qui occupent cette nouvelle colonie se nomment Lenni Lenape (ou Delaware), parlent l'algonquin et sont des semi-nomades. Penn et les quakers vont établir avec eux des relations d'amour fraternel, et le nom de leur capitale, Philadelphie, sera choisi pour ce qu'il signifie en grec, « ville de la fraternité ». Penn apprendra leur langue, ainsi que d'autres dialectes indiens. Dans sa maison de Pennsbury Park, il y avait souvent une foule étrange : les Indiens arrivaient par dizaines, voire parfois par centaines ! Les portes de la maison leur étaient grandes ouvertes. Le fait qu'ils étaient peints et armés n'effrayait personne. Ils réglaient les questions d'intérêt commun avec Onas, c'est-à-dire avec Penn (*onas* veut dire « plume » en algonquin, *penn* signifiant « plume » en anglais). La non-violence étant l'une des pierres d'angle des principes quakers, les Indiens auraient pu massacrer toute la colonie en un clin d'œil. Mais tant que les principes quakers ont dominé, les deux communautés vécurent en parfaite harmonie.

Les anecdotes sur les rapports entre les quakers et les Indiens sont nombreuses, et c'est certainement aussi l'esprit des deux communautés qui les a rapprochés. Car, si d'un côté les Indiens étaient très primitifs matériellement parlant, leur art de vivre et leur spiritualité étaient très raffinés.

La « Boston Tea Party » et l'indépendance

Dès 1763, une crise se dessine entre l'Angleterre et les nouvelles colonies qui sont de plus en plus prospères. Son aboutissement va être l'indépendance. Le 16 décembre 1773, après une série très impopulaire de taxes et de mesures imposées par la Couronne et une nette montée nationaliste, se produit ce qu'on appelle la « Boston Tea Party ». Des colons, déguisés en Indiens, montent sur trois navires anglais dans le port de Boston et jettent par-dessus bord leur cargaison de thé.

Au-delà de la péripétie, l'événement fera date. En effet, le recours aux armes aura lieu en 1775 et, le 4 juillet 1776, la Déclaration d'indépendance rédigée par Thomas

Jefferson est votée par les treize colonies. Le fondement de la déclaration est la philosophie des droits naturels qui explique que Dieu a créé un ordre, dit naturel, et que, grâce à la raison dont il est doué, tout homme peut en découvrir les principes. De plus, tous les hommes sont libres et égaux devant ces lois. En 1778, les Français signent deux traités d'alliance avec les « rebelles » ; en 1779, l'Espagne entre en guerre contre l'Angleterre. Mais il faudra attendre le 3 septembre 1783 pour la signature d'un traité de paix entre l'Angleterre et les États-Unis, qui sera conclu à Paris. Les États-Unis, par la suite, s'étendent, et les Indiens sont rejetés de plus en plus vers les terres désertiques de l'Ouest, tandis que la France vend la Louisiane et qu'un nouveau conflit se dessine : la guerre civile.

L'esclavagisme et la guerre de Sécession

Durant plus de trois siècles, le Noir américain fut tour à tour esclave, métayer, domestique, chansonnier et amuseur public. Il a donné à cette jeune nation beaucoup plus qu'il n'a jamais reçu, lui qui fut un immigrant forcé.

L'idée même de l'esclavagisme remonte à la nuit des temps, et même les Grecs les plus humanistes, durant l'âge d'or de leur civilisation, n'ont jamais douté du fait que l'humanité se divisait naturellement en deux catégories : les hommes qui devaient assumer les tâches lourdes et l'élite qui pouvait ainsi cultiver les arts, la littérature et la philosophie. L'aspect immoral qu'est la vente d'un homme ne fut pas la vraie raison de la guerre de Sécession, contrairement à une certaine imagerie populaire. Abraham Lincoln n'avait que peu de sympathie pour la « cause noire », la libération des esclaves ne s'inscrivant alors que dans le cadre du combat contre le Sud. Il déclara à ce sujet : « Mon objectif essentiel dans ce conflit est de sauver l'Union... Si je pouvais sauver l'Union sans libérer aucun esclave, je le ferais... » L'histoire a évidemment oublié cette phrase. D'ailleurs, ce n'était pas si difficile pour les nordistes d'être contre l'esclavage (ils n'avaient que 18 esclaves contre quatre millions dans le Sud !).

Les sudistes portent l'uniforme gris tandis que les nordistes sont en bleu. Bien qu'ils soutiennent les Noirs, les nordistes n'hésiteront pas à massacrer les Indiens. Tout ça pour dire que les Bleus n'étaient pas si blancs et les Gris pas vraiment noirs. Pour être juste, cette guerre civile devrait être présentée comme une guerre culturelle, un affrontement entre deux types de société. L'une – celle du Sud –, aristocratique, fondée sur l'argent « facile », très latine dans ses racines françaises et espagnoles, était une société très typée avec une identité forte, très attachée à sa terre. L'autre – celle du Nord –, laborieuse, austère, puritaine, extrêmement mobile, se déplaçait au gré des possibilités d'emploi, avec des rêves de grandeur nationale, mais dépourvue de ce sentiment d'appartenir profondément à « sa » terre.

Ce grave conflit fut l'accident le plus douloureux dans l'histoire de l'Amérique et continue d'être un traumatisme national. Ses origines peuvent s'analyser rationnellement, mais son déclenchement relève de l'irrationnel.

Le détonateur fut l'élection de Lincoln. Le conflit dura de 1861 à 1865, faisant en tout 630 000 morts et 400 000 blessés. Ce fut aussi la première guerre « moderne », mettant aux prises des navires cuirassés, des fusils à répétition, des mitrailleuses et des ébauches de sous-marins. Mais plus que tout, cette lutte fratricide fut le théâtre de scènes d'une rare violence. Deux profonds changements dans la société américaine sont issus de cette guerre civile : le premier est l'abolition de l'esclavage le 18 décembre 1865, et le second sera la volonté de l'Union de représenter et de garantir désormais une forme de démocratie. Lincoln en sort grandi et devient un héros national. Son assassinat le 14 avril 1865 par John Wilkes Booth – un acteur qui veut, par son geste, venger le Sud – le « canonise » dans son rôle de « père de la nation américaine ».

Il reste que presque 150 ans plus tard, les Noirs américains et les *Natives,* c'est-à-dire les Indiens, sont toujours en marge du « grand rêve américain ». La drogue, les ghettos, le manque d'éducation, la misère sont leur lot quotidien ; et il y a peu d'exceptions, ce qui hante et culpabilise maintenant l'« autre Amérique ».

L'immigration massive

L'appel du Nouveau Monde à travers tout le XIXe s et le début du XXe s attira des immigrants en provenance du monde entier, mais principalement d'Europe. En 1790, on pouvait compter quatre millions d'habitants ; en 1860, 31 millions. Entre 1865 et 1914, la population va tripler pour atteindre les 95 millions. Il y a autant de raisons historiques pour cette vaste immigration que de peuples et de pays concernés. Mais c'est toujours la persécution – religieuse ou politique – et la misère qui furent les facteurs principaux de cette immigration, qu'elle soit juive, russe, d'Europe centrale, italienne ou allemande. En 1973, quand le jeu des mariages interraciaux était moins prononcé, la mosaïque ethnique était la suivante : 88 % de Blancs, 10,5 % de Noirs, et 1,5 % de *Natives* (Indiens autochtones) et d'Asiatiques. Aujourd'hui, on peut encore trouver des « bastions », comme la « Bible Belt » – la « ceinture biblique » – qui s'étend à travers le centre des États-Unis et est essentiellement germano-britannique de confession protestante, ou des petites minorités pures et dures qui « annexent » des quartiers précis dans les grandes métropoles. Mais, de plus en plus, l'arbre généalogique des Américains devient un kaléidoscope ethnique complexe. Et il est probable que, dans un avenir relativement proche, naîtra de ce melting-pot une nouvelle « race » unique dans l'histoire de l'homme.

L'arrivée dans le club des Grands

Dès le lendemain de la guerre de 1914-1918, la suprématie de la Grande-Bretagne est en déclin, et les États-Unis sont désormais présents sur l'échiquier mondial. En 1919, l'alcool est prohibé par le 18e amendement à la Constitution. La fabrication, la vente et le transport des boissons alcoolisées sont alors interdits. La corruption est inévitable : règlements de compte, trafics d'alcool, insécurité, prostitution. La prohibition fait mal au puritanisme américain. Roosevelt, dès son élection, en 1933, fait abolir l'amendement, soucieux de donner un nouvel élan au pays. Les années 1920 furent donc... les Années folles. Pendant que les intellectuels américains se produisent dans les bars parisiens, la spéculation boursière s'envole, et l'Amérique danse sur la nouvelle musique qui va ouvrir la voie à d'autres musiques populaires : le jazz. Les femmes, grâce aux efforts des suffragettes, obtiennent le droit de vote. Mais cette grande euphorie se termine tragiquement en octobre 1929, avec le krach de Wall Street. Le monde est choqué par les images d'hommes d'affaires ruinés sautant par les fenêtres des gratte-ciel, ou les concours de danse-marathon (les participants dansent jusqu'à épuisement pour une poignée de dollars), fait illustré par le film admirable *On achève bien les chevaux...*
Cette époque est aussi très noire pour les petits exploitants agricoles durant le « Dust Bowl » : ils doivent quitter leurs terres par milliers, fuyant la sécheresse associée à l'effondrement de l'économie. L'auteur-compositeur-interprète Woody Guthrie nous en laissa des témoignages discographiques poignants. Devenu clochard (*hobo*) par la force des circonstances, il passa la Grande Dépression à voyager clandestinement sur les longs et lents trains qui sillonnent les États-Unis en compagnie de sa guitare, narrant le quotidien des gens à cette période. Guthrie fut le père de la *folk song* et inspira le mouvement contestataire et le renouveau folk des années 1960 (il était, entre autres, l'idole de Bob Dylan).

McCarthy et les listes noires

Le « New Deal » de Franklin D. Roosevelt est – dans le contexte malheureux de la Seconde Guerre mondiale – le remède qui guérit l'économie des États-Unis, et une ère de prospérité s'ouvre avec la paix. Les années 1950 sont aussi celles de Joseph McCarthy et de ses listes noires. Le communisme représentait l'antithèse de l'esprit de libre entreprise et des valeurs fondamentales américaines. L'Amérique craignait d'autant plus le communisme que les intellectuels de l'époque étaient fascinés par cette doctrine qui semblait humaniste et généreuse. Les listes noires frappent essentiellement le milieu du cinéma et instaurent un climat de peur et de malveillance. Le grand Cecil B. DeMille fut, entre autres, un grand délateur, ainsi qu'Elia Kazan, l'auteur de *Sur les quais* et *Viva Zapata*. Des réalisateurs comme Jules Dassin, Joseph Losey ou John Berry décident d'émigrer en Europe.

La ségrégation

Les barrières de la ségrégation commencent officiellement à s'estomper dès 1953, date à laquelle la Cour suprême décide de mettre fin à la ségrégation au sein du système scolaire, mais cette décision n'empêche pas de nombreuses autres mesures discriminatoires de s'appliquer, notamment dans les États du Sud. Martin Luther King, pasteur à Montgomery (Alabama), lance en 1955 le boycottage des autobus de cette ville sudiste, à la suite de l'arrestation d'une femme noire, Rosa Parks, qui avait refusé de céder sa place dans le bus à un passager blanc. Le courage de Martin Luther King a un retentissement international. Fin 1958, une nouvelle décision de la Cour suprême donne raison au mouvement antiségrégationniste, interdisant toute discrimination dans les transports publics. Le mouvement des Droits civiques, organisé autour de Martin Luther King, malgré la concurrence de groupes plus radicaux, reste fidèle à la non-violence. Un an après la marche historique sur Washington, le 28 août 1963, le prix Nobel de la paix, décerné à Martin Luther King, récompense la cause noire. Une prise de conscience nationale prend forme. L'assassinat de Martin Luther King, le 4 avril 1968 à Memphis, n'arrêta pas le mouvement. Le chanteur blanc Pete Seeger – disciple de Guthrie – fait beaucoup pour la cause noire en chantant des comptines pleines d'humour dénonçant la ségrégation.

Le mal de vivre

La *Beat Generation* apparaît autour de 1960. À sa tête, on trouve des écrivains tels que Jack Kerouac et des poètes comme Allen Ginsberg. D'origine québécoise, issu d'ancêtres bretons, élevé à Lowell (Massachusetts), Kerouac s'appelait Jean-Louis Lebris de Kerouac et sa langue maternelle était le français du Québec. Sa famille l'appelait Ti-Jean. Insurgée, éprise de liberté, détachée des biens matériels, la *Beat Generation* prit la route à la recherche d'un mode de vie alternatif. L'opulence de la société liée à un cortège d'injustices avait créé un refus, chez les jeunes, du monde dit « adulte ». Pendant que les premiers beatniks rêvaient de refaire un monde plus juste en écoutant les héritiers de Woody Guthrie (Joan Baez et Bob Dylan), le rock'n'roll avait déjà pris ses marques. Il fit irruption dès 1956 dans la musique populaire avec Elvis Presley.

Lui aussi se voulait le symbole d'une révolte, mais très différente de celle des beatniks. Le rock'n'roll exprimait certes un refus des valeurs institutionnelles, mais sans offrir de solutions, se contentant de condamner le monde adulte.

C'est James Dean, dans *Rebel Without a Cause* (chez nous *La Fureur de vivre,* un beau contresens), qui exprima peut-être le mieux le malaise de l'ensemble de la jeunesse. Jimmy Dean devint, après sa mort violente et prématurée, l'incarnation même du fantasme adolescent de « faire un beau cadavre » plutôt que de mal vieillir, c'est-à-dire le refus des compromis immoraux de la société.

Les années 1960 marqueront aussi l'apparition de la musique noire enfin chantée par des Noirs dans ce qu'on peut appeler le « Top blanc ». Auparavant, il y avait des radios « noires » et des radios « blanches », et les succès « noirs » ne traversaient la frontière culturelle que quand des chanteurs blancs reprenaient à leur compte ces chansons. Il est aussi intéressant de noter que Presley doit une partie de son succès au fait qu'il était un Blanc chantant avec une voix « noire ». Il est bon de signaler que, en gros, le Country & Western – de loin la musique la plus populaire encore aujourd'hui – trouve ses racines dans les chansons traditionnelles d'Europe, notamment d'Irlande. Chanté avec un accompagnement à la guitare, c'est la nostalgie de la conquête de l'Ouest et un esprit très « feu de camp » qui le caractérise. D'ailleurs, dans le Far West, les cow-boys irlandais étaient particulièrement prisés car ils chantaient la nuit en montant la garde près des troupeaux, et ça calmait les vaches !

Contestation et renouveau

Les années 1960 sont presque partout dans le monde des années de contestation. Ce furent aussi des années pas très « clean » : affaire de la baie des Cochons avec Cuba, début de la guerre du Vietnam sous John F. Kennedy, dont le mythe se révèle fort ébréché (liens avec la mafia, solutions envisagées au problème « Fidel Castro », etc.), mort suspecte de Marilyn Monroe (menaçait-elle la sécurité de l'État ?). L'assassinat du président John F. Kennedy à Dallas, en 1963, marqua la fin d'une vision saine, jeune et dynamique de la politique pour un aperçu bien plus machiavélique du pouvoir.

Les beatniks laissent la place aux hippies, et le refus du monde politique est concrétisé par le grand retour à la campagne afin de s'extraire d'une société dont les principes devenaient trop contestables. Tout le monde rêve d'aller à San Francisco avec des fleurs plein les cheveux et, en attendant, les appelés brûlent leur convocation militaire pour le Vietnam.

L'échec américain dans la guerre du Vietnam est aussi l'une des conséquences de cette prise de conscience politique de la jeunesse. La soif de « pureté » et de grands sentiments a sa part dans la chute de Richard Nixon qui, en somme, n'a fait que tenter de couvrir ses subordonnés dans une affaire de tables d'écoute – la plupart des hommes politiques français ont agi de même sans jamais avoir été inquiétés. Le président Jimmy Carter est l'incarnation de la naïveté et du laxisme... notamment au Moyen-Orient au moment de l'affaire des otages. L'Amérique montre alors au monde le visage d'une nation victime de ses contradictions, affaiblie par sa propre opinion publique et en pleine récession économique.

Les années 1980 marquent un profond renouveau dans l'esprit américain. L'élection de l'acteur (Ronald Reagan) à la place du « clown » (Carter), comme le prônent les slogans, redonne au pays l'image du profil « cow-boy ». De nouvelles lois fiscales eurent pour effet d'élargir le fossé entre les pauvres et les riches. Superficiellement, la récession se résorbe et l'industrie est relancée. Mais, plus présente que jamais, reste l'Amérique des perdants, avec un nombre scandaleux de *homeless* (sans domicile fixe) vivant en dessous du seuil de pauvreté mondial, dans un pays dont les préoccupations sociales ne sont pas la priorité. L'« autre Amérique », en harmonie avec Reagan, est devenue obsédée par l'aérobic et la santé. L'apparition du sida marque la fin des années de liberté sexuelle, et cette maladie est brandie comme l'ultime châtiment divin envers une société qui a perdu ses valeurs traditionnelles.

Ordre mondial et désordre national

La chute du mur de Berlin et l'effondrement de l'URSS faisaient des États-Unis la seule superpuissance. Bush père put ainsi entraîner une vaste coalition dans la première guerre du Golfe de 1991. Mais pendant que les soldats américains libèrent le Koweït, les conditions de vie aux États-Unis continuent à se détériorer : chômage galopant, aides sociales supprimées, violence accrue, propagation des drogues dures et du sida, etc. ! Les émeutes de Los Angeles (et d'ailleurs) révèlent aux Américains le fiasco total des républicains. Aux présidentielles de novembre 1992, le peuple américain, déçu, sanctionne Bush dont la politique s'est avérée réactionnaire et cynique.

Le nouveau président, le démocrate Bill Clinton, est à l'opposé de ses prédécesseurs : jeune, proche des petites gens, il incarne cette génération du Vietnam pacifiste, soucieuse d'écologie et qui tend à donner plus de responsabilités aux femmes et aux représentants des minorités ethniques ; en un mot, une nouvelle manière de diriger.

Le bilan de huit années de présidence se révèle contrasté : une croissance fantastique, des créations d'emplois, mais aussi un échec de la politique de protection sociale ; à l'extérieur, des interventions tous azimuts, en Bosnie, en Israël, en Irak, en Afrique, etc. Clinton a été réélu en novembre 1996 en ne faisant qu'une bouchée de son rival Bob Dole. Clinton, défenseur du monde, voilà l'image que l'opinion publique américaine aura retenu de ses deux mandats, en partie entachés (!) par le Monicagate.

Bush-Gore : coude à coude historique

L'élection présidentielle de novembre 2000 présente à priori peu d'intérêt. Entre le pâle Gore et le Texan George W. Bush, les Américains ont longtemps tergiversé. Les sondages annonçaient un scrutin serré, mais on ne se doutait pas à quel point... Après un mois de péripéties politico-judiciaires sur la validité du scrutin en Floride, la polémique s'est achevée à la Cour suprême des États-Unis, qui intronise officiellement George W. Bush comme 43e président des États-Unis.

Mardi 11 septembre 2001 : l'acte de guerre

Beaucoup pensent que le 11 septembre 2001 a marqué d'une pierre noire l'entrée dans le XXIe s. Ce matin-là, quatre avions sont détournés par des terroristes kamikazes et transformés en bombes volantes. Deux s'écrasent sur les Twin Towers, symbole de New York et de la toute-puissance économique américaine, le troisième sur le Pentagone à Washington, comme un défi à sa puissance militaire. Le dernier appareil, quant à lui, se crashe en Pennsylvanie. C'est la plus grave attaque terroriste jamais commise contre un État. Aucun scénariste de film catastrophe hollywoodien n'aurait pu l'imaginer. Le bilan est tragique : près de 3 000 morts et autant de blessés. Pour la première fois depuis près de deux siècles (Pearl Harbor mis à part), les États-Unis sont victimes d'un acte de guerre sur leur propre sol. Acte hautement symbolique ; l'agresseur n'est pas un État, mais une nébuleuse de fanatiques invisibles, en guerre au nom des valeurs les plus archaïques de l'islam et dont les membres sont prêts au sacrifice suprême, contre tout ce qui représente le mode de vie occidental. L'ennemi public numéro un des États-Unis, Oussama Ben Laden, milliardaire intégriste musulman d'origine saoudienne et réfugié en Afghanistan sous la protection des talibans, est immédiatement désigné comme le principal suspect. Paradoxalement, c'est un « produit *made in USA* » : dans les années 1980, lors du premier conflit en Afghanistan, il a été formé et armé par la CIA pour lutter contre l'ennemi commun de l'époque, l'Union soviétique.

L'entourage ultraconservateur de George W. Bush en conçoit une nouvelle doctrine de politique étrangère américaine basée sur l'existence d'un « axe du mal ». C'est le signal d'un revirement de politique étrangère : désormais les « États voyous » (Corée du Nord, Iran, Irak) se retrouvent dans le collimateur des faucons de Washington. Première cible : l'Afghanistan, avec l'objectif de traquer sans relâche les réseaux de Ben Laden et d'éliminer le régime des talibans qui lui ont donné refuge...

Dans la foulée de la logique de la lutte contre le terrorisme, Bush demande au FBI et à la CIA de lui fournir des arguments pour s'attaquer à sa deuxième cible : l'Irak de Saddam Hussein que la guerre de son papa en 1991 n'avait pas réussi à destituer.

Mais où sont donc passées les armes de destruction massive ?

Dès l'été 2002, l'Amérique de Bush va se débarrasser d'un tyran sanguinaire qui asservit son peuple depuis plus de 20 ans. Mais pour faire la guerre et recevoir l'aval du congrès et des alliés des États-Unis, il faut des motifs de guerre probants. Malgré l'embargo dont l'Irak est frappé depuis 12 ans, on va donc démontrer que Saddam Hussein mitonne dans son arrière-cuisine quelques programmes de développement d'armes de destruction massive (nucléaire, chimique et biologique) et qu'à coup sûr, il doit être de mèche avec Oussama Ben Laden. Quelques voix s'élèvent du côté des artistes ou des intellectuels (Sean Penn ou Norman Mailer), mettant en doute la légitimité d'une telle guerre, mais se retrouvent vilipendées par les médias de Rupert Murdoch aux ordres du Pentagone.

Le principal soutien international de George W. Bush s'appelle Tony Blair, le Premier ministre britannique. Les autres membres permanents du Conseil de sécurité (France, Russie et Chine), soutenus par des ex-alliés traditionnels des États-Unis (Allemagne, Mexique, Canada), renâclent à partir en croisade, mettant en doute l'idée reçue que le programme militaire irakien présente un danger pour la communauté internationale.

En 2003, la diplomatie vire à l'échec ; Bush and Co décident de se passer de la légitimité internationale pour s'engager dans le conflit. En 19 jours, le régime de Saddam s'effondre. Les Américains sont plutôt bien accueillis par des Irakiens pas fâchés d'être débarrassés d'un tyran et de sa clique de profiteurs (surtout au Kurdistan). La tâche qui consiste à pacifier le pays démarre. Mais les occupants ont du mal à se concilier la coopération des anciens cadres du régime qui ne sont plus payés. Les réseaux d'entraide chiites du sud du pays en font plus pour réorganiser la vie quotidienne que les administrateurs venus de Washington.

Si les pertes anglo-américaines sont restées légères pendant les combats, une résistance organisée commence à se manifester dès juin 2003. Avec l'accumulation des GI's qui tombent sous les embuscades, les attentats-suicides et le coût pharaonique de la guerre, l'opinion commence à se poser des questions sur les raisons de la guerre et la présence toujours non prouvée des fameuses armes de destruction massive. Petit à petit se profile sournoisement le spectre de l'enlisement de l'armée (comme au Vietnam).

En décembre 2003, Saddam est finalement capturé par les Américains. Son procès démarre fin 2005 et il est condamné à mort un an plus tard.

G. W. Bush II : *bis repetita...*

La campagne présidentielle de 2004 a commencé tôt, avec, côté républicain, le « ticket Bush-Cheney » reconduit et, chez les démocrates, John Kerry, sénateur catholique du Massachusetts, brillant étudiant à Yale et ex-héros du Vietnam.

Les républicains s'appuient sur un électorat très à droite, dont les patriotes traumatisés par le *Nine-Eleven*, convaincus que la « guerre contre le terrorisme » devait passer par le renversement de Saddam Hussein. Kerry se fait critiquer sur ses états de service au Vietnam (alors que Bush s'était planqué), sur sa versatilité dans sa carrière sénatoriale et sur sa propension à intellectualiser à l'excès ses discours.

En mai, *Fahrenheit 9/11,* le brûlot de Michael Moore contre Bush & Cie, remporte la Palme d'or à Cannes. Un vrai missile de croisière lancé en pleine campagne électorale !

Les débats télévisés révèlent un Kerry présidentiable, à l'aise en économie et dénonçant l'aventure irakienne comme une tragique erreur de jugement alors que Bush ne fait qu'ânonner les mêmes slogans éculés depuis trois ans. La cote du démocrate remonte alors jusqu'à talonner Bush. Rarement une élection américaine aura autant tenu le monde en haleine. Le 2 novembre, après quelques heures de flottement du côté de l'Ohio, Bush remporte l'élection, avec au total plus de 3,5 millions de voix d'avance. Presque un plébiscite comparé à 2000...

Même si l'élection s'est jouée sur le thème de la sécurité, l'Amérique est coupée en deux. C'est le système des valeurs qui a changé : à droite, toute ! À l'unilatéralisme sans états d'âme à l'extérieur vient s'ajouter la prééminence des critères moraux et religieux sur l'emploi ou l'économie. On taille des coupes sombres dans les budgets fédéraux. La référence à Dieu émaille tous les discours, la Bible fait jeu égal avec les théories de l'évolution dans les programmes scolaires, des États remettent en cause le droit à l'avortement, les gays et les lesbiennes sont priés d'aller s'unir ailleurs, et les retraités sont entraînés à placer leurs économies sur les actions des entreprises liées à la sécurité pour espérer survivre dignement. Sans parler de la couverture santé dont 40 millions d'Américains doivent se passer.

Et la « Liberté » poursuit sa marche écrasante en Irak avec, il est vrai, des élections libres (et suivies par une large majorité de la population), mais qui ont du mal à déboucher sur la constitution d'une équipe gouvernementale représentative. Avec l'exacerbation des clivages religieux (chiites et sunnites), le pays reste plongé dans le chaos. Témoin : un bilan humain tragique qui s'alourdit chaque jour d'une cinquantaine de victimes : depuis 2003, près de 650 000 victimes dans la population locale et plus de 3 500 morts côté GI's. Mais ça, George W. Bush semble l'ignorer, lui qui n'a jamais assisté à un seul enterrement de l'un de ses soldats. Au fait, qui parlait de croisade pour un monde meilleur ?

2008 : *Yes we can !*

Le deuxième mandat de George W. Bush s'achève sur un marasme sans précédent dans l'histoire américaine : la cote du président sortant ne dépasse guère les 20 % de satisfaction. L'enlisement en Irak et en Afghanistan est total et le monde craint que de nouvelles menaces à l'encontre de l'Iran ne mènent à une nouvelle aventure militaire encore plus hasardeuse. Les indicateurs économiques sont mauvais et dès 2007, les observateurs notent des signes inquiétants qui annoncent un possible éclatement de la bulle immobilière. De nombreux Américains de la classe moyenne se sont endettés pour acquérir leur maison ou leur rutilant 4x4 en contractant des prêts à taux de remboursement variables. Ces créances des sociétés immobilières sont revendues aux banques qui les transforment en titres et les portent comme actifs dans leurs bilans comptables. Mais pour l'instant, les effets en sont limités.

La campagne électorale démarre très tôt : tout le monde s'accorde pour penser que le tour final mettra aux prises Hillary Clinton face à l'ancien maire de New York et héros du *11 Septembre,* Rudolph Giuliani. Du côté républicain, la course pour l'investiture se décante rapidement avec l'abandon de plusieurs candidats qui jettent l'éponge dès les primaires au profit de John McCain, 72 ans, fils d'amiral et héros de la guerre du Vietnam. Côté démocrate, une primaire interminable met aux prises l'ex-First Lady, sénatrice de l'État de New York et soutenue par son Bill de mari, contre un quasi inconnu du grand public, Barack Obama, sénateur de l'Illinois, diplômé de Harvard tout de même et qui a la particularité d'être un métis né à Hawaii d'un père kenyan et d'une Américaine du Kansas.

Un choix doublement inédit dans la politique américaine entre une femme briguant l'investiture suprême et un homme assimilé aux minorités afro-américaines. Tout un symbole après l'esclavage et la ségrégation raciale.

L'un et l'autre se dépensent sans compter pour lever les fonds nécessaires au financement de leur campagne. Après une âpre lutte où la supposée expérience du pouvoir de l'ex-locataire de la Maison-Blanche affronte le besoin de changement prôné par l'ancien travailleur social des quartiers pauvres de Chicago, c'est Obama qui l'emporte, surfant sur une vague populaire qui rassemble autant les minorités ethniques que la classe moyenne blanche.

Après l'investiture à Denver en août, et le choix de Joe Biden comme colistier, un vieux routier du Congrès rassurant pour l'aile conservatrice de son parti, son équipe fait le choix judicieux de ne pas faire appel aux fonds publics, ce qui a pour avantage de ne pas limiter son plafond de dépenses. Au total, grâce notamment à Internet, il récoltera au cours de sa campagne plus de 605 millions de dollars, soit plus que le total des fonds non publics ramassés par Bush et Kerry en 2004 ! La réussite de cette incroyable opération provient des dons de près de trois millions de citoyens aux revenus modestes et dont la contribution dépasse rarement 100 $. Ce trésor de guerre colossal lui permet de s'offrir des demi-heures entières de spots télévisés alors que son adversaire McCain qui, lui, a fait appel aux traditionnels bailleurs de fonds des lobbies des grandes compagnies, voit ses moyens plus limités.

En septembre, les sondages donnent Obama et McCain au coude à coude. Surviennent alors coup sur coup deux événements qui vont faire pencher définitivement la balance en faveur du candidat démocrate. Dans le besoin de conforter la partie la plus conservatrice de son électorat, les évangélistes, les créationnistes et les anti-avortement, McCain se dote d'une colistière inconnue, Sarah Palin, gouverneure du lointain État d'Alaska, chasseuse de caribous et mère de famille nombreuse (dont une fille célibataire enceinte et un engagé en Irak). Si au départ ce choix semblait constituer un joli coup de marketing politique, le pétard se révèle rapidement mouillé du fait des gaffes accumulées par la pittoresque candidate dont la capacité à succéder éventuellement à un président âgé a rapidement été mise en doute lors des rares entretiens télévisés accordés à des journalistes chevronnés. Grosse erreur tactique donc.

Mais le pire était encore à venir : une crise financière majeure éclate à la mi-septembre, crise des institutions bancaires qui entraîne sans doute par effet boule de neige l'économie mondiale vers une récession de longue durée.

La chute de Wall Street

Les causes : en 2001, en rendant le crédit accessible au plus grand nombre avec un taux directeur d'à peine 1 %, la Banque fédérale a encouragé les banques à monter des systèmes de remboursement hypothécaires sophistiqués (à taux variables) où il était possible de faire l'acquisition d'une maison sans même disposer de fonds propres. Elles ont surtout spéculé, dans ces prêts qu'elles accordaient, sur la valeur de la maison et sa possibilité d'accroissement, plutôt que sur la capacité de l'emprunteur à rembourser les versements mensuels. La hausse du taux directeur de la Fed à 5,75 % en 2006 a entraîné mécaniquement un renchérissement des taux de remboursement de ces crédits immobiliers. Beaucoup de ménages incapables de rembourser leur crédit se sont vu saisir leur bien, rapidement mis en vente par les banques. Les prix de l'immobilier ont alors considérablement baissé et les banques se sont trouvées dans l'impossibilité de récupérer les sommes prêtées.

Les grandes banques américaines ont alors investi des sommes considérables dans le rachat de ces créances, convaincues que les valeurs des propriétés allaient augmenter de façon substantielle dans les années suivantes. Mais ces fonds ont considérablement perdu de la valeur, et les banques ont perdu des sommes proprement astronomiques. Conséquences en cascades : dépôt de bilan pour des piliers de Wall Street, rachat de plusieurs institutions financières de premier plan par l'État pour éviter leur faillite (une révolution aux USA), et surtout chute de la confiance entraînant un ralentissement des prêts interbancaires indispensables au fonctionnement normal de l'économie, suivie de la dégringolade généralisée des places boursières mondiales. Un plan inédit est mis au vote du parlement par le président Bush et son secrétaire au Trésor Henry Paulson qui engage l'État pour 840 milliards de dollars dans le rachat des créances pourries. Du jamais vu au pays de la libre entreprise.

La crise n'épargne pas l'Europe et les autres continents...

Obama président

C'est dans ce contexte complètement sinistré pour l'économie américaine, où les grandes firmes annoncent des licenciements massifs, que s'achève la campagne électorale. Irak et Afghanistan, les questions morales et éthiques passent au second plan. Les Américains veulent croire en un espoir de redressement et Barack Obama incarne clairement cette aspiration au renouveau. Favori des sondages, il l'emporte confortablement le 4 novembre 2008 avec près de 200 grands électeurs de plus que McCain. Jamais une élection présidentielle n'a suscité une telle mobilisation aux États-Unis : deux Américains sur trois ont voté. Et jamais une victoire électorale n'a autant passionné le monde entier. Par son charisme, sa jeunesse, son sérieux, son imperturbable self-control et la couleur de sa peau, nul doute que le 44e président des États-Unis a beaucoup d'atouts pour marquer l'histoire de son pays et, par extension, influencer l'avenir de la planète tout entière. Quant à l'Amérique, par ce vote historique, avant de se réconcilier avec le monde, elle s'est réconciliée surtout avec elle-même.

INDIENS

> « Quand vous êtes arrivés, dit le vieil Indien,
> vous aviez la Bible, nous avions la terre.
> Vous avez dit : « Fermons les yeux, prions ensemble. »
> Quand nous avons ouvert les yeux,
> nous avions la Bible, vous aviez la terre. »

Comprendre ne veut pas dire forcément pardonner. La majorité des immigrants européens, défavorisés, démunis, croyants fanatiques et sans éducation, débarquaient avec l'espoir d'une vie meilleure comme seul bagage, ayant pour la plupart été persécutés sur leurs terres d'origine. Or, qui dit persécuté dit, éventuellement, persécuteur... En l'occurrence, c'est ce qu'ils furent pour les populations indigènes de ce « Nouveau Monde », pour qui il eût sans doute mieux valu que le Blanc restât là où il se trouvait... Les Indiens n'avaient aucune notion de propriété, et la terre était leur « mère ». Ils ne possédaient aucune notion non plus de la mentalité, ni des lois, ni des règles de la société européenne d'où venaient ces nouveaux arrivants. Il fut enfantin, dans un premier temps, de déposséder les Indiens de leurs terres contre quelques verroteries. Ces derniers s'en amusaient, un peu comme l'escroc qui vend la tour Eiffel : ils obtenaient des objets inconnus, donc fascinants, en échange de ce qui ne pouvait en aucun cas être vendu dans leur esprit. Avide de nouveaux espaces et de richesse, le Blanc ne chercha pas à s'entendre avec l'Indien. Le fusil étant supérieur aux flèches, il s'empara de ses terres sans rencontrer trop d'obstacles. On tua l'Indien, physiquement bien sûr, mais aussi économiquement et culturellement, quand la situation exigeait des procédés plus sournois. Les Indiens auraient pourtant pu au début – et sans aucun problème – rejeter ces nouveaux venus à la mer. Au lieu de cela, des tribus permirent aux colons de survivre, notamment en leur apprenant à cultiver le maïs. Certains leur en furent reconnaissants (d'où *Thanksgiving*) mais, en général, dans l'esprit des Européens de l'époque, le « bon sauvage » servait d'intermédiaire entre eux et ce nouveau monde inconnu et hostile ; il était donc envoyé par Dieu afin de faciliter l'installation des Blancs en Amérique ! Quand il fut chassé de ses terres qui, à ses yeux, étaient les terres de chacun, il se fâcha ; et très vite le bon sauvage devint un sauvage mort. Sans parler des maladies importées d'Europe, comme la variole, qui éliminèrent des pans entiers de populations indigènes.

Les guerres indiennes (du début du XVIe s à 1890)

Elles s'étalent sur près de trois siècles. Les Indiens ne sont pas assez armés et ne font preuve d'aucune cohésion. À peine cinquante ans après l'arrivée du *Mayflower* (et déjà quelques échauffourées), le fils du chef Massassoit, également appelé le roi Philippe, mesurant le danger que représente la multiplication des navires venus d'Europe, avec leur cortège de violences, de rapts, de saisies de territoires et de meurtres, lève une confédération de tribus de sa région et part en guerre contre les puritains. Ce premier conflit coûtera la vie à quelque 600 colons et 3 000 Amérindiens. Un massacre ! Les survivants indiens seront vendus comme esclaves aux Indes occidentales. Cette guerre et toutes celles qui suivirent seront des guerres perdues pour les autochtones. Seule la bataille de Little Big Horn, le 25 juin 1876, où le général Custer, de sinistre réputation, trouva la mort ainsi que les 260 *blue coats* de la cavalerie, fut une victoire... Une victoire de courte durée, bientôt suivie de représailles qui culminèrent avec la boucherie inexcusable de Wounded Knee, le 29 décembre 1890, où le septième de cavalerie massacra – malgré la protection du drapeau blanc – 150 Sioux, dont des femmes et des enfants.

Toujours divisées, souvent rivales, les tribus galopent malgré tout comme un seul homme au combat. Mais quand ce n'est pas la guerre, l'homme blanc trouve d'autres moyens perfides d'exterminer l'Indien. La liste des horreurs est longue. Par exemple, des officiers de Fort Pitt (Ohio) distribuèrent aux Indiens des mouchoirs et des couvertures provenant d'un hôpital où étaient soignés des malades atteints de la petite vérole, tandis que Benjamin Franklin déclara un jour : « Le rhum doit être considéré comme un don de la Providence pour extirper ces sauvages et faire place aux cultivateurs du sol... »

Un Indien assimilé est un Indien mort

À l'aube du XXe s survivent à peine 250 000 Indiens qui tombent dans l'oubli. Rappelons qu'à l'arrivée des Blancs ils étaient entre un et douze millions, selon les estimations. En 1920, l'État américain s'en préoccupe de nouveau et décide de faire fonctionner le melting-pot, c'est-à-dire de pratiquer une politique d'assimilation. On favorise et subventionne les missions chrétiennes, et on lutte contre les langues indiennes pour imposer l'anglais. On tente par tous les moyens de sortir les Indiens de leurs réserves pour les intégrer à l'*American way of life*. L'aigle américain est le seul symbole indien utilisé par la nation américaine ; il est iroquois, et les flèches qu'il tient dans ses serres représentent les six nations indiennes.

En 1924, on leur octroie même la nationalité américaine, ce qui ne manque pas d'ironie ! Pour la petite histoire, c'est indirectement grâce à la France que cette reconnaissance tardive eut lieu. Un Indien du Dakota s'était brillamment illustré en 1917, capturant la bagatelle de 171 soldats allemands ! Quand il fut question de lui décerner une médaille, on s'aperçut que cet Indien ne possédait même pas la nationalité américaine ! Finalement, la loi de 1924 garantissant à tous les Indiens le statut de citoyen fut imposée, mais dans l'indifférence générale. Pour supprimer les réserves, mettre fin à leurs hiérarchies, leurs privilèges, on partagea aussi la propriété tribale collective entre toutes les familles, histoire de faciliter l'assimilation. Ce fut une erreur de plus dans l'histoire indienne. Une erreur sociologique, car l'Indien dans sa large majorité ne peut vivre coupé de ses racines et de sa culture. De la même façon que l'Indien est extrêmement vulnérable face aux maladies importées par l'homme blanc, il est perdu économiquement et socialement lorsqu'il est isolé dans la société blanche.

Un des plus grands bienfaiteurs des Indiens allait se révéler être le président tant décrié de l'affaire Watergate : Richard Nixon. C'est lui qui, d'un coup de stylo, a tiré un trait sur la politique désastreuse de tentative d'assimilation des Indiens.

Une réserve indienne peut apparaître à nos yeux comme un ghetto, et elle l'est sous maints aspects, mais c'est aussi un territoire propre, une propriété privée appartenant aux Indiens, où ils peuvent s'organiser en respectant leur culture et leurs traditions. Ils en profitent parfois pour ouvrir des casinos, dans des États où cette activité est prohibée. Cette nouvelle activité économique est une véritable manne : en Nouvelle-Angleterre, les Pequots, quasiment rayés de la carte après 1637, sont aujourd'hui entre 1 000 et 2 000 et gèrent un casino qui a fait d'eux les plus riches Indiens du pays... Toutefois, il ne faut pas généraliser : d'une réserve à l'autre, les niveaux de vie varient énormément et, en réalité, la plupart des Indiens vivent toujours dans la pauvreté.

L'Indien du XXIe s ne rejette pas le progrès, mais il refuse les structures d'une société dans laquelle il ne se reconnaît pas. On dénombre à ce jour environ 300 réserves (totalisant 220 000 km²) pour quelque 500 tribus survivantes, ce qui veut dire que certaines tribus n'ont pas de territoire. La population indienne progresse assez rapidement, et a atteint les 2,5 millions d'individus. Il existe aujourd'hui une quinzaine de stations de radio indiennes que vous pourrez facilement capter avec votre autoradio : navajo en Arizona, zuni au Nouveau-Mexique...

L'Indien, multiracial mais pas multiculturel

Les populations indiennes, trop mobiles pour leur grand malheur entre les XVIIe et XXe s, furent placées et déplacées par l'homme blanc au fur et à mesure du non-respect des traités. Cette mobilité fut à la source d'un brassage entre les tribus, mais aussi la cause de nombreux mariages interraciaux. Par exemple, la tribu Shinnecock qui possède sa réserve un peu à l'ouest de Southampton – la ville balnéaire la plus chic, la plus snob de Long Island près de New York – est aujourd'hui (par le jeu des mariages interraciaux) une tribu d'Indiens métissés, le fruit d'unions tant avec des Blancs qu'avec des Noirs. Les Cherokees, eux, gèrent leur « race » grâce au grand sorcier électronique, l'ordinateur. La consultation avant chaque mariage est gratuite et fortement conseillée, car il ne faut pas descendre sous la barre de deux seizième de sang indien pour l'enfant issu du mariage, sous peine de perdre sa « nationalité » indienne, et donc ses droits dans la réserve ! Les « droits » sont parfois importants : les Indiens osages en Oklahoma ont découvert du pétrole sur leur territoire. De 1906 à 1972, les royalties de l'or noir rapportèrent 800 millions de dollars. D'autres, comme les Mohawks de l'État de New York, s'en tirent aussi : n'étant pas sujets au vertige, ils sont très recherchés pour la construction des gratte-ciel.

Malgré cela, et dans l'ensemble, l'Indien appartient au groupe ethnique disposant du plus bas revenu par habitant. Les Indiens détiennent encore d'autres tristes records. Ainsi, jusqu'à 40 % des individus de certaines tribus sont alcooliques, et la tribu des Pirnas en Arizona est l'ethnie la plus touchée au monde par le diabète : plus de 50 % en est atteinte. Lien de cause à effet, l'espérance de vie des Indiens d'Amérique du Nord est, selon les estimations, de cinq à dix ans inférieure à la moyenne nationale qui est de 77 ans. Les avocats de race indienne sont continuellement en procès avec le gouvernement pour des questions parfois aussi choquantes que la violation de cimetières indiens... Les Indiens sont aussi la communauté qui, aux États-Unis, souffre le plus du racisme tout en étant, contrairement aux idées reçues, celle qui commet le moins d'homicides...

Pour terminer sur une note « culturelle », sachez qu'il subsiste sur le territoire de nombreuses ruines de villages anasazis, ces anciens occupants du Sud-Ouest américain que les Pueblos revendiquent comme leurs ancêtres. Ces villages troglodytiques, construits au creux des canyons entre 1100 et 1300 av. J.-C., sont encore visibles au Navajo National Monument (Arizona), au Mesa Verde National Park (Colorado) et dans certains sites du Nouveau-Mexique.

LIVRES DE ROUTE

Certains livres mentionnés dans cette liste peuvent être momentanément épuisés. Vous pourrez toutefois les trouver sur ● chapitre.com ●

Brûlots

– *Dégraissez-moi ça* (1996) et *Mike contre-attaque* (2001), de Michael Moore (10/18 n°s 3603 et 3597). Véritable poil à gratter de l'Amérique sous George W. Bush, le réalisateur de *The Big One, Bowling for Colombine* et *Fahrenheit 9/11* (récompensé par la Palme d'or à Cannes en 2004) est un pamphlétaire corrosif qui s'en prend avec un humour ravageur aux maux endémiques de l'*American way of life*. Ses provocations ne font pas dans la dentelle : racisme, illettrisme, alcoolisme, prolifération des armes, arrogance de l'équipe au pouvoir, peine de mort, insécurité, corruption, ultralibéralisme, licenciements massifs font partie de ses cibles favorites. Même si la frappe tient parfois de l'artillerie lourde, son tir fait toujours mouche. À lamper à grandes gorgées comme antidote à l'unilatéralisme de l'Oncle Sam.

– *Sacrés Américains !* (2004), de Ted Stanger (Folio Documents n° 28). Après son best-seller *Sacrés Français,* ce journaliste originaire de Columbus, au fond de l'Ohio

HOMMES, CULTURE ET ENVIRONNEMENT

(comme Michael Moore), installé à Paris depuis une dizaine d'années, s'attaque sans complaisance à son pays d'origine avec un humour distancié mais corrosif. Il aborde différents thèmes, légers ou sérieux : politique, économie, culture... de la francophobie primaire au culte du dieu dollar, de la mentalité cow-boy au patriotisme pur et dur, en passant par la complexité infernale du système électoral... Il raconte la vraie vie *made in USA.* C'est insolite, souvent comique et parfois terrifiant.

Généralités

– *Les États-Unis d'aujourd'hui,* d'André Kaspi (éd. Perrin Tempus ; 1999, nouvelle édition revue et augmentée en 2004). André Kaspi est un des meilleurs historiens de l'Amérique contemporaine, auteur de nombreux ouvrages sur le sujet. Celui-ci fournit les clés de l'Amérique du XXIe s, tout en restant facile à lire. Une excellente introduction à la culture des États-Unis.
– *États-Unis, peuple et culture* (éd. La Découverte, coll. Poche). De l'origine du territoire yankee à la culture américaine d'aujourd'hui, en s'arrêtant sur des questions aussi fondamentales que les peuplements ou les mythes fondateurs du pays, l'étudiant comme le lecteur curieux liront avec un grand intérêt cet ouvrage concis. En 200 pages écrites par un collectif (professeurs, sociologues, géographes, historiens, journalistes...) sont abordés les thèmes majeurs qui ont façonné l'Amérique d'aujourd'hui, admirée par les uns, honnie et vilipendée par les autres. Ce livre de qualité, très instructif et à la page, a l'avantage de remettre les pendules à l'heure sur la spécificité du pays, en nous faisant intelligemment comprendre ses rouages.

L'autre Amérique

– *Sur la route* (1957), de Jack Kerouac ; roman (Folio Plus n° 31). Avec ses compères Ginsberg et Burroughs, Kerouac, le vagabond écrivain, a inventé la *Beat Generation,* vingt ans avant les années 1970. *Sur la route* demeure le livre phare de nos ancêtres, les babas, partis sur les chemins de Katmandou. Déçus du rêve américain, ces révoltés refusent le conformisme et les rapports commerciaux qui régissent le mode de vie occidental, pour exalter l'instant présent, le voyage et ses rencontres imprévues. Pour un livre de Kerouac qui se situe en Californie (*Sur la route* ne l'est que très peu), lire *Big Sur* (1962 ; Folio), où l'auteur, dans un état pitoyable, au bord de la folie, se réfugie à Big Sur après trois années de débauche. Là, seul dans une cabane plantée dans le cadre magnifique de cette partie de la côte californienne tant vantée par Henry Miller, il est rattrapé par ses démons...
– *Nouveaux Contes de la folie ordinaire* (1977), de Charles Bukowski ; roman (Le Livre de Poche n° 6027). Avant d'être connu pour ses poèmes et nouvelles dans la ligne de Kerouac et de Burroughs, Bukowski a exercé tous les métiers imaginables. Ses expériences sont la matière de ses romans qui racontent, de l'intérieur et sans fard (c'est le moins qu'on puisse dire !), un univers de paumés, de marginaux refusant de vivre l'ennui du « cauchemar climatisé *made in USA* ».
– *Big Sur et les Oranges de Jérôme Bosch* (1959), d'Henry Miller ; souvenirs (éd. Buchet-Chastel). Il est un peu étrange qu'Henry Miller, après avoir vilipendé les États-Unis pendant une grande partie de sa vie, ait fini par s'établir sur la côte californienne (sur la célèbre Highway Number One). Ce livre est un chant d'amour à ce coin du monde choisi par lui : Miller en goûte l'isolement, la nature sauvage, les oiseaux, les séquoias immenses.
– *Demande à la poussière* (1939), de John Fante ; roman (10/18 n° 1954). Immigré italien à Los Angeles, Bandini est un écrivain raté doublé d'un amant lamentable. Ses mésaventures nous plongent au cœur de l'autre Amérique, celle des paumés et des filles de rues. Fante écrit avec l'énergie du désespoir, ce qui n'exclut pas un humour particulièrement corrosif. D'après Bukowski, un chef-d'œuvre absolu !

Indiens et Far West

– *Les Indiens d'Amérique du Nord* (1985), de Claude Fohlen ; essai (Que sais-je ? n° 2227). Claude Fohlen commence par dresser un tableau de la situation actuelle, avec l'apparition d'un *Red Power,* avant de remonter dans le temps : hésitations des autorités fédérales entre assimilation et indianité (respect de l'originalité ethnique), guerres indiennes qui repoussaient les Peaux-Rouges toujours plus loin vers l'ouest.

– ***Pieds nus sur la terre sacrée*** (1971), de Teri MacLuhan et Edward Sheriff Curtis ; recueil de textes illustrés (éd. Denoël). Il est impossible d'évoquer la vie des Indiens d'Amérique du Nord sans passer par le superbe livre de MacLuhan. Ce recueil de textes, de discours et de prières indiennes nous plonge au cœur même d'une civilisation sacrifiée.

– ***Ishi*** (1968), de Theodora Kroeber ; ethnologie (éd. Presses-Pocket, Terre Humaine n° 3021). Ce livre, sous-titré *Le Testament du dernier Indien sauvage de l'Amérique du Nord,* est un témoignage bouleversant sur un homme, Ishi, découvert à bout de forces, nu et à moitié mort de faim, dans la cour d'une ferme de Californie, en août 1911, comme s'il était venu « se rendre à la civilisation ».

– ***La Voie du fantôme*** (1987), de Tony Hillerman ; polar (Rivages-Noir). Jim Chee, de la police tribale, enquête sur un meurtre doublé d'une disparition, à la manière des Indiens navajos qui utilisent leurs méthodes ancestrales pour pister les criminels modernes. Au travers d'une intrigue complexe et passionnante, c'est une bonne occasion de découvrir un peuple dont les coutumes sont vivaces et une région montagneuse et sèche dont Hillerman rend la beauté attachante.

– ***Coyote attend*** (1990), de Tony Hillerman ; polar (Rivages-Noir n° 134). Dans les canyons séculaires d'Arizona, quelque chose ne tourne pas très rond. Un cinglé vient barbouiller les flèches volcaniques des monts sacrés de grands traits de peinture blanche. Le flic navajo chargé de l'enquête, Delbert Nez, est retrouvé assassiné dans sa voiture. Sur les lieux du crime, Jim Chee, son collègue, appréhende un vieux chaman en état d'ébriété qui ne cesse de bredouiller : « Mon fils, j'ai honte ! »

– ***L'Arbre aux haricots*** (1994) et ***Les Cochons au paradis*** (1995), de Barbara Kingsolver (Rivages-Poche, Bibliothèque Étrangère nᵒˢ 224 et 242). Taylor, une jeune femme énergique, décide de quitter son Kentucky natal pour l'Ouest américain. Au cours de ses pérégrinations, elle se retrouve confrontée à un nouveau rôle, celui de maman. En effet, lors d'un arrêt dans l'Oklahoma, on lui confie de force une petite Indienne abandonnée sur le parking glauque d'un snack crasseux. En posant leurs valises (malgré elles) en Arizona, elles font la connaissance de toute une galerie de personnages aussi attachants les uns que les autres. À travers ce livre, l'auteur soulève des sujets chers à l'Amérique d'aujourd'hui : l'immigration (au travers d'Estevan et Esperanza, des réfugiés guatémaltèques), l'adoption, le problème de la nation cherokee. C'est aussi (et avant tout) une belle histoire sur les relations d'une jeune mère et de sa fille adoptive. Un livre très bien écrit et très émouvant.

Californie

– ***À l'est d'Éden*** (1952), de John Steinbeck ; roman (Le Livre de Poche n°1008). L'histoire parallèle de deux familles, dans la vallée de Salinas. Celle de Samuel Hamilton, le sage Irlandais (à priori le grand-père de Steinbeck lui-même), grand conteur, inventeur dans l'âme et aux mains capables de fabriquer n'importe quoi (mais désespérément pauvre car vivant sur des terres stériles) et celle d'Adam Trask, originaire du Connecticut. Une fresque qui s'étend sur deux générations, commençant à la fin du XIXᵉ s et se terminant pendant la Première Guerre mondiale. Dans cette belle œuvre aux personnages profondément humains et attachants, Steinbeck nous raconte son coin de Californie, ses habitants dans leur lutte contre le mal, les rapports qui se nouent entre eux... un livre avec quelques réflexions sur l'avenir de son pays, qui se révèlent aujourd'hui fort justes.

– ***L'Or*** (1925), de Blaise Cendrars ; biographie romancée (Folio Plus n° 135). Après avoir fait banqueroute, le général Suter fuit la ville de Rünenberg, dans le Jura bâlois, et arrive dans l'Ouest américain en pionnier miteux, riche seulement de son appétit de vivre, de ses intuitions géniales et de son esbroufe. Ce livre, après avoir transité sur la table de chevet d'un certain... Staline, a fait connaître mondialement son auteur, lui-même aventurier de renom.

– *Hollywood, ville mirage* (1937), de Joseph Kessel ; récit (éd. Ramsay, Poche Cinéma n° 71). « Movieland » vu par un grand de la littérature. L'auteur du *Lion* et des *Cavaliers* visita Hollywood en 1937, c'est-à-dire en plein âge d'or. Subjugué par la « ville enchantée ».et ses « usines à mirages », il décrit avec brio les « chaudières à images », rencontre des scénaristes, des agents, des producteurs dont le fameux Irving Thalberg, le « Napoléon du cinéma », que Scott Fitzgerald prendra comme héros dans son roman *Le Dernier Nabab*. En quelques pages, Kessel perce le mystère d'Hollywood, cette ville fantastique, capable d'influencer le monde entier tout en fonctionnant comme une ruche coupée du monde. Le chapitre « Les Fruits du désert » raconte une virée à Palm Springs. et celui intitulé « Jésus veut des dollars », relatant sa visite dans le temple d'une secte puissante, est presque visionnaire.

– *City of Quartz – Los Angeles, capitale du futur* (1990), de Mike Davis ; sociologie (éd. La Découverte, coll. Poche). L'auteur, lui-même né à Los Angeles et aujourd'hui enseignant en sociologie (qui s'affiche clairement à gauche), nous livre là un portrait en profondeur et une analyse pointue de Los Angeles, à travers son histoire, ses mythes, son urbanisme décadent, son individualisme, sa violence, son univers hyper-sécuritaire, et les pouvoirs qui la dirigent. Quand « The American Dream » devient cauchemar...

– *La Route de Silverado* (publié entre 1883 et 1895), de Robert Louis Stevenson ; récit (éd. Phébus Libretto). Le 7 août 1879, Robert Louis Stevenson s'embarque sur le *Devonia* pour un voyage qui le conduira de l'Atlantique au Far West jusqu'à la mine d'argent désaffectée de Silverado. *La Route de Silverado,* journal, correspondance et récit autobiographique, se lit pourtant comme un roman.

– *Sang-mêlé* (1987), de Jim Thompson ; polar (Rivages-Noir n° 22). Au travers des aventures de Critch King, poursuivi par une meurtrière impitoyable et engagé dans une lutte mortelle avec ses frères, nous retrouvons la vie, pas si lointaine, de la Prairie, où la sauvegarde au quotidien est décrite sans fard, mais avec toute la distance de l'humour.

– *L'incendie de Los Angeles* (1939), de Nathanaël West (éd. Seuil, coll. Points). En suivant le personnage principal, Tod Hackett, qui travaille dans les studios de Hollywood, on découvre un monde cruel, en plein chaos, plein d'individus paumés... encore une vision de la planète cinéma peu reluisante !

– *La Ville de nulle part* (1965), d'Alison Lurie ; roman (Rivages-Poche n° 21, 1990). Dans les années 1960, un jeune couple originaire de Boston s'installe à Los Angeles, la ville de nulle part. Le conflit côte est/côte ouest n'épargnera pas leur union qui, peu à peu, se désagrège, l'un séduit par la frénésie californienne, l'autre attachée aux valeurs de la tradition. Le meilleur roman sur L.A.

– *Le Noyé d'Arena Blanca* (1973), de Joseph Hansen ; polar (Rivages-Noir n° 76). C'est la Californie mythique que Dave Brandstetter nous fait découvrir. Arena Blanca, une plage de sable bordée de quelques maisons de bois au toit plat... et le cadavre de Doug, un jeune Français.

– *Brown's Requiem* (1981), de James Ellroy ; polar (Rivages-Noir n° 54). Une histoire violente dont le privé Fritz Brown ne sortira pas indemne, nous entraînant à sa suite dans une noire errance, de meurtre en meurtre, de Los Angeles à Tijuana sur les traces d'un flic véreux, dont le châtiment laissera un goût amer... Du même auteur et tout aussi sombre, *Le Dahlia noir* (1987 ; Rivages-Noir), inspiré du meurtre (réel) jamais élucidé de Betty Short, retrouvée dans un terrain vague de Los Angeles en janvier 1947, le corps affreusement mutilé.

– Dans les polars, toujours, vous trouverez les romans de Michael Connelly et leur héros récurrent, l'inspecteur Harry Bosch du Los Angeles Police Department. Le premier de la série étant *Les égouts de Los Angeles* (1992 ; éd.Seuil, coll. Points).

– *Chroniques de San Francisco* (1995), d'Armistead Maupin (éd. 10/18). On a adoré et dévoré les six épisodes de ces chroniques écrites par un habitant de San Francisco, qui relatent avec beaucoup d'humour les heurs et malheurs d'une communauté de locataires d'une maison de Russian Hill, tenue par une « femme » extraordinaire. Également, du même auteur, *Nouvelles Chroniques de San Francisco* et

Autres Chroniques de San Francisco. Ces ouvrages ont connu un grand succès, car on y retrouve vraiment la vie de la génération des 20-40 ans des années 1970 aux années 1990.
– *America* (1995), de T. C. Boyle (Livre de Poche). Voici la rencontre tragique, dans les collines autour de Los Angeles, de deux mondes que tout oppose : celui de la bourgeoisie blanche, vivant quasi recluse dans un lotissement haut de gamme, et puis celui des Chicanos, sans abris et voués au malheur. Un livre âpre et sans illusions.

MÉDIAS

Programmes en français sur TV5MONDE

TV5MONDE est reçue dans le pays par câble, satellite et sur Internet. Retrouvez sur votre TV : films, fictions, divertissements, documentaires – qui témoignent de la diversité de la production audiovisuelle en langue française – et des informations internationales.
Le site ● tv5.org ● propose de nombreux services pratiques aux voyageurs (● tv5.org/voyageurs ●) et vous permet de partager vos souvenirs de voyage sur ● tv5.org/blogosphere ●
Pensez à demander dans votre hôtel sur quel canal vous pouvez recevoir TV5MONDE et n'hésitez pas à faire vos remarques sur le site ● tv5.org/contact ●

Télévision

La TV est largement répandue sur le sol américain puisqu'elle est présente dans 98 % des foyers. Il existe cinq réseaux nationaux : *ABC, CBS, NBC, FOX* et *PBS* (chaîne publique financée par l'État et les particuliers, sans pub, proposant les meilleures émissions mais pas pour autant les plus regardées). On trouve aussi dans chaque État diverses chaînes locales ou régionales. À ces réseaux vient s'ajouter le câble. On y trouve des chaînes spécialisées diffusant 24h/24 des informations (par exemple *CNN,* plutôt démocrate, et *FOX,* clairement républicaine), des émissions pour les enfants, de la météo, des films (*HBO,* l'équivalent de notre *Canal +*), du sport, de la musique, du téléachat, des programmes religieux, etc.

Presse écrite

Les quotidiens sont de véritables institutions aux États-Unis. Les Américains lisent énormément les journaux. À l'échelle nationale, les plus importants sont : le *New York Times* (journal progressiste et de qualité, plus d'un million d'exemplaires vendus chaque jour, près de deux le dimanche), le *Washington Post* et le *Los Angeles Times* (inspiration politique plutôt libérale). Également le *Wall Street Journal* (sérieux et conservateur) et le *USA Today* (le seul quotidien national, très grand public et de qualité médiocre) ; vous serez surpris du tarif ridicule de ces journaux : environ 25 cents en semaine et 1,25 $ le dimanche. On trouve encore les différents journaux locaux concentrés sur les faits divers et les manifestations culturelles. Il y a aussi les *tabloids* (appelés ainsi à cause de leur format), *Daily News* et compagnie, souvent gratuits, et sans contenu de fond ; on se contente des nouvelles locales, et le reste de l'actualité n'est traité que sous forme de dépêches. Côté hebdos, citons *Time* (plutôt libéral) et *Newsweek* (plus centriste).
Tous ces journaux et magazines sont largement diffusés dans tous les États-Unis. Pour ce qui est de la presse quotidienne californienne, vous trouverez principalement : le *San Francisco Chronicle,* le *San Diego Union* et bien sûr le *LA Times* mentionné ci-dessus. Sans oublier les nombreux magazines gratuits (voir « Adresses et infos utiles » dans les chapitres consacrés à San Francisco et à Los Angeles).
Les journaux s'achètent dans les distributeurs automatiques dans la rue. On glisse la somme et une petite porte s'ouvre pour vous laisser prendre votre quotidien.

HOMMES, CULTURE ET ENVIRONNEMENT

La presse étrangère en général et française en particulier est difficile à trouver, même dans les aéroports internationaux. Quelques exemplaires du *Monde diplomatique* ou du *Figaro* dans sa version internationale (France-Amérique) sont distribués régulièrement dans les grandes villes. Sinon, on peut se rabattre sur les librairies internationales (dans les grandes villes) ou les bibliothèques publiques *(public libraries)*.

Radio

Il y a pléthore de stations, toutes différentes. Nombreuses radios locales, essentiellement musicales (rock, country et du hip-hop autour des grandes villes). On les retrouve sur la bande FM. Les stations de radio portent des noms en quatre lettres, commençant soit par W (celles situées à l'est du Mississippi), soit par K (à l'ouest). Le réseau public américain, le *NPR (National Public Radio)* propose des programmes d'une qualité supérieure.

Liberté de la presse

Les huit années de mandature de George W. Bush laisseront certainement un souvenir amer à une bonne partie de la presse américaine. Qui aurait cru, au pays du Premier amendement, que la justice fédérale pourrait infliger la prison à des journalistes, pour avoir refusé de trahir le secret professionnel ? Le 19 avril 2005, une cour d'appel fédérale de Washington a confirmé l'ordre d'incarcération de Judith Miller, du *New York Times,* et de Matthew Cooper, du *Time,* condamnés pour « outrage à la cour ». À l'origine de l'affaire : les fuites dans la presse concernant l'identité d'un agent de la CIA, Valerie Plame. Matthew Cooper a échappé à la prison après avoir accepté de révéler ses sources, mais Judith Miller a été incarcérée, le 6 juillet 2005. Elle a finalement cédé, en septembre, après trois mois de détention. L'argument de la « sécurité nationale », brandi jusqu'à saturation après le 11 septembre 2001, a pourtant rendu la chose possible. Jeune journaliste indépendant, le Californien Josh Wolf avait lui aussi refusé de remettre des archives vidéo à la justice fédérale. Il est sorti de prison le 3 avril 2007 après 224 jours de détention. Du jamais vu.

Le statu quo absurde, en vertu duquel le secret professionnel est reconnu aux journalistes dans 38 États de l'Union mais pas au niveau fédéral, a commencé à évoluer avec le vote, très attendu, par la Chambre des représentants, de la loi sur la libre circulation de l'information (« Free Flow of Information Act »), le 16 octobre 2007. Le texte attend maintenant l'aval du Sénat en séance plénière, mais a peu de chance d'être promulgué avant l'élection présidentielle de 2008. Les deux prétendants à la présidence ont déjà fait savoir qu'ils approuvaient le principe de cette « loi bouclier », qui pose tout de même de sérieuses restrictions en matière de protection des sources.

Autre avancée législative : la promulgation, le 31 décembre 2007, de la réforme de la loi sur la liberté d'information ("Freedom of Information Act"). Le nouveau texte instaure notamment la mise en place d'un service de suivi des demandes d'informations du public auprès des agences fédérales, une ligne téléphonique d'assistance aux demandeurs et surtout un médiateur, chargé de régler les différends entre les citoyens et l'administration publique. La rétention d'information est autorisée en cas de risque majeur pour la sécurité nationale.

Le contreseing de George W. Bush à ce texte est tombé bien tard, et juste après l'annonce par la CIA, en décembre 2007, de la destruction d'enregistrements vidéo d'interrogatoires de détenus des prisons secrètes et de la base de Guantanamo. Symbole des graves dérives de la lutte contre le terrorisme des années Bush, l'enclave militaire américaine à Cuba a compté un journaliste dans les rangs de ses prisonniers. Libéré le 1er mai 2008, Sami Al-Haj avait été arrêté en décembre 2001 à la frontière de l'Afghanistan et du Pakistan par les forces de sécurité pakistanaises. L'assistant cameraman de la chaîne qatarie *Al-Jazira* avait été livré à l'armée américaine et transféré sur la base navale de l'est de Cuba, le 13 juin 2002. L'armée américaine l'a accusé d'avoir réalisé une interview clandestine d'Oussama Ben Laden, de s'être livré à du trafic d'armes pour le compte d'Al-Qaïda et d'avoir animé un site internet islamiste. Aucune preuve n'est jamais venue étayer ces griefs et aucune inculpation n'a jamais été prononcée contre le journaliste, qui a dû endurer près de 200 interrogatoires.

Enfin, un assassinat a assombri le bilan américain de l'année 2007. Le 2 août à Oakland (Californie), Chauncey Bailey, rédacteur en chef de l'hebdomadaire *Oakland Post* et leader reconnu de la communauté noire, a été tué par balles en pleine rue. Arrêté et inculpé, le 7 août, Devaughndre Broussard, 19 ans, employé d'une boulangerie tenue par la Your Black Muslim Bakery, a confessé le crime avant de se rétracter. Son procès pourrait avoir lieu en 2008.

Ce texte a été réalisé en collaboration avec *Reporters sans frontières.* Pour plus d'informations sur les atteintes aux libertés de la presse, n'hésitez pas à les contacter :

■ *Reporters sans frontières :* 47, rue Vivienne, 75002 Paris. ☎ 01-44-83-84- | 84. ● rsf@rsf.org ● rsf.org ● Ⓜ Grands-Boulevards ou Bourse.

PERSONNAGES

Histoire, politique, société

– *Francis Drake* (1542-1596) : corsaire et explorateur anglais. Durant son voyage d'exploration autour du monde pour le compte de la reine Elizabeth Ire d'Angleterre (1577-1580), il prend possession de la Californie qu'il nomme Nouvelle-Albion.

– *Robert Fitzgerald Kennedy* (1925-1968) : Bobby, le frère de J.F.K. Ministre de la justice de 1961 à 1963. Sa destinée ne sera pas différente de celle de son frère puisqu'il meurt 5 ans après lui, assassiné à son tour, à Los Angeles le soir de sa victoire à la primaire de Californie.

– *Richard Nixon* (1913-1994) : « Tricky Dick » (Richard le roublard) est connu pour être un excellent joueur de poker. Une aptitude qui le prédestine peut-être à une carrière politique... En 1946 il est élu député de Californie puis sénateur, profitant du climat instauré par le maccarthisme pour taxer son adversaire de sympathisant communiste. Trois ans plus tard, il est vice-président d'Eisenhower, réélu à ce poste en 1956. Durant son mandat, il assure l'intérim de la présidence à trois reprises. Cela ne lui est pourtant pas favorable puisqu'il est battu par J.F.K. aux élections présidentielles de 1960. Son tour vient en janvier 1969, il devient le 37e président des États-Unis. De son passage à la Maison-Blanche on retient la création des agences pour la protection de l'environnement (EPA) et de lutte contre la drogue (DEA). Il est également l'initiateur du programme de construction de la navette spatiale. Moins glorieux, Nixon est indissociable de la guerre du Vietnam et du scandale du Watergate qui provoque sa démission en 1974.

– *Ronald Reagan* (1911-2004) : acteur de cinéma apparu dans des films et des séries B, ses connaissances ne se limitent pourtant pas aux deux premières lettres de l'alphabet. En 1966 il est élu 33e gouverneur de Californie, mais comme il le dit : « les grands esprits ne sont pas au gouvernement. Si c'était le cas, ils seraient embauchés par les entreprises. » Considéré comme le « fondateur » du parti républicain moderne, le passage de Rony à la présidence des États-Unis marqua le retour à un conservatisme et à un libéralisme économique fort. Sa politique sociale mit des dizaines de milliers de gens dans les rues.

– *Arnold Aloïs Schwarzenegger* (né en 1947) : le « chêne autrichien », « schwarzy », « Conan le républicain » ou encore « governator », l'Autrichien arrivé en 1968 aux États-Unis est tout à la fois. Figure majeure du culturisme, icône de films d'action, gouverneur de Californie depuis 2003, président des États-Unis dans le film *Les Simpsons,* Schwarzy est l'incarnation du rêve américain. Et force est de constater que « governator » ne gouverne pas à tort et à travers. Allant à l'encontre de la politique de Bush concernant le protocole de Kyoto, il promulgue le *Global Warming Solution Act*, afin de réduire l'émission de gaz à effet de serre en Californie.

– *Leland Stanford* (1824-1893) *:* 8e gouverneur de Californie et président de la *Southern Pacific Railroad*. Il fonda la prestigieuse université Stanford, au cœur de l'actuelle Silicon Valley.

– *Randolph Hearst* (1863-1951) *:* jeune homme turbulent, il est expulsé d'Harvard et prend la tête du quotidien *San Francisco Examiner* appartenant à son père. Très vite il acquiert d'autres journaux, entrant en concurrence avec Pulitzer et se place sur le créneau du journalisme sensationnaliste. Voyant le potentiel à tirer de la B.D., il incorpore des « *funnies* », suppléments illustrés, au tirage dominical puis crée le King Features Syndicate (1915) pour diffuser des *comic strips* sur tout le territoire. Paraissent ainsi *Flash Gordon, Mickey Mouse, Popeye*, etc. Véritable magnat de la presse possédant pas moins de 40 journaux et magazines, Orson Welles en fait un portrait à peine voilé dans *Citizen Kane*.

Musique

– *Joan Baez* (née en 1941) *:* au-delà de son statut de « reine du folk » qui a popularisé les chansons de Bob Dylan, cette Californienne d'adoption est le symbole de l'esprit révolutionnaire des *sixties*. Ses concerts, de Woodstock à la fête de l'Huma et ses albums (plus d'une trentaine) sont autant de preuves d'un militantisme pacifique au service des causes qu'elle défend.

– *Beach Boys :* palmiers, surf et jeunesse dorée... le fameux mythe californien des années 60, rapidement ringardisé par l'émergence du mouvement hippie et la guerre du Vietnam. N'empêche, tandis que déferle la vague Beatles et autres Rolling Stones, « everybody's gone surfin', surfin' USA ! ».

– *John Cage* (1912 à Los Angeles-1992) *:* influencé par le dadaïsme et la philosophie zen, ce compositeur, poète et plasticien angelin est un artiste d'avant-garde. Inventeur du piano préparé, une technique de jeu étendue qui consiste à placer des objets extérieurs (boulons, gommes...) entre les cordes pour modifier le timbre de l'instrument, John Cage est l'ambassadeur de la musique contemporaine expérimentale. Son œuvre majeure *4'33* est une pièce silencieuse, pour un musicien qui, installé vers son instrument comme s'il allait en jouer, ne joue rien. La durée est libre (ah bon ?), mais trois mouvements doivent être indiqués. Oui, c'est conceptuel...

– *Nat King Cole* (1917-1965) *:* pianiste de jazz et véritable crooner à la voix suave comme un soupir d'amoureux, il est l'un des principaux musiciens qui contribuent à l'émancipation d'un courant californien : un blues de cabaret, sophistiqué et feutré, apprécié par un public averti. En 1948 il emménage dans le quartier de Hancock Park, à Los Angeles, et dans un pays encore marqué par la ségrégation raciale, se heurte au racisme de ses voisins, fâchés de voir un « indésirable » s'installer dans leur prestigieux quartier.

– *Cypress Hill :* groupe de hip-hop formé en 1988 du côté de South Gate (Los Angeles). Ils commencent par se produire dans des clubs, surtout devant un public latino. Leur musique est identifiable aux instrumentaux funky avec une touche latino, au *flow* saccadé et à la voix nasillarde de B-Real. Leurs collaborations sont éclectiques : Prodigy, Eminem, Deftones, Rage Against the Machine, Damian Marley...

– *Miles Davis* (1926-1991 à Santa Monica) *:* trompettiste virtuose, animé par le goût de l'innovation et sans cesse à la recherche de territoires sonores à défricher, Miles Davis est à l'origine d'un jazz avant-gardiste qui lui vaudra l'incompréhension des puristes. Il transcende les genres, affirme le cool-jazz et compose des titres de jazz-rock rapprochant ainsi deux courants musicaux jusqu'alors bien distincts. À Paris, il côtoie Boris Vian, Juliette Gréco, Picasso, Sartre ou encore Jeanne Moreau. Il reçut la Légion d'honneur française.

– *Dr. Dre* (André Romell Young, né en 1965) *:* rappeur et producteur de nombreux artistes de la scène rap et hip-hop actuelle. Il popularise le gangsta rap et la culture hip-hop californienne en général. Celle du bandana noué autour de la tête... Son 1er album, *The Chronic,* sorti en 1992 et dans le lequel apparaît Snoop Dogg pour la première fois est multiplatine. En 1995, il collabore avec Tupac sur *California Love*. Après son assassinat en 1996, il déclarera l'ère du gangsta rap révolue.

– *Macy Gray* (Natalie Renee McIntyre, 1967) : elle débute par l'enregistrement de deux titres à Los Angeles en 1998. Le titre *I try* sur lequel elle pose sa voix rocailleuse et jazzy lui vaudra un Grammy Award en 2001. Ses compositions en font le chaînon manquant entre la soul, le hip-hop et le R & B contemporain. Également actrice, on la voit dans *Spiderman, Training Day* et plus récemment dans *Domino*. En 2005 elle ouvre la *Macy Gray Music School* à Hollywood.

– *Ben Harper* (Benjamin Chase, 1969) : né à Claremont, il découvre la guitare très tôt. Avec son groupe The Innocent Criminals, il est révélé en 1997 par l'album *The Will to Live*. Touches de reggae et de funk dans l'album *Diamonds on the Inside,* gospel avec The Blind Boys of Alabama sur *There Will be a Light*, folk, blues et même hip-hop, ses morceaux couvrent toutes les variations de la musique noire américaine.

– *Michael Jackson* (1958) : « this is thriller, thriller life »... si ce titre (le plus vendu de l'histoire) et son clip aux allures de court-métrage ont érigé le cadet des Jackson Five au statut de « Roi de la Pop », sa vie elle aussi relève du thriller. De sa propriété de Neverland (aux environs de Santa Barbara), avec son zoo et son parc d'attraction, à son recours obsessionnel à la chirurgie plastique, en passant par son curieux rapport aux enfants, « Wacko Jacko » est un phénomène, imprévisible. Bref, nul besoin de se demander d'où il sort son fameux *moon walk,* il descend tout droit de la lune...

– *Metallica :* « Metal Power » ! comme le scande leur première maquette. Formé en 1981, le groupe fait ses armes dans les clubs de L.A. La composition est mouvementée, du décès accidentel du bassiste Cliff Burton au départ de Dave Mustaine, les seuls membres des débuts sont en fait Lars Ulrich et James Helfield. Il leur faudra attendre 1986 et l'album de trash metal *Master of Puppets,* puis une tournée de 2 ans pour goûter au succès. En 1991 sort le *Black Album,* plutôt heavy metal. Commercial pour les fans de la première heure, c'est cet album qui permet à Metallica de toucher un large public.

– *Rage Against The Machine :* comprenez « rage envers le système » et tout ce qu'il implique : mondialisation, néolibéralisme, racisme, élitisme, etc. Autant de concepts qui révoltent le groupe formé en 1990 à Los Angeles. Et pour le faire savoir, il n'hésite pas à user de symboles forts, comme brûler le drapeau américain sur le titre *Killing in the name of.* Michael Moore, connu pour ses documentaires engagés, a d'ailleurs réalisé deux de leurs clips. Ces précurseurs du mix rap-metal font de nombreux adeptes. Aussi, le 21 janvier 2000, alors qu'ils donnent un concert sauvage dans le quartier de Wall Street, la Bourse est contrainte de fermer avant l'heure à cause de la foule. Ce n'était pas arrivé depuis 1929. RATM est parvenu au statut de groupe culte en seulement 10 ans et 3 albums.

– *Snoop Dogg* (Cordozar Calvin Broadus Jr, 1971) : attention, chien méchant ! Le petit snoopy, comme l'appelait sa maman, a fini de ronger sa laisse. Proche d'un gang de L.A. surveillé par le FBI, de nature impulsive et agressive, Snoop fait dès son adolescence de fréquents séjours en prison et a des démêlés récurrents avec la justice depuis. Remarqué par Dr. Dre après avoir fait une maquette avec son cousin Nate Dogg et Warren G (le demi-frère de Dre), il sort *Doggystyle* en 1993, 1er album rap de l'histoire à se classer directement en tête des charts. Il devient ainsi une figure du rap westcoast.

– *The Game* (Jayceon Terell Taylor, né en 1979) : originaire de Los Angeles, The Game est né du « buzz » autour de son titre *You know what it is Vol. 1*. En 2005, il a deux nominations aux Grammy Awards pour son album *The Documentary* produit pas Dr. Dre. Rapidement devenu une référence dans le milieu du rap et du hip-hop, il prête sa voix à un personnage du jeu GTA : San Andreas.

– *Warren G* (né en 1971) : ce rappeur né à Long Beach est le demi-frère de Dr. Dre et membre du groupe 213 formé avec Snoop Dogg et Nate Dogg. Produit en solo par Dre (encore lui), Warren G s'impose comme le pionnier du *G-Funk*, rap de L.A. en référence au *P-Funk* des années 1970 de George Clinton et son « Parliament-Funkadelic ». Son album *Regulate* sort en 1994 et le révèle dans le monde entier.

– **Xzibit** (Alvin Nathaniel Joiner, né en 1974) : rappeur, acteur, il est surtout connu en France pour avoir présenté l'émission *Pimp my Ride* sur MTV. Bien qu'originaire de Detroit, c'est à Los Angeles qu'il est découvert lors d'une tournée avec le collectif de rappeurs West Coast Likwit Crew en 1996. Côté salles obscures, on l'a vu dans *8 Mile,* plus récemment dans *X-Files 2 : Régénération* et entendu (il double le chef de la police) dans *L'Histoire vraie du petit Chaperon rouge*.

Cinéma

– **Nicolas Cage** (né en 1964) : natif de Long Beach, il débute au cinéma grâce à son oncle Francis Ford Coppola qui lui offre un rôle dans *Rumble Fish,* en 1983. Un an plus tard, Cage vole de ses propres ailes dans *Birdy,* puis alterne films d'action stéréotypés et productions indépendantes. Une recette qui porte ses fruits puisqu'il reçoit l'Oscar du meilleur acteur pour son rôle dans *Leaving Las Vegas* (1995) et entre dans le club très fermé des acteurs payés 20 millions de dollars par film grâce à *60 sec chrono* (1998). Acteur consciencieux et investi, il joue également à fond la carte de la star hollywoodienne ; connu pour son caractère impétueux, c'est aussi un collectionneur de voitures de sport... et de femmes. En toute modestie, il a nommé son fils Kal-El. Comme Superman.

– **John Cassavetes** (1929-1989) : l'archétype de l'auteur indépendant qui, après s'y être laissé prendre, a refusé le système hollywoodien. Dès son premier film, *Shadows* (1959), il innove un style cinématographique qui lui permet de coller à la réalité du sous-prolétariat noir. Faute de budget « hollywoodien », ses films se feront ensuite en famille, avec sa femme, la sublime Gena Rowlands.

– **Sofia Coppola** (née en 1971) : fille de son illustre papa, elle étudie à l'Institute of Arts de Californie avant de devenir assistante du couturier Karl Lagerfeld. Réalisatrice talentueuse, remarquée dès la projection de son premier court-métrage, *Lick the Star* (1998), elle devient l'emblème de la culture rock et cinématographique indépendante. Un statut confirmé par les récompenses qu'elle obtient pour *Lost in Translation* (2003) et par son dernier film, *Marie-Antoinette* (2006), aux allures de roman-photo acidulé sur fond électro-rock.

– **Johnny Depp** (né en 1964) : acteur à la fois rebelle et discret qui s'illustre dans des rôles tantôt excentriques (*Charlie et la Chocolaterie,* 2005), tantôt sombres (*Sleepy Hollow,* 1999 ; *Sweeney Todd : le diabolique barbier de Fleet Street*), toujours hors norme (*Edward aux mains d'argent,* 1990) et soufflant un vent de liberté (*Le Chocolat ; Rochester, le dernier des libertins),* qui lui vaudront un César d'honneur en 1999. Figure de proue du cinéma indépendant, la trilogie *Pirates des Caraïbes* fait de lui un acteur « bankable ».

– **Kirsten Dunst** (née en 1982) : arrivée en Californie en 1989, la fiancée de Spiderman débute à l'âge de 3 ans dans des pubs avant de devenir mannequin et de décrocher un rôle dans *Entretien avec un Vampire* aux côtés de Tom Cruise et Brad Pitt. On la voit ensuite dans *Jumanji,* puis dans *Virgin Suicides* de Sofia Coppola qui la fera connaître. Bien que la réalisatrice en fasse sa *Marie-Antoinette* en 2006, le sacre ne vient pas, elle se contente de récompenses mineures, comme le Teen Choice Award du meilleur baiser pour le film Spiderman en 2002.

– **Clint Eastwood** (né en 1930) : avec un parcours atypique ponctué de grands succès et d'échecs cinglants, jamais là où on l'attend, Clint Eastwood est un « hors-la-loi » du 7ᵉ art *made in* San Francisco. Après 217 épisodes de la série *Rawhide*, trois westerns spaghettis dont *Le Bon, la Brute et le Truand* (1966), il se cantonne dans le rôle du fameux inspecteur Harry avant de séduire avec une grande subtilité Meryl Streep dans *Sur la route de Madison* et de poursuivre une brillante carrière de réalisateur : *L'Homme des hautes Plaines, Mystic River, Million Dollar Baby, Mémoires de nos Pères...* En mars 2008, ce fervent défenseur de l'environnement est renvoyé de la Commmision pour les parcs californiens par le gouverneur Arnold Schwarzenegger auquel il s'opposait quant à la construction d'une route à péage dans un parc du sud de l'État.

– *Jodie Foster* (Alicia Christian Foster, née en 1962) *:* originaire de L.A., diplômée de l'université de Yale en littérature, elle aussi fut une enfant star, révélée dans *Taxi Driver* de Martin Scorcese qui lui valut une nomination (à 13 ans !) pour l'oscar du meilleur second rôle. En 1988, elle est oscarisée pour son rôle dans *Les Accusés* avant de recevoir une seconde statuette pour sa performance exceptionnelle dans *Le Silence des agneaux* (1990). Belle et charismatique, l'actrice (réalisatrice aussi) fut longtemps harcelée par un fan, John Warnock Hinckley Jr. qui, pour l'impressionner, tenta même d'assassiner Ronald Reagan en 1981.

– *Danny Glover* (né en 1946) *:* ce San-Franciscain est surtout connu pour son rôle de flic dans *L'Arme Fatale 1, L'Arme Fatale 2, L'Arme Fatale 3, L'Arme Fatale 4, L'Arme...* ah non, ça s'arrête là. Il a également joué dans *Bopha !* de Morgan Freeman (1993), et *Beloved* (1998), l'adaptation du célèbre roman de Toni Morrison, avant d'apparaître aux côtés de Gene Hackman dans l'original *La Famille Tenenbaum* (Wes Anderson, 2001) et plus récemment dans le déjanté *Be Kind Rewind* de Michel Gondry.

– *Tom Hanks* (né en 1956) *:* originaire de Concord, c'est un acteur éclectique, qui connut une reconnaissance tardive dans *Philadelphia* (1993). Il fait ses débuts dans des comédies, puis change d'orientation et devient rapidement l'un des acteurs les plus populaires de sa génération avec *Nuits blanches à Seattle* (1993), le cultissime *Forrest Gump* (1994), et encore Apollo 13 (1995), *Il faut sauver le Soldat Ryan* (1998), *La Ligne verte* (1999). Avec 3 milliards de dollars au compteur début 2007, il est l'acteur le plus prolifique de l'histoire en terme de succès commerciaux.

– *Alfred Hitchcock* (1899-1980 ; Anglais naturalisé Américain) *:* l'œuvre d'Hitchcock impressionne, plus même, elle fascine ! De 1925 à 1975, il réalise plus de cinquante films dont la simple évocation des titres provoque des sueurs froides... Quelques incontournables : *Les 39 Marches* (1935), *Fenêtre sur cour* (1954), *La Mort aux trousses* (1958), *Psychose* (1960), *Les Oiseaux* (1963)... Maître incontesté du suspense, Hitchcock a imposé un style, un humour et une façon toute singulière de signer ses films.

– *Dustin Hoffmann* (né en 1937) *:* acteur aux multiples facettes qui a baigné dans le milieu hollywoodien dès sa plus tendre enfance (son père était décorateur de plateau). Tantôt victime, tantôt comique (*Tootsie,* 1982), il sait aussi être émouvant, comme dans *Rain Man* (1988), où son jeu est consacré par l'oscar du meilleur acteur pour le rôle difficile d'un autiste.

– *George Lucas* (né en 1944) *:* né à Modesto, le réalisateur de l'incontournable saga de *La Guerre des étoiles* (commencée en 1977), sans oublier *American Graffiti* (1973), devenu le film fétiche de toute une génération, a fait son cinéma à la fac de L.A. avant d'être stagiaire chez Warner Bros. L'empire (obscur ?) et les studios du Skywalker Ranch construit dans la Lucas Valley (un hasard, paraît-il) sont désormais le théâtre des héros remasterisés de *Star Wars*. C'est aussi une adresse incontournable pour les films à effets spéciaux.

– *Liza Minelli* (née en 1946) *:* « si Hollywood était une monarchie, Liza serait notre princesse héritière », en disait Fred Astaire. Issue d'une famille d'artistes depuis 6 générations, la fille de Judy Garland est en effet une légende sur la colline. Chanteuse, actrice et surtout « hollywoodienne », elle a, depuis 1991, son étoile au n° 7 000 du Walk of Fame. Artiste de scène avant tout, incarnant l'âme du cabaret, elle nourrit une grande complicité artistique avec Charles Aznavour, avec qui elle fit une série de concerts en 1992.

– *Marilyn Monroe* (Norma Jean Baker, 1926-1962) *:* près d'un demi-siècle après sa disparition, Marilyn reste LE sex-symbol. Ses amours tumultueuses, ses liaisons ouvertement assumées avec les deux frères Kennedy, son mode de vie libertaire dans une Amérique puritaine firent que son talent ne fut sans doute pas assez reconnu par ses pairs. Marilyn tourna pourtant avec les plus grands noms, des

HOMMES, CULTURE ET ENVIRONNEMENT

films tantôt légers et peu marquants, tantôt poignants et inoubliables. Son jeu sincère, émouvant et naïf lui vaudra une notoriété mondiale. Elle est retrouvée morte à Los Angeles, vraisemblablement suicidée, en tout cas assassinée par un système appelé Hollywood.

– *Gregory Peck* (1916-2003) : né à La Jolla, il quitte la Californie pour New York, où il espère briller sur les planches de Broadway. Remarqué, il revient en Californie en 1944, avec 4 contrats en poche. Le succès ne se fait pas attendre, il est dirigé par Hitchcock, joue aux côtés d'Audrey Hepburn et, nommé aux Oscars à 5 reprises, il finit par remporter la précieuse statuette. Dans *To Kill a Mockingbird*, le personnage qui le consacre est un avocat chargé de défendre un noir d'Alabama injustement accusé de viol. Atticus Finch, c'est son nom, est désigné plus grand héros de l'histoire du cinéma par l'American Film Institute. Devant Indiana Jones et 007, s'il vous plaît. Ce film, qui sort dans le contexte de la lutte des noirs américains pour les droits civiques, illustre une implication dans la politique (il s'oppose au maccarthysme, à la guerre du Vietnam), qui lui valut d'être pressenti pour se présenter contre Ronald Reagan au poste de gouverneur de Californie.

– *Sean Penn* (né en 1960 à Santa Monica) : une vraie gueule du cinéma d'aujourd'hui et un leader charismatique de l'Amérique anti-Bush. Cet acteur rebelle est reconnu comme l'un des meilleurs de sa génération. Ses rôles sont toujours sur le fil du rasoir, comme dans *Mystic River* (2003), récompensé par un Oscar, ou *21 Grams*. Avec *Into the Wild* (2008), hymne aux grands espaces de l'Amérique du Nord, tourné dans huit États différents dont la Californie du Sud, il signe un film poignant qui lui vaut la reconnaissance de ses pairs.

– *Christina Ricci* (née en 1980) : encore une graine de star ! Cette Californienne, née à Santa Monica elle aussi, démarre fort en incarnant Mercredi, la lugubre fille aînée de *La Famille Addams* (1991). Après un bref passage à vide, on la retrouve dans des productions indépendantes comme *Buffaloo '66* ou *Las Vegas Parano* qui lui valent le surnom d'« Indy queen ». Elle n'oublie cependant pas Hollywood et joue dans des films grand public (*Monster* avec Charlize Theron ; *Pénélope*), voire des *blockbusters* (*Speed Racer*, 2008).

– *Quentin Tarantino* (né en 1963) : le réalisateur los-angelin de la nouvelle vague américaine, à l'origine du come-back de Travolta dans *Pulp Fiction* (1994), n'a pas fini d'émerveiller les cinéphiles. Après sa trilogie *Kill Bill*, devenue culte, il explore la noirceur et le chaos dans le film de genre *Boulevard de la Mort*. Son dernier film, *Inglorious Bastard*, est attendu avec impatience.

– *Forest Whitaker* (né en 1961) : diplômé de l'école de théâtre de l'University of Southern California, il est révélé à l'échelle internationale en 1988 grâce au rôle de Charlie Parker dans *Bird*, de Clint Eastwood. Dès lors il enchaîne les films, dirigé par les plus grands : Scorsese dans *La Couleur de l'Argent*, Oliver Stone dans *Platoon* ou encore Jim Jarmush pour lequel il incarne un « samouraï » des temps modernes dans *Ghost Dog, la voie du Samouraï* (1999). En 2007, il reçoit l'Oscar et le Golden Globe pour son rôle dans *Le Dernier Roi d'Écosse*.

Littérature

– *Richard Brautigan* (1935-1984) : écrivain-culte ayant participé à la *Beat Generation*, tout en en restant toujours à la marge. D'abord poète, il connaît le succès international avec *La pêche à la truite en Amérique* (1967). Son œuvre est impossible à classifier, tellement l'écrivain pioche dans tous les genres pour construire cet univers absurde et grave, mais rempli de pépites d'humour, qui est le sien. Roi de la digression, il joue merveilleusement avec la langue qu'il réinvente, en image, avec malice, grâce et poésie. Celui qui a écrit « Nous avons tous une place dans l'histoire. La mienne, c'est les nuages » mettra fin à ses jours, seul dans sa maison de Bolinas (Californie), après avoir sombré dans la folie et l'alcool.

– *Dan Brown* (né en 1964) : après des études littéraires, il s'installe en Californie pour y écrire au départ des chansons, dont une fut d'ailleurs retenue pour les J.O.

d'Atlanta. Son quatrième roman, *Da Vinci Code,* devient rapidement un best-seller mondial controversé et un phénomène littéraire digne d'Harry Potter. Vendu à plus de 4 millions d'exemplaires et traduit dans 35 pays, le fameux roman a été adapté au cinéma avec, entre autres, Audrey Tautou et Tom Hanks.

– **Charles Bukowski** (1920-1994) : « J'ai un projet, devenir fou ». Asocial, choquant, obscène, l'auteur de *Journal d'un vieux dégueulasse* (1969), *Les Contes de la folie ordinaire* (1967-1972), *Factotum* (1975), souvent associé à la *Beat Generation,* dénonce la morale hypocrite et la modernité médiocre dans des romans autobiographiques sombres et marqués par le souvenir d'un père alcoolique et frustré par son échec social.

– **Raymond Chandler** (1888-1959) : cet autre maître du roman noir des années 1930 est aussi le créateur du personnage de Philip Marlowe, le célèbre détective privé de Los Angeles qui sera sublimement incarné à l'écran par (entre autres) Humphrey Bogart dans *Le Grand Sommeil* (*The Big Sleep,* 1946) de Howard Hawks avec, à ses côtés, Lauren Bacall.

– **Joan Didion** (née en 1934) : bien que très peu traduite en français, cette grande dame née à Sacramento est considérée par beaucoup de ses pairs comme un « monument » de la littérature américaine. Romancière, essayiste, scénariste et journaliste (pour *Vogue,* le *New York Time*s et le *New Yorker,* notamment), cette chroniqueuse de la vie politique et culturelle américaine des années 1960-1970 porte sur ses contemporains un regard aiguisé et lucide. De son écriture fine, minimaliste et cruelle, elle épingle la bourgeoisie intellectuelle de la côte ouest et sa vacuité. On ne ressort pas indemne de la lecture de *Maria avec et sans rien* (1970), où le monde superficiel du cinéma est englué dans la dépression, le mensonge, l'infidélité, l'alcoolisme (et les addictions en tout genre !), l'incapacité à communiquer, la folie, l'égoïsme... Son dernier livre, *L'Année de la pensée magique* (2005), est beaucoup plus intime puisque écrit à la suite de la mort de son époux, le romancier et scénariste John Gregory Dunne.

– **James Ellroy** (Lee Earle Ellroy, 1948) : cet auteur de polars né à L.A. est un personnage marginal. Sans domicile durant des années, il se décrit comme un ermite vivant en vase clos pour éviter que le monde moderne ne contamine l'univers de ses romans. *Le Grand Nulle part, L.A. Confidential* ou encore *White Jazz* reflètent son attachement au Los Angeles des années 1940-1950 et son amour de la musique. *Le Dahlia noir,* quant à lui, adaptation d'un fait divers sanglant des années 40, lui aurait rappelé le meurtre de sa mère en 1958.

– **William Faulkner** (1897-1962) : romancier venu à la littérature par dépit amoureux combiné à une terrible frustration de n'avoir pu participer à la Première Guerre mondiale (à cause de l'armistice !). Auteur de romans dont l'intrigue se déroule principalement dans le sud des États-Unis, *Le Bruit et la Fureur* (1929), *Pylône* (1935), *Absalon, Absalon !* (1936), il est considéré comme l'un des plus grands écrivains de son temps.

– **Dashiell Hammett** (1894-1961) : considéré comme un des maîtres (et père) du roman noir, Dashiel Hammett dépeint avec justesse le milieu du gangstérisme de l'époque et sa violence. Son détective privé de San Francisco, Sam Spade, sera interprété (immortalisé même) par Humphrey Bogart dans *Le Faucon maltais* (ou *Le faucon de Malte,* selon les versions ; 1930), porté à l'écran par John Huston en 1941.

– **Jack Kerouac** (né Jean-Louis Lebris de Kerouac, 1922-1969) : il a été surnommé le « pape des beatniks ». À la recherche d'un renouveau spirituel libéré de toutes conventions sociales et des affres du matérialisme, Kerouac va explorer les chemins de l'errance et de l'instabilité en traversant les États-Unis. Inspiré par la poésie californienne, il s'installe un temps à San Francisco. En 1957, il écrit en trois semaines *Sur la route,* qui deviendra un ouvrage culte pour la *Beat Generation.* Il meurt jeune, déprimé et alcoolique.

– **Jack London** (1876-1916) : chasseur de phoques, écumeur de parcs à huîtres, chercheur d'or, journaliste puis écrivain à succès. Dans *L'Appel de la forêt* (1903), *Le Loup des mers* (1904) et surtout *Croc-Blanc* (1906), c'est un faiseur d'histoire, amoureux de la nature. En 1905, il s'installe dans la vallée de la Lune, en Californie, dans un ranch dément. Malheureusement, celui-ci brûle. Ruiné et désespéré, il meurt trois ans plus tard, sans avoir jamais cessé d'écrire.

– *Henry Miller* (1891-1980) *:* Miller se fait remarquer (on peut le dire) avec ses *Tropique du Cancer* (1934) et *Tropique du Capricorne* (1939), tous deux interdits de publication pendant près de trente ans aux États-Unis. Dans la lignée, il signe d'autres titres frappés par la censure. Trop dissolu, trop choquant pour le puritanisme ambiant, trop avant-gardiste... (pas d'inquiétude, l'œuvre de cet ancien prof d'anglais à Dijon est aujourd'hui réhabilitée !). À son retour d'Europe en 1940, c'est à Big Sur que Miller trouve refuge dans cette Amérique qu'il aime si peu, avant d'aller finir sa vie à Los Angeles, dans le quartier de Pacific Palisades.

– *Alice Sebold* (née en 1963) *:* cet écrivain vivant en Californie s'est fait connaître internationalement avec son deuxième roman *La Nostalgie de l'ange* (*The Lovely Bones,* 2002*)*, où une adolescente de 14 ans violée et assassinée raconte la vie des autres (sa famille, ses amis, son meurtrier) vue du ciel. Un beau roman, inspiré de l'expérience de l'auteur (elle-même violée et passée tout près de la mort à 18 ans).

– *John Steinbeck* (1902-1968) *:* né à Salinas, ce Prix Nobel de littérature (1962) reste fidèle à son pays et y ancre nombre de ses romans. Il y décrit sans complaisance l'univers difficile des petits fermiers et des ouvriers agricoles. *Des souris et des hommes* (1937), *Les Raisins de la colère* (1939), qui lui vaut le prix Pulitzer, *À l'est d'Éden* (1952) et nombre de ses autres romans ont été portés à l'écran.

Sciences

– *Neil Armstrong* (né en 1930) *:* pilote d'essai pour la NASA sur la base californienne d'Edwards, il est choisi pour commander la mission *Apollo 11.* Le 21 juillet 1969, il est 4h17 (heure de la côte est). Neil Amstrong fait rêver la terre entière en faisant le premier pas sur la Lune et prononce cette phrase devenue mythique : « C'est un petit pas pour l'homme, mais un bond de géant pour l'Humanité. »

– *Bill Gates* (né en 1955) *:* l'entrepreneur pas forcément le plus visionnaire de la planète mais un des plus riches... du monde. En 1975, il fonde Microsoft qui s'impose vite comme le leader mondial de l'informatique. Mais voilà, cet homme d'affaires en exaspère plus d'un et, en 2000, il est reconnu coupable de « conduite prédatrice » conduisant à une situation de monopole. Il a annoncé récemment son départ pour se consacrer à sa fondation, à laquelle il lègue d'ailleurs une partie de sa fortune.

– *Robert Oppenheimer* (1904-1967) *:* physicien, il participe au développement de la bombe atomique (projet Manhattan) au Radiation Laboratory de Berkeley, puis à son élaboration à Los Alamos (Nouveau-Mexique). Assistant à l'explosion, il se remémore une citation de la *Bhagavad-Gītā* : « Je suis Shiva, le destructeur des mondes ». En 1949, il s'oppose au projet de la bombe H. Et en 1954, ses accréditations lui sont retirées, sa loyauté étant remise en question...

– *Steve Jobs* (né en 1955) *:* originaire de San Francisco, il débute comme programmeur de jeux vidéo chez Atari. En 1976, avec son ami Steve Wozniak, il lance son premier ordinateur « Apple I » vendu 666,66 \$. La société entre en bourse en 1980. À 27 ans, c'est le plus jeune homme à entrer dans le Fortune 400. En 1984 il révolutionne le monde de l'informatique en lançant le Macintosh, premier ordinateur grand public commandé par une souris. Jobs, le bourreau de travail, est sans cesse à la recherche de nouveaux marchés. Il participe à la création de Pixar (*Toy Story, Le Monde de Nemo, Ratatouille* et le dernier né, *Wall-e*), s'impose au royaume du mp3 avec l'iPod (2001) et se lance dans la téléphonie avec l'iPhone en 2007. Comme quoi, croquer dans la pomme n'est pas toujours un péché...

Art

– *Anne Brigman* (1869-1950) *:* partie prenante de la communauté bohème de San Francisco, cette amie de Jack London est connue pour ses clichés de femmes nues à la mise en scène dramaturgique dans des décors naturels. Admise au sein du groupe Photo-Secession, qui vise à faire reconnaître la photographie comme un art par Stieglitz (son fondateur) lui-même, elle défie les conventions et les normes culturelles du début du XX\(^e\) s.

– *Franck Gehry* (né en 1929) : originaire de Toronto, il quitte ensuite le Canada pour Los Angeles, où il étudie l'architecture puis monte sa propre agence, *Gehry Partners,* en 1962. Couronné par le prestigieux Prix Pritzker en 1989, Gehry se rend célèbre avec le musée Guggenheim de Bilbao en 1997. Sa structure innovante, aux volumes complètement éclatés, et couverte de fines écailles de titane, fait mouche. Ce sera sa marque de fabrique. Gehry est aujourd'hui un des architectes les plus connus dans le monde.

– *« Group f/64 »* : 7 photographes san-franciscains forment ce groupe en 1932, en réaction au pictorialisme qui considère l'intervention manuelle nécessaire au processus de création photographique. f/64 est tout simplement le nom donné à la plus petite ouverture disponible sur un objectif, ce qui implique une grande profondeur de champ, une image détaillée mais induit une longue exposition et donc la prise de vue de sujets immobiles ou en mouvements lents.

– *Ed Ruscha* (né en 1937) : ce diplômé de l'institut d'Art graphique Chouinard (on ne rit pas) de Los Angeles débute par la peinture avant de se lancer dans la photographie. Inspiré par la bande-dessinée et enthousiasmé par une exposition de Marcel Duchamp, c'est qu'il joue très vite de l'art pictural traditionnel. S'essayant à la photographie, il publiera 17 livres entre 1963 et 1978, marqués par son goût pour l'absurde. On découvre ainsi des séries de photographies de cartes d'anniversaire, de piscines et même... des parkings de Los Angeles.

– *Dorothea Lange* (1895-1965) : originaire du New Jersey, elle ouvre un studio à San Francisco en 1918 et est engagée à la division de l'information de la FSA (Farm Security Administration) en 1935. Figure du photojournalisme de l'entre-deux-guerres, ses portraits de sans-abris et de migrants ruinés par le krach de 1929 sont désormais des icônes.

Sport

– *Kobe Bryant* (né en 1978) : le MVP de la saison 2007-2008 est aussi l'un des quatre derniers joueurs de NBA encore en activité à avoir inscrit plus de 20 000 points dans sa carrière. Enfant de la balle (son père évoluait dans le championnat italien et a passé 6 mois au FC Mulhouse de basket), c'est dans l'équipe des Los Angeles Lakers qu'il veut jouer. Rapidement considéré comme l'un des meilleurs joueurs de sa génération, il cumule de nombreux trophées et records.

– *Magic Johnson* (né en 1959) : du haut de ses 2,05 m, Magic Johnson est « le » basketteur nord-américain des années 1980, meneur de jeu des Lakers de Los Angeles pendant plus de 10 ans. Mais voilà, sa séropositivité le pousse à mettre un terme à sa carrière, même s'il joue encore de temps en temps. Il crée alors une fondation et est aujourd'hui une figure emblématique de la lutte contre le sida.

– *Greg Noll* (né en 1937) : « Da Bull » est l'un des pionniers du surf qu'il découvre à Manhattan Beach. Attiré par le mode de vie des surfeurs, Greg Noll fait partie de la première vague de migration de Californiens qui rêvent des spots de Makaha, du côté de Hawaii. Mais Makaha ne lui suffit pas, il décide d'explorer le North Shore et découvre le spot de Waimea Bay. Il est entré dans la légende pour avoir surfé la plus grosse vague du XX\(^e\) s, le 4 décembre 1969.

– *Tiger Woods* (né en 1975) : né (à Cypress, California) pour gagner... Ce vœu pieux, formulé par son père, est devenu réalité. On dit qu'à 1 an, Tiger Woods frappait sa première balle de golf. Ce qui est sûr, c'est qu'à 21 ans, il devient le numéro un mondial du green et enchaîne les records. Après une petite baisse de régime de quelques années et une dizaine de tournois sans succès, il revient sur le devant de la scène en 2005.

POPULATION

La plupart des États de l'Ouest américain connaissent la plus forte croissance démographique de l'ensemble du territoire américain depuis une bonne décennie. La Californie n'échappe pas à la règle : en un siècle, sa population est passée de 1,5 million d'habitants à plus de 36 millions aujourd'hui. C'est l'État le plus peuplé d'Amérique. Les villes comme San Diego s'étendent dans les espaces désertiques. Les uns sont attirés par le dynamisme économique des villes de ces dernières années ; les autres, pour la plupart retraités, s'installent dans la *Sun Belt* (qui s'étire de la Californie au Nouveau-Mexique) pour profiter de la douceur du climat. Les communautés ethniques représentent plus de la moitié de la population de la Californie. D'ailleurs, vous aurez presque autant de chances de parler l'espagnol que l'anglais ! Oui, il s'agit là d'une réalité bien vivante. Les Latinos couvrent 32 % de la population californienne. Dans cet État, il naît désormais plus de José que de Michael. Certes, les États du Sud étaient en territoire mexicain avant qu'ils ne tombent dans l'escarcelle américaine. Mais la population hispanique a surtout augmenté durant la dernière décennie (+ 58 % entre 1990 et 2000 pour l'ensemble des États-Unis contre 9 % pour la croissance démographique nationale) ; les Latinos sont désormais plus nombreux que les Noirs. Et, en 2050, ils devraient représenter un quart de la population totale américaine (plus de la moitié de la population californienne). Certains parlent même de reconquête pacifique des terres du Sud ! Les firmes américaines dans la zone frontalière avec le Mexique (la « Mexamérique ») se sont multipliées. La main-d'œuvre y est bon marché. De nombreux Mexicains traversent la frontière, parfois au péril de leur vie, attirés par un rêve américain toujours bien vivant dans les esprits. Et ce ne sont pas les 9 km de mur qui séparent les villes de San Diego et de Tijuana qui vont les en empêcher !

Les Indiens font également partie du paysage démographique californien : au nombre de 355 000, ils représentent 1 % de la population. Cela paraît faible. Pourtant, à l'échelle nationale, leur nombre a été multiplié par dix en un siècle. Répartis dans 300 réserves correspondant aux 500 tribus survivantes, la population indienne se partage aujourd'hui l'ensemble des États. Mais la répartition actuelle n'a rien à voir avec celle qui prévalait avant l'arrivée des Blancs. Elle obéit à une règle simple : les Indiens ont été refoulés sur des terres arides, souvent difficiles d'accès (pour le détail des tragiques épisodes de la conquête des terres américaines par les nouveaux occupants, voir « Les Indiens »). Pas étonnant alors que le massif des Rocheuses (avec les rives du Pacifique, dans une moindre mesure) abrite la plus forte concentration de réserves indiennes.

RELIGIONS ET CROYANCES

Pour comprendre l'importance de la religion aux États-Unis, il faut la replacer dans son contexte historique. Tout a commencé avec l'implantation des premières colonies pour qui l'Amérique du Nord représentait un nouveau monde – au sens littéral du terme – et dans lequel elles allaient enfin pouvoir pratiquer leur religion sans être persécutées. En effet, les conséquences de la Réforme protestante au début du XVIe s s'étaient traduites par une mise au ban, voire une persécution, des non-conformistes. L'Europe leur était devenue difficile à vivre, et c'est en partie pour fuir la vindicte des autorités que les candidats à l'émigration optèrent pour le grand voyage. L'Amérique leur offrait le meilleur espoir de survie à long terme et de réalisation de leurs objectifs religieux. C'est donc dans cet état d'esprit que débarquent les premiers colons du *Mayflower* en 1620.

L'Amérique du Nord devient donc le refuge de nombre de communautés persécutées dans l'Ancien Monde, et très tôt les différences religieuses s'accordent de particularismes régionaux. Le Massachusetts accueille des puritains et des calvinistes. La Virginie, identifiée à l'origine avec la nouvelle Église anglicane, accueille par la suite baptistes et calvinistes. Le Maryland devient terre des catholiques. L'État de New York et la Pennsylvanie accueillent William Penn et ses quakers, aussi des luthériens et divers protestants allemands (les amish d'aujourd'hui). Au nord, les comtés français limitrophes de l'actuel Québec s'établissent sous influence catholique, tandis que les États du Sud voient s'implanter l'Église évangélique ou baptiste. Évidemment, le pays grandit, et sous l'influence de nouveaux flux d'émigrants, le paysage religieux se modifie. Au XIXe s, l'arrivée massive d'Irlandais augmente considérablement la communauté catholique ; tendance qui s'accentue avec l'arrivée d'Espagnols, d'Italiens, de Grecs et de Polonais. En provenance d'Europe de l'Est, une partie de la diaspora juive débarque à son tour. Quand bien même les premiers musulmans (les fameux Melungeons) seraient arrivés dès le XVIe s, ce n'est que beaucoup plus tard, au milieu des années 1960, que la communauté musulmane s'étoffe, grâce notamment à l'afflux de « cerveaux » en provenance du Pakistan, d'Inde, du Bengladesh, du Liban ou de Syrie. Parallèlement aux obédiences conventionnelles se développent de nombreuses sectes et Églises dissidentes qui permettent à chaque Américain d'embrasser le corpus dogmatique le plus proche de ses aspirations. Dans son analyse de la société américaine, Tocqueville précisera que cette pluralité de l'offre religieuse a sans doute permis à l'Amérique de ne jamais tomber dans l'opposition entre le spirituel et le politique. Si l'Amérique ne s'est pas dotée dès le départ d'une religion d'État, c'est en partie en raison du grand nombre de sectes protestantes qui gouvernaient les idées de l'époque, et dont aucune d'entre elles n'était prédominante. La devise nationale des USA, *E pluribus Unum* (de plusieurs, un), en est l'expression même. C'est en Virginie, où l'Église anglicane était la religion établie, que s'est jouée la bataille décisive de la séparation de l'Église et de l'État. Cette victoire occupe une place fondamentale dans l'histoire des États-Unis. À la ratification du premier amendement de la constitution américaine en 1791, soit 15 ans après la Déclaration d'Indépendance, les privilèges de toutes les Églises anglicanes (à l'exception de celles du Maryland) avaient été abolis. Il fallut attendre 1833 pour le Massachusetts. En protégeant le libre exercice de la religion tout en interdisant l'établissement d'une religion officielle, le premier amendement de la constitution américaine fait des États-Unis le pays le plus religieux de la planète. George Washington affirmait : « Chaque pas qui nous fait avancer dans la voie de l'indépendance nationale semble porter la marque de l'intervention providentielle ». Ce sentiment d'être investi d'une mission divine, en partie dû au puritanisme enraciné dans le calvinisme, et qui plus tard trouvera une résonance particulière en s'opposant à l'athéisme du bloc soviétique, n'a jamais cessé d'émailler les discours politiques des présidents américains. Il n'y a rien d'étonnant, donc, à ce que Bush, protestant méthodiste, en appelle à une croisade contre « l'axe du Mal » au lendemain du *September Eleventh*.

Aujourd'hui, les Américains continuent d'accorder un rôle essentiel à la religion dans la vie sociale et politique de leur pays. Depuis l'école où les jeunes élèves prêtent serment au drapeau « sous les auspices de Dieu » aux serments du président sur la Bible, la religion s'immisce dans tous les aspects de la vie civile. Les émissions de radio et de télévision sont aujourd'hui une composante majeure de l'outil religieux. L'explosion de l'offre et l'accessibilité aux programmes (câble, Internet, téléphonie mobile) permet aux sectes même mineures, ou aux petites Églises évangéliques, souvent moins hiérarchisées et plus en adéquation avec une « approche plus individuelle » de Dieu, de pérenniser l'occupation des ondes. De ce fait, l'individu est en prise directe et quasi permanente avec le contenu religieux. À titre d'exemple, chaque semaine, le nombre d'Américains célébrant un office religieux est supérieur à celui assistant à une rencontre sportive. Une grande majorité d'Américains sont affiliés à une paroisse, et le choix de résidence le plus souvent assujetti à l'emplacement d'un lieu de culte. Il n'y a qu'à se balader dans une ville américaine pour voir combien les habitants sont fiers d'appartenir à leur paroisse. La religion est même devenue un véritable catalyseur au service du développement urbain. À Los Angeles, la cathédrale Notre-Dame-des-Anges dépasse de beaucoup le simple lieu de culte dans la mesure où elle sert de support à toute une politique fédérale, notamment en ce qui concerne les programmes éducatifs, et d'assistance aux plus démunis. Le phénomène des « megachurches » est un exemple probant de l'instrumentalisation de la religion au service des idéaux libéraux.

Dans son étude de la société américaine au début du XXe s, Max Weber, l'un des fondateur de la sociologie moderne, soulignait déjà le rapport étroit entre l'éthique protestante et le capitalisme. Ces établissements conceptuels du « tout religieux » dépassent largement le cadre du simple édifice religieux, dans la mesure où l'on y trouve des garderies, des bibliothèques, des salles de spectacles et même des terrains de sport. Ces équipements, où tout a été pensé pour le confort intellectuel du croyant, incitent les familles à venir y passer leur temps libre.

Les États-Unis forment un véritable patchwork de religions. Sur les 70 % d'Américains qui se déclarent régulièrement pratiquant, on compte environ 140 millions de protestants, 62 millions de catholiques, 5 millions de juifs et 5 millions de musulmans. Mais cette répartition n'est pas constante. Les experts s'accordent à dire que chaque année environ 60 000 hispaniques, à l'origine catholiques, quittent leur religion pour embrasser une doctrine évangélique comme le pentecôtisme, par exemple. Il est vrai que ces Églises ont connu une croissance importante depuis les années 1970, grâce au développement des médias et notamment de la télévision, sur laquelle elles sont très présentes. À titre d'exemple, « The House of Power », l'émission de Robert Schuller, célèbre télévangéliste californien, est regardée tous les dimanches par plus de 20 millions de personnes. À noter également qu'actuellement, c'est la religion musulmane qui croît le plus rapidement aux États-Unis. Depuis la création de la fédération des associations islamiques en 1950, le nombre de mosquées sur le territoire américain est passé de 150 à 1 250 en un demi-siècle.

ROUTE 66

Un mythe, un symbole, un « monument » indissociable de la culture américaine ! Surnommée « *The Mother Road* » (« la route-mère ») par John Steinbeck dans *Les Raisins de la colère,* « route de la gloire » par les Okies (les fermiers de l'Oklahoma), c'est aussi la « *Main Street of America* » (« grande rue de l'Amérique ») dans le cœur des Américains. Chantée par les Stones, la Route 66 a servi de cadre au film *Easy Rider* et plus récemment au dessin animé *Cars,* de Walt Disney.

Débutée en 1926, sa construction s'achève en 1938. C'est la première voie qui permet de relier les rives du lac Michigan (à Chicago) au rivage du Pacifique (à Santa Monica, en Californie), après un périple de 2 448 miles à travers 8 États (Illinois, Missouri, Oklahoma, Texas, Nouveau-Mexique, Arizona et Californie, le Kansas étant sillonné sur 12 miles seulement). Dès 1934, des milliers de familles de paysans d'Oklahoma et d'Arkansas ruinés et condamnés à l'exode par le Dust Bowl (tempête de poussière qui anéantit les cultures) vont l'emprunter, à la recherche d'espoir et d'une nouvelle vie quelque part, plus à l'ouest. Durant la Seconde Guerre mondiale, c'est au tour des convois militaires acheminant hommes et armements vers le Pacifique ou l'Atlantique. Tout le long de la Route 66 s'est très vite développée une nouvelle culture alors inconnue, celle des motels, des stations-service, des restos routiers (les fameux *diners*) et des enseignes de néons tapageuses. Après les angoisses de la guerre, l'avènement des vacances en famille arrive à point nommé comme une juste récompense. Ce phénomène naissant draine de nouveaux candidats vers la 66, attirés par les parcs nationaux qu'elle explore et les promesses de beaux pique-niques ! À la fin des années 1950, le trafic devient important, les accidents se multiplient. La bonne vieille « Mother Road » n'est plus adaptée à son époque. Les autorités lui préfèrent les nouvelles *interstates* à deux voies qui contournent les villes, plus rapides, plus sécurisantes. À la fin des années 1960, le flot quotidien de véhicules s'évapore rapidement. Sur les bords de route, les boutiques ferment leurs portes, les guirlandes lumineuses s'éteignent. En 1981, les autorités ont même souhaité gommer son tracé sur les cartes routières. Ce n'était pas si difficile, de larges sections de la 66 ayant déjà été remplacées par les *interstates* flambant neuves... Localement, le goudron a disparu des miles rescapés pour laisser place à une piste. Mais voilà, c'était sans compter sur les nostalgiques de la belle époque, sur les amoureux de l'*American way of life* ! Sous la pression d'associations de défense, la *Road 66* retrouve aujourd'hui une seconde jeunesse. Le long du tracé, des musées se sont créés, des panneaux retraçant l'histoire de cette voie ont fleuri, des festivals très vivants rassemblent tous les adeptes lors de grand-messes pétaradantes et chromées. Mieux, une loi pour la protection de la Route 66 a été promulguée ! De quoi rassurer tous ceux (*bikers* en tête chevauchant leurs rutilantes motos) qui sillonnent à nouveau l'ancien tracé sur les pas de leurs prédécesseurs ou tout simplement à la recherche d'un peu de rêve et de magie.

SAVOIR-VIVRE ET COUTUMES

Difficile de décrire les règles de savoir-vivre à adopter dans un pays auquel on reproche souvent de ne pas en avoir. Pourtant, le pays de la peine de mort et de l'injustice sociale sait souvent faire preuve d'un savoir-vivre étonnant dans les situations de tous les jours. Les Américains sont dans l'ensemble puritains. Ils adorent les fêtes patronales où l'émotion à trois francs six sous déborde de partout, mais ils s'indignent peu de savoir que les enfants chinois fabriquent leurs *Nike* ou que l'embargo contre Cuba fait des ravages. La compassion est ici à géométrie très variable, comme partout certainement, mais peut-être un peu plus qu'ailleurs. Les Américains ne sont pas à une contradiction près. Ils sont en majorité contre les lois visant à restreindre la liberté de port d'arme, mais ils s'interrogent quand leurs enfants sont assassinés à la sortie du lycée. Ils se goinfrent de pop-corn et de crème glacée pour mieux s'inscrire à des programmes de régime ultracoûteux. Peuple difficile à saisir, dont les excès sont légion, mais dont le civisme reste le lot quotidien.

Quelques conseils et indications en vrac, pour vous montrer que cette civilisation de pionniers, où la force a de tout temps été la seule loi qui prévalait, sait faire preuve, dans la vie de tous les jours, d'une étrange gentillesse qui fait souvent passer les Français pour de curieux rustres.

– À la ville comme dans les campagnes, **on se dit facilement bonjour** dans la rue, même si on ne se connaît pas. Vous ne couperez pas non plus au « *How are you doing today ?* » (« Comment ça va aujourd'hui ? »), l'entrée en matière des serveurs ou commerçants que vous ne connaissez ni d'Ève ni d'Adam mais auxquels vous répondrez avec un grand sourire : « *Fine, thanks, and you ?* » (« Bien, merci, et vous ? »).

– **Les files d'attente** dans les lieux publics ne sont pas un vain mot. Pas question de gruger quelques places à la poste ou dans la queue de cinéma. Le petit rigolo qui triche est vite remis à sa place. C'est l'occasion d'apprendre la patience.

– En voiture, le **code de la route** est véritablement respecté. L'automobile est considérée comme un moyen de locomotion, pas comme un engin de course. Et puis, vous ne verrez jamais une voiture stationnée sur le trottoir. Non par peur des représailles policières, mais tout simplement parce que ça empêche les piétons de passer ! Ne vous avisez pas de transgresser ce genre de règles, ça vous coûterait cher. De même, si quelqu'un est devant un passage piétons, les voitures s'arrêtent automatiquement pour le laisser passer. En revanche, lorsque le feu est vert pour les piétons, il vaut mieux se presser pour traverser, car il passe rapidement au vert en faveur des autos cette fois-ci.

– **Vous verrez rarement un Américain jeter un papier par terre.** Il attendra toujours de croiser une poubelle. Et si tel n'était pas le cas, il y aura toujours quelqu'un pour le rappeler à l'ordre ou lui dire avec un brin de cynisme : « *You just lost something !* » (« Vous avez perdu quelque chose ! »). Sur les autoroutes, jeter un papier par la fenêtre de sa voiture peut coûter jusqu'à 1 000 $. À bon entendeur !

– **Les crottes de chien :** voilà encore un point au sujet duquel on pourrait prendre de la graine. Ce qui apparaît comme un geste simple, civique et évident aux États-

Unis a décidément du mal à se mettre en place en Europe. Tout naturellement, chaque maître a avec lui un petit sac plastique dans lequel il glisse la main, puis ramasse la déjection canine et retourne le sac proprement avant de le mettre dans la première poubelle rencontrée. À ne pas confondre avec le *doggy bag* ! (voir plus bas « Les petits restes »).

– *Les Américains se font très rarement la bise.* Quand on se connaît peu, on se dit « Hi ! » (prononcer « haïe »), qui veut dire « Salut, bonjour ». Quand on est proches et qu'on ne s'est pas vus depuis un moment, c'est l'accolade (le *hug*) qui prévaut. On s'enlace en se tapant dans le dos, gentiment quand il s'agit de femmes, avec de grandes bourrades quand il s'agit d'hommes. Si vous approchez pour la première fois un Américain en lui faisant la bise, ça risque de surprendre (voire choquer) votre interlocuteur. Cela dit, la *French attitude* est plutôt bien vue... Le meilleur moyen de saluer quelqu'un est quand même de lui serrer la main, pratique très courante, même chez les ados.

– En arrivant *dans un restaurant, on ne s'installe pas à n'importe quelle table,* sauf si l'écriteau « *Please seat yourself* » vous invite à le faire. On attend donc d'être placé.

– *Les petits restes :* si, dans un restaurant, vous avez du mal à terminer ce que vous avez commandé (ça arrive souvent là-bas), n'ayez pas de scrupules à demander une barquette pour emporter les restes de vos plats, d'ailleurs tout le monde le fait. Jadis, on disait pudiquement « C'est pour mon chien », et il était alors question de *doggy bag*. Aujourd'hui, n'hésitez pas à demander : *« Would you wrap this up for me ? »* ou plus simplement *« Would you give me a box, please ? »* (« Pouvez-vous me donner une boîte, s'il vous plaît ? »).

– *Le service n'est jamais compris* dans les restos et les cafés. En revanche, il est dû par le client (sauf si vous estimez que le service a été exécrable, ce qui est rare aux États-Unis). Personne n'a idée de gruger le serveur ou la serveuse, car tout le monde sait que c'est précisément sur le *tip* qu'ils gagnent leur vie (le salaire de base étant très bas). Pour calculer un pourboire honnête, multipliez la taxe (inscrite avant le total sur l'addition) par deux, et, si vous êtes très content, arrondissez au-dessus ! Parfois, la *gratuity* est facturée d'office à 15 % sur la note (voir aussi « Taxes et pourboires » dans « Californie utile »).

– Dans les restos et les cafés, *ne vous attendez pas à un service à l'européenne,* du genre nappe, petite cuillère pour le café, couvert à poisson, etc. Ici, c'est l'efficacité et le rendement qui priment. Ne pas s'étonner de se faire servir un expresso dans une grande tasse avec une paille ou d'avoir l'addition avant la fin du repas. Pour s'assurer que tout tourne à la bonne vitesse, certains serveurs n'hésiteront pas à vous rendre visite très (trop) souvent, toujours avec le sourire !

– Au sujet des *w-c publics* : ils sont presque toujours gratuits et souvent bien tenus. Vous en trouverez dans chaque *Visitor Center,* les *bus stations,* dans les stations-service, les grands centres commerciaux et grands magasins ou dans les halls des hôtels et les cafétérias. Demandez, on ne vous dira jamais non, à moins qu'une pancarte précise « *Customers only* ».

– *Les sections non-fumeurs* sont particulièrement respectées dans les restaurants et les hôtels qui proposent la grande majorité de leurs chambres en non-fumeurs. De plus en plus d'établissements sont d'ailleurs entièrement non-fumeurs. Et ne vous avisez pas de fumer, ça déclencherait le système d'arrosage situé dans les plafonds et l'alarme.

– *La clim' :* les Américains ont la manie de pousser l'AC à fond dans la plupart des lieux publics (restos par exemple). Aux beaux jours, ayez donc toujours un petit pull sur vous pour éviter les chocs thermiques permanents.

– *Dans les petits campings de certains parcs nationaux, le paiement se fait par un système d'enveloppe.* On met la somme demandée dans l'enveloppe que l'on glisse dans la boîte. Le *ranger on duty* viendra le lendemain ramasser les enveloppes. Question de confiance ! Mais ce système est de plus en plus rare. On trouve le même principe dans de nombreux parkings publics.

– Dans le même ordre d'idées, ***pour acheter votre journal, il existe des distributeurs automatiques.*** Il suffit de glisser la somme et une petite porte s'ouvre pour vous laisser prendre votre quotidien. On pourrait parfaitement en prendre deux, trois ou dix à la fois et n'en payant qu'un seul, mais personne ne le fait. L'honnêteté prévaut. Et puis, quel intérêt ?

– ***Le rapport à l'argent*** des Américains a souvent tendance à énerver les touristes, surtout lorsqu'ils font un voyage culturel. Leur guide insistera plus facilement sur les prix de tels tableaux, de telle fabuleuse construction plutôt que d'en évoquer les valeurs esthétiques. De même, ils seront rapidement énervés par l'insistance permanente des serveurs dans les restaurants ou des vendeurs à vouloir faire consommer ou dépenser plus. Il faut bien faire marcher la machine économique, et tout est super-organisé pour cela.

– Les Américains sont des individualistes forcenés, mais ***ils sont prêteurs.*** Ils n'hésiteront pas, après avoir fait un peu votre connaissance, à vous prêter leur voiture et à vous laisser les clés de leur maison. Ça étonne toujours un peu, mais on s'habitue rapidement à cet état d'esprit.

– ***Le patriotisme :*** le drapeau et l'hymne national (avec la religion) ont été le lien fédérateur essentiel des différents peuples qui constituent le peuple américain. Afficher (souvent avec fierté) son appartenance à la nation est un geste évident pour grand nombre d'Américains. Cela peut étonner plus d'un Européen, et depuis les attentats du 11 septembre 2001, la bannière étoilée a tendance à se multiplier en tous lieux et les messages d'encouragement aux *boys* en Irak pullulent aussi. Plus surprenant encore : les églises qui carillonnent l'hymne national !

– ***Il ne sert à rien de hurler*** (comme on le fait souvent en France...) dès que quelque chose ne se déroule pas comme on le voudrait. Vous pouvez être accusé d'insolence, de manque de respect vis-à-vis de la personne derrière son comptoir, voire d'agression. Sachez que tout se plaide et se négocie aux États-Unis. En revanche, si vous êtes dans votre bon droit, vous serez immédiatement remboursé. Et puis, ne vous avisez pas non plus de hausser le ton avec un policier : vous finiriez illico au poste.

– ***Les malentendus culturels :*** les Américains, joyeux drilles, aiment les contacts et sont d'un abord facile. Cet élan immédiat peut laisser croire qu'ils se font de nouveaux amis dans la minute. Mais le premier contact passé, l'analyse de cette situation fait dire aux Français que les Américains sont superficiels, légers, inconsistants. À l'inverse, les Américains nous trouveraient froids et distants. Mais ce qui ressort le plus souvent de l'aventure américaine, c'est toujours la gentillesse, les rencontres et la serviabilité des gens.

SITES INSCRITS AU PATRIMOINE MONDIAL DE L'UNESCO

Organisation
des Nations Unies
pour l'éducation,
la science et la culture

En coopération avec
le centre du patrimoine mondial de l'UNESCO

Pour figurer sur la Liste du patrimoine mondial, les sites doivent avoir une valeur universelle exceptionnelle et satisfaire à au moins un des dix critères de sélection. La protection, la gestion, l'authenticité et l'intégrité des biens sont également des considérations importantes.

Le patrimoine est l'héritage du passé dont nous profitons aujourd'hui et que nous transmettons aux générations à venir. Nos patrimoines culturel et naturel sont deux sources irremplaçables de vie et d'inspiration. Ces sites appartiennent à tous les peuples du monde, sans tenir compte du territoire sur lequel ils sont situés. Pour plus d'informations : ● http://whc.unesco.org ●

– Site inscrit dans la zone couverte par ce guide : le ***parc national de Yosemite*** (1984).

SURF

Autant que la ruée vers l'or, Hollywood, *Alerte à Malibu* et les raisins *Sun Maid,* le surf fait partie de l'imaginaire californien. Les photos de beaux gars bronzés et la musique des Beach Boys ont popularisé ce sport dans le monde entier. Mais sait-on que, si son berceau se situe sur les rives du Pacifique, sa pratique s'est développée au nord de la Polynésie, à Hawaii notamment, pour des raisons plus religieuses que sportives ?

Revenons aux débuts : en 1767, le capitaine James Cook, au service de Sa Majesté, jette l'ancre aux îles Sandwich (Hawaii).

Il remarque que les natifs s'adonnent au plaisir des vagues. Ils ne chevauchent pas la houle seulement en canoë, mais aussi avec une adresse inouïe sur de longues planches, taillées rituellement dans le tronc d'un arbre. Cette pratique, nommée le *He e'nalu,* est bien plus qu'une activité physique : d'essence divine, épreuve de courage et d'habileté, elle est strictement réservée au roi et à sa famille et constitue une étape à franchir pour tout candidat ce trône. De plus, la fabrication des planches est une cérémonie régie par des règles immuables. Glisser sur une vague pour faire corps avec elle représente une fusion de l'individu avec le macrocosme.

C'est le second de Cook, le lieutenant James King, qui révèle en 1784 l'existence de cette discipline. La plus ancienne planche connue est datée de 1808, mesure 4,70 m et pèse 80 kg.

La découverte des îles Sandwich marque en Polynésie le début du déclin d'une société se perpétuant depuis la nuit des temps autour de la prodigalité de la nature et de sa beauté. Les missionnaires qui suivent les explorateurs jugent cette activité immorale et dégradante (les hommes et les femmes surfent presque nus). N'y voyant qu'un divertissement qui détourne les indigènes du travail, ils interdisent le surf, qui tombe dans l'oubli quasi général.

Le *He e'nalu* n'est plus pratiqué, à l'orée du XXe s, que par quelques irréductibles, méprisés de leurs concitoyens occidentalisés, qui continuent clandestinement à perpétuer les traditions.

Ce n'est que vers 1900 que le surf refait surface, notamment grâce au légendaire Duke Paoa Kahinu Makoe Hulikohola Kahanamoku, dit plus simplement le Duke. Né à Honolulu en 1890, c'est la natation qui le rend célèbre.

Il s'illustre en nage libre aux J.O. de Stockholm (1912) et Anvers (1920) et goûte aux joies du water-polo dans la sélection américaine. Son nouveau statut de star sportive en fait un ambassadeur privilégié du surf.

Il popularise la plage de Waikiki, qui devient le nouveau berceau du surf international. En 1912, il fait une démonstration en Californie, qui sera le principal facteur de l'engouement des Américains pour ce sport. En 1915, Duke prend part à une compétition organisée à Sydney. Il profite de son séjour pour fabriquer un *longboard* (en partant d'un tronc d'arbre) et va l'essayer à Fresh Water Beach. Il y surfe en tandem avec une jeune Australienne : Isabel Latham, qui devient donc la première surfeuse locale (n'en déplaise aux machos australiens !).

Moins connu, Alexander Hume Ford, journaliste à Hawaii, a grandement participé à la renaissance du surf. C'est l'un des premiers Blancs à pratiquer le surf à Waikiki. En 1907, il fait découvrir sa passion à Jack London en escale sur l'île. Enthousiasmé, l'écrivain rédige des articles pour les journaux américains. Il fera plus tard du surf la toile de fond de certains de ses romans. Grâce à la notoriété de Jack London, le *He e'nalu* sort de l'anonymat.

En 1932, le surf s'implante en Floride. En 1933, la côte sud de la Californie devient l'endroit privilégié des amateurs. Le premier club y est fondé, mais c'est aux championnats des îles Hawaii en 1935 que la discipline est enfin reconnue comme un sport.

Vers la fin des années 1930, la *Pacific Ready Cut Homes* est la première entreprise californienne à fabriquer des planches de surf en grande série. Les clubs de surf fleurissent partout : de 80 pratiquants en 1934, on en compte des milliers dans les années 1950. La Seconde Guerre mondiale apporte des avancées technologiques importantes : les recherches en matière d'armement profitent à l'évolution du surf. La résine de polyester, la fibre de verre et les mousses pétrochimiques font leur apparition, rendant les planches plus solides et légères. Les années 1950 sont considérées comme l'âge d'or du surf : avec leur automobile, les surfeurs se déplacent le long de la côte à la découverte des meilleurs spots. Plus qu'un sport, le surf devient un mode de vie, une véritable culture.

Dans les années 1960, la mousse polyuréthane remplace le balsa, rendant les planches plus réactives. Le surf est alors en pleine effervescence. Le film *Endless Summer* projeté à partir de 1964, la nouvelle presse spécialisée promotionnent sa pratique et provoquent l'envie de voyager aux quatre coins du monde à la recherche de la vague parfaite. La fin des années 1960 marque de grands changements : l'argent généré par le « surf business » est considérable ; les surfeurs deviennent d'excellents supports publicitaires pour les entreprises ; d'où l'apparition des premiers professionnels et des compétitions largement rétribuées.

Mais tout devient radicalement différent quand un certain Nat Young décide de raccourcir les planches, sonnant ainsi le glas du *longboard,* en 1968. Les premiers championnats du monde sont organisés en 1970.

En France, c'est Pierre Viertel qui popularise ce sport en remarquant les qualités intrinsèques des vagues sur les plages de Biarritz. La côte basque deviendra la Mecque des surfeurs français, dont les célèbres Arnaud et Joël de Rosnay ; ce dernier enseigna le surf à Catherine Deneuve.

UNITAID

Les Nations unies ont voté en 2000 un plan, appelé « Objectifs du millénaire », visant à diviser par deux l'extrême pauvreté dans le monde (plus d'1 milliard d'individus vivent avec moins de 1 $ par jour), à soigner tous les êtres humains du sida, du paludisme et de la tuberculose, et à mettre à l'école primaire tous les enfants du monde d'ici 2015. Les États ne fourniront que la moitié des besoins, c'est-à-dire 40 des 80 milliards de dollars requis. C'est dans cette perspective qu'a été créée, en 2006, UNITAID, qui permet l'achat de médicaments contre le sida, la tuberculose et le paludisme. Aujourd'hui, plus de 30 pays se sont engagés à mettre en œuvre une contribution de solidarité sur les billets d'avion afin de financer UNITAID. Cette taxe obligatoire est de l'ordre de 1 à 4 € par billet d'avion en classe économique, et s'applique à tous les trajets au départ de France depuis 2006. Les frais de gestion sont réduits à 3 % des sommes collectées grâce à l'hébergement de l'OMS et une organisation particulièrement efficace. Grâce aux 300 millions de dollars récoltés en 2007, UNITAID a déjà engagé des actions en faveur de 100 000 enfants séropositifs en Afrique et en Asie, de 65 000 malades du sida, de 150 000 enfants touchés par la tuberculose, et fournira 12 millions de traitements contre le paludisme. Le *Guide du routard* soutient, bien entendu, la réalisation des objectifs du millénaire et tous les outils qui permettront de les atteindre ! Pour en savoir plus : ● unitaid.eu ●

SAN FRANCISCO, LA ROUTE DU VIN ET LA SILICON VALLEY

SAN FRANCISCO

752 000 hab. (1 600 000 avec l'agglomération)

IND. TÉL. : 415

Situé à 406 miles environ au nord de Los Angeles, San Francisco est un peu son antithèse. Mosaïque de populations, cette ville tournée vers la mer symbolise, depuis les années 1960, le départ et l'espérance d'une vie meilleure pour les nombreux exclus de la société américaine, comme certaines minorités ethniques ou sexuelles. Bref, San Francisco est une ville incomparablement différente du reste des États-Unis pour sa diversité culturelle, sa tolérance et son regard tourné vers l'extérieur. On se sent, à juste titre... ailleurs. Cela se découvre dans le mode de vie local, dans les mouvements culturels originaux et parfois politiquement incorrects ; mais également

FRISCO FAIT SON CINÉMA

Depuis les années 1920, San Francisco a servi de décor naturel dans de nombreux films. Rappelez-vous, dans Bullitt (1968), la longue course-poursuite de Steve McQueen au volant de sa Mustang et la scène finale sur le tarmac de l'aéroport. Et aussi le plongeon de Kim Novak dans la baie à Fort Point, sous le Golden Gate Bridge, immortalisé par Hitchcock dans Vertigo (1958). Et encore Harold et Maude de Hal Ashby (1971), L'Évadé d'Alcatraz avec Clint Eastwood (1979), Mrs Doubtfire (1993) avec Robin Williams métamorphosé en nanny, Un amour de Coccinelle (1968) avec... Choupette dans les virages en épingle à cheveux de Lombard Street. À vos DVD !

dans l'urbanisme. Comparé à d'autres cités, on trouve peu de gratte-ciel dans le centre-ville. Ceux-ci doivent en effet répondre à des normes esthétiques très précises, coûteuses et contraignantes pour le promoteur... Mais la « City by the Bay », comme on l'appelle là-bas, s'affirme principalement par sa diversité ethnique : de ses 752 000 habitants (1,6 million avec l'agglomération), environ 200 000 sont chinois, 100 000 latinos et beaucoup d'autres sont noirs, italiens, japonais, etc. Si chacun, au premier abord, semble cantonné dans son quartier, ne vous fiez pas aux apparences ; les frontières sont plus perméables qu'il n'y paraît. Dans quel endroit du pays pourriez-vous rencontrer un couple chinois, homo et adepte du piercing, se déhanchant sur une musique latino en sirotant du Martini (un exemple parmi d'autres) ? Un même état d'esprit unit les San-Franciscains, révélé encore, voici quelque temps déjà, par un vote soutenu contre une proposition de loi anti-immigrés ; genre de lois particulièrement envahissantes ces dernières années en Californie...

San Francisco est sûrement l'une des plus belles villes du monde. Elle vous enchantera avec ses collines et ses fameuses rues en pente. Vous découvrirez avec bonheur de très nombreux quartiers (aussi différents par leur décor et leur ambiance que par leur population) et des sites somptueux, qui font sa très grande richesse culturelle. Ajoutez à cela des dimensions à taille humaine, des rues larges ou étroites où l'on peut marcher sans que cela semble suspect. Pas étonnant que les Américains l'aient surnommée *Everybody's Favorite City...* Malheureusement, toute médaille a son revers, et on la surnomme aussi *Fog City* ! La petite phrase d'Hemingway « Le pire hiver que j'aie jamais passé, c'est un été à San Francisco » résume pas mal la situation. Il y fait frais (spécialement le soir) et, en été (où la chaleur ne dépasse guère les 20° C), le brouillard très épais qui survient sans prévenir vous empêche souvent de profiter des beautés de la ville. En fait, pour la visiter, la meilleure période est le printemps (qui commence un peu plus tôt que le nôtre) ou l'arrière-saison : il y a moins de touristes, moins de brouillard et on peut quand même profiter de belles journées ensoleillées.

Bref, San Francisco est une ville pour se reposer de l'Amérique !

UN PEU D'HISTOIRE

En 1579, le grand corsaire anglais Francis Drake aborde la côte californienne, à quelques jets d'ancre de ce qui ne s'appelle pas encore la baie de San Francisco, et prend possession du territoire au nom de la reine d'Angleterre. La Californie avait été « découverte » peu de temps auparavant par Cortés (qui lui avait trouvé son nom), mais les Espagnols n'en avaient pas encore exploré le Nord. Curieusement, ce n'est qu'au XVIIIe s que la baie elle-même est découverte, par des missionnaires espagnols : cachée par le brouillard, elle avait échappé aux investigations précédentes ! Saint François d'Assise étant le patron de ces missionnaires, la ville prend naturellement le nom de San Francisco. On construit alors une première église qui lui est dédiée, ainsi que la forteresse du Presidio, et des colons espagnols venus du Mexique commencent à s'y installer...

LA FOLLE HISTOIRE DES CHERCHEURS D'OR

En 1848, San Francisco n'est qu'un tout petit village de pêcheurs, quand... un jour, à quelque 220 km de là, John Marshall apporte à son patron, le Suisse John Sutter, la première pépite d'or. Selon la légende, Sutter parvient quelque temps à cacher la trouvaille, jusqu'au jour où un colon ivre mort arrive dans les rues de San Francisco, s'écriant « De l'or ! De l'or ! » en brandissant un sachet...

C'est le début du mythe de San Francisco. En à peine deux ans, toute la région est envahie d'aventuriers, de mineurs, de chômeurs, de filles de joie, de commerçants et de scélérats de tout poil, venus du monde entier... S.F. pousse comme un champignon. De là vient le nom de la Golden Gate : la porte de l'Or, non pas parce qu'elle était en or, mais parce qu'en la franchissant, on pénétrait au pays de l'or... Quelle fièvre ! Une dizaine d'années plus tard, le filon est tari. Mais, ô miracle, après l'or, l'argent fait son apparition dans les montagnes des environs. Cette fois, ce sont les investisseurs et les mineurs professionnels qui accourent. La ville sort alors peu à peu de son ambiance Far West pour prendre des allures de métropole plus sérieuse, avec ses banques, ses commerces et ses bureaux. Grâce à cette incroyable alchimie d'ethnies et de milieux sociaux qui lui donne son caractère unique, San Francisco ne perdra jamais tout à fait son tempérament pionnier. L'ancienne Sodome et Gomorrhe de la conquête de l'Ouest conserve, aujourd'hui encore, une atmosphère délicieusement décadente, parfois même assez sauvage. Précisons quand même que le nouvel eldorado n'est plus l'or, l'argent ou encore le pétrole, mais l'informatique et la viticulture. Les Silicon et autres Napa Valleys ont éclipsé la Sierra Nevada.

SAN FRANCISCO, BERCEAU DE JACK LONDON ET DES BEATNIKS

Que Jack London soit né dans la ville des chercheurs d'or n'étonnera personne. Fils d'un soi-disant astrologue constamment endetté, et qui d'ailleurs ne le reconnut jamais, il porte le nom du second mari de sa mère. Jack mena une enfance malheureuse qui l'incita à s'engager dès l'âge de 15 ans dans la *Navy*, puis à tenter toutes sortes d'aventures pour échapper au sort d'ouvrier qui lui était destiné. Il y réussira, mais pas comme il l'avait imaginé : c'est son talent de conteur, d'abord dans la presse, puis à travers des romans devenus classiques (*Croc-Blanc*, *L'Appel de la forêt*, etc.), qui fera de lui l'un des premiers millionnaires de l'histoire de l'édition. Une fortune qui ne lui fit pas renier ses engagements : il milita toute sa vie pour le socialisme, et ses écrits politiques ont été souvent visionnaires...

Curieusement, l'un de ses fils spirituels est un autre Jack : Kerouac, auteur de *Sur la route*, ouvrage

LÀ OÙ Y A DE LA « GÊNES »

En 1847, Levi Strauss, un immigré juif de Bavière, arrive à San Francisco avec un lot de bâches bleues. Il commence à les tailler pour en faire des pantalons. Les chercheurs d'or aiment leur solidité. Le tissu, importé de Nîmes, donne denim *en anglais. Le mot* jean *vient quant à lui de Gênes, port italien d'où le tissu est expédié vers les États-Unis ! Le pantalon de M. Levi Strauss était renforcé par des rivets, ce qui le rendait extrêmement solide. En 1937, une association de parents d'élèves réussit à faire supprimer les rivets des poches arrière car ils abîmaient bancs et chaises. Ce qui fut fait.*

Pendant la Seconde Guerre mondiale, la demande était si forte que les jeans Levi's n'étaient vendus qu'au personnel militaire.

phare qui inspira de nombreux routards. Comme London, Kerouac (qui n'est pas né à S.F. mais dans le Massachusetts) prit la route très tôt et fit tous les métiers avant de devenir célèbre en écrivant des romans (largement autobiographiques), dont *Le Vagabond solitaire*. Cependant, même si sa vie d'errance semble s'inspirer de celle de London (dont l'un des premiers romans s'appelait *Les Vagabonds du rail*), Kerouac ira encore plus loin dans la révolte et la quête artistique. Il faut dire aussi qu'il n'est pas tout seul : sa bande de copains poètes l'a probablement encouragé dans cette voie. N'oublions pas que S.F. fut le creuset du mouvement *beat*. Un mot qui viendrait, selon son « pape » Kerouac, de « béatitude ». En argot, *beat* signifie également « pulsation », « au bout du rouleau » et « vagabond ». Tout a commencé en 1955... Allen Ginsberg venait de terminer *Howl*, et ce poème fut le point de départ d'un mouvement de rupture et de ralliement qui avait pour objectif de dénoncer les existences animées par l'ambition. Il en fit une lecture publique à laquelle assistaient toutes les figures désormais historiques de la beat generation : Kerouac, Burroughs, Cassidy, Welsh et MacClure. Ferlinghetti, le fondateur de la librairie *City Lights*, édita aussitôt ce texte qui prit vite l'allure d'un manifeste. L'ouvrage passa en justice pour obscénité, mais fut « relaxé ». Certains journaux avaient titré au moment du procès : « Les flics ne permettent aucune renaissance ici ! »

Aussi important qu'Allen Ginsberg (disparu en 1997) et Kerouac, leur grand ami William S. Burroughs (disparu lui aussi en 1997) est une autre figure essentielle de la littérature américaine moderne. Homosexuel et défoncé notoire, ce fils de grande famille dut s'enfuir au Mexique après avoir tué sa femme par accident : il avait voulu renouveler l'exploit de Guillaume Tell lors d'une soirée un peu trop arrosée ! (Précision pour ceux qui se demandent pourquoi Burroughs avait une femme : le mariage était blanc !) À Tanger, il rédigea *Le Festin nu*, roman culte qui exploite la technique novatrice du *cut-up*, mise au point par Burroughs. Ce livre, désormais considéré comme un classique, influença bon nombre de poètes et d'écrivains (de Paul Bowles à Philippe Sollers !), de chanteurs rock (Bob Dylan, les Beatles, David Bowie, Led Zeppelin, Patti Smith, Kurt Cobain...), mais aussi des peintres contemporains (Keith Haring, Rauschenberg) et des cinéastes comme Gus Van Sant, Robert Frank ou encore David Cronenberg, le réalisateur de *Dead Zone* et *Crash*, qui adapta *Le Festin nu* à l'écran.

Le mouvement beatnik, ainsi appelé par le journaliste H. Caen, anticommuniste notoire, n'est pas une mode (les vrais beatniks n'avaient pas les cheveux longs comme on le croit souvent !) ni un comportement nouveau. C'est avant tout une nouvelle forme de poésie et d'écrits, qui s'inspire en partie des expériences de Rimbaud et des surréalistes, des romans de Joseph Conrad et bien sûr du jazz (le rock n'étant pas encore né). En revanche, la période hippie qui en découla « spirituellement » a moins bien résisté au temps. En effet, les leaders hippies n'étaient pas écrivains : il n'est donc pas resté grand-chose en littérature du mouvement inspiré par ses grands frères beatniks.

Toujours est-il que S.F. est sans doute la ville la plus « littéraire » des États-Unis... En 1988 eut lieu un événement considérable : douze rues (mineures) changèrent de nom pour honorer des écrivains et artistes nés ou ayant travaillé à San Francisco. Parmi eux, Jack London et Jack Kerouac, bien sûr, mais aussi Bob Kaufman, Samuel Beckett, Dashiell Hammett, Mark Twain, Isadora Duncan, etc.

« *IF YOU'RE GOING TO SAN FRANCISCO...* »

... be sure to wear some flowers in your hair. » La chanson de Scott MacKenzie est encore dans les têtes : pour toute une génération, S.F. fut la ville symbole de la libération hippie. C'est en effet dans la *Bay Area* (la baie de San Francisco) que tout démarra, dans deux lieux devenus mythiques : l'université de Berkeley et le quartier de Haight-Ashbury.

En 1963, lors des marches de contestation du Free Speech Movement, une certaine Joan Baez prend le micro sur le campus de Berkeley pour appeler à lutter contre la censure et pour la liberté de parole. Un an après, l'agitateur d'idées et « grand gourou » du LSD, Timothy Leary, accompagné des représentants de la beat generation Allen Ginsberg, Jack Kerouac et William Burroughs, annonce officiellement l'avènement de la « révolution psychédélique », relais entre le mouvement beatnik et la génération hip. Les étudiants de Berkeley les prennent au mot : ils rebaptisent leur université « Trip City » !

À partir de 1965, depuis la mémorable Halloween Acid Party (sic !), la musique propage ces discours révolutionnaires grâce à l'émergence d'une scène locale incroyablement active – que l'on retrouvera par la suite au grand complet au festival de Woodstock (sur la côte est). Parmi les groupes les plus importants de S.F., les pionniers du rock psychédélique Grateful Dead (dont le guitariste Jerry Garcia fut surnommé Captain Trips !), Jefferson Airplane (et sa chanteuse Grace Slick, qui deviendra le chantre du mouvement hippy), Country Joe MacDonald and The Fish (groupe formé par des étudiants de Berkeley opposés à la guerre du Vietnam) et Big Brother and The Holding Company, qui révèle une chanteuse du nom de... Janis Joplin. Sans oublier un autre héros de l'histoire du rock planant, que l'on retrouvera aussi à Woodstock : Carlos Santana, jeune guitariste mexicain issu du quartier de Mission.

En 1966, le mouvement prend un nom : dans la revue *Rolling Stone,* éditée à San Francisco, l'écrivain Hunter Thomson est l'un des premiers à employer le terme de « hippies », qui semble vouloir dire « ceux qui ont pigé » en argot noir. Ils se sont trouvé un quartier à eux : Haight-Ashbury, aussitôt rebaptisé « Hashbury » (jeu de mots évident) avant de devenir pour le monde entier « Hippyland ». Attirés par les maisons anciennes aux loyers dérisoires, ils s'installent sur Ashbury Street, dans le sillage de Jimi Hendrix, Janis Joplin, Grace Slick, Jerry Garcia et l'écrivain Richard Brautigan.

Les « hips » lisent *Zap Comics,* la revue rigolote vendue à la criée dans les rues de S.F. et lancée par les dessinateurs Crumb (qui illustra les pochettes de Janis Joplin) et Shelton (le papa des fameux Freaks Brothers). Le soir, la scène franciscaine se retrouve aux grands concerts du Fillmore Auditorium organisés par Bill Graham, gourou du « San Francisco sound ». En attendant les gigantesques festivals gratuits du Golden Gate Park, les Human Be-In. En 1967, l'« été de l'amour » attire plus de 500 000 personnes à San Francisco. Ces *runaways* arrivent de partout, fuyant l'Ouest profond ou le Sud réactionnaire pour goûter à ce courant de liberté que leur promet la ville. Ils viennent pour la musique, pour l'amour, mais aussi pour les hallucinogènes : le LSD vient d'être interdit, mais on est sûr d'en trouver ici... malgré le nouveau sénateur conservateur qui veille au grain, un certain Ronald Reagan.

Les abus en tout genre et les désillusions auront raison du mouvement dès 1969, aussitôt après le festival de Woodstock et la mort de Janis Joplin et de Jimi Hendrix (la même année !). Quelques purs et durs garderont le flambeau *peace and love*, comme Santana, dont le message pacifiste n'a jamais changé. Quant au groupe Grateful Dead, il continue à jouer devant des millions de nostalgiques, au point de devenir le groupe américain dont les concerts rapportent le plus de dollars ! Un paradoxe qui heureusement n'a jamais entamé leur musique, toujours aussi planante...

Depuis, d'autres ont pris la relève. Mark Eitzel, American Music Club, Swell, Mazy Star... puisent dans le registre psychédélique.

LA SAGA DES TREMBLEMENTS DE TERRE

San Francisco, comme toute la Californie, est située sur la grande faille de l'océan Pacifique, appelée faille de San Andreas. C'est donc une région tectonique instable. En 1906 eut lieu un terrible tremblement de terre : 28 000 maisons (les 4/5 de la ville) furent détruites. Moins d'ailleurs par le séisme que par l'énorme incendie qui embrasa la ville et dura 3 jours.

Religieux et puritains de l'époque avaient affirmé que la catastrophe représentait la punition divine méritée pour une ville décadente et dévoyée (avant tout, grand port où régnaient en maîtres jeu et prostitution). Comment donc interpréter le séisme d'octobre 1989 (7,1 sur l'échelle de Richter), qui provoqua le dramatique effondrement du Bay Bridge ? Punition contre la Sodome et Gomorrhe de l'Ouest américain ou contre les automobilistes dont quelques dizaines périrent sous des milliers de tonnes de béton ? En effet, paradoxalement, en

FAILLE JURIDIQUE

San Francisco se releva très rapidement du tremblement de terre de 1906 ; l'année suivante, 6 000 immeubles avaient été remis debout et plusieurs milliers d'autres étaient en construction. Tout cela grâce à la décision d'un juge qui affirma que la destruction de la ville n'était pas due au séisme, mais à l'incendie qui s'ensuivit. Les compagnies d'assurances, très réticentes à payer les dégâts, furent donc mises en demeure d'honorer les contrats incendie. Sacrée Amérique !

dehors des piégés du pont, il n'y eut que très peu de personnes victimes du séisme en ville. Les normes antisismiques rigoureuses appliquées aux immeubles se révélèrent d'une totale efficacité. Seules certaines maisons en bois du quartier de Marina s'écroulèrent à la suite de glissements de terrain (c'est là qu'on trouva les uniques et malheureuses victimes en dehors du pont).

Jusqu'ici on ne parlait que de la faille de San Andreas, qui provoque une ou deux secousses de magnitude 3 chaque jour, mais depuis quelques années les scientifiques s'intéressent à la faille de Hayward qui traverse, plus à l'intérieur, Oakland, Fremont, et qui est assez proche de Berkeley et de San Jose. Cette faille est pour le moment paresseuse, mais elle inquiète néanmoins les autorités et... la population, car elle traverse une région très habitée, en particulier Oakland, dont les constructions ne sont pas conçues en fonction des risques sismiques. Chaque soir, aux infos locales, après ou avant la météo, ne manquez pas de jeter un coup d'œil à l'*earthquake report,* détaillant les secousses de la journée...

Quant au « Big One », il fait l'objet d'une sollicitude de tous les instants, au travers d'enregistrements permanents des vibrations du sol. Il devrait toucher, selon les experts, la région proche de San Bernardino, entre San Francisco et Los Angeles, région heureusement peu habitée et dont la plupart des constructions sont aux normes prévues. *But when ? That is the problem...*

LES *HOMELESS*

Difficile de ne pas consacrer quelques lignes au sujet préoccupant des sans-abri. Effectivement, si elle n'est que la 13e ville du pays par la taille, San Francisco est la 3e par le nombre de sans-abri dans ses rues. Ils sont estimés à environ 5 000, dont un tiers serait toxicomane et un autre tiers schizophrène. Cette situation très particulière s'explique par la volonté d'un certain gouverneur, Ronald Reagan, à la fin des années 1970, de faire des économies dans le budget de l'État. On ferma donc bon nombre d'institutions s'occupant de malades mentaux légers – parmi lesquels d'anciens du Vietnam traumatisés par la guerre. Sans doute les autorités croyaient-elles qu'ils allaient s'évaporer, ou sortir leurs ailes pour s'envoler dans le pays de leurs songes... mais ils sont restés.

À l'automne 1999, une série de meurtres de SDF faisait la une des journaux. La ville avait-elle enfanté ses propres escadrons de la mort pour faire le ménage ? Les mauvaises langues allèrent même jusqu'à affirmer que le maire de l'époque, William Brown, n'était pas étranger à la chose. Si l'affirmation paraît des plus douteuses, il reste que ses services ont entamé alors une guerre sans merci contre les SDF. On leur infligeait des amendes quand ils dormaient dans la rue, saisissant le peu d'affaires qu'ils possédaient (y compris les couvertures données par des associations humanitaires ou religieuses) et on fermait de plus en plus de *shelters,* les derniers centres d'accueil de la ville. L'Amérique, « donneuse de leçons », a décidément bien du mal à vivre avec ses pauvres. Gageons que le démocrate Gavin Newson, nouveau maire de la ville, jouera son va-tout sur cette question. En attendant, les *homeless* errent toujours, quémandant parfois, le regard perdu au loin. Toujours impressionnant.

Arrivée à l'aéroport

✈ **San Francisco International Airport** *(SFO ; hors plan d'ensemble) :* à 14 miles au sud de S.F., sur la route 101. Infos : ☎ 1-800-IFLYSFO ou (650) 821-8211. ● flysfo.com ●
– Dans chaque terminal, au niveau « Départs », comptoir d'info, tlj 9h-21h. Très compétent pour démêler si nécessaire l'écheveau des transports publics vers San Francisco. Dans chaque terminal d'arrivée, des *bornes informatiques,* disponibles 24h/24, délivrent le même type d'infos. Enfin, depuis n'importe quel téléphone de l'aéroport, on peut composer le ☎ 1121 pour avoir ces renseignements dans différentes langues.
– Pour se déplacer facilement dans l'aéroport (24h/24), prenez le *AirTrain,* un métro automatisé gratuit. Deux lignes : la rouge, qui dessert tous les terminaux, les parkings et la station de *BART* ; et la bleue, qui s'arrête en plus au *Rental Car Center* où sont rassemblés tous les loueurs de voitures.
– Également une *consigne* pour les bagages à l'*Airport Travel Agency,* située entre le terminal B et le terminal international, niveau « Départs ». ☎ (650) 877-0422. Tlj 7h-23h.
✈ Également un autre aéroport à Oakland, de l'autre côté de la baie de S.F., à une vingtaine de miles du centre-ville, **Oakland International Airport** *(hors plan d'ensemble).* Infos : ☎ 1-888-IFLYOAK ou (510) 563-3300. ● flyoakland.com ● On y trouve aussi un bureau de change et des transports publics pour rejoindre Downtown.

Pour rejoindre le centre de San Francisco

De San Francisco International Airport (SFO)

Sept moyens de locomotion pour rejoindre Downtown, avec une préférence pour le *Samtrans* et les navettes *(Airport Shuttles).* À noter, la *SFO Transportation Hotline :* ☎ 511, pour toutes infos sur les transports à partir de l'aéroport.

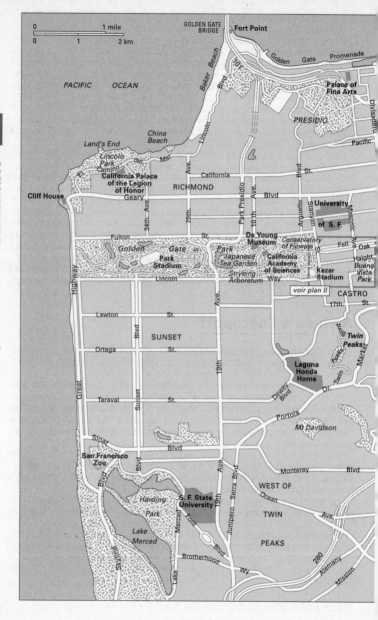

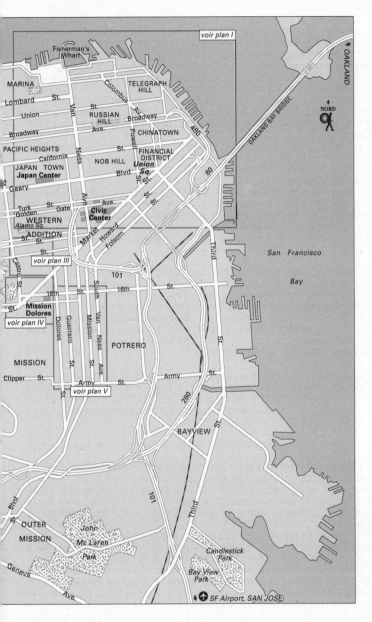

SAN FRANCISCO – PLAN D'ENSEMBLE

– **Samtrans :** ☎ 1-800-660-4287. ● *samtrans.com* ● Le moyen de transport le moins cher pour gagner le centre-ville et l'un des plus rapides aussi. On a le choix entre 3 bus (départ du niveau 1, « Arrivées ») :

➤ Le *292 North* : départ ttes les 30 mn 5h30-1h env. Il rejoint le centre-ville en 1h, après plusieurs arrêts. Env 1,50 $. On conseille de descendre à l'intersection de Mission et 5th St, pour gagner le cœur de Downtown ; sinon, terminus à l'angle de Mission et 1st St, au Transbay Terminal *(plan I, D3)*.

➤ Le *397 North* fait le même trajet que le *292,* mais 2h-4h slt. Env 1,50 $.

➤ Le *KX North* est un express : 30 mn slt. Circule lun-ven 6h-22h30 ; w-e 7h20-21h30. Vraiment pratique, sauf qu'il est interdit de l'emprunter avec ses gros bagages... Env 4 $.

– **Le BART** (le RER local) gagne le centre-ville en 30 mn. *Infos :* ☎ (650) 992-2278. ● *bart.gov* ● Départ ttes les 15 mn, depuis le terminal international, niveau 3 (départs) : lun-ven 4h-23h50 ; sam 6h-23h50 ; dim 8h-23h50. Env 5,35 $.

– **Airport Shuttles :** pour 15-20 $, ces minibus vous déposent directement (et assez rapidement) à votre hôtel, 4h-minuit. On appelle ça du *door-to-door.* Pratique. Plus d'une dizaine de compagnies, quasiment toutes aux mêmes tarifs. À noter : elles offrent souvent des réductions intéressantes aux porteurs de « coupons » – on en trouve dans les brochures touristiques comme le *Bay City Guide* (disponible au bureau d'infos de l'aéroport). Départ du niveau 3 (départs).

■ **American Airporter Shuttle :** ☎ 1-800-282-7758 ou 202-0733. Fonctionne 24h/24. Possibilité de réserver directement sur le site ● americanairporter.com ● où l'on peut aussi télécharger des coupons de réduc. CB acceptées à bord des navettes.

■ **Super Shuttle :** ☎ 1-800-BLUE-VAN ou (650) 246-8942. ● supershuttle.com ● Fonctionne 24h/24. CB acceptées. Pour retourner à l'aéroport, réservation obligatoire.

■ **Lorrie's Airport Service :** ☎ 334-9000. ● sfovan.com ● Liaisons avec SFO et l'Oakland Airport.

– **Caltrain :** le train de banlieue, qui relie San Francisco à Gilroy. Utile si on va à San Jose, car beaucoup moins cher qu'un *shuttle.* Aucun intérêt si l'on se rend à San Francisco, car il faut d'abord prendre le *BART* jusqu'à la station de Millbrae (1,50 $) pour ensuite attendre le *Caltrain* (4 $) qui ne passe qu'une fois par heure en dehors des périodes de pointe. ● caltrain.com ●

– **Taxis :** assez chers (30-40 $ pour Downtown, 40-45 $ pour Fisherman's Wharf, pourboire inclus), mais plus intéressant que les navettes si l'on est 4. Avantage : ils vous déposent directement à votre hôtel.

– **Voitures de location :** la seule façon de se rendre au *Rental Car Center,* où sont rassemblées toutes les agences de location, est de prendre le *Air Train* (voir plus haut). Pour les *domestic terminals 1, 2, 3,* la station est située au niveau 5 du parking couvert *(domestic parking garage).* Le terminal international compte 2 stations, situées au-dessus du niveau « Départs », à chaque extrémité du *main hall.*

Pour se rendre au centre-ville, c'est simple : prendre la Hwy 101, puis l'Interstate 80 pour Downtown ; sortie 4th St pour le Financial District et l'Embarcadero. Ne la ratez pas, sinon vous vous retrouveriez sur le Bay Bridge en direction d'Oakland. ATTENTION : ceux qui disposent d'une voiture à San Francisco doivent savoir qu'*il faut tourner les roues vers le trottoir quand on stationne dans les rues en pente* (vers la gauche quand ça monte ; vers la droite en descente), sinon c'est l'amende garantie ! Cependant, même si la circulation est fluide, il est souvent difficile de se garer (et ça finit par coûter cher !). De plus, les parkings des hôtels sont presque tous payants et hors de prix : compter au minimum 15 $ par jour, souvent 20 $, et jusqu'à... 40 $ pour les grands hôtels ! Si vous ne séjournez qu'à San Francisco, on conseille franchement d'utiliser les transports en commun, bien plus adaptés.

SAN FRANCISCO

SAN FRANCISCO

NORD

Marina Green

Marina Blvd

Cervantes   Beach   Blvd

MARINA

Alhambra   St

82   243

84   153

234   Lombard   123

54   55

Greenwich   St

Scott   Steiner   Filbert   127   155

244   Union   143   246

PACIFIC   Vallejo

FILLMORE   HEIGHTS   Broadway

Pierce   Pacific

Divisadero   Jackson

Alta   Washington   150   Lafayette   Park

Plaza   Clay   144   Sacramento

California   245

Pine   51

Bush

Sutter   Post

Japan Center   Blvd   JAPANTOWN

Geary   226

O'Farrell

Ellis   St Mary's   Cathedral   313

Eddy   Jefferson   Square

Turk   WESTERN   ADDITION   Gough   Gate

63   Golden

39   Mc.   Allister

Fulton

Alamo   Square   Grove

Fort   Mason   Franklin   St

29

154

Bay   St

Francisco   COW

Chestnut

HOLLOW   247

Octagon   93   230

House   70   229

St. Haas-Lilienthal   House

45   49   128   115

152   3

50   48   71   248

2   225

92

140   38

57   26   30

Federal   Building   State   Building   Federal   Buildin

Veterans   Building   City   Hall   Civic   Center   312

Opera   House   124

Davies   Hall   47

Hyde Street   Pier   45   Pier 47   U.S.S.   Pampanito   322   142   Fisherman's   Wharf   117   NORTHERN   324   Jefferson   WATERFRON   The Cannery   St.   National   Maritime   Museum   125   242   Beach   126   North   Ghirardelli   Square   San Francisco   Art Institute   111   40   228   138   316   Chestnut   Leavenworth   Greenwic   Filbert   Unio   114   268   RUSSIAN   Green   HILL   Vallejo   Russia   Hill   Pacific   Jackso   Washingto   Clay   317   Grace   Cathedral   Sacramento   Pine   Bush   24   223   75   32   37   81   69   Geary   O'Farrell   Ellis   99   Eddy   Turk

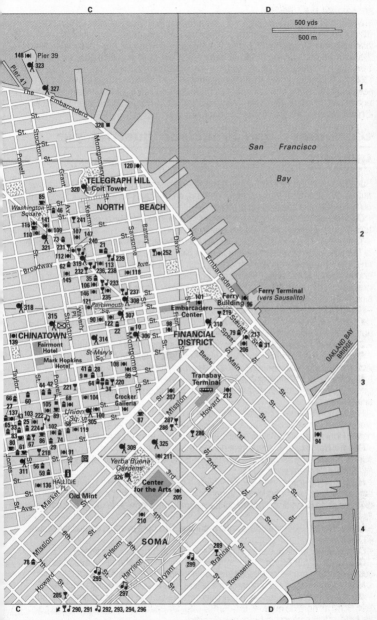

SAN FRANCISCO – DOWNTOWN (PLAN I)

De l'aéroport d'Oakland

– **BART :** ☎ (510) 465-BART (infos). ● bart.gov ● Prendre la navette *Airbart* qui, en 10 mn, vous emmène à la station Coliseum/Oakland International Airport. Le *Airbart* fonctionne tlj de 6h (8h dim) à 23h45. Le *BART* dessert cette station de 4h40 (6h sam et 8h10 dim) à 0h20. Acheter son billet (2 \$) aux distributeurs dans le terminal de l'aéroport. De là, compter encore 30 mn pour arriver au centre-ville (3,40 \$). La station la plus centrale est Powell.

– **Airport Shuttles, taxis et voitures de location :** voir ci-dessus. Pour se rendre en voiture dans le centre-ville, prendre la Hwy 880, puis la 580 et enfin la Hwy 80. On entre alors dans San Francisco par le Bay Bridge.

S'orienter : San Francisco quartier par quartier

San Francisco est composé d'une quinzaine de quartiers très différents les uns des autres. Nous proposons donc pour chacun, en quelques mots, ce qu'il faut y voir ou faire, et à quel moment de préférence.

– **Downtown :** des hôtels, des magasins, des restos de luxe et des clochards, le tout gravitant autour de Union Square *(la journée)*.

– **Tenderloin :** juste à l'ouest de Downtown, les boutiques s'évaporent pour révéler le Tenderloin, un quartier multiethnique, le plus pauvre de la ville. Malgré un retour en force de la police dans les environs, pour l'instant, le soir, l'ambiance se révèle encore un peu stressante. Pour ne pas sombrer dans une inutile parano sécuritaire, précisons que la présence de centaines de *street people* est d'abord plus impressionnante que dangereuse.

– **Financial District :** des banques et des bureaux, comme son nom l'indique. Rien de particulier si ce n'est des tours et des cols blancs *(la journée et en semaine)*. La nuit et le week-end, un vrai désert de pierre !

– **Chinatown :** intéressant, coloré, commercial, surpeuplé et touristique *(la journée)*.

– **Russian Hill et Nob Hill :** quartiers résidentiels et chics. De pittoresques maisons victoriennes, de beaux points de vue et des rues sacrément pentues *(la journée)*.

– **North Beach et Telegraph Hill :** le quartier italien, sympa, joli, fêtard et touristique, au pied de l'emblématique Coit Tower. Beaucoup de restos et de cafés. Très animé *le soir*.

– **Fisherman's Wharf :** l'ancien port, où ne subsistent que quelques vieux bateaux ; sinon, des boutiques de T-shirts, des restos de fruits de mer et autres pièges à touristes. Pour claquer quelques dollars en attendant le ferry pour Alcatraz *(la journée)*.

– **Pacific Heights et Marina :** les quartiers les plus bourgeois de S.F., le premier sur les hauteurs, le second en bord de mer. Balade architecturale et magasins chic *(la journée de préférence)*.

– **Haight-Ashbury :** c'est l'ancien « hippyland » devenu branché, avec ses maisons bariolées, ses fresques révolutionnaires, ses *smoke shops,* ses boutiques de disques et de bouquins d'occasion. Le repaire de la mode de la rue et du *show-off* *(la journée)*.

– **Lower Haight :** berceau de la contre-culture. Des bars sympas et de bons restos *(le soir)*.

– **Cole Valley :** familial, calme et charmant. Pas de touristes *(la journée)*.

– **Castro et Upper Market :** la communauté gay de San Francisco avec ses bars, ses restos, ses magasins et ses salles de gym *(de jour comme de nuit)*.

– **Noe Valley :** calme et commerçant à la fois, gay et familial aussi *(la journée)*.

– **Mission :** quartier latino vivant et décontracté au sud, un peu craignos le soir. Très bobo au nord du quartier. *En journée* pour les fresques murales. *En soirée* pour les bars et les restaurants branchés du nord.

– **South of Market (Soma) :** ancien quartier d'entrepôts en pleine renaissance depuis quelques années. C'est là que ça bouge ! Bars, boîtes destroy, clubs gays et restos branchés *(en soirée slt)*.

– **Les parcs :** pour les balades à vélo ou à rollers, pour les musées et pour la belle plage de Baker Beach *(la journée slt)*.
– De part et d'autre du Golden Gate Park, on trouve les quartiers résidentiels de **Richmond** au nord et de **Sunset** au sud.

Notre palmarès

– *Les lieux où tout le monde va et qu'on ne peut décemment pas rater :* Chinatown, North Beach, Russian Hill, Haight-Ashbury et Golden Gate Park.
– *Les lieux où tout le monde va mais qu'on peut rater sans trop de regrets :* Fisherman's Wharf, Financial District et Nob Hill.
– *Les lieux peu fréquentés, mais que les routards découvrent avec ravissement :* Mission, Castro, Soma, Lower Haight, Cole Valley et Noe Valley.

Comment se déplacer dans San Francisco et sa région ?

SAN FRANCISCO

Transports intervilles

🚆 **Amtrak** *(plan I, D2) : achat des tickets au Ferry Building, au début de Market St.* ☎ *1-800-USA-RAIL. Tlj 6h-22h.* Il n'y a pas de gare à S.F., mais juste ce bureau à l'arrière du building (suivre les flèches !) pour l'achat des billets et une navette qui vous emmène prendre votre train à la gare d'Oakland ou Emeryville, de l'autre côté de la baie. Destinations : Monterey, Los Angeles, San Diego, Lake Tahoe, Las Vegas...

🚌 **Greyhound** *(plan I, D3) : au Transbay Terminal, 2e étage, 425 Mission St (entre Fremont et 1st St), à quelques blocs de Downtown.* ☎ *495-1569 ou 1-800-231-2222.* ● *greyhound.com* ● *Tlj 5h-1h.* Destinations desservies : San Jose, Salinas (pas loin de Monterey), Los Angeles, Las Vegas, etc. Consigne à bagages sur place (4 $ pour 6h, 7 $ au-delà de minuit).

Agence de voyages

■ **Green Tortoise** *(plan I, C2, 21) : 494 Broadway.* ☎ *956-7500 ou 1-800-TORTOISE.* ● *greentortoise.com* ● *Lun-ven 9h-19h ; w-e 12h-18h.* Agence de voyages alternative créée à l'époque hippie. Génial ! Vieux bus scolaires reconvertis (avec couchettes et w-c), mais bons chauffeurs. Liaisons sur Yosemite (en été), Los Angeles, Las Vegas, Seattle, New York et Boston. Réserver et reconfirmer impérativement au moins 48h avant le départ. Également les *Adventure Trips* de 2 à 15 jours : Grand Canyon, Death Valley, Alaska, les parcs nationaux, plus, en hiver, Baja California, Guatemala, Costa Rica, etc. Bon moyen de faire des connaissances. On dort dans le bus. Ambiance sympa, typiquement californienne. Pour les voyages, il faut remplir un formulaire (disponible sur Internet) et verser des arrhes par mandat.

Location de voitures

Attention : très difficile de se garer à San Francisco et, surtout, parkings hors de prix (voir ci-dessous). Ne louer un véhicule qu'au moment de quitter la ville.

■ **City Rent-a-Car** *(plan I, B3) : 1433 Bush St.* ☎ *359-1331 ou 1-866-359-1331. Lun-ven 7h-18h ; sam 8h-16h ; dim 9h-16h.* ● *cityrentacar. com* ●
■ **Dollar Rent-a-Car** *(plan I, C4) : 346 O'Farrell St (entre Mason et Taylor), 780 Mc Donnell Rd et à l'aéroport.* ☎ *771-5301 ou 1-800-800-4000.* ● *dollar.com* ●
■ **National Car Rental Alamo** *(plan I, C4) : 320 O'Farrell St. En face du Hilton.* ☎ *292-5300. Lun-ven 7h-19h ; w-e 8h-17h. Également au 750 Bush St (tlj 7h-19h).* ☎ *701-1600.* ● *nationalcar. com* ●

Parkings

La plaie de S. F. ! Une chose à vérifier : s'assurer que les entrées et les sorties (« *in & out* ») sont illimitées, certains les facturent ! Le parking le moins cher dans Downtown se situe au *525 Jones St • parkforless.org •*, *juste en face de* Dottie's True Blue Café *(plan I, C3, 80)*. *Ouv 6h-minuit. Résas par Internet.* Astuce : en séjournant dans une AJ du coin, le tarif descend à 15 $/j. D'autres parkings, près de l'Alliance française *(plan I, B3, 3)*, 18 $/j., ou près de la Grace Cathedral *(plan I, B3)*, 25 $/j.

Transports régionaux

🚌 Tous les bus desservant la région de San Francisco se prennent au *Transbay Terminal (plan I, D3)*, situé au 425 Mission St, à l'angle de 1st St, près d'Embarcadero (c'est aussi là que se trouve le terminus de *Greyhound*). Moins chers que le *BART*, ils vont plus loin et roulent jusqu'à 2h. *Infos générales au* ☎ 511 ou • 511. org • Sinon, voici les principales compagnies et leurs destinations :

■ *AC Transit :* ☎ *511 puis dire « AC Transit ».* • *actransit.org* • Comtés d'Alameda et Contra Costa ; pour Berkeley, Richmond et Oakland.
■ *Golden Gate Transit :* ☎ *511 puis dire « Golden Gate Transit ». •goldengate.org •* Comtés de Marin et Sonoma ; pour Sausalito, San Rafael, Tiburon, etc.
■ *Samtrans :* ☎ *1-800-660-4287.*
• *samtrans.com* • Comté de San Mateo ; dessert les communes situées entre San Francisco et Palo Alto.
■ *Santa Clara Valley Transportation Authority :* ☎ *(408) 321-2300 ou 1-800-894-9908.* • *vta.org* • Dessert le comté de Santa Clara, de Mountain View à Gilroy, via San Jose.

Transports urbains

Bonne nouvelle ! San Francisco et la région de la baie *(Bay Area)* sont dotées d'un excellent réseau de transports en commun. Pour résumer, tout ou presque est chapeauté par le *MUNI (San Francisco Municipal Railway)* qui, contrairement à ce que son nom laisse supposer, ne gère pas que des trains. Ainsi, dans S.F. *intra-muros,* on se déplace avec le *cable car,* les autobus, le métro municipal, le trolleybus et le tramway historique (ligne F, de Castro à Fisherman's Wharf). Pour les transports interurbains, il convient de prendre le *BART (Bay Area Rapid Transit)*, RER local, qui dessert les villes voisines. Enfin, le vaste réseau des bus permet de gagner presque toutes les localités de la Bay Area.
– *Pour tous renseignements sur les transports à S.F. :* ☎ 673-6864. • *sfmta. com* •
Il existe plusieurs types de tarifs valables sur tous les transports *intra-muros MUNI*, mais pas pour le *BART*. On conseille l'avantageux *CityPass,* autour de 59 $ (44 $ pour les 5-17 ans), qui comprend les entrées au SFMoMA, à l'Exploratorium ou à l'Asian Art Museum, au De Young Museum, au Palace of Legion of Honor, au California Academy of Sciences, à l'Aquarium of The Bay, ainsi qu'une croisière sur la baie, des retours gratos depuis Sausalito et Tiburon pour les cyclistes (avec la compagnie *Blazing Saddles*) et 7 jours de transports illimités *MUNI,* y compris le *cable car* (infos : • citypass.com/city/sanfrancisco.html •). La carte est valable 9 jours pour les visites. Également des *Muni passports* classiques pour 1 jour (11 $), 3 jours (18 $) et 7 jours (24 $). Les *passes* sont vraiment intéressants, surtout si vous prenez le *cable car* (le moindre trajet coûte 5 $). On les achète sur Internet, au *Visitor Information Center (plan I, C4)* sur Market St, ou à la guérite située au départ du *cable car,* à l'angle de Powell et de Market St *(tlj 8h30-20h30)*, où l'on se procure également l'indispensable plan des transports *MUNI* (3 $).

Les cable cars

C'est comme un baiser sans moustache... San Francisco sans ses *cable cars* perdrait beaucoup de sa saveur. Ce n'est d'ailleurs pas un hasard s'ils constituent le seul

système mobile au monde qui soit classé Monument historique. Il n'y a pas de moteur à l'intérieur des *cable cars* (juste une batterie pour l'éclairage). Ils sont tractés le long des rails par des câbles en mouvement (que l'on peut voir fonctionner au *Cable Car Museum* de Nob Hill). C'est le dernier système de tramway de la sorte qui subsiste dans le monde. Pour avancer et grimper les collines, chaque voiture s'accroche à l'aide d'une sorte de pince (ou mâchoire) à un câble d'acier sans fin, défilant à vitesse constante (15 km/h) dans une gorge aménagée dans le sol entre les rails. Pour s'arrêter, le chauffeur n'a qu'à lâcher prise sur le câble. Dans les descentes, il se laisse glisser en roue libre, ne se servant plus que du frein à main (certaines des pentes peuvent atteindre jusqu'à 21 % de déclivité). Les accidents sont beaucoup moins fréquents qu'on pourrait le penser. L'un d'eux, il y a quelques années, a d'ailleurs permis à une voyageuse d'obtenir en dédommagement un nombre respectable de milliers de dollars. Elle avait apporté au tribunal la preuve que le sinistre avait engendré chez elle une nymphomanie chronique... Le système a été inventé en 1873 par un immigrant écossais, Andrew Hallidie, après avoir vu un attelage à cheval dévaler une pente à reculons sans pouvoir s'arrêter. Dans les années 1890, on ne comptait pas moins de 8 compagnies concurrentes en ville, exploitant plus de 600 *cable cars* et 21 lignes. Un grand nombre furent détruites lors du séisme de 1906, et il n'existe plus aujourd'hui que trois lignes (et une quarantaine de *cable cars*).
– La *Powell-Hyde,* la plus emblématique de la ville et la plus photographiée, remonte Powell depuis Market St (terminus spectaculaire, avec la voiture retournée... à la main !) et jusqu'à Chinatown, puis redescend vers le Fisherman's Wharf (au Ghirardelli Sq) via Nob Hill. Elle emprunte en chemin certaines des rues les plus pentues de la cité, avant de redescendre en offrant une vue magnifique sur l'île d'Alcatraz.
– La ligne *Powell-Mason* emprunte au début le même itinéraire que la *Powell-Hyde,* mais au lieu de remonter vers Nob Hill, redescend directement sur le Fisherman's Wharf en traversant North Beach – le quartier italien, dans le prolongement de Chinatown.
– La troisième ligne, *California,* est la moins populaire : elle part au niveau du *Hyatt,* proche de l'Embarcadero (sur Market St), et remonte California St tout du long, d'est en ouest, jusqu'à Van Ness Ave.
Le cable car *fonctionne tlj 6h30-23h30 (ou 0h30). Départ ttes les 12 mn env. Billet à 5 $, sans réduc enfants ni possibilité de* transfer *(à l'inverse des autres transports* MUNI *), en vente dans les kiosques aux terminus ou à bord (on rend la monnaie).* Attention, l'attente est parfois interminable aux terminus des lignes. Et aux heures de pointe, certains *cable cars* sont tellement bondés qu'ils ne prennent pas de passagers supplémentaires aux arrêts. Il faut parfois aller à pied quelques arrêts plus loin pour pouvoir monter dedans.
– *Où se placer :* les plus sportifs se mettront debout sur le marchepied accroché à la barre, frissons et clichés spectaculaires garantis. Dans un registre plus confortable, il y a la plate-forme arrière et aussi les bancs à l'extérieur à l'on peut s'asseoir, mais avec le risque d'avoir les passagers debout devant soi. Les plus frileux (dans tous les sens du terme) se retrouveront à l'intérieur pour mieux observer la dextérité du conducteur et son long levier en fer qui lui sert à maîtriser la vitesse du wagon.

Les autres transports en commun MUNI

Trajet à 1,50 $ pour les parcours urbains, quel que soit le mode de transport (50 cts pour les 5-17 ans et les seniors). La monnaie exacte est nécessaire. Dans tous les cas, vous pouvez demander un *transfer,* qui donne droit aux correspondances gratuites dans un délai de 2h. Rien n'empêche de l'utiliser pour le trajet retour si la validité n'est pas dépassée.
– *Les autobus* (et autres *trolleybus*) sillonnent la ville et offrent la desserte la plus complète. Les arrêts sont matérialisés par des panneaux *MUNI* et/ou des anneaux orange (marqué *bus stop*) sur les poteaux. La plupart des bus s'arrêtent à une intersection sur deux, certains à chaque croisement.
– *Le métro urbain,* à la fois en surface et souterrain (ne pas confondre avec le *BART*), est vraiment pratique et rapide pour se rendre directement, par exemple, à Mission,

Castro ou au Golden Gate Park. Fait amusant, sur les lignes J, K, L, M, qui desservent Church St, les marches réapparaissent quand le métro sort à l'extérieur pour devenir un *trolley* (en sens inverse, les marches disparaissent). N'oubliez pas de tirer sur le câble qui circule le long des fenêtres, il indique au chauffeur que vous souhaitez descendre à la prochaine station.

– *Le tramway historique* (ligne F), inauguré en 2000, relie l'Embarcadero à Castro en descendant Market St, avec des passages ttes les 10-15 mn. Il est composé de vieux wagons de tramways de l'entre-deux-guerres, provenant de tous les États-Unis et même d'Europe. Lire, pour plus de détails, « À voir » dans la partie sur le Downtown.

Le BART

– *Rens* : ☎ 989-2278. ● bart.gov ●

Ce RER local, assez récent et confortable, compte 5 lignes qui desservent une quarantaine de stations, réparties dans un rayon de 50 km au sud et à l'est de la baie. Il traverse en souterrain le centre de S.F., et fonctionne lun-ven 4h-minuit, sam 6h-minuit, dim 8h-minuit. Fréquence : ttes les 15-20 mn. Utile par exemple pour se rendre à Berkeley ou aux aéroports. On achète son billet dans les distributeurs automatiques des stations. Les tarifs varient, selon la distance parcourue, de 1,50 à 7,65 $. Par conséquent : vérifier d'abord sur la grille le prix pour la station où l'on souhaite se rendre, taper sur l'écran la somme exigée (et non la destination), insérer la monnaie, et commander le ticket. Attention, il est interdit de fumer, de manger et même de boire à bord !

Dans de nombreuses stations, des écrans de TV donnent des infos sur les transports, la météo, les spectacles, etc. Possibilité de mettre son vélo sur le *BART* en dehors des *rush hours* et toute la journée le week-end. **Enfin, on le répète, le City-Pass ne donne pas accès au *BART*.**

À vélo ou à rollers

Toutes les agences de location de vélos pratiquent les mêmes prix en ville : à partir de 7 $ l'heure et autour de 27 $ la journée. Les compagnies, souvent situées autour du Golden Gate Park, distribuent généralement des petits plans avec différentes propositions d'itinéraires...

■ *Avenue Cyclery* : 756 Stanyan St, face au Golden Gate Park (angle Waller, un bloc au sud de Haight St). ☎ 387-3155. Tlj 10h-18h. Bon accueil et service pro. Antivol fourni.

■ *Bay City Bike* : 2661 Taylor St (entre North Point et Beach St), sur Fisherman's Wharf. ☎ 346-2453. ● baycitybike.com ● Tlj 8h-19h (19h30 w-e). Bons itinéraires pour se balader jusqu'à Sausalito et Tiburon, le mont Tamalpais et dans le Golden Gate Park. Loue aussi des tandems et des vélos tractant les jeunes enfants. Casques, antivols, sonnettes... compris. Succursale non loin

au 1325 Columbus Ave (et Beach St).

■ *Blazing Saddles* (plan I, B-C1) : piers 41 et 43. ☎ 202-8888. ● blazingsaddles.com ● Tlj à partir de 8h. Réduc avec le City Pass, *le magazine* Chaperon *ou sur le site internet*. Tout ce qu'il faut pour arpenter l'autre côté de la baie.

■ *Golden Gate Park Bike & Skate* : 3038 Fulton St (entre 5th et 6th Ave), en bordure du Golden Gate Park. ☎ 668-1117. Ouv tlj. Tout ce qu'il faut pour se promener tranquillement dans le Golden Gate Park : vélos, roller-blades et skateboards. Casque fourni, mais pas l'antivol.

À pied

San Francisco est l'une des rares villes américaines que l'on se doit d'explorer à pied. Le *Visitor Information Center* propose, sur un dépliant gratuit en anglais, différents itinéraires de balades à pied. Toutefois, pour des visites vraiment originales, on conseille vivement de consulter les adresses suivantes. Important : pour évaluer les distances, rappelez-vous que les blocs vont de 100 en 100 (pour les adresses). Évitez enfin de traîner vos basques le soir dans les parcs et dans certains quartiers comme South of Market (Soma) et surtout Tenderloin.

■ *Foot Tours :* ☎ 793-5378. ● *foottours. com* ● Visites thématiques de San Francisco, toutes guidées par des comédiens. Au choix : « *Drugs, thugs, crimps and pimps* », sur le monde souterrain du vice à San Francisco après la ruée vers l'or ; « *Go west, young woman* », sur les figures féminines marquantes de la ville ; ou encore une visite détaillée de

Castro, « *From top to bottom* ».
■ *Victorian Home Walk :* ☎ 252-9485. ● *victorianwalk.com* ● Balade sur un thème victorien pour découvrir les plus belles demeures des quartiers chic de Pacific Heights et de Cow Hollow. Vous verrez même la maison où a été tourné le film *Mrs Doubtfire* avec Robin Williams.

Adresses et infos utiles

Informations touristiques

– Bon à savoir : les *musées* de San Francisco sont pratiquement tous gratuits un jour par mois (souvent le premier mardi du mois). Renseignez-vous bien.

🛈 *Visitor Information Center* (plan I, C4) : *Hallidie Plaza (angle Market et Powell St, sur la placette en contrebas et face à l'entrée pour le BART.* ☎ 391-2000. Infos téléphoniques en français (sur le calendrier des activités) : ☎ 391-2003. ● onlyinsanfrancisco.com ● Lun-ven 9h-17h ; w-e 9h-15h. Fermé dim l'hiver, ainsi qu'à Pâques, Noël et Jour de l'an. Accès Internet gratuit (infos sur S.F. slt). Accueil charmant et efficace

(souvent en français). Plan de la ville gratuit, vente du fameux *CityPass* (voir « Transports urbains »), infos sur les transports, hôtels *(résas au* ☎ 1-888-782-9673)*,* circuits thématiques en ville, magazine *San Francisco Chaperon* en français, etc. Pour les motorisés, il existe un excellent parcours de 49 miles, la *Scenic Drive,* qui traverse les principaux quartiers, les parcs et longe la côte.

Postes et télécommunications

✉ *Poste principale et poste restante* (plan I, B4) : 101 Hyde St (angle Golden Gate Ave). General Delivery (poste restante) ouv tlj sf dim 10h-14h.
✉ *Autres bureaux de poste :* 150 Sutter St, Downtown ; 867 Stockton St (angle Clay St), Chinatown ; 1640 Stockton St (entre Union et Filbert St), North Beach ; Rincon Center (entre Steuart et Spear St), Embarcadero ; 554 Clayton St (et Haight St), Haight Ashbury. En général, tlj sf sam ap-m et dim.
@ *Apple Store* (plan I, C3-4) : 1 Stockton St (angle Market). ☎ 983-0882. Tlj 10h-21h (dim 11h-19h). Accès gratuit à Internet depuis tous les Mac. Autre

adresse (plan I, A2) : 2125 Chestnut St (angle Steiner), ☎ 848-4445. Lun-sam 10h-21h ; dim 10h-19h. Tout pareil !
@ Également quelques connexions gratuites à la *bibliothèque municipale* (Library ; plan I, B4) : 100 Larkin St (angle Grove). ☎ 557-4400. Lun et sam 10h-18h ; mar-jeu 9h-20h ; ven 12h-18h ; dim 12h-17h. Juste derrière le stand « Information », à droite. Attendez-vous quand même à faire la queue.
– Enfin, les *cafés Internet* sont plutôt rares à S.F. (liste disponible au *Visitor Information Center*) mais, pour ceux qui ont leur *laptop,* de nombreux cafés et quasiment tous les hôtels disposent d'un accès wi-fi.

Change

■ *Aux deux aéroports :* guichets de change toujours ouverts à l'arrivée des avions. Également des distributeurs automatiques (cash machines ou ATM).

Sinon, bonne concentration de banques dans Downtown, à proximité d'Union Square.
■ *Pacific Foreign Exchange Inc.*

SAN FRANCISCO

(plan I, C3, 7) : 533 Sutter St. ☎ 391-2548. Lun-ven 9h-18h ; sam 10h-15h.

Consulats

■ *Consulat de France (plan I, C3, 9) :* 540 Bush St. ☎ 616-4919 ou 397-4330. Urgences : ☎ 515-3600. ● consulfrance-sanfrancisco.org ● Contre l'église Notre-Dame-des-Victoires, l'église française de San Francisco depuis 1856. Lun-mar 9h-12h, 14h-15h30 ; mer-ven 9h-12h30. Permanence téléphonique en dehors des heures de bureau. Le consulat peut vous assister juridiquement en cas de problè-mes. Équipe efficace.

■ *Belgique :* il n'y a plus de consulat général (il est à Los Angeles), uniquement un consulat honoraire *(6100 Wilshire Blvd, suite 1200.* ☎ *(323) 857-12-44).*

■ *Consulat de Suisse (plan I, C3, 10) :* 456 Montgomery St, suite 1500, 15e étage. ☎ 788-2272. N'entrez pas dans la plaza, c'est la porte qui est à droite. Lun-ven 9h-12h.

Centres français

■ *Alliance française (plan I, B3, 3) :* 1345 Bush St. ☎ 775-7755. ● afsf.com ● Tlj sf dim 9h-21h (19h ven, 17h sam). Située dans le centre, l'une des plus sympathiques et dynamiques Alliances françaises que l'on connaisse. Mais attention, l'Alliance n'est pas une agence de voyages destinée à résoudre vos soucis ou même vous donner des conseils touristiques. C'est un centre culturel où les Américains viennent prendre des cours de français. Les voyageurs et les expatriés peuvent aussi y retrouver un peu de ce qui fait leur identité profonde... La bibliothèque est, avec 20 000 ouvrages, la plus grande en langue française à l'ouest du Mississippi ! Ciné-club le 1er mercredi de chaque mois, organisation de concerts.

■ *Centre d'accueil et d'information des Français (San Francisco Bay Accueil) :* 210 Post St, suite 502. ☎ 477-3675. ● sfbacc.org ● Ouv slt lun mat. Centre d'information créé pour venir en aide aux Français désireux de s'installer dans la région. Édite conjointement avec le consulat de France et la chambre de commerce franco-américaine Le Petit Débrouillard (guide pratique gratuit). Il contient plein d'infos utiles : administrations, ouverture d'un compte bancaire, fiscalité, recherche d'emploi, création d'entreprise, logement, écoles, centres médicaux, exportation de véhicules, etc. Vous le trouverez à l'Alliance française, au consulat, etc. On peut aussi le télécharger sur Internet : ● consulfrance-sanfrancisco.org ●

Arts et spectacles

■ *BASS :* central de résas représenté dans la plupart des magasins Raley's et à la Wherehouse. ☎ 478-BASS. ● tickets.com ● Vend des tickets de concerts, théâtre, etc., à prix intéressants. Le plus simple est de réserver par téléphone.

■ *TIX Bay Area :* guichet sur Union Square (plan I, C3 ; sur Powell St, entre Geary et Post). ☎ 433-7827. ● tixbayrea.com ● Mar-jeu 11h-18h ; ven 11h-19h ; sam 10h-19h ; dim 10h-15h. Fermé lun. Places de théâtre, de danse et de concerts à moitié prix pour le jour même (les billets pour les spectacles du lundi sont vendus le week-end). Le City-Pass offre aussi certaines réducs. Un tableau affiche la liste des spectacles discountés. On paie cash et on ne peut les obtenir que sur place – le téléphone est réservé à l'achat de places plein tarif (payables par carte).

■ *E-guide :* représenté dans la plupart des magasins Raley's. ☎ 478-2277. ● tickets.com ● Un central de réservation spécialisé entre autres dans les sports. Idéal pour aller voir les S.F. Giants disputer un match de base-ball (voir aussi ci-dessous).

■ *Assister à un match de base-ball (équipe des S.F. Giants) :* prendre le Muni Metro, lignes N ou T et s'arrêter à

Cash et chèques de voyage.

Second and King Muni Metro Station. Les *Muni buses* 10, 30, 45 et 47 s'arrêtent aussi tout près. Compter entre 12 et 100 $ pour une place. Programmes des festivités sur ● sfgiants.com ●

■ *SF Rave Scene :* ● *sfraves.org* ● Pour

connaître en direct les événements nocturnes « tendance » de la baie : clubs, boîtes, *parties* y sont recensés. De nombreux liens avec des organisateurs de soirées et autres agitateurs culturels figurent également sur ce site.

Librairies et presse

■ *Café de la Presse* (plan I, C3, **1**) : 469 Bush St (angle Grant). ☎ 398-2680. Dim-jeu 7h30-21h30 ; ven-sam 8h30-22h. Pour les nostalgiques, on y trouve la presse française, à éplucher en sirotant un vrai café crème. Voir « Où boire un verre ? » dans la partie sur Downtown.

■ *European Book Company* (plan I, B3, **2**) : 925 Larkin St (entre Geary et Post). ☎ 474-0626. ● europeanbooks. com ● *Jeu-sam 11h-17h.* La plus importante librairie française de San Francisco, 6 rues à l'ouest de Union Square. Pas que des chefs-d'œuvre, mais toute la presse française. Très bon accueil.

Journaux locaux

– *The San Francisco Bay Guardian :* hebdo indépendant, gratuit et branché. Disponible à l'entrée de certains bars, restos, dans des distributeurs de rue ou chez les commerçants. Pluie d'adresses et de commentaires avisés sur les restos, spectacles, concerts, films et boîtes de nuit en vogue. Programme des événements branchés de la baie à ne pas rater. Également quelques coupons de réduction. Notre canard préféré. ● sfbg.com ●

– *San Francisco Chaperon :* l'un des meilleurs journaux gratuits d'information sur San Francisco, traduit en plusieurs langues, dont le français. On le trouve au *Visitor Information Center* et dans plusieurs hôtels. Balades, plans, infos pratiques, il regroupe un peu tout le B.A. BA de San Francisco. ● chaperon.com ● Dans le même genre, également le *Bay City Guide,* disponible au même endroit. ● baycityguide. com ●

– *The San Francisco Book :* brochure gratuite et très bien faite, éditée par le *Visitor Information Center.* Plein d'adresses, des cartes, des infos pratiques, les horaires et les tarifs des visites, des coupons de réduction sur certaines prestations et attractions. ● sfvisitor.org ●

– *SF Weekly :* hebdo gratuit, avec un agenda très complet des sorties et spectacles à San Francisco, ainsi qu'un guide des restos.

– *Where – San Francisco :* encore un gratuit, mensuel cette fois, recense les événements culturels, loisirs, restos, expos, boutiques... Beaucoup de pub hélas.

– *The San Francisco Examiner :* quotidien gratuit qui donne le vendredi tous les événements, spectacles, manifs de la semaine à San Francisco et aux alentours.

– *The San Francisco Chronicle :* l'autre grand quotidien de S.F., dont l'édition du dimanche renferme le *datebook,* c'est-à-dire tous les films de la semaine, les pièces de théâtre, concerts, etc.

– *Gay Pocket :* disponible au *San Francisco Lesbian Gay Bisexual Transgender Community Center* (voir Castro ci-dessous). Tous les plans sorties gays du coin (Castro, Polk et Soma).

– *The Bay Area Reporter et San Francisco Sentinel :* encore 2 hebdos homos que l'on trouve gratuitement dans certaines boutiques de vêtements (notamment sur Haight Street).

Urgences médicales

■ *Traveler Medical Group :* 490 Post St, suite 225, Downtown. ☎ 981-1102 ou 1-888-MD24HRS. CB acceptées. Centre de soins destiné aux

touristes. On y parle plusieurs langues et ils peuvent même se déplacer à votre domicile. Il faut téléphoner, et on vous rappellera dans les 20 mn qui suivent.

■ *In-Hotel Medical Care :* ☎ 1-800-DOCS-911. Service 24h/24. CB acceptées. C'est le SOS Médecins local : ils viennent vous soigner à votre hôtel sur simple appel.

■ *Saint Mary's Hospital :* 450 Stanyan St, en bordure du Golden Gate Park. ☎ 750-7000. Service d'urgences 24h/24.

■ *Haight-Ashbury Free Clinics :* 558 Clayton St (angle Haight). ☎ 746-1950. Lun-mer 8h45-20h ; jeu 12h15-20h ; ven 12h15-17h. Centre de soins gratuit (dons bienvenus), à consulter uniquement si vous n'avez pas d'assurance de voyage. En cas d'urgence, ils sauront vous orienter sur d'autres centres plus spécifiques.

Laveries

Elles sont légion à S.F., on en trouve à tous les coins de rue. Y en a même qui font bistrot ! Voir rubrique « Où boire un verre ? » à Soma.

Achats

Attention si vous achetez de l'électronique, sachez que de nombreux touristes ont eu des problèmes. En règle générale, évitez les boutiques de Chinatown et celles de Market Street. Et relisez bien nos conseils dans la rubrique « Achats » dans « Californie utile ».

Où dormir ?

À quelques exceptions près, les hôtels se trouvent dans un périmètre restreint, Downtown, et ce quelle que soit leur catégorie. Pour vous faire une idée des prix des nuits à S.F., voici quelques fourchettes de tarifs rencontrés. Mais sachez dès à présent qu'en dehors des AJ, bon marché, vous en aurez rarement pour votre argent. Notez d'ailleurs que les prix peuvent varier considérablement en fonction du taux de remplissage de l'hôtel. En dehors de la saison touristique (juillet-août et tous les week-ends), il vous sera souvent possible d'utiliser les coupons de réduction des magazines spécialisés distribués un peu partout. À défaut, n'hésitez pas à marchander ; ça marche parfois si vous restez plusieurs nuits de suite.

LES AJ PRIVÉES, YMCA ET AJ « OFFICIELLES »

🏠 *Pacific Tradewinds Guesthouse* (plan I, C3, 22) : 680 Sacramento St (entre Montgomery et Kearny). ☎ 433-7970 ou 1-800-486-7975 (oct-mai). ● sanfranciscohostel.org ● Lits en dortoir 24-26 $. Accès Internet et wifi gratuits. Cette minuscule AJ privée protège son intimité : entrée discrète, au pied de l'enseigne du *Henry's Hunan Restaurant,* puis sonner à l'interphone et monter à la réception au 3e étage. Forcément, avec 36 lits en dortoir de 4, 6 ou 8 lits en réserve, elle peut se passer de pub ! D'autant plus qu'elle est déjà connue d'une ribambelle de routards des 4 coins du globe, qui entretiennent une atmosphère chaleureuse de grande famille. Salles de bains propres et fonctionnelles. Cuisine conviviale pour papoter en mangeant et machines à laver à disposition, consignes, service de fax, thé, café. Le tout avec le sourire

et de précieux conseils. L'un de nos coups de cœur dans cette catégorie.

🏠 *Elements Hostel* (plan V, L13, 76) : 2524 Mission St. ☎ 647-4100 ou 1-866-327-8407. ● elementssf.com ● Lits en dortoir de 4 à 12 lits 20-25 $; private env 60 $. Wifi gratuit. Au cœur de l'action, cette petite AJ privée pimpante et confortable (micro-ondes, frigo, laverie) sera le refuge idéal des oiseaux de nuit. Discothèque au rez-de-chaussée en fin de semaine (accès gratuit aux hôtes). Pas de cuisine en revanche, mais des dortoirs (avec *lockers*) et des chambres récents, colorés, tous avec douches et w-c. Un bon plan, d'autant plus qu'on n'a pas encore dévoilé sa carte maîtresse : une fantastique terrasse aménagée sur le toit, avec transats pour la bronzette, bar pour l'apéro et petit resto pour casser la graine. Notre autre coup de cœur !

🛏 *Amsterdam Hotel* (plan I, C3, **66**) : 749 Taylor St (entre Bush et Sutter St). ☎ 673-3277. ● amsterdamhostel.org ● Dortoirs 4 à 6 pers avec sdb 20-25 $, doubles avec sdb 80-100 $. Wifi gratuit et café Internet. Que le papier peint à fleufleurs de l'entrée ne vous effraie pas ! Voici l'une de nos guesthouses les plus sympa. Cuisine, tout ce qu'il faut pour le petit déj (gaufres à volonté), films à disposition pour les hôtes, petite salle de cinoche, ambiance presque familiale. Bons conseils, services multiples (coupons de réducs pour les liaisons avec l'aéroport, sur le site internet). Déco des chambres pas de première jeunesse, mais deux terrasses pour se prélasser. Que demander de plus ?

🛏 *San Francisco International Youth Hostel* (plan I, A1, **20**) : Fort Mason (building 240, tt au fond, sur les hauteurs), à l'ouest du Fisherman's Wharf (entrée du Fort angle Bay et Franklin St). ☎ 771-7277. ● sfhostels.com ● Du terminal Greyhound (Transbay Terminal), prendre les bus MUNI n⁰ˢ 10 sur Fremont, sinon bus n° 30. Ouv 24h/24. Arrivez à 7h en été ou réservez (en donnant votre numéro de CB), c'est plus sûr. Env 28 $ en dortoir de 8 à 24 lits (14 nuits max), petit déj compris. Parking gratuit. Internet payant, mais wifi gratos. Un point de chute idéal pour les amateurs de grands espaces et de tranquillité : cette vaste et très agréable AJ occupe de vieux baraquements rustiques, balayés par la brise marine et perchés sur une colline boisée dans un grand parc situé face à la baie et au Golden Gate Bridge. Dortoirs basiques, mais salon commun convivial avec TV, laverie, cuisine et café très agréable où l'on sert des petits plats. À quelques minutes à pied du Fisherman's Wharf en longeant la mer, d'où le *cable car* vous conduit au centre-ville.

🛏 *USA Hostels* (plan I, B3, **32**) : 711 Post St (et Jones). ☎ 440-5600 ou 1-877-843-2959. ● usahostels.com ● Dortoirs env 33-36 $, doubles 83-93 $. Réduc via Internet. Places de parking moins chères (voir « Parking » dans les adresses utiles). Accès Internet payant, mais wi-fi gratuit. Youth hostel de compétition, à 3 blocs de Union Square, donc bien central. Ambiance conviviale, très cool, pas du tout usine à *backpackers*. Dortoirs bien tenus. Bons

services : cuisine équipée pour faire sa popote (le matin, on vous donne tout pour vous faire des gaufres et *pancakes*, à volonté siou plaît), laverie, TV et lecteur DVD, salon avec billard, tout ça... gratuit ! Accueil relax.

🛏 *Adelaïde Hostel* (plan I, C3, **33**) : 5 Isadora Duncan St, petite impasse donnant sur Taylor St (entre Post et Geary), dans Downtown. ☎ 359-1915. ● adelaidehostel.com ● Lits en dortoir (4 à 10 lits) 30-35 $, doubles 85-110 $, petit déj inclus. Internet et wifi gratuits. Cette petite AJ privée cumule bien des avantages : au calme, puisque retirée dans une impasse ; confortable, à l'image de son salon commun douillet, avec cheminée, tapis et fauteuils rembourrés ; bien équipée, (cuisine, *laundry*, consigne, location d'ordis, de vélos...) et pour ne rien gâcher, très propre. Comme les chambres (dignes d'un petit hôtel) et les dortoirs de 4 à 12 lits se révèlent bien tenus (avec *lockers*), on se dit qu'on aura beaucoup de mal à quitter la maison le jour venu !

🛏 *Hostelling International Downtown* (plan I, C3, **29**) : 312 Mason St. ☎ 788-5604. ● sfhostels.com ● Lits en dortoir 29-32 $ et doubles avec ou sans douche privée 89-99 $, petit déj inclus. Wifi gratuit, mais accès Internet payant. Vaste AJ officielle (300 lits !) très appréciée pour sa bonne localisation, à un bloc de Union Square, juste en face d'un parking à étages (boules Quiès fournies gratuitement à l'accueil, CQFD !). Pas la plus extravagante pour la déco, mais assez récente et fonctionnelle : pas de couvre-feu, dortoirs bien tenus, *lockers*, cuisine (basique), *TV-room*. Excellent accueil. Propre et sans bavure.

🛏 *Hostelling International City Center* (plan I, B4, **38**) : 685 Ellis St (entre Larkin et Hyde), dans Downtown. ☎ 474-5721. ● sfhostels.com ● Ouv 24h/24. Lits en dortoir 23-32 $ (4 ou 5 lits) ; doubles avec sdb 82-100 $ selon taille, petit déj compris. Internet. Une AJ pimpante et éclatante, installée dans un immeuble ancien de 6 étages. Absolument impeccable, à l'image de la cuisine vaste et moderne, très bien équipée, des salons agréables en mezzanine, ou des dortoirs corrects (avec *lockers*). Ambiance assez familiale, mais toujours le même problème, quartier un peu difficile. Tours et activités organisés à partir de l'AJ. On aime beaucoup !

🛏 **Green Tortoise Hostel** (plan I, C2, **21**) : 494 Broadway (et Kearny). ☎ 834-1000 ou 1-800-867-8647. ● greentoroi sehostel.com ● En dortoir de 4 à 7 lits, 26-29 $/pers, ou double env 70 $, petit déj inclus. Accès Internet. AJ très fréquentée (venir tôt le matin) à l'ambiance routarde décontractée. Un peu trop peut-être, si l'on focalise sur les dortoirs et chambres vieillots, ou les peintures lézardées des parties communes. Mais c'est un détail au regard des concerts endiablés, des parties de billard, des films projetés sur écran géant et d'une longue liste de petits plus : sauna et repas gratuits (3 fois par semaine), cuisine, consigne, laverie... Bref, une AJ authentique : brouillonne, défraîchie, mais conviviale et fraternelle ! Ambiance internationale garantie. Quant aux couche-tôt, ils iront se réfugier dans l'annexe voisine, un peu kitschouille, mais plus confortable. Accueil super. Même équipe que celle de l'agence de voyages du même nom (voir « Comment se déplacer dans San Francisco et sa région ? »).

🛏 **Globetrotters Inn** (plan I, C4, **56**) : 225 Ellis St (et Mason). ☎ 346-5786. ● globetrottersinn.com ● Dans Tenderloin, le quartier des street people ; juste après le pub Red Corner. Lits en dortoir 25-27 $ et private room 65-70 $. Accès Internet. Petite AJ insoupçonnable, juste en face du Hilton. Dortoirs assez grands de 4 à 6 lits avec salle de bains privée. Les doubles sont plus succinctes. Moquette au sol. Atmosphère très cosmopolite : on y croise une clientèle interlope vraiment sympathique, réunie comme il se doit dans le petit salon-bibliothèque ou dans la cuisine.

🛏 **Union Square Backpackers Hostel** (plan I, C3, **25**) : 70 Derby Sq. ☎ Lit en dortoir 30 $, double 72 $, petit déj inclus. Disons-le tout net, c'est pas notre adresse préférée, et l'accueil du patron, les yeux rivés à son écran d'ordinateur, n'y est pas pour rien. La situation de cette AJ privée pourtant, au fond d'une petite impasse, à côté d'un loueur de vélo, en plein cœur de S.F., peut s'avérer un bon plan pour 1 ou 2 nuits seulement. Chambres assez exiguës, avec pierres apparentes, vieux meubles de grand-mère rafistolés ; lockers à l'accueil (mieux vaut garder vos effets personnels avec vous quand même). En dépannage quoi !

🛏 **International Guesthouse** (hors plan V par L13, **75**) : 2976 23rd St (et Harrison). ☎ 641-6173. À l'est de Mission, dans un quartier populaire à majorité mexicaine. Pas vraiment dans le centre, mais raisonnablement accessible (bus jusqu'à Mission St, mais voiture préférable). Réserver ou téléphoner avt de s'y rendre. Lit en dortoir env 22 $ et double 40 $; réduc si l'on reste au moins 1 mois, sf en été. Internet. Voici une adresse qui intéressera ceux qui aiment les points de chute hors des sentiers battus tout en se retrouvant insérés dans le vrai tissu social d'une ville. Cette AJ privée, fréquentée essentiellement par des voyageurs long séjour, est installée dans 2 maisons victoriennes accolées. Créée en 1978, ce fut, paraît-il, la 1re AJ privée « de charme » de San Francisco. Depuis, le charme s'est évaporé ! De l'extérieur, rien ne laisse présager sa fonction (pas de panneau), mais n'hésitez pas à sonner, on viendra vous ouvrir. Petits dortoirs classiques pour quatre, ou chambres privées convenables, un salon (chaîne hi-fi) et 2 cuisines. En dépannage aussi.

MOTELS

Dans le centre, quartiers de Marina (Lombard Street notamment) et de Pacific Heights, vous trouverez quelques motels ; bien pratiques si vous arrivez de nuit à San Francisco par le nord (Highway 101), pour pouvoir poser vos valises avant de vous aventurer dans Downtown. Un bon choix pour les motorisés (le parking est gratuit), mais tous les motels ne se valent pas, et les alentours peuvent être bruyants. Attention, à S.F. les motels sont plus chers qu'ailleurs...

🛏 **Pacific Heights Inn** (plan I, B2, **70**) : 1555 Union St (angle Van Ness), dans le quartier de Pacific Heights. ☎ 776-3310 ou 1-800-523-1801. ● pacificheigh

tsinn.com • *Doubles 90-170 $ selon
confort (1 ou 2 lits) et saison, petit déj
léger inclus.* Chambres bien tenues,
rénovées, confortables (TV, cafetière et
mini-frigo dans toutes, kitchenette dans
certaines) et à l'abri du bruit de l'avenue
Van Ness. Une adresse stratégique
parmi les plus abordables.

🛏 *Marina Motel (hors plan I par A2,
53)* : *2576 Lombard St (angle Divisadero), dans le quartier de Pacific Heights.* ☎ 921-9406 ou 1-800-346-6118.
• *marinamotel.com* • *Doubles 80-150 $
selon période.* À condition d'éviter les
chambres côté rue, terriblement
bruyantes, on découvre avec surprise
un motel hors norme, ouvert en 1939
(pour l'inauguration du Golden Gate
Bridge !) par le fils d'un chercheur d'or
ayant fait fortune. L'architecture d'inspiration hispanique et la profusion de
plantes et fleurs participent au dépaysement. Chambres mignonnes, bien
aérées, confortables (TV, cafetière,
frigo), avec salles de bains bien tenues
et cuisine complètement équipée dans
celles pour 4. Garage fermé sous chaque logement (et comme la cour est
libérée des véhicules, on n'a plus vraiment l'impression d'être dans un

motel !). Une excellente adresse, en particulier pour ceux qui souhaitent résider
non loin du Fisherman's Wharf.

🛏 *La Luna Inn (hors plan I par A2, 36)* :
*2599 Lombard St (angle Divisadero, à
Pacific Heights).* ☎ 346-4664. • *lalu
nainn.com* • *Env 90-110 $ pour deux,
120-140 $ pour quatre, petit déj conti-
nental inclus. Wi-fi payant.* Juste en face
du *Marina Motel*, un motel rénové tout
récemment dans un style *boutique
hotel*. Chambres spacieuses, d'allure
contemporaine (un mur bleu foncé, un
autre taupe), avec écran plat, tête de lit
et mobilier design. Propreté impeccable. Éviter toutefois celles donnant sur
Lombard Street, bruyantes.

🛏 *Greenwich Inn (plan I, A2, 54)* :
3201 Steiner St (angle Greenwich).
☎ 921-5162. • *greenwichinn.com* •
Env 70-90 $. Ce petit motel classique
cumule 2 avantages : sa situation dans
une rue calme et agréable, gage de
nuits paisibles, et ses tarifs doux toute
l'année. Vu le prix, ne pas s'attendre à
un cachet particulier, mais les chambres sont néanmoins proprettes,
confortables et bien tenues. Bref, un
bon rapport qualité-prix.

HÔTELS

Bon marché

Sachez que les petits hôtels ont souvent le même confort que les AJ, mais parfois
pour quelques dollars en plus. Comme la majorité des hôtels de S.F., ils sont situés
dans Downtown, en plein centre. Autant vous prévenir : certaines rues du quartier
sont le rendez-vous des *homeless* (SDF) qui essaient d'y glaner les quelques can-
nettes vides (revendues) ou pièces de monnaie qui leur permettront de subsister.
Ce sont des laissés-pour-compte de la crise économique ; comme chez nous. Très
impressionnant aux États-Unis bien sûr, car ils sont beaucoup plus nombreux et
littéralement abandonnés à leur déchéance par les autorités. S'ils fréquentent tous
les quartiers de la ville, ils se concentrent plus particulièrement dans le centre,
notamment dans le Tenderloin. Certain(e)s lecteurs(-trices) s'en trouveront avec
raison gênés, voire effrayés, mais il faut savoir que les *street people* ne sont en
général pas dangereux (évitez simplement de montrer des signes extérieurs de
richesse et ignorez les alcooliques...). Ce quartier fait partie de la ville, de sa vie, et
les routards apprécieront avant tout les qualités habituelles du Downtown, son animation dans la journée et son intéressante situation centrale.

🛏 *Astoria Hotel (plan I, C3, 28)* : *510
Bush St.* ☎ 434-8889. • *hotel-astoria.
com* • *Doubles (sdb à partager) à partir
de 49 $; prévoir 10 $ de plus pour une
chambre avec sdb. Réduc sur Internet.
Pas de petit déj pour les économes.*

Il ne paie pas de mine cet hôtel à deux
pas de la porte de Chinatown, mais il
offre un confort suffisant, au cœur de la
ville. Pas le grand luxe, mais TV, coffre-
fort, propreté, foultitude de services et
la possibilité d'utiliser le micro-ondes de

la maison rendent l'endroit attrayant.

≜ St. Paul Hotel (plan I, C2, **35**) : 935 Kearny St (entre Jackson et Pacific). ☎ 986-9911. ● stpaulhotelsf.com ● Doubles à partir de 57 $ (plus intéressant à la sem). Stratégiquement situé en bordure de Chinatown et North Beach, cet hôtel beau comme un sou neuf propose des petites chambres proprettes et bien équipées : TV, micro-ondes, frigo et lavabo. Salle de bains et w-c communs à chaque étage. Accueil et atmosphère impersonnels, mais idéal pour les fêtards qui ont décidé de s'encanailler dans le quartier (il y a de quoi faire !). Pas de petit déj, mais un café au pied de l'hôtel avec muffins et autres gourmandises.

≜ Albergo Hotel Verona (plan I, B4, **30**) : 317 Leavenworth St (et Eddy), dans le Tenderloin, entre Union Sq et Civic Center. ☎ 771-4242 ou 1-800-422-3646. ● veronaplaza.com ● Doubles 50-75 $ selon confort et saison. Notre adresse routarde la plus ancienne. Hôtel datant de 1908, dont la réception avait été rénovée lors de son rachat dans le style initial. Depuis, rien ne semble avoir changé. Les 50 chambres, avec ou sans salle de bains, sont basiques, sans chichis et assez bruyantes selon l'orientation. TV vieillottes, téléphone, café offert gracieusement avec pâtisseries pour le petit déj, etc. Bonne atmosphère autour du piano désacordé. Quartier assez sordide et impressionnant le soir, mais il y a une station de police à deux pas (et, rappel, les street people ne sont pas dangereux). Loue également des appartements au mois, ailleurs en ville.

≜ Hotel Krupa (plan I, C3, **27**) : 700 Jones St. ☎ 474-9624. Doubles à partir de 55 $. Au-dessus du resto Thai Stick. Réception au 1er étage. Confort rudimentaire pour cet hôtel aux allures de pension de famille, où l'on partage beaucoup de choses, des salles de bains aux aléas de la vie quotidienne de vos collègues de chambrée ! Préférer les chambres sur l'arrière. Propre (même les draps !), service laverie, literie encore correcte, déco inexistante. Gentil accueil.

Prix moyens

Attention, même dans ces établissements plus chers, les chambres peuvent partager les sanitaires. De plus, ils ne possèdent souvent pas de parking.

≜ San Remo Hotel (plan I, B1-2, **40**) : 2237 Mason St. ☎ 776-8688 ou 1-800-352-REMO. ● sanremohotel.com ● Dans le quartier pittoresque de North Beach, tt proche de la ligne du cable car, à 4 blocs de Fisherman's Wharf et de Telegraph Hill. Doubles 65-95 $ selon confort et saison. Cet hôtel de charme italo-victorien, datant de 1906, a conservé une délicieuse atmosphère old fashioned. Chambres mimi tout plein bien que petites, disposant de curieux bow-windows donnant sur les jolis couloirs envahis de plantes, lorsqu'elles n'ont pas de fenêtres extérieures. Original mais pas déplaisant. Elles sont toutes parfaitement tenues, avec ou sans lavabo, et meublées à l'ancienne de lits en cuivre, mobilier de brocante et vieux bibelots (ni télé ni téléphone). Salles de bains communes pour tout le monde (sauf une), nickel et pleines de charme aussi. L'ensemble manque un peu d'isolation phonique, mais l'ambiance est familiale et l'accueil chaleureux. Excel-lent rapport qualité-prix-charme. Notre adresse coup de cœur à S.F.

≜ Hayes Valley Inn (plan I, B4, **47**) : 417 Gough St (et Hayes). ☎ 431-9131 ou 1-800-930-7999. ● hayesvalleyinn. com ● Doubles 84-105 $, petit déj inclus. Wi-fi gratuit, accès Internet payant. Vénérable hôtel de quartier (architecture début XXe s) entièrement rénové et décoré à la façon d'un B & B à l'anglaise. L'ensemble possède bien du charme. Toutefois, les chambres douillettes, aux tissus fleuris, doivent se contenter de douches et w-c communs. La structure de l'hôtel ne permettait pas de gros travaux. On se consolera avec la salle à manger conviviale, comme à la maison, ou avec le salon commun pittoresque en diable. Accueil pro et chaleureux tout à la fois.

≜ Hôtel des Arts (plan I, C3, **34**) : 447 Bush St, à l'entrée de Chinatown. ☎ 956-3232. ● sfhoteldesarts.com ● Doubles 60-90 $ avec sanitaires communs ; 100-150 $ avec sdb privée selon confort ; *petit déj continental inclus ; réduc à la sem.* Ce petit établissement très central hésite entre sa vocation de galerie d'art et d'hôtel. Des expos temporaires investissent les parties communes, mais la grande originalité de ce lieu atypique, c'est que les chambres sont entièrement décorées par des artistes. Certaines sont même assez délirantes ! Idéal pour nos lecteurs bobos, qui seront séduits par l'atmosphère *arty* et peut-être moins regardants côté confort : sanitaires et moquette un peu vieillissants. Éviter les chambres donnant sur le café (bouche d'aération bruyante).

🏠 **The Red Victorian Bed, Breakfast and Art** (plan II, E5, **72**) : 1665 Haight St (et Belvedere). ☎ 864-1978. • redvic. com • *Doubles 90-150 $ pour la plupart, selon confort (sdb privée ou non), petit déj compris ; réduc selon durée. Deux nuits min exigées.* Au cœur de l'ancien quartier hippy d'Haight-Ashbury, un étonnant *B & B* au caractère insolite et au charme (un peu poussiéreux, certes !) qui rappelle l'époque mythique du *Flower Power*. La proprio, Sami Sunchild, artiste et *social innovator* elle-même, a eu la riche idée de créer ce *B & B* au-dessus de son *Peace Center*, installé dans la dernière maison victorienne d'Haight Street (1904), un ancien hôtel qui se retrouva au cœur du *Summer of Love* de 1967. Outre son accueil hors pair, la patronne a décoré d'une façon très personnelle ses chambres. Ah, la *Flower Child Room* pour les grandes nuits d'amour ! La *Japanese Tea Garden* avec sa fenêtre donnant sur un petit jardin japonais, la *Earth Charter Room* pour nourrir de doux rêves sur l'avenir de notre planète, etc. Dans l'*Aquarium Bathroom*, la chasse d'eau est... un vrai aquarium, mais, heureusement pour eux, sans poissons ! Il règne dans cette demeure un esprit très communautaire (n'imaginez pas manger dans votre coin au petit déj). On vient pour ça d'ailleurs, alors mieux vaut ne pas être trop à cheval sur la propreté.

🏠 **Grant Hotel** (plan I, C3, **44**) : 753 Bush St (entre Mason et Powell). ☎ 421-7540 ou 1-800-522-0979. • gran thotel.net • *Doubles 75-100 $, petit déj léger servi dans le lobby. Accès Internet gratuit.* Hôtel classique très central, fort

bien rénové et offrant de confortables chambres de taille moyenne d'un bon rapport qualité-prix. Sanitaires impeccables, frigo dans certaines chambres. Les couloirs mériteraient toutefois un petit coup de peinture.

🏠 **Grant Plaza Hotel** (plan I, C3, **41**) : 465 Grant Ave (angle Pine), à l'entrée de Chinatown. ☎ 434-3883 ou 1-800-472-6899. • grantplaza.com • *Doubles 70-130 $ selon saison. Accès Internet et wi-fi payants.* N'imaginez pas un palace ! C'est un petit hôtel conventionnel d'un très bon rapport qualité-prix, idéalement situé dans le centre. Chambres au charme discutable et pas bien grandes, mais fonctionnelles, confortables (TV, sèche-cheveux, téléphone...) et très bien tenues. Celles qui donnent sur la cour intérieure sont sombres mais calmes, les autres ouvrent sur l'animation de Chinatown. Accueil pro et souriant.

🏠 **Mithila Hotel** (plan I, B3, **24**) : 972 Sutter St (entre Hyde et Leavenworth). ☎ 441-9297. • mithilahotel. com • *À 10 mn à pied de Union Sq. Doubles 60-100 $ selon saison, petit déj (léger) inclus ; réduc pour plusieurs j. Wi-fi.* Dans un quartier calme et sans souci, gentil hôtel d'un bon rapport qualité-situation-prix. Rénovées récemment, les chambres sentent le propre, et sont toutes équipées de micro-ondes et frigos (double-vitrage pour celles donnant sur Sutter Street). Accueil charmant. Laverie à pièces.

🏠 **Dakota Hotel** (plan I, C3, **43**) : 606 Post St (entre Taylor et Jones). ☎ 931-7475. • dakotahotelsanfrancis co.com • *Doubles 60-90 $, petit déj continental compris (servi au Adelaïde Hostel juste en face). Parking : 16 $ (pas cher pour S.F.). Wi-fi et accès Internet gratuits.* Dans un immeuble ancien du centre-ville, un gentil hôtel fréquenté par de nombreux *backpackers*. Les parties communes sont fatiguées, mais les chambres, en partie rénovées, se révèlent confortables (TV, téléphone, frigo, micro-ondes, ventilo) et pas désagréables avec leurs baignoires à l'ancienne mode. On y accède par un antique ascenseur (attention les doigts !). Accueil charmant.

🏠 **Tropicana Hotel** (plan V, K-L12, **52**) : 663 Valencia St (et Sycamore). ☎ 701-7666. • thehoteltropicana.com •

Réception à l'étage. Doubles 80-90 $, avec ou sans douche et sanitaires privés. Accès Internet et wifi gratuits. Excellente adresse qu'on indique pour le très bon rapport qualité/prix des chambres sans salle de bains. Petit hôtel arc-en-ciel, qui affiche une débauche étonnante de céramiques rutilantes, tissus hawaiiens, bambous chinois et autres fantaisies pimpantes... Chambres mignonnes, très aérées, confortables et très bien tenues, avec frigo mousse, micro-ondes, TV câblée, coffre. Certaines avec bains à « bulles » et de grandes baies s'ouvrant sur Valencia. Prix intéressant à la semaine.

Plus chic

⬓ **Hotel Mark Twain** *(plan I, C3-4, 61)* : *345 Taylor St (entre Post et Geary).* ☎ *673-2332.* ● *hotelmarktwain. com* ● *Doubles 80-200 $ selon saison.* À 3 blocs de Union Square, cet hôtel de bonne taille (une grosse centaine de chambres) a le mérite de privilégier un accueil personnalisé, prodigué par un patron chaleureux, jovial et plein d'humour, aux petits soins pour ses clients. *Lobby* à l'élégance contemporaine dans les tons gris foncé et bordeaux, dominé par les portraits de deux hôtes illustres, Mark Twain et Billie Holiday. Écran plat, cafetière et mini-frigo dans toutes les chambres, confortables et bien équipées et dotées de salles de bains coquettes. Une valeur sûre.

⬓ **Hotel Bijou** *(plan I, C4, 59)* : *111 Mason St (et Eddy), tt proche de Union Sq, à la limite du Tenderloin.* ☎ *771-1200 ou 1-800-771-1022.* ● *ho telbijou.com* ● *Doubles 110-180 $, petit déj inclus.* Cet hôtel de style Art déco et voué au 7e art abrite un festival de chambres très confortables et parfaitement tenues (mais petites), ayant pour thème l'histoire du cinéma. Chacune porte le nom d'un long métrage, des affiches ornent les murs colorés, et l'on trouve même parfois, à la réception, des annonces de casting avec les lieux des tournages en cours ! Harmonies de couleurs chaudes inattendues, bordeaux, jaune, violet, etc. Des films sont également projetés le soir dans une toute petite salle équipée d'une dizaine de fauteuils de théâtre, à côté de la réception. Une adresse très originale.

⬓ **Good Hotel** *(plan I, C4, 78)* : *112 7th St.* ☎ *621-7001.* ● *jdvhotels. com* ● *Doubles dès 120 $. Wifi gratuit.* Le premier hôtel avec une conscience ! C'est ce qu'annonce en tout cas le dernier-né de la chaîne d'hôtels ludique *Joie de vivre.* Dans un ancien motel rénové, des chambres pop acidulées, réparties sur 2 étages, autour d'un parking gratuit. Préférez les chambres 117 à 124 et 105 à 112, les plus éloignées de la rue. On adore la déco : tête de lit et sommier creux en bois, le mobilier aux couleurs jaune, vert et gris, les « rideaux-photo », la TV écran plat, les enceintes pour iPod et les salles de bains hyperfonctionnelles. N'en jetez plus ! L'ensemble n'est pas bien grand, mais confortable. Ambiance jeune et décontracté. Et puis le quartier bouge de plus en plus, alors pourquoi pas ?

⬓ **The Nob Hill Hotel** *(plan I, B3, 71)* : *835 Hyde St (et Bush).* ☎ *885-2987 ou 1-877-662-4455.* ● *nobhillhotel.com* ● *Doubles 100-200 $ selon confort et saison, petit déj compris. Accès Internet.* Petit hôtel victorien de 1906, rénové et décoré dans le style de l'époque : festival de meubles de style, riches tissus tapageurs, objets d'art, chandeliers rococo, lits en fer forgé, salles de bains en marbre... et même des nounours en peluche sur les lits ! Un peu surchargé à la mode anglo-saxonne, mais il faut reconnaître que cette bonbonnière ne manque ni de personnalité ni de charme. Chambres parfois petites, mais bonnes prestations (frigo, micro-ondes, TV câblée, apéro offert dans le *lobby* le soir...). Accueil efficace.

⬓ **Embassy Hotel** *(plan I, B4, 57)* : *610 Polk St.* ☎ *673-1404.* ● *embassyho telsf.com* ● *Doubles 90-150 $ selon saison, petit déj gratuit. Un plus de taille : parking gratuit (c'est jusqu'à 40 $ dans les autres hôtels !).* À la lisière du Tenderloin (mais pas en plein dedans !), cet hôtel vient d'être complètement rénové, à l'image du majestueux *lobby* Art Déco. Les chambres spacieuses arborent des tons jaune-mordoré, un joli mobilier en bois façon années 1940, et des salles de bains au charme d'antan. *Coffee shop* attenante à prix démocratiques.

🛏 *Cornell Hôtel de France* (plan I, C3, *42*) : 715 Bush St (angle Powell). ☎ 421-3154 ou 1-800-232-9698. ● cornellho tel.com ● *Doubles 100-150 $ selon saison, petit déj compris. Possibilité de 1/2 pens à prix intéressants. Wifi gratuit, accès Internet payant.* Tenu par un couple d'Orléanais installés à San Francisco depuis une quarantaine d'années, cet hôtel de taille moyenne est entièrement dédié à la Pucelle ! Sacrée ambiance, mieux vaut ne pas être allergique aux fleurs de lys... Les chambres, impeccablement tenues, sont désuètes, mais la palme revient sans conteste à la salle à manger-resto, aménagée comme le cellier d'un château médiéval ! Le soir on y sert de la cuisine bien française : coq au vin, lapin chasseur, magret de canard... *(menu à prix fixe mar-sam, env 38 $).* Une adresse qui conviendra à une clientèle tradi-tradi.

🛏 *SW Hotel* (plan I, C2, *62*) : 615 Broadway (à la limite de Chinatown et North Beach). ☎ 362-2999 ou 1-888-595-9188. ● swhotel.com ● *Doubles 140-170 $, petit déj continental inclus. Parking env 23 $. Wifi gratuit, accès Internet payant.* Ouvert en 1958 par une famille chinoise et récemment rénové de fond en comble, cet hôtel confortable offre un bon rapport qualité-prix. Éminemment bien placé. Toutes les chambres disposent de leur propre salle de bains et sont plutôt grandes et bien décorées, sur une note asiatique. Un bémol : les chambres côté rue sont bruyantes, mais celles qui donnent sur l'arrière sont très sombres. Préférable d'avoir le sommeil lourd ! Accueil courtois.

🛏 *The Halcyon Hotel* (plan I, B3, *37*) : 649 Jones St (entre Post et Geary). ☎ 929-8033 ou 1-800-627-2396. ● hal cyonsf.com ● *À 3 blocs de Union Sq et en bordure du Tenderloin. Réception ouv 9h-17h en sem, 10h-16h w-e. Double env 100 $. Wifi gratuit.* Suite à un incendie ravageur il y a quelques années, les sympathiques proprios de ce petit hôtel ont décidé de revoir intégralement leur copie : leurs chambres, pas bien grandes, sont proprement rénovées (parquet ou moquette) et dotées d'une salle de bains et d'un coin-cuisine bien pratique (toaster, cafetière, frigo et micro-ondes). Laverie à pièces. Propre et confortable, même si les escaliers en bois sont un peu sonores.

🛏 *Stratford on the Square* (plan I, C3, *58*) : 242 Powell St. ☎ 397-7080 ou 1-877-922-5928. ● hotelstratford. com ● *Doubles 100-150 $, petit déj compris.* Cet hôtel lambda, entièrement rénové, offre 100 petites chambres parfois un peu sombres, mais assez confortables (TV, etc.), agréables et impeccables. Un peu cher en saison pour les prestations, mais néanmoins bien situé à proximité de Union Square. Difficile de tout avoir !

Encore plus chic

🏠 *The Washington Square Inn* (plan I, C2, *46*) : 1660 Stockton St, à la limite de North Beach et Telegraph Hill. ☎ 981-4220 ou 1-800-388-0220. ● wsisf. com ● *Doubles 180-260 $, petit déj compris. Deux nuits exigées le w-e. Wifi et accès Internet gratuits.* Petit hôtel de grand charme (entièrement non-fumeurs), fort bien situé face au Washington Square. Cossu, il se distingue par un beau *lobby* avec cheminée et meubles de style, au diapason des chambres douillettes à la déco soignée (superbes salles de bains). Atmosphère cosy et feutrée dans l'esprit d'un *B & B*, à l'image de délicates attentions comme l'*afternoon tea* (ou verre de vin) avec gâteaux ou snacks. Un vrai cocon.

🏠 *Hotel California* (plan I, C3, *65*) : 580 Geary St. ☎ 441-2700 ou 1-800-227-4223 ● hotelca.com ● *Doubles 169-189 $, familiales à partir de 269 $. Wifi gratuit. Welcome to the Hotel California !* À quelques blocs de Union Square, des chambres cosy, un peu petites, décorées sur le thème des anciennes missions évangélisatrices. Mettez des fresques au plafond, des citations sur les corniches, ajoutez un ventilo à l'ancienne qui vrouvroute, un parquet qui craque, des lumières tamisées et de bons lits moelleux, cosy à souhait ! Attention, certaines chambres n'ont pas de double vitrage (assez bruyant). Petites salles de bains coquettes, TV, coffre-fort, café et thé à volonté toute la journée, vin et fromage en début de soirée. Excellent accueil. Dispose aussi d'un resto végétarien (plutôt cher) et d'une salle de sport. *Such a lovely place !*

🛏 *The Phoenix Hotel (plan I, B4, 26)* : 601 Eddy St (à l'angle de Larkin St). ☎ 776-1380 ou 1-800-248-9466. *Doubles 109-149 $, petit déj compris autour de la piscine.* Devinette : quel est le point commun entre Keanu Reeves, Vincent Gallo, (les Red Hot Chili Peppers, Radiohead ou Sonic Youth ? Ils descendent tous dans ce vieux *motor lodge* réaménagé, « ze » hôtel des rock stars ! Déco New Age, loufoque à souhait, où l'on croise des statues de grenouilles jouant de la guitare. Et on ne plaisante pas ! Chambres gaies, assez cossues, joyeuses et hyper confortables. Propose des suites, idéales pour les familles. Petite piscine centrale chauffée pour se prélasser et *Bambuddha Lounge* pour trinquer. Sans oublier, spa, juste à côté (entrée gratuite) pour se faire chouchouter. Bref, un lieu de vie tendance.

🛏 *Tomo Hotel (plan I, A3, 51)* : 1800 Sutter St. ☎ 921-4000. ● hoteltomo. com ● *Doubles 99-239 $; pas de petit déj. Wifi gratuit.* En plein cœur de Japantown. Un hôtel entièrement dédié aux mangas et dessins animés japonais, du *lobby* avec son pouf bleu-vert informe aux chambres graphiques, narrant les aventures de nombreux personnages sous forme de fresques murales. Mobilier assez classique, voire fonctionnel, lits joufflus et salle de bains avec baignoire. TV écran plat, coffre-fort. Salle de jeux (PSP et wii à disposition). Et quand on sait que *tomo* veut dire ami, celui-ci pour sûr vous veut grand bien !

🛏 *Petite Auberge (plan I, C3, 60)* : 863 Bush St. ☎ 928-6000 ou 1-800-365-3004. ● petiteaubergesf.com ● *Doubles 130-240 $, petit déj inclus. Wifi gratuit, accès Internet payant.* Plus qu'une auberge, un genre de chambre d'hôtes de prestige... Difficile de résister au charme de ce petit établissement romantique, ouvert à l'origine par des Français au goût très sûr : chambres décorées dans le style Laura Ashley, avec meubles anciens, tissus fleuris, et parfois cheminée, une salle de petit déj ouvrant sur un jardinet et un salon cosy où l'on sert l'apéro en fin de journée. En

fait, on se croirait plutôt en Angleterre !

🛏 *Queen Anne Hotel (plan I, B3, 50)* : 1590 Sutter St. ☎ 441-2828 ou 1-800-227-3970. ● queenanne.com ● *Doubles 140-200 $, petit déj inclus. Accès Internet et wifi gratuits.* Hôtel de charme par excellence. Dès l'entrée, de lourdes tentures s'entrouvrent comme au théâtre pour dévoiler un superbe salon meublé de style Napoléon III. Pompier en diable ! On y prendra le sherry de 16 à 18h, entre la cheminée et le piano, avant de se retrancher dans le fumoir ou d'aller picorer des petits gâteaux dans la salle à manger. Chambres dans le même esprit, dotées de lits à baldaquin ou de ciels de lit, de tapis et de tissus un brin tape-à-l'œil. Bref, rien n'a été laissé au hasard, jusqu'à l'ascenseur agrémenté de boiseries, d'un banc et d'un miroir !

🛏 *The Majestic Hotel (plan I, B3, 48)* : 1500 Sutter St (angle Gough). ☎ 441-1100 ou 1-800-869-8966. ● thehotelmajestic.com ● *Doubles 140-260 $. Accès Internet et wifi gratuits.* Perché sur une colline résidentielle, le *Majestic* a l'avantage d'échapper au bruit et à la pollution tout en restant proche du centre. Construit en 1902 pour un magnat des chemins de fer, ce très bel hôtel victorien à la façade blanche ornée de bow-windows a résisté aux tremblements de terre. L'actrice Olivia de Haviland y habita durant près de 10 ans. Superbe *lobby* Belle Époque. Une soixantaine de chambres confortables (TV, salle de bains, etc.), certaines avec lit à baldaquin et meubles de style. Les moins chères sont cependant assez petites. La décoration et les tapisseries anciennes créent une atmosphère à la fois surannée et élégante.

🛏 *Jackson Court (plan I, A3, 45)* : 2198 Jackson St (entre Laguna et Buchanan), dans Pacific Heights. ☎ 929-7670. ● jacksoncourt.com ● *Doubles 160-225 $ selon confort, petit déj et teatime compris. Le w-e, 2 nuits exigées. Résa conseillée (10 chambres slt).* Un B & B très cossu, bien à sa place dans ce quartier résidentiel chic. Il occupe une grande maison 1900 aux aménagements luxueux : superbe *lobby* (lambris de bois sombre et beaux objets d'art), salon avec table de jeu, chambres spacieuses, confortables et de bon goût. Le matin, le petit déj est servi dans une cuisine comme à la maison, et l'après-midi, à l'heure du thé, un bon feu crépite dans la cheminée. Une vraie adresse de charme, idéale pour les escapades amoureuses !

🛏 **Hotel Bohême** (plan I, C2, **73**) : 444 Columbus Ave (entre Green et Vallejo). ☎ 433-9111. ● hotelboheme. com ● Doubles 175-195 $. Wifi. Pour les argenté(e)s souhaitant dormir au cœur de North Beach, sur les traces de Kerouac et de sa bande, un petit hôtel façon bonbonnière au charme intime. Il occupe un vénérable immeuble du début du XXᵉ s, où l'on ne dénombre qu'une poignée de chambres pas bien grandes, mais très coquettes, et meublées à l'ancienne : lits en cuivre, tons chauds, objets des années 1940-1950,

salles de bains rétros, douce atmosphère... Accueil soigné. Pas vraiment bohème en définitive.

🛏 **Hotel del Sol** (plan I, A2, **55**) : 3100 Webster St (entre Greenwich et Lombard), dans le quartier de Pacific Heights. ☎ 921-5520 ou 1-877-433-5765. ● thehoteldelsol.com ● Doubles 120-200 $ selon situation et saison, petit déj continental inclus. Wifi. Parking gratuit. Insolite. Cet ancien motel revu et corrigé arbore désormais une tenue estivale plus colorée qu'une palette de peintre : chambres cosy, dans un style contemporain bariolé, et une grande cour ensoleillée où palmiers, bambous et orangers ombragent la piscine (chauffée) bordée de transats. Un côté vacances sous les tropiques !

Beaucoup plus chic (et parfois complètement fou)

🛏 **Clift Hotel** (plan I, C3, **67**) : 495 Geary St (angle Taylor). ☎ 775-4700 ou 1-800-652-5438. ● clifthotel.com ● Doubles 250-400 $. Accès Internet haut débit et wifi payants. En plein cœur de S.F., un hôtel prestigieux et extravagant, aménagé dans un immeuble ancien par une pléiade de créateurs internationaux, dont notre Philippe Starck national. Le lobby est particulièrement décalé : canapé à l'africaine (peau d'autruche et cornes de buffle), fauteuil de géant (jetez un œil au dessous...), cheminée à gaz assez kitsch, qui illumine l'atmosphère sombre et sombre (tons gris et bois rouge) et un brin feutrée... Dans les étages, c'est tout l'inverse ! 370 chambres, suites, lofts et studios, très réussis et au confort extrême (choisir de préférence les étages élevés, les premiers niveaux donnent, selon l'orientation, sur les murs des immeubles voisins), aux tons lavande et beige clair. Splendides salles de bains aux lignes épurées (certaines sont toutefois un peu petites), TV avec lecteur DVD, téléphone. Au rez-de-chaussée, un bar très tendance, Redwood Room et un resto, Asia de Cuba, fréquenté par la jeunesse dorée de S.F. (mais on ne le conseille pas vraiment). Une adresse qui mérite vraiment le coup d'œil.

🛏 **Hotel Vitale** (plan I, D3, **79**) : 8 Mission St. ☎ 278-3700. ● jdvhotels.com ●

Doubles 300-400 $; pas de petit déj. À peine si on remarque cette bâtisse minérale où se mêlent pierre de Jérusalem et bois clair. Un vrai lieu de relaxation, malgré la taille (environ 200 chambres), avec cours de yoga inclus et spa payant. Chambres tout confort, naturellement, aux teintes lavande et bleutées, pas bien grandes, mais étrangement spacieuses. Lits dodus, salles de bains lumineuses, service aux petits soins et décontracté. Certaines offrent même de généreuses perspectives sur le pont d'Oakland et la baie (les plus chères). De quoi prendre le large à domicile !

🛏 **Château Tivoli B & B** (plan I, A4, **63**) : 1057 Steiner St, tt près d'Alamo Sq. ☎ 776-5462 ou 1-800-228-1647. ● chateautivoli.com ● Doubles 100-290 $ selon confort, petit déj compris et champagne-brunch le w-e. Min 2 nuits le w-e. Cette superbe demeure victorienne, l'une des plus belles de San Francisco, ancienne demeure d'un directeur de l'Opéra, s'impose de loin avec ses couleurs rose brique et vert, ses moulures dorées et ses 2 tours pittoresques. Construite en 1892, elle survécut au séisme de 1906. À ses heures de gloire, elle hébergea acteurs et chanteurs lyriques de talent, qui ont laissé leur nom à certaines des 9 chambres et suites très cossues. Confortables, très élégantes, elles arborent un décor 1900

SAN FRANCISCO

de bon ton. Seules deux partagent une salle de bains ; les autres ont toutes la leur, même si elle n'est pas contiguë. Les 2 suites du second, donnant sur la tours, sont les plus belles, en particulier la *Luisa Tetrazzini Suite*. Le lit à baldaquin, racheté dans une vente aux enchères, appartenait à de Gaulle en personne ! Les 2 suites du rez-de-chaussée sont peu lumineuses, mais vraiment très grandes, avec leur propre entrée (l'une a une petite cuisine). Ajoutez à cela le vin et le fromage en début de soirée, un personnel très accueillant et vous aurez tout réuni pour un séjour vraiment mémorable. La vie de château en somme !

🏠 **The Archbishop's Mansion** (plan I, A4, **39**) : *1000 Fulton St, face à Alamo Sq.* ☎ 563-7872. ● *thearchbishopsmansion.com* ● *Doubles dès 130 $, petit déj compris. Parking gratuit.* Pied de nez de l'histoire, ce vénérable hôtel particulier, construit à l'origine pour les archevêques de la ville, est aujourd'hui un somptueux *B & B gay friendly* ! Mais c'est avant tout une adresse de rêve, idéalement située dans le voisinage des *Painted Ladies*. Confort irréprochable qui ne cesse de croître au gré des rénovations. D'ailleurs, l'adresse faisait peau neuve lors de notre dernier passage. Racontez-nous ! Propriétaires adorables.

🏠 **Hotel Triton** (plan I, C3, **64**) : *342 Grant Ave (angle Bush).* ☎ 394-0500 ou 1-800-800-1299. ● *hoteltriton.com* ● *Doubles 160-200 $ selon saison, 200-300 $ pour les celebrity suites. Wifi gratuit.* Idéalement situé, face à la porte de Chinatown, ce luxueux hôtel design, qui appartient à la chaîne *Kimpton*, dénote par son excentricité. Le *lobby* donne le ton, avec son décor baroque et psyché, un mélange de Versace et de Gaudí. En tout, 140 chambres superbes et très confortables (les *standard rooms* sont certes un peu petites) que les super-branchés s'arrachent : showbiz, musicos, photographes de mode, etc. Mais l'originalité, c'est d'avoir confié la déco d'une poignée de chambres à des célébrités. Les nostalgiques des Grateful Dead feront un pèlerinage dans celle de *Jerry Garcia*, les fans du Grand Bleu opteront pour la *Wyland*, dédiée aux dauphins, et les gourmands s'empiffreront de crèmes glacées, ser-

vies à discrétion dans la suite *Haagen Dasz* ! Celle de l'actrice Kathy Griffin n'est pas mal non plus dans le style loft new-yorkais. En fin d'après-midi, un verre de vin est servi dans le *lobby*, devant la cheminée. Seul bémol, l'accueil impersonnel.

🏠 **Hotel Griffon** (plan I, D3, **31**) : *155 Steuart St (entre Mission et Powell).* ☎ 495-2100 ou 1-800-321-2201. ● *hotelgriffon.com* ● *Doubles 190-290 $, petit déj compris. Wifi gratuit.* Dissimulé dans une rue calme proche de la baie et de Market Street, cet hôtel coquet se distingue par sa décoration soignée et son atmosphère intime. Les bibelots choisis donnent une atmosphère chaleureuse aux parties communes, tandis que le petit nombre de chambres, certaines aux murs de briques apparentes, garantit la tranquillité du lieu. Douillet.

🏠 **The Handlery Union Square** (plan I, C3, **74**) : *351 Geary St (et Powell).* ☎ 781-7800 ou 1-800-843-4343. ● *handlery.com* ● *Doubles 160-250 $.* L'archétype du petit hôtel de luxe, très central et pas trop écrasant. Il se divise en 2 bâtiments encadrant une cour intérieure paisible, où l'on ira piquer une tête dans la piscinette, se reposer sur un transat entre deux courses à Union Square. Sauna également. Les chambres les moins chères se révèlent confortables (coffre, Internet...) et de bon goût, les plus onéreuses comprennent en plus un coin salon et toutes sortes de petits plus (peignoirs de bains...). Pas de petit déj.

🏠 **Sir Francis Drake Hotel** (plan I, C3, **68**) : *450 Powell St (entre Sutter et Union Sq).* ☎ 392-7755 ou 1-800-227-5480. ● *sirfrancisdrake.com* ● *Doubles 130-350 $ selon confort.* Construit en 1928, cet hôtel luxueux a conservé son style Art déco d'origine et affiche aujourd'hui une touche insolite un tantinet démonstrative. *Lobby* monumental (surdimensionné, on va même dire !) aux allures de palais, avec marbre, colonnes torsadées, dorures et lustres dégoulinant de perles, sur lequel veille un étonnant *doorman* en uniforme de garde de la couronne anglaise. En tout, plus de 400 chambres de bon goût mais heureusement moins tape-à-l'œil : plus ou moins grandes mais confortables, avec papier peint rayé, miroir et luminaires fantaisie, salle de bains d'époque. Beaucoup de cachet et finalement assez abordable pour le luxe proposé.

Au 21e étage, un night-club surplombe la ville, avec musique live certains soirs. Soirée drag queen ou jazz. Demander le programme !

HÔTELS À LA SEMAINE ET AU MOIS

Voici quelques établissements relativement proches du centre. Appeler à l'avance pour voir si une chambre ou un appartement se libère.

⚑ **Vantaggio Suites** (plan I, B3, **69**) : 580 O'Farrell St (entre Jones et Leavenworth). ☎ 885-0111. • vantaggiosuites.com • Dortoirs à partir de 210 $/pers par sem, doubles sans sdb à partir de 350 $/pers par sem, petit déj compris ; ajouter 50 % pour deux. Internet gratuit. Dans un immeuble à deux pas de Union Square, 70 petites chambres fonctionnelles et bien tenues (ménage chaque semaine), équipées d'un bureau et d'étagères. Également cuisine commune, laverie. Tout à fait dans l'esprit d'une résidence étudiante en somme. Excellent rapport qualité-prix. Réservez tôt !

⚑ **Vantaggio Suites Cosmo** (plan I, B3, **75**) : 761 Post St. ☎ 614-2400. • vantaggiosuites.com • Doubles sans sdb 300 $/pers par sem, avec sdb privée 485 $/pers par sem, petit déj inclus ; 795 $ pour 1 mois sans sdb. Internet. Ce bâtiment moderne de 17 étages, couleur mauve pétant, ouvert par les mêmes proprios que le précédent, offre à la fois un esprit AJ jeune et international, et les prestations d'un hôtel de standing. Chambres spacieuses, bien équipées (TV, frigo, micro-ondes, sèche-cheveux...), impeccables, avec vue plongeante sur Downtown pour les plus chères. Très propre. Grande cuisine commune au sous-sol, salle de sport, de billard et salon TV. Si les 2 adresses « Vantaggio » étaient fermées, une annexe, au 835 Turk St. Plus cher cependant.

⚑ **Monroe Residence Club** (plan I, B3, **49**) : 1870 Sacramento St (entre Van Ness et Franklin). ☎ 474-6200. • monro

eresidenceclub.com • Résa avec 100 $ d'arrhes (très conseillée en été car vite complet). Doubles à partir de 210 $/pers par sem, avec sdb commune (820 $ le mois). Bâtiment historique d'un quartier résidentiel, qui survécut au tremblement de terre de 1906 sans une égratignure. La façade est banale, mais l'intérieur possède beaucoup de charme : lobby au luxueux décor de boiseries sculptées (la plupart des bois vinrent d'Europe, via le cap Horn !), salle à manger ornée de fresques amusantes, salle de jeux avec moulures au kilomètre... Évidemment, les chambres ne reflètent pas le même luxe. Certaines sont mignonnes, d'autres basiques, mais toutes sont plutôt bien tenues, même si certaines mériteraient d'être rénovées. Frigo, vieilles baignoires, laverie. Ambiance familiale pas désagréable. Une bonne option, d'autant plus que le petit déj et les dîners sont inclus dans le prix.

⚑ **The Kenmore Residence Club** (plan I, B3, **50**) : 1570 Sutter St. ☎ 776-5815. • kenmorehotel.us • Doubles sans sdb à partir de 210 $/pers par sem, et 260-300 $ avec sanitaires privés, petit déj jusqu'à 8h15 (!), brunch le dim et dîner compris. Résa conseillée (100 $ d'arrhes requis par CB). Dans un quartier tranquille et sans souci, 79 chambres un brin vieillottes, à un peu tous les prix en fonction du confort. Salle de jeux, salon TV et laverie. Repas basiques, mais très corrects, servis dans la cafétéria. Accueil agréable et efficace. Un très bon rapport qualité-prix.

Où camper dans les environs ?

Il faut être vraiment motivé pour vouloir camper et visiter San Francisco en même temps. Ce n'est toutefois pas impossible, à condition de ne pas craindre de faire de la route, même pour trouver commerces et restos. Voici un bon camping qui se trouve dans l'Anthony Chabot Regional Park :

▲ **Anthony Chabot Campground :** 9999 Redwood Rd. ☎ (510) 562-2267. Par courrier : East Bay Regional Park, PO Box 5381, Oakland, CA 94605-5369. ● eb parks.org ● Dans l'Anthony Chabot Regional Park donc, à 45-60 mn de San Francisco, voire plus aux heures de pointe. De Downtown, prendre l'Oakland Bay Bridge ; à la sortie du pont, emprunter l'Interstate 580 E, la Freeway 24 (direction Berkeley) puis la Freeway 13 S (direction Hayward) et sortir à Redwood Rd ; 10 miles de virages et vous arrivez à l'entrée du parc. Possibilité de se rendre dans le centre-ville de S.F. en 30 mn avec le BART (station la plus proche du camping : Castro Valley, à 4 miles,

soit 15 mn en voiture). L'enregistrement peut se faire tte la journée à partir de 7h, mais, le portail fermant à 22h, ne rentrez pas trop tard (vous trouveriez porte close). Résa conseillée avr-sept. Emplacement de tente (pour 8 pers !) 18-25 $ la journée, plus cher en camping-car. On dort au milieu d'une forêt d'eucalyptus et l'on en prend plein les narines. Les sites les plus agréables sont les 10 walk-in sites (on gare sa voiture en retrait). Douches chaudes, barbecue, lac, sentiers de balade superbes, centre équestre, club de golf... et quel calme ! Après une rude journée dans Downtown, ça fait du bien de se griller un bon steak au feu de bois (en vente à l'entrée).

SAN FRANCISCO QUARTIER PAR QUARTIER

Downtown et Financial District (plan I)

Tout le long de Market Street, depuis Van Ness, se succèdent des quartiers bien différents. Au Civic Center (le centre monumental de la ville) succèdent le vieux Tenderloin (qui amorce un lent processus de rénovation), Union Square (les grands magasins les plus célèbres) et Financial District, édifié sur des terres remblayées sur la mer. Autrefois, c'est là que se trouvaient les quais de San Francisco... Au nord, Chinatown, puis North Beach et Fisherman's Wharf.

Dans Downtown, plus précisément du côté de Tenderloin, vous serez surtout frappé par le nombre de SDF (appelés homeless ou street people). Vision pathétique encore renforcée si vous passez devant la Glide Memorial Church (300 Ellis Street), où une file impressionnante de pauvres hères à moitié endormis attend un bol de soupe ou un petit job. Certains poussent un chariot de grand magasin, qui leur permet de transporter toute leur fortune et de tendre une couverture pour dormir et s'isoler sur le pas de la porte des magasins qui ouvrent tard. Quartier réputé à risques, il faut le savoir.

– **Tuyau :** les Free Walking Tours, organisés par les amis de la S.F. Public Library (plan I, B4), 100 Larkin Street (Paul and Market Street). Chaque mois, superbe programme, genre les peintures murales de 24th Street, les églises japonaises, le Golden Gate, les mansions victoriennes de Pacific Heights ou d'Alamo Square, ou encore les roof gardens and open spaces... Rens : ☎ 557-4266 ou 6e étage de la bibliothèque. ● sfcityguides.org ● Durée : 1h-1h30. Programme sur Internet, dans les bibliothèques et au Visitor Center. Les guides sont des bénévoles enthousiastes qui aiment leur ville. C'est gratuit, mais une contribution de soutien n'est jamais refusée ! Visite tous les jours (réservation obligatoire pour les groupes supérieurs à huit).

Où manger ?

Spécial petit déjeuner

☛ **Dottie's True Blue Café** (plan I, C3, 80) : 522 Jones St (entre Geary et O'Farrell). ☎ 885-2767. Tlj sf mar 7h30-15h. Formules 10-13 $. L'une des grosses références en ville pour le breakfast... et malheureusement l'une des plus peti-

tes ! N'oubliez pas votre journal préféré : les queues légendaires devraient vous laisser le temps de l'éplucher jusqu'au bout. Mais l'attente est récompensée par les délicieux gâteaux maison, les omelettes géantes et toutes sortes de petites choses (patates râpées, *pancakes...*) préparées avec soin et d'une fraîcheur absolue. Et malgré la foule qui piaffe à l'extérieur, l'atmosphère de la petite salle décorée de la photo coquine de Joséphine Baker et de lampadaires faits avec cafetières, théières, bouilloires et tasses soudées, demeure curieusement cosy et familiale. Impeccable pour finir de se réveiller en musique.

☛ *Taylor's* (plan I, C3-4, **61**) : *375 Taylor St (entre Post et Geary).* ☎ *567-4031. Tlj 7h-16h. Compter 9 $.* Un petit nouveau dans le circuit, mais qui a déjà tout des grands ! On fait la queue, on plante son épingle sur la mappemonde de l'entrée pour dire d'où l'on vient (y a même des clients venus de Pont-l'Evêque, c'est dire si l'affaire est connue de par le monde !). Toute petite salle en enfilade pour déguster de copieuses assiettes aux noms marrants (une pour deux suffit). *Pancakes* irrésistibles, omelettes baveuses, *French toast,* fruits bien frais et même une pizza ! Yabon ! Bon *turn over,* service dynamique, ne désemplit pas.

☛ *Sears Fine Food* (plan I, C3, **89**) : *439 Powell St (entre O'Farrell et Ellis).* ☎ *986-1160. Tlj 6h30-22h. Env 8-12 $.* Depuis 1938, cette énorme salle bruyante façon brasserie rétro voit défiler habitués et touristes en goguette. La spécialité maison, ce sont les mini-*pancakes* (servis par 18 !), plus légers en effet que les traditionnels. Omelettes appétissantes également. Un côté un peu usine dans le service.

Bon marché

|●| *Taylor's Automatic Refresher* (plan I, D2, **96**) : *1 Ferry Building (aile gauche du terminal), The Embarcadero.* ☎ *1-866-328-3663. Tlj 10h-20h30. Env 8 $.* Derrière ce nom pas possible, digne de la révolution industrielle, se cache l'un des meilleurs burgers de la ville. Passés les habituels 50 m de queue le midi (rapide *turn over*), on comprend mieux ce qui fait la réputation de la maison : tous les produits sont frais, cuisinés à point et associés au gré de recettes aussi bonnes qu'originales. Même les frites font l'objet d'une attention toute particulière, comme celles à l'ail. Du gastro-burger en somme ! La commande passée, on vous tend un bipeur ; dès que ça sonne, précipitez-vous récupérer votre dû. Terrasse agréable face aux tours étincelantes du Financial District. Une autre adresse à Napa.

|●| *Lori's Diner* (plan I, C3, **91**) : *149 Powell St (entre O'Farrell et Ellis).* ☎ *677-9999. Ouv 7h-22h (23h ven-sam). Plats 8-15 $. Back in the fifties !* Néons rouges, grosses banquettes de moleskine, pompes à essence rétro, *juke box* sur les tables, superbe moto *Indian* pendue au plafond et de bons vieux tubes de rock en continu, rien ne manque à la panoplie de cette amusante reconstitution des bistrots de

☛ *Pinecrest Restaurant* (plan I, C3, **86**) : *401 Geary St (angle Mason).* ☎ *885-6407. Ouv 24h/24 depuis 1969.* C'est d'ailleurs le principal atout de cette grande salle quelconque, populaire à souhait. On y trouve bien sûr les grandes spécialités du breakfast à l'américaine. Pas d'une extrême finesse, mais le tout à des prix très raisonnables.

☛ *Grand Café* (plan I, C3, **83**) : *501 Geary St (et Taylor).* ☎ *292-0101. Tlj 7h-10h30. Autour de 16 $.* Dans l'hôtel *Monaco.* Énorme volume (ancienne salle de bal avec tribune d'orchestre), grosses colonnes doriques, plafond ouvragé et monstrueux lustres néo-Art déco. Atmosphère d'une tranquille élégance, musique classique, service pro pour des mets classiques bien troussés. Tarifs en rapport.

☛ *Olympic Flame Café* (plan I, B3, **81**) : *555 Geary St (et Jones).* ☎ *885-0984. Tlj 6h-16h. Compter largement 12 $.* Un vrai *breakfast joint* des *fifties-sixties* ! Sa grande salle accueillante, certes un peu fatiguée, est le royaume de familles réjouies venues partager d'onctueuses et généreuses omelettes (et toutes ces sortes de choses) à prix démocratiques. On garde un souvenir ému des *pancakes* aux blueberries !

☛ Et puis en cas de nostalgie, le *Café de La Presse,* pour un café-croissants à la parisienne : voir plus loin dans « Où boire un verre ? ». Et pour perfectionner votre *American Attitude,* n'oubliez pas les breakfasts des *Lori's Diner* (voir ci-dessous).

papa. La carte est à l'image du cadre : *pancakes*, omelette tex-mex, burgers et *Caesar salad*. Plats copieux. Deux autres *Lori's* plus petits (ouverts 24h/24) : au 500 Sutter St (angle Powell) et au 336 Mason St.

|●| *Tommy's Joynt* (plan I, B3-4, *92*) : 1101 Geary St (angle Van Ness). ☎ 775-4216. Tlj 11h-1h45 (10h-1h45 pour le bar). Env 10 $. On paie en liquide. Ce self-service pittoresque ouvert depuis 1947 fait désormais partie des classiques : pour sa déco amusante (drapeaux, trophées sportifs, photos anciennes), son atmosphère chaleureuse, sa cuisine américano-italienne réputée pour sa viande de bison (le *buffalo chili* est un régal) et son plat du jour (levez la tête à l'entrée). Les serveurs, toque Vichy et tablier rouge (directement sortis de *La Belle et le clochard*), vous servent des assiettes copieuses et bon marché. On y trouve aussi l'étonnante *steam beer* (bière à fermentation naturelle sans aucune adjonction de gaz carbonique) ainsi que toutes les bières du monde (de la Tsing Tao chinoise à l'Almaza libanaise). Pas toujours de la grande finesse, mais cette adresse laissera à coup sûr de très bons souvenirs.

|●| *Original Joe's* (plan I, C4, *136*) : 144 Taylor St (angle Eddy), dans le quartier de Tenderloin (pas génial le soir). ☎ 775-4877. Tlj sf Thanksgiving et Noël, 10h30-minuit (22h30 dim). Plats 10-20 $. Un bistrot indéboulonnable tenu par la même famille italo-américaine depuis plus de 60 ans. Employés, hommes d'affaires, yuppies fauchés, tous sont venus au moins une fois dans la grande salle d'un autre temps où évoluent des serveurs en tenue. Rien d'inoubliable à la carte, mais une cuisine italienne de comptoir simple et sans mauvaise surprise, la même depuis des lustres. Une institution pour nostalgiques du *Old Frisco*.

|●| *Thai Stick* (plan I, C3, *137*) : 698 Post St (et Jones). ☎ 928-7730. Tlj 11h-1h. Env 8 $. Cadre simple (genre cafét'), mais agréable, et déco thaïe aseptisée. Bien entendu, *Thaï Stick*, c'est avant tout une bonne cuisine thaïe bien parfumée, copieuse et à prix doux, dégustée dans une atmosphère au calme et dont la réputation dépasse Downtown. Longue carte d'où émer-

gent surtout *seafood, chef's specials, tom yam* et *curries*. Et même de la *Singha Beer*, c'est dire si c'est typique ! Nombreux plats végétariens également. Service rapide.

|●| *Mangosteen* (plan I, B4, *140*) : 601 Larkin St (Eddy St). ☎ 776-3999. Nouilles 7-9 $. En plein cœur de Little Saigon, un petit resto vietnamien. Une salle aérée et des tables vite accaparées par une clientèle de quartier. Jolie déco avec éventails actionnés à l'ancienne (on vous laisse la surprise !). Au menu, chapelet de nouilles sous toutes leurs formes, sautées, en soupe, à l'ail, au poulet, au bœuf, au canard etc. Bon et pas cher. Hélas, service un peu débordé.

|●| *Naan and Curry* (plan I, B4, *95*) : 36 O'Farrell St ☎ 346-1443. Tlj midi et soir. Plats 2-7 $ (crevettes *masala* ou *tandoori*). Chaîne de gargotes indiennes où l'on mange des lamb vidaloo, curries et autres chickens byriani pas chers du tout. Grande salle moderne pas bien engageante, mais rapport qualité-prix excellent. *Takeoff* ou repas sur place en self-service. Portions généreuses qui raviront les amateurs de cuisine indopakistanaise. Excellent *naan*, le pain indien.

|●| *Ferry Building* (plan I, D2, *96*) : tt au bout de Market St. BART-MUNI : Embarcadero. Populaire destination pour déjeuner, surtout mardi, jeudi et le week-end au moment du pittoresque *Farmer's Market*. L'ancien terminal des ferries abrite dans son hall magnifique plusieurs dizaines de boutiques d'alimentation, petits (et grands) restos (voir *Taylor's Automatic Refresher*, plus haut), sushis, bars à vin. On y achète de bonnes petites choses, puis on part se restaurer sur de grosses tables face au port. En particulier, excellents produits italiens ou des fromages du monde entier (le *Cowgirl Creamery* littéralement pris d'assaut), délicieuses cochonnailles et viandes fumées chez *Potter* (boutique n° 32). Sinon, plus chic, faire un tour au *Tsar Nicoulai Caviar Café* (fermé lun) pour sa sélection d'œufs de poisson (pas seulement d'esturgeon), son tartare de *ahi* au cognac, ses œufs brouillés aux truffes, caviar *Osetra* californien et crème fraîche, etc. Pas forcément copieux, mais fin ! Et pour termi-

ner en douceur, une glace onctueuse chez *Ciao Bella* où les gens se marchent sur les pieds pour atteindre le comptoir...

l●l *Food Court de la Crocker Galleria* *(plan I, C3) : en plein cœur de Financial District, au 2e étage de la galerie marchande qui relie Sutter et Post St entre* Montgomery et Kearny. Ouv le midi en sem. Plein de petits self-services de cuisine du monde (japonais, mexicain, italien, libanais). Le bon plan consiste à s'installer au *roof garden* pour pique-niquer au calme, à l'ombre des gratte-ciel.

De prix moyens à plus chic

l●l *Tadich Grill (plan I, C3, 98) :* *240 California St.* ☎ *391-1849. Tlj sf dim 11h (11h30 sam)-21h30. Pas de résas. Env 20-30 $.* Dans Financial District, au beau milieu des buildings modernes, ce vénérable resto dénote quelque peu. Ouvert en 1849 par des immigrés croates, c'est le plus ancien de Californie. Au gré des séismes et des opérations immobilières, il déménage 7 fois (mais toujours dans le même rayon). Le cadre actuel, un décor de bois sombre, un tantinet austère, date des années 1920 : grande salle tout en longueur, genre brasserie parisienne, avec un immense comptoir et quelques tables sur le côté, dans des box. Carte longue comme le bras, mais les habitués conseillent les poissons grillés et son *seafood Cioppino,* rappelant la bouillabaisse. Beaucoup de monde le midi. En revanche, à partir de 15h on peut se restaurer très tranquillement.

l●l *Postrio Café (plan I, C3, 103) :* *545 Post St (entre Taylor et Mason), à 2 blocs de Union Sq.* ☎ *776-6702. Tlj 11h30-23h pour le bar. Pizzas 13-20 $.* Juste à côté d'un des restaurants les plus sophistiqués de San Francisco, un bar très en vogue chez les yuppies du coin. Et on les comprend ! Y déguster *antipasti* et pizzas savoureuses avec un verre de vin ne commet guère d'attentat au portefeuille. Belle cuisine californienne relevée d'inspirations méditerranéennes. Chouette ambiance autour du four à bois et petite musique jazzy pour accompagner le tout. On évitera le resto chic, un tantinet coincé.

l●l *Sushi Boat Restaurant (plan I, C3, 102) : 389 Geary St (entre Powell et Mason), face au* Maxwell Hotel. ☎ *781-5111. Tlj 11h-23h (minuit ven-sam). Env 20-25 $.* En sous-sol, sympathique resto japonais avec un immense bar circulaire. Petits box pour manger intime.

Au milieu, des cuisiniers préparent des sushis et les déposent sur un convoi de petites barques qui voguent réellement sur l'eau autour du bar, pour que les clients se servent au passage. Les couleurs des assiettes correspondent à une catégorie de prix. À la fin du repas, le serveur calcule votre addition en fonction des assiettes. Un peu gadget mais amusant, et pas mauvais.

l●l *The Cheesecake Factory (plan I, C3, 119) :* Union Sq, *sur Geary St, au 8e et dernier étage du magasin* Macy's. ☎ *391-4444. Lun-jeu 11h-23h ; ven-sam 11h-0h30 ; dim 10h-23h. Moins de 10 $ pour un* cheesecake. S'attendre à faire la queue (on vous donne un bipeur quand c'est votre tour !). D'abord, on profite d'une vue extra sur Union Square ! Ensuite, voici le kitschissime palais du *cheesecake* ! Choix gargantuesque de *cheesecakes* découpés en parts, pas des plus fins, à emporter ou à savourer sur la magnifique terrasse. Gourmands, ne pas s'abstenir. Sinon, possibilité de faire un vrai repas, mais c'est trop cher.

l●l *Anjou (plan I, C3, 100) : 44 Campton Pl.* ☎ *392-5373. Dans une ruelle reliant Stockton et Grant, entre Sutter et Post St. Tlj sf dim-lun, 11h30-14h, 18h-22h. Résa conseillée. Formule 16,50 $ le midi, ou plats 17-25 $ à la carte.* Il faudra jouer des coudes pour obtenir une table le midi. Forcément, les habitués ont flairé depuis longtemps l'aubaine : un petit menu français très raffiné, plus qu'abordable et servi dans un cadre frais et agréable (brique, plantes vertes). Le soir, c'est plus élaboré, et l'atmosphère est plus chic... comme l'addition !

l●l *Plouf (plan I, C3, 99) : 40 Belden Pl (petite rue entre Bush et Pine, Kearny et Montgomery St).* ☎ *986-6491. Lun-ven 11h30-15h, 17h30-22h (23h ven) ; sam 17h30-23h. Env 25-30 $.* Dans une ruelle inondée de restos (certains racolent un peu trop !) au milieu des buildings, le *Plouf* tire largement son épingle du jeu avec sa bonne cuisine de la mer principalement française. À la carte : huîtres, bouillabaisse, moules-frites et poissons du Pacifique, à déguster dans un cadre de bistrot moderne, servis par des garçons en marinière. Les carnivores pourront toujours dévorer un carré d'agneau, un steak ou un poulet. Souvent bruyant mais, par beau temps, on ira se réfugier en terrasse (pas de voitures).

|●| *B44* (plan I, C3, *108*) : 44 Belden Pl (petite rue entre Bush et Pine, Kearny et Montgomery St). ☎ 986-6287. Ouv 11h30-14h30, 17h30-22h (22h30 ven-sam, 21h dim). Env 25 \$ le midi, 30-35 \$ le soir. Ce restaurant catalan de qualité propose des spécialités de paellas et toute une gamme de poissons et de fruits de mer alléchants, relevés comme il se doit avec des sauces méditerranéennes pleines de saveurs. Le cadre, résolument moderne et sophistiqué, n'empêche pas une certaine convivialité, accentuée par la proximité des tables et un accueil souriant... Terrasse bien agréable.

|●| *Osha Thai Restaurant* (plan I, D2,

101) : 149 2*nd* St. ☎ 278-99-91. Lun-sam 11h-23h ; dim 16h-23h. Compter 20-25 \$. Au pied de l'hôtel *Hyatt,* près de Financial District. Dans une salle chic, design et aérée, toute baignée d'or. Cuisine thaïe raffinée, en dépit d'une carte longue comme le bras. Tous les classiques siamois (soupes, salades, nouilles), et même du tilapia, poisson typiquement thaï s'il en est ! Service un peu speed sous l'œil sage de Bouddha. Petite terrasse pour deviser en devinant la mer toute proche. Parfait pour un dîner en amoureux. D'autres adresses à S.F. (696 Geary St, 819 Valencia St, 2033 Union St).

|●| *Scala's Bistro* (plan I, C3, *68*) : 450 Powell St, juste au pied du Sir Francis Drake Hotel. ☎ 395-8555. Tlj 8h-minuit. Résa conseillée le w-e, même pour le déj. Plats 11-15 \$. Ce grand bistrot chic à l'européenne, genre brasserie des beaux quartiers, propose une cuisine italienne sérieuse sur fond de jazz. Sa devise ? « Viens vite, je goûte aux étoiles ». N'exagérons rien, même si les pizzas sont plutôt correctes, et les pâtes, risotto et desserts, vraiment délicieux. Le service est soigné, mais la salle bruyante et pas très intime.

Très chic

|●| *Farallon* (plan I, C3, *105*) : 450 Post St (entre Powell et Mason). ☎ 956-6969. Ouv à partir de 17h30 (17h dim). Menu 50 \$ avt 18h30 ; carte env 60 \$. L'un des restaurants les plus en vue de la ville ! Chaque soir, businessmen, top models et autres yuppies s'empressent religieusement à l'entrée de cette gigantesque salle aux lumières tamisées, dans des froufrous de robes du soir pimpantes et de costards-cravates dernier cri... Bref, c'est déjà un spectacle en soi pour le routard amusé de voir le gratin franciscain sur son trente et un ! Côté croque, la carte change tous les jours et propose principalement de délicieuses spécialités de la mer, en harmonie avec un décor, inspiré de *20 000 Lieues sous les mers* (observez les lampadaires en forme de méduses, les colonnes lumineuses, le plafond constellé d'étoiles !). Pas du meilleur goût, il faut le reconnaître !

|●| *Jardinière* (plan I, B4, *124*) :

300 Grove St (angle Franklin), à deux pas du Civic Center. ☎ 861-5555. Tlj 17h-22h (23h jeu-sam). Résa impérative (jusqu'à plusieurs sem à l'avance). Env 60 \$. On aime beaucoup le cadre spatial de ce resto installé dans un vieil entrepôt, alliant harmonieusement brique et fer forgé design. Noter le bel escalier qui monte au 1er étage. Bar en rotonde, surmonté de la galerie où s'alignent les tables. Lumière tamisée, plafond étoilé et notes de jazz distillées par un petit orchestre achèvent de rendre l'atmosphère suave et intime. Côté fourneaux, « la chef », Traci Desjardins, mitonne une cuisine continentale très fine, savoureuse et mâtinée d'une fameuse *French touch,* apprise dans un grand resto parisien. Les plats (viandes, poissons, volailles...) sont présentés avec beaucoup de soin, la cave à vins est bien fournie et se délecte des douceurs en accord avec les succulents vins proposés. Service plutôt dis-

cret (tant mieux !). Une adresse idéale pour les amoureux qui ont les moyens.

|●| *Campton Place* (plan I, C3, **104**) : 340 Stockton St (et Post). ☎ 781-5555. Tlj sf lun, midi et soir jusqu'à 22h30. Compter 50-85 $. Cadre distingué (voire sophistiqué) pour ce rejeton de la chaîne d'hôtels indienne *Taj*, service hors pair et pas du tout coincé (bien au contraire). Clientèle huppée de connaisseurs appréciant cette atmosphère élégante, *easy going* et calme tout à la fois. On est loin de la branchitude bruyante. Tant mieux, car il faut jouir en toute quiétude de la subtile et moderne cuisine de Srijith Gopinathan, grand maître ès hauts fourneaux indiens. Cuisine créative, intelligente, utilisant de superbes produits et possédant un réel sens des saveurs (délicates fragrances méditerranéennes). Définitivement une belle table.

|●| *Slanted Door* (plan I, D2, **96**) : 1 Ferry Plaza (au Ferry Building), au bout de Market St. ☎ 861-8032. BART-MUNI : Embarcadero. Tlj 11h30-14h30, 18h-22h (22h30 ven-sam). Résa conseillée. Env 25 $ le midi, 40 $ le soir. On se presse pour pousser la porte de ce resto vietnamien, l'un des meilleurs de la ville, idylliquement situé face à la baie. Décor résolument contemporain de métal et de verre, composant une atmosphère aérienne idéale pour déguster la belle et inventive cuisine de Charles Phan. Carte des vins bien fournie, à moins qu'on ne déniche la perle rare parmi la belle sélection de thés. Élégant *lounge bar* pour patienter.

Où boire un verre ?

🍷 *Café de la Presse* (plan I, C3, **1**) : 469 Bush St (angle Grant). ☎ 398-2680. Dim-jeu 7h30-21h30 ; ven-sam 8h30-22h. Une vraie terrasse parisienne face à la porte exubérante de Chinatown, l'image ne manque pas de piment... Idéal en tout cas pour savourer un petit noir et éplucher son journal préféré, le tout sur un air d'accordéon. Personnel en partie francophone. Fait aussi resto dans un cadre de bistrot chic réussi. Bon, mais un peu cher.

🍷 *Tunnel Top* (plan I, C3, **221**) : 601 Bush St (angle Stockton St). ☎ 986-8900. Un de nos bars préférés. On pourrait le dépasser sans même l'apercevoir, tant sa façade étroite suspendue au bord du pont paraît décrépie. Et pourtant le *Tunnel Top* est le refuge de ceux qui fuient l'atmosphère lissée de Union Square. Les habitués s'y retrouvent dans une délicieuse atmosphère fraternelle, accoudés au comptoir ou sur la galerie métallique où sont exposées quelques œuvres d'art et qui encercle un impressionnant lustre formé de bouteilles... vides pardi ! DJ pour épicer le tout, mais dans une limite sonore tout à fait raisonnable.

🍷 |●| *Grumpy's* (plan I, C2, **252**) : 125 Vallejo St (et Battery). ☎ 434-3350. Lun-ven slt, 8h-22h ou plus. Happy hours lun-jeu 17h-19h. Burgers env 10 $. Ce pub d'Embarcadero est fréquenté en majorité par les employés des bureaux voisins, on comprend mieux pourquoi il est fermé le week-end ! Murs de briques, plafond punaisé de billets de 1 $, ambiance bruyante et joviale, pas du tout *grumpy* (grincheuse). Si vous passez dans le coin à l'heure du déjeuner, les burgers et sandwichs chauds sont originaux, goûteux, juteux à souhait, et passent bien avec une *Anchor Steam* pression. Les adeptes sont nombreux, c'est souvent plein comme un œuf.

🍷 *Cityscape* (plan I, C3, **218**) : à l'hôtel Hilton, 333 O'Farrell St (et Mason), au 46ᵉ étage. ☎ 771-1400. Ouv 17h (10h dim)-0h30. Prendre la batterie d'ascenseurs au fond à droite de l'hôtel. Que la baie de San Francisco est belle vue d'en haut ! La ville s'étend à vos pieds dans toutes les directions et l'eau est partout. Le bar est assez conventionnel, à l'image de sa carte des cocktails. Mais les desserts, que l'on peut commander avec un thé, sont tout simplement divins. Ce n'est plus de la pâtisserie, mais de la sculpture moderne ! On regrette juste que les tables les plus proches des fenêtres soient réservées au dîner.

🍷 *Redwood Room* (plan I, C3, **67**) : 495 Geary St (angle Taylor). ☎ 929-2372. Dim-jeu 17h-14h ; ven-sam 16h-2h. Plus branchouille tu meurs ! Redécoré par Philippe Starck, ce bar taillé

SAN FRANCISCO

d'un bloc dans un séquoia (redwood), aux murs rouge diabolique accueille du beau monde, en toute modestie, dans une ambiance feutrée. Peut-être pour apprécier en paix les œuvres d'art éphémères diffusées sur les écrans vidéo géants ?

⟨ Minx (plan I, B3, **223**) : 827 Sutter St. ☎ 346-7666. Au rdc de l'hôtel Commodore. Tlj 17h-2h. Nob Hill ne se couche finalement pas si tôt que ça le soir, grâce à des bars cosy et chaleureux comme le Minx, connu pour sa déco rococo où les élégants canapés Chesterfield côtoient des peaux de bêtes ! Décalé, bonne musique rock, clientèle agréable (un rien B.C.B.G.) : ne changez rien !

⟨ The Irish Bank (plan I, C3, **220**) : 10 Mark Lane (petite rue entre Grant et Kearny). ☎ 788-7152. Au cœur du Financial District. Tlj 11h-2h. Un pub de compétition : des boiseries patinées, une ribambelle d'objets hétéroclites dans tous les coins, une alcôve pour les amoureux, une cheminée pour les soirées d'hiver et une terrasse géniale à la belle saison, bref, l'Irlande n'a pas à rougir de son rejeton. Beaucoup d'ambiance à la sortie des bureaux et les soirs de match. On peut aussi y manger, du burger traditionnel au fish and chips très réussi, en passant par le pub grub bien de là-bas. Et pour faire glisser le tout, une Guinness bien tirée !

San Francisco *by night*

♩ **The Ruby Skye** (plan I, C3, **222**) : 420 Mason St (entre Post et Geary). ☎ 693-0777. • rubyskye.com • Ouv mer-sam. Entrée env 20 $. Cet ancien théâtre métamorphosé abrite désormais l'une des boîtes de nuit incontournables de la vie nocturne de S.F. ; fréquentée par la jeunesse dorée de la ville, lookée et chicos. Jolies filles irrésistibles et beaux gosses ravageurs se livrent à d'intenses mouvements « gymnasticatoires » sur des rythmes totalement endiablés mitonnés par les meilleurs DJs du moment. Musique parfois assourdissante. Cher mais ultra-tendance.

♩ **Café Royale** (plan I, B3, **248**) : 800 Post St (et Leavenworth). ☎ 441-4099. • caferoyale-sf.com • Ouv 16h-minuit (2h ven-sam). Surveillez bien le programme de ce café d'angle contemporain aux banquettes irrésistibles. Car les amateurs plébiscitent la qualité de ses concerts de jazz de bon niveau, autour d'un verre de vin et de fromage. Le tout à prix doux, dans une ambiance intime et conviviale.

♩ **Biscuits & Blues** (plan I, C3, **224**) : 401 Mason St (et Geary). ☎ 292-2583. • biscuitsandblues.com • Tlj sf lun. Entrée à partir de 5 $ (selon notoriété du chanteur ou du groupe). Le temple du blues californien, « dedicated to the preservation of Hot Biscuits and Cool Blues »... Autrement dit, tout le Sud dans l'assiette et dans les oreilles. Au choix, jam sessions vendredi, samedi et dimanche de 15h30 à 18h30, ou les

2ᵉˢ parties de soirée pour écouter les excellents groupes (consultez le programme sur le site, ou directement sur place) et ainsi esquiver la nourriture, plutôt médiocre et chère.

♩ **Great American Music Hall** (plan I, B4, **225**) : 859 O'Farrell St, à l'ouest de Tenderloin. ☎ 855-0750. • musichallsf. com • Env 10-20 $. De cet ancien bordel, très en vogue dans les années 1900, il reste une salle de concerts à l'ancienne avec des tables de saloon et une ambiance feutrée, idéale pour apprécier un concert de blues ou voir un héritier de Bob Dylan. La programmation étant très variée, on peut aussi assister à des spectacles de musique folklorique du monde entier, voir des chanteurs mexicains et des groupes latinos, punks, etc.

♩ **The Fillmore** (plan I, A4, **226**) : 1805 Geary St (angle Fillmore). ☎ 346-6000. • thefillmore.com • N'est pas situé dans Downtown, mais à l'ouest, de l'autre côté de Van Ness, dans le quartier de Fillmore. La salle de concerts mythique de S.F., où débuta toute la scène hippie dans les années 1960. Toutes les têtes d'affiche en tournée mondiale passent encore ici : les grands groupes rock, mais aussi les meilleurs DJs électro et les stars de la world music. Bref, toujours des programmations de qualité, presque chaque soir (surveillez les programmes dans les journaux culturels gratuits ou sur le site), à des prix raisonnables.

À voir

🎥🎥 **Union Square** *(plan I, C3)* **:** le centre de San Francisco, avec ses enseignes chic, ses grands magasins – dont *Macy's, Saks, Neiman Marcus, The Levi's Store,* etc. – et ses hôtels de luxe : le *Saint Francis*, le *Sir Francis Drake*. L'esplanade fut dessinée en 1901. À l'origine il n'y avait là qu'une haute dune de sable, transformée en parc public dans les années 1850, toujours très animée (théâtre, danse, chansons). Union Square tient son nom des manifestations unionistes qui s'y déroulèrent durant la guerre de Sécession. À proximité, une rue intéressante : Powell Street, avec son fameux *cable car.* Beaucoup d'activité sur Union Square, dès les premiers rayons du soleil.

🎥🎥 **Frank Lloyd Wright Building** *(plan I, C3, 305)* **:** *140 Maiden Lane, petite rue reliant Stockton et Kearny entre Post et Geary.* Le bâtiment servit de projet préalable au fameux musée Guggenheim de New York. Conçu par Frank Lloyd Wright en 1948, architecte anticonformiste connu pour avoir défendu le courant organique, ce bâtiment renfermant une superbe rampe en hélice abrite aujourd'hui une galerie d'art *(Xanadu Gallery).* C'est la seule œuvre du maître à San Francisco.

🎥 **Financial District** *(plan I, C-D3)* **:** à visiter de préférence en semaine, de 11h à 15h ; le soir et le week-end, c'est complètement mort. Au moment du lunch, on bénéficie du spectacle des *golden boys* qui foncent pour aller manger. Nombreux sont ceux qui se rendent à la *Crocker Galleria* qui relie Sutter et Post Street entre Montgomery et Kearny. Galerie marchande très chic, genre hall de gare moderne, dont le toit en demi-cercle est entièrement vitré et d'où vous aurez une très belle vue sur les buildings environnants. Au 2e étage, nombreux self-services à des prix assez raisonnables (voir « Où manger ? » plus haut). Le quartier des banques se doit, bien entendu, de livrer quelques beaux spécimens architecturaux. Proche du port, il se développa beaucoup plus que le centre de la ville (California Street fut toujours une meilleure adresse que Market).

🎥🎥 👫 **Wells & Fargo Bank History Room** *(plan I, C3, 306)* **:** *420 Montgomery St (à la hauteur de California).* ☎ 396-2619. *Tlj sf w-e et j. fériés, 9h-17h. Entrée gratuite.* Petite brochure en français. Deux étages consacrés aux souvenirs de la *Wells & Fargo,* fondée en 1852 en profitant de l'afflux de chercheurs d'or. On y voit en particulier les célèbres diligences qui ouvrirent la route de l'Ouest d'une façon aussi efficace que la carabine *Winchester.* Vous pourrez admirer le *Concord Coach* qui transportait jusqu'à 18 personnes, dont neuf sur le toit ! À l'origine, deux financiers new-yorkais, Henry Wells et William George Fargo. C'est quasiment à l'emplacement du musée que la banque démarra, offrant aux prospecteurs une variété de services : banque et messageries, achat d'or, dépôts de valeurs, transferts de fonds... Trois ans après, la *Wells & Fargo* comptait déjà 55 succursales (en 1890 : 2 600 !). En 1861 était créé le célébrissime *Pony Express,* entre Sacramento et Salt Lake City. On ne peut s'empêcher de rappeler la devise de la maison en pleine période ascendante : « *Work is a very necessary and good habit.* » Au 1er étage, quelques maquettes et une photo de Black Bart, gentleman cambrioleur qui, entre 1875 et 1883, n'attaqua pas moins de 27 diligences. La *Wells* offrit 250 $ pour sa capture (un beau pactole pour l'époque !). Lorsqu'il fut enfin attrapé, on s'aperçut qu'il était propriétaire d'une mine ! Aujourd'hui, on peut se faire photographier avec son effigie ! Les enfants adorent !

🎥 **Pacific Heritage Museum** *(plan I, C3, 307)* **:** *608 Commercial St (et Montgomery).* ☎ 399-1124. *Mar-sam 10h-16h. Entrée gratuite.* Soigneusement préservés dans l'ossature d'un immeuble moderne, les vestiges de la première US Mint (frappe de la monnaie), créée dans le sillage de la ruée vers l'or (1854), abritent désormais un petit musée. On peut encore voir au sous-sol les réserves en brique rouge de l'ancienne Mint, avec même quelques billets en argent et faux sacs d'or ! Pour le reste, il s'agit d'expos temporaires inégales de peintures et de sculptures, d'origine asiatique pour la plupart, ou parfois créées par des artistes locaux...

🎬 **Montgomery Street et Jackson Square** *(plan I, C3)* **:** le quartier est jalonné de plaques commémoratives ouvrant autant de fenêtres sur son passé. Impossible de passer en revue tous les fleurons architecturaux du Financial District, mais en voici quelques-uns. Les nᵒˢ 700 de *Montgomery Street* (entre Jackson et Washington) sont assez remarquables. On y trouve quelques-unes des plus anciennes constructions de l'époque de la ruée vers l'or. À l'angle de Montgomery et Washington, élégant immeuble de 1905. À côté, le nᵒ 708, édifié après le grand incendie de 1906. Les nᵒˢ 722-726, en brique rouge, datent de 1851, le nᵒ 728, en brique lui aussi, de 1853. Au nᵒ 552, riche architecture de la Bank of San Francisco (1908). Le *Jackson Square* historique, un quartier calme, où l'on trouve de nombreux antiquaires, correspond aux nᵒˢ 400 de Jackson Street. Au nᵒ 472, on trouve le Solari Building, en brique et fonte, de 1850. À côté, le Larco's Building de 1852. Aux nᵒˢ 432-436, l'un des plus beaux édifices en brique de la rue, construit en 1906, où *Sotheby's* s'est installé. Le nᵒ 441 date de 1861. Aux nᵒˢ 445-451-463-473, on trouve le complexe *Hotaling,* construit dans les années 1860. Aux nᵒˢ 415-431, la première usine de chocolat *Ghirardelli,* de 1853.

🎬🎬 **Transamerica Pyramid** *(plan I, C2, 308)* **:** *600 Montgomery St (angle Washington).* Le building le plus haut de la ville est aussi le plus étonnant, avec sa forme élancée reconnaissable à plusieurs kilomètres. Edifié en 1972 c'est l'un des emblèmes de San Francisco. Ne se visite pas (il n'y a que des bureaux).

🎬 **Bank of California** *(plan I, C3, 306)* **:** *400 California St.* Bâtiment néoclassique de 1907 avec façades à colonnes corinthiennes, contrastant avec les grandes tours voisines. Surélevé en 1967. Aujourd'hui, propriété des Japonais. Au sous-sol, à gauche en entrant, petit *Bank of California Museum (lun-ven 10h-16h30 ; entrée gratuite)* à la gloire de la société. Collection de vieilles photos et de monnaies retraçant principalement l'histoire de la banque. Pas très excitant, mais cela donne l'occasion de jeter un coup d'œil à la salle du coffre avec, pour le coup, une porte très impressionnante.

🎬🎬 **Hyatt Regency** *(plan I, D3, 310)* **:** au bout de Market St, vers l'Embarcadero. Ne pas confondre avec le *Grand Hyatt,* situé sur Union Square. Pas besoin d'avoir usé ses fonds de culotte sur les bancs d'une école d'architecture pour apprécier la beauté de cet hôtel. Attention, c'est surtout l'intérieur qui vaut le coup d'œil. Atrium de 17 étages. Des (fausses) plantes grimpantes sur les balcons, des (faux) arbres, une sculpture géante au centre du *lobby,* des bassins où s'écoule constamment de l'eau. Mais comment ça tient ? Prendre l'ascenseur intérieur pour avoir une vue plongeante (certains étages ne sont accessibles qu'avec une carte magnétique). C'est là qu'a été tourné *High Anxiety (Le Grand Frisson)* de Mel Brooks. Dans le parc au pied de l'hôtel, face à l'Embarcadero, belle sculpture de Jean Dubuffet.

🎬 **Ferry Building et The Embarcadero** *(plan I, D2)* **:** tt au bout de Market St. BART-MUNI : Embarcadero. Avec le transfert des activités portuaires vers les rivages plus favorables d'Oakland et la démolition de la *freeway* qui balafrait The Embarcadero, la municipalité s'est retrouvée confrontée à des kilomètres de quais désaffectés. L'essor de *Financial District* apporta la meilleure des solutions au problème : en quelques années, de nombreux entrepôts du front de mer ont été réhabilités pour accueillir des bureaux, des restaurants et même des logements, tandis qu'on aménageait progressivement les quais en promenades pour joggeurs et promeneurs. Même le vieux Ferry Building a dû revoir sa feuille de route ! Il reste bien quelques embarcadères pour le symbole, garantissant la liaison avec Sausalito, mais, pour l'essentiel, ce beau bâtiment de 1898, surmonté d'une tour de l'horloge copiée sur celle de la cathédrale de Séville, abrite aujourd'hui une galerie commerciale de luxe et de bons restaurants. À sa droite, le nouveau Pier 14 en bois donne aux badauds l'occasion de s'avancer en mer, pour mieux détailler la courbe du proche Oakland Bay Bridge. *Lovely !*

🎬🎬 **Glide Memorial Church** *(plan I, C4, 311)* **:** *Taylor St (angle Ellis), dans Tenderloin.* Récemment à l'affiche dans *À la poursuite du bonheur* qui raconte l'histoire vraie d'un SDF qui a fait fortune dans la finance incarné par Will Smith, cette petite église méthodiste de quartier est très active dans l'aide aux sans-abri, mais aussi célèbre pour son atmosphère *gay friendly* et ses formidables messes célébrées en musique. À ne pas manquer, ne serait-ce que pour se faire une idée des étonnantes pratiques religieuses américaines... Offices à 9h et 11h tous les dimanches. Arrivez en avance si vous voulez avoir une place assise. Chorale de gospels, avec solistes talentueux et orchestre au complet : un vrai concert ! Moment intense garanti. Dans la salle, tout le monde reprend les paroles en chœur en se donnant la main. Les enfants courent dans les travées, les uns s'embrassent, les autres pleurent, chantent, rient. À ne pas manquer. Pas difficile de les accompagner : les paroles défilent sur un écran géant, comme pour un karaoké ! Possibilité d'acheter les CD des chorales. Le reste du temps, les *homeless* dorment sur le trottoir face à l'église. Très émouvant.

✘ Civic Center (plan I, B4) : station métro MUNI, Civic Center ; ou bus n°s 5, 19 ou 21. Autour d'une vaste place, on trouve le City Hall (hôtel de ville), construit dans un style inspiré du classicisme français du XVIIe s (dôme de 94 m de haut). En face, l'Opéra, puis le Davies Symphony Hall (belle architecture en rotonde), le Civic Auditorium (concerts), la Main Library, les State et Federal Buildings, etc.

✘✘✘ Asian Art Museum (plan I, B4, 312) : 200 Larkin St. ☎ 581-3500. ● asianart. org ● Mar-dim 10h-17h (21h jeu). Entrée : 12 $; réduc ; jeu après 17h : 5 $; gratuit le 1er dim du mois. Inclus dans le CityPass 9 j. Audioguide en français gratuit. Occupe l'ancienne bibliothèque, un vaste bâtiment de style Beaux-Arts datant de 1917. L'architecture intérieure, signée Gae Aulenti, met magnifiquement en valeur cette fantastique collection de près de 15 000 pièces, retraçant 6 000 ans d'art asiatique. Des panonceaux expliquent merveilleusement les différences d'une région, d'un style à l'autre. Cette collection est considérée aujourd'hui comme la plus riche des États-Unis et l'une des principales dans le monde. Toutes ces œuvres couvrent l'Asie du sud, mais aussi la Perse et l'Asie de l'Ouest, l'Asie du Sud-Est, l'Himalaya, le monde tibétain bouddhiste, la Chine, la Corée et le Japon. Bien sûr, impossible de tout citer, d'autant plus qu'une partie des œuvres tourne régulièrement en raison de l'importance du fonds. Voici néanmoins une sélection d'incontournables :

Niveau 3

– *Salles 1 à 9 :* du sud au sud-est asiatique, de l'an 600 à 1800, dont un Linga à une face (rare) du Ve s apr. J.-C., le remarquable *Bouddha triomphe de Mara,* superbes estampes, trône-éléphant de 1870 (au bois peint à l'argent), porcelaines perses, tambours de bronze, fixations de palanquins du Cambodge très travaillées, coffrets de Maharaja ; casques à chignon hindou...

– *Salle 10 :* admirables têtes de bouddha dans la vitrine centrale et, dans le couloir, belle collection de kris (somptueux poignards malais à lame serpentine).

– *Salle 11 :* marionnettes indonésiennes utilisées pour les représentations de théâtre traditionnel, diadèmes en or...

– *Salle 12 :* le monde himalayen et tibétain. Beaux bouddhas népalais en cuivre repoussé, exquises statuettes dans la vitrine de droite, tangkas tibétaines.

– *Salles 13-16 :* l'art chinois. La salle 13 est consacrée au *jade dans la culture chinoise.* Fascinante muséographie des objets d'art, tous plus raffinés les uns que les autres. Noter les curieux disques de jade, lisses comme des miroirs. Symboles du pouvoir, ils sont ronds comme la représentation du ciel et solides comme l'immortalité que les souverains chinois voulaient s'approprier.

– *Salle 15 :* merveilleux objets de bronze (ornements de chariot), riche représentation d'animaux. Très rare « *money tree* », assemblage de pièces de monnaie d'une grande finesse qu'on plaçait dans les tombes (dynastie Han) pour assurer la richesse du défunt dans l'au-delà.

– Galerie de statues et stèles bouddhistes.

Niveau 2

– *Salles 17 et 18 :* la Chine de 960 à 1911, à travers objets d'art, porcelaines, vêtements brodés, ivoires ciselés, calligraphies, aquarelles, quelques meubles (Ming notamment, reconnaissables à leurs lignes sobres et déjà très modernes).

SAN FRANCISCO

– *Salle 19 :* arts impériaux à partir de 1644. Paravents ornementés, vases, etc, superbement présentés dans des étagères de bois sombre.

– *Salles de la Corée (de 21 à 23) :* délicates boîtes incrustées de nacre, poteries domestiques grises des XIIe et XIIIe s, art contemporain.

– *Salles 25 à 27 :* l'art japonais dans la vie quotidienne. Masques, armes, paravents, exquis petits objets sculptés, palanquins, faïences. Splendide collection de *netsuke* (liens) et d'*inro* (ancêtre du porte-clé !). Beau casque de la période Edo (1615-1868). Salle d'art contemporain.

– *Loggia du grand escalier :* fines porcelaines et poteries. Accessible par le Samsung Hall du 2e étage.

Rez-de-chaussée

Très intéressantes expos temporaires de peintures et d'aquarelles. Boutiques. Resto pas trop cher et sympa.

🕴🕴 *Saint Mary's Cathedral (plan I, B4, 313) :* angle Geary et Gough St (à l'ouest de Van Ness et du Civic Center). En général, tlj 6h45-16h30. L'intérieur se révèle absolument fabuleux. Construite en 1970, la cathédrale s'élance en forme de cloche, dont les voûtes se rejoignent au sommet, à 60 m au-dessus du sol, pour dessiner une croix ornée de vitraux. Le bâtiment est revêtu de travertin d'Italie (la pierre utilisée pour le Colisée à Rome). Admirez les superbes orgues, qui ne comptent pas moins de 4 842 tuyaux ! Au-dessus de l'autel, une tour de Babel composée de centaines de pics métalliques, complètement ahurissante, éclairée pour les grands services, représentant la foi s'élevant vers le ciel. Pas très rassurant quand même !

🕴 *Japantown (plan I, A-B3-4) :* bus n° 38 de Geary St, jusqu'à Laguna St. Japantown (Nihonmachi) n'est pas Chinatown, sa création ne remonte pas au XIXe s mais à 1968, ce qui lui confère beaucoup moins de charme. Cela dit, il serait dommage de ne pas se balader 1h ou deux à travers le Japanese Cultural and Trade Center, réminiscence du Ginza tokyoïte, où fleurissent les bons restaurants nippons et les magasins. Sur les franges de la Peace Plaza se dressent la surréaliste Peace Pagoda, haute de 30 m, et le théâtre Kabuki.

🕴🕴 🕴🕴 *La ligne F :* ligne de tramway historique sur Market St, reliant Fisherman's Wharf à Castro en empruntant l'Embarcadero. Fonctionne tlj de 6h (6h15 w-e) à 0h30. Accessible avec le CityPass et les tickets MUNI. Infos : ☎ 673-6864. Les voitures viennent des quatre coins du pays : San Francisco, Los Angeles, New York, Chicago, Louisville, Kansas City, etc. Les grands jours, on sort même les plus exotiques, originaires d'Italie, du Japon, d'Australie, de Russie... Seuls les machines et essieux ont été adaptés à leur nouveau parcours. Pour le reste, les couleurs des voitures, les affiches publicitaires de l'époque ont été conservées. Moyen très pratique de se rendre de Market à Castro.

Achats

Vous trouverez, dans Downtown, les grandes enseignes de prêt-à-porter américain (*Levi's, Banana Republic, Gap, Old Navy, Timberland, Ralph Lauren...*), mais à des prix plutôt élevés. Si ce genre d'achat vous intéresse, on conseille vivement de vous rendre dans les *outlet stores* de la région de S.F., à Vacaville, Napa, Sonoma, Gilroy, etc. (voiture indispensable et infos au *Visitor Information Center* de S.F.). Les routards non motorisés trouveront toujours chaussures et vêtements de marques sur Market Street, dans des boutiques de soldes permanents.

🌐 *The Levi's Store (plan I, C3) :* Union Sq. *Lun-sam 10h-21h ; dim 11h-19h.* Boutique de 4 étages, très moderne. On peut y acheter des jeans aux coupes courantes autour de 60 $, ou bien s'offrir un *vintage* (jean d'époque, des années 1960-1970) à des prix exorbitants, ou encore faire customiser son denim en choisissant broderies et transferts à l'atelier de l'entresol. Histoire de rapporter un souvenir original de la ville de naissance de la marque.

⊛ **Old Navy** *(plan I, C3-4) :* 801 Market St (et 4th St). ☎ 344-0375. Chaîne de prêt-à-porter pour toute la famille, à des prix très raisonnables. C'est la même maison que *Gap* mais moins cher. Rayon de soldes permanentes dans lequel on peut trouver leurs super tee-shirts imprimés, à prix cassés. Une de nos adresses préférées.

⊛ **The North Face** *(plan I, C3) :* 180 Post St. ☎ 433-3223. *Lun-sam 10h-20h ; dim 11h-18h.* La boutique de la célèbre marque de montagne, d'exploration et de loisirs. Sur deux niveaux, sacs à dos, polaires, parkas, matériel de rando... Pas donné mais un peu moins cher qu'en France.

⊛ **Urban Outfitters** *(plan I, C3) :* 80 Powell St. ☎ 989-1515. *Tlj 9h30-21h30.* Décor de hangar pour ce haut lieu de la fringue branchée, à prix raisonnables. T-shirts originaux, bouquins rigolos et objets de déco bien délirants sur 5 niveaux.

Chinatown *(plan I, C2-3)*

L'entrée principale de Chinatown, Chinatown Gate (un portique en forme de pagode), se trouve à l'intersection de Grant Avenue et de Bush Street. Avec ses 120 000 habitants, c'est la plus grande ville chinoise hors d'Asie après New York. Les marchands de fruits et légumes, les herboristes, les rôtisseries, les toits des bâtiments, les lampadaires, les cabines téléphoniques, les noms des rues, tout ici prend des allures de Chine. Pour mieux saisir l'atmosphère de ce morceau d'Asie, l'idéal est de venir faire son marché le samedi ou le dimanche matin, de bonne heure, en même temps que les habitants du quartier.

Les premiers immigrants chinois sont arrivés dès 1848, fuyant la famine et les conséquences de la première guerre de l'Opium pour s'installer autour de Portsmouth Square. Près de 4 000 en 1850, ils partaient dans les mines d'or ou organisaient des commerces (chaque clan avait le sien) dans la confection, la restauration, la pêche et, bien sûr, la blanchisserie.

Une grande cohésion de cette communauté, leurs habitudes vestimentaires entre autres, fit naître tout d'abord un sentiment de méfiance, puis de grande hostilité se traduisant par des lois antichinoises, tel le *Chinese Exclusion Act* de 1882. Ces différentes lois ne commencèrent à être abrogées qu'à partir de la Seconde Guerre mondiale, à la suite de la guerre contre le Japon (devenu l'ennemi commun des Américains et des Chinois).

Où manger ?

Chinatown est LE quartier pour manger pas cher. Cela dit, les nombreux restos ne proposent pas tous la même qualité et les vraies bonnes adresses ne courent finalement pas les rues. Bref, on vient généralement plus pour se nourrir que pour faire un festin. Bon à savoir, la plupart des petites adresses ne prennent pas les cartes de paiement.

Très bon marché

|●| **Hon's Wun-Tun House** *(plan I, C3, 122) :* 648 Kearny St *(entre Clay et Sacramento).* ☎ 433-3966. *Lun-sam 11h-19h. Env 5 $.* Cette petite cantine austère est le saint-bernard du routard fauché. Elle réussit le tour de force de proposer une cuisine simple et bonne à des prix défiants toute concurrence : tendrons de bœuf très tendres, pieds de cochon, légumes à la sauce d'huître, raviolis de crevettes à la vapeur, soupes et nouilles. Très couleur locale.

Bon marché

|●| **House of Nanking** *(plan I, C2, 106) :* 919 Kearny St *(entre Columbus et Jack-son).* ☎ 421-1429. *Ouv de 11h (12h le w-e) à 22h (21h30 dim). Plats env 10-12 $.*

Situé à la limite de Chinatown et de North Beach, ce petit resto sans fard est pourtant l'un des plus populaires de la ville. Pour preuve : la file d'attente quotidienne pour dégoter un coin de table dans une des 2 salles minuscules. Avis aux néophytes : laissez-vous guider par le serveur ; selon que vous êtes plutôt poisson, poulet, porc ou bœuf, il vous apportera un plat si copieux que vous pourrez aisément partager. Attention toutefois à ne pas trop commander, l'addition risquerait d'être plus salée que prévu. Pour accompagner ces mets excellents (comme en témoignent les nombreuses distinctions accrochées aux murs), un thé brûlant aux fleurs de chrysanthème et baies de *go chi*. Atmosphère rugissante, service survolté, mais cela fait partie du folklore.

|●| *Bow Hon Restaurant* (plan I, C2-3, *121*) : 850 Grant Ave (et Washington). ☎ 362-0601. Tlj 11h-22h30 (14h le w-e hors saison). Plats env 8-10 $. CB refu-

sées. Petite cantine populaire où la cuisine cantonaise honnête et sans prétention compense l'absence de déco. Vaste carte, mais on retiendra surtout la spécialité de la maison, le *clay pot stew* (sorte de ragoût préparé dans un récipient en terre cuite). Évitez en revanche le *shrimp fried rice*, sans interêt. Copieux et bon rapport qualité-prix.

|●| *New Asia* (plan I, C2, *145*) : 772 Pacific Ave. ☎ 391-6666. Ouv 10h (8h30 w-e)-15h, 17h-21h30. Repas env 15 $. Quand il n'est pas réservé pour les réceptions données par la communauté chinoise, ce vaste resto kitsch et clinquant à l'ambiance désuète fait le plein le midi pour ses *dim sum*, ces petites bouchées à la vapeur cuites dans des paniers. Le service est sur des chariots, et les clients choisissent les plats quand ils leur passent sous le nez. Le plus dur est alors de s'arrêter à temps : on a envie de tout goûter.

De prix moyens à plus chic

|●| *R & G Lounge* (plan I, C3, *90*) : 631 Kearny St. ☎ 982-7877. Tlj 11h-21h30. Plats env 11-18 $. Une institution que ce vaste resto chic qui s'étend sur 3 niveaux avec plusieurs petits salons privés. La salle au 1er étage est la plus classe, mais celle du sous-sol est amusante avec ses viviers. Les Chinois viennent en bande autour de grandes tables rondes dotées d'un plateau tournant central pour partager des spécialités de Hong-Kong. La *seafood* tient le haut de l'affiche, avec en vedette le *live crab with salt and pepper* (prix au poids). Quelques plats rares et hors de prix comme la soupe de requin et d'autres, plutôt bon marché et néanmoins savoureux *(beef and rice vermicelli in clay pot)*. Service efficace (les serveurs sont équi-

pés d'oreillettes !) mais impersonnel.

|●| *Great Eastern Restaurant* (plan I, C2, *146*) : 649 Jackson St (et Kearny). ☎ 986-2500. Tlj 10h-1h. Env 15-30 $. Ouvert en 1955, ce grand resto chinois haut de gamme se reconnaît aisément à son fronton en forme de pagode. Le menu est un véritable livre de recettes... Si l'ampleur du choix vous effraie, tenez-vous-en aux spécialités cantonaises. Si vous commandez un crabe ou un poisson frais, il a toutes les chances de vous être présenté après avoir été tiré des viviers alignés sur le mur du fond. Les prix de la *seafood* sont affichés selon les cours du jour. Au déjeuner (10h-15h), ceux qui craignent pour leur bourse se rabattront sur l'alléchante sélection de *dim sum*. Accueil stylé.

À voir

Chinatown s'articule autour de Grant Avenue, véritable colonne vertébrale de ce quartier très vivant et pittoresque. C'est là que l'on trouvera le plus de boutiques en duty free (attention, les prix, certes détaxés, ne veulent pas dire grand-chose) et de restaurants. Ne pas hésiter à délaisser Grant Avenue, photogénique mais trop touristique et racoleuse, pour se « chinoiser » sur Stockton Street (où les locaux font leurs courses), Clay Street et Sacramento Street. Une petite allée où il faut déambuler : Waverly Place (entre Washington et Sacramento Street, parallèle à Grant Avenue) pour les balcons et les temples richement décorés. Également Ross Alley, presque en face (coincée entre Washington, Jackson, Stockton et Grant), très typique aussi avec ses échoppes traditionnelles. Au n° 56, on peut assister à la confection traditionnelle des *fortune cookies* dans une petite fabrique qui existe depuis 1962.

🎬 *Old Saint Mary's Church* (plan I, C3, **314**) : angle Grant Ave et California St. Première cathédrale de San Francisco, construite en 1854, sur le modèle d'une église gothique espagnole, par les ouvriers chinois qui n'étaient pas encore partis pour la ruée vers l'or. Elle a brûlé lors

> ## HOROSCOPE CHINOIS
>
> *Les* fortune cookies, *servis traditionnellement dans les restos chinois des États-Unis avec l'addition, sont des petits gâteaux secs garnis d'une bandelette de papier portant un message porte-bonheur, une maxime humoristique, voire, pour la version* adults-only, *une blague coquine ! Ils auraient été inventés à San Francisco, par le jardinier-paysagiste du Japanese Tea Garden dans le Golden Gate Park, au début du XXᵉ s. Mais Los Angeles en revendique aussi la paternité. Ce qui est sûr, c'est qu'il a fallu attendre les années 1990 pour en trouver aussi en Chine !*

du tremblement de terre de 1906, mais ses murs sont restés debout. Certains diront que c'est parce qu'elle est construite en granit venu de Chine – et en brique apportée comme ballast de Nouvelle-Angleterre par les navires contournant le cap Horn. À l'entrée, vieilles photos intéressantes du quartier dans la seconde moitié du XIXᵉ s.

🎬🎬 *Chinese Historical Society of America Museum* (plan I, C3, **315**) : 965 Clay St. ☎ 391-1188. ● chsa.org ● Mar-ven 12h-17h ; sam 11h-16h. Fermé dim-lun. Entrée : 3 $; réduc ; gratuit le 1ᵉʳ jeu du mois. Ce petit musée présente une expo intéressante sur l'histoire de l'immigration chinoise dans l'Ouest américain et à San Francisco en particulier. Originaires principalement de la région de la rivière des Perles au Guandong, ravagée par les famines, et arrivés dans des conditions de voyage pires que celles des émigrants européens, les Chinois étaient employés (et exploités) dans l'agriculture, les travaux hydrauliques, la blanchisserie et surtout le chemin de fer comme coolies. On leur réservait les travaux les plus dangereux, comme le délicat transport de la nitroglycérine destinée à creuser les tunnels (avec la promesse de les autoriser à faire venir leurs familles). Beaucoup y laissaient leur peau. Des panneaux racontent aussi la xénophobie des syndicats dont la propagande les qualifiait de « mangeurs de chats ». En 1870, 10 % de la population californienne était d'origine chinoise. Des textes de lois ont même été votés par la Chambre des représentants pour interdire aux Chinois certains domaines d'activités. Cet ostracisme perdura jusque dans les années 1960.

🎬 Pour les fans d'architecture, voir la **United Commercial Bank,** au 743 Washington Street, superbe construction de 1909 en forme de petite pagode. Également le **Ying on Merchants and Labor Association,** au 745 Grant Avenue, au-dessus du Shanghai Bazaar (belle façade chinoise moderne, étroite et colorée). Ne ratez pas non plus, au 755 Sacramento Street, le charmant bâtiment de la petite **Nam Kue Chinese School.** Blanc et rouge, au toit turquoise évoquant lui aussi une pagode, il date de 1925 et abrite une école chinoise qui accueille les enfants du quartier après les cours de l'école américaine.

🎬 Pittoresque grande *fresque* représentant des musiciens et des vues de la ville au carrefour de Columbus et Broadway.

– Les curieux peuvent assister aux entraînements en plein air de *taï chi* et autres arts martiaux. Ça se passe à Portsmouth Square, qui donne sur Clay Street (plan I, C2-3), en plein Chinatown, très tôt le matin ou encore le soir. Si vous voulez prendre des photos, faites-le en toute discrétion.

Achats

◈ *Red Blossom Tea Company* (plan I, C3) : 831 Grant Ave (entre Washington et Clay). ☎ 395-0868. Tlj 10h-18h30 (18h dim). Cette petite boutique de thés, qui existe depuis une vingtaine d'années, est connue pour son sérieux et son accueil délicat et personnalisé. C'est ici que vous pourrez acheter les fleurs de jasmin qui s'ouvrent en corolle dans la théière. N'hésitez pas à demander conseil et regardez bien les prix car certaines variétés rarissimes sont très chères. La maison ne fait pas salon de thé mais on vous offrira volontiers une petite tasse, pour goûter. Au fond, les plantes médicinales.

◈ *Kee Fung NG Gallery* (plan I, C3) : 757 Grant Ave (angle Clay). ☎ 434-1844. La devanture ne paie pas de mine, mais cette petite galerie propose néanmoins de belles estampes à prix cassés, des nécessaires d'écriture ou des tampons. Ces derniers se présentent sous forme de sceaux en pierre, ornés de dragons, bouddhas ou signes du zodiaque. Possibilité de se faire graver un tampon à son nom en caractères chinois.

◈ *Old Shanghai* (plan I, C3) : 645 Grant Ave (entre California et Sacramento). ☎ 986-1222. Cette boutique se démarque par sa sélection un peu plus rigoureuse et de meilleure qualité. En plus des habituels gadgets bon marché (il faut bien vivre !), elle offre un large choix de meubles (assez chers), bibelots, services à thé et surtout de vêtements de bonne facture à des prix raisonnables : robes brodées chatoyantes à la « In the Mood for Love », adorables tenues pour les enfants.

Russian Hill et Nob Hill (plan I, B-C2-3)

Les collines les plus célèbres de San Francisco avec Telegraph Hill. Beaucoup considèrent Russian Hill comme étant le quartier le plus mystérieux, avec ses petits passages ombragés, ses escaliers à l'assaut du moindre relief, ses belles demeures cadenassées et austères et enfin ses habitants, mélange de yuppies, de Chinois et d'étudiants en art. Quant à Nob Hill, la plus haute colline de la ville (115 m), des petits palais ventrus, des hôtels historiques, comme le *Fairmont* (rescapé du tremblement de terre de 1906) et le *Mark Hopkins*, et des *cable cars* bondés résument à eux trois ce quartier. Son nom n'est autre qu'une contraction de nabab car, à la fin du XIXe s, s'y dressaient les villas fastueuses des magnats des chemins de fer et de l'industrie minière enrichis par la ruée vers l'or. Elles furent presque toutes détruites par l'incendie de 1906.

Où manger ?

Spécial petit déjeuner

☞ *Caffe Sapore* et aussi *Nob Hill Café* et *Pesce* pour le brunch le week-end (lire ci-dessous).

Bon marché

|●| *Caffe Sapore* (plan I, B2, **138**) : 790 Lombard St (angle Taylor St). ☎ 474-1222. Tlj 7h-20h30. Repas env 10-12 $. Fin stratège, ce *deli* tranquille occupe une place de choix à deux pas de nombreux centres d'intérêt... mais dans une rue calme et pittoresque. C'est par conséquent en terrasse qu'on ira déguster les salades fraîches, *focaccias* et bagels garnis, un œil sur les hortensias de Lombard Street. Parfait pour une petite pause dans le coin. Accès Internet et wi-fi.

|●| *The Café, SFAI* (plan I, B2, **228**) : 800 Chestnut St (et Jones), dans le San Francisco Art Institute. ☎ 749-4567. En sem slt 8h30-17h (15h ven). Fermé fin mai-début juin et pdt les vac scol. Petits plats 5-8 $. C'est le café de l'institut d'Art moderne (lire « À voir »). Et qui l'eût crû, la

cafétéria de cette école offre sans doute l'un des meilleurs points de vue sur North Beach et Alcatraz. Alors on n'hésite pas à jouer les étudiants le temps d'une pause

panoramique, à l'intérieur ou sur la terrasse, d'autant que les petits plats sont bien travaillés, à base de produits locaux, saisonniers et souvent bio.

Prix moyens

I●I *Swan Oyster Depot* (plan I, B3, **115**) : 1517 Polk St (angle California). ☎ 673-1101. Lun-sam 8h-17h30. Env 15-20 $. La caisse enregistreuse fatiguée donne une idée de l'âge de la boutique : quelque part à l'aube du XXᵉ s. Rien n'a vraiment changé depuis. Cette petite poissonnerie déniche toujours les meilleurs produits, qu'elle sert sans chichis aux innombrables amateurs agrippés au vieux comptoir de marbre. Après le rituel de l'excellente soupe de poisson du jour, les choses sérieuses commencent avec un festival d'huîtres locales, de crevettes, de crabes, ou encore de homard (prévoir assez de dollars pour le coup), tous d'une fraîcheur et d'une qualité irréprochables. Avec un verre de blanc et une tartine beurrée, c'est le bonheur assuré !

I●I *Aux Délices* (plan I, B2, **93**) : 2327 Polk St (entre Union et Green). ☎ 928-4977. Tlj 11h30-15h, 17h-22h. Plats 10-12 $ en moyenne. Une belle découverte que ce restaurant asiatique

(comme son enseigne ne le laisse pas supposer) situé en dehors du périmètre de Chinatown. On y sert des spécialités vietnamiennes, tout en saveurs, finesse et légèreté, d'un excellent rapport qualité prix. Tout est délicieux en effet, les soupes, les *spring rolls*, etc. Le service est à l'avenant : délicat et prévenant. Pas étonnant que la salle soit souvent comble, et que les locaux soient parfois nombreux à patienter devant le bouddha doré de l'entrée.

I●I *Nob Hill Café* (plan I, C3, **139**) : 1152 Taylor St (et Sacramento). ☎ 776-6500. Tlj 11h-15h, 17h-22h ; brunch le w-e 11h-15h. Plats 12-18 $. Petit resto italien mignon comme tout, situé à mi-chemin entre Grace Cathedral et le Cable-Car Museum, et jalousement gardé par une clientèle d'habitués venus en voisins. On les comprend : les spécialités du nord de la botte sont bien faites, sans chichis, et servies avec le sourire dans 2 salles coquettes ou en terrasse. Très agréable.

Chic

I●I *Antica Trattoria* (plan I, B2, **114**) : 2400 Polk St (angle Union). ☎ 928-5797. Tlj sf lun, slt le soir. Repas env 30 $. Aux antipodes des chausse-trappes à touristes de North Beach, cette authentique *trattoria* mise sur sa cuisine plutôt que sur une déco tape-à-l'œil pour fidéliser les gourmands. Et ça marche ! Ils sont nombreux à faire la queue devant ce bistrot sans esbroufe, de taille raisonnable, où des serveurs souriants et efficaces proposent de goûteuses spécialités du nord de l'Italie présentées avec la manière. Une valeur sûre.

I●I *Pesce* (plan I, B2, **230**) : 227 Polk St

(entre Green et Vallejo). ☎ 928-8025. Ouv ts les soirs ; brunch le w-e 12h-16h. Addition env 30 $. Succès oblige, les proprios de l'Antica Trattoria ont ouvert une petite annexe à deux pas de la maison mère, spécialisée dans le *seafood* à la vénitienne. Ici aussi, le décor néobistrot est discret, pour mieux se concentrer sur l'assiette ! Les portions étant petites, il faut en prendre deux, plus éventuellement un dessert, pour faire un repas mémorable. Risotto à l'encre de seiche, porc fondant au lait, sauge et pancetta, excellents desserts et cocktails.

Où boire un verre ? Où manger une glace ?

🍸 *The Café, SFAI* (plan I, B2, **228**) : voir « Où manger ? » plus haut.

🍸 *Royal Oak Saloon* (plan I, B2, **229**) :

2201 Polk St (et Vallejo). ☎ 928-2303. En général 16h-2h. Attention les yeux ! Portes sculptées, superbe comptoir,

SAN FRANCISCO

SAN FRANCISCO

lampes Tiffany, belles boiseries et tapis anciens dotent ce pub cosy en diable d'une délicieuse touche Années folles. Néanmoins, rien de fou dans l'atmosphère, la maison convient plus à de bonnes soirées au creux des fauteuils, à siroter un verre en faisant les yeux doux à son (sa) partenaire.

♟ *Green Sports Bar (plan I, B2, 230) : 2239 Polk St (entre Vallejo et Green).* ☎ 775-4287. Un *sports bar* échevelé et tapageur, très populaire parmi les jeunes étudiants. Normal, on y diffuse tous les matchs possibles sur une quinzaine d'écrans suspendus parmi les affiches, casquettes et planches de surf. Sacrée ambiance, dynamisée par un bon fond sonore et la vingtaine de bières pression servies par un staff souriant.

♟ *Swensen's Ice Cream (plan I, B2, 268) : 1999 Hyde St (et Union).* ☎ 775-6818. *Tlj sf lun.* Dans le quartier, ce glacier est presque aussi mythique que les hortensias de Lombard Street, c'est tout dire. Et les cornets sont maison. Bref, ça vaut le coup de grimper la côte !

À voir

À Russian Hill

Quartier résidentiel, l'un des plus élevés de la ville et livrant de prodigieux panoramas sur la baie et les maisons victoriennes de Pacific Heights et de Cow Hollow d'un côté, sur le centre et la Coit Tower de l'autre.

La rue la plus abrupte est Filbert : pente de 32 % entre Leavenworth et Hyde !

Pour visiter, il convient d'alterner selon le parcours *cable car* et marche à pied. Russian Hill gagna son nom du temps où, colline sauvage et peu urbanisée, on y enterra plusieurs Russes qui travaillaient pour une compagnie de trappeurs.

Belles maisons édouardiennes avec d'élégants bow-windows (fenêtres rondes) au coin de Fills et Hyde.

> ### RÉALISÉ SANS TRUCAGES
>
> *C'est dans les rues pentues de ce quartier que fut tournée en 1968 la fameuse course-poursuite de Bullitt, devenue un classique du 7ᵉ art américain. Trois semaines furent nécessaires pour tourner cette scène hallucinante qui dure à l'écran près de 10 mn. Steve McQueen, en grande forme, assura lui-même les cascades, au volant d'une Ford Mustang vert foncé lancée à près de 160 km/h.*

♟ *Lombard Street (plan I, B2, 316) :* « the Crookedest Street », entre Hyde et Leavenworth. L'une des rues les plus célèbres et probablement la plus tortueuse au monde (déjà vue dans de nombreuses poursuites de voitures au cinéma). À l'origine, ce n'était pas de la frime : ce dessin très particulier permit de baisser de 10 % la pente, qui en faisait 26, de sorte qu'elle puisse être empruntée par les chevaux. La rue est extrêmement fleurie à la belle saison. On doit d'ailleurs ses somptueux massifs d'hortensias à un Français, originaire du Limousin, qui habitait au nᵒ 1010 de la rue et qui, le premier, planta ces fameuses fleurs (bientôt suivi par ses voisins). Très touristique, et surtout très appréciée des conducteurs qui s'aventurent dans les boucles comme dans les montagnes russes… au grand dam des riverains dont les réclamations pour la fermeture définitive de la rue n'aboutissent jamais. À un bloc, on trouve le *San Francisco Art Institute* (voir ci-dessous).

♟ *San Francisco Art Institute (plan I, B2) :* 800 Chestnut St (et Jones). ☎ 771-7020. ● *sfai.edu* ● *Tlj 9h-20h (17h en été).* Bien dissimulée par de hauts murs bordés d'arbres, cette célèbre école, une fois le porche franchi, révèle une jolie cour carrée inspirée de l'architecture hispanique, avec ses bassins et ses galeries. L'ensemble du bâtiment est ouvert aux visiteurs et l'on peut se promener dans les différents ateliers. Attention seulement à ne pas déranger les cours. Deux galeries présentent des œuvres d'artistes déjà reconnus. Dans l'une, on peut voir une vaste fresque du fameux muraliste mexicain Diego Rivera (1931). L'artiste s'est représenté de dos, assis au centre de l'échafaudage, une palette de peintre à la main.

☕ Café sympa au fond de l'institut (voir « Où manger ? », plus haut).

🚶 *Green Street* *(plan I, B2)* : pour les trekkeurs urbains qui n'ont pas peur des marches à répétition et des pentes abruptes, une délicieuse promenade à la découverte des superbes demeures. On peut rejoindre Green Street par un escalier depuis Chinatown. Au n° 1088, demeure de 1907 (classée) d'un style normand, au toit en ardoise. Puis, quatre maisons intéressantes côte à côte : au n° 1067, la plus originale, la *Feusier Octagon House* datant de 1858. Au n° 1055, maison de 1866. Celle du n° 1045, en bardeaux avec un mini-clocher, date de la même époque. Au n° 1039, maison en bois de 1885 avec escalier extérieur et bow-windows. On peut continuer par *Macondray Lane,* la célèbre *Barbary Lane* des *Chroniques de San Francisco* d'Armistead Maupin (entre Union et Green, accès par un escalier de bois sur Taylor Street ou bien par Jones). Les fans seront peut-être déçus car le n° 28 du roman n'existe pas ! Mais la ruelle est un îlot de verdure absolument délicieux. Vallejo et Jones fusionnent à l'endroit le plus élevé de Russian Hill et livrent d'adorables impasses et ruelles.

🚶 Pour les fans de Kerouac, pèlerinage devant le *29 Russell Place* (Hyde et Union Street). C'est là qu'il écrivit *On the Road, Doctor Sax* et *Visions of Cody.* Il habitait dans le grenier de la villa de Neal et Carolyn Cassady, dont il était l'amant. Cela dit, on ne peut rien visiter.

À Nob Hill

Quartier délimité, grosso modo, par Bush et Broadway (au sud et au nord) et Powell et Van Ness (d'est en ouest). C'est l'une des collines de la ville les plus célèbres.

🚶🚶 *Grace Cathedral* *(plan I, B3, 317)* : à l'angle de Taylor et California St. Édifice massif de style néogothique, inspiré, dit-on, de Notre-Dame de Paris, mais construit dans les années 1960 ! La ressemblance n'est pas flagrante et l'ensemble est très lourd. L'intérieur ne présente pas grand intérêt, mais surprend par ses dimensions... américaines. Sur le côté droit de l'église en entrant se trouve une petite chapelle dédiée aux victimes du sida, dans laquelle sont exposés un retable en bronze de Keith Haring représentant la vie du Christ, achevé deux semaines avant sa mort en 1990, et un morceau du *Aids Memorial Quilt* (patchwork). Juste à côté, au 1075 California Street, le *Huntington Hotel,* à l'intéressante architecture de 1924.

🚶🚶 🚶 *Cable Car Museum* *(plan I, C2-3, 318)* : 1201 Mason St (angle Washington). ☎ 474-1887. ● cablecarmuseum.com ● *Tlj 10h-18h (17h oct-mars). Entrée gratuite.* Judicieusement situé dans le centre nerveux des *cable cars,* dans un vaste bâtiment datant de 1907 qui rassemble les hangars, les ateliers et tout le système d'exploitation. Plus que l'expo, une petite collection de vieux *cable cars,* d'outils et d'uniformes, c'est évidemment la vue plongeante sur la salle des machines qui justifie largement le détour. Dans un rugissement métallique et une odeur de graisse venus du fin fond de l'ère industrielle, d'immenses roues entraînent sans relâche les épais câbles déroulés le long des collines de San Francisco. Impressionnant. Film d'une quinzaine de minutes.

North Beach et Telegraph Hill *(plan I, C2)*

Juste au nord de Chinatown, Columbus Avenue marque en quelque sorte la « frontière » de North Beach, qui s'étend d'un côté jusqu'au pied de Telegraph Hill, surmontée de la fameuse Coit Tower, et de l'autre vers le parc de Washington Square. Ce fut le quartier de l'immigration italienne. En 1889, on comptait 5 000 Italiens ; en 1939, 60 000. Si l'on sait que Haight-Ashbury fut le foyer du mouvement hippy, peu se souviennent que la *beat generation* est née à North Beach.
Dans les années 1950, les Italiens les plus riches partaient en banlieue, laissant nombre de logements pas chers. Les jeunes gens *beat* investirent alors ce quartier vivant et accueillant. C'est alors que North Beach devint le haut lieu de la bohème

littéraire et musicale (en même temps que Greenwich Village à New York et Venice à Los Angeles). Des margeos aux cheveux gris, qui hantent certains bars, sont là pour nous le rappeler, même si la jeunesse dorée a progressivement envahi le quartier. C'est d'ailleurs toujours l'un des plus intéressants pour sortir le soir. On y trouve un nombre impressionnant de restos branchés et de bars agréables, plantés dans une atmosphère de fête et de néons colorés.

Avant de vous y aventurer, North Beach est le quartier le plus cauchemardesque de S.F. pour se garer. Au lieu de tourner pendant des heures, il est préférable de s'y rendre à pied, en bus – ou, à défaut, en taxi.

Où manger ?

Spécial petit déjeuner

☜ *Mama's* *(plan I, C2, 85)* : 1701 Stockton St (et Filbert). ☎ 362-6421. Tlj sf lun 8h-15h. Env 10-15 $. CB refusées. Tout le monde connaît *Mama's* : pour sa salle coquette et conviviale, dont les fenêtres ouvrent sur le charmant Washington Square, mais surtout pour ses breakfasts de compétition, servis toute la journée ! Grand choix d'omelettes, succulents *eggs Benedict, pancakes, French toast,* tout est frais du jour, préparé avec talent et joliment présenté. Même la confiture est maison. La queue le week-end (parfois plus d'une heure) est évidemment à la hauteur de la réputation : formidable !

☜ *Pat's Café* *(plan I, B1-2, 111)* : 2330 Taylor St (et Columbus). ☎ 776-8735. Tlj 7h30-22h30. Env 10-12 $. Wi-fi. Au rez-de-chaussée d'une charmante maison victorienne, une tranquille petite adresse de quartier, située au terminus du *cable car* Powell-Mason. Ici aussi, la spécialité maison, ce sont les *eggs Benedict,* fort bien préparés, et déclinés de plusieurs façons. Omelettes, crêpes fourrées et pancakes sont également au menu, ainsi que sandwichs, salades et burgers toute la journée. Accueil et service délicats.

☜ Et aussi *La Boulange* et *Mo's* : voir ci-dessous.

Bon marché

|●| *La Boulange* *(plan I, C2, 116)* : 543 Columbus Ave. ☎ 399-0714. Tlj 7h-19h. Env 5-10 $. Les Américains raffolent de cette mini-chaîne de boulangeries-salons de thé, ambassadrice de la « Belle France » (en français en V.O. !) : pains de tradition cuits au four, croque-monsieur fondants, salades fraîches et tout un comptoir de gâteaux pour faire craquer les gourmands. La star du petit déj, c'est le café au lait, servi dans un grand bol en faïence comme à la campagne. Autant dire que les tables en bois de la charmante salle décorée de souvenirs franchouillards affichent souvent complet.

|●| *Mo's* *(plan I, C2, 107)* : 1322 Grant Ave (entre Green et Vallejo). ☎ 788-3779. Tlj 9h-22h30 (23h30 ven-sam). Tt à moins de 10 $. Pour changer un peu de l'univers impitoyable des restos italiens, voici une petite cantoche tranquille connue pour ses succulents burgers accompagnés de frites maison. On peut choisir entre *angus beef* et poulet, sans oublier l'option végétarienne. Ils servent aussi le petit déj jusqu'à 15h (omelettes variées). Simple, authentique et très bon.

De prix moyens à chic

|●| *L'Osteria del Forno* *(plan I, C2, 110)* : 519 Columbus Ave (et Green). ☎ 982-1124. Tlj sf mar 11h30-22h (22h30 ven-sam). Repas env 15-20 $. CB refusées. Cette minuscule *osteria* ferait fortune si elle s'agrandissait. Mais ce n'est pas au

programme, car la maison préfère offrir une carte courte, simple et maintenir une qualité régulière. Au programme : *focaccine,* polenta au fromage, pizzas de tailles variées, et plusieurs plats du jour. Belle carte de vins italiens pour faire glisser le tout. Bon, authentique et pas cher pour le quartier, mais toujours bondé. Être patient vaut le coup.

|●| *Tommaso's* (plan I, C2, **113**) : 1042 Kearny St (et Broadway). ☎ 398-9696. Mar-sam 17h-22h30 ; dim 16h-21h30. Fermé lun. Plats et pizzas env 20 $, pâtes 13-15 $. Ouvert depuis 1935, Tommaso's est le plus vieux restaurant italien de North Beach, et un des plus authentiques. Ses pizzas fines et croustillantes, généreusement garnies, sont mémorables (attention, la *small* est énorme !), tout comme les spaghettis marinara et les raviolis maison. Rançon de ce succès mérité, la petite salle en demi sous-sol,

décorée de fresques napolitaines, est comble tous les soirs. Accueil et service efficaces, prodigués par la famille Crotti. |●| *The Stinking Rose (A Garlic Restaurant ;* plan I, C2, **112**) : 325 Columbus Ave (entre Broadway et Vallejo). ☎ 781-7673. Tlj 11h-23h. Plats 20-25 $ (dès 15 $ pour les pâtes). C'est bien connu, les Américains sont fous des restos thématiques et ne manquent pas d'idées dans le domaine. Ici, c'est l'ail qui est roi, mis à toutes les sauces, dans tous les plats (même les glaces) ou presque. Des guirlandes d'ail pendent de partout et une odeur entêtante vous saisit dès l'entrée. Aujourd'hui, c'est une véritable institution où l'on trouve autant de touristes que de locaux. La maison utilise d'ailleurs 1,5 t d'ail chaque mois pour satisfaire tout le monde ! Pas un vampire n'ose fréquenter l'endroit... Toujours plein le week-end.

Très chic

|●| *The House* (plan I, C2, **147**) : 1230 Grant Ave. ☎ 986-8612. Tlj sf dim midi jusqu'à 22h (23h ven-sam). Env 30-35 $. On n'ira pas jusqu'à prétendre qu'on s'y sent comme à la maison, mais ce minuscule resto sobre et clair dégage une atmosphère bienveillante. Le service est tout sourire, à l'image d'une bonne cuisine *fusion,* mi-californienne mi-asiatique, tout en saveurs et pleine de bonnes idées (spécialités au wok, associations sucrées-salées...).
|●| *Rose Pistola* (plan I, C2, **141**) : 532 Columbus Ave. ☎ 399-0499. Ouv 11h30-15h30, 17h30-23h30. Plats env 30-40 $ (pâtes et pizzas 16-20 $) ; quelques plats moins chers le midi. Rose a trouvé la formule qui marche auprès des San-Franciscains *trendy* : jeunes gens bien mis et yuppies décontractés remplissent sa salle tous les soirs, attirés par la déco étudiée, genre brasserie moderne chic, et la cuisine italienne soignée. Spécialités de poissons du jour (cher !) et de fruits de mer préparés selon vos souhaits (attention, on les paie au poids). Service impeccable et souriant. Concerts de jazz vendredi et samedi à 21h. Pour pouvoir discuter tranquillement, essayez d'obtenir une table sur la rue (lampadaires chauffants lorsqu'il fait un peu trop froid).

|●| *Fog City Diner* (plan I, C2, **120**) : 1300 Battery St (angle Embarcadero). ☎ 982-2000. Ouv 11h30-22h (23h w-e). Plats env 20 $, moins pour les sandwichs. Un *diner* version yuppie ! Cadre rétro, chic et sophistiqué, accueil un peu guindé. La carte, spécialisée dans les fruits de mer, est au diapason, de qualité et un rien snob. Attention aux *small plates* (très mode chez ceux et celles suivant un régime) : ce n'est pas une image, elles sont vraiment minuscules et vous laisseront sur votre faim ! De même, les *crab cakes* sont réputés mais vraiment très chers pour la quantité. Bref, sympa mais un tantinet surfait.
|●| *Caffé DeLucchi* (plan I, C2, **109**) : 500 Columbus St (angle Stockton). ☎ 393-4515. Sem 11h-22h, w-e 7h-23h. Plat env 20 $, pizza 15 $; moins cher le midi. Bien que situé dans un coin très touristique, vous apprécierez ce bistrot tranquille et un brin design (tableaux modernes aux murs), où la cuisine, *tutta italiana,* est mitonnée avec soin. Dans l'assiette : pizzas, *pasta, ensaladas,* etc., qui mettront vos papilles en émoi. Également réputé pour ses petits déj (le week-end seulement) aussi généreux que son accueil. Quelques tables dehors, stratégiquement situées pour apprécier l'animation du quartier.

Très, très chic

|●| Bix (plan I, C2, **118**) : 56 Gold St (ruelle reliant Montgomery et Sansome, entre Jackson et Pacific). ☎ 433-6300. Lun-sam 17h30-23h (minuit ven-sam), plus lunch ven. Env 40-50 $. Installé dans un ancien entrepôt en brique (qui fut un Gold Center Exchange au XIXe s), ce resto vous charmera par son décor figé quelque part entre les années 1930 et les années 1940. Immense salle avec une superbe fresque, des colonnes corinthiennes et un plafond vitré qui diffuse une douce lumière orangée. Mezzanine en croissant à l'atmosphère intime, idéale pour les dîners en amoureux. Service stylé pour une clientèle sophistiquée venue savourer une cuisine d'inspiration française, mais aussi pour son atmosphère très club due aux formations de jazz qui se produisent tous les soirs.

Où boire un verre ? Où manger un morceau ? Où prendre un café ?

San Francisco a conservé toute une série d'anciens bars, bistrots, rades, troquets, dont les proprios n'ont pas changé un bouton de porte. Adresses immuables, chaleureuses et conviviales. Autant d'expériences, de rencontres insolites... À noter, le nombre de plus en plus important de *sidewalk cafés* sur le modèle européen (du Sud). Lieux en général très sympas et relax, avec la garantie d'y boire quelque chose qui ressemble à du café.

♀ Caffe Trieste (plan I, C2, **231**) : 601 Vallejo St (angle Grant). ☎ 392-6739. Ouv 6h-23h (minuit ven-sam). Photos de joyeuses soirées, portraits de clients célèbres (Pavarotti, etc.), fresques patinées, vieux poêle, piano... Un véritable café italien, fondé en 1956 et toujours aussi populaire, où l'*espresso* est considéré par certains comme le meilleur en dehors de la Botte. Même les pâtisseries sont de là-bas (et pourtant elles sont fraîches !). Les habitants de North Beach y prennent leur breakfast en pianotant sur leur ordi, les poètes, les écrivains ou les philosophes y viennent en pèlerinage sur les traces des *beat days*. Quant aux touristes, ils affluent le samedi après-midi pour les airs d'opéra chantés à tue-tête par des amateurs pleins de bonne humeur. Pas très académique mais pittoresque. Mamma mia !

♀ Vesuvio (plan I, C2, **232**) : 255 Columbus Ave (et Jack Kerouac Alley). ☎ 362-3370. Tlj 6h-2h. Situé juste à côté de la légendaire librairie City Lights, ce bar ouvert depuis 1948 est devenu logiquement l'un des principaux repaires beatniks. La superbe déco n'a pas bougé depuis ses premières heures : tiffanies, boiseries, peintures, photos jaunies, souvenirs divers, collages... un vrai inventaire à la Prévert ! Dylan Thomas y écrivait des poèmes jusqu'à épuisement. Aujourd'hui, habitués et touristes béats se partagent le bar sur un petit air jazzy, un verre à la main ou autour d'une partie d'échecs. Une adresse comme on les aime.

♀ ♪ San Francisco Brewing Company (plan I, C2, **233**) : 155 Columbus Ave (angle Pacific). ☎ 434-3344. Tlj 12h-2h. Happy hours 16h-18h. Dans un ancien bar de 1907 dont le célèbre boxeur Jack Dempsey fut un temps le portier... Intéressant pour sa bière qui est brassée dans la boutique à côté (cuves visibles) et qui est tout à fait acceptable. Les sacs de houblon malté s'entassent dans la vitrine et parfument l'atmosphère. Grand comptoir de bois verni bien patiné avec, au-dessus, une brochette de ventilos, très tropicale, qui vaut à elle seule le détour. Joli décor de tiffannies, parquet, boiserie, bref, la totale. Dans la journée, plutôt tranquille. Mini-concerts de jazz certains soirs, se renseigner (en principe le lundi). On peut aussi y manger (sandwichs, burgers...).

♀ |●| Café Zoetrope (plan I, C2, **235**) : 916 Kearny St (angle Columbus). ☎ 291-1700. Mar-dim 11h (12h sam)-22h (21h dim). Au rez-de-chaussée d'un bel immeuble 1900 (bow-windows) de couleur bronze (photo à ne pas rater avec la *Transamerica Pyramid* derrière). Ce magasin-café-restaurant est une extension du vignoble que Francis Ford Coppola possède en Californie. Pour les cinéphiles, un véritable *landmark* aussi : les scénarios des *Parrain I* et *II*, d'*Apocalypse Now*, *Rumble Fish* et *Conversation secrète* furent écrits dans le bureau de Coppola au-dessus. Bis-

trot moderne, décoré, bien sûr, d'affiches de cinéma, dont plusieurs de films de Jacques Tati, et de portraits de Sofia (la fille douée). On y déguste un choix de crus californiens, au verre ou par panel de 3 vins (environ 15 $) ; on garde même le verre en souvenir. La célèbre *Caesar salad* fut inventée dans ces murs en 1924, elle figure logiquement au menu, parmi les antipasti, pâtes et autres pizzas.

San Francisco *by night*

🍴 *The Spec's* (plan I, C2, *236*) : 12 William Saroyan Pl, dans un minuscule passage qui donne sur Columbus (entre Broadway et Pacific St). ☎ 421-4112. Tlj 17h-2h. Une vénérable institution vieillie dans son jus depuis plusieurs décennies. Déco chargée à mort, sol brut et murs en brique, bière qui coule à flots, blues sans discontinuer, le *Spec's* accueille depuis toujours les écrivains et artistes de North Beach. Tout au début, ce fut même un temple chinois et ensuite un club de danse du ventre. Murs couverts de souvenirs exotiques et maritimes rapportés par des bourlingueurs au long cours. Un des piliers de la beat generation, le *Spec's* n'a aujourd'hui pas dit son dernier mot...

🍴🎵 *Jazz at Pearl's* (plan I, C2, *236*) : 256 Columbus Ave. ☎ 291-8255. ● jazzatpearls.com ● Jeu-lun 21h-minuit. Env 25 $. Pour beaucoup, le meilleur club de jazz de la ville. Salle intime très chic, gentiment rétro, et atmosphère feutrée pour mieux savourer les performances des excellentes formations. Un must pour l'amateur.

🍴🎵 *The Bubble Lounge* (plan I, C2, *237*) : 714 Montgomery St. ☎ 434-4204. Tlj sf dim-lun à partir de 17h30 (18h30 sam). La spécialité de ce bar, c'est le champagne : la carte est impressionnante, le prix des bouteilles aussi (750 $ pour une Veuve Cliquot 1979 !). C'est pourtant sans trop de chichis qu'on vient y boire une coupe entre copines ou entre collègues en fin de journée. Le soir, les canapés rembourrés et les fauteuils bien profonds sont investis par la jeunesse dorée de San Francisco, qui s'étourdit de bulles, sur fond de musique techno live (concert de jazz le mardi).

L'ambiance est nettement plus branchouille la nuit.

🍴 *Tosca Café* (plan I, C2, *238*) : 242 Columbus Ave. ☎ 986-9651. Tlj sf lun 17h (19h dim)-2h. Un bar historique, rétro à souhait, avec l'antique machine à café en cuivre, l'immense comptoir en bois et aluminium et les banquettes de moleskine rouge. Fréquenté par Sean Penn et Depardieu entre autres, il fut aussi le Q.G. de toute l'équipe de *L'Étoffe des héros* (avec Sam Shepard) pendant le tournage du film. On y boit le *house cappuccino* : un mélange de chocolat chaud et de brandy, spécialité de la maison. Célèbre *caffè-espresso* également, toujours fraîchement torréfié. Beaucoup de monde se presse devant des alignements de verres, et les discussions sont animées, malgré la sérénité des airs d'opéra que distille en boucle le juke-box des années 1960. Une excentricité qui participe à sa légende...

🍴🎵 *Velvet Lounge* (plan I, C2, *239*) : 443 Broadway. ☎ 788-0228. ● thevelvetlounge.com ● Ouv jeu-sam. Entrée : env 10 $. Immense bar-boîte très tendance, l'un des seuls du secteur fréquentés assidûment par la jeunesse *postcollege* branchée de S.F. Bons DJs derrière les platines, qui débitent à peu près tout des *eighties* à l'électro. Ni baskets ni casquette de base-ball...

🍴🎵 *1232 Saloon* (plan I, C2, *240*) : 1232 Grant Ave. ☎ 989-7666. Tlj 10h-2h. Vieux rade en activité depuis 1861. Pas sûr qu'il ait été repeint depuis ! Le bâtiment, qui survécut au séisme de 1906, est d'ailleurs considéré comme l'un des plus anciens de tout North Beach. Bien sombre, usé jusqu'à la trame et mal peigné, il rassemble autour du comptoir margeos hors d'âge et touristes curieux. Mais ce qui garantit vraiment une excellente ambiance, ce sont les concerts de rock années 1960 ou de blues incandescent (chaque soir). Et chacun de reprendre en chœur les vieux tubes tout en poussant les tables pour esquisser 3 pas de danse. Une institution dans le genre ! Au juke-box, les CD des types qui ont enregistré ici – Johnny Nitro, Ron Hacker – et qui continuent à fréquenter l'endroit (bien sûr, possibilité de les acheter aussi).

¶ **Savoy Tivoli** (plan I, C2, **241**) : 1434 Grant Ave (et Union). ☎ 362-7023. Tlj sf dim-lun 18h (15h sam)-2h. Beau pub nouvelle génération avec ses 2 grands bars, ses 3 billards et ses palmiers métalliques qui contrastent avec le plafond rouge sang. Patio agréable. Archi-bondé le week-end.

À voir

🎎 **Washington Square** (plan I, C2) : le cœur de North Beach, aux pelouses bondées les beaux jours d'été – idéal pour faire une pause avant ou après l'ascension de la Coit Tower (voir plus bas). Tôt le matin, il est courant d'y voir les habitants de Chinatown faire leurs exercices de tai-chi ; étonnant, non ! ? L'esplanade est dominée par l'*église Saints Peter & Paul*, qui ressemble à une grosse pâtisserie de l'extérieur. L'intérieur mérite le coup d'œil pour son dôme en

> ### BIZARRE, VOUS AVEZ DIT BIZARRE ?
>
> *Au milieu de Washington Square (dont la forme n'est pas carrée, et qui ne donne pas non plus sur Washington Street !) est érigée une statue, qui devrait logiquement être celle de George Washington mais qui se trouve être en fait celle de... Benjamin Franklin. Tout ça au cœur de North Beach, mais au fait où est la plage ? Ben, y'en a pas...*

mosaïque dorée et le maître-autel en marbre étonnant, qui évoque une basilique coiffée de mini-coupoles. Marilyn Monroe et Joe DiMaggio furent immortalisés sur le parvis le jour de leurs noces, bien que le mariage ait été prononcé civilement seulement (ils étaient divorcés tous les deux). Les messes sont dites en anglais, italien et chinois.

🎎 **City Lights Bookstore** (plan I, C2, **319**) : 261 Columbus Ave (entre Broadway et Jack Kerouac). ☎ 362-8193. ● citylights.com ● Tlj 10h-minuit.
Créée en 1953, cette librairie est un monument historique puisqu'elle fut le creuset du mouvement *beat* (voir plus haut « San Francisco, berceau de Jack London et des beatniks »). C'est effectivement le fondateur de la boutique, Ferlinghetti, qui prit l'initiative de publier *Howl* d'Allen Ginsberg. Ce poème révolutionnaire qui prit vite l'allure d'un manifeste et fut à l'origine d'un mouvement de rupture et de ralliement. Depuis, Ginsberg est considéré comme un classique de la littérature américaine, ainsi que ses copains Kerouac et Burroughs.
Pas étonnant que cette librairie soit devenue un lieu culte, fréquenté par les intellos et les alternatifs de tout poil, enfants de la contre-culture en général et de la culture beatnik en particulier. Premier *all-paperback bookstore* des États-Unis, on trouve encore ici tous les ouvrages « parallèles » (non commerciaux), qu'il s'agisse de bouddhisme, de psychologie, d'anti-impérialisme, d'écologie, de voyage, de féminisme, de drogue ou de liberté sexuelle. De temps en temps, lecture de poèmes et débats. Signalons que *City Lights* est aussi une maison d'édition (une petite dizaine de titres par an), qui publie, outre les ouvrages de la beat generation, toutes sortes d'écrivains philosophiquement proches du mouvement, dont pas mal de Français : Artaud, Bataille, Breton, Cocteau, Bukowski, Pasolini, Paul Bowles, Isabelle Eberhardt, Sam Shepard et bien d'autres.

🎎 **Beat Museum** : 540 Broadway (angle Columbus), juste en face du City Lights (plan I, C2, **319**). ☎ 1-800-537-6822. ● thebeatmuseum.org ● Tlj sf lun 10h (12h mar et jeu)-22h. Entrée : 5 $; réduc. La musique psychédélique et l'odeur persistante d'encens qui enveloppe ce minuscule musée met tout de suite dans l'ambiance. Au rez-de-chaussée, la visite commence par une vitrine consacrée à Neal Cassady, une des figures maîtresses du mouvement *beat* puis hippie. Il inspira le personnage principal de *On the Road* de Kerouac, et le « secret hero » du poème *Howl* d'Allen Ginsberg. Dans une petite pièce adjacente sont projetés des films et des documentaires sur la *Beat Generation*. À l'étage, plusieurs vitrines sont dédiées à Jack Kerouac, avec notamment un chèque signé de sa main, quelques éditions originales de *On the Road,* et des photos avec sa sœur et sa mère Gabrielle « Mémère » Kerouac. Il est ensuite question d'Allen Ginsberg, dont on peut voir une édition annotée de *Howl,* et de William Burroughs. Quelques photos rendent hommage aux femmes du mouvement *Beat*. Un bon complément à la visite du quartier.

꘡꘡ Coit Tower (plan I, *C2,* **320**) : *Telegraph Hill Blvd. Accès facile à pied, ou en bus (n° 39) depuis Washington Sq. Tlj 10h-18h30 (plus tôt l'hiver). Entrée : 4,50 $; réduc.*

Panorama prodigieux sur la ville, la baie, son port et ses bateaux. Les habitants de San Francisco adorent raconter l'histoire de cette tour construite en 1933. Une riche Américaine, qui s'appelait Lillie Hitchcock Coit, se passionna dès son enfance pour les pompiers et fit une fixation amoureuse sur eux. Première femme pompier volontaire, elle participa des années durant à leurs interventions et devint un peu leur mascotte. Le temps passa. Allergique à l'autorité, elle se maria contre le gré de ses parents, se mit à fumer le cigare et à fréquenter les saloons, où elle pariait, déguisée en homme... Après une tentative d'assassinat, elle émigra à Paris, où elle passa de nombreuses années, en particulier dans l'entourage de Napoléon III. Elle revint à San Francisco en 1923 pour y mourir six ans plus tard, à l'âge de 86 ans. Dans son testament, elle avait prévu de léguer le tiers de sa fortune pour que soit érigé un monument à la gloire de ses héros de jeunesse : les pompiers. Celui-ci devait symboliser leur instrument de prédilection, c'est-à-dire... la pompe à incendie. Le problème, c'est que la généreuse donatrice s'appelant Coit, le nom de la tour prête à confusion... Des gens (mal intentionnés !) n'hésitent pas à la surnommer « Coit Erection » !

On peut voir en accès libre, au rez-de-chaussée de l'immeuble, des fresques murales industrielles des années 1930. Les thèmes inspirés par la lutte des classes, dans la veine de Diego Rivera, ne plurent pas à tous et l'inauguration de la tour fut même reportée de six mois à cause de l'une de ces fresques, censurée, qui avait pour titre *Workers of the World, Unite* (« Travailleurs de tous les pays, unissez-vous »). Un petit clin d'œil de l'artiste : repérez le pickpocket qui fait les poches d'un bourgeois occupé à lire son journal. Signalons enfin que les fresques sont commentées chaque samedi à 11h. Gratuit.

꘡ Redescendre de la Coit Tower par les **Filbert Steps** (escalier) à droite en sortant. Une promenade charmante et bucolique le long de maisons de rêve noyées dans une végétation luxuriante et odorante : citronniers, chèvrefeuilles, palmiers, lilas... On traverse Darrell Place et Napier Lane pour cheminer tranquillement jusqu'à Levi's Plaza, occupée par le siège de Levi's, fondé à San Francisco.

꘡ North Beach Museum (plan I, *C2,* **321**) : *1435 Stockton St (et Columbus). Installé au 1er étage de la US Bank. Lun-ven 8h-17h ; sam 10h-14h. Fermé dim. Entrée gratuite.* Un tout petit musée pour ceux qui veulent compléter leur parcours culturel sur North Beach. Surtout des photos anciennes, de la communauté italienne mais aussi chinoise.

Fisherman's Wharf *(plan I, B-C1)*

Ancien quartier des pêcheurs et des industries alimentaires, le Wharf s'est transformé en formidable piège à touristes, attirant des millions de visiteurs chaque année. S'il reste une raison de se rendre à Fisherman's Wharf, c'est bien Alcatraz.

Où manger ?

Spécial petit déjeuner

☛ *Buena Vista* (plan I, B1, *242*) : lire « Où boire un verre ? Où faire une pause ? »

Bon marché

Pour les plus fauchés, sur Taylor Street, en face du Pier 45, une enfilade de petits restos aux consonances italiennes tenus par des Asiatiques, proposent sandwichs et *fish and chips*, à emporter ou à consommer sur place pour moins de 10 $. Se méfier de la fraîcheur relative de certains stocks : choisir les gargotes les plus fréquentées.

I●I *Boudin Bakery and Café* (plan I, B1, *117*) : *devant Pier 45, en retrait de Jefferson St.* Ce petit kiosque entouré d'une terrasse circulaire est la succursale pas chère du *Bistro Boudin* (voir « Chic » ci-dessous). On y sert, pour environ 7 $, la fameuse *clam chowder* (soupe crémeuse aux pétoncles) dans une boule de pain au levain maison qui fait office de bol. On mange d'abord la soupe à la cuillère avant de croquer dans le pain tout imbibé. Bon et nourrissant.

Prix moyens

I●I *Sea Lion Café* (plan I, C1, *148*) : attenant au Neptune's Palace. ☎ 434-2260. *Tlj 11h-20h (22h w-e). Plats 10-17 $.* La carte est banale, le choix limité, mais ce petit resto impersonnel bénéficie d'une position privilégiée : sa salle panoramique (avec vue sur Alcatraz) et son petit bout de terrasse surplombent les pontons où se prélassent les otaries. Vous pourrez donc déguster un poisson frais grillé ou un sandwich de la mer en profitant du spectacle, l'odeur de vieille bourriche en moins.

I●I *Bubba Gump* (plan I, C1, *148*) : *Pier 39.* ☎ 781-4867. *Lun-jeu 11h30-22h ; ven-sam 11h-23h ; dim 11h-22h. Plats 10-20 $.* Ce resto, inspiré du film *Forrest Gump,* est l'un des plus populaires du quai. Le week-end, la queue atteint souvent 50 personnes ! Spécialités de crevettes, bien sûr (souvenez-vous, Forrest, en souvenir de son ami Bubba mort au Vietnam, se lance dans la pêche à la crevette). Frites, sautées, panées, à la louisianaise, il y en a pour tous les goûts. Acceptable, mais l'endroit vaut surtout pour les allusions au film : carte des boissons en forme de raquette de ping-pong et feuille de chou de Greenbow (la ville natale de Forrest) comme cornet de frites ! Devant le resto, un banc avec la célèbre boîte de chocolats et les baskets de Tom Hanks. Et pour ne rien gâcher, une belle vue sur le Bay Bridge et Treasure Island. Une attraction de plus dans la fête foraine du Pier 39.

Chic

I●I *Grandeho's Kamekyo* (plan I, B1, *126*) : *2721 Hyde St (et North Point).* ☎ 673-6828. *Lun-ven 11h30-15h, 17h-22h ; sam-dim 17h-22h. Repas env 25-30 $.* À un bloc de l'animation de Ghirardelli Square se trouve ce petit resto japonais à la devanture toute fleurie, qui change des usines à touristes du coin. Le genre de perle qu'on aime dénicher ! La spécialité maison, outre les sushi et sashimi d'une grande fraîcheur, ce sont les *rolls,* aux saveurs vraiment originales (laissez-vous guider pour faire votre choix). Accueil et service tout en douceur. Rien d'étonnant que les tables soient prises d'assaut... En guise de dessert, poussez donc la porte du *Buena Vista* juste au-dessous pour un mythique *Irish coffee* !

I●I *Bistro Boudin & Bar* (plan I, B1, *117*) : *160 Jefferson St (et Taylor).* ☎ 928-1849. *Tlj 12h-21h. Plats 14-25 $.*

Ce grand bâtiment genre entrepôt réhabilité abrite à l'étage le resto chic de la boulangerie Boudin, qui fabrique son pain au levain selon une recette traditionnelle datant de 1849. Une institution du Wharf. Vaste salle style loft, avec de beaux volumes et une vue panoramique sur le port. Carte variée : *seafood* très bien cuisinée (excellent *dungeness crabcake*), grillades, *pasta* haut de gamme et la fameuse *clam chowder* servie dans la boule de pain avec 2 accompagnements au choix (on vous recommande les frites à l'ail et au persil, mémorables !). Le bar du rez-de-chaussée propose une petite carte pas chère, comme au kiosque à côté (voir « Où manger bon marché ? »). Petit musée payant pour assister à la fabrication des fameux pains (en forme de homard, de crabe...), mais on peut aussi bien jeter un œil gratuitement à travers la vitrine, depuis la rue.

|●| *Neptune's Palace* (plan I, C1, **148**) : Pier 39. ☎ 434-2260. Ouv 11h-21h (22h w-e). *Résa impérative pour une table* with a view. *Plats 19-25 $; petite assiette env 10 $.* Un des rares vrais restos de poissons du Pier 39, réputé de surcroît. Sa vaste salle boisée offre la meilleure vue sur la baie de San Francisco, Alcatraz et le Golden Gate à l'horizon. Cuisine du Pacifique, aux influences asiatiques : thon mariné au citron, gingembre et soja, avec risotto ananas-coco par exemple. Également quelques plats d'inspiration méditerranéenne, comme l'espadon en croûte de tomates séchées, basilic et olives. Bon rapport qualité-prix malgré l'atmosphère touristique.

|●| *McCormick and Kuleto's* (plan I, B1, **125**) : 900 N Point St, Ghirardelli Sq (angle Beach et Larkin). ☎ 929-1730. Tlj 11h30-22h (23h ven-sam). *Plats 20-25 $ (moins cher le midi).* Un beau cadre Art déco tout en boiseries chaleureuses, des lustres à l'ancienne en forme de barque et des box face aux immenses baies vitrées qui s'ouvrent sur la baie : on se croirait presque dans un luxueux bateau de croisière. D'autant que le service est plutôt stylé, sans être guindé, et les spécialités de poissons bien travaillées. Un bon plan, les petits plats entre 2 et 5 $, servis au bar de 15h à 18h.

Encore plus chic

|●| *Scoma's* (plan I, B1, **142**) : Pier 47 (dans le prolongement de Jones St). ☎ 771-4383. *Tlj 11h30-22h (22h30 ven-sam). Menu (entrée, plat, dessert) servi jusqu'à 15h30 à 24 $; repas à la carte 30-40 $.* Un des restos de poisson parmi les plus réputés du quartier, directement installé sur le port de plaisance. Un monde fou à l'heure des repas : il faut souvent prendre un ticket en arrivant et patienter comme tout le monde. Grand choix de poissons du jour préparés avec brio à l'italienne, qu'on déguste sans hâte face aux grandes fenêtres, le nez dans les haubans... Bien cher pour le midi toutefois. Succursale à Sausalito.

Où boire un verre ? Où faire une pause ?

▼ *Buena Vista* (plan I, B1, **242**) : 2765 Hyde St (et Beach). ☎ 474-5044. *Tlj 9h (8h w-e)-2h.* Deux sucres arrosés de café, une bonne rasade de whisky, le tout coiffé d'une mousse de lait, l'*Irish coffee* continue à faire les beaux jours de ce bar hors d'âge qui se vante d'avoir initié les États-Unis au célèbre breuvage en 1952. Les habitués aiment venir s'y détendre et refaire le monde après le travail, dans une ambiance chaleureuse et bruyante, en profitant d'une vue imprenable sur le terminal des *cable cars* et la baie. Bons petits déj (servis toute la journée) et burgers à prix raisonnables. Au comptoir, l'alcool aidant, rencontres fraternelles de rigueur.

▼ *Ghirardelli* (plan I, B1, **125**) : Ghirardelli Sq, 99 N Point. ☎ 775-5500. *Tlj 10h-23h (minuit ven-sam).* D'accord, le chocolat brassé dans de grandes cuves n'est là que pour le folklore, mais on aurait tort de se priver d'une pause gourmande dans la plus vieille chocolaterie de la Californie (lire Ghirardelli Square dans « À voir »). Pyramides de ganache, palets, glaces ou même *sun-*

daes, sont autant de choix impossibles pour les vrais becs sucrés ! Cadre vieille école agréable, face au square.

▌ *Kara's Cupcakes* (plan I, B1, *125*) : Ghirardelli Sq (au niveau de la place). ☎ 351-2253. Lun-mer 10h-19h ; jeu-sam 10h-21h ; dim 10h-18h). Les *cup-cakes,* ce sont des petits gâteaux ronds façon génoise, nappés d'un glaçage crémeux, parfois coloré dans des tons acidulés. Très en vogue aux États-Unis actuellement. Ceux de *Kara's* sont frais du jour et confectionnés avec de bons produits locaux, bio pour la plupart. À savourer sans modération, dans un cadre design rose bonbon. La maison mère est dans Marina (3249 Scott St et Chestnut).

À voir. À faire

🚶 🏃 *Pier 39* (plan I, C1, *323*) : le plus couru des centres commerciaux du Fisher-man's Wharf. Tlj 10h-20h ou 21h (22h les w-e d'été ; plus tôt ou plus tard pour certains restos). Avançant sur la mer, un village de maisonnettes entièrement en bois. Tout est factice, tout est coloré et... tout est bon pour attirer le touriste ! En été, toujours de l'animation : manèges, clowns, bateleurs... ambiance conviviale de fête foraine. Pour les gamins, c'est vraiment super ! Mais le plus sympa est sans doute la colonie d'otaries qui a élu domicile, pour le plus grand plaisir des touristes, sur les pontons situés à l'ouest du quai – auparavant réservés aux plaisanciers (on leur a demandé de plier bagages !). La date de l'arrivée des premiers pinnipèdes, le 19 octobre 1990, est célébrée chaque année ! Sur le Pier 39 également, l'Aquarium of the Bay, sans oublier un point de départ du survol de la ville en hydravion avec la compagnie *San Francisco Seaplane Tours.* ☎ 332-4843. ● *seaplane.com* ● (Lire nos infos dans « À voir. À faire » à Sausalito, plus loin.)

🐟 🚶 🏃 *Aquarium of the Bay* (plan I, C1, *327*) : Pier 39. ☎ 1-888-SEA-DIVE. ● *aquariumofthebay.com* ● En été, tlj 9h-20h ; en hiver, lun-ven 10h-18h, w-e 10h-19h. Entrée : 15 $; réduc (notamment sur Internet). Inclus dans le CityPass. Un gentil voyage au cœur de la faune marine qui batifole en baie de S.F. Tout d'abord, rapide présentation des protagonistes : poissons, crustacés et coquillages sont répartis dans différents aquariums ; dont un amusant cylindre rempli d'anchois argentés qui tournent toujours dans le même sens. Mais la véritable attraction du site, c'est un ascenseur qui permet de plonger littéralement dans le bassin princi-pal, où l'on a fidèlement reconstitué l'écosystème de la baie. On pénètre alors dans un tunnel vitré et entouré d'eau, où un tapis roulant vous entraîne à la découverte des espèces vivant sous le Wharf, véritable récif artificiel, avant de gagner la haute mer : requins, raies, saumons, esturgeons, torpilles, thons, etc. Parfois, interven-tion amusante d'un plongeur. Après cette fascinante balade sous-marine, retour en surface pour une séance de découverte tactile des poissons (raies et... requins, si, si !), histoire de désinhiber ceux qui auraient encore peur des fragiles habitants du Pacifique, qu'il convient aujourd'hui de protéger absolument. Très didactique. À visiter tôt ou pendant le déjeuner pour éviter la cohue.

➢ *Balade en bateau dans la baie de San Francisco* (plan I, C1) : Pier 39. ☎ 705-8200. ● *blueandgoldfleet.com* ● Départs env ttes les heures 10h50-17h30 en sem, 10h15-18h45 le w-e. Tarif : 23 $; réduc. Inclus dans le CityPass. Une autre façon d'aborder San Francisco et de découvrir la ville et la baie depuis le large. Le tour de 1h en mer vous emmène près d'Alcatraz, au large de Sausalito, et vous fait passer sous le Golden Gate Bridge. Commentaires en anglais uniquement, très scénari-sés avec pas mal d'humour. N'oubliez pas vos jumelles et un bon coupe-vent (fait frisquet sur l'eau !). Et renseignez-vous sur la météo avant de prendre vos billets car cela ne vaut pas le coup s'il y a trop de brume.

▌ *Sur Taylor et Jefferson Street* (plan I, B1) : plusieurs dizaines de restos de pois-son et fruits de mer et de boutiques de souvenirs, T-shirts... Très touristiques, sou-vent prétentieux et donc assez chers. Savoir que beaucoup servent des crevettes congelées de Thaïlande.

🥾 *Entre Jones et Hyde Street* *(plan I, B1)* **:** vous pourrez encore voir ce qu'il reste de la flotte de pêche de San Francisco. Sur les centaines de bateaux en activité il y a trente ans, moins de cinquante travaillent encore. Pour assister au débarquement et à la vente du poisson, venir de très bonne heure le matin (à 9h, c'est fini).

🥾 *Ghirardelli Square* *(plan I, B1)* **:** *N Point St (et Larkin).* Domingo Ghirardelli ne reconnaîtrait pas son business. D'origine italienne, cet artisan chocolatier avait commencé à travailler dans de petits ateliers à Jackson Square, au moment de la ruée vers l'or (en 1852). Ses enfants construisirent la chocolaterie Ghirardelli à partir d'une ancienne usine (Old Woolen Mill) en 1893. Le dernier bâtiment fut la Clock Tower (au coin de North Point et Larkin), inspiré paraît-il du château de Blois (influence vraiment pas évidente...). Quand l'usine ferma ses portes, un milliardaire de bon sens, amoureux de cette remarquable architecture de brique rouge, la racheta et décida d'en faire un complexe commercial. On ne rajouta que quelques terrasses verdoyantes et des bâtiments mineurs, l'essentiel étant conservé. La balade parmi les cinquante boutiques et la dizaine de restos est tout à fait intéressante pour juger de cette reconversion réussie (même si, bien entendu, les boutiques sont luxueuses et pas pour toutes les bourses). Enfin, de la chocolaterie, il ne reste qu'un petit magasin très touristique avec un salon de thé-cafétéria où vous pourrez contempler les grandes cuves remplies de chocolat, et même déguster sans retenue. Avis aux internautes, toute la place est wi-fi.

🥾 🧍 *National Maritime Museum* *(plan I, B1)* **:** *900 Beach St, Aquatic Park ; en bas de Polk St et à l'ouest de Ghirardelli Sq.* ☎ *561-7100.* Ce très beau musée, géré par le *National Park Service,* devrait rouvrir en 2009, après plusieurs années de travaux de rénovation. Très bien présenté, il ravira les passionnés de bateaux et même ceux qui ne le sont pas. L'endroit est classé en différentes sections : yachting, vapeurs, pêche à la baleine, cap-horniers, construction, *US Navy,* etc. On y trouve des reliques d'anciens navires de la grande époque et une magnifique collection de modèles réduits. Belles proues de bateaux sculptées et peintes, photographies panoramiques sur S.F. en 1851 (juste après la ruée vers l'or, et toutes sortes de vues du XIXe s), artisanat de marins (dont de belles pièces de *scrimshaw,* des dents de cachalot sculptées), instruments de navigation, etc. Vaut aussi le coup pour sa grande terrasse qui donne directement sur la baie, le port et Alcatraz. Au dernier étage du musée, vous trouverez un poste de commandement digne d'un vrai bateau. Y a été installée une exposition interactive sur le thème des communications radio en mer. De l'extérieur, on remarque que toute l'architecture du musée (construit en 1939) s'inspire de celle d'un paquebot ! Brochure disponible en français.

➤ Entre le musée et le port, agréable ***promenade*** en longeant l'eau. En chemin, on trouve un grand solarium en gradins, un jardin calme et une petite plage de sable gris-brun survolée par les mouettes. Curieusement, peu de monde (pendant ce temps-là, les touristes font les boutiques) et une atmosphère de farniente assez étonnante pour une grande ville. Des étudiantes bien sages viennent y bouquiner, quelques jeunes allumés s'élancent sur leurs rollers et parfois certains ont même le courage de se baigner...

🥾 🧍 *Maritime National Historical Park Visitor Center* *(plan I, B1, 324)* **:** *The Cannery (entrée angle Jefferson et Hyde St, à côté de l'Argonaut Hotel).* ☎ *447-5000. Tlj 9h30-19h (17h l'hiver). Entrée gratuite.* En prélude à la visite des Historic Ships, une halte dans ce petit musée clair et bien conçu s'impose pour mieux appréhender l'univers des marins. Tout est passé en revue : les principaux itinéraires commerciaux (avec les passages emblématiques comme le cap Horn ou le canal de Panamá...), les bâtiments les plus appropriés et leurs caractéristiques (maquettes), des indications sur la marée et les climats, le fonctionnement de la lentille d'un phare, les naufrages (ça peut arriver), et bien sûr toute la panoplie des objets vitaux à bord (sextants, compas...). Pour étoffer le tout, expos temporaires variées et une petite médiathèque intéressante pour tous les âges, même pour les tout-petits.

Propose aussi un *walking-tour* gratuit du *Historic Waterfront* : *de sept à mi-mai, sam-dim à 10h30 : de mi-mai à août ven-sam à 10h30. Rdv dans le hall de l'Argonaut Hotel).*

🎭🎭 🕴 *Historic Ships* (San Francisco Maritime National Historical Park ; plan I, B1, **322**) : Hyde St Pier. ☎ 561-7100. Tlj 9h30-17h30 (17h oct-mai). Entrée gratuite pour accéder au Pier, 5 $ pour pénétrer dans les bateaux ; gratuit moins de 16 ans. Pass America The Beautiful *accepté.* Le long du Hyde Street Pier, superbe alignement de bateaux anciens admirablement restaurés. Incontournable pour les amoureux de la mer, magique pour les enfants. D'abord le *C.A. Thayer,* une superbe goélette (1895) qui transporta du bois de construction, puis du saumon en barriques, des hommes et des marchandises sur la route de l'Alaska. À deux pas tangue mollement le *Balclutha,* splendide trois-mâts anglais, lancé en Écosse en 1886. Les quartiers du capitaine sont un véritable palace, tout en bois verni. Descendez à l'intérieur pour admirer la structure splendide de sa coque, l'immense cale avec ses cargaisons reconstituées, et notez au passage la différence de confort entre la cabine du capitaine et celles de ses matelots. Ensuite, l'*Eureka,* colossal navire à aubes (1890), un temps le plus gros ferry du monde (2 300 passagers et 120 voitures !). À l'intérieur, on découvre successivement les belles tractions avant alignées comme à la parade dans le pont inférieur, les salles des passagers et le poste de pilotage, nid de pie perché au sommet de la montagne flottante. Deux plus petits bateaux ont aussi été restaurés : l'*Hercules* et l'*Eppleton Hall,* deux remorqueurs, respectivement de 1907 et 1914 (on y verra la salle des machines, les cabines...). Avant de partir, on ne manquera pas de jeter un petit coup d'œil à l'atelier, pour avoir un avant-goût des modèles qui seront peut-être présentés pour la prochaine saison.

🎭🎭 🕴 *Le Musée mécanique* (plan I, B1) : à l'entrée de Pier 45, juste avt l'accès au U.S.S. Pampanito. Tlj 10h-19h ou 20h. Entrée gratuite, mais jeux payants (pièce de 10, 25 ou 50 cts). Ce musée insolite rassemble une superbe collection de jeux mécanique, du XIXe s à nos jours, tous en état de marche. Ce sont les plus anciens qui valent le coup évidemment : diseuses de bonne aventure, bras de force, lanternes magiques, automates, pianos mécaniques, jeux de tirs... Difficile de ne pas glisser quelques piécettes dans les machines pour voir tout ça s'actionner et retrouver l'univers poétique des fêtes foraines. Les gamins adorent et les parents aussi. Dans un registre plus récent, flippers et jeux vidéo au fond.

🎭 🕴 *U.S.S. Pampanito* (plan I, B1) : Pier 45. ☎ 775-1943. Mai-oct, tlj 9h-20h (18h mer) ; nov-avr, tlj 9h-18h (20h ven-sam). Entrée : 9 $, audioguide inclus ; réduc. Étroit et fuselé comme une torpille, ce sous-marin opérationnel pendant la Seconde Guerre mondiale dévoile toutes les facettes de sa mécanique subtile... et donne une idée de la vie hors norme des équipages. Car il faut plonger dans les entrailles du vaisseau, se courber pour passer de la salle des machines aux dortoirs, longer la cuisine de poche et les douches minuscules, ou encore traverser le poste de commandement, pour entrevoir le quotidien de 70 marins et dix officiers. Édifiant. À quelques encablures, ne pas manquer de jeter un coup d'œil au *Jeremiah O'Brien,* dernier des 2 751 *liberty ships* de la Seconde Guerre mondiale qui soit encore en état de fonctionnement.

🎭 *The Cannery* (plan I, B1) : angle Leavenworth et Beach. Ancienne conserverie dont on ne garda que quelques murs en brique. Tout le reste fut réinventé. Résultat : un centre commercial assez réussi. L'été, nombreux concerts gratuits dans la cour. À côté, *Haslette Warehouse,* bel exemple d'entrepôt du début du XXe s. Pittoresque terminus de la ligne du Hyde Street *cable car.* Ne pas manquer le rituel de l'*Irish coffee* au café *Buena Vista* (voir « Où boire un verre ? » plus haut) !

🎭 *Le fort Mason,* à l'ouest du Fisherman's Wharf, abrite l'**Italian Museum** : ☎ 673-2200 ; mar-dim 12h-16h. Entrée : 3 $.

🎭🎭🎭 *Alcatraz :* le pénitencier le plus célèbre des États-Unis. Surnommée « The Rock » (d'où le titre du film avec Sean Connery), c'était la prison la plus redoutée

SAN FRANCISCO

des criminels et surtout celle dont on ne s'échappait pas. Elle acquit ses lettres de noblesse quand elle accueillit en 1934 l'ennemi public numéro un, Al Capone « Scarface », sous le matricule AZ 85. Il y passa 4 ans et demi.

Mais Alcatraz en a hébergé bien d'autres, comme Machine Gun Kelly ou Robert Stroud, « The Birdman of Alcatraz ». Seuls 5 détenus réussirent à s'évader, dont Frank Morris et les frères Anglin qui furent portés disparus (voir le film *L'Évadé d'Alcatraz* avec Clint Eastwood). On ne sait si leurs corps furent emportés par les courants

L'ÎLE AUX OISEAUX

À l'origine, le nom d'Alcatraz vient de l'espagnol « Isla de los Alcatraces » qui signifie « île aux Pélicans ». Il y avait en effet une colonie importante sur l'île autrefois. Son surnom est toujours d'actualité puisque l'île est aujourd'hui un important sanctuaire d'oiseaux marins. Vous y verrez des colonies d'énormes mouettes, absolument pas farouches, mais aussi des cormorans, huîtriers et autres hérons (petit patapon). Une partie de l'île est même fermée au public pendant la saison des amours. Respect !

froids (qui rendaient la traversée à la nage pratiquement impossible) ou s'ils sont encore vivants. En tout cas, certains continuent encore à rechercher leurs traces...

Au départ, Alcatraz était une forteresse militaire ; elle devint un pénitencier fédéral en 1934 et ce jusqu'en 1963, lorsque Robert Kennedy décida de la fermer en raison de sa vétusté. L'île fut ensuite occupée par les Indiens sioux qui s'en servirent pour alerter l'opinion sur leurs conditions de vie, mais ils en furent chassés par le gouvernement au bout de deux ans. Des traces de leurs graffitis sont encore visibles. Depuis 1973, c'est devenu un musée d'État, géré par le service des parcs nationaux américains (• nps.gov/alcatraz •). Vous verrez peut-être d'anciens détenus qui viennent régulièrement dédicacer leurs bouquins.

➢ Pour aller sur l'île d'Alcatraz, s'adresser à la compagnie *Alcatraz Cruises*, la seule habilitée à gérer les visites :

■ *Alcatraz Cruises (plan I, C1, 328)* : au Pier 33. Infos : ☎ 981-7625. • alcatraz cruises.com • Plusieurs tours possibles. *Day Tour*, départ toutes les 30 mn environ, 9h-15h55, du Pier 33 (Fisherman's Wharf) ; retour 9h50-18h30. Horaires restreints en basse saison. L'excursion dure en moyenne 2h30 avec le trajet en bateau. Résas plusieurs jours avant (voire plusieurs semaines en été, car c'est archibondé). Compter 25 $. *Night Tour* : 2 départs en fin d'après-midi, environ

32 $. Enfin, combiné Alcatraz-Angel Island tlj à 9h30, 57 $. Pour tous les tours, audioguide en français compris et réducs. Prévoir une petite laine (toute l'année), car il peut faire frais à bord et le vent souffle fort sur le rocher.

Quelques tuyaux : le premier tour de la journée est le plus tranquille puisque vous serez « seuls » sur l'île pendant la première demi-heure, et le *Night Tour* est le plus complet, avec des visites thématiques en plus, notamment sur l'occupation indienne.

En débarquant sur l'île après 20 mn de traversée, vous aurez d'abord un aperçu des anciennes casernes (film historique et salles d'exposition), des casemates où veillaient les pièces d'artillerie du temps de l'armée et des quartiers réservés aux familles des gardiens. Car il y avait de la vie sur l'île : une salle commune, une boutique, des jardins et des habitations dignes d'une petite banlieue proprette. Rien à voir avec l'atmosphère sinistre qui régnait à l'intérieur de la prison, perchée au sommet du rocher...

L'audioguide prend ensuite le relais de la visite d'Alcatraz, avec d'excellents commentaires en français très scénarisés, des interviews d'anciens prisonniers sur leurs conditions de vie dans le pénitencier, accompagnés de bruits de gamelles, de serrures qui grincent, de portes qui claquent... La discipline était d'une dureté extrême : interdiction de parler, un prisonnier par cellule, extinction des feux à 17h et un gardien pour trois détenus ! Les prisonniers avaient droit à deux douches par semaine, systématiquement à l'eau chaude pour qu'ils ne s'habituent pas à l'eau froide, ce qui aurait eu pour effet d'augmenter leurs chances d'évasion... Quatre blocs distincts, de A à D (le plus dur, pire que les QHS, les quartiers de haute sécurité) ; 450 cellules de 4 m^2 (il n'y eut jamais plus de 250 prisonniers en même temps) où ils mijotaient jusqu'à 23h par jour ! Les plus chanceux n'en passaient que 17 et travaillaient au réfectoire ou à la bibliothèque.

La visite se termine logiquement par... la boutique de souvenirs, la plupart d'un goût franchement douteux : les clés de prison, le savon ou la gamelle du détenu, qui dit mieux ?

– Les fauchés se contenteront du ferry qui va à Sausalito : très belle vue sur la baie et le Golden Gate Bridge.

Achats

❀ **Franck's Fisherman** *(plan I, B1)* : *366 Jefferson St.* ☎ *775-1165. Tlj 10h (11h dim)-19h.* Quelques antiquités marines hors de prix (sextants, cas-ques de scaphandrier, maquettes de bateaux), mais surtout des vêtements marins.

Pacific Heights et Marina (plan I, A-B1-2-3)

Entre le Presidio et Russian Hill, Pacific Heights est certainement le quartier le plus cher, le plus chic et le plus huppé de tout San Francisco, et cela depuis plus d'un siècle. À la fin du XIXe s, les nouveaux riches s'y sont installés, Nob Hill et Russian Hill étant déjà trop construits. Grand bien leur fit car ils échappèrent aux incendies consécutifs au tremblement de terre de 1906. En se promenant dans ce quartier délimité par Van Ness Avenue à l'est, le Presidio à l'ouest et California Street au sud, on découvre d'étonnantes villas aux multiples styles architecturaux. Le long de Fillmore se regroupent bars, cafés et boutiques.

Marina se trouve au pied de Pacific Heights. En 1915, l'exposition « Panama Pacific International » s'y est tenue. Les San-Franciscains avaient alors à cœur de prouver au monde entier que leur ville n'était plus un champ de ruines. Après cette expo, les familles italiennes ont donné à l'endroit un cachet méditerranéen que l'on ressent toujours. Durement touché par le tremblement de terre de 1989, ce quartier s'est tout de suite reconstruit dans le même esprit.

Où manger ?

Spécial petit déjeuner

🍽 **Judy's Café** *(plan I, A2, 82)* : *2268 Chestnut St (et Avila).* ☎ *922-4588. Tlj 8h-14h15 (15h w-e). Env 10 $. CB refusées.* La petite salle coquette et la terrasse ensoleillée sont de bons remèdes pour commencer la journée en douceur. Les gens du coin ne s'y trompent pas et font la queue pour les savoureuses omelettes, déclinées de multiples façons (les pommes de terre sautées sont en option). Le *Cream cheese French toast*, accompagné de fruits frais, n'est pas mal non plus.

🍽 **Home Plate** *(plan I, A2, 84)* :

2274 Lombard St (et Pierce). ☎ *922-HOME. Tlj 7h-16h.* Le *coffee shop* de quartier typique. Petite salle sans déco particulière, renommée pour la qualité de ses petits déj (pas mal de monde le dimanche matin). On vient surtout pour les œufs, préparés de toutes les manières. Vous pouvez composer votre omelette à partir d'une trentaine d'ingrédients différents ou choisir parmi les *specials* du jour. Chaque plat est accompagné de scones, compote et galette de pommes de terre.

|●| 🍽 **La Boulange** *(plan I, A3, 144)* :

2043 Fillmore St (entre California et Pine). ☎ 928-1300. Également au 1909 Union St (et Laguna ; plan I, A2, **143**), pile en face de Perry's. ☎ 440-4450. Tlj 7h-18h. Voir « Où manger ? » à North Beach et Telegraph Hill.

Et aussi : **The Grove, Mels Drive In, Rose's Café** et enfin **Perry's** pour son brunch (lire plus loin).

Bon marché

I●I **Gourmet Carousel** (plan I, B3, **152**) : 1559 Franklin St (angle Pine). ☎ 771-2044. Ouv 11h (16h dim)-21h30. Plats 6-10 $. Le bon resto chinois de quartier, au cadre lisse et impersonnel, à l'accueil empressé et souriant, aux grandes tables rondes pour faire tourner la multitude de plats soignés et odorants. La carte affiche un choix démesuré (plus de 40 plats de riz !), sans oublier 2 menus très économiques, à commander si l'on est de 2 à 6 personnes. Spécialités de clay pot et de seafood. Une bonne adresse et l'un des meilleurs rapports qualité-prix de la ville.

I●I **Mel's Drive In** (plan I, A2, **123**) : 2165 Lombard St (et Fillmore). ☎ 921-3039. Dim-mer 6h-1h, jeu 6h-3h, ven et sam 24h/24. Env 10 $. Un vrai diner, parmi les plus anciens de la ville (et aussi une chaîne). Directement sorti de Happy Days ou d'American Graffiti avec ses chromes et formica, ses petits juke-box pour chaque table, ses vieilles photos aux murs et ses serveurs coiffés d'un calot en carton très, très fifties. Panoplie habituelle des burgers, pies, salades, plats du jour, auxquels s'ajoutent de bons milk-shakes et sundaes pour les mômes et un grand choix de breakfasts. Beaucoup de jeunes et de familles, ça va de soi, mais aussi des nostalgiques qui viennent retrouver un peu de leur passé... Un peu graillonneux tout cela, mais ô combien pittoresque !

I●I ✿ **Whole Foods Market** (plan I, B3, **128**) : 1765 California St. ☎ 674-0500. Tlj 8h-22h. Ce n'est pas un resto mais une chaîne de supermarchés bio, très en vogue depuis quelques années aux États-Unis. Étalages somptueux et colorés de fruits et légumes, de superbes produits à la fraîcheur extrême, jus de fruits frais, gâteaux délicieux, section deli où l'on se sert au poids (quelques tables en sous-sol pour déguster sur place). Le summum du bon goût « bobo-écolo-chic », une certaine vitrine de l'American way of life dans votre périple ethnographique (après les street people de Tenderloin)... Idéal si vous louez un appart dans le coin, si vous campez ou pour un pique-nique haut de gamme.

De prix moyens à chic

I●I **La Méditerranée** (plan I, A3, **150**) : 2210 Fillmore St (angle Sacramento). ☎ 921-2956. Tlj 11h-22h (23h ven-sam). Plats env 10-15 $. Ce tout petit restaurant, à la salle chaleureuse étirée, a été créé par un Français d'origine arménienne. La carte est riche des saveurs de toute la mare nostrum et fait évidemment la part belle aux spécialités arméniennes, aussi rares sur la scène gastronomique que bonnes à déguster. Le poulet à la grenade (pomegranate) est à ne pas manquer, tout comme le poulet Cilicia, aux amandes, raisins et pois chiches. Plus classique, le mezze à partager entre copains n'en est pas moins fort goûteux. Devant le succès, le patron a ouvert 2 autres restaurants, à Castro (288 Noe St, angle Market) et Berkeley (2936 College Ave).

I●I **Greens** (plan I, A1, **154**) : Fort Mason, building A ; entrée angle Beach et Laguna. ☎ 771-6222. Tlj sf lun midi et dim soir, 12h-14h30, 17h30-21h ; brunch dim 10h30-14h. Menu complet 49 $ sam soir, sinon plats 10-15 $ le midi, env 20-25 $ le soir. Un must dans la cuisine végétarienne à San Francisco. Niché dans une ancienne caserne du fort Mason, ce vaste loft aux allures d'atelier d'artiste profite d'une situation de rêve face au port de plaisance, avec les haubans du Golden Gate Bridge sur la ligne d'horizon. Une mise en condition idéale pour découvrir un savant mélange de saveurs végétales, qui conduit nos papilles vers des sommets extatiques. Très branché, à l'image de la colossale sculpture sylvestre plantée à l'accueil.

Très chic

|●| **Isa Restaurant** (plan I, A2, **153**) : 3324 Steiner St (entre Lombard et Chestnut). ☎ 567-9588. Tlj sf dim, slt le soir. Résa conseillée. Repas env 30 $; menu prix fixe lun-jeu slt 23 $. Un charmant petit resto au look chic et design (tendance high-tech). Dans l'assiette, très bonne cuisine californienne relevée de quelques notes *Frenchy*. Luke Sung est l'un des jeunes chefs les plus prometteurs de Californie. Il a développé un concept original. Tout est présenté en petites portions à petits prix (style tapas) à partager avec la personne qui vous accompagne. Ainsi, on peut toucher à toutes les facettes de l'inventivité du chef que l'on voit s'activer dans la cuisine centrale. Entre volaille, viande rouge, poisson et fruits de mer, il y en a pour tous les goûts ! Excellents desserts maison.

|●| **Betelnut Pejiu Wu** (plan I, A2, **127**) : 2030 Union St (et Laguna). ☎ 929-8855. Tlj 11h30-23h (minuit ven-sam). Plats 12-21 $. Le lieu pour voir et être vu par excellence ! Chaque soir, sa grande salle boisée, élégante et sophistiquée, est submergée par la foule des yuppies venus faire leur show. Serveurs en tenue aux petits soins, superbe comptoir laqué rouge, atmosphère coloniale très singapourienne. Côté fourneaux, c'est un condensé d'Asie revu et corrigé : chinois, vietnamien, thaï, malais, etc. Le loup de mer au gingembre sur lit de concombre est un véritable régal, et les plats à la vapeur sont également très pri-

sés. Attention, le soir, les tables les mieux situées, au-dessus desquelles volettent des éventails géants et qui donnent sur la rue, sont presque toujours réservées.

|●| **Three Seasons** (plan I, A2, **153**) : 3317 Steiner St (entre Lombard et Chestnut). ☎ 567-9989. Tlj 17h-22h (23h ven-sam). Resto vietnamien à la jolie déco qui rappelle les forêts de bambous. Préférez les petites tables avec tabourets hauts, plus originales. Plats traditionnels accommodés à la sauce moderne en 2 tailles, les petits autour de 10-12 $, les plus généreux entre 12 et 24 $. Également une bonne variété de rouleaux de printemps, des *satay* malais, des soupes et des nouilles. Présentation créative et service souriant.

|●| **The Elite Café** (plan I, A3, **144**) : 2049 Fillmore St (et California). ☎ 673-5483. Tlj 18h-22h (22h30 ven-sam, 17h-21h dim) ; brunch 10h-14h30 le w-e. Repas env 30-40 $; le week-end, bar menu de 14h30 à 16h30, bien moins onéreux. Le genre d'endroit qui porte bien son nom : la jeunesse dorée du quartier s'y retrouve tous les week-ends. Mais, malgré le côté « élitiste » affiché, on a assez apprécié ce resto branché pour son cadre élégant tout en bois (long comptoir, box intimes, plantes vertes, lampes-ventilos), son atmosphère agréable et sa cuisine très convenable à base de fruits de mer et de spécialités cajuns (de Louisiane).

Où boire un verre (en mangeant un morceau) ? Où prendre un café ?

|●| ♟ **The Grove** (plan I, A2, **243**) : 2250 Chestnut St (et Avila). ☎ 474-4843. Tlj 7h-23h (minuit w-e). Un de nos endroits préférés à Marina. Un grand *coffee shop* en bois, rustique et chaleureux, où les yuppies s'enfoncent benoîtement dans les fauteuils dépareillés, une pinte dans une main, l'ordinateur portable dans l'autre (wi-fi). On y est bien pour prendre le petit déj, juste un

café ou dévorer de bons gros sandwichs ou une salade. Quelques plats chauds style lasagnes, cookies et gâteaux maison, *smoothies*. Petite terrasse ensoleillée sur rue calme. Une autre adresse au 2016 Fillmore St (dans Pacific Heights).

♟ **Black Horse Pub** (plan I, B2, **247**) : 1514 Union St (entre Van Ness et Franklin). ☎ 928-2414. Tlj 17h-minuit. Sans doute le plus petit pub de la côte ouest, d'une largeur à peine supérieure à celle d'un ventilo. On a tout de même réussi à caser le bar et l'indéboulonnable jeu de fléchettes ! Évidemment, dans ces conditions extrêmes, on a tôt fait de se faire des amis autour du comptoir harponné par tous les amateurs de bonnes bières du canton. Une pépite !

|●| ♟ *Rose's Café* (plan I, A2, **244**) : 2298 Union St (angle Steiner). ☎ 775-2200. Tlj 7h (8h sam-dim)-22h (23h ven-sam). Un élégant bistrot aux boiseries soignées, où il fait bon prendre le petit déj au soleil en terrasse dans les chaises en osier. Quartier calme et agréable. Bon choix de thés et cafés. La maison fait également bar à vins, idéal à l'apéro. Sert enfin de consistants sandwichs, des plats à consonance italienne (pizzas, focaccia, pasta et polenta !) et des salades.

|●| ♟ *A16* (plan I, A2, **234**) : 2355 Chestnut St (et Scott). ☎ 771-2216. Déjeuner mer-ven slt 11h30-14h30 ; dîner tlj 17h-22h (23h ven-sam). Bar à vins italien *trendy* à souhait, fréquenté assidûment par les *beautiful people* du quartier. Accoudé au comptoir minimaliste, ce petit monde insouciant sirote les nectars toscans dans une atmosphère joyeuse et bourdonnante. Bonnes pizzas napolitaines, pasta, assiettes de charcuterie, servies dans une salle cosy et lumineuse à l'arrière. Pour être à la page !

|●| ♟ *Perry's* (plan I, A2, **155**) : 1944 Union St (entre Buchanan et Laguna). ☎ 922-9022. Tlj 9h-23h ou minuit. Perry's ne remerciera jamais assez Armistead Maupin de l'avoir glissé dans ses *Chroniques de San Francisco*. Pendant 20 ans, ce fut l'un des bars les plus animés du coin. Aujourd'hui, il tient plus du bistrot-restaurant, fréquenté par les habitués et de plus en plus de familles. Beau cadre de bois sombre, nappes à carreaux, murs criblés d'affiches, cadres photos et souvenirs divers, mais curieusement, rien sur les *Chroniques de S.F.* ! Pas mal de monde pour le brunch du week-end. Sinon, burgers, salades et sandwichs à la carte, sans intérêt particulier.

♟ *Betelnut Pejiu Wu* (plan I, A2, **127**) : 2030 Union St (et Laguna). Voir « Où manger ? ». Débauche d'excellents cocktails, bière maison et exhaustive sélection de thés chinois.

San Francisco *by night*

♟ ♪ *Harry's Bar* (plan I, A3, **245**) : 2020 Fillmore St. ☎ 921-1000. Tlj 11h30-2h. Beau pub classique, à la fois classe, chaleureux et intimiste. Couleurs chaudes et grand bar superbe en bois sculpté (sur colonnes corinthiennes), paraît-il en provenance d'un vieux saloon d'Alaska ! Idéal pour boire un verre en fin de journée ou tard le soir. Soirées DJ du jeudi au samedi soir : soul, funk, blues, voire *rhythm'n'blues*. Certains soirs, le public pousse même les tables pour danser. On peut également y manger un bout (burgers réputés).

♟ *Bus Stop* (plan I, A2, **246**) : 1901 Union St (angle Laguna). ☎ 567-6905. Tlj 10h (9h w-e)-2h. Le *sports bar* par définition, installé dans un vieux saloon de 1900. Des TV un peu partout et des jeunes Américains déchaînés les jours de match. Au plafond, vélo et planches de surf. Selon l'actualité, vous trouverez une salle dédiée corps et âme au football, une autre au base-ball ou encore au hockey, etc. Dans ces cas-là, la bière coule à flots dans une ambiance bon enfant. À l'entrée, T-shirts de la maison autographiés par des sportifs, professionnels ou amateurs comme le couple Clinton. Également 2 billards dans la salle du fond.

Et aussi : *Betelnut Pejiu Wu* (plan I, A2, **127**) et *Perry's* (plan I, A2, **155**) : voir ci-dessus.

À voir

Pacific Heights est le quartier où se promener pour admirer les plus belles résidences de la ville. Autour du parc Lafayette, on verra en particulier, au 2150 Washington Street (et Octavia), l'*ancien palace* de J. D. Phalam, maire de 1894 à 1902. Au

2080 Washington Street (et Octavia), la *Spectrels Mansion,* demeure de l'ancien administrateur du musée de la Légion d'honneur, en forme de palais néoclassique.

ﹰ *Haas-Lilienthal House* (plan I, B3) : *2007 Franklin St (entre Washington et Jackson).* ☎ *441-3004.* ● *sfheritage.org/house.html* ● *Mer et sam 12h-15h, dim 11h-16h. Visite guidée slt (durée 1h) : 8 $; réduc.* Construite en 1886, cette magnifique villa de style victorien en bois gris perle a fière allure avec sa tourelle, ses balcons et son petit jardin qui la distingue de ses voisines. Elle échappa au grand incendie de 1906. De taille exceptionnelle, c'est la seule ouverte au public. Superbe mobilier qui donne une petite idée du quotidien de la bourgeoisie au XIXᵉ s.

ﹰ *Octagon House* (plan I, A-B2) : *2645 Gough St (et Union).* ☎ *441-7512. Ouv 12h-15h les 2ᵉ et 4ᵉ jeu et le 2ᵉ dim de chaque mois. Fermé en janv et les j. fériés. Visites sur rdv slt.* Sur les cinq maisons octogonales construites au milieu du XIXᵉ s à San Francisco, il n'en reste que deux : la *Feusier House* sur Green St (voir Russian Hill), et celle-ci, en forme de phare, édifiée et meublée en style colonial en 1861. Selon une croyance en vogue à l'époque, ce plan à 8 côtés avait une excellente influence sur la santé, la lumière du soleil pouvant ainsi mieux circuler à l'intérieur.

ﹰ À l'intersection de Filbert et Webster, une de nos demeures préférées, avec sa loggia de style mauresque, son festival de toits et de coupoles bulbeuses, sa tour crénelée...

Achats

❀ *Sports Basement* (hors plan I par A2) : *610 Mason St, dans le Presidio, non loin de Crissy Field.* ☎ *1-800-869-6670. Bus 30 jusqu'au terminus, puis 15 mn de marche le long de Mason St. Parking gratuit pour les motorisés. Sem 9h-20h ; w-e 8h-19h.* Un ancien supermarché reconverti en temple du sport. Les grandes marques de vêtements pour adultes et enfants *(North Face, Columbia...)* sont vendues au moins 20 % moins cher qu'ailleurs, de même que le matériel de camping, vélo, plongée, ski, rando, fitness, yoga... Ambiance cool et routarde, avec coin-jeux pour les enfants, vieux canapés de récup' et espace communautaire pour échanger des tuyaux entre sportifs. Un vrai bon plan.

❀ *The Artisans of S.F.* (plan I, A2, 155) : *1964 Union St.* ☎ *921-0456. Mar-sam 10h-18h ; dim 12h-17h.* De très belles photos d'art sur les plus beaux endroits de S.F. Également quelques affiches rétros et de vieilles cartes. Le tout assez cher quand même, mais ça vaut le coup d'œil si vous passez par là.

Haight-Ashbury *(plan II)*

Dans ce quartier mythique de San Francisco ont germé de très nombreux mouvements culturels, comme ceux des hippies, des skinheads et des raves. En ce début de millénaire, Haight-Ashbury redevient le « centre du monde » grâce au renouveau du mouvement hippy et à la philosophie très particulière qui anime les lieux et que l'on pourrait résumer en un mot : TOLÉRANCE.

À la fin du XIXᵉ s, ce fut un quartier résidentiel huppé, investi par les plus riches familles attirées par la proximité du Golden Gate Park. Ayant survécu au tremblement de terre de 1906 et aux gigantesques incendies, de très belles demeures sont à voir, notamment sur Waller Street et sur Page Street. Après la Seconde Guerre mondiale, Haight-Ashbury ne recevait plus les faveurs de l'*upper class* à cause de la présence importante de la communauté noire. Les loyers ont chuté, ce qui a attiré, au début des années 1960, les premiers hippies fuyant North Beach devenu trop cher et trop touristique. Une maison à Haight-Ashbury pour une douzaine de squatters se louait moins de 60 $ par mois ! Nourriture, drogues hallucinogènes, concerts étaient à cette même époque le plus souvent gratuits, respectant le mot d'ordre des Diggers : « Le monde est à toi. » En 1967, Haight-Ashbury connut son apothéose avec le *Summer of Love,* festival de concerts attirant un demi-million de

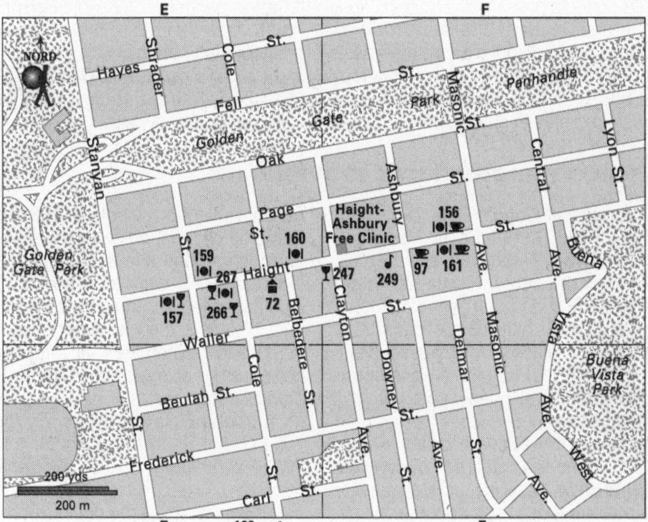

SAN FRANCISCO – HAIGHT-ASHBURY (PLAN II)

Où dormir ?

- **72** The Red Victorian Bed, Breakfast and Art

Où manger ?

- **97** Pork Store Café
- **156** Squat and Gobble Café
- **157** Cha-Cha-Cha
- **159** The Citrus Club
- **160** Taqueria El Balazo
- **161** People's Café
- **169** Grandeho's Kamekyo

Où prendre un café ? Où boire un verre (en mangeant) ?

- **157** Cha-Cha-Cha
- **247** Hobson's Choice
- **266** Café Cole
- **267** The Alembic

San Francisco *by night*

- **249** Club Deluxe

jeunes des quatre coins de l'Amérique. Très peu de temps après, Haight-Ashbury sombra dans des problèmes de violence liés principalement à l'héroïne.

Que reste-t-il du quartier aujourd'hui ? Beaucoup de *coffee shops* (pas dans le sens hollandais du terme), de petits restos pas trop chers, des boutiques de fringues et de disques qui ouvrent et ferment au rythme des modes, quelques SDF aussi. La jeunesse branchée de San Francisco, piercings bien en vue, déambule à longueur de week-end le long de Haight Street (et nulle autre), en un concours de looks sans cesse renouvelé. Mais au fond, on ne peut s'empêcher de penser que le rêve de « Hippyland » a cédé la place au matérialisme du nouveau millénaire.

➢ *De Downtown, bus nos 6, 7, 66 ou 71 sur Market St jusqu'au carrefour de Haight St et Masonic Ave.*

Où manger ?

Spécial petit déjeuner

Pork Store Café *(plan II, F5,* ***97****) : 1451 Haight St.* ☎ *864-6981. Lun-ven 7h-15h30 ; w-e 8h-16h. Env 8-10 $.* Il n'y a pas de grand méchant loup dans

ce minuscule café à la déco hors d'âge, mais une meute d'affamés accourus pour engloutir de bons gros plats à base de cochon. Et comme dans le cochon, tout est bon, il y a l'embarras du choix pour satisfaire petits et gros appétits ! Omelettes et *pancakes* sont également au menu. Une institution locale, un peu graillou quand même.
☛ Et aussi *Squat and Gobble Café* (plan II, F5, **156**) et *People's Café* (plan II, F5, **161**) : voir ci-dessous.

De bon marché à prix moyens

|●| *Squat and Gobble Café* (plan II, F5, **156**) : 1428 Haight St (et Masonic). ☎ 864-8484. Tlj 8h-22h. Env 8-10 $. Grand café couleur locale, au cadre agréable. Parfait pour grignoter toutes sortes de petits plats bons et pas chers : sandwichs, salades copieuses, soupe du jour, omelettes, bagels, crêpes exotiques sucrées ou salées, pâtes et gros gâteaux. Devant le succès, la maison a essaimé entre autres à Lower Haight (237 Fillmore St) et à Castro (3600 16th St). Mais celui-ci reste en tête de peloton grâce à sa courette fleurie, irrésistible dès le printemps.

|●| *Cha-Cha-Cha* (plan II, E5, **157**) : 1801 Haight St (angle Shrader). ☎ 386-5758. Tlj 11h-23h. Env 15-20 $. Une institution vraiment populaire. Surprenant décor arboré, exotique et chic, avec palmes et murs en brique sur lesquels s'accrochent des Vierges à l'Enfant, des guirlandes de Noël, une crèche et des masques. Ce resto propose, entre autres, des spécialités des Caraïbes : sandwichs cajuns, *arroz con pollo*, tapas, calamars frits à l'aïoli, bons poissons. Également quelques plats végétariens et une carte américaine classique, avec burgers et sandwichs. Bonne sangria et atmosphère très animée.

|●| *The Citrus Club* (plan II, E5, **159**) : 1790 Haight St. ☎ 387-6366. Tlj 11h30-22h (23h ven-sam). Env 7-10 $. Bienvenue dans le palais de la nouille ! Cette brillante invention chinoise est ici servie froide ou chaude, en soupe ou sautée, et accommodée à la thaïe, japonaise, indonésienne... Venir tôt le soir, car les 2 petites salles au cadre épuré sont souvent pleines à craquer. Spécialités de *house pad thaï* (tomates, ail, tofu, œufs, cacahuètes et sauce au tamarin) et *orange-mint noodles*.

|●| *Taqueria El Balazo* (plan II, E5, **160**) : 1654 Haight St. ☎ 864-2162 ou 40. Tlj 10h30-22h30. Env 7-10 $. Self-service mexicain à la déco kitsch assumée, pas franchement reposante pour l'œil, mais qui laissera de bons souvenirs. Petite salle en mezzanine et comptoir. Bonnes spécialités *absolutely Mexican* à mini-prix : *burritos*, tacos, *chile*, *tamales* (servis avec guacamole) et bon *ceviche* (poisson mariné dans du jus de citron). Les végétariens ne sont pas en reste, ni les amateurs de *seafood*. Beaucoup de débit et pas de mauvaise surprise.

|●| *People's Café* (plan II, F5, **161**) : 1419 Haight St (et Masonic Ave). ☎ 553-8842. Tlj 7h-21h. Env 7-10 $. Grand café coloré où étudiants et post-étudiants commandent au comptoir pour se rassasier tranquillement derrière de grandes baies vitrées donnant sur la rue. Burgers, sandwichs, et une formule soupe-salade vraiment pas chère. Bonne sélection de cafés. Idéal, donc, pour le breakfast (grand choix d'œufs).

Où prendre un café ? Où boire un verre (en mangeant un morceau) ?

🍸 *Café Cole* (plan II, E5, **266**) : 609 Cole St (et Haight). ☎ 668-7771. Tlj 6h30-20h (20h30 ven-sam). Un endroit cool comme on les aime. Une salle de poche, mignonne et chaleureuse, à mi-chemin entre la petite épicerie d'antan et le café traditionnel. Quelques tables dehors et *caffè latte* délicieux. Les plus courageux goûteront au jus de blé vert (*wheat grass juice*) : l'herbe ne se fume pas seulement, elle se boit aussi ! À essayer une fois dans sa vie : ça ne rend malade, paraît-il, que si l'on dépasse une certaine dose... En plus, c'est plein de protéines et excellent pour la santé. On peut aussi commander des *smoothies, jus de fruits frais, bagels et plats végétariens. Internet payant.

|●| ¥ *The Alembic* (plan II, E5, *267*) : 1725 Haight St (entre Cole et Shrader). ☎ 668-0822. Lun-jeu 16h-2h ; ven-dim 12h-2h. Petites assiettes 5-12 $. Ce gastro-pub moderne ne manque pas de caractère avec son décor de bois sombre bien patiné et ses discrètes petites touches design. On y vient pour écluser une bière brassée dans le coin ou siroter un cocktail préparé dans les règles de l'art par le barman (la carte est pleine d'humour). Les amateurs de whiskies auront le choix parmi une cinquantaine de nectars. Mini-assiettes façon tapas haut de gamme : gnocchi à la truffe,

champignons et asperges ; burger d'agneau à la tapenade, aïoli et harissa... Cher mais excellent. Une belle adresse.

¥ *Hobson's Choice* (plan II, E-F5, *247*) : 1601 Haight St (et Clayton). ☎ 621-5859. Tlj 14h (12h sam, 8h dim)-2h. Happy hours lun-ven 17h-19h. À peine en âge de boire, les jeunes affluent dans ce bar cosy pour se frotter aux fameux rhums arrangés de la maison. Et quitte à bien faire, on en commande de pleins saladiers aux happy hours ! Très convivial et un tantinet agité.

¥ *Cha-Cha-Cha* (plan II, E5, *157*) : voir « Où manger ? », plus haut.

San Francisco *by night*

♪ *Club Deluxe* (plan II, F5, *249*) : 1511 Haight St (et Clayton). ☎ 552-6949. Tlj 16h (14h w-e)-2h. Déco rétro pour ce sympathique club de jazz à l'ancienne mode, avec tous les soirs dès 21h des big bands qui envahissent

toute la salle et mettent une énorme ambiance. En fin de semaine, on peut dévorer de grosses pizzas en même temps. Tous les lundis, stand up comedy pour les amateurs.

Petite promenade architecturale

Impossible d'inventorier toutes les élégantes demeures victoriennes du quartier. En voici cependant les plus beaux fleurons.

➤ À l'angle de Haight, sur Masonic, joli tir groupé de cinq maisons victoriennes. Sur *Haight,* au n° 1665, The Red Victorian Bed, Breakfast and Art (une des façades les plus colorées, rouge et vert) ; au n° 1660, un ex-vieux cinéma, le Wasteland, à l'architecture très rococo punk (reconverti en boutique de fringues) ; au n° 1779, la plus ancienne maison de la rue. À l'est de Haight-Ashbury, ne ratez pas la plus belle brochette de maisons victoriennes, pastel et pimpantes, grimpant sur Central Avenue.

➤ Entre *Lyon et Baker,* du n° 1128 au 1146, intéressante série de trois façades (noter le travail des baies et des fenêtres). Au n° 1080, la plus imposante, présentant une somptueuse décoration extérieure. Tant d'autres dans la rue et alentour, dont celle, au croisement de Lyon et Oak Street (112 Lyon), qui appartint, de 1967 jusqu'à sa mort, en 1970, à *Janis Joplin.*

➤ Sur Broderick, à l'angle de Fulton, belle brochette encore. Puis, en continuant Fulton, on arrive à *Alamo Square,* charmant parc haut perché donnant définitivement envie de vivre à San Francisco. Au point le plus haut de la place, intéressantes échappées. C'est là que l'on retrouve l'alignement le plus célèbre de la ville, les fameuses *Seven Painted Ladies,* sur Steiner St, à l'angle de Grove. En fond, à vos pieds, se détachent les buildings du centre-ville. Pour la photo-carte postale, c'est en fin de journée que la lumière est la plus belle. Le gazon est idéal pour un pique-nique. De Downtown, on y accède par le bus n° 21 West en direction du Golden Gate Park.

➤ Retour sur Haight (et Baker), pour se promener dans le grand *Buena Vista Park,* fréquenté assidûment par les dog-keepers, mais pas trop conseillé la nuit. Beaucoup de buissons touffus et d'arbres, dont un grand nombre de cyprès plantés il y a une centaine d'années sur une colline de sable. Prendre les escaliers pour accéder à une jolie vue sur la ville et sur le Golden Gate Park. Balade vraiment agréable.

➤ Juste au sud du parc de Buena Vista, on peut grimper au sommet du piton de **Corona Heights,** d'où se révèle une vue panoramique sur presque tous les quartiers de la ville : le Downtown face à vous, le port au loin, Oakland en fond, Mission et Castro au sud. C'est l'un des rares points de vue non bétonnés de San Francisco.

➤ Enfin, pour ceux qui n'ont plus trop le temps, dernière errance sur Waller Street. Au coin de **Masonic** et alentour, nombreuses maisons dont il faut détailler tout le décor extérieur, tous les petits détails.

➤ Au 710 Ashbury Street, jolie maison victorienne gris violacé des **Grateful Dead,** groupe symbolique de S.F., à l'instar des Beatles à Liverpool (si, si, vraiment).

➤ Autres lieux mythiques : la maison de **Jefferson Airplane** (130 Delmar), celle où vécut un moment **Jimi Hendrix** (142 Central), celle où le grand journaliste-écrivain **Hunter S. Thompson** écrivit son bouquin sur les Hell's Angels (318 Parnassus), et encore celle où vécut le poète et romancier **Richard Brautigan** (2500 Geary), auteur, entre autres, de l'indispensable *Dreaming of Babylon* (*Un privé à Babylone,* éd. 10/18). Quant à la chanteuse et actrice **Courtney Love** (veuve de Kurt Cobain), elle possède, paraît-il, une maison dans Hayes Street.

➤ À l'angle de Cole et de Haight Street, *peinture murale* symbolisant l'évolution de l'univers, du chaos originel à celui qui nous attend. De loin, cela ressemble à un arc-en-ciel. De plus près, de nombreux détails surgiront comme les symboles religieux, les animaux, les monstres, etc.

Achats

🌀 **Recycled Records** *(plan II, F5) : 1377 Haight St (et Masonic).* ☎ 626-4075. *Tlj 10h-18h.* Achat et vente de disques d'occase souvent introuvables. Beaucoup de vinyles, des K7 et quelques CD.

🌀 **Haight Ashbury Tattoo & Piercing** *(plan II, F5) : 1525 Haight St (entre Ashbury et Clayton).* ☎ 431-2218. *Tlj 11h30-20h.* La plus ancienne boutique de tatouage du quartier. Un bric-à-brac de publications sur le sujet, de journaux érotiques des années 1950, de revues d'épouvante, cartes postales, stickers, bijoux, accessoires, etc. Au fond, atelier de tatouage.

🌀 **Held Over** *(plan II, F5) : 1543 Haight St (entre Ashbury et Clayton).* ☎ 864-0818. *Ouv 11h-19h (20h jeudim).* Grande variété de vêtements *vintage,* des plus classiques aux plus originaux, avec beaucoup de fripes datant des *70's* et des *80's,* des chemises hawaïennes en pagaille, etc. Très mode urbaine. Bien classé par thèmes et époques, et prix corrects.

🌀 **Bound Together Bookstore** *(plan II, F5) : 1369 Haight St (entre Central et Masonic).* ☎ 431-8355. *Tlj 11h30-*19h30. Vieille librairie anarchiste à l'atmosphère révolutionnaire intacte. On y trouve avant tout des livres d'histoire et de politique, mais aussi des affiches anar, des magazines, d'amusantes cartes postales et des T-shirts aux slogans sans concessions. Côté déco, il y a un drapeau est-allemand dédicacé à l'intérieur et une fresque à l'extérieur avec la phrase suivante : « L'histoire se souvient de ceux qui assassinent et de ceux qui se rebellent. »

🌀 **Pipe Dreams** *(plan II, F5) : 1376 Haight St (entre Central et Masonic).* ☎ 431-3553. *Ouv 10h-19h50, dim 11h-18h50.* Un de nos *smoke-shops* préférés, dont la devanture colorée et farfelue est déjà un vrai poème. Mais pas de méprise : malgré l'ambiance hippie, on ne vend pas de drogue, juste des ustensiles... Bien sûr, on milite aussi un peu pour la légalisation de la marie-jeanne ! Choix étonnant de pipes en verre soufflé de toutes les couleurs, fabriquées localement. Si vous voulez rapporter des cadeaux pour votre petit frère néobab, c'est l'endroit rêvé !

🌀 **Amoeba Music** *(plan II, E5) : 1855 Haight St (entre Shrader et Sta-*

nyan). ☎ 831-1200. ● amoebamusic. com ● Ouv 10h30-22h (11h-21h w-e). Amateurs de musique, impossible de rater cet étalage gigantesque de disques, abrité dans un ancien bowling. C'est le plus grand disquaire indépendant des États-Unis. Tous les genres musicaux aux prix les plus bas, des occases (étiquettes jaunes) et des rare-

tés en CD, vinyles, cassettes. Un must. Vous y trouverez même Sylvie Vartan, les Rita Mitsouko, Dutronc, Léo Ferré... Et, pour chaque pays, un choix aussi large, de l'Algérie au Congo. Une partie des bénéfices est reversée pour la conservation de la forêt amazonienne. On peut commander sur Internet. Une autre boutique à Berkeley, au 2455 Telegraph Ave.

Lower Haight (plan III)

À dix blocs de Haight-Ashbury en direction du Downtown, vers les numéros 500, ce quartier est à la fois proche et différent de Upper Haight. Proche pour avoir connu un destin similaire : résidences bourgeoises au début du XX⁰ s, crise des années 1930, Seconde Guerre mondiale et construction de ghettos noirs à proximité qui rendirent le quartier moins cher. Différent car, contrairement à Haight-Ashbury et au mouvement hippy des *sixties,* Lower Haight n'a joui d'une renommée grandissante que dans les *seventies* grâce à des artistes d'avant-garde, apôtres de la contre-culture, membres de la génération X et fidèles de Kerouac. De nos jours, ces différentes tendances se retrouvent : certaine insécurité le soir, contre-culture *grungy,* nombreux bars et magasins underground moins commerciaux que sur Upper Haight.

Où manger ?

Spécial petit déjeuner

☞ **Kate's Kitchen** (plan III, H7, **88**) : 471 Haight St. ☎ 626-3984. Ouv 8h (9h lun)-14h45, w-e 8h30-15h45. Env 6-10 $. CB refusées. Commencez d'abord par foncer sur la liste pour inscrire votre nom. Car dénicher une table le week-end relève presque du défi ! Ses brunchs légendaires excitent la convoitise de tous les affamés, autant pour les portions servies en format XXL

que pour la qualité des plats : du classique *Big Guy* (pancakes, pommes de terre, bacon, œufs, saucisse...) à la célèbre *French toast orgy* (pain perdu, fruits, yaourt...), tout est frais et cuisiné dans les règles (américaines !). Cadre sympa de petit café, aux nappes à carreaux de rigueur.

☞ Et aussi : **Squat & Gobble** (plan III, H7, **165**) : voir ci-dessous.

Bon marché

|●| **Rosamunde Sausage Grill** (plan III, H7, **170**) : 545 Haight St. ☎ 437-6851. Tlj 11h30-22h. Env 5 $. Le palais de la saucisse. Cette minuscule échoppe en propose plus d'une douzaine (italienne, allemande, hongroise, cajun... et même végétarienne !), à faire griller selon ses goûts et à emporter toute fumante dans le parc voisin. Impeccable pour les petites faims intempestives.

|●| **Squat & Gobble** (plan III, H7, **165**) : 237 Fillmore St (près de l'angle de Haight). ☎ 487-0551. Tlj 8h-22h. Env 8-9 $. Même resto que celui d'Upper Haight et de Castro. Des crêpes délicieuses et des omelettes onctueuses

accompagnées de pommes de terre sautées, des bagels, des sandwichs, etc. Fameux *Turkey Gobble* (dinde, provolone, moutarde...). Copieux ! Super rapport qualité-prix. Cadre convivial avec expos temporaires d'artistes aux murs, sans oublier les grandes tables en bois et une petite terrasse donnant sur la rue calme.

|●| **Axum Café** (plan III, G7, **166**) : 698 Haight St (angle Pierce). ☎ 252-7912. Tlj 17h-22h30. Env 10-15 $. Petit restaurant éthiopien (tigréen, plus précisément) au cadre virtuel et sans ambiance, mais très bon et pas cher du tout. Des plats végétariens mais aussi

de viande *(tibsie lamb, beef, chicken)* et de poisson, accompagnés de tomates, d'épinards et généralement bien relevés. Tous sont servis avec l'*injera*, le pain non levé éthiopien (sorte de grosse crêpe), traditionnellement utilisé comme couvert. À tester : la bière locale *Harar Beer* et le *Tej (honey wine)*. Simple et sans prétention.

De prix moyens à chic

|●| *Indian Oven* (plan III, H7, **167**) : 233 Fillmore St (entre Haight et Waller). ☎ 626-1628. Tlj 17h-23h. Repas env 20-25 $. Ce resto indien un peu chic, spécialisé dans la cuisine du nord de l'Inde, est une référence en la matière. Ses plats délicats et parfumés attirent toujours autant de monde et l'attente est souvent de mise pour goûter aux tandooris dorés doucement au four (celui au poisson est particulièrement excellent), aux korma, aux nombreuses spécialités végétariennes... Attention toutefois à bien lire la carte, car certains plats peuvent faire grimper l'addition.
|●| *Thep Phanom* (plan III, H8, **168**) : 400 Waller St (angle Fillmore). ☎ 431-2526. Tlj 17h30-22h30. Résa conseillée le w-e. Repas env 15-20 $; tlj menu prix fixe 18 $. Un des meilleurs thaïs de San Francisco. Plus de 20 ans de louanges, recensé dans tous les guides gastronomiques américains pour sa cuisine fraîche et inventive de haute volée, servie dans une charmante salle, nichée dans une maison de bois caractéristique de S.F. Excellente salade au bœuf très épicé *(Crying Tiger)*, soupes au lait de coco, *curries* tout en saveurs... En dessert, succulent *sticky rice* (riz gluant) servi avec fruits frais ou glace vanille. Service délicat, en tenue traditionnelle.

Où boire un verre ? Où grignoter ?

|●| 𝕐 *Bean There* (plan III, G-H8, **250**) : 201 Steiner St (angle Waller). ☎ 255-8855. Tlj 7h-20h. Wi-fi. Un charmant *coffee shop* de quartier, très apprécié le matin pour se réveiller en douceur devant un grand noir et un muffin. Expo de photos et de peintures dans la salle accueillante, où les banquettes en bois sont interrompues par les étagères encombrées de boîtes de thé. Quelques tables à l'extérieur pour prendre le soleil à travers les feuilles des arbres. Parfois, on sort les échiquiers et les jeux de société.

|●| 𝕐 ♪ *Café International* (plan III, H7, **251**) : 508 Haight St (et Fillmore). ☎ 552-7390. Tlj 7h-22h. Coffee house décontractée, où artistes et étudiants refont le monde bien calés dans les vieux canapés du salon ou dans le patio intérieur, petite oasis décorée d'une superbe fresque *world music* qui résume parfaitement l'esprit de la maison. Excellente musique (reggae, Afrique, jazz, etc.). On peut y grignoter quelques délicieux petits plats du Moyen-Orient : *houmous*, taboulé, *falafel*, ainsi que salades, sandwichs et *bagels*.

San Francisco *by night*

Où boire un verre ?

𝕐 ♪ *Noc-Noc* (plan III, H7, **253**) : 557 Haight St (entre Fillmore et Steiner). ☎ 861-5811. Tlj 17h-2h. Un des bars les plus originaux de S.F., à voir au moins pour la déco. Cadre étrange, tendance *Mad Max* revisité par Gaudí ou Warhol réincarné en cyberpunk : murs de grottes, sculptures *aliens*, TV déréglées, petits coins-salons hétéroclites, matériaux disparates, mobilier zoulou, lumières glauques, volutes cassées. Un côté fin du monde baroque ou futuriste cool, selon l'humeur... Musique techno planante mixée par les DJs résidents. Assez décalé.

𝕐 ♪ *The Mad Dog in the Fog* (plan III, H7, **254**) : 530 Haight St (entre Fillmore et Steiner). ☎ 626-7279. Tlj 11h30-2h. Un bar *British* très populaire, connu dans toute la ville pour ses soirées foot

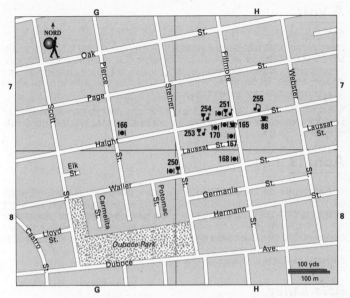

SAN FRANCISCO – LOWER HAIGHT (PLAN III)

|●| 🍴 **Où manger ?**

88 Kate's Kitchen
165 Squat & Gobble
166 Axum Café
167 Indian Oven
168 Thep Phanom
170 Rosamunde Sausage Grill

|●| 🍷 ♪ **Où boire un verre ?**
Où grignoter ?

250 Bean There

251 Café International

🍷 ♪ ♫ **San Francisco** *by night*

253 Noc-Noc
254 The Mad Dog in the Fog
255 Nickie's

turbulentes et bien arrosées. Tous les fans de *soccer* viennent ici suivre les matchs de Coupe d'Europe et le championnat anglais en direct. Entrée payante ces jours-là (et ouverture plus tôt, en fonction du décalage horaire). Programme *soccer* au ☎ 442-7279.

Où danser ?

♪ **Nickie's** *(plan III, H7, 255) : 466 Haight St (entre Fillmore et Webster).* ☎ *225-0300.* ● *nickies.com* ● *Tlj 16h (10h w-e)-2h. Club dès 22h. Entrée gratuite sf mar et sam (env 5 $).* Loin, très loin du gigantisme des boîtes les plus récentes, ce petit club de la taille d'un bar (c'en est d'ailleurs !) fait plus que

Dans un genre très différent, les mardi et jeudi sont consacrés aux *quiz days* : tous les clients peuvent participer à une sorte de grand *Trivial Pursuit*. Groupes live le premier samedi soir du mois (90's, reggae et soul). Salle de billard à l'entrée.

de la résistance en faisant le plein tous les soirs. Forcément, il aligne une des meilleures sélections de DJs en ville (un différent chaque soir). Très éclectique : jazz, R'n'B, funk, reggae... et même musique traditionnelle irlandaise live (le dimanche en début de soirée).

À voir

🏃 **Duboce Park** *(plan III, G-H8) : sur Duboce Ave (de Haight St, prendre Steiner St pour y arriver).* Petit parc de quartier de la taille d'un square, où il fait bon promener son chien ou s'étendre au soleil. Trois impasses (Carmelita, Pierce et Potomac Street) bordent ce parc. On peut y flâner tranquillement pour y découvrir de jolies maisons en bois. Tout agréable qu'il soit, ce mince ruban de gazon en partie arboré ne vaut cependant pas de grand détour.

🏃 Aux nᵒˢ 414-416 de Waller Street (angle Fillmore), rue mignonne et paisible, on peut voir une drôle de *maison victorienne* peinte aux couleurs rastas : jaune, vert, rouge et noir de la tête au pied.

Achats

⊛ **Costumes on Haight** *(plan III, G7-8) : 735 Haight St (entre Pierce et Scott).* ☎ 621-1356. *Lun-sam 11h-19h ; dim 12h-18h.* Une boutique complètement folle, où des vendeurs déjantés proposent des panoplies géniales de parfait petit fêtard : postiches, cha- peaux, perruques multicolores, vête- ments excentriques... mais aussi des casques de cosmonaute, de pompier ou de majorette ! Élu meilleur magasin de costumes de la ville. Idéal en cas de soirée à thème impromptue.

Cole Valley

Situé juste au sud de Haight-Ashbury, entre Carl Street et Belgrave Avenue, ce quartier longtemps méconnu est symbolique de San Francisco : de belles maisons calmes et ombragées, des bois d'eucalyptus sur les hauteurs, une vie de quartier tranquille, des *coffee shops,* une belle vue du haut de Tank Hill et pas de touristes. Bref, une ambiance san-franciscaine à découvrir.

Où manger ?

🍽 **Grandeho's Kamekyo** *(hors plan II par E6, 169) : 943 Cole St.* ☎ 759-8428. *Tlj sf lun midi, 11h30-14h30, 17h-22h ; sam 13h-23h ; dim 16h-22h. Bento 14 $ le midi en sem ; carte env 25 $.* Petit res- taurant japonais au cadre sobre mais plu- tôt esthétique, proposant un large choix de plats traditionnels nippons. Le *bento* (plateau), avec 2 plats au choix, riz, soupe miso et dessert du jour, présente un bon rapport qualité-prix. On peut aussi opter pour des combinaisons de sushis et de sashimis, à déguster au bar ou sur l'une des quelques tables posées sur le trot- toir. Fraîcheur des produits et qualité de l'accueil en font une des adresses préfé- rées des habitants du quartier. Succur- sale à Fisherman's Wharf.

À voir

Un petit quartier où l'on déambule tranquillement sur Cole Street et Belvedere Street. Très belles maisons à hauteur de Grattan Street.

🏃 **Tank Hill Park :** *on y accède à pied (escalier au niveau de Twin Peaks et Claren- don) ou en voiture par Belgrave Ave.* Un des sommets de San Francisco, moins élevé mais aussi moins fréquenté que Twin Peaks, et qui a l'avantage d'offrir à la fois une très belle vue sur le Golden Gate Bridge et aussi sur Downtown, Soma, Mission et Castro.

Castro *(plan IV)* et Noe Valley

Castro, la grande Mecque des homos. À l'origine, la densité des homosexuels n'y était pas supérieure à la moyenne nationale. Mais la plus grande tolérance des Californiens a attiré les homos de tout le pays. Mieux vaut, en effet, l'être ici qu'au Texas... Le *Gay Village* se trouve sur Market Street, à partir de Church jusqu'à 17th Street et, bien sûr, sur Castro et les rues adjacentes. Noe Valley correspond à 4th Street, de Douglas Street à Dolores Street. Des bars, des boutiques, des salles de gym, mais aussi une ambiance et une vie de quartier (plus sensible d'ailleurs à Noe Valley).

> **CONNAISSEZ-VOUS UN ENDROIT GAY ?**
>
> *Pour se reconnaître et s'aborder sans danger, à l'époque où l'homosexualité était illégale, les intéressés utilisaient un mot de passe. Ils demandaient à ceux qu'ils voulaient draguer : « Connaissez-vous un endroit gay ? », c'est-à-dire gai, agréable, où l'on rigole... Cette phrase anodine pour un hétéro (et ne présentant aucun danger si, par malheur, on avait affaire à quelque policier) annonçait la couleur pour celui qui était branché. Peu à peu, bien sûr, ça s'est su, et gay est devenu synonyme d'homosexuel.*

Miss Liberty

On est loin de l'époque (1966) où le cardinal Spellmann demandait à ses curés d'inscrire les noms des fidèles qui entraient dans les cinémas voir des films considérés comme « licencieux ».

La population gay établit un énorme rapport de force (25 % de la ville) et le quartier devint l'un des plus vivants de S.F. Des centaines de boutiques, restos, boîtes et lieux culturels démontraient la santé du mouvement. Du début des années 1970 au début des années 1980, la communauté gay connut donc un extraordinaire développement et s'imposa aux mentalités rétrogrades. En 1972, San Francisco fut la première ville américaine à publier une loi interdisant toute discrimination dans l'emploi et le logement sur les bases d'un choix de mode de vie ou d'orientation sexuelle. En 1973, l'Association psychiatrique américaine supprimait l'homosexualité de sa liste des maladies mentales ! Des conseillers municipaux ouvertement homosexuels furent élus à la mairie.

Bien entendu, le sida *(Aids)* a changé bien des choses. Depuis le début de l'épidémie, la maladie a fait plus de 15 000 victimes dans la ville. Les saunas et *back rooms* sont fermés par décret municipal. Mais ce n'est pas encore la psychose. Évidemment, il y a plus de flirts que de câlins hard...

En 1906, l'énorme tremblement de terre avait été considéré comme une malédiction de Dieu ; grand port, San Francisco était un lieu de débauche et de plaisir. Avec le sida, plusieurs ligues de vertu y discernent encore une main céleste vengeresse. Cependant, les *straights* aigris et réacs de tout poil qui pensaient prendre leur revanche ont dû remettre leurs espoirs au placard. La communauté gay, durement secouée par les ravages du sida, a su réagir énergiquement. Elle a mis le paquet sur l'information et la prévention et a multiplié les services de conseil et d'entraide pour les malades, les structures d'accueil et d'assistance diverse pour les plus atteints. Information et solidarité permettent non de survivre, mais plutôt de « vivre avec ». Impliquant forcément ces dernières années un changement radical de mode de vie des hommes (réduction significative de l'activité sexuelle, utilisation des préservatifs et retour à la monogamie). Pourtant, les difficultés demeurent avec les problèmes de transmission de la maladie chez les héroïnomanes et l'abandon, par certains, du *safe sex* (lassitude, fuite en avant). La création du *Lesbian and Gay Center* se révèle cependant comme une encourageante réponse aux défis du moment. Si quelques rues ou bouts de rue ont été récupérés par les *straights*, en revanche, le rapport de force politique demeure quasiment intact. Des activistes militants, personnalités homosexuelles connues, sont régulièrement élus ou réélus à des postes très importants comme les *Education boards*. Plus de 4 000 mariages entre homosexuel(le)s furent célébrés à la mairie, avant que la Cour suprême ne les annule et interdise les suivants.

Pour un oui, pour un non

Le 2 novembre 2004, coup dur pour la cause gay : George Bush, champion des valeurs « morales », est réélu, et les 11 référendums demandant la légalisation du mariage entre homosexuel(le)s sont rejetés. San Francisco possède cent longueurs d'avance sur les mentalités du pays profond ! Mais alléluia, en mai 2008, la situation s'inverse, la Californie autorise à nouveau les mariages entre personnes du même sexe, et ouvre cette nouvelle législation aux couples d'autres États (contrairement au Massachusetts qui autorise les mariages de même sexe, mais où les nouveaux mariés doivent rester dans l'État). Cerise sur le gâteau (des nouveaux marié(e)s) : les 4 000 mariages annulés en 2004 sont également revalidés. Castro se pare de messages de félicitations pour ses nouveaux mariés ! Mais nouveau coup dur après l'élection d'Obama, pourtant porteuse d'espoir, en novembre de la même année : le mariage homosexuel est à nouveau interdit. Tout est à refaire...

Names project aids memorial quilt

Ce projet, qui démarra en 1987, a pour but d'attirer l'attention sur la gravité de la situation en demandant aux amis, aux familles de victimes du sida de confectionner un morceau de tissu (de 1,80 m sur 0,90 m) avec le nom du disparu et des souvenirs de sa vie. Chacun d'entre eux est ensuite intégré à un *quilt* qui est, aujourd'hui, devenu immense. D'abord composé de plusieurs dizaines, plusieurs centaines, puis plusieurs milliers de morceaux de tissu, cet impressionnant patchwork fut déployé pour la première fois sur Capitol Mall à Washington en octobre 1987 et couvrait alors l'équivalent de deux terrains de foot (avec 1 920 contributions). Puis il fut déployé dans d'autres villes du pays, augmentant sans cesse en taille au fur et à mesure que l'épidémie s'étendait. Deux ans plus tard (en 1989), il était même nominé pour le prix Nobel de la paix. Ce travail énorme de sensibilisation a amené le patchwork à plus de 46 000 morceaux aujourd'hui. Désormais, quand il est déployé entièrement (ce qui est très rare), le choc psychologique créé est à la hauteur de la gravité de la maladie. C'est en outre un moyen d'agitation culturelle particulièrement efficace pour obtenir des fonds pour la recherche médicale et l'aide aux malades. S'il devait être entièrement réuni, le *quilt* pèserait près de 100 t et, mis bout à bout, il mesurerait plus de 150 km de long. Il a reçu plus de quinze millions de visiteurs. Le Q.G. du projet, longtemps situé à Castro, a malheureusement fermé par manque de soutien financier. Pour toute information : ● aidsquilt.org ●

Adresse utile

■ **The San Francisco Lesbian Gay Bisexual Transgender Community Center** *(plan IV, J9)* : 1800 Market St. ☎ 865-5555. ● *sfcenter.org* ● Lun-ven 12h-22h ; sam 9h-22h. Vous ne pourrez manquer l'élégante architecture moderne et colorée de ce centre qui se fixe comme objectif de centraliser tous les services et infos en faveur de la communauté gay de la ville. Également, on l'aura compris, un instrument de combat et d'unité politique d'une puissante communauté. Anime un intéressant programme culturel.

Où manger ?

DANS CASTRO

Spécial petit déjeuner

☛ Voir ci-dessous *Squat & Gobble* et *Martha & Bros*.

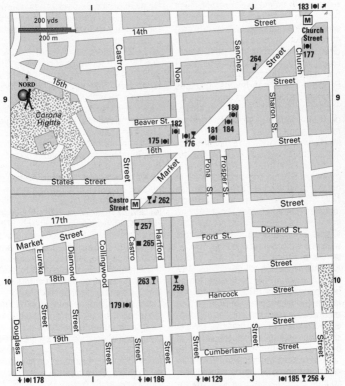

SAN FRANCISCO – CASTRO (PLAN IV)

|◉| **Où manger ?**	
129 Savor
175 Squat & Gobble
176 Café Flore
177 Chow
178 Firefly
179 Caffe Luna Piena
180 Bombay
181 Bagdad Café et Harvest
182 La Méditerranée
183 Zuni
184 2223
185 Eric's
186 Le Zinc

Ɣ **Où boire un verre ?**

176 Café Flore

257 The Castro Cheesery
259 Sit and Spin

Ɣ **Où prendre un café ou un thé ?**

256 Martha & Bros

■ Ɣ ♪ **San Francisco** *by night*

262 The Café
263 The Midnight Sun
264 Café du Nord
265 The Castro Theatre

De bon marché à prix moyens

|◉| *Squat & Gobble* (plan IV, I9, **175**) : 3600 16th St. ☎ 552-2125. Tlj 8h-22h. Env 8-10 $. Devant son succès à | Haight-Ashbury, *Squat & Gobble* a ouvert une enseigne dans Castro, tout aussi populaire que les autres. Vous y

trouverez le même cadre coloré, avec des tables en terrasse, et les mêmes crêpes généreuses (salées ou sucrées) et originales, comme la crêpe *Zorba le Grec* (artichaut, féta, épinards), *Mama Mia* (cheddar, mozarella, aubergine...) et une batterie de crêpes au... Nutella ! Propose aussi sandwichs, grosses salades, bagels et autres omelettes. En accompagnement : frites... ou salade de fruits ! Musique agréable en fond. Idéal également pour le petit déj.

|●| *Harvest* (plan IV, J9, *181*) : 2285 Market St. ☎ 626-0805. Tlj 8h30-23h. Juste à côté du Bagdad Café. *Barquette moins de 9 $.* Un *salad bar* qui vaut le coup d'œil et le coup de fourchette ! Un peu plus original qu'à l'habitude (nouilles de tofu épicées, couscous au curry, etc.) auxquels s'ajoutent les classiques, pour partir arpenter le quartier la panse remplie pour pas cher.

|●| *Café Flore* (plan IV, J9, *176*) : 2298 Market St (et Noe). ☎ 621-8579. Tlj 7h-23h. Env 10-15 $. Le café des temps héroïques (depuis 1973). L'une des terrasses les plus agréables pour siroter, peut-être, le meilleur café (et cappuccino) du quartier. Foule bigarrée, gays et *straights* mélangés. Plantes vertes et belles plantes (!). Ambiance relax de café-terrasse à la française. Nourriture simple et correcte : gros sandwichs, soupes, quelques plats, salades, à commander au comptoir du fond. Le matin, tout un choix de bonnes viennoiseries.

|●| *Chow* (plan IV, J9, *177*) : 215 Church St. ☎ 552-2469. Ouv 11h (10h w-e)-23h30. Plat env 10 $. Une de nos adresses préférées dans le quartier. Cuisine italo-californienne (si, si !) pour ce petit resto toujours bondé (mais *turn over* rapide), style cafét' en bois, avec photos d'art ou peintures modernes aux murs. Un côté chaleureux, presque familial, en salle ou au comptoir. Sandwich du jour, salades fraîches, pâtes, pizzas au feu de bois, grillades, etc. Mais c'est surtout pour goûter à l'ambiance « chic et pas cher » que l'on y va.

|●| *Caffe Luna Piena* (plan IV, I10, *179*) : 558 Castro St (entre 18th et 19th). ☎ 621-2566. Ouv 9h-22h (23h w-e) ; brunch 9h-15h w-e. Env 15-25 $. Cuisine italienne, mettant essentiellement en scène un petit choix de pâtes, viandes et salades, complété par des plats du jour.

Beaucoup plus de possibilités pour le brunch servi le week-end. Surtout valable si on dégotte une table dans le patio très calme.

|●| *Le Zinc* (hors plan IV par I10, *186*) : 4063 24th St (entre Castro et Noe St). ☎ 647-9400. Tlj déjeuner 11h-15h, tapas 15h-17h30 et dîner 17h30-22h ; brunch le w-e 9h30-15h. Plats 9-15 $. Pas de surprise dans ce bistrot français, juste le plaisir de flirter avec la nostalgie. Grand zinc pâtiné à l'entrée, petites banquettes et surtout, patio sous un citronnier. Tous les classiques *made in France*, des moules marinière au French burger relevé au roquefort, foie gras, rillettes et huîtres. Et même quelques côtes-du-rhône bien de chez nous.

|●| *Bombay* (plan IV, J9, *180*) : 2217 Market St. ☎ 861-6655. Tlj 11h30-15h, 17h-23h. Plats env 10-15 $. Avec une cuisine du nord de l'Inde de qualité, à des prix raisonnables, ce petit resto de quartier un peu patiné, voire même vieillot (ça fait du bien à l'heure où tous les autres rutilent !) attire une clientèle mixte dans un cadre accueillant, relaxant et exotique. Bon choix à la carte, surtout les tandooris (poulet laqué tendrement au four), *tikka masala* (légumes frais à la crème de tomates et épices), ou le *sag panneer* (épinards aux herbes). Service aimable.

|●| *Bagdad Café* (plan IV, J9, *181*) : 2295 Market St (angle 16th). ☎ 621-4434. Dim-mer 6h-minuit ; jeu-sam 24h/24. Prévoir 12 $. Impossible de rater ce bistrot sympa : le mur, sur la 16e rue, est peint d'une immense fresque colorée un peu naïve sur un thème gay militant. Du côté de l'assiette, en revanche, rien de très notable, mais des petits plats sans chichis ou de gros sandwichs qui tombent à pic pour se refaire une santé au milieu de la nuit le week-end.

|●| *La Méditerranée* (plan IV, J9, *182*) : 288 Noe St (angle Market). ☎ 431-7210. Tlj 11h-22h (23h ven-sam). Plats 12-16 $. Ce havre de paix intime et chaleureux est le petit frère du restaurant La Méditerranée, à Pacific Heights et Berkeley. On y trouve les mêmes recettes arméniennes excellentes, qui plairont plus particulièrement aux amateurs de sucré-salé. Brunch le week-end jusqu'à 15h. Pour plus de détails, voir à Pacific Heights. Aux beaux jours, quelques tables dehors, mais le midi... le soleil est au *Flore* en face !

Plus chic

I●I *Zuni* (hors plan IV par J9, **183**) : 1658 Market St (angle Rose). ☎ 552-2522. Tlj sf lun 11h30-minuit (23h dim). Résa conseillée (tt le temps bondé). Env 30-35 $. Hybride de resto et de galerie, très en vogue à San Francisco depuis plus de 25 ans. Mais on ne vient pas que pour être vu (quoique...). La carte, d'inspiration méditerranéenne, s'est taillée une réputation méritée pour ses huîtres (californiennes et de la côte est) qui se commandent à l'unité, ou pour de bonnes spécialités comme le *chicken in wood oven* (prévoir 1h). Également une belle carte des vins, de malts et de scotchs. Idéal pour faire des rencontres, car il est de bon ton de discuter d'une table à l'autre. La belle salle, toute de verre et de brique, s'élève sur 2 éta-ges, avec une cheminée centrale nourrie par la pile de bûches attenante. Bruyant, mais cela fait partie du show ! Dommage, accueil peu avenant.

I●I *2223* (plan IV, J9, **184**) : 2223 Market St (et Sanchez). ☎ 431-0692. Ouv 17h30-21h30 (23h ven-sam) ; brunch 10h30-14h30 le w-e. Résa indispensable. Env 30-35 $. Restaurant branché et gay très couru pour son atmosphère chaleureuse et conviviale. Les habitués patientent au bar, avant de dénicher une table dans la vaste salle au cadre moderne et chic réussi, égayée par les expos des copains artistes. Bonne cuisine californienne qui n'hésite à pas à emprunter quelques idées du côté de la Vieille Europe et de l'Asie.

Dans Noe Valley

Une superbe balade architecturale, une atmosphère séduisante, beaucoup de *coffee shops*, quelques petits restos. Voici d'excellentes adresses pour baliser l'itinéraire.

Bon marché

I●I *Savor* (hors plan IV par J10, **129**) : 3913 24th St (et Sanchez). ☎ 282-0344. Tlj 8h-22h (23h ven-sam). Moins de 10 $. Cantine étudiante branchée et bon marché, avec un gentil petit patio agréable en été. Tout un choix de crêpes salées et sucrées copieusement garnies de saveurs du monde entier : la *Kyoto* au tofu, la *Milano* aux aubergines grillées et cœurs d'artichauts, la *Bangkok* au poulet mariné au gingembre... Également des omelettes, des salades et des sandwichs, le tout servi avec le sourire.

I●I *Eric's* (hors plan IV par J10, **185**) : 1500 Church St (et 27th). ☎ 282-0919. Ouv 11h (12h30 dim)-15h, 18h-21h (22h ven-sam). Formule midi env 6 $, carte 15 $. Ce petit resto chinois, où pullulent les orchidées, offre une fort bonne cuisine du Hunan à prix d'avant la guerre de Corée. Une vraie institution locale, les voisins y ont leurs habitudes, les touristes font un crochet pour profiter de l'aubaine, tous apprécient la jolie salle en angle pour profiter de l'animation... Service diligent (normal, à des prix pareils, faut que ça tourne !).

Chic

I●I *Firefly* (hors plan IV par I10, **178**) : 4288 24th St (angle Douglass). ☎ 821-7652. Ouv 17h30-21h (22h ven-sam). Carte env 35-40 $. Connue des seuls amateurs ou des voisins immédiats, cette charmante adresse qu'on remarque vite avec son enseigne en forme de grosse mouche et ses lumières tamisées, réserve un accueil élégant et chaleureux à ses hôtes d'un soir. Assis dans l'une des salles à la déco simple ou au comptoir, on goûte une cuisine sans frontières bien maîtrisée, du bar de ligne aux maïs et petits oignons avec purée de cresson, au « poulet grillé de vos rêves », en prêtant une attention soutenue aux conseils éclairés du sommelier. Génial si vous envisagez de partir pour la route des vins.

SAN FRANCISCO

Où boire un verre ?

Du côté de Castro

▼ **Café Flore** *(plan IV, J9, 176) :* voir « Où manger ? » à Castro.

▼ **The Castro Cheesery** *(plan IV, I10, 257) :* 427 Castro St (et Market). ☎ 552-6676. Lun-sam 7h (8h sam)-22h ; dim 9h-20h. Un minuscule café *takeaway* qui embaume l'angle de Castro et de Market avec ses cafés en provenance du monde entier. Propose également du thé, du fromage et quelques pâtisseries. Un régal !

▼ **Sit and Spin** *(plan IV, J10, 259) :* 4023 18th St (et Noe). Ouv 8h-22h (ven-sam 20h, dim 21h30). Sympathique café-Internet-laverie, à la mignonne façade bleu délavé. Surtout très pratique.

Où prendre un café ou un thé ?

Du côté de Noe Valley

Beaucoup de *coffee shops* sur 24th Street, mais aucun n'a réellement de caractère.

▼ **Joe's 24th St Café** *(hors plan V par K14, 261) :* 3853 24th St. ☎ 282-1213. Tlj 8h30 ou 9h-21h (17h dim). Un petit resto-salon de thé paisible et sympathique, au cadre agréable et soigné décoré de tableaux figurant des façades de bistrots (saine émulation). Café, thé, pâtisseries et *cheesecakes,* bien sûr, mais aussi omelettes, *falafel,* kebabs, salades et burgers mitonnés avec amour et viande bio du *Niman Ranch.* C'est dire si on vous chouchoute !

▼ **Martha & Bros** *(hors plan IV par J10, 256) :* 1551 Church St. ☎ 678-1166. Ouv de 6h (6h30 sam, 7h dim) à 19h. Certes, c'est une mini-chaîne, mais tellement plus sympa et chaleureuse que les *Starbucks* et autres... Bons effluves de café, et on y propose une vingtaine de thés et de bons gâteaux dans une coquette salle de bistrot bercée par une conviviale atmosphère de quartier. Aux beaux jours, quelques tables au soleil. Un autre *Martha (hors plan V par K14, 261),* plus haut, au 3868 24th St (et Vicksburg), mais moins agréable.

San Francisco *by night*

Castro est bien sûr un quartier qui bouge la nuit, et toutes les nuits. Une tendance : clientèle plus jeune dans les bars sur Upper Market que sur Castro.

▼ ♪ **The Café** *(plan IV, I10, 262) :* 2367 Market St (au 1er étage). ☎ 861-3846. Ouv 16h (15h sam, 14h dim)-2h. Entrée gratuite. Cadre un peu démodé (tabourets alu, moleskine, néons bleus), et piste de danse prise d'assaut tous les soirs par de beaux garçons et des couples de filles. Bien pour observer l'animation de la rue aussi. Bons cocktails. Ambiance chaude à partir de minuit.

▼ **The Midnight Sun** *(plan IV, I10, 263) :* 4065 18th St (et Castro). ☎ 861-4186. ● midnightsunsf.com ● Tlj 14h-2h. L'un des meilleurs vidéo-bars gays de la ville : petite salle et écran géant. Très chaleureux. Meilleure ambiance le week-end.

♪ **Café du Nord** *(plan IV, J9, 264) :* 2170 Market St. ☎ 861-5016. ● cafedunord.com ● Tlj 22h-6h. Entrée : 10-15 $. Découvrez dans cette belle boîte rétro en sous-sol, sombre et cosy, un San Francisco d'avant-garde, tendance musique *indie-rock* et *indie-pop.* Certains soirs, également du jazz, soul, blues, country, etc. Groupes, chanteurs ou DJs tous les soirs à partir de 22h. Petite piste de danse. Ambiance hétéro (d'ailleurs, c'est plein de jolies filles !). Archi-bondé le week-end.

■ **The Castro Theatre** *(plan IV, I10, 265) :* 429 Castro St (et Market). ☎ 621-6120. ● thecastrotheatre.com ● Un petit, ou plutôt un grand, cinéma de quartier, avec une salle absolument magnifique qui date des années 1920, mais dont les fauteuils ont été rénovés (ouf !). Programmation de films étrangers et de classiques hollywoodiens. Se renseigner et ne pas hésiter à arriver un peu en avance pour ne pas louper le morceau d'orgue qui précède la première projection de chaque soirée. Ça vaut vraiment le coup.

À voir. À faire

❄ Castro Street *(plan IV, I10) :* de Market St à 20th St, cette portion de Castro est considérée comme le centre de la communauté gay. Au balcon des maisons flotte son drapeau arc-en-ciel. Malgré la situation difficile de la communauté gay, la rue a réussi à conserver une partie de son lustre et de son animation d'antan. Notamment, nombreux magasins proposant de fort belles choses (mais souvent chères). À arpenter pour ceux qui se plaignent de ce que, en matière de vêtements, on réserve toujours les séduisantes couleurs aux femmes.

Au n° 429, le *Castro Theatre,* cinéma à l'architecture originale. Décor (façade et intérieur) inspiré de l'architecture hispanique (voir ci-dessus « San Francisco *by night* »).

➤ **Cruisin' the Castro** *: rdv mar et sam, à 10h, au niveau du* rainbow flag *à l'angle de Castro et Market (plan IV, I10), au Harvey Milk Plaza, de l'autre côté de l'arrêt du tram de la ligne F et de la station de métro MUNI.* ☎ 255-1821. • *cruisinthecastro. com* • *Durée : 3h. Résa obligatoire par téléphone ou via le site internet. Compter 35 $ la visite, déjeuner compris.* Intéressante balade à travers le quartier, en individuel ou en petit groupe, pour tout apprendre sur les origines de la Mecque des gays. Pour info, *cruise* signifie « draguer »...

➤ **Petite balade architecturale dans Noe Valley :** au sud de Castro, vertébrée par 24th Street et Church Street, s'étend Noe Valley, une succession de collines couvertes de vieilles maisons de bois, de pavillons et de petites boutiques traditionnelles. C'est un quartier mixte de gays, vieilles familles ouvrières, retraités, etc., réputé pour son calme et sa qualité de vie. Superbes points de vue.

Sur Liberty Street, entre Noe et Castro (bloc des numéros 500), très belle rangée de demeures aux couleurs pastel avec élégantes vérandas et hauts escaliers. Sur Castro, du n° 713 au n° 733 (entre Liberty et 20th Street), très joli alignement également.

❄❄ Enfin, ne pas manquer de se rendre par une route sinueuse aux **Twin Peaks,** d'où vous bénéficierez probablement du plus beau panorama global sur la ville. SI les rubans brumeux ne s'invitent pas eux aussi ! Situé à l'ouest de Castro, entre Portola et Clarendon. Pour s'y rendre en transports en commun, prendre la ligne K, L ou M du *MUNI Metro,* direction Out Bound jusqu'à la station Forest Hill ; traverser la rue et prendre le bus n° 36 North ; descendre au carrefour de Skyview et Marview Street, puis suivre cette dernière presque jusqu'à Fairview ; peu avant, sur la droite, on trouve le sentier montant à Twin Peaks. Attention, l'ensemble représente tout de même une bonne trotte.

Achats

✉ **Get Lost** *(plan IV, J9) : 1825 Market St.* ☎ *437-0529.* • *getlostbooks.com* • *Lun-ven 10h-19h ; sam 10h-18h ; dim 11h-* 17h. Une des meilleures librairies de voyage de la ville. Grand choix de cartes et d'objets insoupçonnés.

Fêtes gays

– The Gay and Lesbian Freedom Day Parade (Pride Parade) : *dernier dim de juin.* Pour ceux qui douteraient encore de la vie de la communauté gay. Une des journées les plus animées et les plus folles de San Francisco. Elle déplace chaque année des dizaines de milliers de personnes. Attention toutefois à la soirée du

SAN FRANCISCO

samedi précédant la fameuse Gay Pride du dimanche midi. Elle n'a rien de bon enfant, s'adresse plutôt aux « membres » et est rigoureusement interdite aux moins de 18 ans.

– **The Castro Street Fair :** 1er dim d'oct. Fête gay très réputée. De multiples attractions tout au long de Castro Street. ● ● castrostreetfair.org ●

– **Halloween in Castro :** fin oct. Ce n'est bien sûr pas une fête spécifiquement gay, mais Castro est réputé dans le monde entier pour organiser de magnifiques défilés à l'occasion de la Toussaint.

Mission (plan V)

Historiquement, Mission District est le premier quartier de San Francisco. En 1776, en effet, les Franciscains espagnols y fondèrent la mission Dolores, en même temps que les militaires s'installèrent au fort du Presidio. De nos jours, le caractère hispanique de ce quartier est omniprésent avec la vague d'immigration continue en provenance d'Amérique centrale et du Mexique.

Mission se trouve entre Church Street et Harrison Street, et entre 16th et 26th Street – à l'ouest : Castro ; au nord : Market Street et Lower Haight ; au nord-est : Soma (SOuth of MArket). C'est l'un des plus grands quartiers de la ville, l'un des plus animés – en versant dans le cliché, on vous dira que les gens vivent dans la rue – et l'un des plus colorés aussi (peintures murales au sud). En tout cas, ce quartier figure encore parmi les plus authentiques et exotiques (il n'est pas rare de croiser quelqu'un ne parlant pas plus de trois mots d'anglais !).

Depuis quelques années, certaines rues au nord (de part et d'autre de la 16e) sont devenues très branchées, surtout auprès d'une jeunesse bohème et intello. Du coup, ça s'embourgeoise un peu, mais l'avantage c'est qu'on y trouve une foule de bons restos et de lieux sympas où sortir le soir... C'est clairement là que ça bouge ! Plus au sud, Mission est 100 % hispano. Tout cela en fait l'un de nos quartiers préférés.

➢ Du Downtown, bus n° 14 West et prendre la ligne J du MUNI Metro jusqu'au carrefour de Church St et 16th St.

Où manger ?

On a, bien sûr, privilégié les adresses latinas qui permettent de rencontrer l'étonnante population locale et de mieux comprendre le quartier.

⌂ **Où dormir ?**

52 Tropicana Hotel
75 International Guesthouse
76 Elements Hostel

|●| ☎ **Où manger ?**

155 Manora's
187 Puerto Alegre
188 Herbivore et Valencia Whole Foods
189 Taquería Pancho Villa
190 Pizzeria Delfina
191 Tartine Bakery et Café
192 Taquería Can-Cún
193 La Taquería
194 We Be Sushi
195 Charanga
196 Esperpento
197 Ti Couz
198 Bissap Baobab

199 Little Star Pizza
200 Cha-Cha-Cha
201 Foreign Cinema
202 Andalu
203 Boogaloos

Ⴓ ♪ **Où prendre un café ou un thé ? Où boire un verre ?**

261 Joe's 24th St Café et Martha
270 Zeitgeist
272 Elixir
273 Dalva
274 Amnesia
275 Kilowatt

∎ Ⴓ ♪ **San Francisco by night**

273 Roxie
276 Pink
278 Elbo Room

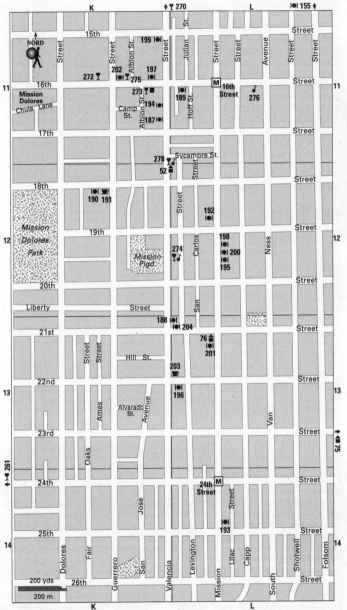

SAN FRANCISCO – MISSION (PLAN V)

Spécial petit déjeuner

🍴 **Tartine Bakery et Café** (plan V, K12, **191**) : 600 Guerrero St (et 18th). ☎ 487-2600. Lun 8h-19h ; mar-mer 7h30-19h ; jeu-ven 7h30-20h ; sam 8h-20h ; dim 9h-20h. Tartine Bakery ne fait pas les choses à moitié : en plus de délicieuses quiches, cakes moelleux et bons sandwichs au pain de campagne, cette boulangerie-salon de thé propose au petit déj des cafés au lait et des chocolats chauds servis dans de grands bols. Comme à la maison ! Une annexe plus cossue, Bar Tartine, au 561 Valencia St, entre 16th et 17th, pour le brunch (sam-dim 11h-14h30). Sert aussi à dîner (mar-mer et dim 18h-22h, jeu-sam 18h-23h).

🍴 **Boogaloos** (plan V, K-L13, **203**) : 3296 22nd St (angle Valencia). ☎ 524-4088. Tlj 8h-15h pour le breakfast. Prévoir 6-8,50 $ et... un peu d'attente. Un café arty, avec ses expos d'art contemporain, dans un cadre branchouille, savant assemblage de métal, de céramique colorée et de murs roses. La spécialité de la maison, c'est l'œuf, sous toutes ses formes. On peut même faire son propre mélange pour l'omelette. Filez vite mettre votre petit nom sur le carnet de résas à l'entrée !

Bon marché

🍴 **Puerto Alegre** (plan V, K11, **187**) : 546 Valencia St (entre 16th et 17th). ☎ 255-8201. Ouv 11h (17h mar)-23h (22h lun). Happy hours 15h-18h en sem. Plats 8-13 $. Petit resto mexicain très à la mode, surtout parmi les jeunes des beaux quartiers qui plébiscitent ses margaritas au citron ou à la fraise servies au pichet. Cuisine traditionnelle tout à fait correcte, plats bien consistants (fajitas, enchiladas, tacos, quesadillas, burritos, mole poblano), mais c'est évidemment l'ambiance festive qui fait la différence. Cadre sans brio mais convivial : box, banquettes de moleskine, éclats de rire, atmosphère bruyante garantis.

🍴 **Valencia Whole Foods** (plan V, K-L13, **188**) : 999 Valencia St (entre 21st St et Liberty St). ☎ 285-0231. Lun-ven 8h15-21h ; sam-dim 9h-21h. Barquette 8 $, panini maison 7 $. Avant de partir affronter les peintures murales du quartier, ou pour grignoter dans le parc Dolores, de quoi casser une graine (de taboulé par exemple) pour pas cher. Salad bar, sandwichs maison, et quelques tables en terrasse.

🍴 **Herbivore** (plan V, K-L13, **188**) : 983 Valencia St. ☎ 826-5657. Ouv 9h-22h (23h ven-sam). Plats 8-11 $. Cadre minimaliste de verre et de métal, à l'image d'une cuisine végétarienne ultra-clean et branchée. Car ce ne sont pas les classiques du genre qui retiennent l'attention (salades, veggie burger, pasta), mais une intéressante sélection de plats exotiques : kung pao (légumes et cacahuètes sautés au charbon de bois), red curry, pad thai (nouilles sautées au tofu, agrémentées de plein d'épices)... Pas mal d'adeptes.

🍴 **Taquería Pancho Villa** (plan V, L11, **189**) : 3071 16th St (entre Valencia et Mission). ☎ 864-8840. Tlj 11h-minuit. Env 5-10 $. Ne vous fiez pas à l'apparence déprimante de cette grande salle haute de plafond, balayée par des lumières assassines, ce self-service mexicain est une institution à Mission ! Ses burritos et tacos se vendent comme des petits pains, appréciés pour la fraîcheur des produits et la largesse des portions. Également de fameux chile rellenos, tostadas, fajitas et tamales.

🍴 **Taquería Can-Cún** (plan V, L12, **192**) : 2288 Mission St (angle 19th). ☎ 252-9560. Ouv 9h-1h45 (2h45 ven-sam). Env 6-8 $. Où trouver les meilleurs burritos de San Francisco ? Réponse facile en observant cette cantine colorée, où habitués fauchés, yuppies au nez creux et clubbers en goguette se régalent au coude à coude autour de tables communes. La spécialité maison numero uno, c'est l'énorme burrito mojado, recouvert de fromage fondu et de sauce très piquante. Miam ! Sinon, les classiques quesadillas suizas, alambres, super nachos, etc. Tout est très copieux et vraiment pas cher. On peut aussi y prendre le petit déj. Autre distinction : Prix du Jukebox 2001, et ça s'entend ! Convivial et festif.

|●| *La Taquería* (plan V, L14, **193**) : 2889 Mission St (angle 25th). ☎ 285-7117. Ouv 11h-21h (20h dim). Env 6 $. Tacos, *burritos, quesadillas, aguas frescas...* tout le Mexique en *comida rapida* pour un prix dérisoire, mais surtout d'une qualité et d'une fraîcheur inespérées pour ce type d'établissement. Installés sous les petites arcades en terrasse ou dans une salle toute simple, les nombreux habitués à la mine réjouie sont sans conteste sa meilleure carte de visite. L'un des meilleurs rapports qualité-prix de la ville.

|●| *We Be Sushi* (plan V, K11, **194**) : 538 Valencia St (entre 16th et 17th). ☎ 565-0749. Ouv 11h45-22h (23h ven-sam). Menus 8 $ le midi, puis 10-13 $. Ce petit resto propret, avec ses bons sushis « *like mom used to make* », a bien fait son trou auprès des habitués du quartier, souvent en route pour les boîtes. Service rapide et efficace à l'image de la cuisine, simple et fraîche.

De prix moyens à plus chic

|●| *Pizzeria Delfina* (plan V, K12, **190**) : 3611 18th St. ☎ 437-6800. Lun 17h30-22h ; mar-ven 11h30-22h ; w-e 12h-23h (22h dim). Pizzas 10-16 $. Cette annexe de la célèbre *trattoria* du même nom ne désemplit pas, en salle ou en terrasse toute tout mimi. Bon, le cadre clinique très urbain peut désappointer les tenants de la tradition, mais ils se consoleront avec de délicieuses pizzas à la pâte fine et croustillante, à accompagner de goûteux *antipasti* choisis au gré des saisons et du marché. Prévoir de l'attente (c'est riquiqui !).

|●| *Charanga* (plan V, L12, **195**) : 2351 Mission St. ☎ 282-1813. Tlj sf dim-lun 17h30-22h (23h jeu-sam). Env 20-25 $. L'archétype du petit resto cubain décontracté, qui prodigue cependant une délicieuse cuisine non dénuée d'imagination. Et cela se sait. Attendez-vous à faire le pied de grue avant de goûter au *ceviche chino latino* (poisson mariné au citron vert et gingembre à l'avocat), aux *mejillones Ávila* (moules au chorizo, ail et sherry), ou au *sancocho de mariscos à la Juliana* (crevettes, moules, calamars et poisson cuits dans une sauce tomate et noix de coco, banane plantain et yucca). Bons cocktails et sangria. Parfois de la *live music*.

|●| *Esperpento* (plan V, L13, **196**) : 3295 22nd St (et Valencia). ☎ 282-8867. Lun-ven 11h-15h, 17h-22h (1h ven) ; sam 11h-23h ; dim 12h-22h. Env 20 $. Sympathique resto espagnol dans le style bodega typique. Cadre coloré et chaleureux, agrémenté comme il se doit de toutes sortes de bibelots et fanfreluches (titillez donc les moustaches de Dalí !). À la carte, de généreuses salades, des spécialités de la mer bien préparées (moules, clams à toutes les sauces), et l'éventail classique des *tapas, paellas, jambon serrano,* etc. Tout cela copieusement arrosé avec de la bonne sangria maison. Bon rapport qualité-prix.

|●| *Ti Couz* (plan V, K11, **197**) : 3108 16th St. ☎ 25-CREPE. Ouv 11h (10h w-e, 17h mar-jeu)-23h. Env 15 $. Cette crêperie (où qu'il y a de plus bretonne (la patronne s'appelle Le Mer !) a pourtant séduit le Tout-San Francisco : gourmands, gourmets, yuppies, *clubbers,* tous recommandent chaudement les crêpes et galettes de la « vieille maison » (*Ti Couz* en breton). Cadre en bleu et blanc comme il se doit, vieilles photos d'Armorique sur les murs, comptoir en bois et terrasse aux beaux jours... tout concourt à une atmosphère chaleureuse, comme l'accueil. Attention, souvent bondé le soir en fin de semaine.

|●| *Bissap Baobab* (plan V, L12, **198**) : 2323 Mission St (entre 19th et 20th). ☎ 826-9287. Tlj sf lun 18h-22h. Env 15 $. Beaucoup raffolent de ce resto-bar sénégalais pittoresque. Pour sa cuisine généreusement mitonnée avec les saveurs exquises de l'Afrique de l'Ouest (*mafé, yassa, thiéboudienne...*), mais aussi pour son atmosphère qui passe sans prévenir du décontracté au chaud-bouillant, avec soirée dancing torrides tous les soirs de 10h à 1h45. Cadre dépaysant et accueil chaleureux, comme au village ! Toujours plein.

|●| *Little Star Pizza* (plan V, K11, **199**) : 400 Valencia St (angle 15th). ☎ 551-7827. Tlj sf lun 17h-22h (23h ven-sam). Pizzas 17-22 $. Une adresse toute discrète de l'extérieur, derrière sa façade

gris souris. À l'intérieur, c'est tout l'inverse, ça papote sec et fort autour des deux succès de la maison : les pizzas à pâte fine ou croustillantes, garnies de façon classique avec de bons produits bien préparés. Décor de « brique » et de broc, d'œuvres d'artistes du quartier et de leurs copains, venus s'en boucher un coin. Portions énormes, la plus petite vaut pour deux. *A star is born !*

|●| *Cha-Cha-Cha* (plan V, L12, **200**) : 2327 Mission St. ☎ 648-0504. Tlj 17h-23h. Tapas 6-9 $. C'est le petit frère de celui de Haight, en plus bruyant. Grand volume, murs de brique rouge ornés de vieilles photos noir et blanc, immense bar en U où s'agglutine une clientèle jeune et joyeuse. Musique à tue-tête. Bref, on y vient sans doute pour l'atmosphère festive et pour séduire, mais aussi pour vérifier l'adage de la maison, « *small plate, big food* ». Et il faut dire que les bonnes tapas (*ceviche*, champignons sautés, crevettes à la cajun, moules, calamars frits, etc.) et les plats classiques caraïbes (*lechón asado, zarzuela*) déplacent les foules, non sans raison !

Encore plus chic

|●| *Foreign Cinema* (plan V, L13, **201**) : 2534 Mission St (entre 21st et 22nd). ☎ 648-7600. ● *foreigncinema.com* (horaires des films). Ouv 18h-22h (23h ven-sam), plus brunch le w-e. Env 35-45 $. Excellent dîner en perspective dans la « salle obscure » de ce resto excentrique et ouvertement bobo ; entendez une cour intérieure ou mur blanc où sont projetés de vieux films d'auteurs américains et français. Une originalité qui n'altère en rien la cuisine californienne fine, agrémentée de quelques touches françaises (canard, foie gras...), que l'on déguste à la lueur d'une bougie, les yeux rivés sur le grand écran. Grand choix d'huîtres et plateau de fruits de mer. Produits de producteurs locaux, bœuf venant d'un ranch du Montana... Également une vaste salle très urbaine avec cheminée pour les soirées d'hiver frisquettes. Service très aimable. Une découverte cinéculinaire à ne pas manquer... si vous en avez les moyens.

|●| *Andalu* (plan V, K11, **202**) : 3198 16th St (et Guerrero). ☎ 621-2211. Tlj jusqu'à 22h ; brunch w-e 10h30-14h30. Env 30-35 $. C'est d'abord un lieu fort chic et élégant. Décor sobre, lourdes tentures, atmosphère tamisée pour un concept bien développé en Californie : festival de mini-plats (*small plates),* pour ne pas dire tapas, permettant de découvrir une cuisine *fusion* inventive et bien faite. Au choix, on mange à table, en hauteur sur des tables rondes, ou au comptoir. Cela dit, ça n'ôte rien au côté snob et affecté de la clientèle.

Où prendre un café ? Où boire un verre ?

🍸 *Zeitgeist* (hors plan V par K-L11, **270**) : 199 Valencia St (angle Duboce Ave, niveau 13th St). ☎ 255-7505. À voir sa façade charbonneuse et fripée, on n'imagine pas le trésor que ce repaire rugueux de *bikers* renferme : un gigantesque *beer garden* un peu déglingué, inondé de soleil et de hard rock, avec sa fresque revisitant la *Naissance de Vénus* de Botticelli version trash. Plein à craquer dès le printemps, lorsque étudiants et margeos de tout poil partagent les pichets de bières accoudés aux tables communes ou à la carcasse d'un vieux camion, un œil sur le gril où rôtissent burgers et saucisses. Atypique, on adore !

🍸 *Elixir* (plan V, K11, **272**) : 3200 16th St (angle Guerrero). ☎ 552-1633. Tlj 14h-2h. Happy hours 15h-19h en sem. Chaque quartier a le sien : voici le pub classique, pas trop grand, bourré d'habitués qui hésitent entre les 50 bières différentes à la pression. On peut en goûter trois ou quatre dans de petits verres, avant de décider laquelle commander. Super ambiance en fin de semaine.

🍸 *Dalva* (plan V, K11, **273**) : 3121 16th St, à côté du Roxie. Jusqu'à 2h. Sombre à souhait, vite bondé. Long bar où s'agglutinent les 25-35 ans et musique à tue-tête. Une pancarte : « On ne sert que les gens gentils. » *Prohibition Ale, Lunatic Lager, Death and Taxes* entre autres à la pression et... jus de fruits frais. DJs le week-end.

♀ ♪ *Amnesia (plan V, L12, 274) : 853 Valencia St (entre 19th et 20th).* ☎ 970-0012. *Entrée : à partir de 5 $.* Petit club cosy drapé de rouge satiné, dont l'interminable bar est envahi le soir pour son atmosphère festive et sa sélection de bières (40, dont 25 à la pression). *Live music* ou DJs tous les soirs.

♀ *Kilowatt (plan V, K11, 275) : 3160 16th St. Jusqu'à 2h.* Un bar de nuit un peu *rough.* Grand espace tamisé, vieux plancher, comptoir qui en a vu d'autres. Aux murs, photos de musicos, de chiens, de motards et... de clients ravis ; tableau noir avec les bières à la pression du jour. Deux billards et les *darts,* mon tout très rock !

San Francisco *by night*

♪ *Pink (plan V, L11, 276) : 2925 16th St (près angle Van Ness).* ☎ 431-8889. ● *pinksf.com* ● *Fermé lun. Entrée : 7 $.* Une précieuse adresse, car c'est l'un des rares endroits à Mission où l'on est sûr de trouver tous les soirs un bon DJ derrière les platines. Qualité du son, mais aussi du cadre : ce club intimiste aux couleurs acidulées rassemble gays et belles de nuit autour de son bar chromé, 1re étape avant de glisser des sofas blancs vers la piste pour une folle nuit enfiévrée. Incontournable.

♀ ♪ *Elbo Room (plan V, K-L11-12, 278) : 647 Valencia St (et Sycamore, entre 17th et 18th).* ☎ 552-7788. ● *elbo. com* ● *À partir de 17h.* Happy hours *jusqu'à 21h (un des plus tardifs de la ville). Entrée : à partir de 6 $.* Bon pied bon œil, ce grand bar américain sur étages, avec 2 billards et vidéos, continue d'attirer les noctambules mélomanes pour ses concerts de qualité presque tous les soirs : rock, blues, latino, acid jazz, funk, house... Tamisé à souhait et pas trop bruyant.

■ *Roxie (plan V, K11, 273) : 3117 16th St (et Valencia).* ☎ 863-1087. ● *roxie. com* ● *Mer et w-e, pour la 1re séance. Env 9 $.* On aime beaucoup ce vieux cinoche reconverti en salle d'art et d'essai, un des derniers vrais cinémas indépendants. Près d'un quart de siècle d'existence. Remarquable programmation par thèmes, hommages à des cinéastes oubliés ou à découvrir, cinéma des pays exotiques.

À voir

Un quartier qu'il faut parcourir à pied, même s'il craint un peu le soir (en dehors des rues principales). De toute façon, on s'y promènera pendant la journée, l'appareil photo dans le sac plutôt qu'en bandoulière.

🕯 *La mission Dolores (San Francisco de Asís ; plan V, K11) : 320 Dolores St (et 16th).* ☎ 621-8203. *Tlj sf fériés, 10h-16h. Entrée : env 5 $. Brochure en français.* C'est ici qu'est né San Francisco, lorsque fut célébrée en ce lieu la première messe de la région, le 29 juin 1776. Une semaine plus tard, à l'est du continent, les colons américains proclamaient leur indépendance. La mission San Francisco d'Assise, de son vrai nom, date en réalité de 1791, ce qui en fait la plus ancienne de Californie, autrefois desservie, comme les autres, par le Camino Real.
La chapelle, construite dès 1782, présente un beau maître-autel importé du Mexique assez baroque et deux autres plus petits, sur les côtés, contrastant avec la sobriété des murs blancs de la nef. À la sortie de la chapelle, grande maquette de la mission à ses origines. On peut jeter un coup d'œil à la grande basilique voisine (1952), qui ressemble un peu à une église mexicaine, avec ses ornementations churrigueresques (baroque chargé). Passé la toute petite salle de musée s'ouvre le jardin où, entre les rosiers, s'égrènent des pierres tombales portant de nombreux patronymes irlandais et quelques français. Une des scènes de *Sueurs froides,* d'Hitchcock, a été tournée ici.

🚶 👣 *Le parc Dolores* (plan V, K12) : deux blocs au sud de la mission et la dominant s'étend un parc au frais gazon, fréquenté par des familles et des adeptes du roi Soleil. Un beau point de vue en haut sur Downtown et ses gratte-ciel.

🚶🚶🚶 *Les peintures murales :* la particularité du quartier. Il serait dommage de passer à côté.

– *Balmy Alley :* une petite allée très étroite, coincée entre 24th et 25th Street, parallèle à Folsom Street, trois pâtés de maisons vers l'est. La plus grosse concentration de peintures murales de la ville. Absolument superbes ! Plusieurs thèmes : résistance indienne, victimes du sida, cinéma mexicain, mangas japonais... bref, des peintures plutôt militantes. Hyper-photogénique. À deux pas, juste de l'autre côté d'Harrison (2981 24th Street), le Precita Eyes Mural Arts and Visitor Center propose des visites guidées des sites de fresques et des tours à vélo (payants). ● precitaeyes.org ●

– *23rd Street et Capp Street :* peinture murale composée de portraits de personnalités engagées sur une boutique (Gandhi, Frida Kahlo...) et, à côté, grand paysage symboliste. À noter qu'il y a une belle église recouverte de bardeaux en face. Le Community Music Center Orchestra s'y produit fréquemment.

– *Angle Shotwell et 23rd St :* le thème de l'immigration, avec le départ de l'être aimé, très poignant dans un ciel rougeoyant à la nuit tombée.

– *Mission et Clarion Alley :* entre 17th et 18th Street. Profusion de visages, très graphiques.

– *18th Street et Lapidge Street (parallèle à Valencia) :* tout le bâtiment du Women's Building, haut de trois étages, est recouvert de fresques colorées représentant des femmes du monde entier (déesses, maternités, portraits, etc.). À notre avis, la plus belle de toutes.

– *Sur 15th St, au niveau de Caledonian St :* jeu d'éventails, femme asiatique mystérieuse.

Achats

⊛ **Good Vibrations** (plan V, K12) : 603 Valencia St. ☎ 522-5460. ● goodvibes.com ● Ouv 12h-19h, jeu 12h-20h, ven 12h-21h et dim 11h-19h. Attention, ceci est un sex-shop... mais pas comme les autres, sinon on ne vous en parlerait pas, bien sûr ! Cette très belle boutique, vaste et cosy comme une librairie à thème, est une institution à San Francisco depuis plus de 25 ans. Tout le monde connaît ! Même les bourgeoises y font leurs courses, c'est vous dire... La fondatrice des lieux, Joani Blanks, auteur d'ouvrages sur la question, s'est faite la chantre de la libération sexuelle et de l'épanouissement du corps, sans tabous ni provocation outrancière. On trouvera donc ici des vidéos « éducatives », des manuels pratiques sur des sujets que la morale a longtemps réprouvés et de beaux livres de photos. Mais aussi des préservatifs pour tous les goûts, des CD érotiques (!) et surtout une collection de *sex toys*, dont on n'aurait même pas soupçonné l'existence, comme celui connecté à votre... iPod ! Le plus sympa, c'est de voir des jeunes couples essayer très sérieusement des harnais et des femmes élégantes hésiter devant différents *vibrators* sans aucune honte. Bref, c'est le sex-shop version *Gap* ou *Banana Republic*. Une visite aussi instructive qu'amusante, qui en dit long sur les contradictions et les fantasmes de ce pays décidément pas comme les autres. Édite une belle brochure et une *newsletter,* avec les signatures de livres et les conférences et ateliers du mois.

⊛ **Modern Times** (plan V, K12) : 888 Valencia St (angle 20th). ☎ 282-9246. ● moderntimesbookstore.com ● Lun-sam 10h-21h ; dim 11h-18h. Anarchisme, marxisme, philosophie punk, sexualité, impact du capitalisme et de la globalisation, tous les sujets sulfureux se côtoient dans cette très grande librairie. Section en langue espagnole et nombreux DVD. Toutes les semaines ou presque, rencontre avec un auteur.

⊛ **Adobe Bookshop** (plan V, K11) : 3166 16th St. ☎ 864-3936. Tlj 11h-22h. Ça menace de s'écrouler dans les travées, tant il y a de bouquins entassés !

On y trouve des perles, des gens endormis entre deux rayons et des expos d'art contemporain.

◈ *Independent Pirate Supply Store* (plan V, K12) **:** 826 Valencia St. ☎ 642-5914. ● *826valencia.org* ● Tlj 12h-18h. Attention, apprentis pirates, voici votre antre. Œils de verre, bouteilles à la mer, drapeaux tête-de-mort, longue-vue, tout le nécessaire pour partir à l'abordage ! Décor à la hauteur. Ateliers pour enfants *(fluent in english)*. On adore. La boutique de la porte d'à côté, *Paxton Gate* (tlj 12h-19h, w-e 11h-19h ; ☎ 829-1872 ; ● *paxtongate.com* ●) n'est pas mal non plus dans le genre cabinet de curiosités où l'on trouve les outils du parfait taxidermiste, entomologiste, jardinier et autres plaisirs naturels, preuves à l'appui. À ne pas manquer !

◈ *Dog Eared Books* (plan V, K-L12) **:** 900 Valencia St. ☎ 282-1901. ● *dogearedbooks.com* ● Ouv 10h-22h (20h dim). Une autre super librairie, encore plus radicale que *Modern Times*. On y trouve même des bouquins gratuits *(free books)*.

◈ Autres *libraires et bouquinistes* sur 16th St.

◈ *X21* (plan V, K-L12) **:** 890 Valencia St. ☎ 647-4211. Ouv 12h-18h (19h w-e). Un immense et incroyable bric-à-brac d'antiquités à l'américaine, kitsch à souhait, bizarre, rigolo. Tous les styles du XXe s devenus aujourd'hui vintage ! Pour une vieille enseigne de boutique ou un meuble improbable.

Soma *(plan I, C-D4)*

Situé au sud de Market Street, comme son nom l'indique (South of Market), ce quartier connaît une seconde jeunesse depuis la construction du *Moscone Convention Center* (Centre de convention), mais aussi grâce au nouveau bâtiment du musée d'Art moderne et à son pendant, les *Yerba Buena Gardens*. S'il reste encore quelques entrepôts délabrés et de rares *homeless,* Soma est devenu le terrain de sorties des yuppies branchés. On y trouve donc des restaurants, des bars et les boîtes en vogue. C'est un quartier qui vit beaucoup la nuit. Dans le sillage de la jeunesse san-franciscaine, la vie se réinstalle partout : boutiques, fleuristes se réapproprient de plus en plus les coins de rue. Déjà, tout le nord de Soma, sur deux ou trois pâtés de maisons, a été avalé par l'extension du Financial District. Sans cesse, les vieux immeubles tombent et d'immenses complexes voient le jour, abritant bureaux et appartements de luxe.

À noter que la fête du quartier, la *Folsom Street Fair,* est l'une des plus délirantes de la ville ● folsomstreetfair.org ● . Elle a lieu tous les ans, en principe le dernier dimanche de septembre. Chaque année, à cette date, 300 000 personnes se pressent dans la rue Folsom, bloquée entre les 4e et 11e rues... Nombreux concerts en tout genre et défilés de jeunes aux looks outranciers, avec une nette tendance piercing, gay, *hardcore* et SM. Ça pourrait paraître effrayant, mais c'est à la fois drôle, plein de vie et complètement fou : des gens se promènent à poil, d'autres avec des fouets, certains dans des cages... Des stands proposent bijoux, tatouages, cuisine du monde entier... Certains y voient toute la décadence de l'Amérique ou le miroir de sa sauvagerie naturelle, d'autres y voient l'expression d'une totale liberté en même temps qu'un pied de nez à la société actuelle.

Où manger ?

Spécial petit déjeuner

🍴 *Palace Hotel* (plan I, C3, 87) **:** 2 New Montgomery St (et Market). ☎ 546-5089. Buffet 28,50 $ (lun-sam 6h30-11h ; dim 7h-9h30). Jazz brunch 68 $ dim (10h-14h) et afternoon tea 40 $. Le *Garden Court* possède sans doute le cadre le plus majestueux de la ville : immense verrière de style victorien, lustres en cascade et moulures au kilomètre composent un décor cossu et rétro idéal pour un somptueux buffet. Sublime ! Et chaque dimanche, un orchestre de jazz ajoute encore à la magie du lieu, pour faire d'un brunch déjà luxueux un moment d'anthologie.

De bon marché à prix moyens

|●| *Manora's* (hors plan V par L11, **155**) : 1600 Folsom (angle 12th St). ☎ 861-6224. Lun-ven 11h30-14h30, 17h30-22h30 ; sam 17h30-22h30 ; dim 17h-22h. Plats 8-14 $. Vous ne viendrez pas ici par hasard, mais vous ne regretterez pas ce petit repaire de gastronomes siamois. Oubliez le cadre, plus que quelconque, et laissez-vous conter la carte, source de raffinements et de saveurs, idéalement combinées. Ail, lait de coco, épices, fruits de mer, volailles, nouilles, le chef s'amuse avec tous les plats traditionnels (poulet à l'ail, curry de bœuf, etc.). Un régal, que les habitués, la lippe ravie, ne nous contrediront pas !

|●| *Red Java House* (plan I, D3, **94**) : Pier 30, The Embarcadero (à peu près au niveau de Bryant St). ☎ 777-5626. Lun-ven 6h-18h ; w-e 9h-16h (15h dim). Env 5 $. Les nostalgiques du *Old Frisco* ne peuvent décemment pas ignorer cette vieille baraque en bois, en équilibre instable au bord du quai. Des générations de dockers râblés et de marins bourrus ont défilé au comptoir, attirés par les sandwichs solides, les frites graisseuses et la bière bon marché. Le vieux port n'est plus, mais ce survivant d'une époque révolue fait toujours salle comble, fréquenté désormais autant par les ouvriers que par les cols blancs en goguette.

|●| *Chaat Café* (plan I, C-D4, **205**) : 320 3rd St. ☎ 979-9946. Tlj 11h30-21h30. Env 15 $. À trois pas du MoMA, ce resto indien pimpant aux allures de cafétéria colorée propose des plats simples et savoureux. Assis au comptoir avec vue sur la cuisine, ou sur une banquette moelleuse, vous avez le choix entre des *pakoras* (beignets salés), des *wraps* (légumes, poulet, agneau emballé dans un *naan*), des *curries* « à la carte » et même des *tandoori pizzas* ! Pour ceux qui ont la larme facile, attention, la cuisine est assez relevée. Service aimable et hyper-rapide. Parfait pour manger sur le pouce.

|●| *Rincon Center* (plan I, D3, **206**) : 101 Spear St (angle Mission). ☎ 243-0473. En plein Financial District. Tlj 10h-16h. Un *food court* au cœur d'un vaste ensemble de bureaux, où se pressent les cols blancs. Dans un grand patio pimpant et plutôt bruyant avec fontaine d'eau tombée du ciel, une quinzaine de petits restaurants – du thaï à l'italien en passant par le coréen et le mexicain – servent des repas rapides et bon marché.

De plus chic à très chic

|●| *Yank Sing* (plan I, C3, **207**) : 49 Stevenson St (et 1st St). ☎ 541-4949. Ouv 11h-15h (16h w-e). Addition env 35 $. Dans une rue somme toute discrète et un cadre assez chicos, vous allez découvrir l'un des meilleurs *dim sum* de S.F. Difficile de ne pas avoir le tournis devant ce ballet incessant de petits chariots remplis d'odorants *dumplings* et de si bonnes bouchées à la vapeur (bouchées, raviolis, mini-pâtés...). Un conseil : y aller au moins à deux pour pouvoir partager et ainsi tester plus de mets (spécialités souvent proposées en 4 pièces). Attention, ne pas se laisser trop piéger par l'enthousiasme à chaque chariot, car l'addition peut vite grimper ! Autre adresse au *Rincon Center* (voir ci-dessus).

|●| *Lulu* (plan I, C4, **210**) : 816 Folsom St. ☎ 495-5775. Tlj midi et soir. À partir de 30 $. Ses grillades et sa cuisine d'inspiration méditerranéenne, associées à une architecture moderne très sophistiquée (salle immense avec 2 fours au feu de bois dans la cuisine ouverte), font de ce resto un lieu apprécié des yuppies. Bonne cuisine, mais un peu cher toutefois pour un bruyant hangar reconverti.

|●| *XYZ* (plan I, C3-4, **211**) : 181 3rd St (et Howard). ☎ 817-7836. Service 11h30-22h30 ; brunch 10h-14h30. Résa hautement conseillée. Menu 45 $, carte env 60 $. Pourquoi XYZ ? Parce que l'hôtel dont il dépend s'appelle W. Bon, fallait y penser ! Un des restos les plus *trendy* que l'on connaisse, autour d'un

concept assez original : plusieurs espaces ouverts à des niveaux différents s'entremêlant tout en ayant chacun une certaine autonomie. Un bar *beautiful people* en mezzanine domine la salle à manger, un autre, au décor sophistiqué, se trouve en bas, très sombre. Cependant, pas vraiment ce qu'il y a de mieux pour tenir une conversation à table, car musique et brouhaha des propos de comptoir des beaux yuppies et filles canon assourdissent quelque peu. Salle à manger très aérée aux lignes sobres et lisses, service distant étudié, cuisine californienne revisitée mais pas toujours convaincante... Bref, parfait pour ceux qui viennent pour le show, car tout cela n'empêche pas le resto de faire le plein...

|●| *Town Hall* (plan I, D3, *212*) : 342 Howard St (et Fremont). ☎ 908-3900. *Ouv le midi en sem et ts les soirs jusqu'à 22h. Au dîner, résa conseillée. Plats 15-25 $.* Dans cette portion de Soma normalisée et relookée, cet ancien entrepôt de brique rouge détonne quelque peu. C'est sans doute l'une des raisons de son succès fulgurant, assuré par une clientèle chicos

ravie d'avoir trouvé un endroit où elle peut rire aux éclats sans l'habituelle retenue qui sied en ces lieux... Résultat, l'immense salle aux allures de bistrot chic est souvent très bruyante. Et la cuisine ? Classique, américaine, mais assez peu inspirée. Qu'importe, le bar d'entrée est littéralement pris d'assaut, les gens sont obligés de hurler leur commande et tout ce beau monde semble heureux. Petite terrasse.

|●| *Boulevard* (plan I, D3, *213*) : 1 Mission St (et Stuart). ☎ 543-6084. *Ouv 12h-21h30 (22h30 jeu-sam). Résa impérative. Env 40 $ le midi, 60 $ le soir.* Installé dans un charmant édifice rescapé du désastre de 1906, cette très belle adresse est célèbre pour son superbe cadre Belle Époque, signé par le designer adulé Pat Kuleto, et la cuisine inspirée de Nancy Oakes et Pamela Mezzola. Ici, il n'y a que des fans qui viennent et reviennent, la lippe gourmande, pour des plats assez classiques franco-américains, mais aux parfums recherchés et aux combinaisons poissons, viandes, herbes et légumes géniales, sans cesse renouvelées... Une valeur sûre.

Où boire un verre ?

🍸 *111 Minna Street Gallery* (plan I, C3, *288*) : 111 Minna St. ☎ 974-1719. ● 111 minnagallery.com ● Hybride et débridé, ce bar atypique façon loft rassemble tous les branchés en fonction de son calendrier plein de bonnes surprises. Dès l'apéro, on y croise les équipes des cabinets d'architectes du coin, le petit monde des arts et les musiciens du moment, tous réunis pour boire un verre au bar, découvrir la nouvelle expo, participer aux démonstrations de peinture, collages, assemblages... le tout sur les rythmes électro assenés par d'excellents DJs invités. Un bar multiple à l'image de S.F.

🍸 *Brainwash Laundromat* (plan I, C4, *285*) : 1122 Folsom St (et Langton). ☎ 861-FOOD ou 431-WASH. ● brain wash.com ● *Tlj 7h (8h w-e)-23h.* Une idée simple : pendant que les gens font leur lessive, ils pourraient boire un coup et avaler un morceau en écoutant autre chose que des tambours... Le *Brainwash*

était né ! Cette authentique laverie est devenue un haut lieu artistique alternatif et l'un des meilleurs endroits pour écouter de la poésie, des concerts acoustiques, ou participer à des soirées cinéma thématiques et découvrir des expos d'artistes locaux. Hyper-chaleureux et fraternel. Et le plus fou, c'est qu'on continue à venir y laver son linge ! Dernière lessive à 21h30 !

🍸 *Kate O'Brien* (plan I, D3, *286*) : 579 Howard St. ☎ 882-7240. *Tlj 11h-2h ; happy hours 16h-19h.* Pub classique à l'enseigne du trèfle, vite rempli dès la sortie des bureaux par ceux qui rêvaient de troquer leur portable contre une bonne pinte. Déco attendue, mais toujours sympa, de brique, de vieilles affiches et de bricoles dispersées ici ou là.

🍸 *Eddie Rickenbacker's* (plan I, C3, *287*) : 133 2nd St (et Minna). ☎ 543-3498. *Jusqu'à 2h.* Ce sera d'abord un rade fascinant pour nos lecteurs motards. Plus de 40 vénérables motos, accrochées au plafond et dans tous les recoins possibles, constituent le décor de ce bar-musée caverneux. Petite terrasse. Dans le genre, assez unique ! Vaut surtout pour le coup d'œil.

San Francisco *by night*

Soma est indéniablement le quartier le plus branché de *San Francisco by night*, avec une concentration importante de clubs et de discothèques en tout genre. Des soirées sont en outre organisées plusieurs fois par semaine par des DJs de renom, soit dans des boîtes, soit dans des salles louées pour l'occasion. Autant dire que l'idéal, pour attraper la dernière vague, est encore de se renseigner sur place, au dernier moment. On trouve un peu partout des *flyers* (prospectus) annonçant les soirées des jours et des semaines à venir. Un conseil : ne traversez surtout pas Soma à pied la nuit à la sortie des clubs. Rentrez en voiture ou en taxi, car le quartier n'est pas très sûr.

Où boire un verre ? Où écouter de la musique ?

🍷 ♪ Holy Cow *(hors plan I par C4, 290)* : 1535 Folsom St. ☎ 621-6087. *Jeu-sam à partir de 21h. Entrée gratuite.* Club-dancing à l'enseigne de la vache. À signaler qu'elle change souvent de look (lors de notre passage, elle avait un piercing au pis, un fichu en léopard et une auréole !). Bonne musique dans cette grande salle s'articulant autour d'un bar ovale. Décor bois et des coins et recoins partout. Soirées thématiques : house, top 40, disco, *dance music,* etc. Attention, ni débardeur ni vêtement de sport (entrée refusée), et sourire obligatoire !

🍷 ♪ Cassidy's *(hors plan I par C4, 291)* : 1145 Folsom St. Pub irlandais un peu crassou, sympa pour une étape si on

passe dans le coin. Bar quadrangulaire au milieu et 2 billards. Mon tout pas encore trop « yuppisé », dominante de tatoués et « cyclistes hard », les hommes, les vrais. Rock à tue-tête, ça va de soi. Plus cool en semaine que le week-end.

🍷 ♪ Bacar *(plan I, D4, 289)* : 448 Brannan St (entre 3rd et 4th St). ☎ 904-4100. *Lun-mer 17h-minuit ; ven 11h30-minuit ; sam 17h30-minuit ; dim 17h30-22h.* On ne vient pas là pour le resto (trop cher), mais pour l'étage cosy dédié à Bacchus, dont on absorbe les doux breuvages au rythme des concerts jazz live (fin de semaine). Ambiance cool et décontractée. Belle carte de vins.

Où danser ?

♪ Loft 11 *(hors plan I par C4, 292)* : 316 11th St (et Folsom). ☎ 701-8111. • *loft11sf.com* • *Ouv jeu-sam.* À notre sens, l'un des clubs les plus déments de la bande. Le *Dance Floor,* le week-end, est tellement *packed* qu'on est obligé de se réfugier en mezzanine. Atmosphère incroyable, clientèle au look d'enfer... Complètement tendance.

♪ Butter *(hors plan I par C4, 292)* : 354 11th St. ☎ 863-5964. • *smoothasbutter.com* • *Mar-dim 18h-2h.* Dans une maison jaune traditionnelle relookée de façon farfelue à la gloire des *Trailers.* Plus petit, plus intime, plus latino, plus populaire que *Loft 11.* Comptoir et DJ au milieu de la salle. Excellente musique.

♪ Slim's *(hors plan I par C4, 293)* :

333 11th St (entre Folsom et Harrison). ☎ 522-0333. • *slims-sf.com* • *Entrée :* 12-15 $. Tout le contraire d'un club intimiste. Volume énorme (entrepôt brut en brique). Concerts 5 ou 6 fois par semaine. Surtout de la musique punk et alternative. On vous prévient, ambiance parfois glauque. Pas le genre d'endroit où se pointer en costard et l'on veut éviter de s'en faire tailler un... File d'attente extra longue le samedi soir.

♪ The DNA Lounge *(hors plan I par C4, 294)* : 375 11th St. ☎ 626-1409 ou 2532. • *dnalounge.com* • *Jusqu'à 2h (4h w-e).* *Entrée :* 12-15 $. À la mode depuis quelques années déjà. Tient encore bien la route auprès des jeunes locaux et des expats. Salle immense avec mezzanine au décor industriel. Bonne musique, différente tous les soirs (pop, house, electro, techno...). Réputé pour ses groupes : 3 ou 4 concerts par semaine à 22h, et pour ses soirées *Bootie* consacrées aux *mash up* le 2e samedi du mois.

♫ *Ten 15 Inc.* (plan I, C4, *295*) : 1015 Folsom St (et 6th). ☎ 431-1200. ● 1015.com ● Ven-sam 22h-6h. Entrée : dès 10 $. Six salles, rien de moins ! Depuis plus de 10 ans, cette vaste caverne au *Sound System* surpuissant a acquis une solide réputation pour ses fêtes homos, la beauté de ses *disco boys,* ainsi que pour ses *drag queen shows* (fêtes travesties où vont d'ailleurs pas mal de *straights*). Soirées à thème, ambiance surchauffée, avec les meilleurs DJs venus des 4 coins de la planète. Beaucoup ne viennent d'ailleurs que pour profiter des performances électro de leurs idoles. *Release* le samedi, nettement plus chicos (baskets interdites). *Come Unity,* chaque 1er mercredi mois depuis des années, très *deep house*. Techno, transe et house dominent. Ne pas rater la *drag competition* mensuelle.

♫ *The Stud* (hors plan I par C4, *296*) : 1284 Harrison St (et 399 9th St). ☎ 252-7883. ● studsf.com ● Tlj 18h-2h (4 w-e). Depuis plus de 45 ans, l'un des

piliers de Folsom. Pourtant, déco vraiment kitsch (matez le lit à barreaux au centre !), très américaine. Côté platines, indie, garage, mais ce sont ses soirées à thème délirantes qui lui valent toujours un franc succès, surtout parmi la clientèle gay et lesbienne. Le mardi soir, *drag queen shows* et, le mercredi, *house.*

♫ *The Endup* (plan I, C4, *297*) : 401 6th St (et 995 Harrison). ☎ 357-0827. ● theendup.com ● Une boîte mythique de San Francisco, autant pour ses nuits chaudes (principalement gays) que pour son patio en plein air. Particularité : sélection moins sévère, et surtout ouvert non-stop du samedi soir au dimanche 21h. Du coup, tous les *clubbers* rappliquent pour un *after* déjanté. La queue pour y entrer, à 1h, peut dépasser 100 m !

♫ *Glas Kat Supper Club* (plan I, D4, *299*) : 520 4th St (et Bryant). ☎ 495-6620. ● glaskat.com ● Tlj 18h-2h. Entrée : env 5-10 $. Gigantesque piste de danse dominée par un resto eurasien. Les styles et le type de clientèle changent chaque soir : salsa, house, hip-hop et même du gothique. Éclectique, certes, mais ce qui distingue vraiment la maison, ce sont les cours de danse gratuits proposés le mardi et le mercredi en 1re partie de soirée.

À voir

👥👥👥 **SFMoMA** (San Francisco Museum of Modern Art ; plan I, C3, *325*) : 151 3rd St. ☎ 357-4000. Pour avoir des infos sur les expos : ● sfmoma.org ● Tlj sf mer 11h (10h de Memorial Day à Labour Day)-18h (21h jeu). Entrée : 12,50 $; réduc ; moitié prix le jeu dès 18h ; gratuit le 1er mar du mois.

À deux pas du Yerba Buena Center, c'est l'un des derniers-nés des musées de San Francisco (inauguré en 1995) et sûrement l'un des plus réussis. Les campagnes de financement ont rapporté plus de 90 millions de dollars de mécénat. On doit sa réalisation à l'architecte suisse Mario Botta. Avec un mur aveugle de brique surmonté d'un cylindre biseauté et bicolore, la façade surprend mais s'intègre très bien dans son environnement de buildings. L'intérieur est magnifiquement éclairé par un puits de lumière central. Quatre étages d'expositions proposent un roulement des œuvres, mais certaines sont présentées de manière permanente. De l'atrium au sol de marbre noir paré de compositions géométriques aux couleurs vives part un escalier central qui mène, cinq niveaux plus haut, à une étroite passerelle métallique.

– Le 2e étage est consacré à la peinture, depuis les couleurs chaudes du fauvisme (première décennie du XXe s), jusqu'aux abstractions du minimalisme du milieu des années 1970. D'immenses salles vraiment bien conçues pour mieux profiter des grandes toiles modernes. On y admire les œuvres de Matisse *(Femme au chapeau)* et Max Beckmann. Quelques Braque séduisants. De Brancusi, *La Négresse blonde* semble vous embrasser. Grande salle du fond, admirable sélection de peinture mexi-

caine : Rufino Tamayo *(La Fenêtre)*, Diego Rivera. Plus loin, un étrange Edward Hopper, *Bridle Path*, où l'on ne retrouve pas sa lumière habituelle et où les chevaux sont par trop réalistes. Quelques Mondrian et Theo Van Doesburg, superbe Miró et surtout Dalí, avec le fascinant *Ma femme nue regardant...* Les Allemands : Otto Dix, Grosz, Nolde et l'Autrichien Kokoshka provenant du fonds d'art dégénéré censuré par les nazis et racheté à bon compte par un collectionneur avisé. Puis, Tanguy, Magritte *(Les Valeurs personnelles),* Lam, Matta, De Kooning, Pollock, Max Ernst... et des dessins de Klee. Un Miró au joli titre : *Aube parfumée par la pluie d'or.* D'autres immenses Américains, Sargeant Johnson, Georgia O'Keeffe et des années 1950 à nos jours, comme Joan Mitchell, Robert Motherwell, Rothko, Kline, Roy Lichtenstein, Jasper Johns, Warhol (original et rare *Self Portrait*) et Clyford Still. Salle consacrée à Robert Rauschenberg. Noter aussi la judicieuse distribution de la lumière dans *Portrero Hill* de Robert Bechtle et une moto *Aprilia,* dessinée par Philippe Starck.
– *Salle du design :* toutes les dernières acquisitions du musée. Une vraie politique courageuse et curieuse. Tout support, toutes formes, toutes couleurs. Extra !
– *Le 3e étage* est consacré à la photo de 1843 à nos jours. L'ensemble n'est pas inintéressant.
– Expos temporaires de bonne qualité au *4e étage. Sculpture terrace* offrant une belle vue sur le quartier. Concerts périodiques.
– *Le 5e étage* accueille un (tout nouveau) jardin sur le toit.

🏃 🏃 À la sortie du musée, ne pas manquer d'aller flâner dans les **Yerba Buena Gardens** pour une pause verdoyante au milieu des buildings. Grande pelouse, mais aussi jardins en terrasses, jeux pour les enfants, patinoire, bowling, ainsi qu'un musée d'art et de technique pour les enfants, le **ZEUM,** *à l'angle de 4th St et Howard St.* ☎ *415-820-3320. Mer-ven 13h-17h, w-e 11h-17h ; en été, mar-dim 11h-17h. Entrée : 8 $; réduc.* Dédié aux enfants, l'objectif du ZEUM est de développer leur sens de la créativité et leur imagination par tout un tas d'activités interactives (dessin, vidéo, musique...). Génial !

🍷 Le *café du Yerba Buena Center,* en face du musée, est beaucoup plus tran- | quille que celui du SFMoMA (qui, en plus, est cher) et la vue y est plus belle.

🍴 **Martin Luther King Memorial** *(plan I, C3-4) : dans les Yerba Buena Gardens, entre 3rd et 4th St, derrière une cascade. Jardin ouv tlj du lever du soleil à 22h.* En sortant du SFMoMA, faites un petit tour dans ce jardin où un monument-mémorial est dédié au pasteur. Ce mémorial consiste en des panneaux de verre et de granit gravés de citations du grand homme, traduites dans les différentes langues parlées à S.F.

🍴 **Cartoon Art Museum** *(plan I, C4) : 655 Mission St (entre 3rd et Montgomery).* ☎ *227-8666.* ● *cartoonart.org* ● *Tlj sf lun 11h-17h. Entrée : 6 $; réduc ; le 1er mar du mois, on donne ce que l'on veut.* Un tout petit musée (5 salles) de la B.D. à ne pas rater pour les fans : c'est l'un des principaux aux États-Unis et l'un des rares à s'intéresser à tous les genres (caricatures, B.D. classiques, mais aussi dessins animés). Difficile cependant de savoir à l'avance ce que l'on va y trouver, dans la mesure où il présente principalement des expositions temporaires thématiques (tous les trois ou quatre mois). Boutique intéressante.

🍴 🏃 **Metreon** *(plan I, C4, 326) : angle 4th St et Mission.* ☎ *537-3400. Dim-jeu 10h-21h, ven-sam 10h-22h.* Un *shopping mall* futuriste. Tous les derniers gadgets de chez Sony, un IMAX, des cinémas, une librairie, une *food court* et des restos, des magasins de jeux vidéo, un grand parc pour les enfants, dont les arbres et les pierres lancent de noirs regards, sans oublier une kyrielle de shows interactifs (payants). Gros succès chez les 10-20 ans !

🍴🏃 **111 Minna Street Gallery** *(plan I, C3) :* voir « Où boire un verre ? ».

🍴 **Museum of the African Diaspora** *(MoAD ; plan I, C3) : 685 Mission St (angle 3rd St).* ☎ *358-7200.* ● *moadsf.org* ● *Tlj sf lun-mar 11h-18h (12h-17h dim). Entrée :*

10 $; réduc. Vibrant hommage au passé africain des États-Unis, ce musée très moderne et intéressant est avant tout un lieu de mémoire et de partage. Les expos interactives très bien conçues s'appuient uniquement sur des témoignages vidéo ou audio pour mettre en lumière l'immense héritage culturel de la diaspora africaine, ses origines et son impact sur San Francisco, et plus largement dans le monde. L'idée est excellente, généreuse et salutaire, mais ceux qui connaissent bien le sujet regretteront peut-être l'absence de collection... autre que virtuelle. Expos temporaires d'art contemporain tous les 3 mois et de photos.

%%% *Contemporary Jewish Museum (plan I, C3, 309)* : 736 Mission St (entre 3rd et 4th St). ☎ 655-7800. ● thecjm.org ● Tlj sf mer 11h-17h30 (20h30 jeu). Fermé pour les fêtes américaines et juives. Entrée : 10 $; réduc ; 5 $ jeu après 17h. Voici l'un des derniers bijoux créés par l'architecte Daniel Libeskind. Après le *Jüdisches Museum* de Berlin et le projet de reconstruction de Ground Zero à New York, Libeskind s'est atteté au projet de rénovation de cette ancienne usine électrique de 1907, restaurée juste ce qu'il faut pour en garder l'armature métallique. La « patte » Libeskind est pourtant bien là, à l'intérieur, des murs à l'oblique jusqu'aux fauteuils penchés. Cet écrin pour les expositions dédiées à la culture juive est délimité à l'ouest par un cube d'acier bleuté, posé sur l'une de ses pointes, comme ouvert vers le ciel. La symbolique de ce cube est forte : l'architecte s'est inspiré de la phrase en hébreu « L'Chaim » (signifiant « vers la vie »), et qui est composée de la lettre *chet,* la huitième de l'alphabet et de *yud,* la dixième. Si vous additionnez 8 et 10, vous obtenez 18 (bravo !), l'un des chiffres porte-bonheur de la culture juive. Cet espace vertical rompt magnifiquement l'horizontalité de l'ancienne bâtisse. Il règne un vrai sentiment de quiétude dans cet univers dédié à l'art contemporain juif, interrogeant l'identité, le passé, les formes d'art, les idées et les perspectives d'avenir, sur 2 étages, à travers de nombreuses expos temporaires. Petit resto, boutique.

LES PARCS ET MUSÉES

Trois grands parcs à l'intérieur de San Francisco, tous tournés au moins partiellement vers le Pacifique : du nord au sud, tout d'abord le *Presidio* qui donne sur le Golden Gate Bridge, avec la superbe Baker Beach, le *Lincoln Park* avec la Cliff House et le *Golden Gate Park,* le plus populaire des trois, idéal pour les balades à vélo.

%%% *Golden Gate Bridge (plan d'ensemble)* : le plus célèbre des ponts suspendus fut conçu et réalisé en moins de 5 ans ! Il fut mis en service en 1937. Long de 2 737 m très précisément (1 280 m pour la partie suspendue), il enjambe la baie pour relier San Francisco au comté de Marin, vers le nord. L'architecte Joseph Strauss le dota d'un petit côté Art déco subtil.

Chaque semaine, 25 peintres utilisent environ 2 t de minium pour l'entretien ininterrompu de la structure métallique. Celle-ci est soutenue par de colossaux câbles dont tous les filins mis bout à bout s'étendraient sur... 129 000 km ! Et, par mauvais temps, le pont pouvant osciller de 7 m, on se sent alors rassuré qu'il soit maintenu par autant de kilomètres de câbles !

Les voitures paient 6 $ pour entrer dans la ville, mais c'est gratuit pour en sortir. Les fauchés revendront donc leur voiture de l'autre côté. Les joggeurs prendront le bus à l'aller (s'arrêter après le pont) et le retraverseront à pied : vue superbe sur la baie, quand il n'y a pas de brouillard. On peut revenir par le ferry de Sausalito mais, attention, le dernier part vers 17h et Sausalito est à un peu plus de 3 miles du pont. On peut aussi traverser le pont à vélo, poursuivre jusqu'à Sausalito et revenir en ferry.

➤ Pour aller au Golden Gate Bridge, prenez l'un des bus Golden Gate Transit, au Transbay Terminal. Le n° 20 (en semaine) et le n° 10 (le week-end) s'arrêtent au nord du pont, à Vista Point. On peut aussi prendre une combinaison du North Bound 30 Stockton jusqu'au carrefour de Chestnut et Laguna, puis le South Bound 28 jusqu'à Toll Plaza.

SAN FRANCISCO

➢ Ceux qui disposent d'un véhicule doivent absolument faire la route panoramique, au nord du Golden Gate Bridge. Vue fantastique sur le pont et S.F. en arrière-plan. Sortir de la 101, juste après le Vista Point du Golden Gate, et suivre la direction « Golden Gate National Recreation Area ». Un endroit super pour pique-niquer.
– Autres points de vue idéaux pour admirer le coucher de soleil sur le pont : au bout de Baker Street, vers le Palace of Fine Arts (bus

LE PONT DES DERNIERS SOUPIRS

Le Golden Gate a le triste record des États-Unis pour les suicides. Pas moins de 1 200 personnes se sont jetées des 67 m du pont. Il n'y eut que 26 survivants. On dit que l'endroit possède une beauté et une grandeur fatales ! Pas mal de candidats vinrent par le Bay Bridge pour sauter du Golden Gate, mais on n'en connaît pas qui firent l'inverse !

n° 30), ou depuis Baker Beach, à l'ouest du Presidio. Sinon, on peut se contenter du San Marin Vista Point, à droite à la sortie du pont.

⚐⚐⚐ *Presidio* (*plan d'ensemble*) : à la pointe du Golden Gate (*Visitor Information Center* sur place), immense parc de 600 ha du nom d'un fort construit par les Espagnols en 1776. Cet emplacement stratégique gardant l'entrée de la baie de San Francisco a été occupé jusqu'en 1994 par les militaires. On y jouit de très belles vues sur le Golden Gate Bridge tout au long du parcours à pied ou à vélo entre les pins, les cyprès et les eucalyptus, ainsi que les anciennes baraques militaires. En suivant le chemin côtier, vous passerez sous le Golden Gate, puis à l'endroit où Kim Novak se jette dans la baie dans le film d'Hitchcock *Sueurs froides*, pour arriver, 2 km plus loin, sur la plage de Baker Beach. Ce parc est considéré par les rangers comme étant sûr durant la journée. Pour s'y rendre, bus n° 45 (North West bound) sur Kearny jusqu'au bout.

Sinon, suivant vos goûts ou motivations, possibilité de visiter :
– *Le Fort Point National Historic Site* : Long Ave. Au pied du pilier sud du Golden Gate Bridge. Ven-dim 10h-17h. Gratuit. Ce serait le seul bâtiment de ce genre à l'ouest du Mississippi, construit en 1853. Vieux uniformes, magasins à munitions, vieilles photos, etc.
– *Baker Beach* : soulignant tout le sud-ouest du parc du Presidio, cette jolie plage offre l'un des plus beaux points de vue de San Francisco sur le Golden Gate – particulièrement au coucher du soleil. Moins classique et plus solitaire que bien d'autres. Aux beaux jours, la plage accueille dans sa partie nord les nudistes (gays surtout). Les bronzeurs plus « traditionnels » se regroupent plus près du parking. Pas de baignade.

⚐⚐ ⚐ *Exploratorium* (*plan d'ensemble*) : au Palace of Fine Arts, 3601 Lyon St, à l'extrémité de Marina Blvd, bordure accolée au nord-est du Presidio. ☎ 561-0356.
● exploratorium.edu ● Bus n° 30 Stockton (le prendre à l'angle de Market et Kearny St) jusqu'au terminus. Tlj (sf lun) 10h-17h. Entrée : 14 $; réduc ; gratuit le 1er mer du mois. Inclus dans le CityPass.
Adossé au Palace of Fine Arts, bâti à l'occasion de l'Exposition internationale de Panamá-Pacific en 1915, voici l'un des musées les plus renommés de S.F. L'architecture du fameux *Palace* évoque une pompeuse réplique d'une coupole romaine, enveloppée par un long bâtiment courbe qui abrite les collections. San Francisco voulait alors montrer qu'elle s'était relevée du séisme de 1906. Sert surtout de cadre aux photos de mariage des habitants du quartier chic de Marina : avec ses statues antiques, son jardin et son petit lac, c'est un havre de paix pour une pause déjeuner. L'Exploratorium est un musée scientifique, ou plutôt un laboratoire familial, installé dans une sorte de gigantesque entrepôt un peu vieillot. Il permet d'expérimenter et de mettre en lumière un très grand nombre de lois scientifiques de manière ludique et interactive. C'est pourquoi on y trouve autant d'enfants et d'étudiants en sciences. La physique est bien sûr à l'honneur (serait-ce pour éviter que des petits chimistes en herbe fassent sauter le musée ?). Sections sur les sons, les vibrations, la

lumière, le magnétisme, les phénomènes climatiques, etc. Pas moins de 650 expériences à tenter, à la fois distrayantes, fascinantes et... magiques ! Malheureusement, faute de brochures en français, il est parfois difficile, si vous ne parlez pas couramment l'anglais, de comprendre les explications. La meilleure façon de visiter est de suivre un Américain et de tester les effets derrière lui... Cela dit, si vous connaissez la Cité des Sciences de La Villette, à Paris, vous risquez d'être un peu déçu ici. Sinon, en payant un supplément (cher) et sur réservation uniquement, on peut partir à l'aventure sous le *tactile dome,* qui propose une sorte de (re)découverte du toucher, dans le noir...

🎨🎨🎨 *California Palace of the Legion of Honor* (plan d'ensemble) : *dans Lincoln Park (entrée à l'angle de 34th Ave et Clement St).* ☎ 750-3600. ● *legionofhonor.org* ● *Bus n° 38L jusqu'à 33rd Ave. Le parc, et donc le musée, est situé dans le prolongement de 34th St. Mar-dim 9h30-17h15 (parfois 21h ven pour certaines expos). Entrée : 10 $; réduc ; gratuit le 1er mar du mois. Inclus dans le* CityPass.

L'architecture de ce très beau musée d'Art s'inspire librement de celle de l'hôtel de Salm à Paris, qui abrite le musée de la Légion d'honneur, d'où le nom de l'endroit. À l'entrée, dans une cour cernée de colonnes, *Le Penseur* annonce l'une des plus belles collections de Rodin au monde. Musée en grande partie consacré à l'art européen, avec d'ailleurs de nombreuses œuvres françaises : art médiéval, sculpture religieuse, tapisseries. Sa situation exceptionnelle dans le parc Lincoln, son architecture, la richesse de ses collections en font certainement l'un des plus beaux musées de San Francisco.

Rénové et agrandi il y a quelques années, ce « palace » propose de nouvelles salles en sous-sol pour des expositions temporaires et un pyramidion comparable à ceux du Grand Louvre. Des visites guidées ont lieu tous les jours (consultez le programme). Attention, certaines expos temporaires prennent parfois de la place et certaines salles permanentes peuvent être réquisitionnées (et leurs collections absentes un temps).

Rez-de-chaussée

– *Galerie George and Mary Hecksher (salle 6) :* le baroque français et italien s'exprime au travers d'œuvres très fortes comme *Samson et le Rayon de miel* d'Il Guercino, *Deux Vieillards* de Georges de La Tour, ou une *Sainte Famille* de Simon Vouet.

– *Galerie Robert Dollar (salle 7) :* joli cabinet à gauche (du XVIIe s) en ébène, écailles de tortue, ivoire et plusieurs bois précieux. Superbe œuvre d'incrustation. Puis le XVIIIe s français avec de délicieux petits Watteau, Nattier, Fragonard, Boucher... Sublime Tiepolo, l'*Empire de Flore* (grâce et légèreté extrêmes). Un autre cabinet en ébène du XVIIe s. Merveilleux travail de ciselage.

– *Salles 8, 10 et 12 :* consacrées à la sculpture. Rodin par Camille Claudel, Victor Hugo par Rodin, plâtres et modèles préparatoires pour les *Bourgeois de Calais,* mais également une étude de Carpeaux pour *Ugolin et ses enfants.*

– *Dorothy S. Munn Gallery (salle 5) :* la renaissance et le maniérisme, avec *Saint François vénérant la Croix,* du Greco, et un beau *Portrait d'homme* de Lorenzo Lotto. Délicats émaux de Limoges.

– *Salle 4 :* la peinture religieuse médiévale. *Vierge couronnée* de Bernardo Daddi, *Madone et Enfant* de Cima de Conegliano, une autre de Taddeo Di Bartolo (encore très maniéré) et de Bartolomeo Vivarini.

– *Salle 3 :* coiffée d'une belle coupole et style mudejar (Espagne, vers 1500) en bois polychrome, cette salle rassemble une merveilleuse et émouvante *Madone et Enfant* de Dierick Bouts, une non moins admirable *Vierge à l'Enfant* du maître de la légende de Sainte-Lucie (fin travail sur les drapés, rouges éclatants). Ne pas manquer *L'Annonciation* du maître du retable des Rois catholiques (noter la moue dubitative de Marie). Splendides éléments de retable dont on retiendra surtout le panneau des *Damnés de l'enfer.* Grand sens de la composition, personnages pittoresques et tous ces rois, moines, archevêques attendant d'expier leurs fautes dans d'atroces souffrances... Les salles voisines (1 et 2) s'intéressent à la statuaire et au mobilier d'époque 1400-1600 : les œuvres tournent régulièrement.

– *Salle 9* : arts décoratifs français. Meubles marquetés, lambris sculptés du XVIIe s. Également l'archi-classique Voltaire de Houdon et une antichambre de 1680, entièrement reconstituée après avoir été démontée dans un château.

– *Salle 11* : meubles français du XVIIIe s, notamment un beau salon d'un hôtel particulier démoli en 1905. Porcelaines chinoises, vases de Sèvres.

– *Salle M. et R. H. Peterson (salle 13)* : la peinture anglaise. Reynolds bien sûr, mais surtout le *Mrs Anne Fitzherbert* de Gainsborough dont le trait enlevé et éclatant annonce Renoir. Le traitement du vêtement à grands coups de pinceau contrastant étonnamment avec la finesse du visage. Exquise *Mary, comtesse de Plymouth* de sir Thomas Lawrence.

– *Salle 14* : la peinture baroque de Hollande et des Flandres (XVe et XVIIe s) est à l'honneur. La *Sainte Famille* de Jacob Jordaens, *Tribute Money* de Rubens, dont on remarquera la sublime lumière, *Marie-Claire de Croy* de Van Dyck, et différents artistes de premier plan comme Van Ruysdael.

– *Salle 16* : le néoclacissisme, avec Greuze, David, Vigée-Lebrun...

– *Salles 17 à 19* : les changements radicaux dans les milieux politiques et culturels au XIXe s laissent le champ libre aux pré-impressionnistes comme Corot ou aux impressionnistes comme Degas, Manet, Renoir... avant d'aborder une nouvelle étape conduite par des artistes comme Sisley, Seurat, Pissarro, Dalí et Van Gogh.

Sous-sol

Section des expos temporaires, précédée par quelques vestiges archéologiques, étrusques, d'Égypte, de Syrie, d'Afrique noire, du Mexique, et jolie petite collection de vases grecs à figures rouges ou noires, amphores. Noter aussi les délicats petits ivoires assyriens ciselés et une superbe couronne de laurier en or crétoise (IIIe s av. J.-C.). Plus une galerie de porcelaines, surtout anglaises. Quelques Delft et de magnifiques majoliques italiennes.

♣♣♣ 🚶 **Golden Gate Park** (*plan d'ensemble*) : à moins de 2 miles à l'ouest du Civic Center. Pour s'y rendre : bus n° 5 ou 21 de Market St, jusqu'au carrefour de Fulton St et de 8th Ave. Le 71 Haight passe par Haight St et finit à Stanyan (à l'est du parc). Le West Bound 5 Fulton y mène aussi. Encore une option : la ligne N du MUNI Metro, direction Out Bound, jusqu'au carrefour de Irving et 9th ; le parc est situé à un pâté de maisons vers le nord.

Limitrophe du quartier de Haight-Ashbury, un parc magnifique de 5 km de long sur 800 m de large (450 ha). Lorsqu'il fut créé, en 1870, San Francisco ne s'étendait pas encore jusque-là. Il ne s'agissait alors que d'une vaste étendue de dunes...

Encore plus beau et plus grand que Central Park à New York, c'est tout dire. On y découvre aujourd'hui pas moins de 6 000 variétés de plantes de toutes les régions du globe. Les paysagistes voulurent faire mieux que le bois de Boulogne et plantèrent un million d'arbres. La partie la plus intéressante est celle située à l'est (entre Stanyan et le Stow Lake). Plus de 10 km de pistes cyclables. D'ailleurs, le parc est trop grand pour être visité à pied en une fois. Location de vélos sur Stanyan (du 600 au 800). Le seul problème, c'est qu'il y a de nombreux vols. Si l'on n'est pas en mesure de cadenasser le vélo à quelque chose, on ne peut pas visiter les musées. À noter qu'il existe un service de *free shuttle* qui sillonne le parc, mais uniquement le week-end de juin à octobre.

Il faut vraiment aller le dimanche au Golden Gate Park, lorsque les allées sont fermées aux voitures, que les Américains viennent y faire de véritables shows de rollers, des démonstrations de frisbee ou improvisent des concerts de percussions.

– Entrées principales sur Oak et Stanyan, et une autre juste au sud, dans le prolongement de Haight Street ; mais on peut y accéder par de nombreuses portes, réparties tout autour du parc. Carte du site au *MacLaren Lodge*. Peu après, on trouve les *Camelia* et *Fuchsia Gardens*. Suivis de la serre du *conservatoire des fleurs,* belle structure de bois et de verre d'architecture typiquement victorienne, inspirée des Kew Gardens londoniens. *Mar-dim 9h-17h. Entrée : 5 $; réduc.* Pas moins de 16 800 carreaux diffusent une douce lumière sur un jardin tropical reconstitué, où le ballet arc-en-ciel des papillons vivants s'ajoute aux couleurs chatoyantes des multitudes de fleurs. Superbe. Après avoir croisé les trois *ferns* (fougères arborescentes), on arrive dans le coin des rhododendrons dont John MacLaren, le grand paysagiste écossais, était amoureux.

– Notre endroit préféré est le *Japanese Tea Garden. Tlj 9h-18h (16h45 nov-fév). Entrée : 4 $; réduc ; gratuit lun, mer et ven 9h-10h.* Inauguré en 1894, on y déguste un excellent thé au jasmin dans un endroit ciselé comme une gravure : des pagodes, des bonsaïs fabuleux, des ruisseaux et des bassins où barbotent des *kois* (carpes), des petits ponts et même un bouddha assez important remontant au XVIIIe s... C'est le créateur du jardin qui a importé à San Francisco la mode du *fortune cookie,* ce petit gâteau sec contenant une prédiction. Tous les dimanches, jeunes et vieillards dansent sur les derniers tubes et, question habillement, c'est le spectacle.

– Le *Music Concourse* est l'endroit du parc où se déroulent des concerts de rock gratuits (ou de fanfare !), généralement le dimanche, vers 13h.

– Au sud-est de la California Academy of Sciences, au croisement de Middle Drive East et du Bowling Green Drive, le *National AIDS Memorial Grove (rens : ☎ 750-8340).* Ce mémorial, dédié aux malades et aux disparus du sida, est particulier parce que « vivant ». En effet, le troisième samedi de chaque mois, 100 à 200 volontaires débarquent pour désherber, planter, fleurir ce bout du parc, qui présentait auparavant peu d'intérêt. Ainsi ce jardin, créé au départ de manière informelle par des gens touchés de près ou de loin par la maladie, est devenu un lieu de mémoire, de sérénité et de poésie, où le lien social est omniprésent grâce à la participation de tous. On peut, entre autres, y observer, après avoir descendu un talus aux senteurs fleuries, un cercle dallé de granit beige sur lequel sont gravés les noms de victimes du sida.

– À côté du Japanese Tea Garden, probablement un des plus beaux musées de San Francisco : le *De Young Museum* (voir plus loin), et juste en face, les musées de la California Academy of Sciences : le *musée d'Histoire naturelle,* le *Morrison Planetarium* et le *Steinhart Aquarium,* rouverts depuis l'automne 2008 (lire plus loin).

– À la hauteur de 12th Avenue, le *jardin des roses.*

– Le *Strybing Arboretum* et les *Botanical Gardens : 9th Ave et Lincoln Way. ☎ 661-1316. Lun-ven 8h-16h30 ; w-e 10h-17h.* Une fabuleuse oasis. *Jardin des parfums (Garden of Fragrances)* avec indications en braille. Admirer le panneau qui invite à goûter les aromates. Plein d'autres jardins (*Moon Viewing Garden, Biblical Garden,* etc.).

– Possibilité de louer canots et embarcations à pédales sur le *Stow Lake,* dominé par Strawberry Hill (colline artificielle de 140 m). Cascades, épais bosquets d'acacias et d'eucalyptus. Plus haut, d'autres cascades *(Rainbow Falls).*

– Dans la partie ouest du parc, *enclos des bisons (Buffalo Paddock),* une tradition inaugurée en 1890. D'autres petits lacs avant de parvenir au jardin des tulipes pour finir.

– Possibilité de louer des vélos sur Tulton et Stanyan (voir « Comment se déplacer dans San Francisco et sa région ? »).

– Le dimanche, allez encourager les Français de San Francisco jouant à la pétanque près de Fulton Street, à la hauteur de 38th Avenue.

– À son extrémité, le parc s'ouvre sur Ocean Beach, la plus longue plage de San Francisco (6,5 km), où les surfeurs en combinaison viennent braver les vagues, les courants, le froid et... les requins !

🚶🏻 **De Young Museum** (plan d'ensemble) : *50 Hagiwara Tea Garden Dr, Golden Gate Park. ☎ 750-3600.* ● *deyoungmuseum.org* ● *De Union Sq,* prendre la ligne *N-Judah* du métro jusqu'à Irving et 9th Ave, le musée est à 4 blocs à pied, ou continuer en bus ligne 44. Sinon, bus n°s 5 ou 21 depuis Market (à côté du Visitor Center). *Mar-dim 9h30-17h30 (20h45 mar). La tour d'observation ferme 1h plus tôt. Entrée : 10 $; réduc ; env 5 $ supplémentaires pour les expos temporaires ; gratuit le 1er mar du mois. Inclus dans le CityPass.*

Après cinq années de fermeture, un tout nouveau musée *De Young* a ouvert en 2005 : les bâtiments d'origine, datant de 1895 et endommagés par le tremblement de terre de 1989, ont été rasés pour faire place à un ensemble futuriste conçu par les architectes suisses Jacques Herzog et Pierre de Meuron, à qui l'on doit notamment la géniale Tate Modern de Londres. Avec sa façade recouverte d'une peau en cuivre, on croirait qu'un porte-avions rouillé s'est échoué dans le Golden Gate Park ! Cela dit, avec le temps, le cuivre devrait virer au vert pour se fondre dans le parc (ça a déjà commencé d'ailleurs) et faire ainsi écho à la toiture végétale de la toute nouvelle *Academy of Sciences* signée Renzo Piano juste en face. Le De Young possède des collections aussi diverses qu'intéressantes, même si la muséographie peut sembler déroutante. En effet, les œuvres sont classées à la fois par thèmes et par donateurs.

– *Le rez-de-chaussée* est divisé en trois ensembles. Le plus important est dédié principalement à l'art américain contemporain, représenté par Diego Rivera, Georgia O'Keeffe, Willem De Kooning, Mark Rothko, Richard Diebenkorn, Edward Hopper et Jasper Johns. Du classique en somme, avant de faire le grand écart historique et culturel en abordant les salles consacrées à l'Amérique centrale et andine. Elles rassemblent de véritables trésors, comme une tunique en plumes du VIIIe s, une gigantesque tête olmèque en basalte, des stèles funéraires, des figurines votives, ainsi qu'une collection admirable de fresques murales rapportées de Teotihuacán au Mexique, la cité la plus puissante du continent au Ve s.

– *Le 1er étage* est particulièrement intéressant pour les passionnés d'art primitif. Les collections parfaitement mises en valeur se révèlent d'une rare richesse, évoquant une multitude de peuples à travers une sélection d'objets magnifiques, des masques dogons d'Afrique aux totems et statues votives d'Océanie et de Papouasie-Nouvelle-Guinée. Amusant, ce curieux tabouret d'un chef ghanéen représentant deux jambes se disputant un ballon de foot (vers 1920) ! Et puis cet original et immense panneau fait de bagues de bouteilles en aluminium, assemblées entre elles. On passera plus rapidement dans la section des arts décoratifs, inégale, pour aller faire un tour du côté de l'art américain du XIXe s et y admirer les très beaux tableaux portraits de Robert Henri et de John Singer Sargent (superbe *A Dinner Table at Night* avec le halo de l'éclairage tamisé sur le mur rouge et l'argenterie de la table). Essayez aussi de consacrer du temps aux excellentes expositions tournantes de photographies (le fonds est énorme). Au gré du calendrier, vous aurez peut-être la chance de découvrir les clichés de Diane Arbus, Imogen Cunningham, Richard Avedon, Warhol, Brassaï, Atget et Nadar.

Au total, le nouveau De Young expose plus de 25 000 pièces, et il faut compter une petite demi-journée pour tout voir dans les règles. Ne manquez pas de monter au sommet de la De Young Tower (les ascenseurs sont au rez-de-chaussée) : vue saisissante à 360° sur San Francisco, de Twin Peaks au Golden Gate, et d'Ocean Beach à la Transamerica Pyramid. Nettement moins bien si le *fog* survient en traître... On se consolera avec une belle photo aérienne pour mesurer tout ce qu'on rate.

|●| ▼ Le café situé à l'arrière du bâtiment, avec ses baies vitrées ouvrant sur le parc, offre une halte bien agréable pour ne pas enchaîner les galeries jusqu'à l'aveuglement ; petits plats bio à prix raisonnable. *Ferme grosso modo 1h avt le musée.*

🏃🏃 🏃 *California Academy of Sciences* (plan d'ensemble) : 55 Music Concourse Dr, Golden Gate Park, juste en face du De Young Museum. ☎ 379-8000. ● calaca demy.org ● De Union Square, prendre la ligne N-Judah du métro jusqu'à Irving et 9th Ave, le musée est à 4 blocs à pied, ou continuer en bus ligne 44. Bon plan : si vous venez en bus ou en vélo, réduc de 3 $ sur l'entrée. Tlj 9h (11h dim)-17h (20h45 mar). Entrée : 25 $; réduc ; gratuit le 3e mer du mois. Inclus dans le City Pass.

Dix ans de travaux et 500 millions de dollars ont été nécessaires à la renaissance de ce musée, endommagé par le tremblement de terre de 1989. Rouvert en septembre 2008, il fait concurrence à son voisin le *De Young* par l'originalité de son architecture, en particulier son toit vallonné et paysagé, œuvre de l'architecte italien Renzo Piano. Tout a été pensé pour en faire un modèle de design éco-énergétique : de vieux jeans servent à l'isolation, des panneaux solaires fournissent une partie de l'énergie, et le bâtiment est soutenu par de l'acier recyclé.

En pénétrant dans le musée, deux sphères vous font face : à gauche le planétarium, à droite la forêt pluviale. Le *planétarium* abrite le plus grand dôme numérique au monde ; on y projette six fois par jour un film en images de synthèse assez époustouflant sur la fragilité de notre planète, petite île de vie perdue dans l'immensité spatiale. *Conseil :* allez chercher les billets d'entrée au planétarium (gratuits) dès votre arrivée, car leur nombre est limité ; on peut les retirer près de l'entrée de celui-ci, face au magasin dédié aux enfants ; au passage, admirez sous vos pieds les raies dans le récif corralien philippin. La visite de la *forêt pluviale (Rainforest)* est tout aussi saisissante : une passerelle en spirale permet de découvrir les différents étages de végétation de ce milieu commun à l'Amazonie, Bornéo, Madagascar et le Costa Rica, avant de plonger, en ascenseur transparent, dans la partie immergée de la forêt, où nagent piranhas et silures. Également au rez-de-chaussée, le *Kimball Museum of Natural History,* avec un marais habité par un curieux alligator albinos, une salle africaine où lions, guépard, dikdiks et antilopes empaillés côtoient des pingouins sud-africains bien vivants, et des expos consacrées à la faune et la flore de Madagascar et des Galápagos, et aux espèces disparues (comme le grizzly) ou en voie d'extinction en Californie. Les dégâts causés par l'homme sont bien mis en évidence grâce aux expériences simples à réaliser : on peut calculer son empreinte carbone selon son mode de vie et son alimentation ; saviez-vous que réduire sa consommation de bœuf en n'en mangeant « que » 6 jours sur 7 revient à changer sa voiture pour un véhicule hybride ?

Le sous-sol *(level 1)* abrite le *Steinhart Aquarium* et ses 900 espèces d'animaux marins : outre les nombreux aquariums consacrés à la Californie du Nord, on peut (re)découvrir vus du dessous le marécage de Louisiane et les poissons colorés du récif philippin. Mérous, murènes, poissons alligators et méduses sont les clous de cet étage. Les enfants auront même l'occasion de toucher coquillages et étoiles de mer.

La visite ne serait pas complète sans un passage sur le « toit vivant » : d'une surface d'1 ha, il est recouvert de plus de 1,7 million de plantes natives de Californie, et son aspect vallonné est censé rappeler la topographie de San Francisco.

|●| ⍦ Le *café* offre des petits plats variés, des prix un peu élevés mais encore raisonnables ; pour les plus fortunés, un vrai *restaurant,* le *Moss Room,* est ouvert midi et le soir.

⍣⍣ *San Francisco Fire Department Museum :* 655 Presidio Ave *(entre Pine et Bush).* ☎ 558-3546. *Jeu-dim sf fériés 13h-16h. Entrée gratuite.* Pour nos lecteurs fascinés par les soldats du feu (ou la peinture de Bouguereau et Fernand Cormon). Intéressante expo de photos (dont de nombreuses sur l'incendie qui ravagea San Francisco à la suite du tremblement de terre de 1906), pompes à main, voitures à incendie et souvenirs de Lillie Hitchcock Coit qui s'enflamma tant pour cette héroïque corporation (lire « À voir » à North Beach et Telegraph Hill).

⍣⍣ *Cliff House (plan d'ensemble) :* vers les n⁰ˢ 1066-1090 Point Lobos Ave. Bus *n° 38 de Geary St jusqu'au terminus Point Lobos.*

Quand on est dans le coin du California Palace of the Legion of Honor, autant en profiter pour bénéficier d'une des plus belles vues qui soient sur la falaise, le Pacifique, les Seals Rocks, située tout au bout de Geary Avenue. Une des promenades favorites des familles (belle balade à faire entre Cliff House et le Golden Gate Bridge : côte rocheuse et belles maisons ; prévoyez 2-3h de marche).

La première Cliff House fut bâtie en 1863. Un bateau s'écrasa contre la falaise et sa cargaison de dynamite sauta en emportant une partie de la maison. Quelques années plus tard, le reste brûla un jour de Noël (ah, les beaux sapins !). À la fin du siècle, elle fut reconstruite par Adolphe Sutro (créateur des fameux bains), mais brûla à nouveau peu de temps après. En 1909, une nouvelle Cliff House émergea, qui subit tellement de modifications et reconstructions que le présent édifice ne présente plus guère d'intérêt. Les restaurants y sont chers, très touristiques et de qualité controversée. En revanche, peu de risques à y prendre seulement le petit déj pour bénéficier de la belle vue sur les Seals Rocks.

Bureau des parcs et forêts où l'on peut s'intéresser aux photos anciennes du site et à quelques anecdotes qui lui sont liées. Boutique de souvenirs. Petit musée (gratuit) des instruments et jeux mécaniques *(Mecanicals Museum)*. Quelques pièces assez rares et encore en état de fonctionnement.

➤ DANS LES ENVIRONS DE SAN FRANCISCO

ANGEL ISLAND

La plus grande île de la baie, mais dont on ignore souvent l'existence, sa voisine bien connue, Alcatraz, lui portant ombrage. Autrefois camp militaire, l'île a aussi été un camp de détention d'émigrés chinois. Angel Island est aujourd'hui un parc que l'on peut visiter. Idéale pour une excursion à vélo, un peu de trekking ou même du kayak, l'île dispose également de neuf campings et offre de beaux points de vue sur la baie de San Francisco. Accessible uniquement par ferry, depuis San Francisco ou Tiburon, Angel Island est une oasis de verdure *(rens : ☎ 435-1915 ou 897-0715)*. Si vous prenez le bateau depuis San Francisco, vous pouvez vous adresser à la compagnie *Blue & Gold Fleet* sur le Pier 41 *(résas : ☎ 705-5555)*, qui propose un billet combiné pour Alcatraz (lire plus haut le texte sur Alcatraz).

SAUSALITO *(7 500 hab. ; ind. tél. : 415)*

Bourgade située au nord de S.F., de l'autre côté du Golden Gate Bridge, autrefois connue pour ses hippies. Les Espagnols lui ont donné ce nom à cause des saules pleureurs qui bordaient les rivières. Aujourd'hui, on trouve plutôt des gens qui se prennent pour des hippies, des yuppies en quête de calme et des hordes de touristes. Le coin est joli, mais attention à votre bourse : les boutiques sont luxueuses, les hôtels hors de prix et les restos inabordables. Mais on a dégoté quelques pépites ! Une chose assez étonnante à voir : les fameux *houseboats* de toutes les tailles et de toutes les couleurs, qui forment un gentil village flottant. Assez loin du centre : ils sont situés à la hauteur de la bretelle qui rejoint l'autoroute et il faut longer la mer une bonne demi-heure pour les trouver. On peut prendre un bus, le Golden Gate Transit, pour s'y rendre.

Arriver – Quitter

Un conseil : pour y aller, partez le matin de San Francisco en bus (par le Golden Gate Bridge), car la baie est dans le brouillard, puis revenez en ferry.
Prenez les bus n°s 10, 20 ou 50 *(Golden Gate Transit* ; attention, le *pass MUNI* n'est pas valable)*, à l'angle de Market et de 7th St ou au Transbay Terminal. Le ferry, lui, est tout aussi valable que l'excursion dans la baie en bateau et nettement moins cher. Compter 30 mn de traversée.

En ferry-boat

■ *Golden Gate Ferries :* Ferry Building, au début de Market St. ☎ 923-2000. ● goldengate.org ● En sem, départ de S.F. ttes les 70-90 mn, 7h40-19h55 ; les w-e et fêtes, 6 départs/j., 10h40-18h30. Retour de Sausalito : en sem 7h10-19h20, w-e et fêtes 11h20-18h30. Pas de bateau à Thanksgiving, à Noël et le 1er janvier. Prix : 7 $; réducs. On peut embarquer son vélo.
■ *Blue and Gold Fleet :* Fisherman's Wharf, Pier 41. ☎ 773-1188. ● blueand goldfleet.com ● Pour Sausalito, 6 départs/j. Un peu plus cher qu'avec *Golden Gate Ferries* : 9 $.

Adresse utile

🚪 *Sausalito Visitor Center :* 780 Bridgeway, juste en bordure du Sausalito Yacht Harbor. ☎ 332-0505. ● sausalito. org ● Tlj (sf lun) 11h30-16h. Carte gra-

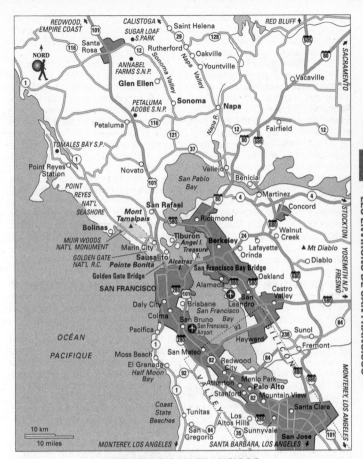

LA BAIE DE SAN FRANCISCO

tuite du village avec liste des hôtels, restos et galeries d'art. Et puis plein d'infos sur les loisirs dans la baie... Dans un petit bâtiment attenant, intéressante expo historique sur Sausalito (entrée gratuite), dans laquelle on suit l'évolution du village, des premiers explorateurs à la Seconde Guerre mondiale, à travers photos, documents et objets anciens. Très bon accueil.

Où dormir ?

Dormir à Sausalito lorsque l'on visite San Francisco, c'est la cerise sur le gâteau. Il y a peu d'hôtels, souvent complets longtemps à l'avance, et surtout très chers. Tentez votre chance à l'AJ.

🏠 *Hostelling International Marin Headlands :* building 941, Fort Barry, à l'extrémité ouest de la péninsule. ☎ 331-2777. ● norcalhostels.org/ma rin ● *Voiture quasi obligatoire :* de Sausalito, suivre Fort Baker, puis Marin Headlands, passer sous un tunnel à sens unique, vers le Point Bonita. De S.F., prendre la sortie Alexander Ave, après avoir passé le Golden Gate Bridge, puis tourner à gauche sur Bunker Rd, en suivant le panneau Marin Headlands National Park ; l'AJ se trouve à 2 miles, sur la route qui monte à gauche, juste avt le Visitor Center. Sinon, bus n° 76, ne circulant que le dim et pdt les vac scol. Réception fermée 10h-15h30. Résa conseillée. Nuit en dortoir 21 $/pers, double env 55 $. CB acceptées. Respirez ! Une AJ installée dans une ancienne base de l'armée, au beau milieu d'une nature sauvage et tranquille. Bâtiments en bois datant de 1907. En tout, une centaine de lits, répartis dans des dortoirs de 4 à 22 personnes, et quelques chambres doubles, notamment dans une annexe spacieuse. Sanitaires à l'étage. Parties communes tout aussi vastes, avec jolie cheminée et bons gros canapés ; cuisine et machine à laver. Internet. Pas de nourriture sur place. Bon accueil. Attention : à proximité, la mer est DANGEREUSE et la baignade interdite !

🏠 **The Gables Inn** : 62 Princess St. ☎ 289-1100 ou 1-800-966-1554. ● gablesinnsausalito.com ● Doubles 155-455 $, petit déj copieux inclus. Un petit nid douillet, dans trois anciennes maisons réunies, légèrement à l'écart du centre. Seulement 15 chambres mais quelles chambres ! Six ont vue sur la ville, certaines disposent d'un balcon, toutes portent le nom d'un arbre plus ou moins précieux, comme la décoration, dans les tons beiges. Grands lits moelleux (de quoi s'y perdre !), canapés, écrans plats maousses, baignoires d'antan ou jacuzzi. Accueil aux petits soins, fromage et vin offerts entre 17h et 19h autour de la cheminée à l'entrée. Atmosphère chaleureuse et très zen.

Où prendre le petit déjeuner ? Où manger ?

Tout est très cher dans le coin. Les fauchés se ravitailleront dans le petit supermarché situé sur California Street.

|●| ☞ **Il Piccolo Cafe** : 660 Bridgeway, sur le front de mer. ☎ 289-1195. Ouv 7h-22h. Parts de pizza 5-7 $. Quelle vue ! On a l'impression de dominer toute la baie. Angel Island, le Bay Bridge, Alcatraz, Downtown et la flèche de la Transamerica s'offrent à vous depuis cette petite adresse très populaire, sur pilotis, qui ne paie pas de mine, mais au bon rapport qualité/prix. Tous les classiques de la restauration italienne, à grignoter au choix sur de grandes tablées ou dans de petits recoins, avec quelques spécialités comme le carpaccio de thon. Bons petit déj avec le vrai espresso de la Botte ! Service un peu débordé en saison, mais c'est les vacances, non ?

|●| ☞ **Bridgeway Café** : 633 Bridgeway, en plein centre du village. ☎ 332-3426. Tlj 7h30-17h. Moins de 10 $. Sans doute le petit déj le moins cher face à la baie. Et en plus, c'est copieux. On essaiera de s'asseoir aux 3 tables sur le trottoir, vite prises d'assaut, l'intérieur du café ne présentant pas vraiment d'intérêt. Le meilleur moment : avant 9h, tant que l'agitation touristique n'a pas encore repris ses droits. Également de bons burgers, sandwichs, fish & chips et salades pour le lunch : ça change des pizzas ! Service moyen.

|●| ☞ **Caffè Trieste** : 1000 Bridgeway. ☎ 332-7660. Tlj 6h30-23h en sem, et 7h-minuit le w-e. Compter 7-15 $. Facilement reconnaissable, car le café arbore fièrement les couleurs de l'Italie sur sa devanture. Bondé le week-end : on s'y presse surtout pour le petit déj ou le brunch, composé d'omelette, de scrambled eggs (œufs brouillés), frittata, saumon fumé et croissants dodus. On y sert aussi des pizzas cuites au feu de bois, des salades et des pâtes, bien sûr au pesto, mais aussi à la saucisse ou aux clams. Ambiance à l'italienne : ça rigole, ça parle fort !

Où manger une glace face à la baie ?

🍦**Lappert's Ice Cream** : 689 Bridgeway. ☎ 331-3607. Lun-jeu 9h-21h (22h ven-dim). Rien de tel qu'un bon cornet avec sa crème épaisse, très épaisse pour affronter l'air de la baie. Bon choix de parfums *typically American*. Doses énormes. Insolite et patriote : pour nos lecteurs vétérans de l'armée américaine, ici, les glaces sont... gratuites !

À voir. À faire

➢ **Traverser le Golden Gate à vélo depuis S. F. :** une petite balade très sympa pour gagner Sausalito autrement (13 km ; 1h30). Il suffit de louer un VTT à S. F. (voir rubrique « À vélo ou à rollers » plus haut). Attention, ne vous prenez pas pour Miguel Indurain ou Bernard Hinault sur le pont, ça souffle pas mal ! Ensuite, on suit la même route que les voitures, mais les voies destinées aux cyclistes sont bien balisées. Quelques chemins uniquement réservés aux cyclistes également. Plan, itinéraires et sites à découvrir fournis. Et on repart en ferry avec son vélo. Possibilité de poursuivre vers Tiburon (10 km de plus). Propose aussi des tours guidés. Sympa, non ?

➢ **Point Bonita :** *le phare du même nom est le plus proche de San Francisco, à l'extrémité sud-ouest du Marin County. On s'y rend en prenant le Golden Gate Bridge, puis la sortie Alexander Ave juste après le pont ; suivre ensuite la Conzelman Rd, route magnifique surplombant tte l'entrée de la baie ; les 500 derniers mètres pour accéder au phare se font à pied. Ouv sam-lun 12h30-15h30 et les nuits de pleine lune en réservant au Headlands Visitor Center :* ☎ *331-1540.* Ce National Park est un endroit sauvage, certainement aussi l'un des plus romantiques de toute la côte. Un peu effrayant même ! La superbe lentille en verre du phare vient de France, où elle a été fabriquée par des artisans parisiens au milieu du XIXe s. Le phare fonctionne toujours, mais vous ne verrez pas de gardien, car il est automatisé depuis 1981. Beaucoup de vent et de brouillard en été, couvrez-vous !

➢ **Petit tour au-dessus de la ville en hydravion :** *San Francisco Seaplane Tours organise de fabuleux survols de la ville. Deux points de rendez-vous : à San Francisco (Pier 39) où l'on vient vous chercher, pour rejoindre la zone de départ, à Sausalito. De San Francisco, prendre le Golden Gate Bridge et poursuivre sur la 101 encore 4 miles env vers le nord ; sortir à Stinson Beach-Mill Valley ; prendre, tt de suite à droite, une petite rue au début de la sortie ; d'ailleurs, on voit les hydravions au bord de la 101, sur la droite.* ☎ *332-4843 ou 1-888-732-7526.* ● *seaplane.com* ● *Ouv tte l'année sf Noël et Thanksgiving.*
Des deux tours proposés, le *Golden Gate Tour* de 25 mn est, à notre avis, largement suffisant pour prendre son pied et son envol, tout en douceur. À peine si on « sent » le décollage. Et c'est parti pour le survol de San Francisco qui a vraiment quelque chose de magique et d'unique, car il est très rare de pouvoir passer au-dessus d'une ville à cette altitude. L'alignement des rues, les différents quartiers apparaissent clairement. On survole aussi Alcatraz et le Golden Gate Bridge (de très près), puis on remonte vers le nord où l'on découvre les merveilleux îlots face à Tiburon, les collines de Mill Valley, la belle Muir Beach. On vole sur un *Cessna 180* (trois passagers), ou sur un puissant *Beaver* (six passagers), l'avion mythique des aventuriers...
Évidemment, ce n'est pas donné : compter 149 $ par personne (deux minimum), mais réduction de 10 % sur présentation de votre guide préféré (penser à la demander à la réservation !). Ceux qui se feront le délire ne seront pas déçus (sauf si la météo n'est pas optimale ; en cas de brouillard, remettez plutôt au lendemain). Surtout, n'oubliez pas votre appareil photo ! Les fous amoureux ou les futurs mariés réserveront le *Champagne Sunset Flight* (40 mn) avec petite bouteille de champagne par personne et coucher de soleil sur le Golden Gate Bridge (quand le temps est découvert). Rien de tel pour déclarer sa flamme ! Compter 195 $ par personne (toujours deux minimum). N'oubliez pas votre passeport, obligatoire pour embarquer. Après le vol, un certificat de baptême de l'air est délivré. Les pilotes qui font ça sont très sympas et compétents.

TIBURON (8 800 hab. ; ind. tél. : 415)

Tiburon, le « requin » en espagnol, n'a rien de terrifiante. Elle s'avère au contraire bien charmante. Détruite par le tremblement de terre de 1906, autrefois important nœud ferroviaire (ancien terminus de la voie de chemin de fer pacifique jusqu'en 1963), aujourd'hui assez luxueuse, elle accueille les étudiants venus s'encanailler le week-end (retour en bateau pour le moins bancal pour nombre d'entre eux !). Petites boutiques, marchands de glace, et point d'arrivée de balades à vélo sympatoches. Pour y aller, soit vos mollets (location de vélo à S.F.) soit le ferry, opéré par *Blue & Gold Fleet ● blueandgoldfleet.com ●. En principe, départ depuis le Pier 41 à S.F., 7 fois/j., entre 10h50 et 20h25. Trajet 30 mn. Prix : 11 $. Plus d'infos sur la ville ● http://www.ci.tiburon.ca.us ●*

Où manger ?

I●I *Sam's Anchor Cafe :* 27 Main St. ☎ 435-4527. Tlj 10h-22h ; brunch le w-e à partir de 9h30. Au bord de l'eau. Au choix, soit à l'intérieur, assez cossu, soit la terrasse en plein soleil, où l'on vous appelle au micro, tant c'est peuplé et bruyant ! Un must le week-end. Excellentes pâtes aux fruits de mer, et autres déclinaisons marines. Carte des vins correcte, faisant la part belle aux crus locaux. Chic !

SAN RAFAEL (57 000 hab. ; ind. tél. : 415)

À env 10 miles au nord de Sausalito. Pour s'y rendre, prendre le Golden Gate Ferry (☎ 923-2000) au départ de l'embarcadère de Market St jusqu'à Larkspur Terminal, au sud de San Rafael. Une vingtaine de départs/j. (4 les w-e et j. fériés). Le bus n° 80 y vient depuis San Francisco ; compter 5 $. Ville agréable, fondée en 1817 avec la mission San Rafael Arcangel. Pittoresque rue principale, choisie par George Lucas pour y tourner des scènes d'*American Graffiti*, en 1972. Les gastronomes y trouveront de bons restaurants, et les esthètes les charmants quartiers victoriens ainsi que le célèbre Marin County Civic Center, pointe levée vers le ciel, avec son toit bleuté, œuvre de Frank Lloyd Wright qui servit de décor dans le film *Bienvenue à Gattaca* avec Uma Thurman. Architecture ultra-futuriste, on dirait un bâtiment sorti d'un film de science-fiction.

🛈 *Marin County Visitor Bureau :* 1 Mitchell Bvd, Suite B, San Rafael. ☎ 965- 2060 ou 1-866-925-2060. ● visitmari n.org ● Infos sur la ville et la région.

Où dormir ?

Dormir à San Rafael est une bonne solution si l'on est motorisé et que l'on ne trouve pas grand-chose bon marché à S.F. Voire si l'on est en famille. Il faut juste payer le pont dans le sens retour...

🛏 *Villa Inn :* 1600 Lincoln Ave. ☎ 456- 4975 ou 1-888-845-5246. ● villainn. com ● Situé pas loin de Downtown. Pour s'y rendre de la 101, sortie Lincoln Ave ou Central San Rafael. Le bus pour S.F. (Golden Gate Transit Bus) passe devant. Doubles 75-85 $, suites avec cuisine pour 6 pers jusqu'à 135 $, petit déj continental compris. Un peu loin du centre. Chambres propres et confortables, un tantinet désuètes. Accueil très gentil des proprios italiens. Saluez Mireille de notre part, elle s'occupe des petits déj comme personne ! Petit bar.

🛏 *Colonial Inn :* 1735 Lincoln Ave. ☎ 453-9188 ou 1-888-785-2111. ● co lonialinnmarin.com ● Parking. Non loin du Villa Inn, un autre motel dans le même genre. Doubles 65-75 $

(meilleurs prix sur Internet). Petit motel de 20 chambres proprettes et assez spacieuses. Un peu bruyantes toutefois, car elles donnent toutes sur la route. Frigo, TV câblée, moustiquaire et clim. Pas de petit déj, mais café dans la chambre. Adresse non-fumeurs.

Où manger ? Où déguster une bonne glace ?

I●I *Bay Thai :* 809 4th St (et Lincoln). ☎ 458-8845. *Tlj 11h-22h. Moins de 10 $. CB refusées.* Minuscule petit resto (14 couverts), mais une bonne cuisine thaïe pas chère. *Noodles, red curry seafood, radna talay...* La patronne prépare tout cela dans une cuisine minuscule, rapidement et avec le sourire. Que demander de plus ?

I●I *Whole Foods Market :* 34 Third St. ☎ 451-6333. *Tlj 8h-20h.* Un des rejetons de la chaîne de supermarchés aux produits bio extrafrais. Idéal pour se confectionner un pique-nique haut de gamme à consommer dans la nature. *Salad bar,* sandwichs, incroyable choix

de plats cuisinés, fruits et légumes en tout genre, *espresso bar* pour le petit déj et mille et une autres gourmandises. On a envie de tout goûter ! Quelques tables pour les impatients.

I●I ⸙ *Double Rainbow :* ou 860 4th St. ☎ 457-0803. *Lun-ven 9h-minuit ; sam 10h-minuit ; dim 12h-minuit.* Glacier originaire de S.F., avec un super choix de parfums. Demandez à les goûter avant de vous décider, ils le font très volontiers. Également large choix de *sundaes* et milk-shakes pour les becs sucrés, sandwichs et salades pour les becs salés. Bons cafés. Accueil jeune et sympathique.

À voir dans les environs

🥾 Le charmant village de *Mill Valley,* perché sur les hauteurs, fait une escale agréable sur la route du parc de Muir Woods. Délicieuse odeur d'eucalyptus sur tout le trajet.

🥾 Pour les amateurs de clichés, aller au *mont Tamalpais* (un State Park). Au nord de San Francisco, accessible par la 101. Vue imprenable sur toute la baie. Point de départ de randonnées. Nombreux parcours fléchés dans un cadre très agréable. Attention : en été, la partie la plus élevée est souvent fermée en raison de menaces d'incendie. Se renseigner avant d'y aller.

🥾🥾 *Muir Woods National Monument :* petit parc naturel, au creux d'une vallée proche du Pacifique, à quelques miles au nord de Mill Valley. Une navette depuis Sausalito en été depuis Pohono St, rens à l'OT. ☎ 388-2595. ● nps.gov/muwo ● Ouv de 8h au coucher du soleil. Accès : 5 $. Interagency Annual Pass accepté. Visitor Center à l'entrée.
Splendide forêt de séquoias côtiers *(redwoods)* dont certains atteignent 75 m de haut. Sentiers de balade à travers les arbres millénaires. La visite de ce parc se combine idéalement avec une journée sur le sable de Muir Beach ou de Stinson Beach, à quelques miles de là. Petit conseil donc : partir le matin de San Francisco, se balader 1h ou deux dans le parc, puis aller pique-niquer sur la plage de son choix. Très fréquenté en été (longues files d'attente pour le parking).
Nommé en l'honneur du naturaliste John Muir, connu pour son combat en faveur de la protection des espèces dès le XIXe s, le parc doit son existence à un membre du Congrès, William Kent, et sa femme qui rachetèrent de leurs propres deniers cette vallée isolée qui n'avait pas encore succombé aux haches des bûcherons. Une sacrée bonne idée lorsque l'on sait qu'il ne subsiste plus aujourd'hui que 5 % des séquoias qui existaient alors. Actuellement, la demande est si forte et les compagnies d'abattage si puissantes que les écologistes ont un mal fou à conserver ce patrimoine. Pour ce faire, ils n'hésitent pas, épisodiquement, à s'enchaîner aux arbres quand les bûcherons débarquent, ou organisent des sit-in en haut des séquoias...

Où se baigner ?

⚓ **Muir Beach :** *non loin de Muir Woods. Accessible en voiture (en bus, c'est la galère). Prenez la 101 et sortez à Mill Valley-Stinson Beach ; au 1er grand carrefour (après être repassé sous la 101), prenez à gauche et poursuivez cette route qui sinue à travers les merveilleuses collines. Au creux de la vallée, une petite pancarte sur la gauche indique la plage. À droite de la grande plage, passé les rochers, bande de sable plus petite où l'on peut enlever le bas.*

– **Muir Beach Overlook :** point de vue grandiose à couper le souffle (au sens propre comme au figuré, ça souffle sec !) depuis Muir Beach en direction de Stinson Beach. Ancien site d'observation de l'armée américaine. Le poste est évacué, à vous de jouer la vigie. Belle avancée vers la mer. On y voit les baleines en hiver. Pique-nique possible.

⚓ **Tennessee Valley Road :** *à la sortie Mill Valley-Stinson Beach, en allant vers le nord. Tt de suite après être passé sous le pont, prendre la 2e à gauche, comme pour se diriger vers Mill Valley. Après quelques centaines de mètres, indication sur la gauche pour la Tennessee Valley Rd. Une petite route serpente jusqu'à un parking. De là, une piste fermée à la circulation, paradis des joggeurs et des bikers, conduit à une charmante plage encaissée 2 miles plus loin. Paysage et balade agréables, sauf si le brouillard ne veut pas se lever... Calme total.*

⚓ **Stinson Beach :** *encore plus loin sur la côte.* Superbe plage de 1 mile, la plus connue et la plus prisée des San-Franciscains. Beaucoup mieux aménagée que les autres, petits restos de fruits de mer, location de surf. Les week-ends d'été, beaucoup de monde, mais c'est vraiment convivial : glacière, volley-ball et crème à bronzer. Toute cette région du nord de San Francisco échappe parfois (mais rarement) à la nappe de brouillard qui s'abat sur la ville certaines journées d'été.

BOLINAS (ind. tél. : 415)

À env 5 miles au nord de Stinson Beach, sur la gauche de la route n° 1 (juste après la fin de la lagune). Au croisement suivant, à gauche. Pas évident du tout à trouver, car les habitants enlèvent régulièrement les panneaux indicateurs, histoire de ne pas être dérangés et ce, depuis le XVIIIe s. ! Le village de Bolinas est en effet un repaire d'anciens hippies, l'un des plus mythiques de Californie et probablement le seul à être resté quasi intact... Les maisons anciennes ont été préservées, et le calme règne dans ce petit village d'irréductibles, installé dans un cadre superbe, au bord d'une lagune envahie par les oiseaux, avec les montagnes en toile de fond. Ajoutez à cela quelques maisons de pêcheurs sur pilotis et vous comprendrez pourquoi les petits veinards qui vivent ici ne veulent pas de touristes, malgré la présence d'un musée et d'une poignée de galeries d'art. Plage au bout de Wharf Road à côté de l'estuaire de la lagune. Quand nous avons cherché le chemin du village, un paysan a longuement hésité avant de nous l'indiquer, puis il nous a prévenus : « *They don't need trouble...* » Cela dit, depuis quelques années, ça se touristise pas mal (impossible de se garer le week-end), mais le village résiste quand même et conserve encore toute sa fraîcheur.

Où dormir ? Où manger ? Où boire un verre ?

🛏 🍷 **Smiley's Schooner Saloon & Hotel :** 41 Wharf Rd. ☎ 868-1311. ● coastalpost.com/smileys ● *Dans la rue principale. Nuit 74-84 $, plus cher le w-e. Wi-fi gratuit.* Le slogan de cet établissement créé en 1851 veut tout dire :

« *Before Lincoln was President, before base-ball was a game, before Jingle Bell was a song... there was Smiley's !* » Voici donc un authentique saloon digne d'un vieux western, auréolé de son drapeau « Peace », proposant 6 chambres basiques mais propres (avec salle de bains) dans deux bâtisses sur l'arrière. Déco un peu vieillotte et mobilier d'un autre âge. Pas de télé. Même si vous n'y dormez pas, venez y prendre un verre pour le coup d'œil sur les habitués, avec quelques personnages hauts en couleur. *Live music* régulièrement en soirée, concerts de qualité (programme sur le site).

|●| *Coast Café :* face au Smiley's. ☎ 868-2298. Tlj 6h30-21h (20h en hiver) ;

brunch le dim. Bien pour sa petite terrasse située à un carrefour stratégique. Carte variée et portions copieuses à prix modiques : breakfast, burgers, plats mexicains, salades, poulet et *ice-creams*. Poisson fourni par les pêcheurs du coin. Barbecue d'huîtres le week-end. Épicerie juste à côté si vous préférez pique-niquer... Se fait un devoir d'acheter aux fermiers locaux des produits frais et *organic*. Un lieu plein de saveurs.

À voir

🔍 *Bolinas Museum :* face au Smiley's Schooner Saloon & Hotel. *Ven 13h-17h ; sam-dim 12h-17h. Entrée gratuite.* Trois petites salles consacrées à la peinture et à des artistes contemporains et, derrière, un autre bâtiment dédié à l'histoire de la région, avec une exposition de souvenirs de marins, d'outils utilisés à l'époque des pionniers, etc.

À voir dans les environs

➢ En continuant la route n° 1 vers le nord, on parvient à *Bodega Bay* : on en parle plus loin dans « La route du vin ». Quant aux habitants de Bolinas, ils aiment bien aller à *Bass Lake* (tourner à gauche en sortant du village). Belles balades dans la nature. Demander, tout le monde connaît.

BERKELEY (104 000 hab. ; ind. tél. : 510)

À l'est de San Francisco (East Bay). L'une des plus célèbres universités au monde. Le plus de prix Nobel au mètre carré. Pas étonnant, avec une moyenne de 25 000 étudiants par an, ça laisse des chances !

Le campus de Berkeley a aussi été le temple de la contestation des *sixties* (voir plus haut l'intro à San Francisco). Ça s'est quand même bien assagi depuis, mais la petite ville de Berkeley reste extraordinairement jeune et vivante. Plein de petits restos, souvent bon marché. Mais surtout, ici, quand on n'étudie pas, on fait la fête, notamment dans les maisons qui hébergent les étudiants. Souvent montées sous forme d'associations, elles ont pour nom une lettre grecque (phi, kappa, omega... accrochée sur la façade) et sont rarement mixtes. Elles sont le théâtre, tout l'été, d'immenses *parties,* où sont conviés les associations du sexe opposé et souvent quiconque passe devant la porte (vous, avec un peu de chance !). À moins qu'on ne monte une tente au coin de la rue le soir venu, et qu'on improvise un petit bar pour rencontrer d'autres étudiants venus du monde entier. Chaleureux en diable. Berkeley est en activité permanente. Allez-y surtout pour faire des rencontres, pour comprendre comment vit la jeunesse californienne d'aujourd'hui, ce qu'elle pense des problèmes de société ou des relations internationales du moment... D'autant que bon nombre d'étudiants parlent un français quasi parfait. En cherchant un peu, vous y passerez les nuits les plus dingues de votre existence.

Arriver – Quitter

Situé de l'autre côté de la baie par rapport à San Francisco (à 9 miles env).
– Infos : ☎ 511 ou ● 511.org ●
➢ Le plus simple pour y aller est de prendre le *BART* (RER local) au bas de Powell St (au centre de San Francisco) en direction de Richmond et jusqu'à Downtown Berkeley Station (sur Shattuck Ave). Fonctionne jusqu'à 1h.

➢ **En voiture :** traverser le Bay Bridge (gratuit dans ce sens) et prendre la Hwy 80 East. Sortie : Berkeley University ; prendre ensuite University St et tourner au croisement de Shattuck Ave. Suivre « Center ». Parking malaisé (et cher), et attention, on ne plaisante pas, des « voiturettes à amendes » patrouillent sans cesse !

➢ **En bus :** ligne FS au Transbay Terminal (angle de Mission et 1st St). *Compagnie AC Transit :* ☎ 891-4700 ou 511, dire AC Transit puis « Customers Relations ». Prix : moins de 5 $. Durée : 30 mn.

Comment visiter Berkeley ?

On distingue trois avenues, représentant des quartiers différents.

La plus connue : *Telegraph Avenue* (sud de l'université), une rue vraiment sympa avec ses bars, ses restos, ses disquaires (neuf et occase), ses libraires, ses magasins de fripes, ses hippies vendeurs de bijoux... Une ambiance *crazy* et un monde où les jeunes sont rois.

Ensuite, dans un genre très différent, au nord de l'université *Euclid Avenue* fréquentée par les étudiants pour son caractère calme et intimiste (entourée de rues résidentielles), plus propice à la lecture et à l'étude.

Enfin, *Shattuck Avenue* où se suivent, sur quelques numéros, des boutiques et restos pour les fines gueules, et qui est surnommée le « Gourmet Ghetto ».

Adresses utiles

🏛 **Berkeley Convention & Visitor Bureau :** *2015 Center St (entre Shattuck et Melvia).* ☎ 549-7040 ou 1-800-847-4823. ● *visitberkeley.com* ● *Lun-ven 9h-17h.* Bonne doc sur la ville et un plan gratuit très bien fait. Tous les tuyaux possibles sur les événements de la ville, les horaires des musées, les transports, restos, logements, boutiques, loueurs de vélos, etc. Excellent accueil.

✉ **Poste :** *2000 Allstom Way.* ☎ 649-3155. *Lun-ven 6h-20h ; sam 6h-18h. Fermé dim.*

Où dormir ?

Prix moyens

🛏 **Berkeley Downtown YMCA :** *2001 Allston Way (et Milvia St).* ☎ 848-6800. ● *baymca.org* ● *Entrée sur Milvia St. Parkings pas trop chers juste à côté. Compter 45-60 $ la nuit/pers et doubles 65-85 $.* Ouvert depuis 1910. Immense, cette *YMCA* occupe tout un bloc. Sûrement la formule la plus économique de la ville. En complète rénovation lors de notre passage, elle aura fait peau neuve quand vous lirez ces lignes. On nous promet une « ouaille » toute jolie, toute propre, avec toujours accès au club de gym voisin avec 3 piscines, salle de muscu, cuisine commune, Internet, etc.

🛏 **Chambres d'étudiants :** *sur le campus. Infos auprès du Conference Services :* ☎ 642-4444 *(de juin à mi-août* ☎ 642-5925). ● *housing.berkeley.edu/ conference/summervishouse.berkeley. edu* ● *Résa obligatoire. Possibilité de louer des chambres d'étudiants 1er juin-15 août, 55 $ la nuit/pers.* Idéal pour faire plein de rencontres.

Plus chic

🛏 **The Rodeway Inn :** *1461 University Ave.* ☎ 848-3840. ● *berkeleyri.com* ● *Nuit à partir de 110 $, petit déj compris. Wi-fi gratuit.* Loin d'être coquet, ce motel totalement rénové présente pourtant bien des avantages : chambres vastes, réparties autour d'un parking en U gratuit (un vrai plus à Berkeley !), assez silencieuses malgré la route, propres, fonctionnelles, avec TV, micro-ondes et frigo. Et le sourire du patron avec !

🛏 **Bancroft Hotel :** *2680 Bancroft Way*

(et College Ave). ☎ *1-800-549-1000 ou 1002.* ● *bancrofthotel.com* ● *Doubles 150-160 $, petit déj continental compris. Parking de nuit : 12 $. Wi-fi gratuit.* Très bel hôtel de style grande villa italienne, ancien *women's club* du coin. Construit en 1928, le bâtiment est maintenant classé. Une bonne vingtaine de chambres confortables et archipropres, pleines de charme. Également des chambres *deluxe* plus agréables, avec balcons offrant une vue sur les arbres ou l'université. Pas d'ascenseur. Grande salle de bal-bibliothèque et vue du Golden Gate depuis la terrasse (accès libre). Accueil courtois.

🛏 *The French Hotel : 1538 Shattuck Ave (entre Vine et Cedar St).* ☎ *et fax : 548-9930. Doubles 95-110 $. Parking à côté de l'hôtel.* Dans une ancienne blanchisserie française (ah ! c'est ça le nom !), une vingtaine de chambres, spacieuses et claires. Déco de bon goût, tendance high-tech. Éviter celles sur rue (bruyantes). Au rez-de-chaussée, un café assez fréquenté où il fait bon venir prendre un petit déj café-croissants.

🛏 *The Beau Sky Hotel : 2520 Durant Ave.* ☎ *540-7688 ou 1-800-990-2328.* ● *beausky.com* ● *Doubles 120-150 $, petit déj compris. Wi-fi gratos.* Tout près du campus et de l'animation, grande maison toute blanche, avec une vingtaine de chambres spacieuses, confortables et agréables, si ce n'était ce mobilier désuet. Préférer celles avec balcon. TV câblée. Bon accueil. Accès gratuit dans une salle de gym du coin. Petit resto de pâtes et pizzas.

Où manger ? Où déguster une glace ?

Sur Telegraph Avenue *(sud du campus)*

|●| *Café Intermezzo : 2442 Telegraph Ave.* ☎ *849-4592. Tlj 8h30-22h. Env 4-8 $. Combinaison « soupe-sandwich » 7 $.* Chouette adresse pour se remplir la panse pour pas cher, on vient manger ici d'énormes salades servies dans des saladiers (1 pour 2, ça suffit) et des sandwichs impressionnants dans une ambiance *friendly* sous un faux arbre à fleurs. Bon choix de cafés aussi. Grande salle très claire décorée façon rue italienne. Rencontres estudiantines assurées (surtout quand vous faites la queue, car c'est souvent plein).

|●| *The Blue Nile : 2525 Telegraph Ave.* ☎ *540-6777. Tlj sf lun, jusqu'à 22h. Addition env 12 $.* L'occasion de goûter à la cuisine éthiopienne. Cadre exotique. Pour les amoureux, préférez la salle du bas, composée de petits box intimes avec rideaux de jonc. Les autres choisiront une table à l'étage d'où l'on domine la rue. Plats vraiment copieux et bon marché. Également des plats végétariens. Intéressant, le *beyayinetu*, combinaison des meilleurs plats pour 13 $. Vous noterez aussi combien les Éthiopiens mangent de façon originale ! Bon accueil.

|●| *Raleigh's Pub : 2438 Telegraph Ave.* ☎ *848-8652. Tlj 9h30-minuit. Compter 8-10 $.* Encore un resto-pub d'étudiants au cadre boisé aéré. Dans l'assiette, bons burgers, salades, sandwichs, soupes, *fajitas* (poulet ou bœuf mariné dans la tequila et citron vert, puis grillé)... Plusieurs bières à la pression que l'on peut descendre dans un agréable patio en été. Une bonne adresse pour faire des rencontres.

|●| *Tako Sushi : 2379 Telegraph Ave (et Durant).* ☎ *665-8000. Tlj sf dim 10h-22h.* Pour les amateurs de cuisine japonaise, une bonne petite adresse, de plus bon marché. Propre, portions généreuses. Grand choix de sushis, ça va de soi, et un intéressant *sashimi special* (sélection de poissons crus) à 13 $ (14 $ le soir), un des meilleurs (et moins chers) jamais mangés.

Sur College Avenue *(sud du campus)*

|●| *La Méditerranée : 2936 College Ave.* ☎ *540-7773. Tlj 11h-22h. Formule 8,25 $ à midi, repas env 20 $.* *Mezze pour deux (assortiment de hors-d'œuvre chauds et froids)* 16 $/pers. *Brunch le w-e.* Le petit frère des restau-

rants *La Méditerranée,* ouverts par un Français d'origine arménienne, dans les quartiers de Pacific Heights et de Castro, (voir « Où manger ? » de ces deux quartiers à S.F.). On y trouve exactement les mêmes recettes excellentes, qui plairont plus particulièrement aux amateurs de sucré-salé. Plein de saveurs. Cadre aéré vraiment agréable (ventilos) et terrasse sur rue protégée (avec les bêbêtes de l'animalerie voisine qui passent leurs têtes de temps à autre). *Anoush ella* (demandez la traduction sur place) !

I●I *AG. Ferrari Foods :* 2905 College Ave (et Russel St). ☎ 849-2701. Lun-ven 9h30-20h ; sam 10h-20h ; dim 10h-18h30. Grosse épicerie italienne depuis 1919, qui s'est transformée en petite chaîne régionale. Produits frais, pas mal de choix. Une poignée de tables pour se restaurer. Réputé pour ses généreux sandwichs et paninis confectionnés devant le client. Également salades et fromages.

Sur Euclid Avenue *(nord du campus)* et Durant Avenue

I●I *La Val's :* 1834 Euclid Ave. ☎ 843-5617. Tlj 11h-23h (22h dim). Env 8 $. Lunch special *moins de 6 $ (boisson comprise),* 11h-16h. Ce resto sans aucun charme, qui existe depuis une vingtaine d'années, est devenu une institution. On y vient pour manger d'excellentes pizzas, pâtes et aussi sandwichs. Au fond de la galerie, si c'est complet, la *Burrita* sert l'un des meilleurs *burritos* de la ville.

I●I *Food Court :* 2519 Durant Ave. Tlj midi et soir. *Moins de 10 $.* Le long d'une galerie en bois, plusieurs petits restos exotiques sans prétention : chinois, japonais, coréen, thaï, vietnamien, italien... Le *Mandarin House* a beaucoup de succès. Pour tous les goûts et à portée de toutes les bourses ! Très agréable en été. Mais c'est vite pris d'assaut, et les places assises sont limitées...

I●I *Adagia :* 2700 Bancroft Way et College, en face du café Strada. ☎ 647-2300. Tlj 11h-15h, 17h-22h. Plats 13-15 $, soupe du jour 4-6 $. Adresse un poil chicos dans une maison Tudor à l'allure austère, lambris et grande cheminée, grandes tables de bois. On se croirait dans un Harry Potter. Au lunch, excellentes salades composées. Cuisine plutôt créative d'inspiration méditerranéenne. Desserts hyper-caloriques mais irrésistibles. Un peu la cantine des professeurs et des étudiants aisés. Patio agréable aux beaux jours. Excellent brunch le week-end.

🍦 *Yogurt Park :* 2433 Durant et Telegraph Ave. Tlj 11h-minuit. Depuis plus de 30 ans, on fait la queue devant la fenêtre de cette institution de Berkeley. Large assortiment de succulentes glaces au yaourt, à tous les parfums avec tous les *toppings* désirés. Attention, la *small* est déjà maousse !

Le « Gourmet Ghetto », sur Shattuck Avenue (North Shattuck Village)

I●I *Saul's :* 1475 Shattuck Ave. ☎ 848-DELI. Tlj 8h-21h (21h30 ven-sam). Compter un bon 10 $. Très populaire, le meilleur d'une cuisine juive. Vaste cadre aéré. Aux murs, photos en noir et blanc sur l'histoire du lieu. Un *delicatessen* (à la fois épicerie et resto) réputé pour ses excellents *breakfasts* (jusqu'à 14h), avec les *Niman Ranch Pastrami sandwich* (viande bio, fierté de la région), ou simplement sa spécialité, le *Challah French toast* (on peut, moyennant supplément, le recouvrir de fraises et de chantilly). Sinon, belles omelettes, fromages blancs à différents parfums et carte bien remplie (soupes, salades, bagels, *borsht, deli sandwiches* et *gefilte fish*).

I●I *The Cheeseboard Collective :* 1504 Shattuck Ave. ☎ 549-3183. Lun 7h-13h ; mar-ven 7h-18h ; sam 8h30-17h *(pas de petit déj ce jour-là).* Une authentique fromagerie où les nostalgiques pourront assouvir leurs envies de bleu d'Auvergne, brie, cantal, époisses, crottin, ou autres variétés de fromages italiens ou hollandais... Au tableau, à la craie, le *chabichou du Poitou, lingot du Quercy* et autres merveilles de gueule. Également de bons muffins, *pecan rolls, scones,* etc. Ils font leur pain (*focaccia,* baguettes) eux-mêmes et disposent d'une excellente petite pizzeria *(sur la gauche, tlj sf dim-lun 11h30-15h, 16h30-20h)* avec quelques tables et même... un piano ! Simple, bon. Et orchestre improvisé en prime ; samedi de 12h à 15h.

Où boire un verre ?

Ⓨ *Caffè Strada :* 2300 College Ave (et Bancroft). ☎ 843-5282. *Juste à côté de l'hôtel* Bancroft. *Tlj 6h30-minuit. Un coffee shop* plein d'étudiants. Grande terrasse ombragée très recherchée. Bon café et excellentes pâtisseries. Un endroit vraiment agréable et insolite, où tout le monde joue à cache-cache derrière son écran d'ordinateur portable (prises aux pieds des arbres !).

Ⓨ *Brewed Awekening :* 1807 Euclid Ave. ☎ 540-8865. *Ouv 7h-19h (sam 18h).* Bar alliant déco brique et jolies gravures. Grand choix de cafés et *smoothies* (fruits entiers mixés). Également des pâtisseries. Ambiance studieuse une fois de plus. Tout le monde pianote sur son ordi, grâce à l'accès Internet gratuit.

Ⓨ *Triple Rock :* 1920 Shattuck Ave, à 150 m du carrefour avec University Ave. ☎ 843-2739. *Dim-mar 11h30-22h ;* *mer-jeu 11h30-23h ; ven-sam 11h30-minuit.* Les 3 bières (blonde, brune et ambrée), dont la fameuse Red Rock, sont les seules boissons servies ; elles sont fabriquées dans la brasserie que l'on peut voir du bar. On peut aussi manger (sandwichs, *nachos,* etc.). Belle collection de plaques émaillées et plateaux de différentes marques. Populaire chez les étudiants, ça va de soi.

Ⓨ *Café Milano :* 2522 Bancroft Ave. ☎ 644-3100. *Lun-ven 7h-minuit ; w-e 8h-22h.* Encore un petit bar-cantoche avec mezzanine, où les étudiants révisent leurs cours sous une charpente de bois, amovible aux beaux jours. Également des sandwichs, salades et pâtisseries. Expos de peintures. Juste à côté, une boutique vend des vêtements marqués aux armes de l'université de Berkeley.

Ⓘ *Barney's :* 1600 Shattuck Ave. ☎ 849-2827. *Lun-jeu 11h-21h30 ; ven-sam 11h-22h ; dim 11h-21h. Compter 7-9 $.* Coup de cœur pour cette chaîne de burgers originaux. Pas moins de 30 sortes à la carte des classiques au bœuf (viande bio), dinde ou poulet, en passant par le *Maui Waui burger* (à l'ananas), le *Popeye burger* (aux épinards bien sûr !), et même au tofu pour les *veggies* ! Portions de frites énormes, une pour deux suffit. Grande salle aérée, petite terrasse éclairée à la nuit tombée. Bien vu Barney !

Où écouter de la musique ?

♪ *Blake's :* 2367 Telegraph Ave. ☎ 848-0886. *Tlj 11h-2h (dim 1h). Concerts payants env 10$.* Un bar avec billard et vidéos sur écran géant. On peut aussi y manger : snacks, salades, barbecue chicken, vegetarian lasagne, chili, burgers, etc., et le *fish and chips* le meilleur à l'ouest de Bruxelles, dit-on ! Cadre chaleureux et très coloré. Bonne programmation de musiques tendance (voir programme), vers 21h, au sous-sol, où se presse une foule bigarrée.

À voir

🎭 *Visite du campus :* avec l'*UC Campus Visitor Center, situé à l'entrée de l'université, 101 University Hall (côté Bancroft Way). ☎ 642-5215. ● berkeley.edu/visitors ● Visite guidée par des étudiants parlant généralement le français : lun-sam en principe vers 10h ; dim à 13h. Compter 1h30 ; départ en sem du Visitor Center (angle University Ave et Oxford St), le w-e du campanile (Sather Tower) au milieu du campus.*

Vaut vraiment le coup si on se demande à quoi ressemblent ces fameux campus américains. Une vraie ville, avec ses rues, ses parcs, son stade, ses piscines, ses tennis, ses musées, ses bibliothèques, son hôpital, ses écureuils, etc. ! L'endroit idéal pour faire ses études... si papa-maman ont les moyens : il en coûte la bagatelle de presque 13 000 $ pour les étrangers et 5 000 $ pour les Américains... par trimestre ! Mais c'est encore bien moins cher qu'Harvard. Ouf !

En sillonnant le campus de l'université fondée en 1868, vous pourrez discuter assez librement avec les étudiants, savoir comment ils vivent les problèmes de leur société, ou les relations internationales actuelles. Ne soyez pas surpris d'entendre que « le Président est un guignol ! », car Berkeley conserve, depuis les *sixties,* son petit côté rebelle. Et puis, appréciez juste le campus, très vert, avec ses 2 000 arbres dont le plus vieux a... l'âge de l'université (pour voir si vous suivez...), près du Giannini Hall.

🚶🏃 **Visite de la Sather Tower :** n'hésitez pas à monter sur la tour du campus. Architecture inspirée du Campanile de Saint-Marc à Venise (avouons qu'on n'a pas bien vu l'inspiration !). Pas cher *(2 $)* et ça vaut le coup d'œil *(lun-ven 10h-15h45 ; sam 10h-16h45 ; dim 10h-13h30, 15h-16h45 ; dernier ascenseur 15 mn avt la fermeture)* : vue imprenable sur S.F., sa baie et les collines. Et concerts de carillons *(3 fois/j. lun-ven, à 7h50, 12h et 18h, moins le sam et pas du tt le dim, pour le doux sommeil des chers étudiants ?).*

🎨🚶 **Berkeley Art Museum :** 2626 Bancroft Way. ☎ 642-0808. • bampfa.berkeley. edu • *Entrée au 2621 Durant Ave également. Tlj sf lun-mar et j. fériés, 11h-17h. Entrée : 8 $; réduc ; gratuit le 1er jeu du mois.*

Derrière ce gros bloc de béton pas bien engageant se cache un des plus importants musées universitaires du monde : le BAM possède une belle collection d'art s'étendant de la Renaissance au XXe s. Intéressantes expos d'art contemporain.

Le fonds permanent est exposé par roulement. Selon l'accrochage du moment, on peut y voir : *Passages East, West II* de Raymond Saunders, *Chanting* de Sylvia Lark, *Goddesi* de Nancy Spero. Puis *Number 207* de Mark Rothko, *Study for Figure V* de F. Bacon, *Number 6* de Pollock. Également Joan Mitchell, Sam Francis, Richard Diebenkorn, Elmer Bishoff, etc. Salle où sont exposées des œuvres de Fernand Léger, Matta, *Surf* de Pierre Alechinsky, *Response Without Question* d'Asger Jorn, Tadeusz Kantor, Soulages, *Duo* et *Youth* de Magritte, dessins de Picasso, Klee, Matisse, Miró, Rouault, Max Beckmann, *Leipzigers* de George Grosz. Ensor, Rousseau et Max Weber sont aussi du lot.

Salle Hans Hofmann (1880-1966) : nombreuses œuvres de ce peintre inventif, membre du mouvement de l'abstraction réelle, ami de Robert Delaunay, prof à Berkeley, s'exprimant en éclatantes couleurs et sachant parfois aussi être éclectique et peindre à la façon de Pollock ou de Kandinsky.

Galerie R. et R. Swig : *The Studio* de Daumier, *Deauville* de Boudin, encre de John Singer Sargent. Beaux paysages d'Albert Bierstadt (superbe *Yosemite Winter Scene*), *Self Portrait, Yawning,* un curieux Joseph Ducreux, *Madone et Enfant* du Titien. Remarquable *Road to Calvary* de Rubens (noter les multiples nuances de gris), *Sleeping Woman* de Renoir. Étrange *Hammering Man* de J. Borofsky. Également une très belle section d'art chinois et de miniatures indiennes. Remarquables expos temporaires thématiques.

🍴 Possibilité de se restaurer au *Café Muse (11h-15h),* petite cafétéria au calme, avec terrasse plein soleil et même des chaises dans le jardin du musée. Bons cookies.

🚶🚶 **Phœbe Hearst Museum of Anthropology :** 103 Kroeber Hall, Bancroft Way and College Ave. ☎ 643-76-48. • hearstmuseum.berkeley.edu • *Tlj sf lun-mar et j. fériés 10h-16h30 (12h-16h dim). Entrée gratuite.* Un petit musée qui intéressera les amateurs de collections ethnographiques. Artisanat, belle vannerie indienne, poterie mohave, bijoux, ornements, jouets... Quelques pièces insolites comme ces momies de crocodile et de chat, récipient de cérémonies rituelles (Indiens kwakiuts) en forme d'aigle, lion royal du Dahomey, porte sculptée yoruba, tombe étrusque, fétiche arumbaya (comme dans *L'Oreille cassée* !), etc. Sculpture égyptienne en bois représentant un jeune garçon, assez remarquable.

🚶🏃 *Museum of Paleontology :* 1101 Valley Life Sciences Building, à côté d'Oxford et University Ave. ☎ 642-1821. Mar-ven 8h-21h. Entrée gratuite. On signale ce musée (qui tient plus de la petite galerie d'expo) pour le plus vieil oiseau du monde, l'*Archeopteryx*, qui survole un T-Rex au grand complet. Impressionnant ! Sinon, les plus belles pièces de la collection (l'une des plus belles d'Amérique du Nord), est pieusement réservée aux chercheurs. Dommage.

🚶🏃 *Lawrence Hall of Science :* 1 Centennial Dr, sous le Grizzly Peak Blvd, au nord-est du campus. ☎ 642-5132. ● lawrencehallofscience.org ● Tlj sf j. fériés 10h-17h. Entrée : 11 $ (+ 3 $ pour le planétarium) ; réduc. Pour nos lecteurs amateurs de musées scientifiques, une étape très intéressante, avec toujours le meilleur matériel technologique et pédagogique. Et plein d'activités pour les enfants.

🚶 *People's Park :* angle Telegraph et Haste. On y trouve une fresque militante rénovée régulièrement à contempler dans la rue en bas du parc. Peinte en 1976, elle retrace de façon assez expressionniste les grands moments des *sixties* et des *seventies,* le *Free Speech Movement,* la guerre du Vietnam, les Black Panthers, le *Bloody Thursday* du 15 mai 1969 (manifs et féroces répressions), etc. C'est ici, sur cette esplanade mythique, qu'eurent lieu les grands rassemblements contestataires des *sixties.* Quelques potagers-jardins populaires semi-abandonnés, quelques pancartes, il ne reste, bien sûr, plus grand-chose de l'esprit de l'époque. Aujourd'hui, refuge des *homeless* de la ville (des associations étudiantes y distribuent des soupes populaires). La municipalité et les promoteurs convoitent cet immense espace en plein centre, mais n'osent toujours pas y toucher, de peur de réveiller les vieux démons. Il faut dire que, malgré l'apparente apathie politique des étudiants et professeurs, il semble que beaucoup tiennent encore à ce symbole. Les dernières menaces contre le *People's Park* ont d'ailleurs suscité une étonnante mobilisation.

🚶🏃 *Berkeley Rose Garden :* sur Euclid Ave et Eunice St. Ouv mai-sept. Ce parc floral situé au nord du campus, sur les hauteurs, présente des centaines d'espèces de roses différentes réparties dans un vaste amphithéâtre. Panorama magique sur la baie, Marin County et le Golden Gate Bridge, surtout au printemps.

Achats

Amis papivores et autres bibliophiles, Berkeley, avec ses dizaines de librairies et autres bouquinistes, est pour vous ! Voici nos deux librairies préférées :

❦ *Shakespeare and Co Books :* 2499 Telegraph Ave (angle Dwight Way). ☎ 841-8916. ● shopinberkeley.com/s/ shakespeare_books ● Lun-jeu 10h-20h ; ven-sam 10h-21h ; dim 11h-20h. Cette librairie est littéralement inondée de bouquins et revues, avec un petit faible pour tout ce qui touche à l'écologie,

la marginalité, l'homosexualité, la métaphysique, la religion, etc.
❦ *Moe's Books :* 2476 Telegraph Ave (à la hauteur de Dwight). ☎ 849-2087. ● moesbooks.com ● Tlj 10h-23h. Une librairie où il faut se précipiter. Bouquins neufs et d'occase, avec une section de livres rares au 4e étage (12h-18h).

– On peut aussi faire d'autres emplettes...

❦ *Rasputin :* 2401 Telegraph Ave. ☎ 1-800-350-8700. Dim-lun 11h-21h ; mar-jeu 11h-21h30 ; ven 11h-22h ; sam 10h30-22h. Énorme boutique de disques (neufs et d'occase) à l'architecture originale. Également des vidéos.

❦ *Kathmandu Import :* 2515 Telegraph Ave. ☎ 665-8970. Lun-sam 11h30-18h30 ; dim 12h-18h. En direct du Népal : saris, bijoux fantaisie, T-shirts, lampions, statuettes, encens... Bref, très Berkeley dans l'âme tout ça !

☸ ***Andronico's :*** *1550 Shattuck Ave.* ☎ *841-7942. Tlj 7h30-23h.* L'épicerie fine version américaine, en plein cœur du Gourmet Ghetto de Berkeley. Rayon de vins extra, avec tous les classiques de la Napa et de la Sonoma Valley à prix moindres. Ne pas hésiter ! Fureter dans les autres rayons, pour le plaisir des yeux (cher quand même). D'autres adresses à Berkeley, *1850 Solano Ave, 2655 Telegraph Ave* ou *1414 University Ave.*

LA ROUTE DU VIN

Au nord de San Francisco, on entre dans le pays du vin *(Wine Country),* composé de deux petites vallées mondialement réputées : Sonoma Valley et Napa Valley. Une agréable promenade en perspective, grâce à la diversité des paysages, qui intéressera les amateurs de vin, bien sûr, mais aussi les lecteurs de Jack London, qui s'était réfugié dans le coin.
Compter une bonne journée d'excursion depuis San Francisco. Si possible, éviter le week-end : beaucoup de monde, des embouteillages (vous nous direz, c'est la région qui veut ça !), les hébergements sont saturés, les prix (déjà pas très démocratiques) explosent et les meilleures adresses sont pleines ; juillet et août sont également des mois très chargés. Les plus sportifs pourront sillonner cette très belle région vallonnée à vélo (en empruntant de préférence les chemins de traverse ou les petites routes qui grimpent joliment mais durement par endroits).

LE VIN CALIFORNIEN

Il y a encore quelques (rares) Français pour dire que le vin californien est imbuvable. Eh bien, qu'ils s'abreuvent de Coca-Cola (qui, soit dit en passant, est devenu depuis 1979 le plus gros négociant de vin américain avec sa filiale *Taylor*) ! Certains s'étonneront aussi peut-être de voir sur les étiquettes chardonnay, gamay, sauvignon, gewurztraminer ou riesling. En fait, les vins californiens proviennent essentiellement de plants européens.
Le vin californien est plus fort que le vin français (normal : il y a plus de soleil) et il est plus sucré : il peut donc être sournois et se laisser

LE PHYLLOXÉRA : UN RENDU POUR UN PRÊTÉ !

Si l'on boit du vin en France, c'est grâce à la Californie : les cépages américains, beaucoup plus résistants, ont sauvé nos vignes complètement anéanties par le phylloxéra en 1875 (qui nous venait de Californie ! Un point partout !). Cruelle ironie de l'histoire, à leur tour les vignes californiennes subissent depuis quelques années les attaques du phylloxéra. Les autorités tentent de trouver une solution à ce qui pourrait devenir un désastre. Peut-être les vignes françaises, reconnaissantes, leur feront-elles un « La Fayette, nous voilà ! ».

boire sans qu'on s'en rende compte. Conclusion : allez le déguster dans les endroits suffisamment près de votre hôtel pour rentrer à pied ! À notre avis, le pinot noir et l'*Emerald Grey* font partie des meilleurs, et certains blancs secs soutiennent la comparaison avec les nôtres.
Dommage que la nouvelle popularité des crus californiens ait entraîné une hausse considérable des prix. Le rapport qualité-prix en est parfois outrageusement mauvais ! En attendant une juste et raisonnable réévaluation des cours, on se contentera dans bien des cas d'une dégustation dans les domaines.

SONOMA

IND. TÉL. : 707

Situé à une petite cinquantaine de kilomètres au nord-est de San Francisco. Charmante et tranquille petite ville de style *pueblo* mexicain. Imaginez une grande place carrée (la plus grande de l'État) avec un îlot de verdure au milieu et quatre rues qui forment le centre névralgique de la ville avec une hôtellerie de charme, de beaux magasins et de nombreuses galeries d'art. Ambiance très campagne. Presque tous les endroits à visiter et nos meilleures adresses sont situés autour de la place, admirablement restaurée.

La « république de Californie »

Voici un historique et curieux épisode local : la *Bear Flag Revolt.* En 1846, une trentaine d'Américains, surnommés les « Ours » et venant de la région de Sacramento, s'emparent de Sonoma sans tirer un coup de feu, font prisonnier le général Vallejo, gouverneur mexicain de la ville, et ses hommes. Ils proclament la république de Californie et en hissent le nouveau drapeau (*Bear Flag,* orné d'un dessin de grizzli et de la mention écrite à la main *California Republic*) sur la Plaza. Un président est même élu. La république dure 25 jours, jusqu'à ce que, le 7 juillet 1846, la marine américaine s'empare de Monterey, siège du pouvoir mexicain, et que soit décidée l'intégration définitive de la Californie aux États-Unis. Deux jours plus tard, le lieutenant Revere (petit-fils du héros de l'indépendance, Paul Revere) arrive à Sonoma. Les insurgés acceptent la nouvelle situation et le remplacement de leur drapeau par le *Star and Stripes.* En 1911, l'histoire leur rend grâce, puisque le *Bear Flag* est adopté comme drapeau de l'État. Un monument sur la Plaza rappelle cet insolite événement politique.

LA ROUTE DU VIN

Adresse et infos utiles

🛈 *Visitor Center :* 453 E 1ˢᵗ St, dans une maisonnette plantée sur la place centrale (*the Plaza*). ☎ 996-1090 ou 1-866-996-1090. ● sonomavalley. com ● Tlj 9h (10h dim)-17h. Plan gratuit de la vallée et personnel compétent.

■ *Location de vélos : Sonoma Valley Cyclery,* 20093 Broadway St. ☎ 935-3377. ● sonomavalleycyclery.com ● Sur la Hwy 12 en direction du sud (rue qui part de *Sonoma Plaza*). Tlj 10h-18h (16h dim). Location de tandems, VTT, etc.
➤ Pas de *Greyhound* à Sonoma. Pour rallier San Francisco, bus local *Sonoma County Transit* (☎ 707-576-RIDE ou 576-7433. ● sctransit.com ●) nᵒ 30 pour Santa Rosa, ou nᵒ 40 pour Petaluma. Là, changement de monture pour la ligne assurée par le *Golden Gate Transit* (● goldengate.org ●).

Où dormir ?

De chic à très chic

⌂ *Sonoma Hotel :* 110 W Spain St. ☎ 996-2996 ou 1-800-468-6016. ● sono mahotel.com ● À l'angle de la place. Doubles 110-250 $ selon moment de la sem, petit déj compris. En hte saison, 2 nuits obligatoires le w-e. Ce petit hôtel bourré de charme revendique une atmosphère de chambres d'hôtes. À juste titre, si l'on prend en compte la qualité de l'ameublement ancien, la déco personnalisée de chaque chambre (à grand renfort de bibelots et de coussins), l'apéro servi dans le *lobby* cosy... le tout dans un pittoresque bâtiment construit en 1880 par un immigrant allemand. Excellent accueil. On adhère !
⌂ *Swiss Hotel :* 18 W Spain St. ☎ 938-2884. ● swisshotelsonoma.com ● Sur la Plaza. Doubles 150-240 $ selon moment de la sem, petit déj inclus.

Avec seulement 5 chambres, l'appellation « hôtel » pour cette vieille bâtisse en adobe paraît un peu exagérée. Tant mieux cela dit, on gagne en intimité et le soin apporté à l'entretien s'en ressent : chambres cossues pas bien grandes mais confortables et décorées avec goût. Mais la vraie bonne surprise, c'est l'accès à la galerie qui surplombe la grand-place. Impeccable à l'heure de l'apéro ! Également un resto et un bar pleins de charme, mais très touristiques (possibilité de manger des pizzas, des pâtes... dans une jolie véranda). Le patron, italo-suisse, fait régner dans sa maison une ambiance douillette et raffinée.

🛏 **El Pueblo Inn :** *896 W Napa St.* ☎ 996-3651 ou 1-800-900-8844. ● *elpue bloinn.com* ● *À 9 blocs et demi à l'ouest de la Plaza ; à 5 mn en voiture du centre, sur la route de Santa Rosa. Doubles 150-270 $ selon confort et moment de la sem, petit déj inclus. Wi-fi et accès Internet.* Petit motel élégant à la belle architecture en bois et brique. Beaucoup de personnalité, à l'image de son jardin luxuriant agrémenté d'une fontaine, dont les allées conduisent à une séduisante piscine à l'abri des regards indiscrets. Les chambres se révèlent plus classiques, mais spacieuses et soignées.

Où manger ?

Spécial petit déjeuner

– *The Sunflower Coffee* et le *Basque Boulangerie Café* (lire ci-dessous).

De bon marché à prix moyens

🍴 *The Sunflower Coffee :* *415 et 421 W 1ᵉʳ St.* ☎ 996-6645. *Tlj 7h-18h (19h ven-sam). Env 10 $.* Une vraie poupée russe ! Dans l'ordre, on s'émerveille devant la belle bâtisse en adobe de 1846, puis on découvre les petites salles cosy, et enfin, muscles zygomatiques bloqués en position haute, on tombe sous le charme d'un superbe patio fleuri avec une fontaine et une tonnelle couverte de chèvrefeuille. Une halte de fraîcheur bienvenue pour déguster sans hâte les sandwichs frais, les salades colorées et les bons plats du jour.

🍴 *Basque Boulangerie Café :* *460 E 1ᵉʳ St, en face du* Visitor Bureau. ☎ 935-7687. *Tlj 7h-18h.* Bonne boulangerie avec pain maison cuit dans un grand fournil (visible de la ruelle sur le côté) et un grand choix d'excellentes pâtisseries : cookies, muffins, *cinnamon rolls,* mais aussi croissants et gâteaux basques pour faire bonne mesure. Quelques tables dehors, face au square. Idéal pour prendre un petit déj ou un lunch sur le pouce, à base de croque-monsieur, salades et soupes du jour. Copieux, frais et savoureux.

🍴 *Sonoma Cheese Factory :* *2 Spain St, sur la Plaza.* ☎ 996-1931. *Tlj 8h30-18h (18h30 w-e).* Grand *deli* très populaire pour son stand de sandwichs frais, son barbecue pour burgers bien *juicy,* et bien sûr son fromage de Californie fabriqué sur place (pâte cuite dont on a stimulé le goût avec tout un tas d'ingrédients). Vous en trouverez à l'ail, à l'oignon, au piment.... Pour les goûter, il suffit d'ouvrir les boîtes en plastique sur les présentoirs prévus à cet effet. Possibilité de pique-niquer sous une longue tonnelle où des tables sont à votre disposition, ou bien dans le parc, juste en face (tables en bois et pelouse autorisée).

Très chic

🍴 *The Girl and the Fig :* *110 W Spain St, à côté du* Sonoma Hotel. ☎ 938-3634. *Tlj 11h30-22h (23h w-e). Sunday brunch 10h-15h. Dim-jeu menu 32 $; carte 35-40 $ (env 20 $ au lunch).* Le nom intrigant préfigure la carte, une irrésistible sélection de plats à la française aussi originaux que bons. Et comme les produits sont rigoureusement sélectionnés chez les producteurs du coin, préparés avec soin et présentés avec la manière, cette table très coquette est devenue une référence pour tout le *wine country.* Un *flight tas-*

ting là-dessus, et c'est le bonheur assuré !

|◉| *Café Lahaye : 140 E Napa St.* ☎ 935-5994. *Mar-sam 17h30-21h. Résa conseillée. Env 20-30 $.* Art et gastronomie se conjuguent à merveille dans le cadre adorable d'un resto de poche, où une poignée de tables seule-ment garantit l'intimité du lieu. Évidem-ment, seuls les heureux élus au porte-feuille joufflu pourront goûter la belle cuisine californienne aux influences ita-liennes. Quelques spécialités : le risotto du jour, les *fresh tagliari* avec *prosciutto* et asperges...

À voir. À faire

🚶 *Sonoma Walking Tour :* autour de la Plaza et des rues alentour, un intéressant itinéraire architectural, à la rencontre des anciennes demeures coloniales espagno-les. En particulier, les maisons en adobe (brique en paille et boue séchée) dont Sonoma possède le plus grand nombre de la Californie du Nord. Plus tard vien-dront les demeures en rude pierre locale et les vérandas en bois (au début, les madriers venaient souvent de la côte est et passaient par le cap Horn).
Pour vous donner une petite mise en bouche : allez voir d'abord la *Hooker-Vas-quez House* (de 1855), sur 1st Street East, cachée dans le *Paseo* (dans la rue qui passe devant le *Visitor Center*). C'est le siège de la *Sonoma League for Historic Preservation* (librairie-salon de thé). Prendre ensuite la East Spain Street pour la *Blue Wing Inn,* l'une des plus anciennes (1840). Elle fut d'abord un *boarding house* pour immigrants, puis elle se transforma en hôtel et reçut de célèbres clients : Kit Carson, les bandits Three Fingers Jack et Joaquim Murietta, et de jeunes officiers, en garnison ici, qui se firent plus tard une renommée historique pendant la guerre de Sécession, les généraux Grant et Sherman. Au début du XXe s, elle devint épi-cerie, puis cave à vin. En 1911, on pompa toutes les barriques pour éteindre le gigantesque incendie qui détruisit presque totalement le East Spain Street ! À côté, la *Pinni House* de 1903... Mais vous ne ferez pas l'économie de la brochure ven-due au *Visitor Center,* car c'est vraiment une belle balade !

🚶 *Sonoma Historic Park :* se compose de la mission San Francisco Solano, des Sonoma Barracks et de Lachryma Montis. ☎ 938-9560. *Tlj 10h-17h. Billet com-mun : 2 $.*
– *La mission San Francisco Solano :* angle 1st St et E Spain St. *Visite guidée gra-tuite ven-dim 11h-14h. Brochure en français.* Dernière mission construite en Cali-fornie, en 1823, et la seule établie sous domination mexicaine, elle est aussi la plus au nord de Californie. Peu de choses à voir, si ce n'est une exposition d'aquarelles représentant les différentes missions de l'État et une jolie chapelle édifiée sur ordre du général Vallejo en 1841. Ne pas oublier de faire un tour dans la cour intérieure, pittoresque et très caractéristique de la période.
– *Sonoma Barracks :* E Spain St, sur la Plaza. Ce bâtiment en adobe austère, orga-nisé autour d'une grande cour pour les dépendances, fut construit vers 1835 pour servir de caserne à la garnison mexicaine de la ville. Une salle abrite une reconsti-tution superficielle des quartiers des soldats, une autre propose une vidéo histori-que sur Sonoma et son emblématique gouverneur, Vallejo, une troisième rassem-ble un bric-à-brac de souvenirs sur les premiers colons américains, les guerres avec le Mexique, la *Bear Flag Revolt...* Un peu fourre-tout.
– *Lachryma Montis :* W 3rd St, accessible par la W Spain St depuis la Plaza. *Lachryma Montis,* traduction latine des « larmes de la montagne », en référence aux sources qui s'épanchent sur le domaine, n'est autre que le petit nom de la maison familiale des Vallejo. Un poète, ce général ! Pas seulement : sa maison très Nouvelle-Angleterre montre les facultés d'adaptation de l'ancien gouverneur mexi-cain, lorsque le pays passe sous domination américaine. Il sera d'ailleurs élu séna-teur du nouvel État ! Pour le reste, le mobilier n'ayant pas bougé depuis lors, la balade dans cette jolie demeure donne une bonne idée du quotidien de la bour-geoisie rurale de l'époque. À côté, la grange typique abrite un petit musée.

Les *wineries*

Eh oui ! Y'a pas que la Napa Valley, la Sonoma présente AUSSI quelques petites surprises très agréables, dont le *zinfandel,* cépage d'origine croate, suffisamment charpenté pour faire croire parfois (silence dans les rangs) à un bourgogne en bouche. Les visites sont plus chaleureuses que chez les voisins de la Napa, moins commerciales (quoique...). Bref, voici nos 3 préférées :

– *Benzinger :* 1883 London Ranch Rd, sur la 12, à l'est, pas loin du Jack London State Historic Park. ☎ 935-3000. ● benziger.com ● *Dégustation 10-15 $.* Une de nos caves préférées dans la vallée, avec des paons à l'arrivée. Des vins bio, en famille. Agréable visite, dégustation francophile et francophone. Spécialités de pinot noir. Et d'autres pépites venues d'autres vallées, on vous laisse découvrir !

– *Ravenswood :* 18701 Gehricke Rd. Au nord de Sonoma. ☎ 933-2332 ou 1-888-669-4679 ● ravenswood-wine.com ● *Dégustation à partir de 15 $ (4 vins), organise des tours mat et ap-m (avec fromage), 15-25 $.* Le slogan de la maison, c'est « Pas de vins poules mouillées ». Ce spécialiste du zinfandel est en effet loin de la jouer petit bras ! À essayer sur la terrasse, à l'ombre. Délicieux souvenir.

– *Landmark :* 101 Adobe Canyon Rd. Sur la 12, vers le nord, en direction de Santa Rosa. ● landmarkwine.com ● ☎ 833-0053. *Dégustation de 3 vins, 5 $.* Une petite cave sans prétention, fréquemment primée pour ses chardonnays et son pinot noir, en effet très bons.

GLEN ELLEN

IND. TÉL. : 707

Petit village paisible situé à quelques miles au nord de Sonoma. Son principal intérêt (et non des moindres) est d'avoir hébergé Jack London pendant sa courte retraite. Incroyable comme le moindre hôtel ou resto récupère le nom de l'écrivain. Ne pas manquer la visite du *Jack London State Historic Park.* Le village, bien qu'assez cher, est également un excellent point de chute, avec tout le charme propre aux bourgades de l'arrière-pays.

Où dormir ?

De chic à très chic

🛏 *Jack London Lodge :* 13740 Arnold Dr. ☎ 938-8510. ● jacklondonlodge.com ● *Juste avt l'entrée du parc, sur la droite. Doubles 120-185 $, petit déj inclus. Wifi.* Pour ceux qui souhaiteraient s'attarder quelque temps sur les lieux, petit motel fleuri sur 2 niveaux dans un coin tranquille. Chambres vastes et agréables, même si la déco un peu chargée ne fera sans doute pas l'unanimité. La rivière passe tout à côté et petite piscine à disposition.

Très, très chic

🛏 *Gaige House Inn :* 13540 Arnold Dr. ☎ 935-0237 ou 1-800-935-0237. ● gaige.com ● *À la sortie de Glen Ellen, sur la gauche. Doubles 325-375 $, jusqu'à 625-695 $ pour une suite ; petit déj 15 $! Wifi.* Une adresse de charme pour hôtes de marque. Elle comprend une superbe maison du XIXe s, une annexe de plain-pied et un beau jardin où l'on devine le disque étincelant de la piscine, tous repensés et aménagés dans un style contemporain épuré, aux délicates influences asiatiques. Salons et chambres rivalisent d'élégance. Pour les couples très fortunés en lune de miel, nous recommandons la *Gaige Suite,* avec immense lit à baldaquin et dentelle blanche, superbes tableaux, fauteuils Emmanuelle et gigantesque salle de bains bleue avec jacuzzi. Le rêve !

Où manger ? Où boire un verre ?

I●I ▼ *Jack London Saloon :* *Arnold Dr,* *à côté du* Jack London Lodge. Cette maison en brique construite en 1905 cache un authentique saloon de l'Ouest, avec sa grande salle agréable et sa clientèle d'habitués en rang d'oignons le long du comptoir, face à l'immense miroir de rigueur (pour voir venir l'ennemi !). Comme il se doit, Jack London figure en bonne place sur les murs... Quand même quelques concessions au monde moderne : des ventilos, un billard et un écran géant pour les matchs de base-ball. Pour les amateurs, grand choix de whiskies. Quelques plats à déguster au bar ou dans le *beer garden* fleuri en surplomb de la rivière.

I●I ▼ *The Fig Café :* 13690 Arnold Dr. ☎ 938-2130. Tlj 17h30-21h ; brunch le w-e 9h30-14h30. Plats 10-20 $. Même maison qu'à Sonoma, mais dans une version réussie de bistrot contemporain chaleureux. La cuisine d'inspiration française suit le mouvement, plus simple, mais toujours à base de bons produits mitonnés dans les règles. Gros point fort : pas de droit de bouchon ! Une aubaine dans la région.

I●I ▼ *Garden Court Café and Bakery :* 13647 Arnold Dr. ☎ 935-1565. Tlj sf mar 8h30 (7h30 w-e)-14h. Env 10-15 $. Cadre gentillet pour ce petit café lumineux aux meubles en bois. Gros sandwichs servis avec soupe, burgers, salades... Spécialité de *eggs Benedict.*

I●I *Glen Ellen Inn :* 13670 Arnold Dr. ☎ 996-6409. Tlj (sf mer et jeu midi) 11h30-16h30, 17h-21h30. Env 12 $ le midi, 20-25 $ le soir. Petit resto mimi comme tout tenu par un jeune couple charmant. Difficile de ne pas trouver son compte entre la salle coquette et intime, la jolie véranda, et la terrasse romantique retranchée dans un jardinet où chantonne une fontaine. De quoi se mettre en condition pour goûter une cuisine californienne inventive.

À voir

JACK LONDON STATE HISTORIC PARK

🎥🐾 *Accès par la London Ranch Rd. Fléché depuis Glen Ellen. Pas très loin du centre.* ☎ *(707) 938-5216.* ● *jacklondonpark.com* ● *Tlj 10h-17h. Fermé à Thanksgiving, Noël et Jour de l'an. Entrée : 6 $/voiture. Plan à l'accueil.*
C'est dans la vallée de la Lune que Jack London, un des plus célèbres écrivains américains, choisit de s'installer. Il décida à 29 ans, en 1905, de poser son sac au milieu de superbes collines loin du bruit et de la fureur : « Je jetterai ici une ancre si lourde que le diable lui-même ne pourra la soulever », écrivait-il à ses amis. L'aventurier, le chercheur d'or, le pêcheur, le journaliste... voulait devenir fermier tout en continuant d'écrire de façon acharnée. Entre 1900 et 1916, il écrivit plus de 50 livres. Il faut « bêcher » sans cesse, répétait-il. Il s'astreignait à accoucher de 1 000 mots chaque matin... Il décide enfin de se faire bâtir une vaste demeure, une sorte de ranch composé de gros blocs de lave, d'énormes pierres brutes et de bois. En août 1913, juste avant qu'il ne s'installe avec sa femme à Wolf House (c'est le nom de la maison), celle-ci brûle complètement. Il y avait mis toute sa fortune et n'avait pas d'assurance. Quelques jours après, déprimé par ce coup du sort, il se remit cependant à écrire de plus belle. Avec les premiers 2 000 $ touchés pour un article pour *Cosmopolitan,* il rajouta un studio à la petite maison où il vivait depuis 1911, manifestant une énergie hors pair. London n'eut cependant pas le temps de rebâtir son rêve. Il mourut le 22 novembre 1916, sans doute d'une crise d'urémie gastro-intestinale. L'auteur à succès de *L'Appel de la forêt, Martin Eden, Le Talon de fer, Croc-Blanc, Jerry dans l'île, La Vallée de la Lune* venait d'avoir 40 ans.

LA ROUTE DU VIN

Ce beau parc, créé en 1959, abrite un musée dédié à l'écrivain ainsi que les ruines de Wolf House, la maison qu'il n'habita jamais, et sa tombe. Non loin de là, on trouve le cottage en bois dans lequel il vécut et des installations agricoles. Tout autour, nombreux sentiers de balade. Outre les multiples souvenirs de l'écrivain, le parc offre donc aussi de belles occasions d'excursions, dans un cadre assez sauvage qui évoque parfois la brousse...

🚶 **Le musée :** installé dans la maison que la femme de Jack London, Charmian, fit construire en 1919 en l'honneur de son mari et où elle vécut jusqu'à sa mort. Plus petite, mais édifiée dans le même style que la maison qui brûla, c'est aujourd'hui un musée qui réunit nombre d'objets personnels de l'écrivain.
Vitrines de photos, maquette de son bateau le *Snark* (avec lequel il visita les îles du Pacifique avec sa femme), nombreux souvenirs des îles Salomon, meubles originaux et plein de petits objets insolites : machine à écrire portative, dictaphone, coquillages, pagaie, etc. Noter, dans une vitrine, cette lettre de refus d'un de ses premiers manuscrits et des épreuves d'imprimerie. Cocasse. Plus amère, cette dramatique lettre de démission du parti socialiste à qui il reproche sa tiédeur (*« lack of fire and fight »*). Également les articles sur les conflits qu'il couvrit comme correspondant de guerre (guerre russo-japonaise de 1904 et intervention de l'armée américaine à Vera Cruz en 1914).

🚶 **Les ruines de la Wolf House :** *par un petit chemin, à 0,6 mile env du musée.* De ce ranch imposant, caché dans un bosquet de séquoias, il reste les hauts murs de pierre, pathétiques. On devine encore l'organisation des espaces. Prendre l'escalier qui mène à une galerie de bois : on y trouve un plan de la maison telle que l'avait conçue l'écrivain. On remarquera qu'il avait prévu d'installer sa chambre dans une tour !

🚶 **La tombe :** *par un petit chemin, à proximité du musée et de Wolf House, sur une petite colline.* Simple, avec pour seule matérialisation un gros bloc de pierre retiré des ruines de sa demeure. Les cendres de Charmian rejoignirent celles de son mari en 1955. À côté, deux morceaux de bois indiquent la sépulture de deux enfants d'une famille de pionniers. Là aussi, un tête-à-tête émouvant avec l'immense écrivain.

🚶 **Le cottage :** *on y accède par un petit sentier à partir d'un autre parking que celui du musée. Bien indiqué sur la carte. Ouv slt le w-e.* C'est ici qu'à partir de 1911, Jack London écrivit ses romans les plus célèbres (et qu'il mourut, dans la petite véranda vitrée). Cette charmante maisonnette en bois, plutôt modeste, est donc plus ancrée dans la réalité quotidienne de l'écrivain que la légendaire Wolf House qu'il n'habita jamais. Tout autour du cottage, on trouve des granges, une ancienne distillerie, une écurie... Au-dessus du parking, une charmante aire de pique-nique.

➤ DANS LES ENVIRONS DE GLEN ELLEN

🚶 Juste avant d'arriver à **Calistoga,** un **geyser** jaillit toutes les 7 à 15 mn.
– Les petites routes rejoignant la Sonoma Valley et la Napa Valley ne manquent vraiment pas de charme. La route entre Calistoga et Geyserville (au nord de Calistoga) se révèle également magnifique.

NAPA VALLEY

IND. TÉL. : 707

À l'est de la Sonoma Valley. Les domaines de la Napa Valley s'échelonnent le long de la Highway 29, entre Napa et Calistoga, sur plus de 30 miles... Moins sauvage et moins belle que Sonoma, cette vallée est avant tout une terre de vignes. La région est un peu à la Californie ce que le Bordelais est à la France. Attention, ici vous n'êtes pas chez des philanthropes, les demeures et les bâtiments des *wineries* rivalisent de folie et de luxe. Certains n'hésitent pas à dépenser de véritables fortunes pour présenter leur « bébé », comme Robert Mondavi pour son fameux *Opus One*. Quant à Napa ville, si elle ne supporte pas la comparaison avec sa charmante rivale Sonoma, elle n'en demeure pas moins une bourgade proprette pas désagréable pour une étape, avec ses maisonnettes en bois colorées, ses demeures victoriennes héritées de l'âge d'or de la ville au XIXe s et ses troquets accueillants.

On le répète, le week-end ou en juillet et août, la Highway 29 devient généralement une file ininterrompue de voitures avançant au pas (quand elles avancent !)... de quoi vous gâcher le plaisir des dégustations.

PIEUSE EXCUSE

La cave Beaulieu, fondée par un Français, fut l'une des seules de la région à produire son vin pendant la prohibition, car son propriétaire prétendait que c'était du vin de messe.

Adresse utile

🏢 *Visitor Information :* Town Center, à Napa. ☎ 226-7459. • *napavalley.com* • Bien fléché dès l'entrée de la ville. Tlj 10h-18h. Ce bureau tient à votre disposition quantité d'infos et de brochures sur les différentes *wineries*, ce qu'elles proposent, etc.

Où dormir ?

De plus chic à chic

🛏 *Redwood Inn :* 3380 Solano Avenue, Napa. ☎ 257-6111 ou 1-877-872-NAPA. • *napavalleyredwoodinn.com* • Sur la Hwy 29 North, sortie Redwood Rd – Trancas St. Doubles 90-135 $, petit déj inclus. Wi-fi. Petit motel tout vert, avec une petite piscine sur le devant (donc un peu sur le parking !), proposant des chambres standard à prix raisonnables pour la région.

🛏 *The Chablis Inn :* 3360 Solano Ave, Napa. ☎ 257-1944 ou 1-800-443-3490. • *chablisinn.com* • Sur la Hwy 29 North, sortie Redwood Rd – Trancas St ; à côté du Redwood Inn. Doubles 109-169 $. Wi-fi et accès Internet. Un motel, peut-être, mais plus accueillant que nombre de ses homologues. Il occupe un bâtiment à étage rouge, organisé autour d'une cour arborée. Chambres conventionnelles agréables, propres et de bon confort. Piscine de poche pour se rafraîchir et *hot tub*.

Très chic

🛏 *Napa Valley Railway Inn :* 6503 Washington St, Yountville. ☎ 944-2000. • *napavalleyrailwayinn.com* • Derrière le magasin Overland Sheepskin Co. Doubles 140-260 $. Presque mieux que l'*Orient Express...* à condition d'aimer les voyages immobiles ! Car cet hôtel extravagant a reconverti 2 trains de la fin du XIXe s, à quai de part et d'autre d'une plate-forme à l'ancienne mode. Original, mais pas seulement : les chambres occupent chacune un wagon, bénéficient de tout le confort attendu, d'un coin salon et de mobilier d'époque (lits en cuivre). Dans le genre, ça rappelle un peu le salon ambulant de James West et Artemus Gordon dans *Les Mystères de l'Ouest* !

🛏 *Candlelight Inn :* 1045 Easum Dr, Napa. ☎ 257-3717 ou 1-800-624-0395. • *candlelightinn.com* • De l'autre côté de la Hwy par rapport au centre-ville, dans le prolongement de 1st St ; 2e rue à droite après le pont. Doubles 169-369 $, petit déj inclus. Séjour min 2 nuits en sem, 3 nuits w-e. Wi-fi et accès Internet. En retrait dans un jardin soigné au bout d'une allée résidentielle, ce *B & B* de prestige occupe un pittoresque logis à colombages, à la toiture jalonnée de lucarnes. Beaucoup de confort : chambres coquettes à l'anglaise, copieusement pourvues en coussins et doubles rideaux à fleurs, *gourmet breakfast* servi en terrasse face à la piscine... Et, pour les amoureux (qui ne vivent pas que d'amour et d'eau fraîche !), un cottage cosy suspendu au-dessus du ravin encaissé de la *Creek River*.

🛏 *Cedar Gables Inn* : 486 Coombs St, Napa. ☎ 224-7969 ou 1-800-309-7969. ● cedargablesinn.com ● Dans la vieille ville. Doubles 209-359 $, petit déj inclus. Somptueuse demeure de 1892, de style Renaissance anglaise, couverte de bardeaux sombres et précédée par une élégante entrée à colonnes. À l'intérieur, tout n'est que luxe et raffinement, à l'image du vaste hall de réception tendu de velours rouge, des murs en bois de séquoia, des riches tapis, du mobilier néogothique... Chambres spacieuses à la déco un rien chargée mais non dénuée d'humour, comme ce lustre ou ce baldaquin au-dessus de la baignoire. Insolite ! Les plus chères avec cheminée et *whirlpool hot tub*. Superbe petit déj en 3 actes et apéro servi le soir sur... un meuble d'église. Le genre de messe qu'on ne manque pas !

Où manger ? Où boire un verre ?

🍴 🍷 *Alexis Baking Company* : 1517 3rd St, Napa. ☎ 258-1827. Lun-ven 6h30-16h ; sam 7h30-15h ; dim 8h30-14h. Env 10-15 $. Vingt ans et pas une ride ! Ce petit café lumineux fait toujours salle comble pour ses bonnes salades, ses sandwichs frais qui ne manquent pas de bonnes idées et ses gâteaux à faire pâlir d'émotion les gourmands. Impeccable pour le petit déjeuner ou se refaire une santé entre 2 dégustations corrosives !

🍴 *Taylor's Automatic Refresher* : 933 Main St, St Helena. ☎ 963-3486. Tlj 10h30-21h. Env 10 $. Rien à voir avec une usine ou un garage auto, ce grand comptoir rutilant au nom pas possible sert les meilleurs burgers de Californie. Il n'a rien à envier à son jumeau de San Francisco : les mêmes queues délirantes (rapide *turn over*) et la même qualité. Tous les produits sont frais, cuisinés à point et associés au gré de recettes aussi bonnes qu'originales. Même les frites font l'objet d'une attention toute particulière. Du gastro-burger en somme, d'autant plus qu'on peut même savourer son butin avec un bon cru de la vallée ! Pas de salle, mais une agréable terrasse.

🍴 🍷 *Downtown Joe Grill & Brewhouse* : 902 Main St (et 2nd St), Napa. ☎ 258-2337. Resto jusqu'à 22h30 (1h pour le bar). Env 12-20 $. C'est le pub idéal pour tous les amateurs du genre. Sa grande salle rustique est souvent pleine à craquer d'habitués, qui écoutent d'une oreille distraite les concerts pop ou folk pas toujours géniaux mais enthousiastes. On y sert le *pub grub* classique et pas bégueule, à faire passer avec une pinte de bière brassée sur place. Et si d'aventure la musique s'avérait un peu trop forte, on ira se réfugier dans l'agréable salle face à la rivière ou sur la grande terrasse.

🍴 *Bistro Jeanty* : 6510 Washington St, Yountville. ☎ 944-0103. Tlj 11h30-22h30. Env 18-30 $. Ce sont d'abord les ritournelles d'Aznavour ou de Brassens échappées de la terrasse qui retiennent l'attention. Puis on pousse la porte, intrigué, pour découvrir un vrai bistro qui n'a rien à envier à ceux de Paname : Pierrot Gourmand sur le comptoir, de vieilles affiches et, dans l'assiette, de très bons plats à l'ancienne pour papilles nostalgiques... Attention, les moules au vin rouge, la sole meunière, le tartare ou les rognons de veau sauce poivre vert font fureur dans la région, et il n'est pas rare de devoir faire un peu le pied de grue.

🍴 *Celadon* : 500 Main St, Napa. ☎ 254-9690. Dans le Historic Napa Mill. Tlj 11h30-21h (22h ven-sam). Lunch 13-25 $, dîner 25-30 $. Une cuisine délicate et inventive où se mêlent goûteusement influences californiennes, italiennes et françaises. Les produits sont frais et vraiment bien travaillés, et la carte des vins ne dépare pas dans l'ensemble. Gardez une petite place pour les desserts d'une finesse inhabituelle. L'adresse est courue et l'attente est parfois un peu longue pour s'installer sur la grande terrasse couverte sous une espèce de hangar à peine décoré, mais dont l'élégance est relevée par les tables nappées de blanc, la petite che-minée centrale et les guirlandes de lumière. La salle intérieure, aux murs crème décorés d'affiches bien françaises, est beaucoup plus classique et moins bohème.

Les *wineries*

– **Robert Mondavi :** 7801 St Helena Hwy, Oakville. ☎ 226-1335 ou 1-888-766-6328. ● robertmondaviwinery.com ● Sur la route de Rutherford. Tlj 10h-16h30. Visite à partir de 25 $ (avec dégustation) et dégustations à partir de 15 $; résa conseillée. Voici le domaine de l'homme qui a sorti les vins californiens de l'anonymat et les a hissés au niveau des meilleurs. Réputé pour son *Opus One* (fruit d'une collaboration avec Château Mouton-Rothschild, premier grand cru classé de Pauillac), mais aussi ses cabernets sauvignons et son pinot noir (excellent millésime 1990). Malheureusement, succès oblige, l'endroit est sans doute le plus touristique de la vallée, et l'accueil snob et peu patient est vraiment peu en rapport avec la finesse et la beauté des crus du domaine.

– **Beringer Vineyards :** 2000 Main St, St Helena. ☎ 963-4812 ou 967-4412. ● beringer.com ● Tlj 10h-18h (17h nov-mai). Dégustation 10-25 $; visite et dégustation 15-35 $. Célèbre pour son riche manoir à pignons, colombages et tourelles en pierre basaltique, réplique de la propriété familiale dans la vallée du Rhin, ce domaine fondé en 1876 est devenu avec le temps l'une des valeurs sûres de la vallée. Les visites font un détour par les vénérables caves voûtées où vieillissent les vins, tandis que les dégustations se déroulent dans le vieux cellier ou dans un bar très cossu niché dans le manoir. C'est là, accoudé aux belles boiseries, qu'on goûtera les meilleurs crus du domaine, comme le *Quarry Vineyard Cabernet Sauvignon* et le *Private Reserve Cabernet Sauvignon*. Accueil pro et enthousiaste.

– **Clos Pegase :** 1060 Dunaweal Lane. ☎ 942-4981. ● clospegase.com ● Juste avt d'arriver à Calistoga, sur la droite. Tlj 10h30-17h. Dégustations 10-20 $. Visite intéressante gratuite, tlj 11h30 et 14h. Domaine discret, en retrait dans un bel environnement de vignes où émergent quelques statues de Dubuffet, et accueil très sympa à la *tasting room*. De très bons vins, comme les riches *Cabernet Sauvignon Reserve*.

– **Beaulieu Vineyards :** 1960 St Helena Hwy. ☎ 967-5230. À proximité de Rutherford. Tlj 10h-17h. Dégustations 15 $. L'un des plus grands domaines de la Napa, et l'un des plus anciens, qui n'est pas pour autant prétentieux et inaccessible. Le staff sympathique et à l'écoute vous accueille même avec un verre de vin à l'entrée... histoire sans doute de se mettre dans le bain ! Parmi les beaux flacons, on a pris beaucoup de plaisir en goûtant le *Tapestry* et le *Dulcet*.

– **Hess Collection :** 4411 Redwood Rd, Napa, au bout d'une adorable route serpentine. ☎ 255-1144. ● hesscollection.com ● Tlj 10h-17h30. Visite libre ; dégustation 10 $. C'est un paradoxe : tout le monde connaît Hess, mais pas forcément pour ses vins ! Car le propriétaire, amateur d'art éclairé, a doté son domaine d'une galerie riche en œuvres contemporaines : Motherwell, Frank Stella, et même Francis Bacon ! Bon, on n'est pas coupé de l'univers bachique pour autant, puisque l'une des salles ouvre sur l'atelier de mise en bouteilles, une autre sur les cuves. Et il faut tout de même rendre hommage à certaines cuvées du domaine qui méritent une petite dégustation au bar (comme le séduisant, mais cher, *Hess Reserve Cabernet Sauvignon*). En repartant, n'oubliez pas de jeter un coup d'œil sur le chais : impressionnant.

– **Elyse :** 2100 Hoffman Lane, à gauche avt d'arriver à Yountville (accessible par la route locale parallèle à la Hwy 29). ☎ 944-2900. ● elysewinery.com ● Théoriquement sur rdv (tlj 10h-17h). Dégustation 10 $. Ici, on ne vient pas uniquement pour les vins du domaine, mais pour la spontanéité et la chaleur de l'accueil qui fait tant défaut à certains de ses prestigieux voisins. On aime beaucoup l'atmosphère sans

chichis de cette petite propriété familiale, où les vignerons présentent eux-mêmes leurs différents crus. Et quitte à bien faire, ils proposent deux ou trois vins pas mal du tout, comme un bon chenin blanc ou un rosé inattendu ici.
– **Domaine Chandon :** *1 California Dr, Yountville.* ☎ *944-2280.* ● *chandon.com* ● *À l'entrée de Yountville (sur la gauche en venant de Napa). Domaine ouv 11h-18h. Visite sans dégustation 10 $, avec 25-30 $; dégustation seule 16 $.* Moët et Chandon, agacé par la concurrence des mousseux américains, a acheté des terres dans la Napa Valley. On y produit un vin « méthode champenoise » appelé « Domaine Chandon ». Les visites comprennent une vidéo à la gloire de la maison, une présentation des cépages et une balade dans le domaine. Au bar, sobre et élégant, on goûtera dans une atmosphère un brin collet monté ces fameux *sparkling wines,* supposés offrir une alternative au vignoble champenois. Intéressant, assurément, convaincant, c'est plus discutable. Verre gravé offert. Resto (fermé mardi et mercredi) qui sert une excellente cuisine gastronomique avec une touche méditerranéenne et française.

Achats

⊕ **Napa Premium Outlet :** *sur la Hwy 29, depuis San Francisco, sortie First St Exit.* ● *premiumoutlets.com* ● *Lun-jeu 10h-20h ; ven-sam 10h-21h ; dim 10h-18h.* Des boutiques de fringues comme s'il en pleuvait, à prix ultradémocratiques. *Gap, Levi's, Brooks Brothers, Calvin Klein* (entre autres...).

BODEGA BAY

IND. TÉL. : 707

Au bord de l'océan, à 50 miles au nord de San Francisco par la 101 North puis la Highway 1, Bodega Bay, c'est un peu le bout du monde : un petit village de pêcheurs construit autour d'une baie (on s'en serait douté) et souvent perdu dans le *fog...* Impression de fin du monde quand on arrive de nuit. Mais quand le brouillard disparaît, on découvre une nature superbe : dunes, falaises dominant la mer, criques, fleurs et rapaces. Malheureusement, l'endroit perd peu à peu de son charme, surtout en saison ou le week-end quand des hordes d'estivants envahissent les lieux (attention, à ces périodes les hôtels affichent souvent complet). La pression touristique et immobilière se fait désormais beaucoup trop sentir, les établissements de luxe et les prix croissent rapidement. Évidemment, l'accueil s'en ressent, moins patient et peu amène...
Le lieu reste quand même l'endroit idéal pour se refaire une santé ou tout simplement si l'on en a assez des grandes villes. Les cadres californiens tendance écolo adorent venir se détendre à Bodega car les activités sportives y sont nombreuses : pêche, surf (sans oublier les plages) et observation des baleines à quelques kilomètres d'ici. Prévoir quand même des vêtements chauds, car les soirées sont fraîches... Pour ceux qui ont beaucoup de temps, magnifique route côtière (la One) de Bodega Bay à Legett. Sinueuse mais en bon état, elle surplombe généralement de belles falaises et offre de remarquables points de vue. Au passage, quelques colonies de phoques. De même, la portion qui serpente plein sud vers San Francisco mérite largement une balade, surtout pour le merveilleux *Point Reyes National Seashore* : paysages de forêts mamelonnées, interrompus brusquement par les rivages sauvages où s'ébattent de nombreux oiseaux marins. Plages d'une beauté à couper le souffle.

Les Oiseaux d'Hitchcock

Bodega Bay et le hameau voisin de Bodega (situé à quelques miles dans les terres) sont des endroits mythiques pour les cinéphiles : c'est là que, en 1963, Hitchcock tourna *Les Oiseaux.* Au départ, c'était une nouvelle de Daphné du Maurier se déroulant dans un petit village de bord de mer anglais. Il employa un super casting : Rod Taylor, Jessica Tandy, Suzanne Pleshette et, bien sûr, Tippi Hedren (la mère de Mélanie Griffith).

La maison du film dut être détruite, car les inconditionnels du maître venaient par dizaines chaparder les pierres de la bâtisse. En revanche, on peut toujours voir l'école (la *Potter Schoolhouse,* mais de l'extérieur seulement) attaquée par les oiseaux, au 17110 Bodega Lane, à côté de l'église de Bodega (sur la route de Santa Rosa). Église fort bien conservée (se visite en principe le dimanche), juchée sur

AMOUR VACHE

Hitchcock était violemment amoureux de Tippi, mais ce n'était pas réciproque. Pour se venger, Alfred fut particulièrement pervers avec elle, voire sadique, dans les scènes d'attaque des oiseaux. Ce qui explique le réalisme hallucinant des scènes. La malheureuse n'eut pas à faire semblant d'avoir peur !

une colline bien verte, dans l'environnement photogénique à souhait de cet autre village du bout du monde.

Adresse utile

🛈 *Visitor Center :* Bodega Bay Area Chambers of Commerce, 850 Coast Hwy 1. ☎ 875-3866. ● *bodegabay. com* ● *À l'entrée du village, à côté de la station-service. Tlj 9h (10h dim)-17h (18h ven).* Riche en documentation. Très

pratique : quand c'est fermé, une boîte extérieure contient des plans de la ville sur lesquels les adresses (hôtels, restos...) sont pointées. Ils peuvent également vous aider à trouver un logement.

Où dormir ? Où manger ? Où boire un verre ?

Une vingtaine de logements seulement, du *B & B* au motel en passant par l'auberge de luxe, le cottage et la maison à louer. Le problème, c'est que tout est vite pris d'assaut et les prix s'en ressentent...

Campings

⚤ On en trouve plusieurs, situés dans les parcs naturels de la baie et dans le *Point Reyes National Seashore.* Renseignements au *Visitor Center* de Bodega Bay ou à celui du Point Reyes National Seashore *[à Point Reyes Sta-*

tion ; ☎ *(415) 464-5100.* ● *nps.gov].* Cadre sauvage à souhait. Le problème, c'est qu'ils sont souvent complets en été et le week-end. De plus, l'endroit est particulièrement venteux ! Prévoir coupe-vent et duvet chaud.

Sur la route de Bodega

🛏 *Hostelling International Point Reyes :* Limantour Rd, à 7 miles de Point Reyes Station (bourgade sur la route côtière pour Bodega), au cœur du superbe National Seashore ; de la Hwy 1, prendre la direction de Point Reyes et du Lighthouse, puis suivre le fléchage. ☎ 1-800-909-4776. ● norcalhostels.org ● *Réception 7h30-10h, 16h30-21h30. Env 20 $ en dortoir de 10 lits. Accès Internet.* AJ

assez incroyable, dans un ensemble de petits bâtiments bien insérés dans le paysage grandiose du parc. Petits dortoirs avec confortables lits superposés en bois, belle cuisine à disposition et salon commun très convivial façon chalet, avec tapis, bois de cerfs aux murs et bouquins pour les soirées d'hiver. Idéal pour les amateurs d'oiseaux, balades alentour superbes, plages immaculées, forêts, vastes prairies...

🍴 ***William Tell House :*** *26955 Hwy 1, à Tomales.* ☎ *878-2403. Bar : à partir de 15h en sem 12h le w-e ; resto : jeu 17h-20h30, ven-sam 17h-21h30, dim 16h-20h30. Sandwichs, salades 10-15 $, plats chauds (pâtes, viandes, poissons) 15-25 $.* À une quinzaine de miles au sud de Bodega, un petit village très pittoresque pour souffler et boire un verre dans cette auberge de charme, le plus ancien saloon de la région. Salle à l'ancienne mode où l'on sert également quelques plats sans prétention.

🛏 🍴 ***Valley Ford Hotel :*** *14415 Coast Hwy 1, Valley Ford.* ☎ *876-1983.* ● *vfor dhotel.com* ● *À env 7 miles à l'est de Bodega Bay. Hôtel tlj ; resto mer-dim 17h-21h (dès 10h dim pour le brunch). Doubles 115-175 $, petit déj léger inclus. Resto 20-30 $. Wi-fi.* Dans un hameau improbable typique de l'Ouest américain, un petit hôtel (six chambres seulement) qui tient plutôt du *B & B*, tellement on s'y sent chez soi. C'est douillet, frais, les couleurs sont douces. Au rez-de-chaussée, la déco du resto à la carte chic et fine cultive l'ambiance ancien temps avec vieilles photos noir et blanc.

À Bodega Bay

🛏 ***Bodega Harbor Inn :*** *1345 Bodega Ave.* ☎ *875-3594.* ● *bodegahar borinn.com* ● *Doubles 80-135 $, petit déj inclus ; cottages dès 125 $. Wi-fi.* Les chambres les moins chères de Bodega, mais très correctes, font le succès de ce petit hôtel en bois tout simple sur les hauteurs de la bourgade. Plus cher, dans de jolies maisons particulières, des chambres avec cheminée, jacuzzi, cuisine et vue sur la baie, et pouvant contenir 2 à 8 personnes. Pour grandes familles ou petites bandes de copains, cette adresse reste une solution bien plus économique que les hôtels traditionnels. Dommage qu'on ait un peu l'impression de déranger...

🍴 ***The Sandpiper :*** *1410 Bay Flat Rd, sur le port.* ☎ *875-2278. Prendre E Shore Dr, puis à gauche Bodega Head. Tlj 8h-20h (20h30 ven-sam). Plats 10-20 $.* Bistrot marin modeste, apprécié pour sa situation le nez dans les haubans et sa carte à tous les prix, proposant *breakfast,* sandwichs, *burgers, fish and chips,* soupes et salades. Surtout réputé pour ses poissons *(red snapper, halibut, etc).*

🛏 🍴 ***The Inn at the Tides :*** *800 Coast Hwy 1.* ☎ *875-2751 ou 1-800-541-7788.* ● *innatthetides.com* ● *Resto mer-dim 7h30-21h. Doubles 189-259 $ en sem, 239-289 $ w-e ; petit déj inclus. Resto 20-25 $. Wi-fi à la réception.* Établissement réparti de part et d'autre de la route et aménagé à la façon d'un complexe touristique (cela fait un peu usine côté restaurant, on vous prévient). L'hôtel est constitué de maisonnettes dispersées à flanc de colline et entourant une jolie piscine. Le cadre, aéré et verdoyant, est vraiment agréable. Dommage que la déco des chambres, d'un très bon confort, commence à vieillir. Resto à recommander surtout pour sa vue sur la baie et son cadre élégant. Spécialités locales à base de poisson et fruits de mer, bien préparées. Dîner aux chandelles et service parfait. Cela dit, opportunément, il y a aussi un snack à prix corrects (plats dès 10 $) : *fish and chips, scallops and chips, barbecue oysters, cheeseburgers,* etc.

LA SILICON VALLEY

C'EST QUOI EXACTEMENT ?

Son nom, apparu en 1971, est bien connu et pourtant peu de gens savent la localiser ; d'ailleurs ne figure pas sur les cartes routières. Selon ses habitants, c'est moins un lieu qu'un esprit d'innovation.

Quant aux technocrates, ils la décriraient comme un pôle de haute technologie couvrant une surface de 400 km^2, créé à une soixantaine de kilomètres au sud de

San Francisco, dans une région autrefois couverte de vergers, de conserveries et de mines. L'ensemble a la forme d'un V, dont la pointe se situe vers San Jose et le centre est occupé par le sud de la baie de San Francisco. Le tout est traversé dans sa longueur par la faille de San Andreas.

Le paysage n'a pas perdu son charme méditerranéen, parsemé de coquets petits bâtiments industriels ou administratifs, alternant avec des quartiers résidentiels noyés dans la verdure, les *Downtowns* d'une vingtaine de petites villes et quelques centres commerciaux.

Le cœur géographique mais surtout historique de la Silicon Valley, c'est Palo Alto et sa prestigieuse université de Stanford. Alors que de nombreuses universités se cantonnaient à une exploitation académique de leur recherche fondamentale, Stanford a su insuffler à ses étudiants l'envie d'exploiter au sein d'entreprises leurs nouvelles acquisitions : les entrepreneurs étaient nés.

La Silicon Valley doit son nom à l'informatique (le silicium – *silicon* – représente un élément essentiel des puces des ordinateurs). N'en déplaise à Bill Gates et son Microsoft qui ont préféré s'installer dans l'État de Washington, elle a été et reste une pépinière extraordinaire tant pour le hardware (les ordinateurs et leurs constituants, *Apple* et surtout *Intel*) que pour le software (les logiciels et toutes les activités qui en découlent, moteurs de recherche sur Internet type *Yahoo, Google*...).

> **LE RÊVE AMÉRICAIN**
>
> *C'est dans leur garage, en 1938, que Bill Hewlett et David Packard (les HP de votre PC), ont, à 26 ans et avec 538 $ en poche, lancé leur entreprise. Même si Hewlett-Packard rencontre quelques difficultés depuis la mort de ses fondateurs, elle a employé plus de 100 000 salariés à travers le monde et a valu jusqu'à 30 milliards de dollars. Pas étonnant que le fameux garage ait été promu Monument historique !*

Mais l'informatique n'est pas le seul fleuron de la Silicon Valley ; il y aussi les « biotech ». Et, depuis quelques années, un autre domaine de recherche très porteur : les nanotechnologies. Ces sciences de l'infiniment petit (de l'ordre du milliardième de mètre) sont considérées comme la source potentielle d'une future révolution technologique : il s'agit de mettre au point des composants à l'échelle du nanomètre et d'exploiter les propriétés physiques ainsi découvertes.

LA VIE DANS LA SILICON VALLEY

Vue de loin, la Silicon Valley a longtemps été l'eldorado : climat, dynamisme, fortune rapide... Elle a attiré de nombreux étrangers, parmi lesquels beaucoup d'Asiatiques qui n'avaient « que » le Pacifique à traverser. C'était l'expression de tous les mythes : le melting-pot, le rêve américain... On arrive de n'importe où dans le monde avec une bonne idée et l'on devient millionnaire au bout de quelques années.

Pourtant, sur place, la vie n'a jamais été un long fleuve tranquille. Démarrer une entreprise, une start-up, n'est pas une mince affaire. Il faut survivre à la compétition féroce et tout le monde ne tient pas : 80 % des start-up échouent...

Pour répondre à ce marché potentiel, les incubateurs apparaissent ; ils proposent aux start-up le gîte et le couvert : des locaux et du matériel informatique de reproduction et de communication à partager, une aide juridique et dans la recherche d'investisseurs, le tout moyennant loyer et surtout des parts dans la future entreprise. *Business is business !*

LA NOUVELLE ÉCONOMIE : LA SURCHAUFFE

Avec le développement d'Internet dans les années 1990, la Silicon Valley devient le royaume des entreprises virtuelles. Leurs sites fleurissent, proposant sur Internet services et matériel, à peu de frais, avec une visibilité à l'échelle de la planète. Beaucoup d'investisseurs se précipitent pour acheter très cher les actions de ces *dot-*

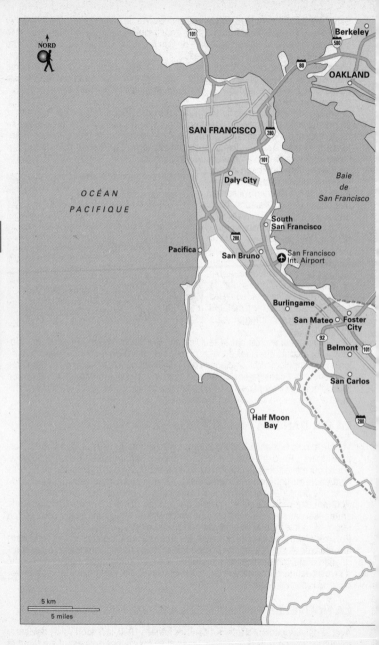

LA SILICON VALLEY

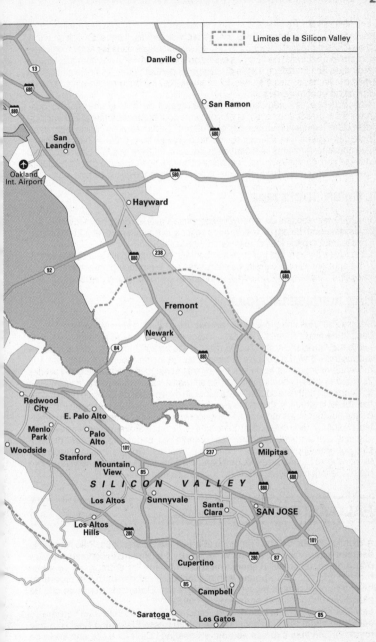

LA SILICON VALLEY

LA SILICON VALLEY

com (en français « point-com ») : pour eux, c'est l'avenir. À la fin des années 1990, le Nasdaq, l'indice boursier des valeurs technologiques, flambe. La Silicon Valley aussi : elle représente alors 20 % de l'activité mondiale dans les technologies de l'information. Tandis que l'Europe essaie de sortir cahin-caha du chômage, toute la région de San Francisco traque du personnel partout : dans les universités avant même la fin des cycles d'études, à l'étranger, chez le concurrent voisin... On parle même de « chômage négatif ».

Conséquence : une augmentation terrible du coût de la vie et une crise du logement sans précédent. Loyers et prix de vente sont proposés à titre purement indicatif et les logements attribués au plus offrant ! Certaines villes construisent dare-dare des logements sociaux, seul moyen de garder leurs profs et leurs pompiers. Les nouveaux arrivants se logent où ils peuvent, souvent très loin ; les autoroutes de la région, chargées jour et nuit, passent en tête du hit-parade des embouteillages pour l'ensemble des États-Unis, le prix de l'essence aussi. La folie...

L'HIVER NUCLÉAIRE

Fin 2000, les résultats de la nouvelle économie s'avèrent des plus médiocres. Les investisseurs se hâtent de vendre leurs actions, le Nasdaq perdant 300 points certains jours. On parle tout simplement d'« hiver nucléaire ».

La spirale s'inverse. Les *dot-com* s'effondrent, entraînant dans leur sillage un millier d'entreprises plus classiques asséchées par le manque d'argent ambiant. Le choc du 11 septembre 2001 porte l'estocade à une Silicon Valley déjà très fragilisée.

UNE REPRISE DIFFICILE

Depuis 2001, les entreprises connaissent des difficultés liées aux pertes de marchés et de financements. Résultat : licenciements massifs et faillites. Le taux de chômage, qui a atteint son record avec 8,4 % en 2002, est aujourd'hui stabilisé autour de 5-6 %. Le coût de la main-d'œuvre locale (deux fois supérieur à la moyenne nationale) et les loyers exorbitants conjugués à la baisse générale des investissements n'encouragent pas les entreprises à s'installer dans la Valley pour lui donner un nouveau souffle. Malgré tout, le dynamisme de la région reste incontestable et la situation s'améliore sensiblement depuis fin 2003. Avec un PIB qui la classe au vingtième rang mondial, elle possède toujours les atouts qui lui permettent de surmonter la crise, aussi grave fût-elle. Les laboratoires et centres de recherche restent à la pointe des nouvelles technologies, et des capitaux sont disponibles pour développer ces idées dans les entreprises. *Google,* installé à Mountain View, *Yahoo* à Sunnyvale et *Adobe* à San Jose drainent les meilleurs cerveaux mondiaux. L'esprit pionnier et créatif fait toujours recette.

PALO ALTO   61 200 hab.   IND. TÉL. : 650

À 35 miles au sud de San Francisco et à 14 miles de San Jose, Palo Alto est le berceau et le cœur de la Silicon Valley. Ici, il y a tellement de cerveaux au kilomètre carré, tellement d'énergie et d'argent dans les entreprises de haute technologie que cette bonne ville méconnue a fini par battre le record du revenu familial annuel moyen le plus élevé des États-Unis pour une cité de plus de 50 000 habitants (autour de 56 000 $).

La ville s'étend entre la baie de San Francisco et les Foothills, une barrière de collines d'allure méditerranéenne. Au milieu passe El Camino Real (« la voie royale »), une voie express au nom prédestiné ! Celle-ci trace une sorte de frontière entre le centre-ville et l'immense campus de l'université de Stanford, la pépinière des cerveaux de la vallée. D'un côté du Camino Real, on étudie d'arrache-pied. De l'autre, on vit, on mange, on dort, on sort (quand on a le temps). Et partout aux alentours, dans les usines et les laboratoires de recherche et de développement, on travaille dur, on invente l'avenir électronique et informatique dont le monde de demain sera fait.

Voilà Palo Alto : une bonne étape pour partir à la découverte de la Silicon Valley. À quelques miles de là, East Palo Alto ne ressemble guère aux opulentes communes voisines, puisqu'elle détenait en 1992 le triste record américain du plus grand nombre d'assassinats... Latinos et Noirs en grande majorité, ses habitants ont été oubliés pendant longtemps, incapables de profiter de l'essor de la vallée. De timides efforts de formation ont débuté, des commerces et un hôtel de luxe se sont implantés et emploient des « locaux », mais déjà les investisseurs immobiliers font grimper les loyers pour chasser les plus pauvres et récupérer les terrains. La poule aux œufs d'or de la Silicon Valley n'a pas fini de pondre...

UN PEU D'HISTOIRE (RÉCENTE)

Hormis Stanford, université centenaire, tout est neuf, tout va très vite. Ici, on est déjà bien ancré dans le troisième millénaire. Et pourtant, un petit retour en arrière s'impose, pour comprendre.

Palo Alto fut la première ville de la Silicon Valley à bénéficier, dès le départ, du tourbillon d'innovation technologique issu de Stanford dans les années 1940. Sa croissance économique, comme pour toute la vallée, est largement stimulée par cette fusion extraordinaire, en un même lieu, du capital, de la recherche et de l'esprit d'aventure. De nombreux étudiants et des professeurs de Stanford habitent à Palo Alto. Un quartier s'appelle même Professorville : il s'étend entre Lincoln, Kingsley, Waverley et Ramona Streets et est classé aujourd'hui district historique.

À Palo Alto vécurent David Packard et William Hewlett. En 1938, ces jeunes diplômés de Stanford inventèrent, dans un vieux garage d'Addison Avenue, leur premier audio-oscillateur électronique. Ce garage est aujourd'hui considéré par certains comme le lieu de naissance de l'essor de la vallée – qui ne s'appelait pas encore la Silicon Valley, puisque le développement de la recherche sur le silicium est postérieur (lire « À voir »). En quatre décennies, la compagnie *Hewlett-Packard* est devenue un géant de l'électronique (très concurrencé, il faut le dire), dont le siège se trouve toujours à Palo Alto.

Steve Jobs et Stephen Wozniak y travaillaient dans les années 1970, fréquentent le Homebrew Computer Club de la ville, où se retrouvaient les mordus d'informatique. En avril 1976, nos deux inconnus inventèrent le premier micro-ordinateur (Apple 1) dans le garage des parents de Steve Jobs (à Los Altos), ancêtre du *Macintosh.* Aujourd'hui, le siège d'*Apple* est à Cupertino, mais d'autres entreprises, comme *Hewlett-Packard, Genencor, Varian, Sun Microsystems,* le laboratoire Recherche et Développement de *Xerox,* sont installées à Palo Alto.

Adresse et infos utiles

🏢 *Chamber of Commerce :* 122 Hamilton Ave. ☎ 324-3121. • paloal tochamber.com • Lun-ven 9h-17h. N'est pas un office de tourisme à pro-

prement parler, mais vous y trouverez quelques brochures sur la ville.
– *Site internet de Palo Alto :* • city.pa lo-alto.ca.us •

Où dormir ?

La plupart des motels se situent au bord d'El Camino Real, la voie express qui sépare Palo Alto (la ville) du campus de Stanford. En venant du centre-ville, tourner à gauche avant l'entrée du campus et suivre El Camino Real sur quelques kilomètres en direction de San Jose. Les motels se suivent le long de la route.
Attention, les prix grimpent mi-juin, en raison de la remise des diplômes à Stanford, ou lorsque l'université accueille des compétitions sportives de haut niveau.

De prix moyens à plus chic

🛏 *Motel 6 : 4301 El Camino Real.* ☎ *949-0833 ou 1-800-4-MOTEL6.* • *mo tel6.com* • *Double env 65 $. Wi-fi.* Un motel de chaîne certes, mais de loin le meilleur rapport qualité-prix du coin. Les chambres sont particulièrement grandes et si les couvre-lits criards ne sont pas une réussite, vous aurez néanmoins tout le calme et le confort nécessaires. Grande piscine.

🛏 *Hotel California : 2431 Ash St.* ☎ *322-7666.* • *hotelcalifornia.com* • *En venant de Stanford par El Camino Real, tourner à gauche sur California Ave ; l'hôtel se trouve à l'angle de la 1re rue à droite (Ash St). Doubles 110-115 $ selon taille du lit (double ou queen size), petit déj inclus. Wi-fi et accès Internet.* Le tube des Eagles disait vrai : « Welcome to the Hotel California, such a lovely place... » On se sentirait presque à la maison, dans

ce coquet *B & B*, situé à deux pas des commerces et des restos de California Avenue. Les 20 chambres sont chaleureuses et très bien tenues, et si certaines sont un peu petites, d'autres donnent sur un patio où il fait bon lézarder. Cuisine et machine à laver à la disposition des hôtes. À noter : la proximité des arrêts de la *Marguerite*, navette gratuite pour Stanford, et du *Caltrain*, le train express pour se rendre à San Francisco ou San Jose.

🛏 *Travelodge : 3255 El Camino Real.* ☎ *493-6340 ou 1-800-578-7878.* • *pa loaltoinn.com* • *Doubles 95-110 $ selon nombre de lits, pâtisseries et café inclus.* Ce motel de 30 chambres, assez petites, dans les tons orangés et au confort standard (AC, TV, micro-ondes, frigo), ne se distingue que par son architecture d'inspiration hispanique, typique du coin. Petite piscine.

Très chic

🛏 *Stanford Terrace Inn : 531 Stanford Ave.* ☎ *857-0333.* • *stanfordterra ceinn.com* • *Rue perpendiculaire à El Camino Real, sur la gauche en venant de San Jose. Doubles 139-239 $ selon confort (et jusqu'à 350 $ pour une suite), petit déj très copieux inclus. Wi-fi et accès Internet.* Situé juste en face du campus de Stanford, cet hôtel plutôt luxueux traite ses clients comme des rois : les 80 chambres, très spacieuses,

disposent au minimum d'un frigo et d'un micro-ondes, et certaines ont même une kitchenette ; les plus luxueuses, comme la *Mayfield Suite*, sont de véritables appartements, avec salon, salle à manger et console de jeux inclus ! S'ouvrant sur des cours intérieures, elles donnent soit sur la piscine, soit sur un patio fleuri. Salle de gym, garage fermé et navette gratuite pour Palo Alto à disposition.

Où dormir dans les environs ?

🛏 *Hidden Villa (Los Altos Hills) : 26870 Moody Rd, à Los Altos Hills.* ☎ *949-8648.* • *hiddenvilla.org* • *Pas d'accès par les transports publics : le bus le plus proche s'arrête au Foothill College, à 3 bons km. De l'Interstate 280, prendre la sortie El Monte Rd, puis suivre Moody Rd vers l'ouest ; l'AJ (fléchée) se trouve à 2 miles env après cette intersection. Tlj sf lun. Réception 8h-12h, 16h-21h30. Attention : fermé juil-août ! Résa obligatoire. Dortoirs env 21 $ pour les*

membres, 24 $ pour les autres ; private cabins avec linge de lit fourni 39-56 $. Nichée dans un vallon tranquille, entourée de champs bio et de verdure, l'*Hidden Villa* est une ferme bien cachée qui peut accueillir 34 personnes dans des bungalows tout en bois. Grande cuisine tout équipée et vaste salle à manger qui s'ouvre sur la vallée. Pour les amoureux de nature et de calme, plusieurs chemins de randonnée partent de l'*hostel*.

Où manger ?

🍽 *The Oasis : 241 El Camino Real, à Menlo Park.* ☎ *326-8896. Tlj 11h-2h.*

Env 10 $. Un concentré d'Amérique typique, avec ses coques de cacahuètes qui jonchent le sol et les multiples graffitis gravés sur les tables et les murs en bois. Ici, on vient s'attabler entre amis, pour engloutir burgers et pizzas en regardant les matchs des Giants de San Francisco ou des Cardinals de Stanford. Laissez tomber le petit dîner romantique et joignez-vous à la clameur générale. Petite terrasse plus calme à l'extérieur.

|●| *University Coffee Café* : 271 University Ave. ☎ 322-5301. Tlj 7h-23h (minuit ven-sam). Sandwichs et salades env 7 $, plats 10-15 $. Institution incontournable de la principale rue commerciale de Palo Alto proposant de bons petits plats variés et goûteux, dont un certain nombre destinés aux végétariens. Le cadre aéré très plaisant rappellerait presque celui d'une bibliothèque dans la partie parquetée de la vaste salle, au plafond de laquelle tourbillonnent les ventilos. Petite terrasse sur le trottoir.

|●| *The Counter* : 369 California Ave, au sud de Stanford, en suivant El Camino Real. ☎ 321-3900. À côté de l'Hotel California. Lun-sam 11h-23h (23h ven-sam) ; dim 11h30-21h. Env 10 $. Dans ce temple du burger à la déco moderne et nette, on n'hésite pas à faire la queue pour engloutir une des 312 000 combinaisons possibles de burgers, selon le concept « *Build your own* » : on choisit tout, du poids et du type de viande au pain, en passant par de multiples accompagnements (ananas, feta, piments, olives...). On peut même vous le servir sans pain, juste accompagné d'une grande salade.

À voir

🔫 *Le lieu de naissance de la Silicon Valley (nº 1)* : 367 Addison Ave. C'est dans le garage de cette maison privée (non ouverte au public), située au fond du jardin, que David Packard et William Hewlett inventèrent en 1938 leur premier audio-oscillateur, point de départ d'une aventure industrielle qui a transformé la vallée en l'espace d'un demi-siècle. Une plaque devant la maison, rachetée puis retapée comme en 1938 par HP, indique que tout a commencé là : « *The Birthplace of Silicon Valley* ». Frederick Terman, professeur de génie électrique à Stanford, a joué un rôle déterminant en encourageant ses étudiants à créer dans la vallée leur propre société électronique, plutôt que de se faire engager dans des entreprises déjà établies, principalement sur la côte est. Terman, tel un mécène visionnaire, prêta même 538 $ à Hewlett et Packard pour qu'ils tentent l'expérience. Les grandes inventions se font souvent dans des endroits inattendus. Steve Jobs et Stephen Wozniak n'ont-ils pas eux aussi mis au point leur premier micro *Apple* dans un garage ? L'histoire aime se répéter. Vive les garages !

🔫 *Le lieu de naissance de la Silicon Valley (nº 2)* : 391 San Antonio Rd, à Mountain View (quelques miles au sud de Palo Alto). C'est dans ce magasin de fruits et légumes que la Silicon Valley est techniquement née, puisque c'est ici que l'on peut localiser la mise au point du silicium en 1956 – à l'origine de l'industrie des semi-conducteurs –, sous la direction du professeur Shockley, Prix Nobel. Un panneau à l'extérieur du magasin le signale.

STANFORD UNIVERSITY

Au bout d'une allée monumentale bordée de palmiers s'étirent des bâtiments de pierre blonde, dans un air parfumé d'eucalyptus. Un cadre idyllique, situé à 35 miles au sud de San Francisco, pour une des universités les plus prestigieuses au monde, qui rivalise avec Yale ou Harvard. Probablement le plus beau campus des États-Unis. Peu de béton, tout (ou presque) est bâti en vraie pierre ocre dans un style rappelant l'architecture hispanique des missions de Californie. Accolée à la ville de Palo Alto, Stanford s'étend sur plus de 3 200 ha

L'université n'était au départ qu'une vaste ferme appartenant au gouverneur de Californie, Leland Stanford, qui fit fortune dans les chemins de fer pendant la ruée vers l'or. En 1884, son fils unique, Leland Jr, est emporté par la fièvre typhoïde à l'âge de 15 ans, lors d'un voyage en Europe. Pour conjurer leur chagrin, Stanford et sa femme Jane décident, en 1886, de consacrer leur fortune à l'édification d'une université : « Les enfants de Californie seront nos enfants » est désormais leur raison de vivre. Les Stanford achètent un immense domaine (3 272 ha) à un Français, Pierre Coutts, ancien communard exilé en Californie après 1870. En 1891, l'université ouvre ses portes, extrêmement en avance sur les idées de son temps. Elle fut mixte, à une époque où la plupart des universités privées étaient réservées aux hommes. Et laïque, quand une majorité d'entre elles étaient soutenues par des églises. Sa vocation initiale est la même aujourd'hui : « Produire des citoyens cultivés et utiles à la société. »

UNE VILLE DANS LA VILLE

Stanford s'est agrandie au fil des ans et compte désormais 63 disciplines enseignées dans 7 *schools* (médecine, sciences humaines, ingénierie, sciences de la terre, éducation, droit et business), plus de 30 bibliothèques, un hôpital ultramoderne, une usine d'électricité qui lui permet d'être autosuffisante, un stade nautique comptant 4 piscines, un stade de 50 000 sièges, un terrain de golf, 14 courts de tennis et 25 000 arbres, terrains de jeux favoris des nombreux écureuils et ratons laveurs qui peuplent le campus.

Qu'on soit une sommité intellectuelle ou un simple étudiant, tout le monde se déplace à vélo, rollers ou skate-board, en toute décontraction. Et dès les premières chaleurs, en mars, tongs et minijupes sont de rigueur tandis que les pelouses se couvrent d'étudiants.

Beaucoup d'espace, un environnement agréable, d'énormes moyens de recherche et d'enseignement, c'est aussi cela la clé de la réussite à Stanford : offrir aux 15 000 étudiants et aux professeurs les meilleures structures possibles, tant dans le travail que pour leurs loisirs, afin d'atteindre un rendement maximum.

UNE PÉPINIÈRE DE CERVEAUX

L'autre atout de Stanford est d'avoir su, dès les années 1930, rapprocher dans un lieu enseignement et recherche, entreprises high-tech et capital. De cette fusion est née la Silicon Valley (voir « Un peu d'histoire (récente) » à Palo Alto).

Pas étonnant alors de trouver parmi les **anciens élèves de Stanford** les noms des dirigeants d'entreprises très florissantes : Carly Fiorina, ex-P.D.G. de *Hewlett-Packard,* qu'ont précédé, dans les années 1930, William Hewlett et David Packard, fondateurs de *HP* ; Philip Knight, fondateur et ancien P.-D.G. de *Nike* ; Scott Mac-Nealy co-fondateur de *Sun Microsystems* ; Jerry Yang, fondateur de *Yahoo* ; Sergey Brin et Lawrence Page, créateurs de *Google* ; Blake Ross, co-créateur de *Firefox*. Stanford compte aussi parmi ses anciens étudiants le golfeur Tiger Woods, John MacEnroe, l'ex-Premier ministre israélien Ehud Barak, l'écrivain John Steinbeck, Chelsea Clinton (la fille de Bill) et les acteurs Ted Danson, Jennifer Connelly et Sigourney Weaver.

Côté **professeurs,** la liste des célébrités qui enseignent à Stanford est tout aussi impressionnante : 16 Prix Nobel (principalement de physique, de chimie et d'économie), quatre lauréats du prix Pulitzer, sans compter les 239 profs membres de la fameuse *American Academy of Arts and Sciences.* Par ailleurs, le philosophe et écrivain français Michel Serres y donne des cours plusieurs semaines par an, et la secrétaire d'État Condoleezza Rice fut vice-doyenne de Stanford de 1993 à 1999. Sachez enfin que la première liaison historique du réseau Internet eut lieu en 1969, peu de temps après le festival de Woodstock, entre des ordinateurs installés à l'université de Californie à Los Angeles (UCLA) et l'institut de recherche de Stanford.

Les expérimentateurs qui se parlaient par machines interposées furent aussi émus que les premiers hommes à avoir marché sur la Lune !

Cette qualité conjuguée d'enseignement, de recherche et de vie évidemment se paie, et cher. Car, contrairement à Berkeley, qui est publique, Stanford est une université privée. Aussi les frais de scolarité figurent-ils parmi les plus élevés des États-Unis et du monde (environ 35 000 $ par an, et autant pour se loger et se nourrir sur le campus !). Sans des parents très fortunés ou une bourse d'étude conséquente, il est impossible d'étudier à Stanford. N'a pas sa place au soleil qui veut...

Adresse utile

🛈 *Visitor Information Center* : *dans le Memorial Auditorium, sur Serra St.* ☎ *723-2560.* ● *stanford.edu* ● *Juste en face de la tour Hoover. Sur El Camino Real, prendre Serra St, la remonter jusqu'au bout et se garer au bout de Galvez St, sur le Visitor Parking ; il est parfois un peu difficile de trouver de la place ; n'ignorez pas les parcmètres, les contrôles sont très fréquents. Lun-ven* 8h-17h ; w-e 9h-17h. À ne pas confondre avec le *Stanford Information Center,* qui est un centre d'infos destiné aux étudiants. On y trouve de la doc, un plan du campus et une fiche détaillée pour une visite à pied en libre-service. Le site internet du *Visitor Information Center* offre de nombreux liens avec d'autres sites web à l'université.

Où manger ? Où boire un verre ?

|●| 🍷 *Union Square* : *la cafétéria principale, située à Tresidder Union, au cœur du campus. Lun-ven 10h-17h. Env 10 $.* Deux terrasses, de chaque côté du bâtiment, permettent de profiter du soleil toute l'année. L'endroit est très animé durant la période scolaire. Il y en a pour tous les goûts : chinois, sandwichs, pizzas, sushis, salades, grillades. À noter : de plus petites cafétérias sont disséminées un peu partout sur le campus et sont souvent moins bondées que *Union Square.*

|●| *Cool Café* : *dans le même bâtiment que le Cantor Center for Visual Arts.* ☎ *725-4758. Mer et ven-sam 11h-17h ; jeu 11h-20h. Env 10 $.* Un havre de paix, situé à deux pas des *Portes de l'Enfer* de Rodin. La terrasse, baignée de soleil toute la journée, est le lieu idéal pour savourer une salade ou un sandwich moins aseptisés que d'habitude : ici, tout est bio, même le Coca !

À voir. À faire

➤ *Visites guidées du campus* : *tlj à 11h et 15h15, en anglais, gratuites et guidées par des étudiants (env 1h). Départ du Memorial Auditorium. Visites en voiturette de golf également possibles, sur résa (5 $/pers ; nombre de places limité à 5). Tlj à 13h. Ttes infos au* Visitor Information Center.

🎞 *Palm Drive* : la manière la plus impressionnante de découvrir Stanford est d'emprunter en voiture cette route bordée de palmiers sur toute sa longueur, soit 1 mile. Elle mène directement au Main Quad et à la Memorial Church.

🎞 *Main Quad* : cœur historique du campus, ce quadrilatère est constitué des premiers bâtiments de Stanford, construits en grès jaune entre 1887 et 1891. Les arcades qui bordent le Quad donnent l'impression d'être dans une hacienda mexicaine. Le plan de ces bâtiments fut dessiné par Frederick Law Olmsted, architecte de Central Park, à New York. Face à la Memorial Church, vous pourrez admirer les célèbres *Bourgeois de Calais* de Rodin, dont de nombreuses sculptures sont exposées au Rodin Sculpture Garden, près du *Cantor Center for Visual Arts.*

🎞 *La tour Hoover* : *tlj (sf pdt examens de fin d'année, 1re sem de cours et j. fériés) 10h-16h30. Visite : 2 $; réduc.* Sorte de grand campanile de 85 m de haut, qui abrite (au rez-de-chaussée) la bibliothèque de l'institut Hoover, spécialisé dans la politique, et dont Condoleezza Rice fait partie. Ascenseur jusqu'au sommet, d'où l'on a une vue à 360° sur le campus (très vert et méditerranéen) et la Silicon Valley (une partie seulement).

Rodin Sculpture Garden : plusieurs sculptures de Rodin se trouvent sur Lomita Drive (accès par Campus Drive West), près du *Cantor Center for Visual Arts.* Il ne s'agit pas d'œuvres originales à proprement parler, mais de bronzes coulés (tardivement) dans des moules d'origine, parmi lesquels *Les Portes de l'Enfer* et *Adam et Ève.* Sur le flanc nord du Quad, copie étonnamment dissociée des *Bourgeois de Calais.* À noter que de nombreuses autres sculptures sont disséminées un peu partout sur le campus, notamment près de Tresidder, dans le *New Guinea Sculpture Garden.* Enfin, une des nombreuses reproductions du *Penseur* se trouve à l'intérieur du musée.

Memorial Church : visite guidée, ven 14h ; départ devant l'église. Édifié en 1903 par Jane Lathrop Stanford, à la mémoire de son mari, Leland Stanford, décédé en 1893, ce lieu de culte œcuménique a beaucoup souffert des tremblements de terre de 1906 et de 1989. Après 3 ans de restauration, la « MemChu » a rouvert ses portes en 1993. La mosaïque qui orne son fronton a été réalisée par un maître italien du genre et comporte plus de 20 000 nuances de couleurs différentes. À l'intérieur, un buffet d'orgues composé de 7 777 tuyaux !

*Pas très loin, sur Escondido Mall, se dresse un **beffroi à horloge** (Clock Tower) moderne, dont la base en verre révèle le mécanisme de son horlogerie.

Cantor Center for Visual Arts : ☎ 723-4177. Mer-dim 11h-17h ; jeu 11h-20h. Visites guidées le w-e à 13h. Entrée gratuite. Le musée d'Art de Stanford comporte une collection impressionnante d'objets issus de différentes cultures, de l'Antiquité à nos jours, de l'art asiatique à Jasper Johns. Ne pas manquer la section sur les Indiens, et les bronzes de Rodin, dont *Les Portes de l'Enfer,* situés à l'extérieur. Une visite très agréable.

SLAC (Stanford Linear Accelerator Center) : construit en 1962, ce centre situé sur les hauteurs de Stanford, près de l'Interstate 280, est spécialisé dans la recherche sur les particules élémentaires ; trois chercheurs du SLAC ont d'ailleurs reçu le prix Nobel. Depuis l'autoroute qui l'enjambe, vous pourrez voir l'accélérateur de particules : avec ses 2 miles, le bâtiment qui l'abrite est le plus long au monde !

– *La remise des diplômes :* si jamais vous vous trouvez à Stanford vers mi-juin, ne manquez pas la cérémonie de remise des diplômes *(Graduation),* qui attire plus de 20 000 personnes chaque année. Vous pourrez assister au défilé de quelque 4 000 jeunes diplômés, en costume et chapeau carré noirs, dans la plus pure tradition américaine.

➤ DANS LES ENVIRONS DE STANFORD UNIVERSITY

Woodside : au sud-ouest de Palo Alto. Accès par la route 84 de la 101 ou 280. De ce village dans les montagnes, il est possible de rejoindre la côte (Half Moon Bay) par un bel itinéraire en suivant la route 35, puis 92. Cette route suit la ligne de crête puis sinue au milieu des chênes et des pins, qui forment un tunnel sombre, souvent noyé par le brouillard venu de l'océan. C'est dans cette ambiance de film fantastique, à l'abri des regards, qu'ont trouvé refuge quelques célébrités, comme Joan Baez et Neil Young. Ce dernier a ses habitudes chez :

Buck's : 3062 Woodside Rd. ☎ 851-8010. Lun-ven 7h-21h (22h ven) ; sam 8h-22h ; dim 8h-21h. Env 10-15 $. Bienvenue dans le royaume du délire ! Accueilli par une Miss Liberty qui éclaire le monde avec une glace dégoulinante de chantilly, on déguste ici des burgers bien meilleurs que la moyenne, des salades, des *ribs* et autres viandes grillées, dans un capharnaüm décoratif : astronaute, zeppelin, hélicoptère sont accrochés au plafond, les lampes sont en forme de Stetson ou de santiags, et on apprend dans les w-c qu'il est « interdit d'utiliser le cabinet pendant l'arrêt du train en gare » (en français dans le texte) ! Réservez une petite place pour les desserts (testés par l'association des routiers américains !), aussi délicieux qu'incroyablement copieux : même à deux, difficile de finir. Service et accueil très sympas.

SAN JOSE
945 000 hab. IND. TÉL. : 408

Située à environ 44 miles au sud de San Francisco (et plus grande qu'elle !), San Jose est considérée comme la capitale « officielle » de la Silicon Valley. En réalité, cette grande agglomération plate et tentaculaire, occupant le fond de la baie de San Francisco, marque plutôt le début ou le terminus (ça dépend du sens) de la fameuse vallée technologique. Grâce à l'expansion foudroyante de la région, la ville s'est développée très rapidement et est aujourd'hui la dixième ville américaine en termes de population. Même si San Jose fut la première ville fondée en Californie en 1777, tout semble neuf, propre et un peu sans âme. Et si l'on s'y presse la semaine pour travailler (*Adobe, Roxio* et *Cisco Systems* y ont leurs sièges sociaux), le week-end, tout est désert, excepté le soir, quand les noctambules viennent repeupler le centre-ville.

Arriver – Quitter

➢ *En voiture :* de San Francisco, prendre l'Interstate I-280 vers le sud. Cette route, légèrement plus longue que la Hwy 101, est généralement plus rapide, car moins fréquentée. Sortir à San Jose Downtown, en prenant Guadalupe Parkway (route 87). Attention, circulation dense (env 1h30 de trajet).

➢ *En train (Caltrain) :* ☎ 1-800-660-4287. ● caltrain.com ● Gare au 65 Cahill St, juste à la hauteur du stade de l'Arena. Circule tlj. Les bus pour se rendre au centreville se prennent sur le parking voisin. La liaison la plus rapide entre S.F. et San Jose : 1h30 en moyenne et moins de 1h avec le *Baby Bullet,* la ligne express (11 départs/j., en sem slt, aux heures de pointe). Pour les lignes normales, un départ ttes les 10-30 mn 5h-22h30 (ttes les heures après 20h). Le w-e, un départ/h 7h-22h30 le sam et 8h-21h dim. Env 8 $ le trajet San Jose-San Francisco.

➢ *En avion :* le Mineta International Airport se situe à env 2 miles au nord de San Jose. ☎ 277-4759. ● sjc.org ● La plupart des compagnies américaines le desservent. De l'aéroport, le bus VTA 10 (*Airport Flyer*) fait gratuitement la liaison avec la station de Light Rail et celle de Caltrain de Santa Clara, tlj 5h-minuit.

Circuler à San Jose

Pour ts rens sur les transports en commun ci-dessous : VTA, ☎ 321-2300. ● vta. org ●

➢ *En DASH* (Downtown Area Shuttle) *:* en service en sem slt, 6h-19h, avec des passages ttes les 10 mn en moyenne. Dessert gratuitement le centre-ville, le terminal des bus et la gare.

➢ *En bus ou trolley :* dessert la ville et la région proche. Trajet : env 2 $; pass journée : 5 $.

➢ *En Light Rail :* dessert San Jose, Mountain View, Milpitas et Santa Teresa. Tlj 5h-1h. Mêmes tarifs que les bus.

➢ *Navette gratuite* pour l'aéroport de San Jose (*Airport Flyer*) *:* tlj 5h-minuit. Prendre le bus n° 10 à l'arrêt Metro/Light Rail Station.

➢ *En voiture :* nombreux parkings couverts du centre-ville gratuits dès 18h en sem et tt le w-e.

Adresse utile

🛈 *San Jose Convention & Visitor Bureau :* 408 Almaden Blvd. ☎ 295-9600 ou 1-800-726-5673. ● sanjose. | org ● *Dans le même bâtiment que le Hilton ; entrée sur Almaden Blvd. Lun-ven 8h-17h.*

Où dormir ?

– *Les hôtels* situés dans le centre-ville de San Jose sont peu nombreux et chers. Il faut sortir de la ville pour trouver des prix plus intéressants.
– *Les motels* à prix sages se trouvent le long de The Alameda, entre le centre-ville et l'université de Santa Clara. Pour y aller, prendre Santa Clara Street vers l'ouest, qui devient ensuite The Alameda.

Où dormir dans les environs ?

🛏 *Sanborn Park Hostel :* 15808 Sanborn Rd, Saratoga. ☎ 741-0166. ● sanbornparkhostel.org ● *De San Jose, prendre l'Interstate I-280, puis la sortie Saratoga Ave, qui mène au village du même nom ; de là, la route 9 (direction Big Basin), qui prolonge l'avenue, pénètre dans la forêt ; après 2,5 miles, un panneau indique la direction de l'hostel, sur la gauche, par Sanborn Rd. Ouv aux individuels slt ven-sam ; pour les autres soirs, appeler avant (il faut au moins 10 pers pour que l'AJ ouvre). Réception 7h-9h, 17h-22h30. Nuit 16 $ (14 $ pour les membres). Loc draps 50 cents. CB refusées. Dans un lieu vraiment exceptionnel, en pleine forêt, au milieu des séquoias et des chênes du Sanborn County Park. Construit comme résidence d'été par un juge en 1908, ce* chalet en rondins peut accueillir 39 personnes, réparties en plusieurs dortoirs, disposant chacun d'une salle de bains et de 2 chambres familiales. L'intérieur est très chaleureux, tout en bois, avec un superbe escalier dont les marches sont des demi-troncs et une énorme cheminée en pierre dans le salon. Pourtant, en 1979, la maison a échappé de peu à la démolition, et grâce à la ténacité de plusieurs bénévoles, amoureux des lieux, elle est devenue une AJ. À disposition : terrain de volley, barbecue, vaste cuisine (n'oubliez pas de faire les courses avant d'entrer dans le parc, car le 1er magasin est à 5 km) et machines à laver. Nombreux chemins de randonnée à proximité, ainsi que des terrains de camping.

Où manger ? Où boire un verre ? Où écouter de la musique ?

De bon marché à prix moyens

🍴 *Peggy Sue's :* 29 N San Pedro St. ☎ 298-6750. *Lun-mar 7h-17h ; mer-ven 7h-22h ; sam 8h-22h ; dim 8h-20h. Env 10 $. Un diner typiquement américain, comme on les aime, avec ses murs en brique décorés de vieilles affiches, ses banquettes en moleskine et chaises à paillettes rouges. Au menu : une quarantaine de burgers, sandwichs et hot dogs, accommodés comme vous* l'entendez : à l'ananas, au bleu, ou avec une petite louche de chili, selon votre appétit. Le tout accompagné d'un milk-shake à la fraise ou à la banane, et vous voilà calé pour le reste de la journée (au moins !).

🍴🍷♪ *Gordon Biersch Brewery Restaurant :* 33 E San Fernando St. ☎ 294-6785. *Tlj 11h30-23h (minuit jeu, 2h ven-sam). Env 10-15 $ le midi et*

15-20 $ le soir. Située en plein centre-ville, cette vaste brasserie très bruyante en soirée offre un grand choix de salades, sandwichs et pizzas le midi, et des spécialités de viande et de poisson plus élaborées le soir. Les portions sont copieuses et le service efficace. La bière est brassée sur place, et des concerts de jazz ou de *rhythm 'n' blues* sont donnés à partir de 21h, dans la cour extérieure, qui ressemble à s'y méprendre à un *Biergarten* allemand.

À voir

🎎 **Tech Museum of Innovation :** *201 S Market St. ☎ 294-8324. ● thetech.org ● Tlj sf lun 10h-17h. Fermé à Thanksgiving et Noël. Entrée : 8 $ avec film Imax dès 12 ans ; 4 $ le film supplémentaire.* Dans un bâtiment orangé tout en volume, aisément reconnaissable à son dôme, ce musée typique de la Silicon Valley s'articule en cinq galeries thématiques consacrées à la communication, l'exploration, l'innovation, la biotechnologie et l'imagination. Sur le principe de l'interactivité, on apprend tout en s'amusant. Ici, on peut programmer une puce informatique, dessiner un grand-huit et l'expérimenter virtuellement, explorer les fonds marins du Pacifique en dirigeant un petit robot, découvrir les secrets de la génétique, voyager dans un fauteuil spatial, ou revivre un tremblement de terre grâce à un simulateur très impressionnant. Tout est très bien expliqué et les bénévoles se font un plaisir de répondre aux questions. Ne manquez pas la projection du film en Imax. Au programme en général, un film très récent et un documentaire sur le sport, l'espace ou la nature.

🎎🎎 **Winchester Mystery House :** *525 S Winchester Blvd. ☎ 247-2000. ● winchestermysteryhouse.com ● Tlj 9h-17h. Trois visites différentes : la classique* (Mansion Tour) *env 24 $, parcourant tte la maison ; le* Behind the Scenes Tour *(21 $), avec les écuries, les bâtiments annexes, la salle de bal inachevée et le sous-sol (déconseillé pour la 1re fois) ; ou le* Grand Estate Tour, *qui combine les 2 options précédentes en 2h30 (29 $). Tous les tours incluent le musée des Armes à feu et les jardins. Brochure en français.* L'histoire de la construction de cette bâtisse victorienne est aussi étrange que son architecture. Éplorée par la mort de sa fille unique et de son mari, Sarah Winchester, veuve du célèbre fabricant de carabines, consulta un médium pour soulager sa peine. Celui-ci la convainquit que les vies de ces deux êtres chers avaient été prises par les esprits des morts tués par une winchester. Afin de conjurer ce mauvais sort, il lui suggéra de construire une maison à la mémoire de ces esprits. Durant 38 ans, jusqu'à la mort de Sarah en 1922, le bruit des marteaux résonna donc 24h/24 pour bâtir la demeure dont les plans étaient directement dictés à la veuve par les esprits. Le résultat est pour le moins délirant : 160 pièces, 2 000 portes (certaines s'ouvrent sur un mur, ou même sur deux étages de vide), 10 000 fenêtres, 47 escaliers qui, parfois, ne mènent nulle part ! Sarah consacra 5 des 20 millions de dollars de son héritage pour orner la maison de vitraux Tiffany, de parquets marquetés en bois précieux et importer du mobilier japonais. Autrefois entourée de vergers, la demeure s'est laissée rattraper par la ville. Elle paie ainsi le prix de son succès touristique, avec son cortège d'inconvénients : boutique de souvenirs kitsch au possible, stand de bretzels, sans oublier une reproduction des lieux en pain d'épice et bonbons...

➤ *DANS LES ENVIRONS DE SAN JOSE*

🎎 **Los Gatos :** perchée dans les collines au-dessus de San Jose, cette jolie bourgade B.C.B.G., lieu de balade très populaire le week-end, abrite une pléthore de boutiques, de galeries, de petits restos et de cafés sympas comme tout. N'hésitez pas à vous y arrêter le temps d'un déjeuner si vous poursuivez votre route vers Santa Cruz (par la Highway 880/17).

🎎 **Gilroy :** si votre nez commence à piquer, pas de doute, vous êtes bien arrivé ! Autoproclamée « capitale mondiale de l'ail », Gilroy, située à 32 miles au sud de

San Jose (35 mn par la Highway 101), ne craint ni les vampires ni la mauvaise haleine et célèbre chaque année sa culture emblématique par un festival dédié à l'ail sous toutes ses formes, le dernier week-end de juillet. Ne manquez pas l'élection de Miss Garlic !

☸ Gilroy est aussi bien connue pour ses quelque 145 **magasins d'usine,** situés sur Leavesley Rd (depuis la 101, la sortie est indiquée), qui proposent les grandes marques cómme *Boss, Nike, Levi's, Gap, Versace, Timberland...* à prix cassés. *Tlj 10h-21h (18h dim).*

🎥🎥 **San Juan Bautista :** à 50 miles au sud de San Jose et 22 miles au nord-est de Salinas. De la 101, accès par la route 156 entre Salinas et Hollister. Cette petite ville, située hors des sentiers battus, offre pourtant une étape charmante et chargée d'histoire. Au XIXe s, pas moins de sept lignes de diligence s'y arrêtaient, sur la route entre le nord et le sud de la Californie. Mais, en 1876, le rail oublie San Juan Bautista, lui préférant Hollister ; la petite ville s'isole, plus personne ne s'y arrête. À la voir aujourd'hui, on dirait que San Juan Bautista n'a pas bougé depuis cette époque : une rue principale un peu poussiéreuse, quelques saloons et, surtout, une magnifique *plaza* espagnole, qui vous semblera peut-être familière, puisqu'elle a servi de décor au célèbre *Vertigo* d'Hitchcock. Souvenez-vous, quand Kim Novak essaie de retrouver la mémoire pour vaincre ses démons et finit par se jeter du campanile d'une église (du moins, le croit-on) : la mission San Juan Bautista où a été tourné le film est devant vos yeux, le clocher en moins, puisqu'il s'agissait d'un décor. Fondée en 1797 par le frère Lasuen, elle est toujours en activité.
La visite de la **mission** *(tlj 9h30-16h30 ; entrée : 4 $)* n'est pas bien palpitante : maquette des lieux autrefois, vitrines avec costumes, bric-à-brac avec images votives... Seule l'église à trois nefs, avec son pavement ancien et ses autels latéraux en trompe l'œil, est digne de retenir l'attention. Adorable cour-jardin avec cactus géants.
En contrebas, à droite de la mission, passe un chemin : il s'agit du Camino Real, qui reliait les 21 missions de Californie et qui est ici situé sur la faille de San Andreas, responsable de nombreux tremblements de terre.
– San Juan Bautista State Historic Park : *il s'agit de la place et des bâtiments qui l'entourent (excepté la mission).* Visitor Center *au rdc du* Plaza Hotel. *Rens :* ☎ *(831) 623-4526.* ● *plazahistory.org* ● *Tlj 10h-16h30. Entrée : 2 $.*
On peut visiter la collection d'attelages dans les écuries *(stables),* le **Plaza Hall,** qui servait à la fois de salle municipale, de salle des fêtes et de lieu d'habitation pour Angelo Zanetta, un cuisinier italien qui avait fait ses classes à La Nouvelle-Orléans ; très beau mobilier et collection de vêtements d'époque. Le *Plaza Hotel,* qui accueille le *Visitor Center,* appartenait aussi à Zanetta : on peut encore visiter les chambres, la *Card Room,* où un brelan d'as côtoie whisky et cigarillos, la salle de billard, le bar de l'hôtel et la salle de resto où est affiché un menu de cuisine française datant de 1865.

DE SAN FRANCISCO À LOS ANGELES PAR LA CÔTE

Si vous vous rendez de San Francisco à Los Angeles par la route, trois options s'offrent à vous : emprunter l'autoroute I-5, la plus rapide mais la moins intéressante ; prendre la route 101, une double voie qui suit la côte à distance via San Jose (lire « La Silicon Valley »), San Luis Obispo et Santa Barbara (elle emprunte le tracé de l'ancien Camino Real, la « voie royale » qui reliait sous la colonisation espagnole un chapelet de missions) ; ou encore descendre par la célèbre Highway 1. Les Californiens disent qu'il s'agit de la plus jolie route côtière de la région. Chacun a ses tronçons de Highway 1 préférés. Pour beaucoup, les environs de Big Sur restent un must... avouons également un gros faible pour la portion San Francisco-Santa Cruz. Dans un cadre sauvage, elle traverse une contrée de falaises protégées absolument magnifiques, révélant ici et là des bourgades de villégiature aisées. Il est possible de la faire en bus en grande partie, mais l'idéal est de voyager en voiture. Il faut tout de même disposer d'un minimum de temps devant soi, car la route est tout ce qu'il y a de moins direct. Attention aussi aux tempêtes hivernales, d'autant plus violentes depuis le phénomène El Niño : en provoquant des glissements de terrain, elles coupent fréquemment la route pour quelques jours, voire plusieurs semaines ou... plusieurs mois ! Mais rassurez-vous, lorsque cela arrive, des panneaux lumineux avertissent immédiatement les usagers et conseillent des itinéraires de détournement.

🏃 *Half Moon Bay* : *à 20 miles à peine de San Francisco (par la Hwy 1) et à 23 miles de la bourdonnante Silicon Valley (prendre la 280 North, puis la route 92, direction Half Moon Bay).* Cette petite ville côtière, située au pied des montagnes qui longent la faille de San Andreas, offre un visage étonnamment rural. Main Street aligne petites boutiques et galeries d'art. À El Granada, où se trouve la marina, à quelques miles au nord de Half Moon Bay, vous pourrez admirer les prouesses des surfeurs qui défient les vagues du Pacifique, ou faire une promenade bien agréable le long de cette baie en forme de croissant de lune. En été, pensez à prendre une petite laine, le vent souffle et le brouillard tombe vite.

🏃 *Santa Cruz* : au nord de la baie de Monterey, cette station balnéaire allie les plaisirs du shopping à ceux du surf. On passe allègrement des manèges et montagnes russes du grand parc d'attractions foraines *(Santa Cruz Beach Boardwalk)* et qui datent des années 1920 à la reconstitution de la mission espagnole (sur la colline) en passant par le petit *musée d'Art et d'Histoire* *(Museum of Art and History, au McPherson Center)* qui restitue de façon plaisante l'histoire de la région. Sans oublier, pour les fondus de glisse, le *musée du Surf (Surfing Museum)* dans un phare perché au bord d'une falaise. Pas loin de là, une arche rocheuse est peuplée d'oiseaux marins.

SALINAS

151 000 hab.   IND. TÉL. : 831

Ville paisible située dans une large vallée agricole prospère sur la Highway 101 en venant de S.F., à 17 miles au nord-est de Monterey. Ces terres fertiles produisent carottes, betteraves, laitues et orge, ce qui leur valut le surnom de « saladier de la nation ».

Salinas est aussi la ville qui vit naître John Steinbeck (1902-1968) et chaque année, en août, le festival Steinbeck remet l'écrivain à l'honneur.

> **CERTAINS L'AIMENT ARTICHAUT...**
>
> *Parlons belles plantes maintenant : sachez que c'est dans la ville voisine de Castroville que Marilyn Monroe fut consacrée « Miss Artichaut 1948 ».*

Arriver – Quitter

🚌 *San Francisco, Santa Cruz, San Jose, San Luis Obispo, Santa Barbara et Los Angeles :* avec les bus Greyhound, *19 W.Gabilan.* ☎ *424-44.18. Tlj 5h-23h30.* ● *greyhound.com* ● 4 bus/j. dans les 2 sens. Durée : 4h pour San Francisco et 7h30-8h pour Los Angeles.

🚌 *Monterey :* avec les bus locaux MST (Monterey-Salinas Transit). ☎ *424-7695 ou 1-888-678-2871.* ● *mst.org* ● En sem, ttes les 30 mn 6h-18h et ttes les heures 19h-23h ; le w-e ttes les heures 8h-18h.

🚆 *Amtrak :* ☎ *1-800-USA-RAIL.*

– Sacramento, Oakland (banlieue de San Francisco), San Jose, San Luis Obispo, Santa Barbara, Los Angeles : 1 liaison/j. dans les 2 sens avec le Coast Starlight.

Où manger ?

🍴 *Rosita's Armory Cafe :* 231 Salinas St (parallèle à Main St). ☎ 424-7039. Tlj midi et soir. Env 10 $. Réputé pour être le plus ancien mexicain de la ville. Trois longues salles, comptoir avec sièges pivotants, banquettes en skaï vert, déco kitsch style hacienda, ponchos et sombreros. L'éventail de la cuisine mexicaine à prix doux, assez rustique tout de même mais suffisamment copieuse pour se rassasier pour quelques heures sans se ruiner.

À voir

🎭 *National Steinbeck Center :* 1 Main St. ☎ 775-4725. ● *steinbeck.org* ● Tlj sf j. fériés 10h-17h. Entrée : 11 $; réduc. Au bout de la rue principale, avec un superbe ciné Art déco sur la droite et un parking sur la gauche.

Steinbeck est issu d'une famille germano-irlandaise. Il a écrit 19 livres dont l'action se déroule en Californie, et une carte à l'entrée montre les différents lieux mis en valeur dans chacun d'eux. On entre ensuite dans l'univers de l'écrivain – sa famille, la maison où il est né à Salinas, ses lectures de jeunesse, avant de pénétrer littéralement dans l'atmosphère de ses principaux livres, recréée avec des décors très réalistes, des archives et objets personnels (en revanche, la présentation ne respecte pas l'ordre chronologique de ses livres, ce qui est un peu troublant) : *À l'est d'Éden, Le Poney rouge, Les Raisins de la colère, Rue de la Sardine* ; puis un petit détour par le Mexique, son architecture et ses marchés, avec *La Perle* et *Viva Zapata*. Émouvante scène finale du film *Des souris et des hommes*, avec John Malkovitch et Gary Sinise. Ensuite, clin d'œil à ses activités de correspondant de guerre pour le *New York Herald Tribune* durant la Seconde Guerre mondiale, avec *Lifeboat* (adapté au cinéma par Hitchcock) ; avant d'aboutir à sa période new-yorkaise et son prix Nobel en 1962. On apprend que Edgar Hoover, le directeur du FBI, le considérait comme un dangereux subversif, mais Eleanor Roosevelt lui assurait son soutien. À la fin de l'expo, on trouve le camping-car avec lequel il fit le tour des États-Unis dans les années 1960, accompagné de son chien Charley, un caniche français. La visite peut se commencer ou se terminer par le film de 10 mn qui retrace sa vie et donnera quelques repères à ceux qui connaissent peu l'écrivain et son œuvre. La muséographie est recherchée, très soignée, et pourtant, on ressort sans avoir vraiment l'impression d'avoir pénétré l'œuvre du grand homme, présenté ici comme un demi-dieu et peut-être également avec un certain manque de recul.

Recul et réflexion sont en revanche à l'honneur dans l'autre partie du centre, consacrée à l'activité essentielle de la vallée de Salinas : l'agriculture. Après l'élevage puis la canne à sucre dans les années 1850, la région a connu un boom de la laitue en 1920. On en a même fait des cigarettes sans tabac, qui n'ont pas franchement eu de succès ! Tout est très bien expliqué et documenté. On a vraiment beaucoup aimé cette visite.

Si vous souhaitez vous attarder à Salinas, qui recèle quelques beaux bâtiments, procurez-vous la brochure *Historic Oldtown Walking Tour* très bien faite au National Steinbeck Center.

🍴 ꟷ◉ꟷ **Steinbeck House :** *132 Central Ave.* ☎ *(831) 424-2735.* ● *steinbeckhouse. com* ● *À un angle, à 2 blocs à droite en sortant du National Steinbeck Center. Visites guidées juin-sept, dim 13h-15h ; visite : 4 $. Resto dans la maison ouv mar-sam 11h-14h ; résa conseillée ; repas env 12 $.*

C'est dans cette maison victorienne de 1897 que John Steinbeck est né, le 27 février 1902. Il y passa toute son enfance, jusqu'à son admission en 1919 à l'université de Stanford, dont il ne fut jamais diplômé. Depuis 1974, la maison est administrée par la Valley Guild, une association féminine de promotion du patrimoine de Salinas. On y voit des meubles d'époque, en particulier le lit où Steinbeck est né, et de nombreuses photos familiales. À défaut de faire une visite guidée de la maison, peut-être réussirez-vous à y déjeuner (vous pouvez alors vous promener librement dans la maison). L'accueil est charmant et le menu, à base de produits du terroir, change chaque semaine.

Achats

🌿 **The Farm :** ☎ *455-2575.* ● *thefarm-salinasvalley.com* ● *À 2 miles à l'ouest de Salinas, sur la Hwy 68. Lun-sam 9h-18h (17h en hiver). Visite guidée mar et jeu à 13h. Vous avez intérêt à être nombreux pour la visite, car le prix de celle-ci peut passer de 8 $ à 28 $ selon le nombre !* Une exploitation bio (mais qui borde la Hwy 68 !) que vous ne pourrez pas louper en arrivant à Salinas grâce à ses grands hommes dans les champs. Outre les visites guidées, l'endroit est intéressant pour sa petite boutique de fruits et légumes bio. Sincèrement, en saison, si vous passez par là, les fraises méritent le crochet.

MONTEREY

38 000 hab.   IND. TÉL. : 831

Station balnéaire à 125 miles au sud de San Francisco. Accessoirement, petit port de pêche mais, ici, on voit avant tout des touristes qui viennent dépenser leurs dollars et visiter le fabuleux aquarium de Monterey, qui mérite vraiment tous les détours, selon nous. Cher à l'écrivain John Steinbeck, le quartier de Cannery Row, naguère celui des pêcheurs et des sardiniers (en plein boom dans les années 1920-1940), n'est plus qu'un attrape-touriste.

– *Conseil :* évitez d'y aller le week-end (surtout en août), les motels sont alors bondés et doublent leurs prix.

– Festival de jazz célèbre, en septembre, chaque année.

UN PEU D'HISTOIRE

En 1542, Don Juan Cabrillo pénètre dans une baie qu'il nomme Bahía de los Pinos, mais il n'y aborde pas. En 1602, un autre conquistador espagnol, Sebastian Vizcaino, découvre à son tour ce site bien abrité de la côte et lui donne le nom de son protecteur : le comte de Monte Rey, vice-roi de Nouvelle-Espagne (on appelle alors ainsi le Mexique).

Vers 1770, la ville devient le premier *presidio* d'Alta California, c'est-à-dire le Q.G. des Espagnols en Haute-Californie. En 1775, elle prend plus d'importance encore en devenant la capitale de l'Alta et de la Baja (Basse) California. À l'indépendance du Mexique, elle est donc naturellement mexicaine, et elle le restera jusqu'à la guerre avec les États-Unis en 1842, qui se solde par la cession de la Californie à ces derniers. La ville sombre dans l'oubli à partir du jour où San Jose est déclarée capitale de la Californie (pendant la ruée vers l'or). Ensuite, ce sera l'avènement de San Francisco.

La seconde moitié du XIXᵉ s voit débarquer des immigrants venus d'Europe et d'Asie : pêcheurs italiens, portugais, chinois et japonais pour la plupart. C'est à cette époque, en 1879, que l'écrivain Robert-Louis Stevenson séjourne à Monterey. Il y retrouve Fanny Osbourne, qu'il avait connue en France, et l'épouse. Il travaille pour le journal local et s'inspire, semble-t-il, de la péninsule de Point Lobos (vers Carmel) pour écrire son roman *L'Île au trésor*.

Dans les années 1930, un autre écrivain, John Steinbeck (auteur de *À l'est d'Eden*, *Les Raisins de la colère* et *Des souris et des hommes*), évoque à son tour Monterey dans ses livres et notamment dans *La Rue de la Sardine*. Dans *Tortilla Flat* (nom d'un quartier de Monterey peuplé alors de Mexicains), inspiré par les oubliés de l'histoire, il raconte la vie tragi-comique d'un jeune *paisano*. Steinbeck fréquente beaucoup le quartier de Cannery Row, ce coin si haut en couleur qui vaut alors au port le titre de « capitale mondiale de la sardine ».

Aujourd'hui, l'auteur reconnaîtrait à peine le quartier. Après l'abandon de la pêche à la fin des années 1950, les sardines ayant presque disparu, cette activité est quasi abandonnée, et Monterey redevient une bourgade ordinaire. Seul le tourisme a réussi à tirer la ville de sa léthargie.

LE PLUS GRAND SANCTUAIRE MARIN DES ÉTATS-UNIS

La péninsule et la baie de Monterey (classées « Zone protégée » depuis 1992) abritent un sanctuaire marin d'une incroyable richesse : des loutres de mer, des otaries, des éléphants de mer, des phoques, et, bien sûr, des kyrielles de poissons de toutes sortes. En outre, des baleines grises y séjournent au printemps, en route vers le Mexique.

D'où vient cette richesse naturelle ? D'un gigantesque canyon sous-marin qui plonge à pic jusqu'à 4 000 m de profondeur. Celui-ci renvoie sans cesse vers la surface du Pacifique des courants d'eau froide chargés de plancton et d'une foule de débris organiques. C'est comme ça que la faune se nourrit et se multiplie.

Les chercheurs du centre océanographique rattaché à l'aquarium s'intéressent particulièrement à la sauvegarde des animaux étranges qui peuplent les très grands fonds de la baie, entre 1 000 et 4 000 m. Pour ce faire, ils disposent d'un matériel high-tech dernier cri, de robots performants et de l'*Alvin*, ce sous-marin qui a photographié l'épave du *Titanic* pour la première fois. La tâche est ardue, car ces animaux des abysses meurent dès qu'ils sont remontés à la surface. Habitués aux milieux extrêmes, ils vivent dans le noir et le froid, supportant des pressions terribles et l'absence totale d'oxygène. Le monde du silence !

Arriver – Quitter

▭ *MST (Monterey-Salinas Transit ; plan I, A2) :* Transit Plaza, *sur Alvarado St, à l'angle de Munras Ave et de Tyler St.* ☎ 899-2555 ou 1-888-678-2871. ● mst.org ● Cette compagnie dessert Monterey et les villes alentour.

➢ *Los Angeles et San Francisco :* plusieurs liaisons/j. sont assurées avec Salinas, soit en bus, par *Greyhound,* soit en train, par *Amtrak (*pour plus d'infos lire « Arriver – Quitter » à Salinas). Navettes de Salinas jusqu'à la Transit Plaza à Monterey *(plan I, A2).*

➢ *De/vers Salinas :* avec MST. En sem, ttes les 30 mn 6h-18h et ttes les heures 19h-23h ; le w-e ttes les heures 8h-18h.
➢ *De/vers Carmel :* 1 à 3 bus/h 7h-19h (22h sam).
➢ *De/vers Big Sur :* 3 bus/j. (2 le w-e).

Se déplacer dans Monterey

– Avec le *MST Trolley* (Visitors' Shuttle) : tlj fin mai-début sept 10h-19h (20h le w-e en juil-août). Gratuit. Ce bus très pratique dessert le centre de Monterey, de la Transit Plaza (plan I, A2) à l'aquarium, en passant par Fisherman's Wharf et Cannery Row.

■ *Parkings :* se garer à Monterey est une vraie galère et peut coûter une fortune. Pour y remédier, demander à l'office de tourisme la brochure *Smart Parking in Monterey*, qui élude tous les problèmes et recense les endroits autorisés.

Adresses utiles

🛈 *Visitor Information Center* (plan I, B2) : *angle Franklin St et Camino El Estero St.* ☎ 333-9703. ● montereyinfo. org ● *Avr-oct, tlj 9h-18h (17h dim) ; novmars, lun-sam 9h-17h, dim 10h-16h.* Très bon accueil et toutes les informations utiles : plans gratuits et bien faits de Monterey, de Cannery Row, liste des hôtels (résas possibles sur place), restos, etc., et puis encore des tonnes de prospectus sur la ville et sa région. La maison qui abrite cet office de tourisme a une petite histoire. Construite en 1840, ce fut le consulat de France de 1842 à 1850. Le premier consul, Louis Gasquet, avait débarqué de France en bateau via le cap Horn. On raconte qu'il fut démis de ses fonctions et refusa de quitter son poste. En 1852, après le rattachement de la Californie aux États-Unis, le consulat se déplaça à San Francisco.

🛈 *Monterey County Visitor Center* (plan I, A1) : *au Maritime and History Museum, 5 Custom House Plaza.* ☎ 1-888-221-1010. *Tlj 9h-17h.*
✉ *Poste* (plan I, A2-3) : *au coin de Hartnell St et de Webster St. Lun-ven 8h30-17h ; sam 10h-14h.*
@ *Internet :* à la *Monterey Public Library* (plan I, A2). *Lun 13h-21h ; mar-mer 10h-21h ; jeu-ven 10h-18h ; w-e 13h-17h.* Plusieurs ordinateurs en accès libre (maximum 30 mn ; s'enregistrer à l'accueil de la bibliothèque).
■ *Location de vélos et de kayaks :* *Adventures by the Sea,* 210 Alvarado St (plan I, A1, **1**) ou 299 Cannery Row. ☎ 372-1807. ● adventuresbythesea. com ● *Tlj 9h-18h en été.* Location de vélos (env 7 $/h et 25 $/j.), de surreys (grosses voitures à pédales) et de kayaks (30 $/j. ou 50 $ pour une sortie accompagnée).

Où dormir ?

Attention, comme la plupart des villes très touristiques, Monterey n'offre pas vraiment d'hébergements bon marché (en dehors de l'AJ), particulièrement le weekend, lorsque les prix doublent presque. Les motels se regroupent pour l'essentiel sur Abrego et Munras Avenue (en direction de Carmel), plutôt verdoyantes, ainsi que sur Fremont Street et Fremont Boulevard, dans l'est de la ville (vers Seaside), bruyantes et assez glauques. Si votre portefeuille est sans fond, vous pourrez vous offrir l'un des *B & B* de luxe de Pacific Grove ; victoriens pour la plupart, chic, chers (de 130 à 650 $!), et pour beaucoup ancrés face à l'océan.

Camping

⚥ *Camping du Veteran's Memorial Park* (plan d'ensemble, **26**) : ☎ 646- | 3865. Au bout de Jefferson St (qui prolonge Pearl St) quand on vient de Mon-

MONTEREY ET CARMEL

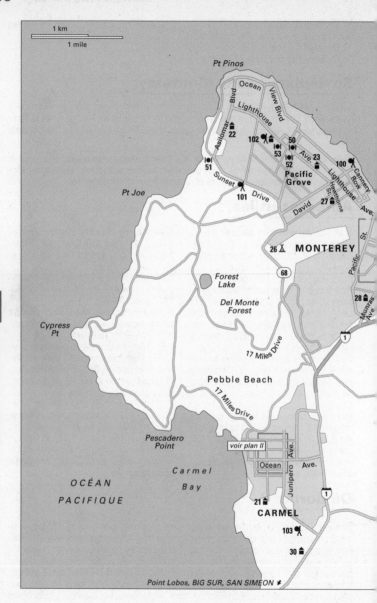

1 km
1 mile

Pt Pinos

Ocean

Lighthouse

Pacific Grove

22

102

50

53

23

52

100

51

Pt Joe

Sunset Drive

101

David

27

MONTEREY

26

68

Forest Lake

Del Monte Forest

28

Cypress Pt

17 Miles Drive

1

Pebble Beach

17 Miles Drive

Pescadero Point

voir plan II

Carmel Bay

Ocean Ave.

OCÉAN PACIFIQUE

21

CARMEL

103

1

30

Point Lobos, BIG SUR, SAN SIMÉON

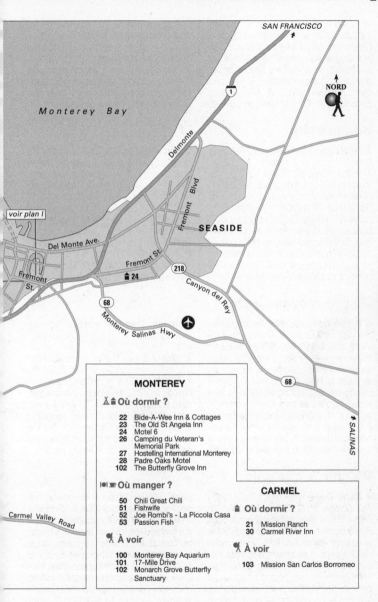

SAN FRANCISCO

NORD

Monterey Bay

Delmonte

Fremont Blvd

SEASIDE

Del Monte Ave.

Fremont St.

Fremont St.

218

Canyon del Rey

68

Monterey Salinas Hwy

voir plan I

🏠 24

68

SALINAS

Carmel Valley Road

MONTEREY

⛺🏠 Où dormir ?

22	Bide-A-Wee Inn & Cottages
23	The Old St Angela Inn
24	Motel 6
26	Camping du Veteran's Memorial Park
27	Hostelling International Monterey
28	Padre Oaks Motel
102	The Butterfly Grove Inn

🍴🍷 Où manger ?

50	Chili Great Chili
51	Fishwife
52	Joe Rombi's - La Piccola Casa
53	Passion Fish

🏃 À voir

100	Monterey Bay Aquarium
101	17-Mile Drive
102	Monarch Grove Butterfly Sanctuary

CARMEL

🏠 Où dormir ?

21	Mission Ranch
30	Carmel River Inn

🏃 À voir

103	Mission San Carlos Borromeo

MONTEREY ET CARMEL – PLAN D'ENSEMBLE

terey, ou accès par la Hwy 68 W (dans ce cas, tourner à droite sur Skyline Forest, puis à gauche au stop sur Skyline Dr) ; le parc est situé à 1 mile, en contrebas de la colline. Emplacement env 25 $ pour une voiture ; à vélo ou à pied, ce n'est que 5 $. Max 3 nuits consécutives. On dépose son dû dans

une enveloppe et l'on accroche son nom sur un poteau, devant un emplacement. Le seul camping de Monterey, donc s'y prendre assez tôt (1er arrivé, 1er servi). Seulement une quarantaine d'emplacements, bien ombragés. Douches avec consignes pour laisser ses petites affaires. Propre et sans bavure.

Bon marché

🛏 **Hostelling International Monterey** (plan d'ensemble, **27**) : 778 Hawthorne St. ☎ 649-0375. • montereyhostel.org • À deux pas de Cannery Row et du Monterey Bay Aquarium. Réception 8h-10h30, 17h-22h. Résa conseillée en été. Dortoir 26 $/pers (23 $ pour les membres) ; double 59 $. Six nuits max. Wifi et accès Internet. Dans un bloc de béton blanc, bleu et marron pas très charmant, cette grande AJ propose des dortoirs et chambres doubles nickel, à

défaut d'être vraiment séduisants. Ne comptez pas trop sur la vue, les chambres en sous-sol sont face à un mur ; préférez donc celles du rez-de-chaussée. Vu les restrictions d'eau, vous n'aurez droit qu'à 7 mn de douche par soir (largement suffisant, en général). Belle grande salle commune lumineuse. Le matin, tous les ingrédients pour faire des pancakes et autres crêpes sont mis à disposition. Ambiance et accueil très sympas, et nombreux restos et bars à proximité.

De prix moyens à chic

🛏 **Padre Oaks Motel** (plan d'ensemble, **28**) : 1278 Munras Ave. ☎ 373-3741 ou 1-888-900-6257. • padreoaks.com • L'un des premiers établissements sur la gauche en arrivant du sud par la Hwy 1. Doubles 79-200 $ selon période, petit déj inclus. Wifi. Petit motel coquet et très fleuri, construit autour d'un chêne vénérable (de près de 2 siècles) et tordu par les vents. Chambres relativement spacieuses tenues avec un très grand soin par une famille

indienne. Très bon accueil. Voiture indispensable pour gagner le centre-ville.
🛏 **Motel 6** (plan d'ensemble, **24**) : 2124 N Fremont St. ☎ 646-8585 ou 1-800-4MOTEL6. • motel6.com • À l'est de la ville, pas loin de l'intersection avec la Hwy 1. Doubles 72-126 $ selon période ; 3 $/pers supplémentaire. Conforme à tous les autres motels de la chaîne (simple, propre, pratique, et dessus-de-lit criards !). Petite piscine.

De chic à très chic

🛏 **Sand Dollar Inn** (plan I, B3, **34**) : 755 Abrego St. ☎ 372-7551 ou 1-800-982-1986. • sanddollarinn.com • Doubles à partir de 119 $ en sem et 149 $ le w-e, petit déj inclus. Wifi. Vaste motel de 3 étages. Les chambres, spacieuses, sont très confortables, avec frigo, cafetière, et même une cheminée au gaz pour certaines (les nuits sont parfois fraîches le long de la côte) ou un balcon (quelques chambres ont même les 2 !). Piscine et jacuzzi entourés de verdure. Bon accueil.
🛏 **Bide-A-Wee Inn & Cottages** (plan d'ensemble, **22**) : 221 Asilomar Blvd, à Pacific Grove (nord-ouest du centre-

ville). ☎ 372-2330. • bideaweeinn. com • Doubles 129-269 $, petit déj inclus. Wifi et accès Internet. Un joli ensemble dans les tons abricot, situé en bordure d'une pinède, au calme, dans un quartier cossu, à deux pas de la mer et du phare. Les chambres sont fraîches et confortables, certaines avec cheminée, micro-ondes et frigo. Cadre vraiment soigné et avenant, planté d'arbustes et d'une pelouse qui verdit joliment l'ensemble. Bon accueil.
🛏 **The Butterfly Grove Inn** (plan d'ensemble, **102**) : 1073 Lighthouse Ave, Pacific Grove. ☎ 373-4921 ou 1-800-337-9244. • butterflygroveinn.com •

MONTEREY ET CARMEL

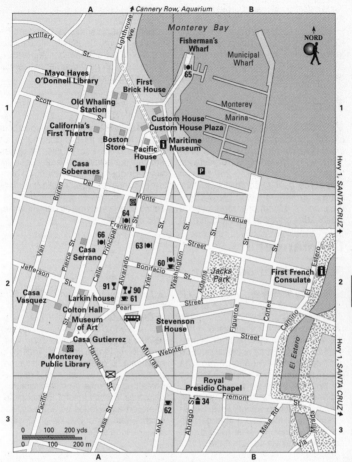

MONTEREY – CENTRE (PLAN I)

■ **Adresses utiles**

- 🛈 Visitor Information Center
- 🛈 Monterey County Visitor Center
- ✉ Poste
- 🚌 Bus MST, Transit Plaza
- @ Monterey Public Library
- **1** Adventures by the Sea

🛏 **Où dormir ?**

- **34** Sand Dollar Inn

|O| 🍽 **Où manger ?**

- **60** Le Montmartre
- **61** Old Monterey Café
- **62** The Wild Plum
- **63** Epsilon
- **64** Crown and Anchor
- **65** Domenico's on the Wharf
- **66** Montrio Bistro

🍸 ♪ **Où boire un verre ?**
Où écouter de la musique ?

- **90** The Mucky Duck Pub
- **91** Lallapalooza

Juste à côté du Monarch Grove Butterfly Sanctuary. Doubles 129-249 $. Wifi. Un motel tout rose dans un quartier très paisible. Les chambres, quasiment toutes avec cheminée, sont vastes et confortables, même si la déco reste plutôt standard. La grande maison rose au centre abrite également quelques chambres. C'est le cadre qui fait le charme du lieu : la petite piscine entourée d'un carré de verdure, ainsi que la grande pelouse sous les arbres qui donne plus l'impression d'être dans un petit quartier résidentiel que dans un motel.

Très chic

🏠 **The Old St Angela Inn** (plan d'ensemble, **23**) : 321 Central Ave, à Pacific Grove (nord-ouest du centre-ville). ☎ 372-3246 ou 1-800-748-6306. ● oldstangelainn.com ● Doubles 150-280 $ selon taille et vue, petit déj compris. Wifi. Dans cette charmante maison bleue construite en 1910, neuf chambres plus ou moins spacieuses et magnifiquement décorées dans le style cosy, avec du bois et pas mal de fleurs. Les plus chères, au 1er étage, ont vue sur la baie ; les autres donnent sur le ravissant jardinet que les fleurs croquent de toutes parts. La gentille patronne confectionne elle-même les délicieux cookies et muffins du matin, servis sous la véranda ou dans le jardin, près du jacuzzi.

Où manger ?

Spécial petit déjeuner

🍴 **The Wild Plum** (plan I, A3, **62**) : 731 B Munras Ave. ☎ 646-3109. Lun et sam 7h-17h ; mar-ven 7h-18h30. Env 10 $. On vous rassure : la cuisine est plus fine que le grand lustre lourdaud de la maison ! En fait, l'endroit est idéal pour un petit déj goûteux à base de produits frais et bio. Œufs proposés sous toutes les formes, bons bols de céréales, imposants muffins maisons, scones, pancakes ; le choix est varié et à déguster dans la petite salle à la large baie vitrée, à la déco colorée mais brute, genre bohème à la californienne.

🍴 **Le Montmartre** (plan I, A-B2, **60**) : (voir ci-dessous).

🍴 **Old Monterey Café** (plan I, A2, **61**) : 489 Alvarado St. ☎ 646-1021. Situé en haut de la rue principale du vieux Monterey. Tlj 7h-14h30. Env 10 $. Petit resto américain de quartier, particulièrement populaire pour ses petits déj : œufs et omelettes cuisinés de mille manières, pancakes, French toast... Personnellement, on regrette les céréales servies directement en boîtes de chez monsieur Kellogg's. Service affable.

De bon marché à prix moyens

🍴 **Le Montmartre** (plan I, A-B2, **60**) : 271 Bonifacio Plaza (angle 444 Washington St). ☎ 646-1620. Tlj sf dim 6h30-18h. Env 6 $ pour un petit creux. Cette boulangerie-pâtisserie, qui fait aussi cafétéria et salon de thé, propose de bons en-cas de toutes sortes : sandwichs, soupes, quiches, salades (de fruits ou de crudités), viennoiseries... bref, tout ce qu'il faut pour un bon déjeuner sur le pouce sans se ruiner. Un petit air de Paname en prime, avec la Seine, Notre-Dame et la tour Eiffel en trompe l'œil.

🍴 **Crown and Anchor** (plan I, A2, **64**) : 150 W Franklin Ave. ☎ 649-6496. Tlj 11h-2h ; happy hours 16h-18h. Env 15 $. Specials affichés à l'entrée. Vieux planisphères, ancres et cordages aux murs, ce pub situé en sous-sol fait très bar à matelots. Accoudé au bar ou attablé dans une alcôve, vous y dégusterez fish and chips, meatloaf ou sovereigns' lamb shanks, tout en sirotant une des 20 bières à la pression et en taillant le bout de gras avec le barman. Patio bien agréable à l'arrière.

🍴 **Chili Great Chili** (plan d'ensemble, **50**) : 620 Lighthouse Ave, à Pacific Grove. ☎ 646-0447. Tlj 11h-22h (22h30 sam). Env 10-15 $. Ce resto propose un large choix de plats en provenance de différents horizons : *fish and chips, burritos,* bœuf Stroganoff, *chili con carne,* ou bien burgers et sandwichs pour les accros. Pâtes fraîches maison, salades géantes, pizzas 2 tailles et bons *specials* à base de poisson, accompagnés de soupe. Service plein de gentillesse et d'attention.

|●| *Joe Rombi's – La Piccola Casa* (plan d'ensemble, 52) : 212 17ᵗʰ St, à Pacific Grove. ☎ 373-01-29. Mer-dim 11h-21h. Env 10 $. Commande à passer au comptoir. « Home Italian food products », proclame la pancarte.... les produits italiens sont quand même bien mâtinés de saveurs californiennes, mais, outre les bonnes pizzas, ce qui nous plaît dans cette petite adresse de quartier à la carte très limitée (une petite dizaine de pizzas et quelques salades), c'est son côté

confidentiel. La petite maison du XIXᵉ qui l'abrite a gardé ses pièces telles quelles, et la déco de ses salles est assez hétéroclite (les photos de familles côtoient les peintures du dimanche, les maquettes de bateaux...). Attention à ne pas se tromper de porte : la même enseigne possède aussi le petit resto juste à côté – *La Mia Cucina.*

|●| *Epsilon* (plan I, A2, 63) : 422 Tyler St. ☎ 655-8108. Lunch *mar-ven 11h-14h30 et dîner mar-dim 17h-21h (21h30 ven et sam).* Déj env 10 $ et largement 15 $ au dîner. Changez donc de latitude avec ce bon restaurant grec proposant tous les grands classiques du répertoire : *dolmades,* salade grecque, *gyros,* moussaka, etc. Pris d'assaut le week-end. Un excellent rapport qualité-prix pour un déjeuner dominé par un trompe-l'œil représentant des ruines antiques.

De chic à très chic

|●| *Passion Fish* (plan d'ensemble, 53) : 701 Lighthouse Ave, à Pacific Grove. ☎ 655-3311. Ouv tlj à 17h pour le dîner. Résa impérative, surtout le w-e. Env 20-25 $. Adresse réputée pour sa cuisine inventive. Déco minimaliste, tables couvertes de papier Kraft. Courte carte, cuisine de marché, produits locaux très frais élaborés par un chef de talent et plats dignes de surprendre le plus blasé des gourmets. Portions généreuses qu'on peut même partager à deux. Superbe carte des vins avec un syrah du vignoble Ventana dont vous nous direz des nouvelles. Service pro et rapide. Addition tout à fait raisonnable pour la qualité.

|●| *Fishwife* (plan d'ensemble, 51) : 1996 Sunset Drive, Asilomar Beach. ☎ 375-7107. Tlj 11h-22h. Env 15-20 $. Dans un quartier résidentiel chic, la petite maison a des allures de resto de bord de route, mais les files de voitures garées devant laissent présager que c'est plus que ça. Les poissons et fruits de mer sont ici à l'honneur. La cuisine californienne cuisinée avec une petite touche des Caraïbes légèrement relevée est plus que réjouissante pour le palais. Mention spéciale pour les *Fisherman's Bowls* où la base – constituée de riz, légumes, haricots rouges assaisonnés d'une sauce au sésame et au gin-

gembre – est accompagnée de fruits de mer ou de poisson.

|●| *Domenico's on the Wharf* (plan I, B1, 65) : 50 Fisherman's Wharf. ☎ 372-3655. Tlj 11h-21h. Env 20-30 $. Le cadre est chic et le resto l'un des grands classiques de Monterey, sur la marina. Le chef, John Pisto, fait partie des grandes toques de Californie, et ses chroniques culinaires télévisées sont très populaires. Il prépare généralement lui-même ses pâtes, qui se mêlent à merveille aux poissons et fruits de mer pêchés le matin même dans la baie. Crabe et calamars du coin sont à l'honneur, mais on peut préférer une bouillabaisse ou son équivalent italien, le *cioppino,* ou bien encore les huîtres Rockefeller. Les carnassiers impénitents trouveront même quelques viandes à leur goût. Portions généreuses.

|●| *Montrio Bistro* (plan I, A2, 66) : 414 Calle Principal. ☎ 648-8880. Tlj à 16h30 pour le dîner et dim pour le brunch. Env 20-25 $. Ancienne caserne de pompiers, vaste salle, murs de brique, on laisse le grand bar à gauche pour s'attabler dans un décor un peu baroque : ferronneries et gros nuages au plafond. Cuisine de saison californo-méditerranéenne, assez sophistiquée tant dans le contenu que la présentation. Une bonne idée : les *small bites* (non, pas de malen-

MONTEREY ET CARMEL

tendu !), des portions réduites qui peuvent remplacer une entrée. Excellents desserts. La maison a vu son savoir-faire plusieurs fois primé.

Où boire un verre ? Où écouter de la musique ?

🍷 🎵 *The Mucky Duck Pub* (plan I, A2, **90**) : 479 Alvarado St. ☎ 655-3031. Tlj dès 11h ; happy hours 16h30-19h. Rendez-vous incontournable de la jeunesse des environs, ce pub offre 2 visages : on y prend d'abord un repas ou une bière, au bar, ou autour du feu (n'oubliez pas les *marshmallows* à griller !), puis, dès 21h, tout le monde se rassemble sur la terrasse, située à l'arrière du pub, pour se déchaîner sur la piste de danse. On boit, on parle fort jusque tard dans la nuit.

Vaut surtout pour l'ambiance et les rencontres assurées.

🍷 *Lallapalooza* (plan I, A2, **91**) : 474 Alvarado St. ☎ 645-9036. Tlj 16h-minuit. Ambiance très branchouille dans ce bar surtout fréquenté par une clientèle plutôt aisée. La confection des Martini, détonants avec double charge d'alcool, est un véritable spectacle. Attention, ça décoiffe vraiment ! Bondé le week-end. Fait aussi resto (steakhouse), jusqu'à 23h.

À voir

Dans le centre

🚶 🚶‍♀️ *Fisherman's Wharf* (plan I, B1) : ● montereywharf.com ● Très, très touristique. Cette longue jetée aux maisons en bois fut construite au XIXe s par les pêcheurs de baleines et les sardiniers. Bien entendu, tout a été transformé en boutiques de souvenirs et restaurants de luxe. Reste à voir toutefois, car la restauration est plutôt réussie. Les otaries viennent jusqu'au pied de Municipal Wharf, à côté, où les pêcheurs, de retour de mer, leur donnent les déchets de poissons invendables. Suivez les rugissements ! Belle attraction improvisée.

🚶 *The Path of History* : infos et inscriptions au Visitor Center de la *Pacific House*. ☎ 649-7118. Départ de la visite guidée tlj à 10h30 de la Pacific House ; durée : 1h30. Gratuit. Résa conseillée (groupes de 18 pers max). Pour ceux qui souhaitent découvrir les maisons historiques du centre-ville, l'office de tourisme a édité un plan avec les principaux centres d'intérêt. On peut, au choix, participer à une visite guidée ou suivre l'itinéraire soi-même (balisé par des cercles jaunes sur les trottoirs) La première option est la meilleure si l'on veut voir l'intérieur des maisons anciennes. On peut aussi décider de n'en visiter que quelques-unes en se présentant sur place à l'heure du passage des groupes (indiqué sur le programme distribué par le *Visitor Center*).

🚶 *Pacific House* (plan I, A1) : face au Stanton Center. ● parks.ca.gov ● Tlj 10h-16h. Entrée gratuite. Le Monterey State Historic Park a élu domicile dans cette vieille maison datant de 1847. Transformée en musée, elle abrite des expositions consacrées à la vie quotidienne à Monterey et en Californie à travers l'histoire. Les nombreux panneaux explicatifs constituent une bonne introduction aux maisons historiques de Monterey et à l'histoire de la ville. À l'étage, la collection amérindienne couvre un grand nombre de tribus d'Amérique du Nord : Sioux en particulier, mais aussi Pueblos, Zunis, etc. La collection de vannerie est magnifique.

🚶 🚶‍♀️ *Maritime and History Museum* (plan I, A1) : 5 Custom House Plaza, à la base du Fisherman's Wharf, dans le Stanton Center. ☎ 372-2608. ● montereyhistory.org ● Tlj sf lun et j. fériés 10h-17h. Entrée libre. Ce joli musée, qui fait lui aussi partie du Monterey State Historic Park, retrace l'histoire maritime de la côte californienne, et plus précisément de Monterey. Vous y apprendrez plein de choses sur les guerres du Pacifique, sur la chasse à la baleine, l'industrie de la sardine... On peut voir de superbes maquettes de bateaux anciens, des armes, des instruments de navigation et, surtout, une immense lentille de Fresnel, la première fabriquée au monde, en 1887, à Paris, qui guidait les marins depuis le phare de Point Sur, au sud de Carmel. À l'étage, reconstitution d'une cabine d'un capitaine de bateau, qui servit de décor dans *The Black Pirate* (avec Douglas Fairbanks), et les pièces de *scrimshaw* – des dents de cachalot ou de l'ivoire de morse sculptés par les marins.

🏹 **Custom House** *(plan I, A1) : à la base du Fisherman's Wharf. Tlj 10h-16h ; entrée gratuite.* Cette bâtisse allongée, qui fait elle aussi partie du parc historique, n'est rien moins que le plus ancien édifice public de Californie. Construite en 1827 sous la férule mexicaine, elle abritait le service des douanes : à cette époque, Monterey était le seul port d'entrée officiel de la province. L'entrepôt a été reconstitué tel qu'il devait apparaître alors, avec des tonneaux de brandy, des sacs de céréales, d'antiques caisses de savon, du papier peint d'Alsace et autres peaux de vache en attente de dédouanement...

🏹 **Stevenson House** *(plan I, A2) : 530 Houston St (entre Pearl et Webster).* ☎ 649-7118. ● *parks.ca.org* ● *L'intérieur ne se visite que lors des tours guidés (lire plus haut « The Path of History »).* Maison dans laquelle Stevenson vécut avec Fanny Osbourne pendant quelques mois, à la fin de 1879. Elle renferme aujourd'hui quelques souvenirs. Un endroit de pèlerinage pour les fans de ce grand écrivain-voyageur.

Dans le quartier de Cannery Row

🏹🏹🏹 🚶 **Monterey Bay Aquarium** *(plan d'ensemble, 100) : 886 Cannery Row.* ☎ 648-4800 ou 1-800-756-3737. ● *montereybayaquarium.org* ● *Tlj sf Noël 10h-18h ; 9h30-18h juin-août. Entrée : 25 $; réduc. Audiotour (très bien fait et disponible en français) 3 $.* Attention à la queue, très longue certains jours d'été (rien d'étonnant, avec 1,8 million de visiteurs annuels !) ; en général, moins d'affluence l'après-midi que le matin. On peut réserver son billet la veille par téléphone ou sur Internet (3 $ de commission), ou venir le chercher la veille au bureau spécial *Advanced Tickets*, situé sur Cannery Row, en face du Hovden Way. Sinon, certains hôtels de Monterey donnent aussi la possibilité d'obtenir des billets à l'avance, qui sont souvent valables 2 jours consécutifs. Compter 3 bonnes heures de visite (café† et resto sur place).

Tout a commencé par l'idée généreuse de David Packard, le cocréateur de la firme électronique *Hewlett-Packard* (voir à Palo Alto, dans le chapitre sur la Silicon Valley). Industriel et philanthrope, le vieux roi David a lancé le projet de cet aquarium en 1981, sur le site de la dernière des conserveries à avoir fermé ses portes (en 1972). Avec beaucoup de dollars et autant d'idées, l'aquarium est une réussite depuis son ouverture en 1984 : des millions de mètres cubes d'eau de mer, directement pompée dans la baie, à raison de plus de 7 500 l/mn, et des aquariums géants (où cohabitent plus de 30 000 animaux) permettant de reconstituer intégralement le milieu naturel de la baie, depuis les rivages jusqu'aux eaux profondes. Ajoutez à cela un personnel d'encadrement (pour la plupart bénévole) qui sait expliquer et informer, ainsi que des documentaires très bien faits d'une trentaine de minutes sur la pêche, les méduses et le canyon sous-marin de Monterey. Vous l'aurez deviné : on aime beaucoup cet aquarium.

Toutes les espèces qui peuplent la baie sont représentées. À commencer par le *kelp,* une algue géante, abritant nombre d'animaux et qui forme une sorte de cathédrale végétale dans un bassin de 9 m de haut sur trois étages (1,3 million de litres d'eau !), la *Kelp Forest.* Tous les jours, à 11h30 et 16h, un plongeur vient nourrir les bêbêtes sous les yeux ébahis des gamins. Non loin de là, vous pourrez assister au fascinant ballet des poulpes géants *(octopus)* et apprivoiser raies, étoiles et concombres de mer dans des bassins tactiles, grâce aux conseils de bénévoles très pédagogues.

La section *Outer Bay* est vraiment remarquable, avec notamment l'immense aquarium de tortues de mer, requins marteau, thons et autres barracudas, que l'on peut admirer sur deux niveaux *(repas à 11h les mar, jeu et w-e)*. Mais le clou de la visite, ce sont les méduses rouges. Éclairées en orange sur fond bleu intersidéral, ces étranges créatures évoluent derrière la large vitre d'un aquarium, sur une musique très zen. On se croirait dans une séance de yoga New Age. Magique ! Chargées à 95 % d'eau, ces bestioles sont particulièrement difficiles à élever. Également des bancs d'anchois argentés qui tournent inlassablement dans un étonnant aquarium en forme de dôme.

La section *Splash Zone*, récemment réaménagée, est entièrement dédiée aux enfants. Plein d'animations interactives, y compris pour les tout-petits qui pourront profiter à leur manière de l'aquarium en se déguisant, rampant, manipulant, dessinant, etc. Les Américains sont vraiment doués pour ce genre de chose. C'est ici que vous verrez une tribu de pingouins curieux s'agglutinant frénétiquement devant une vitre, au nez des gamins rigolards *(repas 10h30 et 15h)*.

Enfin, l'un des programmes phares de l'aquarium est la protection des *loutres de mer* californiennes. Chaque hiver, les fortes tempêtes séparent souvent quelques mères de leurs bébés. Recueillis lorsqu'il n'est pas trop tard, ces derniers sont élevés au biberon par les bénévoles d'une unité spéciale, qui veillent sur eux 24h/24. Dans le bassin extérieur de l'aquarium, les biologistes-plongeurs leur apprendront plus tard les gestes ancestraux de la pêche aux crabes et aux coquillages... Les bons élèves retourneront à l'océan, tandis que les animaux les plus faibles, incapables de se débrouiller seuls dans le milieu naturel, resteront sur place. *Repas à 10h30, 13h30 et 15h30.*

Au fait, savez-vous que les scientifiques américains ont déterminé que la loutre avait le meilleur *cuddling factor* de toutes les espèces menacées ? En d'autres termes, elle ressemble tellement à une peluche que les gens donnent beaucoup plus pour sa sauvegarde que pour celle d'autres espèces... Ah, l'injustice de la nature !
– En longeant la côte, juste après le Monterey Bay Aquarium, en direction de Pacific Grove, vous pourrez voir une multitude de **phoques** et de **loutres** à proximité du rivage. Contrairement à la 17-Mile Drive (voir plus loin), ici c'est gratuit !

🍴 **Cannery Row** *(plan d'ensemble)* **:** sur les 18 vieilles conserveries, il n'y en a plus une seule en activité. Aujourd'hui, elles abritent un musée de Cire, des restos et une ribambelle de boutiques diverses. Difficile de repartir sans au moins un T-shirt. Pourtant, nombreux sont les lecteurs de Steinbeck qui viennent tenter d'y retrouver l'atmosphère de ses chroniques. Hélas, ils seront bien déçus... en ne trouvant qu'un petit buste sculpté du grand homme sur la Steinbeck Plaza.

➤ DANS LES ENVIRONS DE MONTEREY

PACIFIC GROVE

Situé juste à l'ouest de Monterey, dans le prolongement de Cannery Row, Pacific Grove est une jolie station balnéaire occupant la pointe nord-ouest de la péninsule. On ne vient pas pour s'y baigner (il n'y a pas de plage), mais pour y respirer l'air du Pacifique dans un cadre très victorien. On peut déambuler très agréablement sur le front de mer, longé par une promenade parallèle à Ocean Boulevard, et parcourir les rues bordées de superbes maisons de bois peintes de couleurs vives.

🦋 **Monarch Grove Butterfly Sanctuary** *(plan d'ensemble, 102)* **:** *Ridge Rd et Lighthouse Ave. Depuis Light House Ave, tournez à gauche sur Ridge Rd au niveau du Wilkie's Motel. Entrée libre.* De novembre à mars (en règle générale), des dizaines de milliers de papillons monarques, célèbres pour leur couleur orangée, se regroupent le long de la côte californienne pour hiberner. Nés au Mexique, ils vont ensuite à Monterey où ils se reproduisent avant de mourir. Leur progéniture va au Canada et revient à Monterey également pour se reproduire et mourir. Et leurs héritiers partent à leur tour au Mexique... et ainsi de suite. Une mystérieuse et incroyable double migration ! Ces papillons forment d'impressionnantes colonies, se concentrant en grappes pour se tenir chaud et ainsi survivre à l'hiver. Avec le retour du soleil, le matin, ils recommencent à voleter. Des quelques sites accessibles en Californie, deux se trouvent à Pacific Grove : au George Washington Park et au Monarch Grove Butterfly Sanctuary, dans un bosquet d'eucalyptus. Cette invasion ailée (de 40 000 à 60 000 papillons débarquent selon les années et les conditions météo) a valu à Pacific Grove le surnom de *Butterfly Town.* Festival à la clé.

🏬 **17-Mile Drive** *(plan d'ensemble, 101) : route côtière de 17 miles, comme son nom l'indique, et qui fait le tour de la péninsule séparant la baie de Monterey au nord de celle de Carmel au sud. Accès : env 10 $ pour les voitures (remboursés si vous mangez dans un des restos de cette zone) ; gratuit pour les vélos. On ne peut plus entrer à la tombée de la nuit. À l'entrée, remise d'une brochure avec un bon plan et une bonne description de ce qu'offre chaque point de vue. Beaucoup de monde en été, mais on y profite de quelques beaux points de vue, égayés par des cyprès frémissant sous l'appel du vent. Cependant, sur une bonne partie du chemin, vous verrez davantage les villas de millionnaires occupant le littoral et les greens des golfs qu'ils fréquentent que le littoral lui-même... Si vous êtes à vélo, concentrez-vous sur la section comprise entre la Pacific Grove Gate et Pebble Beach, qui longe véritablement la mer. Remontez le long de la jolie plage de Spanish Bay et arrêtez-vous aux* Seal and Bird Rocks, *où vous verrez des pélicans, des cormorans, des loutres et des phoques s'ébattre entre les rochers, à proximité du rivage. Pique-nique autorisé aux emplacements signalés.*

CARMEL   4 081 hab.   847 chiens   5 golfs   IND. TÉL. : 831

Carmel étale ses fastes sur de ravissantes collines couvertes de pins, de cyprès et d'eucalyptus qui descendent jusqu'à l'océan, soulignées d'une belle plage de sable blanc. Située à seulement 4 miles au sud de Monterey, cette charmante localité aux belles villas bien rangées est un véritable repaire de millionnaires. Carmel doit sa renommée aux nombreuses personnalités qui y ont résidé – et y résident toujours –, à commencer par Clint Eastwood, qui en fut le maire de 1986 à 1988. D'ailleurs, la mairie en bois est vraiment croquignolette.

À CARMEL, TU NE POURRAS...

Arpenter les rues juché(e) sur des talons hauts, car l'irrégularité des trottoirs pourrait s'avérer dangereuse pour tes pieds inattentifs ! Non, ce n'est pas une (mauvaise) blague de notre cru, mais un décret de la ville de Carmel ! Et si les gens regardaient où ils mettent les pieds, tout simplement ? Autrefois, un autre décret interdisait de déguster un cornet de glace dans la rue ; heureusement, Clint Eastwood l'a supprimé (ne pas porter de talons hauts passe encore, mais être privé de glace, non !).

Tout ici n'est que richesse et prospérité. Le site est aussi protégé que l'Acropole (sans doute plus !) et, depuis longtemps, on y a interdit les néons, les panneaux publicitaires et les feux de signalisation qui sont si peu esthétiques. Les maisons n'ont pas de boîte à lettres (trop laides !) : on va donc chercher son courrier à la poste, ce qui explique le nombre de voitures à l'arrêt devant celle-ci ! Une loi interdit de couper tout arbre, si bien que certains poussent sur les trottoirs et d'autres sur la plage.

UN PEU D'HISTOIRE

L'écrivain Jack London vint souvent à Carmel voir ses amis romanciers, George Sterling, Mary Austin et Sinclair Lewis. Il y écrivit et s'y reposa (camping sauvage et bivouacs dans les bois !), mais il n'y vécut jamais longtemps. Quant à Henry Miller, auteur du *Tropique du Capricorne*, il n'y a pas non plus vécu, contrairement à ce que l'on croit, préférant de loin la nature farouche de Big Sur à la bonbonnière trop confortable (et trop chère !) de Carmel. Aujourd'hui, ses enfants, Tony et Valentine Miller, y habitent : ils sont plus riches que leur père !

Arriver – Quitter

En bus

🚌 *Bus Station (plan II, D5) :* angle Mission St et 6ᵗʰ Ave, en face de la caserne des pompiers.
– *De/vers Monterey :* 1 à 3 bus/h 7h-19h (22h sam).

En voiture

➤ Si vous continuez en voiture vers le sud, n'oubliez pas de faire le plein en quittant Carmel. Les stations-service situées sur la très belle Highway 1 sont assez peu nombreuses et, surtout, l'essence y est beaucoup plus chère.

Adresses et infos utiles

🛈 *Visitor Center (plan II, C4) :* Carmel Chamber of Commerce, San Carlos St (entre 5ᵗʰ et 6ᵗʰ Ave). ☎ 624-2522 ou 1-800-550-4333. ● carmelcalifornia. org ● Tlj 10h-19h. Efficace et très bien documenté. En été, si vous leur téléphonez, ils vous signaleront les hôtels avec des chambres disponibles. Hors saison (d'octobre à avril), ils peuvent même vous obtenir des réductions dans certains hôtels de la ville. Proposent aussi un plan gratuit de la ville, avec les restos et, au verso, un itinéraire pour une promenade à pied.

✉ *Poste (plan II, C4) :* angle Dolores et 5ᵗʰ Ave. Lun-ven 9h-16h.

@ *Internet :* à la bibliothèque municipale (*Harrison Memorial Library* ; plan II, C5, 5), angle Ocean et Lincoln. ☎ 624-4629. Lun 13h-17h ; mar-mer 11h-20h ; jeu-ven 11h-18h ; sam 13h-17h. Plusieurs connexions gratuites, sinon, connexions payantes chez *Pakmail* (plan II, C4, 4), 5ᵗʰ Ave. Lun-ven 9h-17h30 ; sam 10h-15h.
– Les adeptes de course à pied peuvent se renseigner sur le *marathon Carmel-Big Sur* à l'adresse suivante : ● bsim. org ● ou au ☎ 625-6226. Organisé généralement le dernier dimanche d'avril, le long de la côte, entre falaises et eucalyptus ; c'est l'un des plus beaux du pays.

Où dormir ?

Il y a une cinquantaine d'hôtels et de chambres d'hôtes, de charme et de luxe pour la plupart, dans la ville même de Carmel ; et près de mille chambres au total. Tout est cher, très cher à Carmel : rien à moins de 80 $ la nuit pour deux, hors saison et en semaine ! Dommage que les prix vertigineux ne s'expliquent pas par une qualité de haut vol : on constate en effet que, comme très souvent, la déco des chambres vieillit plutôt mal et que rien ne semble fait pour y remédier.
La seule adresse à prix raisonnable, un camping, se trouve en dehors de la ville. La solution la moins onéreuse consiste à dormir à Monterey et à venir se balader quelques heures à Carmel dans la journée.

Camping

🏕 *Saddle Mountain Campground :* ☎ 624-1617. ● saddlemountaincamping. com ● Fermé en hiver. De la Hwy 1 S, prendre Carmel Valley Rd sur plus de | 4 miles, jusqu'à Shulte Rd ; tourner à droite et faire encore un bon mile. Résa impérative juin-sept. Env 30 $ l'emplacement. Un camping accueillant cam-

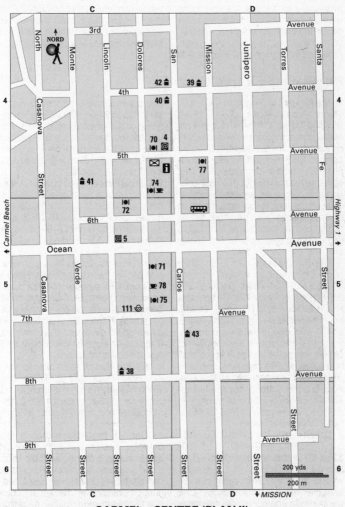

CARMEL – CENTRE (PLAN II)

MONTEREY ET CARMEL

■ **Adresses utiles**

🛈 Visitor Center
✉ Poste
🚌 Bus Station
🖥 4 Pakmail
🖥 5 Harrison Memorial
    Library

🏠 **Où dormir ?**

38 The Homestead

39 Wayfarer Inn
40 Carmel Fireplace Inn
41 The Happy Landing
42 Svendsgaard's Inn
43 Coachman's Inn

🍴 ✿ **Où manger ?**

70 China Gourmet
71 Tutto Mondo

72 Jack London's
    Grill & Taproom
74 Em Le's
75 Little Napoli
77 Casanova Restaurant
78 Tuck Box English Tea
    Room

✿ **Achats**

111 Wings America

ping-cars et tentes. La trentaine d'emplacements pour ces dernières sont disséminés sur une colline boisée, en pleine nature, au milieu des cyprès, des pins et des lauriers. Piscine à la belle saison et douches chaudes gratuites. Attention, très loin du centre (en fait, on lui préfère le *camping du Veteran's Memorial Park* de Monterey).

De plus chic à très chic

▲ *The Happy Landing* (plan II, C4, 41) : Monte Verde St (entre 5th et 6th Ave). ☎ 624-7917 ou 1-800-297-6250. ● car melhappylanding.com ● *Résa vivement conseillée (2-3 mois avt en été). Double à partir de 155 $, suite 225 $, petit déj compris (servi dans la chambre). Wifi.* Une véritable maison de poupée rose bonbon avec ses petites annexes à l'arrière. L'ensemble semble tout droit sorti d'un conte pour enfants. Il n'y manque que les nains ! Les sept chambres sont toutes mignonnes et bien confortables. Adorable patio. Excellent accueil.

▲ *The Homestead* (plan II, C5, 38) : angle Lincoln St et 8th Ave. ☎ 624-4119. Fax : 624-7688. *Doubles 95-230 $, petit déj inclus. Wifi.* Ce bâtiment en bois rouge et à l'intérieur crème, organisé autour de petits patios fleuris, abrite une douzaine de chambres. Les plus anciennes sont simples, sobres (et moins chères !) et les plus onéreuses, situées dans la maison principale, sont vraiment très spacieuses. Pour la petite histoire, comme le *Mission Ranch* (lire plus bas), où se prend le petit déj, l'endroit appartient à Clint Eastwood. Accueil agréable.

▲ *Coachman's Inn* (plan II, D5, 43) : San Carlos St. ☎ 624-6421 ou 1-800-336-6421. ● coachmansinn.com ● *Doubles 145-215 $.* En plein centre-ville, voici un motel au calme, caché derrière une jolie maison à colombages. Une trentaine de chambres très confortables, à la déco cossue, donnant sur la cour intérieure pavée. *Hot tub* et sauna.

▲ *Svendsgaard's Inn* (plan II, C4, 42) : angle 4th Ave et San Carlos St. ☎ 624-1511 ou 1-800-433-4732. ● innsbythe sea.com/svendsgaard ● *Doubles 120-260 $, petit déj compris. Wifi.* Le *Svendsgaard's* est un hôtel très confortable, entièrement non-fumeurs (même à l'extérieur), d'une trentaine de chambres organisées autour d'une piscine chauffée toute l'année. Leur taille varie grandement (certaines sont de véritables appartements), mais toutes disposent d'un frigo, certaines d'une cheminée (à gaz), d'une cuisine et même d'un jacuzzi. Tous les matins, un petit déj est servi devant votre porte dans un panier d'osier et, à 16h, c'est le tour des cookies. Très bon accueil.

▲ *Carmel Fireplace Inn* (plan II, C4, 40) : angle 4th Ave et San Carlos St. ☎ 624-4862 ou 1-800-634-1300. ● fireplaceinn carmel.com ● *Doubles 145-225 $, petit déj-buffet compris. Wifi.* À mi-chemin de l'hôtel et du B & B, l'endroit s'inspire du style des cottages anglais : petites unités vert et blanc, toutes fleuries et séparées par des haies bien taillées. Fidèle à son nom, il ne propose que des chambres avec cheminée. Déco pas revue depuis un certain nombre d'années (de décennies ?) mais les chambres, très confortables, disposent d'un minifrigo, d'une cafetière et des vidéos sont à votre disposition à la réception.

▲ *Mission Ranch* (plan d'ensemble, 21) : 26270 Dolores St. ☎ 624-6436 ou 1-800-538-8221. ● missionranchcarmel. com ● *De 130 $ pour deux à 300 $ pour un cottage accueillant 4 pers, petit déj inclus. Wifi et accès Internet.* À l'écart de Carmel, près d'une prairie verdoyante, avec l'océan à l'horizon, cet ancien corps de ferme de 1850 en bois blanc abrite une trentaine de chambres confortables et plutôt luxueuses. L'heureux propriétaire des lieux n'est autre que Clint Eastwood, mais il ne réside malheureusement pas sur place ; aucune chance donc que l'inspecteur Harry vous serve le petit déj, qui peut être pris dans le restaurant attenant, style western, avec cheminée. Accueil aimable et stylé, sans être snob. Adresse non-fumeurs.

▲ *Wayfarer Inn* (plan II, D4, 39) : angle 4th Ave et Mission St. ☎ 624-2711 ou 1-800-533-2711. ● carmelwayfarerinn. com ● *Doubles 139-239 $, petit déj compris. Wifi.* Ce B & B est à mi-chemin de l'hôtel. Les chambres sont

MONTEREY ET CARMEL

confortables et cossues (TV et frigo dans toutes, cheminée et cuisine dans certaines ou vue lointaine sur la mer pour d'autres). Patio fleuri. Accueil très aimable.

🛏 **Carmel River Inn** *(plan d'ensemble, 30)* : Hwy 1, à la sortie sud de la ville. ☎ 624-1575 ou 1-800-882-8142. ● car melriverinn.com ● En direction de Point Lobos, juste avt le pont sur la rivière Carmel, prendre Oliver Rd à droite. Chambres 2-4 pers dans le motel 159 $, cottages 159-299 $ selon confort ; 2 nuits

min le w-e. Wifi. Motel d'une vingtaine de chambres, peint en 2 tons de vert, un peu près de la route et cher malgré un bon niveau de confort (minifrigo et cafetière, meubles rustiques en bois). Également une vingtaine de cottages plus tranquilles, de taille et de confort variables et pouvant accueillir jusqu'à 6 personnes. Certains ressemblent à des chambres d'hôtel, d'autres à de vraies petites maisons avec cheminée, cuisine ou kitchenette. Piscine chauffée.

Où manger ?

Peu de restos bon marché en centre-ville, évidemment.

Spécial petit déjeuner

🍴 **Em Le's** *(plan II, C4, 74)* : lire ci-dessous.

🍴 **Tuck Box English Tea Room** *(plan II, C5, 78)* : Dolores St. ☎ 624-6365. Ouv pour le breakfast, le lunch et l'after-

noon tea. Blanche-Neige se plairait bien dans cette maison de poupée aux formes biscornues avec bow-window et poutres apparentes.

Bon marché

|●| **China Gourmet** *(plan II, C4, 70)* : 5th Ave (entre San Carlos et Dolores). ☎ 624-3941. Tlj 11h-15h, 16h-21h30 (22h ven-sam). Env 10-15 $. Aussi des plats à emporter. Si les banquettes en skaï orange vif font démodées, ce petit resto se rattrape sur l'essentiel : une cuisine du Hunan et du Sichuan réus-

sie, aux prix sages. Carte très variée : soupes, viandes, plats à base de produits de la mer ou végétariens. Il y a aussi des *lunch specials* (plat principal accompagné d'une soupe du jour et de riz) vraiment bon marché et des *family dinners*, composés de 6 mets différents, pour deux.

De prix moyens à chic

|●| **Tutto Mondo** *(plan II, C5, 71)* : Dolores St (entre Ocean et 7th Ave). ☎ 624-8977. Tlj 12h-14h30, 17h-22h. Env 15-25 $. De l'incontournable Clint Eastwood à Richard Cocciante, cette *trattoria* affiche fièrement les photos des stars venues déguster ses salades géantes et ses spécialités de pâtes fraîches très copieuses. Pour les faims plus légères, *bruschetta* (pain grillé frotté à l'ail, tartiné de tomates et de fromage de chèvre par exemple) et autres *antipasti* suffisent largement. Gardez une place pour le dessert : le plateau des douceurs est aussi impressionnant qu'alléchant. La *panna cotta* sur coulis de fraises est un régal ! Grand choix de vins italiens et californiens. Accueil et ser-

vice très attentionnés.

|●| **Em Le's** *(plan II, C4, 74)* : Dolores St (entre 5th et 6th Ave). ☎ 625-6780. Tlj breakfast et lunch : 7h-15h, dîner dès 16h30 ; early bird menu 13 $, 16h30-19h. Petit déj et lunch 10-15 $, dîner 18-25 $. Mignonne et souriante, la petite maison de bois blanc et turquoise abrite tout juste 10 tables et un comptoir. Fondé en 1955, cet antre favori du petit déj est fréquenté par une clientèle d'habitués plutôt aisés (forcément, puisqu'ils habitent Carmel !). C'est l'endroit pour fondre sur les délicieux *French toast* ; en revanche, les proportions étant gargantuesques (et le partage d'assiette facturé !), préférer la demi-portion ! Le midi, vous pourrez opter pour un vaste éventail de

MONTEREY ET CARMEL

sandwichs, pâtes, soupes et salades. Le soir, bons plats de fruits de mer et de viandes grillées, plus consistants et plus chers aussi.

I●I *Little Napoli* (plan II, C5, **75**) : Dolores St (entre Ocean et 7th Ave). ☎ 626-6335. Tlj 12h-22h. Résa conseillée. Env 12-25 $. Les drapeaux rouge, vert et blanc qui flottent sur la rue et les jéroboams de chianti en vitrine vous montrent la voie. Convivial et intime tout à la fois, voici un des meilleurs restaurants italiens de Carmel, proposant une vaste sélection de pizzas napolitaines, de pâtes et d'excellents fruits de mer. Bon rapport qualité-prix. Bondé, même en semaine.

I●I *Jack London's Grill & Taproom* (plan II, C5, **72**) : dans un renfoncement du pâté de maisons situé entre Dolores et Lincoln, 5th et 6th Ave. ☎ 624-2336. Tlj 11h-30-minuit. Env 10-15 $ pour les sandwichs et les salades, 15-20 $ pour les viandes et plats plus élaborés. Deux ours à lunettes gardent l'entrée. Un pub en l'honneur du célèbre écrivain, où l'on sert à boire et à manger. Cuisine de bar, simple et pas trop onéreuse, servie dans 2 grandes salles chaleureuses et boisées, ou sur les quelques tables installées à l'extérieur. Au menu : sandwichs ventrus, burgers, pizzas, plats mexicains, *margaritas* géantes et *microbrews* (bières) locales.

Très chic

I●I *Casanova Restaurant* (plan II, D4, **77**) : 5th Ave (entre San Carlos et Mission). ☎ 625-0501. Tlj 11h30-15h, 17h-22h. Lunch 15-20 $; dîner 35-50 $ (il s'agit d'un menu complet, sans l'alcool). Installé dans une charmante maisonnette tout droit sortie d'un conte pour enfants et qui appartenait à une ancienne cuisinière de Charlie Chaplin, ce resto propose une cuisine raffinée, aux influences résolument italiennes et françaises (normal, le chef a appris la cuisine à Strasbourg). À déguster dans un cadre très cosy ou dans un gentil patio, avec lumière tamisée en soirée. Une adresse incontournable pour un dîner en amoureux, à condition de mettre la main au portefeuille.

À voir

🎎 *La mission San Carlos Borromeo* (plan d'ensemble, **103**) : au sud de Carmel, sur Rio Rd. ☎ 624-3600. • carmelmission.org • Tlj 9h30 (10h30 dim)-17h. Entrée : 5 $; réduc. Gratuit dim à cause des messes : on peut quand même visiter l'église entre les offices, et tout le reste se visite normalement. C'est la deuxième mission créée en Californie (le 3 juin 1770) et sûrement l'une des mieux conservées. On doit sa superbe restauration à sir Harry Downie, qui lui a consacré cinquante ans de sa vie. On entre par les jardins, en direction de l'église, au maître-autel vert et bordeaux assez baroque et aux voûtes évoquant la coque d'un bateau retournée. Elle fut élevée au rang de basilique par le pape Jean XXIII. Dans les jardins fleuris à l'arrière, fontaine ornée d'azulejos, puis on accède à la salle contenant le cénotaphe de Junipero Serra, le prêtre franciscain espagnol qui fonda la mission et de nombreuses autres en Californie. On termine la visite en parcourant les différentes pièces : chambre, cuisine, cellule (très spartiate) de Junipero Serra, etc.

Achats

Très couru par les amateurs d'art depuis le début du XXe s, Carmel compte plus de 90 galeries et studios, qui exposent les artistes en vogue. Les magasins, quant à eux, comptent parmi les plus beaux (et les plus kitsch) de Californie – les plus chers aussi. Ici, les vitrines sont arrangées comme des œuvres d'art, les intérieurs soignés comme dans *Vogue* ou *Harper's Bazaar*. Les choses à vendre doivent être sophistiquées et les plus originales possible.

❀ *Wings America* (plan II, C5, **111**) : angle Dolores et 7th Ave. ☎ 626-9464. • wingsamerica.com • Tlj 9h30-18h. Amateurs d'avions, cette boutique mérite le détour, rien que pour le coup d'œil sur les maquettes suspendues au plafond... En fait, vu le prix de ces peti-tes merveilles, la boutique serait peut-être plus à sa place dans la rubrique « À voir » que dans « Achats » !

➤ DANS LES ENVIRONS DE CARMEL

🎭🎭🎭 🚶 *Point Lobos :* à près de 2 miles au sud de Carmel. ☎ 624-4909. ● ptlobos. org ● Tlj de 8h jusqu'à 30 mn après le coucher du soleil. Entrée : 10 $ pour une voi-ture ; gratuit à vélo (mais c'est loin et vous devrez rester sur la route, les sentiers étant interdits aux vélos – cela dit, des emplacements sont prévus pour les attacher), ainsi qu'à pied (bus n° 22 depuis Monterey). Brochure détaillée à l'entrée (existe en fran-çais). Le nombre de visiteurs est limité dans le parc et il peut arriver que vous ayez à attendre votre tour pour entrer (une voiture sortie, une voiture entrée).

Cette réserve naturelle vaut très largement le 17-Mile Drive. Les routes étroites se terminent par des petits sentiers pédestres qui longent la mer et permettent d'accé-der aux plus jolis sites, des promontoires dominant le Pacifique. Sévèrement pro-tégée, la péninsule est l'un des derniers endroits sauvages de Californie. On y trouve des bosquets de cyprès de Monterey, une espèce d'arbre rare, accrochés aux falai-ses, tordus par le vent et les embruns. On peut y observer de nombreux oiseaux et animaux marins : loutres de mer et phoques sont presque toujours au rendez-vous, les premières barbotant dans les lits de *kelp* (une algue géante), les seconds se dorant au soleil.

À *Sea Lion Point,* sur les rochers, se rassemblent des otaries qu'on entend de très loin. Les premiers marins espagnols qui découvrirent la région trouvèrent une grande ressemblance entre leur cri et les hurlements de loups, et nommèrent l'endroit *Punta de los Lobos Marinos* (la pointe des loups marins). D'où le nom *Point Lobos.*

En décembre-janvier, les baleines grises longent la côte du nord au sud, et en mars-avril en sens inverse. Elles peuvent atteindre 15 m et peser jusqu'à 40 t. Leur voyage annuel totalise près de 16 000 km ; c'est la migration la plus longue enregistrée dans la famille des mammifères.

Enfin, sachez que c'est dans le site sauvage de Point Lobos que Robert-Louis Ste-venson, établi à Monterey en 1879, aurait trouvé l'inspiration pour écrire son roman d'aventure *L'Île au trésor.* On parle au conditionnel, mais pour son biographe, le Breton Michel Le Bris, qui connaît bien la région, cela ne fait aucun doute.

– Ne pas manquer **Bird Island.** Plusieurs plages et aires de pique-nique où les écureuils viendront vous tenir compagnie. En contrebas, on peut souvent voir des loutres en train de flotter.

– À **Whaler's Cove,** un petit musée retrace l'histoire de la péninsule de Point Lobos, révélant son rôle (assez accessoire) dans l'ère baleinière qui enflamma le Pacifique au milieu du XIXe s. Installé dans une maisonnette en bois de la même époque, qui appartenait à des pêcheurs chinois. Plus tard, en ces lieux, des plongeurs japonais exploitèrent les abalones – les coquillages préférés des loutres. Un film d'une dizaine de minutes, consacré à la faune du parc, est projeté sur demande.

– ATTENTION au *poison oak,* un arbuste vénéneux dont les feuilles brillantes res-semblent à celles du chêne – d'où son nom américain traduisible par « chêne poi-son ». N'y touchez pas, car il sécrète une substance qui provoque des éruptions et des démangeaisons insoutenables.

BIG SUR   IND. TÉL. : 831

Voici une région idéale pour tous ceux qui sont épris de nature sauvage. Magnifiquement préservé, ce site offre d'un côté des falaises et criques rocheuses battues par les vagues d'un océan pas toujours très pacifique, et

DE SAN FRANCISCO À LOS ANGELES PAR LA CÔTE

de l'autre des forêts de séquoias – une espèce côtière, plus haute mais moins corpulente que celle de la Sierra Nevada. Ça ressemble parfois à la Méditerranée, de temps en temps à la Bretagne, parfois aux côtes d'Écosse ou de Scandinavie, toute comparaison étant relative, du fait des variations de la météo. Pas étonnant que beaucoup d'artistes aient été subjugués par cet endroit, comme l'écrivain Henry Miller dans les années 1950 : « Voici la Californie dont rêvaient les hommes d'autrefois ; voici le Pacifique que Balboa contempla, voici le visage de la Terre tel que le Créateur l'a conçu. » Sur leurs traces, tous ceux qui recherchaient la tranquillité, l'isolement et l'émerveillement des grands espaces ont posé là leurs pénates. C'est ce désir de paix qui vaut à Big Sur une bonhomie et une nonchalance de moins en moins communes dans la Californie d'aujourd'hui. Dommage cependant qu'on ait désormais tant de mal à quitter la Highway 1, tellement les accès (aux plages, notamment) sont limités.

– *Conseil :* les meilleurs mois pour y venir sont octobre (25° C en moyenne) et avril. En général, entre novembre et février, air frais vivifiant, ciel pur, et soleil encore assez chaud pour se promener en tenue légère.

UN PEU D'HISTOIRE

Ce n'est que vers le milieu du XIXe s que débuta véritablement l'exploration de la région. Des pionniers s'installèrent, bûcherons pour la plupart, travaillant à l'abattage des séquoias. Parmi eux, les Pfeiffer, dont le nom se retrouve partout à Big Sur. L'industrie avait un tel poids que la population des lieux était alors plus importante qu'aujourd'hui. C'est à cette époque que Jack London parcourut la région à cheval depuis la vallée de la Lune. En 1889, la construction du phare de Point Sur permit d'éviter les naufrages autrefois si fréquents le long de cette côte traîtresse, souvent plongée dans les brouillards créés par la rencontre des courants froids du Pacifique et des terres californiennes gorgées de soleil.

Le grand public, lui, ignora la région jusqu'en 1937, date à laquelle fut ouverte la route reliant Carmel à San Simeon. Celle-ci longe le Pacifique sur une bonne centaine de miles. Dans son sillage, l'électricité finit par atteindre Big Sur... dans les années 1950. Dix ans plus tard, un autre Jack, Kerouac celui-là, écrivain charivarique et grand buveur devant l'Éternel, vint dans ce coin sauvage pour se désintoxiquer d'une java qui avait duré trois ans. Pour lui, Big Sur n'était pas le paradis, mais l'enfer. Comme après une mauvaise gueule de bois, l'endroit lui apparut comme un lieu de terreur avec des « rochers noirs » et une « mer dévastatrice ». Il ne voulut même pas rencontrer Miller.

L'âge d'or de Big Sur semble aujourd'hui appartenir au passé. Depuis les années 1980, les artistes désargentés et bohèmes ont petit à petit cédé la place à des résidents de plus en plus aisés. Mais lorsque les tempêtes hivernales entrent en scène, plus violentes ces dernières années car nourries par les forces colossales d'El Niño, il n'est pas rare que Big Sur retrouve, en l'espace de quelques jours ou de quelques semaines, l'isolement du passé. Il y a quelques années, la route côtière fut coupée au nord comme au sud durant quatre mois, transformant ainsi la région en une île improvisée, isolée du monde. Ce fut encore le cas durant l'été 2008, quand Big Sur fut en proie aux incendies.

HENRY MILLER À BIG SUR : UN DIABLE AU PARADIS

Après des années de misère à Paris (où il écrivit *Tropique du Cancer* et *Jours tranquilles à Clichy*) et d'errance en Grèce, Henry Miller revint en Amérique pendant la Seconde Guerre mondiale et s'installa en Californie. Effrayé par le « cauchemar climatisé » qu'était devenu son pays, l'artiste, toujours sous la menace de la censure, décida de fuir le plus loin possible cette société de consommation qu'il détestait. La découverte de Big Sur, endroit dépeuplé, fut pour lui une révélation. « Pour la première fois de ma vie... je sentais que j'habitais le monde où j'étais né. »

En février 1947, le nomade posa son sac à Partington Ridge, dans une bicoque accrochée à une falaise en à-pic surplombant l'océan Pacifique. « Tout vous est jeté pêle-mêle : l'océan, le paysage, les forêts, les rivières, les oiseaux... les vagabonds, les couchers de soleil, le génépi, et même les rochers qui ont un attrait hypnotique. » Mais cette solitude avait un prix : la pauvreté, l'inconfort. Au début, sa maison n'avait ni gaz, ni électricité, ni téléphone, ni frigo, ni chauffage, ni toutà-l'égout. Rien qu'une cabane améliorée. Il ne recevait le courrier que trois fois par semaine. Pas de voiture, mais une petite charrette qu'il chargeait de victuailles et tirait comme une mule, presque entièrement nu. Pendant longtemps, pour survivre, notre Robinson vendit ses peintures au bord de la route. De nombreux admirateurs lui adressaient aussi des dons, des cadeaux, de l'argent qu'il recevait par la poste. Le succès arriva. Ses livres se vendirent. Il put acheter sa maison.

Il fut de moins en moins seul car, bien avant l'époque hippie, Big Sur devint le refuge d'une communauté d'artistes et d'anticonformistes, démunis mais solidaires, décidés à se tenir loin du tapage du monde moderne. Miller partageait son temps entre l'écriture (il y écrivit notamment *Big Sur et les Oranges de Jérôme Bosch*), les promenades à pied, les visites aux amis (Emil White, surtout), les bains aux sources sulfureuses de Slade's Spring. C'est dans ce paradis à la fois splendide et terrible, fait de paix et de solitude, que le diable Miller devint Miller-Bouddha, un grand artiste illuminé de l'intérieur et sans cesse créatif. À ses côtés, il eut des femmes différentes (dont une Japonaise) mais surtout ses enfants, Tony et Valentine.

Miller vécut à Big Sur de 1947 à 1962. Puis il déménagea à Pacific Palissades (près de Los Angeles), où il resta jusqu'à sa mort en 1980. Curieusement, il se montra assez morose sur l'avenir de la région qui, selon lui, « deviendra une banlieue de Monterey... avec l'insipide agitation qui rend si odieuse la banlieue américaine ».

Topographie

Big Sur n'est ni une ville ni un village. C'est une micro-région qui, selon Henry Miller, « a de deux à trois fois la superficie de la république d'Andorre ». Cette enclave sauvage commence un peu au nord de la rivière Sur (Malpaso Creek), s'étendant au sud jusqu'à Lucia et, à l'est, jusqu'à la vallée de Salinas. Il n'y a pas vraiment de centre (voir la carte). Un habitat émietté, avec des maisons étalées le long de la route, enfouies dans les bois ou accrochées aux versants des collines et des falaises.

Arriver – Quitter

➤ *De/vers Monterey :* 3 bus/j. (2 le w-e) avec les bus de la *MST (Monterey-Salinas Transit).* ☎ 899-2555 ou 1-888-678-2871. ● *mst.org* ●

Adresses utiles

🅸 *Big Sur Station :* à gauche de la route en venant du nord, peu après le Pfeiffer Big Sur State Park. ☎ 667-2315. ● *big surcalifornia.org* ● Tlj 8h-18h. Représente à la fois le service des parcs d'État et l'office de tourisme : tous les renseignements pour découvrir le coin, dormir et manger. Également des cartes topographiques (payantes) et une foule d'infos sur les randonnées praticables dans les parcs de la région. S'y procurer enfin *El Sur Grande*, la feuille de chou locale, pour connaître l'actualité et tous

les bons plans du coin.

✉ *Poste :* au Big Sur Center (au sud de la Big Sur Station).

@ *Internet :* connexion gratuite à la *bibliothèque municipale* (Public Library), *située juste à côté du* Ripplewood Café *(carte,* 15). *Lun et mer 12h-18h ; ven 11h-18h.*

■ *Distributeurs d'argent :* dans l'épicerie du Big Sur River Inn *(carte,* 16), au Big Sur Center *et au* Ripplewood Resort *(carte,* 15).

■ *Pompes à essence :* à côté du Ripplewood Café *(carte, 15)* ; au Big Sur River Inn *(carte, 16)* ; et à côté de la Big Sur Bakery *(carte, 23)*. L'essence est à prix prohibitif (environ + 20 %).

■ *Épicerie, ravitaillement :* à l'épicerie du Ripplewood Resort *(carte, 15)* ; au Big

Sur River Inn *(carte, 16)* ; au Big Sur Center ; et au Fernwood Motel *(carte, 13)*.

■ *Big Sur Health Center (centre médical) :* sur la Hwy 1, à l'entrée du Big Sur Campground and Cabins *(carte, 14)*. ☎ 667-2580. Lun-ven 10h-17h.

Où dormir ?

Les hébergements sont chers et souvent réservés six mois à l'avance ! La solution la plus économique reste la tente ou, plus confortables, les petites cabanes dans les campings.

Campings

⚊ *Andrew Molera State Park :* voir plus loin « Dans les environs de Big Sur ». ☎ 667-2315. Emplacement (4 pers max) env 10 $. Aucun confort, sauf les w-c et des barbecues, mais à ce prix, difficile de s'attendre à mieux.

⚊ *Pfeiffer Big Sur State Park* (Big Sur Lodge ; carte, 12) : Hwy 1. ☎ 667-2315. *Résa impérative en été au* ☎ 1-800-444-PARK. Emplacement 25-35 $. Wifi. Situé au cœur d'une magnifique forêt de séquoias, ce camping d'État est le plus grand, et le plus agréable de tout Big Sur. Plus de 200 emplacements dispersés, où vous aurez la visite des écureuils et des geais. Sur place, douches chaudes (payantes), laverie, petite épicerie et resto *(tlj 8h-21h)*. On peut réserver spécifiquement les sites bordant la Big Sur River à condition de s'y prendre 8 mois à l'avance pour l'été !

⚊ *Fernwood Campground* (carte, 13) :

Hwy 1, en contrebas du Fernwood Motel. ☎ 667-2422. ● fernwoodbigsur. com ● *Emplacement env 35 $. Tentes-cabines (2 pers) 60 $.* Une soixantaine de places réparties dans une jolie forêt de séquoias, de part et d'autre de la rivière Big Sur. Électricité pour les camping-cars. Douches chaudes, épicerie, et une station-service juste au-dessus.

⚊ *Ventana Campground* (carte, 11) : *sur la gauche de la route en venant du nord, peu après le* Big Sur Center ; c'est indiqué. ☎ 667-2712. ● ventanawilder nesscampground.com ● *Ouv mars-oct. Emplacement 2 pers env 35 $.* Le camping est situé dans le creux d'un petit canyon dont la beauté sauvage a été préservée. Sombre et humide, mais frais en été. Une cinquantaine d'emplacements (pour tentes et caravanes) éparpillés dans une forêt de séquoias. Douches gratuites mais équipement sommaire.

■ **Adresse utile**

🛈 Big Sur Station
📚15 Public Library

⚊ 🏠 **Où dormir ?**

10 Riverside Campground and Cabins
11 Ventana Campground
12 Pfeiffer Big Sur State Park et Big Sur Lodge
13 Fernwood Campground et Fernwood Motel
14 Big Sur Campground and Cabins
15 Glen Oaks Motel et Ripplewood Resort

16 Big Sur River Inn

|●| 🍴 **Où manger ?**

11 Cielo
15 Ripplewood Café
16 Big Sur River Inn Restaurant
21 Nepenthe Restaurant et Café Kevah
22 Deetjen's Big Sur Inn
23 Big Sur Bakery & Restaurant
24 Rocky Point

🔭 **À voir**

30 Henry Miller Memorial Library

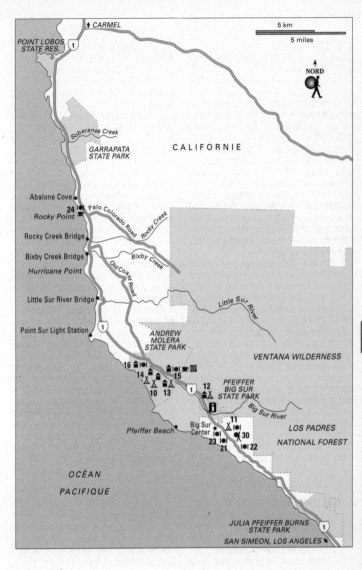

BIG SUR ET LA HIGHWAY ONE

De bon marché à plus chic

✗ 🏠 **Riverside Campground and Cabins** (carte, **10**) : le 2e camping à droite de la Hwy 1 en venant du nord. ☎ 667-2414. • riversidecampground.com • Ouvslt mai-oct, quand le pont qui permet d'entrer sur le camping n'est pas noyé sous les eaux de la Big Sur River. Emplacement 35 $ et 80-170 $ pour une cabin selon confort. Situé sous les séquoias, au bord de la rivière, dans laquelle on peut se baigner si l'on n'est pas trop frileux. On peut aussi y pêcher. Pour un peu plus de confort, vous pouvez opter pour l'une des 11 cabins : les plus simples ne comportent que 2 lits, les plus chic ont leur propre salle de bains et une cheminée. Électricité pour les camping-cars et eau potable. Laverie, douche gratuite (mais pas toujours nickel).

✗ 🏠 **Big Sur Campground and Cabins** (carte, **14**) : situé juste après le Big Sur River Inn en venant du nord. ☎ 667-2322. • bigsurcamp.com • Emplacements env 38-48 $ selon situation ; bungalows 95-345 $ selon taille (jusqu'à 6 pers) et saison, et tente-cabine env 60 $. Si le camping est plutôt plus resserré que les autres, on trouve ici une vaste gamme de bungalows : de la maisonnette confortable dominant la rivière (certaines avec cuisine ou cheminée) à la simple tente-cabine. Ce sont de grandes tentes aménagées avec murs en toile, toit en Plexiglas (bruyant lorsqu'il pleut) et lit unique pour une roucoulade sous la voûte céleste (pas de sanitaires privés). Laverie, terrain de basket. Excellent accueil. Adresse non-fumeurs.

🏠 **Ripplewood Resort** (carte, **15**) : Hwy 1. ☎ 667-2242. • ripplewoodresort.com • Réception à l'épicerie Ripplewood Resort. Pour 2 pers 95-165 $ selon confort (avec ou sans cuisine, cheminée ou terrasse). Wifi. Jolies cabanes de bois assez rustiques, mais bien équipées, dispersées sous de majestueux séquoias, en contrebas de la Highway 1, près de la rivière, ou de l'autre côté de la route, sur la colline au-dessus de l'épicerie. L'endroit idéal pour qui souhaite prolonger son séjour à Big Sur (pour le calme, comme dans la majorité des autres hébergements, il faudra faire avec le bourdonnement de la route, invisible mais audible), notamment avec les cuisines équipées qui permettent une bonne économie côté repas ; les cabins sont également assez espacées pour préserver l'intimité de chacun.

🏠 **Fernwood Motel** (carte, **13**) : au bord de la Hwy 1, au début de Big Sur, sur la droite en venant du nord. ☎ 667-2422. • fernwoodbigsur.com • Doubles 99-165 $. Wifi. L'un des motels les moins chers de Big Sur. Les petites chambres, simples mais propres et avenantes, se trouvent dans une annexe, le long de la route – elles sont donc un peu bruyantes. Pas de vue, mais juste ce qu'il faut pour ronfler et repartir le lendemain. Avantage du Fernwood : il fait aussi resto (burgers, sandwichs, tacos, burritos) et épicerie. Pas mal de bikers.

De plus chic à très chic

🏠 **Glen Oaks Motel** (carte, **15**) : après le Riverside Campground et avt la Big Sur Station, sur la gauche de la Hwy 1 quand on vient du nord. ☎ 667-2105. • glenoaksbigsur.com • Doubles 135-255 $ selon confort et moment de la sem. Wifi. Jolies chambres à la déco épurée, certaines avec un queen bed d'autres, avec un king. Ces dernières ont une cheminée vitrée ouverte sur leur petite terrasse privative à l'arrière. Charmant (oui, d'accord, c'est un peu cher !).

🏠 **Big Sur Lodge** (carte, **12**) : 47225 Hwy 1, dans Pfeiffer Big Sur State Park. ☎ 667-3100 ou 1-800-424-4787. • bigsurlodge.com • Doubles 199-329 $ selon confort, plus pour une suite. Dans une vaste clairière cernée par la nature luxuriante du parc Pfeiffer, une soixantaine de chambres réparties dans une série de cottages en bois, autour d'une piscine. Le cadre est vraiment agréable, avec vue sur les montagnes, mais le confort peine parfois à justifier le prix des chambres standard. Les plus chères, les plus grandes, et les plus confortables donc, ont cuisinette et cheminée. Accueil aimable.

🏠 **Big Sur River Inn** (carte, **16**) : à Pheneger Creek, entrée nord de Big Sur.

☎ 667-2700 ou 1-800-548-3610. ● *big surriverinn.com* ● *Doubles 100-195 $ selon saison et confort.* De part et d'autre de la route, donc un poil bruyant, ce motel en bois abrite une vingtaine de chambres plutôt simples (pas de TV et téléphone), mais confortables et très bien tenues. Les plus agréables sont celles dominant la Big Sur River, à l'étage. Ceux qui voyagent à quatre peuvent profiter des suites *(195-295 $)*, qui donnent sur la rivière. Piscine chauffée et restaurant (voir ci-dessous).

Où manger ?

Un conseil : faites vos courses à l'épicerie et allez pique-niquer en pleine nature. C'est le moins cher et le plus agréable. Sinon, chaque camping et motel (ou presque) dispose de son propre resto. On trouve aussi un petit *deli* au *Big Sur Center.* Si vous restez quelque temps, faites le plein à Monterey avant d'arriver : les prix seront plus doux et le choix beaucoup plus large.

Spécial petit déjeuner

☞ *Ripplewood Café (carte, 15) :* pour un petit déj tranquille à prix raisonnable et le *Rocky Point (carte, 24)* parce que vous rêvez d'un petit déj avec vue à savourer, même si ce délice est lui aussi quelque peu facturé dans l'addition !

De bon marché à prix moyens

|●| *Ripplewood Café (carte, 15) :* Hwy 1. ☎ 667-2242. *Tlj 8h-14h. Env 10 $.* Un petit resto tranquille et très cosy, avec banquettes confortables en bois clair, vaisselle en porcelaine et jolie décoration de plantes. On y trouve tout un choix de bons petits déj très copieux et de sandwichs le midi ; les deux sont servis à toute heure. Petite terrasse ensoleillée à l'arrière.

|●| *Big Sur Bakery & Restaurant (carte, 23) :* juste au-dessus de la station-service du Big Sur Center. ☎ 667-0520. *Tlj sf lun 8h-21h30. Env 15 $.* On aime beaucoup cette adresse qui joue sans conteste la carte de la qualité : pain maison, légumes bio, tartes salées savoureuses, pizzas cuites au feu de bois. On vous conseille la tartine du jour, accompagnée de mâche et de graines de tournesol avec, en dessert, un *blondie* (mélange de cookie et de brownie). L'ambiance est vraiment très sympa, et la halte reposante.

|●| *Big Sur River Inn Restaurant (carte, 16) :* dans l'hôtel du même nom, au nord de Big Sur. ☎ 667-2700. *Tlj sf mar 8h-20h30, avec de courtes coupures. Env 15 $.* La maison en rondins où se trouve le restaurant fut édifiée par un descendant de la famille Pfeiffer, un des premiers pionniers installés dans la région. Il abrita même un temps la poste de Big Sur. On y trouve aujourd'hui une cuisine country de qualité (bonnes salades, viandes, saumon du Pacifique, etc.) et une tarte aux pommes aromatisée à la cannelle, au clou de girofle et plein d'autres épices et renommée depuis les années 1930. Elle valut autrefois son nom à l'auberge – qui s'appelait *Apple Pie Inn* – et même à la chaîne de montagnes voisine, devenue Apple Pie Ridge ! Belle et vaste salle à manger avec cheminée et terrasse sur la rivière aux beaux jours.

|●| *Café Kevah (carte, 21) :* en contrebas du Nepenthe Restaurant, *près du parking.* ☎ 667-2344. *Tlj mars-déc, 9h-16h, si le temps le permet. Autour de 15 $. Brunch le w-e.* Café dont la terrasse offre une très belle vue sur le Pacifique qui vient battre une côte déchiquetée. Pas mal de peintres amateurs viennent d'ailleurs profiter de ce point de vue exceptionnel. Prix plus abordables que ceux du *Nepenthe,* mais menu assez limité. Le petit déj est servi toute la journée et, pour le lunch, vous pourrez choisir entre salades, paninis, ou des plats plus élaborés, comme une truite aux pignons ou des gambas sautées.

DE SAN FRANCISCO À LOS ANGELES PAR LA CÔTE

De plus chic à très chic

I●I *Rocky Point* (carte, 24) : au nord de Big Sur, juste avt l'intersection avec Palo Colorado Rd. ☎ 624-2933. Tlj 9h-21h (dernier service). Petit déj et lunch 15-20 $, dîner 30-40 $. Sincèrement, pour un réveil en douceur et un petit déj avec vue somptueuse, c'est l'endroit. Certes, les prix sont un peu élevés, mais ils comprennent le jus de fruit frais et le café (sauf si vous souhaitez un expresso ou un cappuccino), et les plats sont bien préparés. Pour le déjeuner ou le dîner, bons plats de poissons et viandes grillés, mais servis uniquement à l'intérieur. Préférez un repas léger (soupes, salades, sandwichs, ou les huîtres fraîches du Pacifique, pour lesquelles le resto est connu), servi sur la terrasse. La vue sur la côte battue par l'océan et sur le pont de Bixby est imprenable, et le coucher de soleil, magique.

I●I *Deetjen's Big Sur Inn* (carte, 22) : 48865 Hwy 1, à la sortie sud de Big Sur, un peu après la bibliothèque d'Henry Miller, sur la gauche. ☎ 667-2377. Tlj 8h-12h (12h30 w-e), 18h-20h30. Résa conseillée le soir. Env 10 $ pour un breakfast et 25 $ le soir. Un des premiers hébergements à Big Sur en 1937. Mignonne maison de bois ancienne, couverte d'un rosier grimpant. Cadre pittoresque et chaleureux. Bon petit déj copieux, ainsi qu'un *daily special*, servi le soir, dont vous nous direz des nouvelles. Spécialité de côtes d'agneau, de steaks et de cassoulet aux haricots rouges. Une bonne adresse, très courue.

I●I *Cielo* (carte, 11) : au sud de la Big Sur Station. ☎ 667-4242. Tlj 12h-15h, 18h-21h. Env 20 $ le midi, près du double le soir. Dans un cadre moderne en bois, vous profiterez à travers les grandes baies vitrées d'une vue sur les jardins. Si le temps le permet, également une terrasse avec une belle vue sur la mer. Le menu, différent tous les jours, est incontestablement haut de gamme et met en scène produits frais, légumes bio cultivés sur place ou dans la région, fruits de mer et viande grillée. Idéal pour une escapade en amoureux. Accueil très aimable et service soigné.

I●I *Nepenthe Restaurant* (carte, 21) : au sud de Big Sur, au niveau de la bibliothèque d'Henry Miller. ☎ 667-2345. Tlj 11h30-22h. Déj 15 $, dîner 25-35 $. Sur ce site se trouvait naguère un *lodge*, propriété d'Orson Welles jusqu'en 1947. Celui-ci l'offrit à sa femme, la divine Rita Hayworth, qui n'y vint jamais. D'ailleurs, Orson et Rita ne tardèrent pas à divorcer. Jack Kerouac y passa dans les années 1950, ivre comme souvent et terrorisé par l'infernale beauté de Big Sur. « Un magnifique restaurant perché au sommet de la falaise et pourvu d'un vaste patio », écrivit-il. Aujourd'hui, *Nepenthe* fait un peu usine à touristes, renommée oblige, mais le cadre reste splendide, avec une vue plongeante sur la côte, les monts boisés et le Pacifique 300 m plus bas.

➤ DANS LES ENVIRONS DE BIG SUR

Du nord au sud

🎥 *Palo Colorado Road* : au nord de Big Sur, juste au sud du resto Rocky Point (voir « Où manger ? ») et un peu avt le pont de Bixby. Cette petite route grimpe à l'assaut des montagnes et serpente sur 8 miles, le long d'un torrent, entre de magnifiques séquoias. Au sommet de la montagne, on trouve le *Bottchers Gap Campground* (☎ (805) 434-1996), un camping ouvert toute l'année, où l'on plante sa tente (camping-cars exclus) en pleine nature (12 $). Penser à emporter eau et nourriture.

🎥 *Bixby Creek Bridge* (pont de Bixby) : env 2 miles au sud de Rocky Point, il enjambe la Bixby Creek. La construction de cet ouvrage d'art par des prisonniers, en 1932, permit d'ouvrir la Highway 1 et de relier Monterey à San Simeon par la côte. Avant ce pont, le littoral était un des endroits les plus sauvages et inaccessibles de Californie.

🎥🎥 *Point Sur Light Station State Historic Park* : plus au sud, mais encore à 5 bons miles au nord des premières infrastructures de Big Sur. ☎ 625-4419.

● pointsur.org ● Visites guidées sam 10h et 14h ; dim 10h ; également mer avr-oct aux mêmes heures et jeu 10h en juil-août ; quelques visites au clair de lune avr-oct. Durée : env 3h. Pas de résas. Ticket : 8 $; réduc. Un vieux phare perché en sentinelle, à près de 100 m au-dessus des vagues, sur une impressionnante presqu'île rocheuse (volcanique), reliée à la côte par une magnifique langue de sable. Il fut construit en 1889 à la suite de trop nombreux naufrages. On ne peut y accéder qu'à l'occasion de visites guidées, organisées uniquement si le temps le permet.

🍴🍴 *Andrew Molera State Park :* le plus grand parc naturel de Big Sur, situé sur le littoral, peu avt d'atteindre les premiers motels et campings en venant du nord. ☎ 667-2315. Parking : 10 $ (mais si vous vous garez sur le petit parking au-dessus, au bord de la Hwy 1, et venez à pied, c'est gratuit). Un chemin d'un demi-mile environ vous mènera à pied jusqu'à une plage de sable fin. Un endroit idéal pour pique-niquer. On peut également y camper dans les endroits prévus à cet effet (lire « Où dormir ? »). Promenades à cheval.

🍴🍴 *Pfeiffer Big Sur State Park :* ☎ 667-2315. Entrée : 10 $/ véhicule. Un autre parc de 272 ha, avec un camping et un *lodge* (série de bungalows). Une agréable balade à travers les séquoias vous conduira jusqu'aux Pfeiffer Falls (à tout juste 700 m) et au-delà.

🍴🍴 *Pfeiffer Beach :* moins de 1 mile au sud de la Big Sur Station, la Sycamore Canyon Rd mène (en 2 miles env) à Pfeiffer Beach. Accès : 6h-21h. Entrée : 5 $/ véhicule. Route étroite interdite aux camping-cars et se terminant par un parking. Une très jolie plage délimitée par un promontoire rocheux percé d'une arche s'ouvre sur une seconde, plus grande, battue par les vagues. Un cadre superbe pour une promenade marine, entre air iodé et brumes matinales.

🍴 *Henry Miller Memorial Library* (librairie-galerie d'Henry Miller ; carte, **30**) : à gauche de la Hwy 1, dans un virage. ☎ 667-2574. ● henrymiller.org ● Tlj sf mar 11h-18h. Donation de 1 $ pour la fondation. Non ce n'est pas un mausolée, mais une jolie et modeste demeure rustique en bois, entourée de séquoias et précédée d'une pelouse qui sert de lieu d'expo aux artistes de Big Sur. La forme de cette maison rappelle un peu un temple japonais. C'était l'antre d'Emil White, le meilleur ami de Miller. Son nom figure d'ailleurs toujours sur la boîte aux lettres. Ça vaut le coup de s'y arrêter et de rencontrer le maître des lieux, Magnus Torén, un très sympathique Suédois francophone et plein d'humour. Magnus habite Big Sur et connaît la région par cœur. Il pourra vous donner de bons tuyaux. Ici, c'est une petite librairie en partie consacrée à l'écrivain Miller, à l'homme, à son œuvre : on y trouve des dédicaces, posters, superbes photos, sa machine à écrire *Underwood*, etc. Lisez *Big Sur et les Oranges de Jérôme Bosch* avant de venir ici, tout s'éclairera.

🍴🍴 *Julia Pfeiffer Burns State Park :* à 11 miles au sud de Big Sur, sur la route de Hearst Castle (ne pas confondre avec l'autre parc portant le même nom). Ouv 8h-19h. Entrée : 10 $/véhicule. Ce parc abrite les MacWay Falls, seules chutes d'eau du littoral californien. Elles forment au printemps un joli panache tombant de 15 m de haut directement sur une plage. On les admire de haut, depuis une promenade encadrée d'eucalyptus (hmm, la bonne odeur !). À la fin de l'été, le débit se réduit parfois à un mince filet d'eau.

HEARST CASTLE (SAN SIMEON CASTLE)

IND. TÉL. : 805

À 231 miles de San Francisco et 244 miles de Los Angeles, perchée à environ 500 m d'altitude sur une haute colline dominant de loin la mer, cette gigantesque résidence du magnat de la presse William Randolph Hearst fut commencée en 1922 mais jamais achevée. Hearst avait hérité des terres trois ans plus tôt, à l'âge de 56 ans, et avait déjà fait fortune dans l'édition. Quinze ans avant, il rêvait déjà de faire construire une résidence ici, mais il dut attendre la mort de sa mère (victime de l'épidémie de grippe espagnole de 1918-1919), qui était opposée au projet. Hearst était alors à la tête de la 36e fortune des États-Unis et possédait six autres demeures, mais il gagnait dix fois moins que Rockefeller, le pauvre...

Hearst fit construire son château avec ce seul principe : « Peu importe le prix et le temps que ça prendra. » Il en confia la réalisation à Julia Morgan, diplômée de Berkeley et de l'École des beaux-arts de Paris, et premier architecte à utiliser du béton armé pour répondre aux normes antisismiques. Il fit refaire plusieurs fois certaines pièces qui ne lui convenaient pas. Le style est officiellement méditerranéen, mais il fait appel autant aux techniques modernes qu'à l'inspiration classique – produisant en quelque sorte un étonnant syncrétisme bétonné ! Dans le parc du ranch, où paissait du bétail du temps de sa mère, le maître de céans fit venir daims, bisons, lamas et autres zèbres, laissés en liberté, et dont on peut encore voir quelques descendants aujourd'hui.

Hearst habitait auparavant la côte est. Sa femme refusa de s'expatrier à l'Ouest, ils se séparèrent (mais ne divorcèrent jamais et elle resta jusqu'au bout la Mrs Hearst officielle). Ce fut Marion Davies, une starlette d'Hollywood, qui profita de la demeure. Marion était bien fichue et faisait son petit effet dans les films muets. Mais quelle stupeur quand arrivèrent les premiers films parlants : on s'aperçut qu'elle bégayait ! Elle resta aux côtés de Hearst pendant 30 ans, jusqu'à sa mort, en 1951. Quelle était véritablement leur vie en ce lieu ? Quelles sont la part de réalité et la place faite à la légende ? Difficile à dire. Un homme sacrément ambigu que ce Hearst : il interdisait à ses invités de venir chez lui avec une maîtresse ou de l'alcool. Mais lui-même n'épousa jamais Marion Davies. En politique, il avait des idées plutôt réactionnaires, mais ses journaux dénichaient le moindre scandale.

Cette résidence extravagante, totalisant quelque 115 pièces dans la *Casa Grande* (la maison principale), dont 38 chambres, 41 salles de bains et 30 cheminées (sans compter les dépendances), reste la maison la plus chère du monde. Autant vous le dire tout de suite : si l'argent ne fait pas le bonheur, il ne fait pas non plus le bon goût. On s'étonnera qu'avec tant d'argent Hearst soit parvenu à construire une maison aussi peu habitable. Si les œuvres d'art qui s'amoncellent du sol au plafond (certaines d'entre elles venant d'ailleurs de palais italiens) sont toutes inestimables, leur mauvaise disposition dans les différentes salles, aux côtés de pièces de mobilier modernes, ôte beaucoup à leur valeur. Pour le détail de la visite, lire plus loin.

Où dormir ? Où manger au sud de Hearst Castle ?

Si vous venez un week-end, surtout réservez car les hôtels affichent bien souvent complet... et les prix s'envolent.

À San Simeon (2,5 miles)

San Simeon n'est pas vraiment un village mais un rassemblement de motels, à tous les prix, le long de la route. Les grandes chaînes *(Best Western, Quality Inn...)* y sont implantées.

San Simeon State Park : *750 Hearst Castle Rd.* ☎ *927-2035. Résa impérative en été (au moins 2 sem avt) :* ☎ *1-800-444-7275. Au sud de San Simeon ; peu avant Cambria, tourner à* gauche sur Creek Rd. Emplacement (8 pers max) env 25 $ avec accès aux douches, 15 $ sans. Au bord de la Highway, mais en contrebas pour la majeure partie du site. Sur un immense domaine, deux types d'espaces : celui des privilégiés, avec douches (payantes) et des emplacements en grande partie ombragés, et celui pour les désargentés, exilé sur une colline en hauteur, sans offre ni douche.

🛏 ⦿ **Motel 6 :** 9070 Castillo Dr. ☎ 927-8691 ou 1-800-4-MOTEL6. • motel6. com • Doubles 75-105 $; 3 $/pers supplémentaire. Wifi. Les chambres de ce motel sont sans surprise : simples et propres, mais un chichis dans la décoration, avec vue sur le mini-piscine, ou sur le parking à l'arrière (plus calme). Resto et bar sur place.

🛏 ⦿ **San Simeon Lodge :** 9520 Castillo Dr. ☎ 927-4601 ou 1-866-990-8990. • sansimeonlodge.net • Env 75-165 $ selon confort et j. de la sem. Wifi et accès Internet. Un grand bâtiment gris et blanc, qui abrite des chambres standard bien tenues, meublées en bois clair. Certaines ont même une petite terrasse bien agréable qui donne sur la piscine chauffée. Pas de petit déj, mais l'hôtel offre 10 % de réduc au resto attenant. Accueil très aimable.

🛏 **Sea Breeze Inn :** 9065 Hearst Dr (Hwy 1). ☎ 927-3284. • seabreezeinn sansimeon.com • Env 70-200 $, petit déj inclus. Situé à la sortie droite de la zone hôtelière en allant vers le sud, ce motel jaune et vert propose des chambres très bien tenues, à la déco un peu chargée (même les interrupteurs sont tapissés). Vue sur un petit pré, avec la mer au loin. Piscine chauffée.

🛏 **Best Western Cavalier–Oceanfront Resort :** 9415 Hearst Dr. ☎ 927-4688 ou 1-800-826-8168. • cavalierresort.com • Doubles 149-319 $. Wifi. Ce grand hôtel, situé en bord de mer, compte 90 chambres très confortables, toutes équipées d'un frigo, minibar, TV et lecteur DVD. Leur prix varie selon la vue et la proximité de l'océan : les plus chères, avec cheminée et terrasse, surplombent directement la mer, et les plus abordables se situent près de la route. Deux piscines chauffées, un jacuzzi et, au plus près de la mer, 3 foyers sur la pelouse pour se réchauffer les soirs de grand vent en regardant les étoiles scintiller dans la nuit et les éléments se déchaîner.

À Cambria (11 miles)

Notre endroit préféré pour séjourner dans les environs de Hearst Castle : joli cadre de collines ondulantes et verdoyantes, et petite bourgade très touristique mais plutôt jolie. Le premier hôtel (une AJ) est au centre du village, les trois suivants en bord de mer, au calme, de l'autre côté de la Highway 1, d'où leurs prix (très) élevés. Il y a en fait une bonne dizaine d'établissements hôteliers qui s'alignent le long de l'océan et presque autant au centre de Cambria.

🛏 **Bridge Street Inn :** 4314 Bridge St. ☎ 927-7653. • bridgestreetinncambria. com • Dans le village même. Sur la Hwy 1, du sud, prendre la sortie Cambria et suivre Main St, puis tourner à droite dans Bridge St. Du nord, sortie Windsor, puis prendre à droite dans Main St. Réception ouv le mat jusqu'à 10h30 et 17h-21h. Résa fortement conseillée en été. Dortoir env 25 $ (lits peu nombreux) et 55-75 $ pour une des 4 chambres privées (2-3 pers), petit déj compris. Cette toute petite AJ privée (17 lits), impeccablement tenue par Anne et Paolo (qui parlent le français), occupe une vieille maison en bois du XIXe s. Les chambres ne sont vraiment pas grandes, mais elles sont très mignonnes. Elles partagent une même salle de bains. Cuisine à disposition.

🛏 **Castle Inn by the Sea :** 6620 Moonstone Beach Dr. ☎ 927-8605. • cambria castleinn.com • Doubles 95-175 $, petit déj compris. Wifi. Petit motel d'une trentaine de chambres, plutôt mignonnes, sur 2 niveaux. Piscine et jacuzzi. Profitez des transats installés sur la pelouse pour prendre le soleil et un bon bol d'air marin.

🛏 **Sea Otter Inn :** 6656 Moonstone Beach Dr. ☎ 927-5888 ou 1-800-965-8347. • seaotterinn.com • Doubles 200-239 $ selon vue, petit déj inclus. Wifi. Motel à l'anglaise avec des fenêtres à guillotine. Les chambres sont toutes très soignées : cheminée, frigo, micro-ondes, lecteur DVD et couette en plumes. Trois chambres seulement donnent sur l'océan, ce sont les plus chères. Bon plan : prendre une suite pour six, moins chère qu'une chambre avec vue. Piscine chauffée et spa. Accueil charmant.

🏠 *White Water Inn :* 6790 Moonstone Beach Dr. ☎ 927-1066 ou 1-800-995-1715. • whitewaterinn.com • Doubles 100-190 $, petit déj inclus. Wifi. Petits bungalows de tons pastel aux chambres très spacieuses et tenues avec soin. Toutes équipées de frigo, cheminée, lecteur DVD (vidéos à emprunter à la réception). Petit déj servi dans les chambres. Adresse 100 % non-fumeurs.

🍴 I●I *Creekside Garden Café :* Redwood Center, 2114 Main St. ☎ 927-8646. Dans le village de Cambria, au fond du parking du Redwood Center. Tlj 7h-14h (le soir, sf dim, devient un resto mexicain). Env 10-15 $. Petit resto très populaire pour ses petits déj très généreux : grand choix d'omelettes, œufs brouillés... Plats bien préparés à déguster dans la petite salle anonyme ou, plus agréable, sur les deux petites terrasses abritées sur l'arrière.

I●I *Pine Tree Family Restaurant :* 841 Main St. ☎ 927-48-69. Dans la rue menant au cœur du village (en venant du nord), presque en face du Cambria General Store. Tlj 7h-20h. Env 10 $. Banquettes en skaï et tables en formica, odeurs de graillon et cuisinier mexicain, c'est l'Amérique pur jus. Burgers et sandwichs à l'honneur. Quelques salades aussi et des tartes maison délicieuses en dessert, servies avec une boule de glace format balle de tennis. L'atout principal du resto, ce sont ses bons prix, qui expliquent son succès. Service dynamique et aimable. À découvrir dès le petit déjeuner.

I●I *Moonstone Beach Bar & Grill :* 6550 Moonstone Beach Dr. ☎ 927-3859. Tlj 11h-21h (9h-21h dim). Env 18-25 $. Le premier attrait de l'endroit est la grande terrasse avec vue sur l'océan (ou plutôt, sur les voitures qui jalonnent la route qui sépare le resto de l'océan !), mais la cuisine, plutôt fine, se révèle goûteuse et généreuse : délicieuse *clam chowder* servie dans sa boule de pain, des fruits de mer, des viandes... il y en a pour tout le monde. Les prix sont, certes, un peu élevés, mais la qualité vous attend dans l'assiette.

À *Cayucos* (25 miles)

Une ribambelle de motels dans la rue principale, et souvent des dauphins au bout du Pier.

🏠 *Seaside Motel :* 42 S Ocean Ave. ☎ 995-3809 ou 1-800-549-0900. • seasidemotel.com • Doubles 90-100 $. Wifi. Enfin un motel qui ne ressemble pas à un motel ! Les 12 chambres impeccablement tenues, toutes différentes, sont croquignolettes et décorées par une artiste californienne qui a réalisé à la main toutes les peintures. Ainsi, dans la *Fishwife Fantasy*, vous serez entouré par des poissons qui nagent du rideau de douche à l'horloge et sur les draps. Ce qui pourrait être très kitsch se révèle surtout coquet, frais et avenant. Patio-jardin dans le fond avec un arbre qui fait office de cage à oiseaux. Accueil adorable.

🏠 *Dolphin Inn :* 399 S Ocean Ave. ☎ 995-3810 ou 1-800-540-4276. • thedolphininn.com • Doubles 65-169 $, petit déj inclus. Wifi. Motel rose un peu vieillot à l'arrière d'une vingtaine de chambres, dont 2 avec jacuzzi et palmiers en trompe l'œil. Simple et propre.

I●I 🍷 *Schooner's Wharf :* 71 N Ocean Ave. ☎ 805-995-3883. Déj 11h30-15h ; dîner 17h-21h ; bar 11h-1h. Déj 10-15 $, dîner 25-410 $. Resto tout en bois, déco style pirates des Caraïbes, à fréquenter pour savourer dans un patio chauffé sa bonne cuisine de la mer et ses steaks réputés, mais aussi pour siroter un cocktail au coucher du soleil. En dessert, demander un *cayuki*, très calorique mais irrésistible. En face, vieux saloon authentique.

À *Morro Bay* (30 miles)

Face à Morro Rock, un gros îlot rocheux, le front de mer est plutôt agréable, si on réussit à faire abstraction des cheminées de l'énorme centrale électrique qui gâche le paysage. Tout à côté, ne manquez pas les State Parks de Morro Bay et la Montana de Oro, surtout cette dernière avec ses falaises déchiquetées et sa côte envahie de fleurs et d'oiseaux.

Nombreux restos sur le port, dont un *fish and chips* bon marché et des restos plus chic servant du poisson tout frais pêché.

⚏ *Morro Bay State Park Campground :* prendre la 1ʳᵉ sortie au sud de la ville en venant de San Luis Obispo. ☎ 1-800-444-7275. *Résa fortement conseillée en été. Emplacement 25 $.* Très agréable, il est situé au sud de Morro Bay, sous les pins et tout proche du bord de mer. Sanitaires bien tenus. L'hiver, de très nombreux oiseaux migrateurs fréquentent les franges de la baie par vols de plusieurs milliers. On peut aussi voir, sur le golf voisin, une colonie de papillons monarques qui reviennent chaque année (ils se regroupent juste au-dessus du *clubhouse*). Cafétéria à la marina, à côté.

▪ *Motel 6 :* 298 Atascadero Rd, en face de la High School. ☎ 772-5641 ou 1-800-4-MOTEL-6. • *motel6.com* • *Sortie vers Los Angeles, Exit 41 à droite, dans une rue qui se dirige vers la mer. Doubles 65-105 $; 3 $/pers supplémentaire.* Assez calme, malgré la proximité de la route. Café à la réception *(7h-10h).* Minipiscine.

La visite de Hearst Castle

⚑⚑⚑ Incontournable ! Pour visiter **Hearst Castle** (visite guidée uniquement), il est très fortement conseillé de réserver, surtout en saison et le week-end, afin d'éviter de se casser le nez ou de poireauter sur place. Sachez que Hearst Castle (qui est géré par le service des State Parks) est le deuxième site le plus visité de Californie après Disneyland !

Réservations

– *Par téléphone :* ☎ 1-800-444-4445 ou, de l'étranger, ☎ 1-916-414-8400, extension 4100 (payant). Tlj 8h-18h avr-sept ; 9h-17h oct-mars. Disposer d'une carte de paiement (numéro à donner). Env 24 $/adulte (réduc) pour la visite Experience Tour, la meilleure selon nous si c'est la 1ʳᵉ fois que vous venez. Sinon, précisez les autres tours guidés que vous avez choisis (les visites nᵒˢ 2, 3 et 4 coûtent chacune 24 $ également, et le ticket pour l'Evening Tour coûte 30 $; réduc).

– *Sur Internet :* • *hearstcastle.com* •

– On peut également *se pointer à l'improviste* (8h-15h) au centre d'accueil. L'obtention d'un billet pour la visite suivante est très aléatoire, mais il y en a toutes les 20 mn en haute saison (toutes les heures seulement en hiver). Août est le mois le plus chargé, octobre le plus tranquille. Hors saison, si on arrive tôt le matin, pas de problème, mais attention aux vacances américaines. Les horaires fluctuent pendant l'année : les visites *Experience Tour* s'échelonnent de 8h20 à 15h20 en hiver et jusqu'à 18h en été. Les autres sont moins fréquentes, en particulier la n° 3. De toute façon, des moniteurs vidéo, situés à côté des caisses, précisent les horaires de départ des prochaines visites. Procurez-vous la brochure en français.

– Si vous désirez juste des *renseignements,* mais pas de réservations, téléphonez au ☎ 927-2070.

Déroulement de la visite

Elle commence par un trajet en bus de 15 mn depuis le centre d'accueil des visiteurs (où l'on achète son billet), sur la route privée de 5 miles qui mène au château (asseyez-vous du côté droit, vous bénéficierez d'une meilleure vue). Les conditions de visite sont draconiennes : pas question de fumer, de mâcher du chewing-gum ou même de flâner... Impossible d'utiliser le flash à l'intérieur, ni même de sortir du tapis rouge qui balise la visite (penchez-vous un peu trop vers une pièce de mobilier et une alarme se déclenche ; l'avantage, c'est qu'il n'y a ni barrière, ni corde dans les pièces). Vous serez surveillé par le guide et un cerbère chargé de la sécurité vous rappellera à l'ordre si vous tentez de vous esquiver.

Quatre options sont proposées et durent 1h45 avec le trajet. Elles comportent toutes la visite des deux piscines (qui sont, en fait, ce qu'il y a de plus beau) : la *Neptune*, extérieure, magistrale, au fond en dalles de marbre, dans un style gréco-romain avec temple et statues ; la *Romaine*, tout aussi grandiose, intérieure et entièrement tapissée d'une mosaïque bleu et or dans un style thermes romains. Il fallut trois ans et demi à une équipe de huit personnes pour la réaliser. La *Neptune*, elle, a servi (durant 20 secondes !) au tournage du film *Spartacus* !

– **L'Experience Tour** *(visite 1)* semble le plus approprié pour avoir une vision d'ensemble de l'édifice. Après la terrasse et la piscine Neptune, on passe à la *Casa del Sol* avec les chambres des invités : certaines avec plafond à caissons, d'autres plutôt espagnoles, le tout très mêlé. On pénètre ensuite dans la *Casa Grande* après avoir traversé une partie des jardins. Son étonnante façade, inspirée d'une cathédrale européenne, est un ramassis de tous les styles, un condensé d'histoire. Vous découvrirez d'abord le *salon*, avec ses immenses tapisseries, ses stalles d'église et son authentique mosaïque romaine (Neptune). Suit la *salle à manger* médiévale, l'une des rares à présenter une certaine unité, avec son plafond à caissons, ses bannières, ses énormes chandeliers en argent et sa très longue table – sur laquelle trône une authentique bouteille de ketchup *Heinz* d'époque ! Il paraît que Hearst en mettait sur tout... sauf sur son dessert favori, la glace à la vanille ! Dans la *salle de billard*, vous découvrirez encore une exceptionnelle tapisserie française du XVe s, fabriquée à Arras, aux couleurs superbement préservées. On passe ensuite au *théâtre*, où est diffusé un film de quelques minutes montrant les hôtes de marque qui furent invités : Charlie Chaplin, Dolores del Rio, Carole Lombard, Charles Lindbergh... On termine par la piscine romaine, magnifique et tellement gigantesque que Hearst avait fait installer deux courts de tennis sur son toit. À noter que ce tour inclut un film bien fait sur Hearst Castle projeté au *National Geographic Theater*.

– **La visite 2** est plus axée sur la *Casa Grande*, avec notamment la suite privée de Hearst, ainsi que la bibliothèque et ses quelque 4 000 volumes rares que le magnat ne lut jamais, la cuisine...

– **La visite 3** comprend la visite de l'aile ouest de la Casa Grande et celle de la *Casa del Monte*, réservée aux invités qui séjournaient à Hearst Castle, et un film vidéo sur la construction du « ranch ».

– **La visite 4** *(avr-oct slt)* est consacrée aux jardins, aux vestiaires de la piscine Neptune, à la cave maison avec ses 3 000 bouteilles de vins européens et californiens, et à la *Casa del Mar* où Hearst habita quelques années avant sa mort.

– Il existe un *Evening Tour*, *ven et sam soir mars-mai et sept-déc.* Condensé des visites 2 et 4. La maison et la colline sont illuminées. Pour ceux qui ont toujours rêvé d'aller dîner chez une star...

On vous reconduit ensuite dans le car pour retourner au point de départ. Si vous avez encore du temps, plusieurs salles d'expo présentent Hearst et sa famille, ainsi que l'incroyable empire qu'il bâtit durant sa vie (il posséda jusqu'à 26 quotidiens, 13 magazines, 8 chaînes de radio et une compagnie de production de cinéma !). Cette dernière visite est libre et gratuite. N'y manquez pas la superbe mosaïque romaine (rapportée de Tunisie) représentant des pêcheurs, ainsi que les photos des pièces que vous n'avez pas pu voir lors de votre visite.

Allez revoir *Citizen Kane*, d'Orson Welles, qui évoque assez fidèlement la vie et l'entourage de Hearst. Ce dernier détestait ce film produit par la *RKO*, propriété de Howard Hughes, et fit tout pour en empêcher la diffusion sur les écrans.

➤ DANS LES ENVIRONS DE HEARST CASTLE (SAN SIMEON CASTLE)

🐾🐾 *Piedras Blancas Colony* (« *Elephant Seal Viewing Area* ») *:* à env 4,5 miles au nord de la sortie qui mène à Hearst Castle. Bien fléché.

Le long de cette grande plage sablonneuse et d'une anse voisine, une *colonie d'élé-phants de mer* a élu domicile dans les années 1990. Depuis, ils reviennent chaque année au gré de la saison des amours et des mues successives. Les premières naissances ont eu lieu en 1992, et la colonie ne cesse de se développer : la population totale est aujourd'hui estimée à 15 000 individus ; en 2006, près de 3 000 petits sont nés à Piedras Blancas.

Les éléphants de mer ne sont pas tous sur le rivage en même temps, mais il faudrait ne pas avoir de chance pour ne pas en voir au moins quelques-uns. Il n'y a qu'en mars que la plage est désertée. En journée, la plupart du temps, ils se prélassent en se lançant régulièrement du sable sur le dos pour ne pas prendre de coup de soleil ! Le plus impressionnant est cependant de voir les mâles combattre – en règle géné-rale, de fin novembre à début janvier. Les adversaires se jettent alors l'un sur l'autre à grands coups de boule. Avec une masse de 2 t et près de 5 m de long, les chocs sont des plus violents. Les blessures sont fréquentes et parfois graves, mais le combat en vaut la chandelle : un seul mâle peut se trouver à la tête d'un harem de cinquante femelles !

Ceux qui sont intéressés peuvent consulter le site de l'organisation « Les Amis des éléphants de mer » : ● elephantseal.org ●

SAN LUIS OBISPO   48 000 hab.   IND. TÉL. : 805

Située à 44 miles au sud de Hearst Castle, ce chef-lieu de comté affirme sans équivoque ni ostentation son ancrage dans le passé hispanique. En dehors d'une mission de 1772 et d'un hôtel délirant, pas grand-chose à y voir ; mais l'ambiance est plutôt agréable, avec de nombreux lieux pour les jeunes. Ses jardins, ses restaurants, ses cafés en terrasse et ses boutiques font de San Luis Obispo une escale idéale à mi-chemin entre San Francisco et Los Angeles. Le cœur de la ville, qui est regroupé autour de deux rues parallèles, Higuera et Monterey, se prête bien aux balades à pied. Mais si l'on préfère, on peut aussi utiliser l'*Old San Luis Obispo Trolley* qui dessert le centre-ville pour 25 cents.

Arriver – Quitter

En train

🚆 *Gare Amtrak :* 209 State St. ☎ 800-USA-RAIL. ● amtrak.com ●
➢ *Pacific Coast Route :* tlj, liaisons *Amtrak* avec tte la côte pacifique, soit par le *Coast Starlight*, qui relie 1 fois/j. San Luis Obispo à Seattle, Portland, Oakland, San Jose, Salinas, Santa Barbara et Los Angeles, soit par le *Pacific Surfliner* reliant 4 fois/j. San Luis Obispo à Santa Barbara, Los Angeles et San Diego.

En bus

🚌 *Greyhound :* 150 South St. ☎ 543-2121. ● greyhound.com ●
➢ *De/vers Salinas, Santa Cruz, San Jose, Oakland, San Francisco :* 4 bus/j. 6h30-18h30 de San Luis Obispo et 6h30-22h de San Francisco. Durée : 6h30-7h pour San Francisco.
➢ *De/vers Los Angeles, Santa Barbara :* 4 bus/j. 3h-21h30 de Los Angeles et 5h-20h de San Luis Obispo. Durée : 4h30-5h30.

Adresse et infos utiles

🛈 *Visitor Center :* 1039 Chorro St. ☎ 781-2777. ● visitslo.com ● *Dim-mer 10h-17h ; jeu-sam 10h-19h*. Sérieux et efficace. Doc complète et plan payant de la ville ; central de réservation pour les hôtels des environs.

– Site internet du San Luis Obispo County Visitor Bureau : • *sanluisobis* | pocounty.com •

Où dormir ?

Bon nombre de motels se regroupent sur les hauteurs de Monterey Street, à l'est de la ville.

Bon marché

🛏 *Hostel Obispo – Hostelling International :* 1617 Santa Rosa St. ☎ 544-4678. • hostelobispo.com • Fermé 10h-18h30. Lit en dortoir env 25 $, doubles 55-60 $, petit déj compris (avec pancakes réputés !). Wi-fi et accès Internet. Dans cette jolie maison en bois d'un quartier résidentiel tranquille, voici une AJ tout à fait nickel où il fait bon poser son sac à dos. Que ce soit en dortoir ou en chambre double, on croise pas mal de routards américains en balade. Également une chambre familiale (2 adultes et 2 enfants). Draps et couvertures fournis (pas de sacs de couchage), mais prévoir une serviette de toilette. Grande cuisine conviviale. Une bonne adresse, sans hésiter.

Prix moyens

🛏 *Travelodge Downtown :* 345 Marsh St. ☎ 543-6443 ou 1-800-458-8848. • travelodge.com • De la Hwy 101, sortir à Marsh St, celle qui suit Madonna Rd en venant du sud. Doubles 75-95 $ selon j. de la sem ; chambres 3-4 lits 85-105 $. Wi-fi. Un motel d'une cinquantaine de chambres au confort standard (machine à café, TV), mais bien tenues et présentant un bon rapport qualité-prix.

🛏 *Villa Motel :* 1670 Monterey St. ☎ 543-8071 ou 1-800-554-0059. • villamotelslo.com • Fermé nov-déc. Doubles 65-125 $ selon période et nombre de lits, petit déj inclus. Wi-fi. Encore un motel parmi tant d'autres, simple, mais aux chambres claires, nettes et plutôt spacieuses ; vu sa situation en bord de route, il peut être un peu bruyant. Petite piscine. Accueil un peu expéditif.

Très chic

🛏 *Garden Street Inn :* 1212 Garden St. ☎ 545-9802. • gardenstreetinn.com • Doubles 169-229 $ selon j. de la sem, petit déj copieux compris. En plein centre-ville, laissez-vous tenter, si vous en avez les moyens, par ce très joli *B & B* installé dans une vieille maison en bois (1887) au charme patiné. Les 13 chambres, calmes et confortables, sont impeccables avec une déco rétro charmante : baignoire sur pied et téléphone à cadran. Les moins chères sont assez étroites mais toujours douillettes. Pas de TV, sauf dans les suites. Dégustation de vins et de fromages en soirée. Accueil aimable et dynamique.

🛏 *Petit Soleil Bed & Breakfast :* 1473 Monterey St. ☎ 549-0321 ou 1-800-676-1588. • petitsoleilslo.com • Doubles 159-219 $, petit déj inclus. Bien en bord de route, une mini-villa de style provençal (version édulcorée), repliée sur une petite cour intérieure. Elle abrite 16 chambres, elles aussi aux formats plus européens qu'américains. Un peu étroites, mais coquettes et confortables, elles ont au moins le mérite d'avoir un peu de personnalité et d'offrir une certaine intimité. En arrivant, vous êtes accueillis par l'odeur de la boulangerie juste à l'entrée.

🛏 *Apple Farm :* 2015 Monterey St. ☎ 544-2040 ou 1-800-374-3705. • applefarm.com • Doubles 99-329 $ selon confort. Accès Internet. Grand complexe haut de gamme d'inspiration victorienne et à l'univers fleuri, feutré et luxueux (on plaint la personne chargée d'épousseter tous les bibelots !). Des rideaux aux draps et aux coussins, tout est assorti comme dans une maison de poupée ; et aussi plein de petites attentions : chocolats, fleurs fraîchement coupées, cidre pressé sur place. Les budgets plus restreints demanderont une chambre dans l'annexe, à l'ambiance beaucoup plus motel mais toujours confortable. Également quelques chambres familiales pour quatre personnes. Piscine et jacuzzi.

Où manger ?

Spécial petit déjeuner

☛ *Linnea's Café :* 1110 Garden St. Entre Higuera et Marsh St ; entrée discrète. Tlj 6h30-23h. Env 10 $. Pâtisseries, muesli, œufs, joli choix de cafés et thés pour un petit déj à déguster dans la petite salle parquetée, avec toiles (d'artistes pas d'araignées !) aux murs et piano, ou sous l'agréable tonnelle de la délicieuse petite cour intérieure où glougloute une fontaine. L'endroit se révèle aussi parfait pour un simple café que pour une petite pause gourmande.
☛ *McLintocks Saloon :* 686 Higuera St. ☎ 541-0686. Tlj à partir de 7h30. Env 10 $. Pour un petit déj américain traditionnel, c'est ici que tout le monde se retrouve, à l'intérieur, sous l'œil plus très vif des têtes de bisons et caribous accrochées aux murs, ou sur la petite terrasse, très paisible, où vous aurez presque le nez dans la verdure.

De bon marché à prix moyens

|●| *Linnea's Café :* 1110 Garden St (lire ci-dessus).
|●| *Golden China Restaurant :* 685 Higuera St. Tlj 11h30-21h30 (22h jeu-sam). Env 10-15 $; All you can eat buffet à 8 $ le midi et 12 $ le soir. Un bon resto chinois, de style cafétéria, servant une cuisine pékinoise et du Sichuan copieuse et particulièrement goûteuse.

Chic

|●| *Big Sky Cafe :* 1121 Broad St. ☎ 542-5401. Mar-ven 7h-22h, sam 8h-22h ; dim 8h-21h, lun 7h-21h. Env 15-20 $. La foule se presse dans la grande salle au ciel étoilé et aux fausses arcades en guise de murs. On vient y dévorer une cuisine fraîche mettant à l'honneur légumes et poissons, honnêtement alliés dans des combinaisons parfois surprenantes, jouant avec le sucré-salé et de multiples influences, notamment japonaises.

Où manger dans les environs ?

|●| *Olde Port Inn :* à Port San Luis (Avila Beach), tt au bout de la 3e jetée. ☎ 595-2515. Au sud de San Luis Obispo ; à 10 mn en voiture ; accès par la Hwy 101, sortie Avila Beach Dr. Ouv 11h30-21h (22h sam). Déj env 20 $ (carte réduite), dîner 25-40 $. Situé tout au bout de la jetée, après les poissonneries, ce resto, construit dans les années 1970 par un pêcheur du coin avec des planches de récup', propose d'excellentes spécialités de la mer d'une fraîcheur absolue. Son succès ne se dément pas, et l'établissement s'est agrandi au fil des ans. En dégustant, perché sur de hautes chaises pivotantes, un simple *fish and chips* au poisson en sauce, un *clam chowder* ou le crabe tout droit sorti de l'océan, servis en portions généreuses, on a tout loisir de regarder les bateaux de pêche décharger leurs poissons sous l'œil intéressé des mouettes, pélicans et autres lions de mer qui se dorent au soleil. Un repas-spectacle à lui seul, avec vue splendide sur l'océan.

Où boire un verre ? Où écouter de la musique ?

🍷 🎵 *Brewing Co Downtown :* 1119 Garden St (entre Higuera et Marsh St). ☎ 543-1843. Happy hours 15h30-18h30. L'un des endroits les plus sympas de la ville. Grande salle en brique avec poutres apparentes au premier, billards et cuves à bière (la maison en brasse une douzaine) et écrans télé couvrant tous les murs. Concerts plusieurs soirs par semaine.

🍷 🎵 *Frog & Peach Club :* 728 Higuera St. ☎ 595-3764. Happy hour lun-ven 17h-18h. Un vrai pub anglais sous le soleil californien. On se presse autour du grand bar pour regarder le championnat de NBA ou pour écouter les concerts donnés certains soirs dans une ambiance chaleureuse.

À voir... et où dormir ? Où manger ?

🧗 🏨 🍽️ *Madonna Inn :* 100 Madonna Rd. ☎ 543-3000 ou 1-800-543-9666. ● madonnainn.com ● Au sud de la ville, contre la Hwy 101, sortie Madonna Rd. Doubles 179-449 $. Les réverbères roses qui bordent l'accès donnent déjà un avant-(mauvais) goût de ce temple du kitsch, overdose de fuchsia garantie. Construites en 1958 par la famille Madonna (rien à voir avec la chanteuse !), les douze premières chambres ont obtenu un tel succès que l'hôtel n'a cessé de s'agrandir : il compte maintenant plus de cent chambres, toutes différentes, toutes plus délirantes les unes que les autres. Les couleurs sont criardes à souhait : vert salade, turquoise hawaïen et rose, bien sûr ; attention aux cauchemars ! Sans compter sur la tête de bison empaillée veillant sur les dormeurs au-dessus du lit de la *Buffalo Room* et les couvertures en peau de zèbre synthétique de la *Jungle Room* ! Choix multiple entre une crypte de cathédrale, un tipi indien ou une tente de safari. La plus célèbre reste sans conteste la *Caveman*, reconstitution de grotte préhistorique, pour retrouver les instincts les plus primaires dans les rochers en carton-pâte ! Inconvénient : elle est souvent réservée plus d'un an à l'avance. Pour vous faire une idée du style des chambres, regardez les cartes postales à la réception ou sur Internet. Même sans dormir, venez y boire un café, le temps de jeter un coup d'œil au restaurant : comme le reste, tout est rose, d'un mauvais goût absolu, d'un kitsch baroque absolument détonnant. Il faut le voir pour le croire. Essayez les cocktails, aussi guimauve que le décor, vous ne gênerez personne, ils sont habitués ! Restaurant ouvert le soir uniquement (25-35 $/pers). Et ne partez pas sans avoir fait un tour aux w-c : côté hommes, une cascade ; côté femmes, grands miroirs et portes capitonnées !

À voir

🏛️ *La mission San Luis Obispo de Tolosa :* angle Monterey et Chorro St, en centre-ville. ☎ 543-6850. Ouv 9h-16h (17h avr-oct). Donation suggérée : 3 $. Fondée en 1772, par le père Junipero Serra, c'est la cinquième mission de Californie. Elle doit son nom à saint Louis, évêque de Toulouse. Elle fut détruite au cours du tremblement de terre de 1830. On lui donna un petit coup de neuf à la fin du XIXe s, dans le style Nouvelle-Angleterre, avant de lui rendre plus tard son apparence d'origine. Plusieurs salles d'expo poussiéreuses, dont les plus intéressantes sont consacrées à la tribu des Indiens chumashs. Au pied de la mission, une agréable promenade ombragée longe le torrent. Des bancs pour prendre l'air en écoutant le chant des oiseaux... Idéal pour faire une pause. Le week-end, la sérénité est moins assurée.

🏛️ *Historical Museum :* 696 Monterey St (juste à côté de la mission). Mer-dim 10h-16h. Donation suggérée : 2 $. Installé dans une belle bâtisse construite en 1904-1905, qui fut la première bibliothèque publique (et gratuite) de San Luis Obispo. Elle devint le musée de la ville en 1955, quand une nouvelle bibliothèque municipale fut construite. L'espace est petit (2 salles) et les expos régulièrement renouvelées présentent différents aspects de la ville et de son histoire. Simple mais généralement bien fait.

🍴 *Bubblegum Alley :* 733 Higuera St (entre Garden et Broad). À gauche en venant de Garden. Allée étroite bordée de deux murs en brique sur lesquels les passants ont collé des milliers de chewing-gums ! Certains ont même entrepris d'écrire des messages avec la pâte gluante ou d'en faire des sculptures. C'est l'Amérique dans son extravagance et son mauvais goût (beurk !).

🍴🍴 *Le marché :* sur Higuera St, jeu 18h-21h. Véritable institution de San Luis Obispo. C'est le marché des agriculteurs du coin et l'occasion pour tous les habitants de la ville de se retrouver. Les accès sont bouclés, la zone devient piétonne. La rue en est tout enfumée et embaumée. Légumes, fruits, pâtisseries et nombreux barbecues où on peut acheter des sandwichs à la viande ou des saucisses. Animations, avec groupes de musique et concours de force. Ambiance conviviale et bon enfant. Les boutiques de la rue restent ouvertes.

➤ DANS LES ENVIRONS DE SAN LUIS OBISPO

⌂ *Pismo State Beach :* au sud de San Luis Obispo. Depuis la route 101, prendre la sortie Pismo Beach/Hwy 1 ; suivre la Hwy 1 jusqu'à l'entrée du North Beach Campground. On peut y camper (voir ci-dessous), mais c'est aussi un excellent point d'accès au littoral où se rassemblent les fans de surf (pas mal de magasins spécialisés). Le long de la plage de sable rosé, les dunes se couvrent d'un rideau d'eucalyptus, en fleur au printemps. Sur la grève, des hordes d'oiseaux migrateurs. Entre novembre et mars (et surtout de décembre à février), possibilité de voir l'un des principaux sites d'hivernage des papillons monarques. Ils sont des milliers à se regrouper dans un bosquet d'eucalyptus proche de la route – le site est indiqué à l'entrée du camping par un panneau avec le dessin d'un papillon orange.

⛺ *North Beach Campground :* ☎ 473-7220 (résa possible fin mai-début sept). Emplacement 1-8 pers (1 voiture) 25 $. Vaste terrain à l'ambiance familiale avec quelques coins ombragés et un accès direct à la plage. Douches payantes (et moyennement propres).

🍴 *Los Alamos :* sur la Hwy 101, à mi-chemin de San Luis Obispo et de Santa Barbara. Arrêt de diligence au XIXe s, puis dépôt de la *Pacific Coast Railroad,* compagnie ferroviaire qui reliait jadis le nord et le sud de la Californie, Los Alamos fut ensuite totalement oublié pendant un bon nombre d'années. Ce qui fait que la bourgade a gardé un certain charme. Une véritable ville pour *road-movie* ! Un hôtel historique, un petit supermarché, deux stations-essence, des magasins d'antiquités plus un petit resto mexicain pour avaler de bons *tacos* pas chers *(Javy's)* et un autre plus typiquement américain avec ses gars du village qui vous regardent l'œil en coin... voilà campée une Amérique de légende (plus pour longtemps, puisqu'un fast-food est venu dénaturer l'ambiance western de ce trou paumé). En septembre, le temps passé revient en force à l'occasion des *Old Days.*

SOLVANG
5 300 hab.   IND. TÉL. : 805

Entre San Luis Obispo et Santa Barbara, un crochet pour découvrir un curieux village créé en 1911 par une colonie de Danois et entièrement construit dans le style de leur pays avec un décor de maisons à colombages, de nids de cigognes, de lampadaires au gaz. Quelques moulins à vent aussi. Soigné, très

DE SAN FRANCISCO À LOS ANGELES PAR LA CÔTE

coloré et évidemment très, très touristique. Une petite halte en dehors de l'Amérique, qui fait tout de même sacrément Disneyland. On aime ou on déteste, c'est selon.

Adresses utiles

≡ Conference & Visitor Center : 1511 Mission Dr. ☎ 688-6144 ou 1-800-468-6765. • solvangusa.com • Tlj 10h-16h.

≡ On trouve aussi un bureau de **Visitor Information** sur Copenhagen St, ouv aux mêmes horaires.

Où dormir à Solvang et dans les environs ?

De prix moyens à chic

≡ Viking Motel : 1506 Mission Dr, à Solvang. ☎ 688-1337. • vikingmotelsolvang.com • À l'entrée de Solvang, dans la rue principale, face à l'office de tourisme. Doubles 65-130 $ selon j. Douze chambres propres et claires avec mini-frigo et TV. Bon rapport qualité-prix en semaine, moins le week-end quand les prix doublent. Bon accueil.

≡ Motel 6 : 333 Mac Murray Rd, à Buellton. ☎ 668-7797 ou 1-800-4-MOTEL6. • motel6.com • Prendre la sortie « Hwy 246 » depuis la 101. Doubles 80-120 $ selon j. Classique et coincé entre les grandes routes, mais pratique. Piscine. On peut manger juste

à côté, au Bakers Square, où les tartes sont toujours excellentes.

≡ Solvang Gardens Lodge : 293 Alisal Rd, à Solvang. ☎ 688-4404 ou 1-888-688-4404. • solvanggardens.com • À la sortie de la ville. Résa conseillée. Doubles 119-249 $ selon confort et j. Agréable et tranquille, ce coquet petit motel tout rose et bien tenu dispose d'un délicieux jardin spacieux où il fait bon se relaxer en écoutant le glouglou d'une petite fontaine. Propose massages et spa. Souvent beaucoup de monde, car l'endroit a ses habitués ou des personnes qui louent les chambres au mois. Accueil adorable.

Où manger ?

On trouve à Solvang un certain nombre de boulangeries dites danoises... vous y trouverez effectivement quelques viennoiseries qui rappellent le pays d'Andersen.

|●| Bit O'Denmark : 473 Alisal Rd. ☎ 688-5426. Ouv midi et soir. Env 20-25 $. Ouvert en 1963, ce restaurant est abrité dans une jolie maison à colombages qui fit office de lieu de culte, jusqu'à ce que l'église de Solvang soit construite. L'intérieur est chaleureux, avec lustres et tables en zinc. C'est l'un des seuls endroits de la ville où l'on trouve une aussi large sélection de plats danois : gravadlaks (saumon mariné à l'aneth) ou oksesteg (rosbif danois servi avec une salade de chou rouge et de concombre), par exemple. Le midi, vaste choix de sandwichs, scandinaves ou non, de salades et d'omelettes. Si vous êtes deux, laissez-vous tenter pour 28 $ par un smørgasbord (à vos souhaits !), un buffet réunissant les grandes spécia-

lités de la patrie d'Andersen. Patio situé à l'arrière du bâtiment.

|●| Andersen's : 376 Ave of the Flags, à Buellton. ☎ 688-5581. À la sortie de la Hwy 101, prendre directement à gauche ; le resto est un peu plus loin sur la droite. Tlj 7h-22h. Vous aurez forcément déjà vu son nom quelque part : Andersen's fait de la pub à plusieurs centaines de miles à la ronde ! Créée en 1924, cette enseigne populaire et très touristique est réputée pour sa soupe de pois servie à volonté pour environ 9 $ (le record est de 70 assiettes !). Demandez les additionals (petits morceaux de jambon, fromage, lardons, oignons), et votre soupe se transforme en gaspacho danois. Mis à part cette spécialité, peu de plats nordiques, mais portions généreuses et cuisine plutôt goûteuse. Énorme marketing : la boutique regorge de gadgets inutiles inspirés de la marque de soupe aux pois.

À voir

🍴 *Hans Christian Andersen Museum* : 1680 Mission Dr. ☎ 688-2052. À l'étage de la Kaffe Hus. Tlj 10h-17h. Entrée gratuite. Tout petit musée (avec des centaines de volumes de ses œuvres) consacré au plus célèbre des auteurs danois (1805-1875), où l'on apprend qu'il excellait aussi dans l'art du papier découpé et que sa vie fut jalonnée d'échecs sentimentaux. On ne peut pas tout avoir !

🍴 *Elverhøj Museum* : 1624 Elverhøj Way. ☎ 686-1211. ● elverhoj.com ● À deux pâtés de maisons de Mission Dr. Mer-jeu 13h-16h ; ven-dim 12h-16h. Sur donation (3 $). Une résidence dont l'architecture s'inspire des grandes fermes du Jutland au XVIIIe s abrite ce musée consacré principalement à l'installation à Solvang (« collines ensoleillées ») d'un premier groupe d'émigrants en 1910. Ce musée s'avère bien documenté, joliment présenté, bref intéressant et pas seulement folklorique. L'endroit est d'autant plus émouvant qu'il est généralement tenu par des bénévoles descendants des familles danoises. Étonnant quand même de penser que quelque 90 000 Danois ont émigré vers les États-Unis à la fin du XIXe s (quand on pense qu'aujourd'hui la population danoise s'élève à 5,4 millions – et qu'elle a beaucoup augmenté au XXe s – ... la proportion est énorme !).

🍴 *La mission Santa Inés* : 1760 Mission Dr. ☎ 688-4815. Sortie est de la ville, sur la droite. Tlj 9h-16h30. Entrée : 4 $. Fondée en 1804 par le frère Estevan Tapis, c'est la 19e et dernière mission de Californie, édifiée en l'honneur de sainte Agnès, martyre du IVe s. Elle servait de relais entre la Puríssima et celle de Santa Barbara. Plusieurs salles avec vêtements sacerdotaux, missels et vieux outils retraçant la vie de la mission. Puis viennent la chapelle de la Madone et l'église, aux peintures fraîches et naïves, au charme désuet. La visite se termine par un très joli jardin fleuri et planté de grands arbres qui s'organisent autour d'une vieille fontaine. L'histoire dit que la mission fut sauvée de la destruction complète en 1824 grâce à une jeune Indienne, Tulare, venue prévenir le père Francisco (qui l'avait sauvée auparavant d'une mort certaine) que sa tribu allait incendier la mission. Celui-ci, ancien soldat avant d'être missionnaire (comme quoi !), réussit à sauver quelques bâtiments. Une maquette dans la seconde salle montre d'ailleurs la mission telle qu'elle était à l'origine.

➤ DANS LES ENVIRONS DE SOLVANG

🍴 *Lompoc* : à l'ouest de Solvang, la Hwy 246 conduit à travers les champs de fraises à Lompoc, haut lieu de la culture florale mondiale. Plus de 2 000 ha de terres se couvrent chaque été d'immenses patchworks colorés, représentant environ 200 variétés d'essences : pois de senteur, asters, lavande, soucis, etc. Parallèlement, dans les laboratoires de la vallée, les ingénieurs agronomes testent chaque année jusqu'à 20 % des nouveaux hybrides mis au point à travers le monde. La meilleure période pour assister à la floraison s'étend de mi-juin à mi-août. D'ailleurs, si vous êtes là le dernier week-end de juin, vous pourrez assister au *Lompoc Flower Festival*. La Lompoc Valley Chamber of Commerce (111 S St. ☎ 736-4567 ou 1-800-240-0999. ● lompoc.com ●) fournit une carte avec un itinéraire conseillé. Époustouflant !
À proximité, se trouve la base aérienne de Vandenberg, une des plus importantes de US Air Force, qui assure la surveillance des satellites dans l'espace.

🍴🍴🍴 *La mission La Purisima* : ☎ 733-3713. Prendre Purisima Rd, à 13,5 miles de Buellton, peu avant d'arriver à Lompoc. Tlj 9h-17h. Fermé à Thanksgiving, à Noël et le Jour de l'an. Entrée : 4 $/voiture.
Refondée sur ce site en 1812 après le séisme qui jeta à terre la première mission de Lompoc (1787), La Purisima abrita jusqu'à un millier d'Indiens chumashs. Sécula-

risée conjointement avec les autres missions en 1834, elle fut vendue en 1845 puis laissée à l'abandon. Patiemment restaurée depuis 1934, elle restitue aujourd'hui à merveille le quotidien des missionnaires dans l'ancienne Californie espagnole. Le cadre bucolique et paisible accentue encore le sentiment d'un retour dans le passé, faisant peut-être de La Purisima la plus intéressante des missions californiennes. Certains week-ends, à la belle saison, des figurants en costume d'époque contribuent à redonner vie à ce passé révolu.

Au fil de la visite, on découvre les quartiers des gardes, avec leurs dortoirs spartiates, les appartements du commandant de la place et des soldats mariés, guère plus folichons, le four à pain veillé par un olivier, les ateliers des artisans, et l'église avec ses peintures au pochoir, qui semblent tels qu'il y a deux siècles. Bref, toute la vie de l'époque... jusqu'aux chaises de cabinets ! Un petit musée abrite une cloche fondue au Pérou pour la mission et un énorme livre de prières du XVIIe s.

SANTA BARBARA   90 000 hab.   IND. TÉL. : 805

À 92 miles au nord de Los Angeles et à 332 miles au sud de San Francisco, cette ville résidentielle et station balnéaire réputée de la côte californienne bénéficie d'un climat doux tout à fait exceptionnel (84 % de beaux jours !), très apprécié dès le début du XXe s pour ses bienfaits sur la santé.
Fondée en 1782 autour du *Presidio*, la ville a gardé quelques traces de son passé espagnol, notamment ses maisons d'adobe (terre rouge) miraculeusement conservées après un séisme en 1925, ses places à arcades et ses ruelles qui invitent à la flânerie. Ses habitants en ont fait une commune modèle, un joyau parmi les cités américaines, un bel exemple de qualité de vie. Une nombreuse population estudiantine contribue également à lui donner une atmosphère décontractée.
Les habitants ont tellement à cœur de préserver leur mode de vie et leur environnement que rien ne bouge. Spéculateurs et promoteurs immobiliers sont tenus à distance. Même dans le centre-ville, très commerçant, subsistent des rues et des îlots de population assez pauvres. Ajoutez à cela un certain nombre de *homeless* qui ont découvert que le climat leur convenait aussi bien qu'aux riches, et vous trouverez une ville moins frimeuse et pleine de contradictions. Beaucoup de stars vivent ou ont vécu dans le coin, comme Michael Jackson, Kevin Costner, Madonna, Priscilla Presley, Steve Martin, Michael Douglas...

ANIMATION

Contrairement à ce que beaucoup imaginent, Santa Barbara est une ville jeune, voire très jeune. Elle accueille une université, l'UCSB, le SB City College, Brooks, une école de photo réputée, etc.
Toute l'animation de la ville se concentre sur State Street au niveau du Paseo Nuevo Mall, situé entre Cañon Perdido et Ortega Street. On y trouve une ribambelle de restos et de magasins qui vont du *department store* à la minuscule échoppe. C'est là aussi qu'a lieu le *Farmer's Market*, le mardi après-midi et le samedi matin (ce jour-là, il se tient tout à côté, autour du 700 Santa Barbara Street). On peut y acheter fruits et légumes, crevettes fraîches, crabes, fleurs, et même des huiles naturelles pour le corps.

LE 7e ART À LA PLAGE

Au début du XXe s, à l'avènement du cinéma, Santa Barbara (avant Hollywood) fut la capitale du 7e art, pendant un laps de temps très court, de 1913 à 1920. L'immense studio de l'*American Film Company,* le plus grand du monde à cette époque, se trouvait alors à l'angle de State et de Mission Street. Pendant 10 ans, plus de 1 200 films, des westerns pour la plupart, y furent réalisés.

La suprématie d'Hollywood éclipsa les débuts de Santa Barbara. La station balnéaire fit ses adieux à la production et ouvrit les bras aux stars d'Hollywood à la recherche de calme et de soleil. Douglas Fairbanks et Mary Pickford y possédèrent une propriété dans les années 1920. En 1928, Charlie Chaplin, jeune millionnaire, fit construire le *Montecito Inn,* le refuge des vedettes des « rugissantes » années 1920. Le célèbre cinéaste allemand engagé par la *Fox,* Friedrich W. Murnau, auteur de *Nosferatu,* trouva la mort là dans un accident de voiture en 1931, victime, selon la légende, d'une malédiction pour avoir violé les tabous religieux de Bora Bora (où il avait tourné le film *Tabou* avec Flaherty la même année). L'acteur Ronald Colman et Alvin Weingand achetèrent en 1935 le très hispanique *San Ysidro Ranch,* où vinrent séjourner des célébrités comme Bing Crosby, Jack Benny, Audrey Hepburn et Groucho Marx. Vivian Leigh et Laurence Olivier s'y marièrent et, en 1953, John et Jackie Kennedy y passèrent une partie de leur lune de miel.

La série télévisée *Santa Barbara* a fait connaître la ville dans les chaumières du monde entier, de Limoges à Jakarta ! Et pourtant, la plupart des scènes du feuilleton ont été tournées en studio à Los Angeles, sauf les scènes de plage (normal, elle est si belle !).

Pour ceux que le sujet passionne, procurez-vous à l'office de tourisme la brochure *Santa Barbara County Film Tour.*

Arriver – Quitter

En train

🚂 **Gare Amtrak** *(plan B2) :* 209 State St. ☎ 800-USA-RAIL. Tlj 6h-21h. ● amtrak. com ●

➤ **Pacific Coast Route :** tlj, liaisons *Amtrak* avec tte la côte pacifique, soit par le *Coast Starlight,* qui relie 1 fois/j. Santa Barbara à Seattle, Portland, Oakland, San Jose, Salinas, San Luis Obispo et Los Angeles, soit par le *Pacific Surfliner* reliant 4 fois/j. Santa Barbara à San Luis Obispo, Los Angeles et San Diego.

En bus

🚌 **Greyhound** *(plan A1) :* 34 W Carrillo St. ☎ 965-7551. ● greyhound.com ● À côté du *MTD Transit Center.*

➤ **De/vers San Luis Obispo, Salinas, Santa Cruz, San Jose, Oakland, San Francisco :** 4 bus/j. minuit-16h de Santa Barbara, 6h30-22h de San Francisco. Durée : env 9h30 pour San Francisco.

➤ **De/vers Los Angeles :** 5 bus/j. 7h30-22h45 de Santa Barbara, 3h-21h40 de Los Angeles. Durée : 2h20-3h.

En avion

✈ **L'aéroport** se trouve à Goleta, à env 8 miles à l'ouest de Santa Barbara. ● flys ba.com ● Il est desservi par la ligne n° 11 du bus *MTD* (voir « Comment se déplacer ? »).

➤ **De/vers Los Angeles :** 13 liaisons/j. dans les 2 sens avec *United Express* (● united.com ●) et *American Airlines* (● aa.com ●).

➤ **De/vers San Francisco :** 9 liaisons/j. dans les 2 sens avec *United Express.*

En voiture

➤ **De/vers Los Angeles :** par la Hwy 101.

➤ **De/vers San Francisco :** par la Hwy 101 ou, plus long mais beaucoup plus beau, par la Hwy 101 jusqu'à Gaviota, puis par la Hwy 1.

SANTA BARBARA

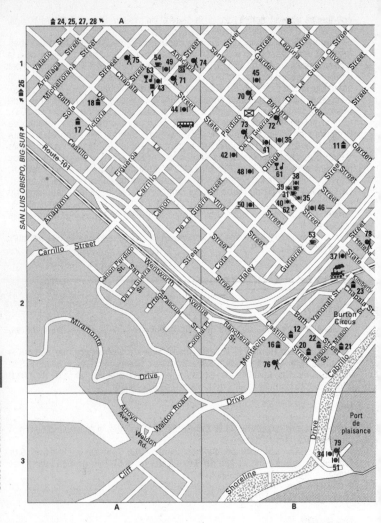

■ Adresses utiles

🛈 Visitor Information Center
✉ Poste
🚌 Greyhound
🚃 Gare Amtrak
📖 Bibliothèque municipale
1 Pacific Travellers Supply
2 Wheel Fun Rentals

🏠 Où dormir ?

10 Blue Sands Motel

11 Haley Cottages
12 Colonial Beach Inn
13 Motel 6
14 Pacific Crest Inn
15 Cabrillo Inn
16 Brisas del Mar Inn
17 The White Jasmin Inn
18 Tiffany Country House
19 Old Yacht Club Inn
20 Days Inn
21 Casa del Mar
22 Franciscan Inn
23 Santa Barbara Tourist Hostel
24 Motel 6

25 Best Western Pepper Tree Inn
26 Secret Garden & Cottages
27 The Chesthire Cat Inn
28 Simpson House Inn

|●| 🍽 Où manger ?

31 Pierre Lafond Bistro
33 Rose Café
34 Brophy Bros
35 The Natural Café
36 Paradise Café
37 The Enterprise Fish Co
38 The Palace Grill

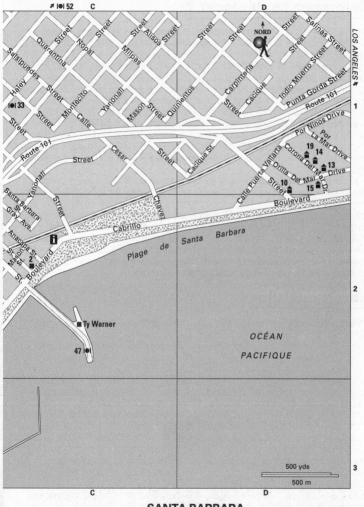

SANTA BARBARA

Comment se déplacer ?

🚌 *Pour ts rens concernant les transports en commun à Santa Barbara, s'adresser au terminal des bus MTD : MTD Transit Center, 1020 Chapala St.* ☎ 683-3702. • *sbmtd.gov*

➢ *En Downtown et Waterfront Shuttle :* petit bus électrique reliant Upper State St à la plage. De là, un autre *shuttle* fait la navette entre le port et le zoo. Ne pas oublier de demander un *extension ticket* au chauffeur du bus de Downtown pour pouvoir continuer le voyage le long du *waterfront*. Très sympa et économique (25 cents l'aller). En service 10h-18h (celui de Downtown jusqu'à 22h les sam).

➢ *En bus du Santa Barbara Metropolitan Transit District (MTD) :* bus desservant tout le comté de Santa Barbara jusqu'à Goleta et l'aéroport à l'ouest (ligne n° 11 ; circule en sem 6h-minuit, sam 6h-23h, dim 6h30-22h30), et jusqu'à Carpinteria à l'est. Comme toujours, monnaie exacte exigée (1,25 $ le trajet, transferts gratuits).

➢ *En trolley de la Santa Barbara Trolley Company :* ☎ 965-0353. • *sbtrolley. com* • Circule 9h-17h ; passage ttes les 30 mn. Billet : 19 €/j. Il s'agit d'un tour guidé en quelque sorte. Le trolley dessert les principaux sites touristiques de la ville (de l'office de tourisme au Museum of Natural History) et vous profitez des commentaires historiques. Possibilité de descendre et remonter quand vous le souhaitez.

➢ *À vélo ou à rollers :* on peut aussi louer des vélos ou des rollers (chez *Wheel Fun Rentals*, par exemple ; voir « Adresses utiles »). La bicyclette est l'un des moyens favoris de déplacement des habitants de Santa Barbara. La piste cyclable qui longe le front de mer sur 5 km est vraiment agréable.

Adresses utiles

🛈 *Visitor Information Center (plan C2) :* 1 Garden St, angle Cabrillo Blvd. ☎ 965-3021. • *santabarbaraca.com* • *Tlj 9h-17h (18h en été, 16h en déc-janv).* Plan gratuit de la ville et plein d'informations sur les restos, hôtels, loisirs... Également des cartes routières, brochures et cartes téléphoniques en vente. Téléphone rouge pour réserver les hôtels à la dernière minute. Quelques bonnes infos sur les événements locaux imminents en consultant les journaux *SB News Press* (quotidien) et *Independent* (hebdo gratuit).

🛈 *Santa Barbara Hot Spots :* 36 State St. ☎ 564-1637 ou 1-800-793-7666. *Lun-ven 9h-17h (19h en été) ; sam 9h-16h. Visitor Information Center* privé où vous trouverez toutes les infos nécessaires pour aller sur les Channel Islands.

✉ *Poste (plan B1) :* 836 Anacapa St. *Lun-ven 8h-18h ; sam 9h-14h.*

@ *Internet :* à la bibliothèque municipale (*library ;* plan A1), 40 E Anapamu St. ☎ 962-7653. *Lun-jeu 10h-21h ; ven-sam 10h-17h30 ; dim 13h-17h.* Plusieurs postes avec connexion Internet gratuite (mais limitée à 10 ou 30 mn).

■ *Pacific Travellers Supply (plan A1, 1) :* 12 W Anapamu St. ☎ 963-4438. *Lun-sam 9h30-19h30 ; dim 11h-18h.* Bonne librairie avec un large choix de livres, DVD et cartes destinés aux voyageurs.

■ *Location de vélos et de rollers : Wheel Fun Rentals (plan C2, 2),* 23 E Cabrillo Blvd. ☎ 966-2282. *Loc vélo env 20 $/j.*

■ *Urgences : Cottage Hospital (hors plan par A1) ;* angle Pueblo et Bath St. ☎ 682-7111.

Où dormir ?

En dehors de la période de mai à septembre, mieux vaut éviter les hôtels près de la plage. Aux abords de celle-ci, il y a du brouillard, il fait plus froid et il y a parfois beaucoup de vent. En été et le week-end, Santa Barbara est envahie par les touristes en provenance de toute la Californie. Les hôtels sont alors généralement complets (réservez à l'avance) et le prix des chambres augmente d'environ 20 à 30 % (nous indiquons ici les prix de la haute saison). Hors saison, on peut parfois négocier le prix pour un séjour longue durée (à partir de 3 nuits). De nombreux motels se regroupent sur Upper State Street, en direction de Goleta.

AUBERGE DE JEUNESSE

🏠 **Santa Barbara Tourist Hostel** *(plan B2, 23)* : 134 Chapala St. ☎ 963-0154. ● sbhostel.com ● *Juste en face de la gare Amtrak, accès via le front de mer. Carte de membre indispensable. Selon saison, lits en dortoir 20-30 $, doubles 59-79 $ (69-89 $ avec sdb privée) ; petit déj inclus ; draps et couvertures fournis. Wi-fi et accès Internet.* Grande AJ. Réception

avec tables en forme de disques 45 tours. Les chambres avec lits superposés ne sont pas folichonnes, mais l'ambiance est très sympa. Ceux qui souhaitent un peu moins de promiscuité peuvent opter pour l'une des 4 chambres doubles privées, avec TV et machine à café. Machines à laver, location de vélos, rollers ou *boogie boards* sur place.

HÔTELS

De prix moyens à chic

🏠 **Haley Cottages** *(plan B1, 11)* : 227 E Haley St (angle Garden St). ☎ 963-3586. ● haleycottages.com ● *Toujours appeler pour confirmer sa résa avt son arrivée. Réception et petit déj au Santa Barbara Tourist Hotel (lire ci-dessus). Doubles 65-85 $, petit déj inclus.* Cachés derrière un petit mur de verdure, avec un patio fleuri à l'entrée, les cottages sont en réalité des chambres au confort très sommaire : juste un lit, une cuisine équipée (four, frigo et quelques ustensiles) et un coin-douche réduit à sa plus simple expression. Ils sont tenus par le même proprio que l'AJ, dont l'idée est de proposer aux routards un logement rudimentaire peut-être, mais pas cher (ce qui dans cette ville est une denrée rare !). La propreté laisse parfois à désirer, mais la situation non loin de la plage et le prix des chambres rattrapent le tout. Ambiance un peu bohème : on se retrouve le soir entre résidents d'une nuit autour d'une table pour discuter dans le patio.

🏠 **Franciscan Inn** *(plan B2, 22)* : 109 Bath St. ☎ 963-8845. ● franciscaninn.com ● *Doubles 125-185 $, suites 160-295 $; petit déj compris ; 10 $/pers supplémentaire. Wifi.* Cet hôtel de style vaguement méditerranéen compte une cinquantaine de chambres confortables de tailles diverses. Les chambres standard ne sont pas très grandes, mais décorées avec goût. Les suites sont de véritables appartements, avec cuisine tout équipée, salon, salle à manger. Piscine chauffée, jacuzzi et cookies l'après-midi. Accueil charmant. Un des meilleurs

rapports qualité-prix de la ville.

🏠 **Motel 6** *(plan D1, 13)* : 443 Corona del Mar Dr. ☎ 564-1392 ou 1-800-4-MOTEL6. ● motel6.com ● *Résa très conseillée. Doubles 130-180 $; 5 $ de plus pour 4 pers. Wifi.* Motel de base à deux pas de la plage, mais chambres tout à fait convenables et propres, bien qu'un peu étroites. La seule originalité de cet établissement : être le 1er motel de la chaîne, construit en 1962. Petite piscine. Particulièrement recherché, vu son emplacement (et ses prix raisonnables pour la ville !).

🏠 *Si vous êtes en voiture, tentez plutôt, hors saison, le* **Motel 6** *d'Upper State St, 3505 State St (hors plan par A1, 24)*. ☎ 687-5400. *Doubles env 96-126 $; 3 $/pers supplémentaire.* On peut profiter de la jolie piscine dès le mois d'avril.

🏠 **Pacific Crest Inn** *(plan D1, 14)* : 433 Corona del Mar Dr (East Beach). ☎ 966-3103. ● pacificcrestinn.com ● *Doubles 119-169 $. Wifi.* Un motel classique dans un coin calme, à l'extérieur un peu vieillot mais aux chambres très correctes, agencées autour d'une piscine. Certaines disposent d'une kitchenette.

🏠 **Blue Sands Motel** *(plan D1, 10)* : 421 S Milpas St. ☎ 965-1624. ● bluesandsmotel.com ● *Doubles 165-245 $; 10 $ pour un lit supplémentaire. Wifi.* À quelques encablures de la plage, petit motel bleu et blanc dont la dizaine de chambres donnent sur une petite piscine chauffée. Celles-ci se répartissent en 2 catégories : les anciennes, aux salles de bains un poil vieillissantes, et les plus récentes, élégantes, avec chemi-née, frigo et micro-ondes. Ensemble bien tenu.

🛏 *Cabrillo Inn* *(plan D1, 15)* : 931 E Cabrillo Blvd. ☎ 966-1641 ou 1-800-648-6708. ● cabrillo-inn.com ● *Pas de résas sur Internet. Doubles 159-219 $ selon vue ; pour 4 pers 189-259 $; suites avec vue 299-349 $; petit déj inclus. Wifi.* À deux pas de la plage, ce motel propose des chambres confortables, malgré le mobilier un poil vieillot. Mais ici, on paie surtout la vue sur la plage et l'océan ! Si le manque de panorama ne vous empêche pas de vivre, les chambres avec vue sur l'arrière sont plus abordables. Deux piscines, dont l'une est chauffée, et *Sundecks* pour bronzer (certaines chambres ont même leur petit balcon privé). Également plusieurs cottages d'architecture pseudo-hispanique des années 1940, à louer à la semaine (5 personnes maximum) ou au mois.

🛏 *Days Inn* *(plan B2, 20)* : 116 Castillo St. ☎ 963-9772 ou 1-800-DAYSINN. ● daysinnsantabarbara.com ● *Doubles 170-240 $; pour 4 pers 200-275 $; petit déj inclus.* En haute saison, les prix s'envolent (mais même à cette période ils peuvent baisser selon la fréquentation). Un motel pur et dur, sans grand charme (malgré le petit jacuzzi, mais pas de piscine), aux chambres petites mais propres et confortables (minifrigo), certaines pouvant contenir jusqu'à 6 personnes.

Très chic

🛏 *Colonial Beach Inn* *(plan B2, 12)* : 206 Castillo St. ☎ 963-4317 ou 1-800-649-2669. ● sbhotels.com ● *Doubles 218-238 $ selon confort, petit déj compris.* Hôtel soigneusement entretenu et fleuri. L'hôtel est légèrement en retrait de la rue et les chambres précédées d'un coquet jardinet. Dommage que la jolie piscine chauffée soit juste en bord de route. Les chambres, meublées dans le style ancien, sont spacieuses, et la moquette, moelleuse. Frigo, micro-ondes et TV dans chacune. Adresse non-fumeurs.

🛏 *Casa del Mar* *(plan B2, 21)* : 18 Bath St. ☎ 963-4418 ou 1-800-433-3097. ● casadelmar.com ● *Doubles standard 144-284 $, suite 224-264 $; 10 $/ pers supplémentaire ; gratuit pour les enfants jusqu'à 18 ans ; petit déj compris. Wifi.* À mi-chemin de l'hôtel et du B & B, cet établissement (non-fumeurs) resserre autour d'un jacuzzi ses petites unités, séparées par des allées plantées d'orangers et de citronniers. Même si elles ne sont pas très grandes, les chambres sont confortables et impeccables. Toutes disposent d'un minifrigo, d'une cafetière et d'un micro-ondes. Les meilleures disposent d'une kitchenette.

Copieux petit déj et dégustation, le soir, de fromages et de vins sont inclus.

🛏 *Brisas del Mar Inn* *(plan B2, 16)* : 223 Castillo St. ☎ 966-2219 ou 1-800-468-1988. ● sbhotels.com ● *Doubles 236-256 $, 4 pers 256-276 $, petit déj compris. Wifi.* Facilement reconnaissable à la fontaine en forme de dauphin qui orne son entrée. Motel de charme dans le style hispanique (murs ocre et carreaux de céramique). Les chambres sont spacieuses, arrangées avec goût, et donnent toutes sur une vaste cour intérieure, très calme. Petit déj, *wine and cheese* et *milk and cookies* inclus. Le principal atout du lieu : la jolie piscine ensoleillée, agréablement située, au calme et en hauteur, à l'abri des regards. *Fitness room*. Très bon accueil.

🛏 *Best Western Pepper Tree Inn* *(hors plan par A1, 25)* : 3850 State St. ☎ 687-5511 ou 1-800-338-030. ● sbhotels. com ● *Doubles 214-244 $. Wifi.* Grand motel au calme et très bien tenu, à 3 miles du centre, au nord-ouest de la ville. Les chambres, très classiques, sont vraiment confortables et disposent d'un balcon. Toute une ribambelle de services (2 piscines, sauna, salon de coiffure, un resto, etc.).

BED & BREAKFAST

Situés dans des quartiers résidentiels très calmes et nichés dans de belles maisons anciennes, victoriennes pour la plupart, les B & B de Santa Barbara affirment tous une même note d'élégance nostalgique – malheureusement vendue bien cher. Ils possèdent un agréable jardin pour prendre le petit déj. Le plus souvent, le verre de vin californien et les amuse-gueules du soir servis vers 17h sont compris dans le prix de la chambre. En revanche, dans tous, séjour de 2 nuits minimum le week-end...

Très chic

🛏 **The White Jasmin Inn** *(plan A1, 17)* : 1327 Bath St. ☎ 966-0589. ● whitejas mineinnsantabarbara.com ● Doubles 146-292 $, petit déj compris. Wifi. Une douzaine de chambres réparties entre la belle maison verte de 1880 entourée de rosiers, et les annexes qui datent du début du XXe s. Atmosphère calme et intime dans les chambres personnalisées, à tous les prix et aux doux noms : *Aurelia's Fancy, French Rose, Country*, etc. Une de nos préférées est la *Hideaway*. Toutes possèdent une salle de bains, certaines une cheminée, un frigo et/ou un jacuzzi. *Full gourmet breakfast* vraiment extra, servi dans la chambre. Accueil charmant.

🛏 **Old Yacht Club Inn** *(plan D1, 19)* : 431 Corona del Mar Dr. ☎ 962-1277 ou 1-800-549-1676 (en Californie) ou 1-800-676-1676 (dans ts les États-Unis). ● ol dyachtclubinn.com ● Doubles 140-250 $ selon confort, petit déj de luxe compris. Dans un quartier résidentiel tout proche de la mer, 2 charmantes maisons en bois côte à côte, *Old Yacht Club* et *Hitchcock House* (aucune parenté !). La première, qui date de 1912, servit dans les années 1920 de Q.G. au yacht-club local, d'où son nom. En tout, 14 chambres avec salle de bains (bain bouillonnant pour les plus chères), toutes de style différent. Tons chaleureux, cheminée qui crépite, autour de laquelle, le soir, sont servis vin et amuse-gueules. Solarium en plus. Accueil extrêmement courtois. Serviettes de plage, sièges pliants et vélos à disposition.

🛏 **Secret Garden & Cottages** *(hors plan par A1, 26)* : 1908 Bath St. ☎ 687-2300. ● secretgarden.com ● Doubles 135 $ (dans la maison)-255 $ (dans les cottages). Tenu par Dominique, une hôtesse d'origine française, ce *B & B* offre un cadre de séjour cosy et avenant. Deux chambres se trouvent dans la maison et les neuf cottages sont nichés dans un jar-

din luxuriant abritant un avocatier centenaire. Certains, les plus chers, sont dotés d'un *tub* individuel pour se prélasser sous les étoiles. Petit déj-buffet avec croissants à la française à prendre au cœur du jardin. Dominique est une mine d'or pour orienter ses hôtes vers les meilleurs plans de la région. Sa maison n'est peut-être pas la plus luxueuse, mais les gourmands s'y sentiront bien et il y règne une certaine douceur de vivre qui nous plaît bien.

🛏 **Tiffany Country House** *(plan A1, 18)* : 1323 De La Vina St. ☎ 963-2283 ou 1-800-999-5672. ● tiffanycountryhouse. com ● Doubles 220-550 $ selon confort, petit déj avec gaufres et crêpes compris. Wifi. Dans un quartier résidentiel calme, voici une maison plus que centenaire (1898), aux boiseries soigneusement astiquées. Juste 8 chambres on ne peut plus confortables, très cosy et certaines avec cheminée ou jacuzzi (ou les deux !). La *Penthouse Suite*, la plus belle et la plus chère, occupe tout le dernier étage. Très joliment mansardée, elle possède une salle de bains géante, avec jacuzzi, une kitchenette et une petite terrasse en bois d'où l'on aperçoit la mer (au loin). Jolie véranda pour le petit déj et jardin derrière la maison. Accueil très prévenant.

🛏 **The Cheshire Cat Inn** *(hors plan par A1, 27)* : 36 W Valerio St. ☎ 569-1610. ● cheshirecat.com ● Au croisement avec Chapala St. Nuitée 199-299 $ (369-399 $ pour les 3 cottages), petit déj compris. Wifi. Un élégant *B & B* tout en référence à *Alice au pays des merveilles*. Ses chambres, réparties dans 2 maisons (6 dans chaque) et délicieuses avec leur déco Laura Ashley et leur mobilier anglais, sont baptisées d'après les personnages du célèbre récit. Certaines ont un jacuzzi ou une cheminée. Beau jardin au milieu duquel trône un kiosque abritant un jacuzzi.

Très, très chic

🛏 **Simpson House Inn** *(hors plan par A1, 28)* : 121 E Arrellaga St. ☎ 963-7067 ou 1-800-676-1280. ● simpsonhouseinn.

com ● Doubles 255-610 $, petit déj compris (la moindre des choses !). Wifi. Une magnifique maison victorienne de 1874, entourée d'un délicieux jardin. C'est le seul *B & B* 5 « diamonds » d'Amérique du Nord ! Les chambres sont, bien sûr, à l'image du lieu : on peut choisir entre celles de la maison principale, les plus confortables, décorées sur une note très victorienne, celles de la vieille grange reconvertie, tout aussi cosy, avec tapis d'Orient, couette en duvet et cheminée, ou encore entre les 4 cottages, avec lit à baldaquin, plancher en teck, cheminée, jacuzzi... le grand luxe, quoi ! Le petit déj est servi sous la véranda couverte de glycines – tout comme les rafraîchissements dans l'après-midi, le vin et les hors-d'œuvre le soir. Bicyclettes à disposition. Accueil stylé et extrêmement attentionné.

Où camper dans les environs ?

Liste des campings au *Visitor Information Center* de Santa Barbara. Les réservations pour les *State Beach Campgrounds* peuvent se faire via un numéro gratuit : ☎ 1-800-444-7275.
Voici notre sélection :

⅄ *Carpinteria State Beach :* à Carpinteria, à 12 miles au sud-est de Santa Barbara. ☎ 684-2811. • parks.ca.gov • Sur la Hwy 101 ; sortir à Casistas Pass Rd et prendre vers l'océan ; au feu de Carpinteria Ave, tourner à droite, puis à gauche sur Palm Ave. *Emplacement env 25 $.* Camping le plus proche de Santa Barbara, le long d'une plage de sable grisonnant. On trouve sur place une épicerie qui fait aussi location de vélos et vend du bois pour le barbecue. Les places manquent un peu d'intimité et le train passe... à quelques mètres du camping ! Malgré cela, le site n'est pas désagréable. Douches payantes.

⅄ *El Capitán State Beach :* à El Capitán, 20 miles au nord-ouest de Santa Barbara par la Hwy 101. ☎ 968-1033. • parks.ca.gov • Sur la Hwy 101, sortir à El Capitán State Beach, passer sous le pont de l'autoroute, en direction de la plage. *Emplacement env 20 $.* Des aires bien bétonnées mais assez espacées et qui peuvent accueillir jusqu'à 8 personnes. Elles se répartissent en retrait et en surplomb de la plage, dans un bois touffu sur lequel planent les senteurs des eucalyptus. Plus agréable que le *Carpinteria State Beach* mais, là encore, attention au train qui passe au fond du camping !

⅄ *Cachuma Lake Campground :* à 21 miles au nord-ouest de Santa Barbara par la Hwy 154 menant à la vallée de Santa Ynez et à Solvang. ☎ 686-5055. • cachuma.com • *Emplacement env 20 $; yourtes (5-6 pers) 60-70 $. Résa min 2 nuits le w-e et 3 nuits en hte saison.* Cet immense camping, établi tout contre le lac de retenue de Cachuma, est très populaire chez les pêcheurs à la belle saison. On y trouve une gamme complète de services : épicerie, pompe à essence, piscine, laverie, douches chaudes (payantes et pas nickel), etc. Les emplacements les plus agréables sont situés tout au bout du camping, sur le rivage. Le lac servant de réservoir d'eau potable, il est interdit à la baignade, mais on peut louer un bateau à la marina...

Où manger ?

Santa Barbara compte environ 250 restos... ce qui la place en tête de tous les États-Unis en termes d'établissements par habitant ! On trouve un grand choix de mexicains de qualité et à bon prix, pas mal d'italiens et plusieurs français.

Spécial petit déjeuner

☞ *D'Angelo Bread* (plan B2, **53**) : Gutierrez St. ☎ 962-5466. *Tlj 7h-14h. Petit déj 10-15 $.* Une belle carte de petit déj : pâtisseries et pains maison (le fournil approvisionne nombre de restos de la ville), très bonnes omelettes, mueslis et porridges. L'adresse est connue et les quelques tables entre le long comptoir et la baie vitrée ainsi que la petite terrasse sur la rue sont vite occupées.

🍃 **Tupelo Junction Café** (plan A1, **54**) : 1218 State St. ☎ 899-3100. Tlj à partir de 8h. Petit déj 12-18 $. Menu offrant un large choix de plats généreux, sucrés ou salés, plutôt fins et originaux et fort joliment présentés. L'atmosphère paisible de ce café en fait le lieu idéal pour commencer la journée en douceur. Et si le style simili-rustique de la grande salle (mur de brique et arrosoirs comme principale décoration) n'est pas votre tasse de thé, il vous reste toujours la minuscule terrasse (2 tables !) sur le trottoir. Prix un peu élevés, mais la qualité est au rendez-vous.

🍃 **Pierre Lafond Bistro** (plan B1, **31**) : 516 State St. ☎ 962-1455. Tlj 8h30-20h30. Petit déj 10-15 $. Menu petit déj varié, à base de produits bio. Quelques croissants et autres viennoiseries ou pâtisseries attendent même les becs sucrés au comptoir. Les belles nappes blanches, égayées d'une fleur fraîche de couleur vive, donnent une touche chic et élégante à l'immense salle à la déco brute. L'endroit est aéré, bordé de grandes baies vitrées pour contempler le spectacle de la rue. Également quelques tables en terrasse.

🍃 **Joe's Café** (plan B1, **39**) : lire ci-dessous.

Bon marché

🍴 **The Natural Café** (plan B1, **35**) : 508 State St. ☎ 962-9494. Tlj 11h-21h. Env 10 $. Accueilli par un bouddha rigolard, vous planerez vite dans l'ambiance zen de ce café entièrement dédié à la nourriture naturelle et saine : salades, soupes, sandwichs, pâtes et de nombreux plats mexicains. Passer sa commande au comptoir et garder le numéro pour être servi. Amateurs de viande rouge, passez votre chemin ! Y a quand même du poulet. Spécialité de jus de fruits et de laits frappés. Un peu bruyant mais il y a quelques tables sur la rue.

🍴 **Joe's Café** (plan B1, **39**) : 536 State St. ☎ 966-4638. Tlj 7h-22h, w-e 7h30-23h. La panse pleine pour env 10 $. Ouvert depuis 1928, voici un resto typiquement américain. L'endroit est surtout populaire pour y boire un verre, car les cocktails ont une bonne réputation. Bières à la pression. Du côté de l'assiette, les viandes, steaks et burgers sortent du lot. Copieux et très raisonnable. Bondé le week-end, avec une ambiance survoltée autour du bar, qui rassemble les amateurs de sport. La déco, fraîche et agréable, garde l'âme d'un lieu qui a vu passer des générations de clients.

🍴 **La Super-Rica** (hors plan par C1, **52**) : 622 N Milpas St. ☎ 963-4940. À l'angle d'Alphonse St, entre Cota St et Ortega St. Tlj 11h-21h (21h30 w-e). Env 10 $. Tenue par la même famille depuis 1980, une taquería mexicaine, genre cantoche à la réputation incontestée. Si vous voyez une queue d'au moins 20 personnes devant une petite bicoque vert et blanc, c'est là ! Les sauces verde et picante ont le goût du pays, tout comme les excellents tacos et tamales aux fruits de mer. Les plats sont copieux et vraiment pas chers (bon daily special), et les boissons exotiques : tamarin, horchata. Enfin, bien sûr, toutes les bières sont mexicaines. Beaucoup de monde au déjeuner. Comme c'est un peu excentré, le mieux est de venir en voiture.

🍴 **Rose Café** (plan C1, **33**) : 424 E Haley St. ☎ 962-1631. Tlj 8h-21h. Env 10 $. L'un des meilleurs restos mexicains de la ville, qui pourtant ne paie pas de mine et est un peu excentré (on peut toutefois encore y aller à pied). Cadre simple avec comptoir, tabourets et tables en formica pour un bon choix de burritos, enchilladas, tacos, etc. Clientèle fidèle du quartier. Simple et bon, le sourire de l'accueil en prime.

🍴 **California Pasta** (plan B1, **42**) : 811 State St. ☎ 899-4030. Tlj 11h-21h (22h ven-sam). Plat de pâtes, sandwichs, salades, env 9 $. Juste à l'entrée du shopping center du Paseo Nuevo. Confectionnés sous vos yeux, les sandwichs, les salades et, bien sûr, les pâtes jouent sur un plaisant mélange de saveurs : feta, prosciutto, sésame, épices cajun, tomates confites... Les parts sont très copieuses et les sandwichs sont tous accompagnés de salade verte, de pâtes ou de pommes de terre.

On prend sa commande au comptoir. C'est surtout très agréable de profiter des quelques tables installées en terrasse dès qu'il fait beau, c'est-à-dire au moins 300 jours par an ! Service efficace et souriant.

De bon marché à prix moyens

|●| Madison's *(plan B1, 40)* : *525 State St.* ☎ *882-1182. Tlj 12h-21h30 ; le bar sert jusqu'à 23h en sem et 2h le w-e. Env 10-15 $.* « *Famous for steak, sports and fun.* » La devise de l'endroit donne le ton : dans ce grand resto-grill aux murs en brique, plus de 12 écrans de TV diffusent en permanence le championnat de basket, les matchs de base-ball et les courses de voitures. La clientèle, plutôt jeune, s'y retrouve pour commenter les images autour d'un burger juteux, accompagné de pommes-gaufres croustillantes. Sans s'attendre à de la grande cuisine, celle du *Madison's,* dans le genre burgers-sandwichs, est plutôt meilleure qu'ailleurs. On peut aussi commander des *ribs* (travers de porc) entiers. Nombreuses entrées à demi-tarif pendant les *happy hours* (16h-19h). Terrasse sur le trottoir. Service dynamique et souriant.

|●| Pacific Crêpes *(plan B1, 41)* : *705 Anacapa St.* ☎ *882-1123. Mar-sam 10h-15h, 17h30-21h ; dim 9h-15h. Env 10-15 $.* Une crêperie tenue par une famille de Bretons, on en a déjà l'eau à la bouche ! Rendez-vous des Français de Santa Barbara qui ont un peu le mal du pays, on y vient pour les délicieuses *krampouz.* Une complète ou une campagnarde (pommes de terre sautées, bacon et fromage) pour commencer, une salade Deauville aux noix, pommes et roquefort, et, si vous avez encore faim (malgré les parts copieuses), une crêpe Suzette en dessert. Sert aussi le petit déj.

|●| Santa Barbara Shellfish Company *(plan C2, 47)* : *230 Stearns Wharf ; à l'extrémité du Wharf, après le* Moby Dick Restaurant. ☎ *966-6676. Tlj 11h-21h. Env 15 $.* Dans une petite maison en bois toute mignonnette, ce resto propose de délicieux fruits de mer, que l'on voit barboter dans des viviers en vitrine. Une fois la commande passée, les crustacés sont plongés dans l'eau bouillante. Résultat : des plats simples et copieux (crabes et araignées, pâtes aux fruits de mer, cocktail de crevettes, sandwichs au calamar, etc.) que l'on déguste assis au comptoir ou sur les banquettes du dehors en sirotant une bière pression. N'oubliez pas de tester les huîtres Luckyfeller, relevées au Pernod. Un resto original et abordable.

|●| Arigato *(plan A1, 43)* : *1225 State St (entre Victoria et Anapamu).* ☎ *965-6074. Tlj 17h30-22h45 (23h45 ven-sam). Env 15 $.* Un des restos les plus en vue de la ville, pris d'assaut dès 18h. Assis au bar, on a tout loisir d'admirer la dextérité indispensable à la confection des sushis. La carte est bien fournie en *nigiri* et *maki* forts en goût et de belle taille. Le poulpe est tendre à souhait, et la saveur des sushis à la méduse est vraiment surprenante (ça croque sous la dent !). Un peu de gingembre pour se rincer la bouche et ne pas dénaturer les différents goûts, puis on se laisse tenter par un carpaccio ou une soupe froide aux algues. Vraiment bon... Dommage que le lieu soit si bruyant et le service à la chaîne (normal, il y a encore 15 personnes qui attendent à la porte !).

|●| La Playa Azul Café *(plan B1, 45)* : *914 Santa Barbara St, à l'arrière du Presidio.* ☎ *966-2860. Tlj 11h-21h (22h ven-sam). Env 10-16 $.* On aime particulièrement sa terrasse (la rue est assez calme), qui fait vraiment vacances et la jolie salle claire à l'ambiance comme à la maison. Au programme, une cuisine mexicaine qui, sans atteindre des sommets (ça dépend des plats), permet tout de même de satisfaire son appétit : steak *ranchero, chimichanga* ou encore les *tacos de pescado.* On peut aussi juste s'arrêter pour siroter une bière bien fraîche avec quelques *tortillas.* Accueil très aimable.

|●| Pascucci *(plan B1, 48)* : *729 State St.* ☎ *963-8123. Tlj 11h-21h. Env 11-15 $.* Grande et belle salle en brique avec tables en fer forgé et canapés confortables. Encore un italien très populaire. Les fins de semaine, la queue s'allonge, s'allonge... mais on peut attendre au bar en sirotant son Martini face à l'agitation perpétuelle des serveurs. Bonne cuisine élaborée à base de produits locaux exclusivement, et addition très raison-nable. Au programme : grand choix de pizzas, paninis, pâtes, poissons, etc. Micro-terrasse à l'avant, sur la rue très passante.

I●I Spice Avenue (plan A1, **44**) : 1027 State St. ☎ 965-6004. Tlj 11h30-22h (23h ven-sam). Buffet à volonté 9 $ le midi et 13 $ le soir. La déco sobre,

avec ses tables de bois clair, lui donne un air de cantine sage et n'a pas grand-chose d'indien, mais les plats, si ! Doucement épicés (car adaptés aux gosiers américains), ils n'en sont pas moins goûteux. Le choix du buffet est assez restreint, mais au moins la qualité ne semble pas négligée en faveur de la quantité, comme bien souvent.

De chic à très chic

I●I Bucatini (plan B1-2, **46**) : 436 State St (angle Haley). ☎ 957-4177. Tlj 11h-21h30 (22h ven-sam). Déj 10-15 $, dîner 15-25 $. Notre italien pré-féré. Jolie terrasse abritée où déguster soit une pizza (elles sont faites d'une pâte très fine – une dizaine au choix), soit des pâtes, cuites al dente : pen-nette alla puttanesca (sauce tomate épi-cée, olives noires, câpres), rigatoni al pomodoro (avec sauce tomate et basi-lic), etc. Au déjeuner, plusieurs plats du jour, des paninis, de grosses salades, des soupes ainsi que des antipasti pour patienter. Évitez la toute petite salle bruyante à côté de la cuisine. Service souriant, bien qu'un peu lent, et vins ita-liens au verre.

I●I Brophy Bros (plan B3, **34**) : 119 Har-bor Way, sur le port de plaisance. ☎ 966-4418. Tlj 11h-22h (23h ven-sam). Env 17-25 $. Ce bistrot du port, situé au 1er étage d'un bâtiment du quai, vaut autant pour son atmosphère ani-mée, parfois rugissante, que pour sa cuisine. Seafood à l'honneur avec, en vedette, la fameuse clam chowder de la côte est (une soupe crémeuse de prai-res), suivie des beer boiled shrimps, des poissons du jour et moules marinière façon américaine. Petit balcon-terrasse toujours pris d'assaut, car la vue y est jolie de jour comme de nuit. Au bar du rez-de-chaussée (avec minuscule ter-rasse), on grignote fish and chips, fried calamari et autres Brophy's fried shrimps. La vue est moins sympa, on est un peu entassé, mais c'est moitié moins cher.

I●I The Enterprise Fish Co (plan B2, **37**) : 225 State St. ☎ 962-3313. Tlj 11h30-22h (23h ven-sam). Lunch 15-20 $, dîner 15-25 $. Immense salle dans un ancien entrepôt en bois et en brique rouge. Comme son nom l'indi-

que, la maison est spécialisée dans les poissons et les fruits de mer : truite, sau-mon, langouste, praires, etc. On voit les cuistots préparer les plats dans la cui-sine située au centre de la salle. Tableaux suspendus avec la liste des poissons frais. Déco adaptée avec casiers, filets et marines. S'il y a la queue, on peut attendre au bar, à l'entrée.

I●I Arts & Letters Café (plan A1, **49**) : 7 E Anapamu St. ☎ 730-1463. Tlj 11h-15h. Déj env 15 $; en été, « dîner-événe-ment » (concert généralement) à menu fixe 65 $. Très apprécié des dames de la bourgeoisie locale et des businessmen en lunch break, cette galerie-resto abrite un adorable patio à l'espagnole, avec fontaine, chaises et tables en fer forgé. On peut aussi manger dans la galerie (expos tournantes) ou sur les tables qui dominent la rue – l'endroit où se faire voir. La carte s'en tient à des paninis plutôt élaborés, à des grandes salades ou quelques autres petits plats bien prépa-rés. Chanteurs et musiciens se produi-sent le jeudi soir en été.

I●I Paradise Café (plan B1, **36**) : 702 Anacapa St. ☎ 962-4416. Tlj 11h-23h ; dim brunch dès 9h. Env 14-25 $. Resto au décor californien. Son bar, très animé le week-end, est l'un des plus célèbres de Santa Barbara. Clientèle pas routarde pour 2 sous, plutôt du genre jeunesse dorée. Les cocktails et vins fins sont réputés. Terrasse très pri-sée aux beaux jours. Cuisine appréciée localement, mais pas vraiment sophis-tiquée : bons poissons grillés, steaks au feu de bois. Service souriant.

I●I The Palace Grill (plan B1, **38**) : 8 E Cota St (entre State et Anacapa). ☎ 963-5000. Tlj 11h30-15h, 17h30-22h (23h ven-sam). Env 20-30 $. Cadre élégant vraiment plaisant, avec une ambiance rétro résolument années 1950, musique

SANTA BARBARA

chaloupée et serveurs en livrée et nœud pap'. Atmosphère malgré tout très décontractée : on vient ici entre amis ou en famille se payer une bonne bouffe cajun avec une grosse rasade de jazz en prime. En dessert, bonnes spécialités du Sud : *sweet potatoe pecan pie* et *key lime pie*, par exemple. L'addition reste raisonnable. Essayez en apéro le *Cajun Martini*, ça décoiffe !

|●| *Chad's* (plan B1, *50*) : 625 Chapala St. ☎ 568-1876. Tlj sf dim dès 16h30. Happy hours 16h30-18h30. Env 20-30 $. Concert le sam. Le cadre est inattendu : une jolie maison victorienne rose. Chic, *Chad's* s'adresse à un public varié : la jeunesse aisée vient profiter de son bar, tandis que les parents dînent dans une succession de petites salles plutôt intimes, organisées autour d'une cheminée. Steaks, poissons et fruits de mer, pâtes, la carte n'est pas aussi originale que le lieu, mais les plats restent néanmoins de très bonne tenue. Quelques notes cajuns.

|●| *Waterfront Grill & The Endless Summer* (plan B3, *51*) : 113 Harbor Way, juste à droite en entrant dans le Maritime Museum. ☎ 564-1200. Tlj 11h-22h. Env 15-30 $. Un resto chic et décontracté, où l'on vient aussi bien en talons qu'en tongs, réputé dans tout Santa Barbara pour la qualité de ses spécialités de poisson. À la carte : *halibut* en provenance directe de l'Alaska, saumon, thon, noix de Saint-Jacques, etc., grillés et accommodés avec différentes sauces. Vraiment copieux, mais la présentation des assiettes pourrait être un peu plus soignée. Terrasse pour profiter du coucher de soleil sur le port. Le midi, pour le déjeuner, il faut grimper à l'étage au *Endless Summer*.

Où manger dans les environs ?

|●| *Cold Spring Tavern* : 5995 Stage Coach Rd. ☎ 967-0066. À San Marco Pass, dans la montagne surplombant Santa Barbara, à 11 miles env du centre. Sur la 154 direction lac Cachuma, sortie Stage Coach Rd, puis c'est indiqué. Tlj 11h-15h, 17h-21h30 ; w-e petit déj 8h-11h. Résa conseillée le soir et quasi obligatoire le w-e (beaucoup de happy bikers !). Déj 10-15 $, dîner 18-30 $. Ancien relais de diligence sur la vieille route qui reliait, il y a long-temps, Santa Barbara à l'intérieur du pays. Deux maisons en bois au milieu de la forêt. La taverne n'a guère changé depuis un siècle et conserve toujours *that good Old West flavor*, avec des trophées aux murs et une cheminée crépitante. Bonne cuisine country : lapin, gibier, volaille, *baby back pork ribs*, pâtes fraîches, poisson du jour, etc. Snacks dans la journée (parfois burgers de chevreuil). Concerts certains soirs.

Où boire un verre ? Où écouter de la musique ?

Vie nocturne assez animée. Savoir que la police de Santa Barbara est d'une extrême sévérité pour la conduite en état d'ébriété. Tirez au sort celui qui restera sobre pour ramener tout le monde !

🍸 *Santa Barbara Brewing Company* (plan B1-2, *62*) : 501 State St. ☎ 730-1040. Tlj 11h30-minuit (1h jeu-sam). C'est une des sept micro-brasseries de la région. Elle produit 7 bières maison, plus d'autres, saisonnières. Bel espace bien agencé et assez animé le soir, surtout le week-end ; 8 écrans de TV en permanence branchés sur le sport assurent, avec les bières maison, la popularité du lieu (les jours de match important de football américain, c'est l'enfer !). Pied de nez : vous remarquerez que les photos placardées aux murs remontent au temps de la prohibition...

🍸 ♪ *Soho* (plan A1, *63*) : 1221 State St, au 1ᵉʳ étage, à l'intérieur de Victoria Court. ☎ 962-7776. Tlj ; club ouv selon heure des concerts ; resto ouv dès 18h. Club plutôt *middle age*, où se produisent chaque soir des groupes de rock, swing, dance, R & B, groove, salsa, etc.

(programme affiché dehors). On peut dîner auparavant sur la terrasse.

🍸 🎵 ♦ *Dargan's Irish Pub* (plan B1, 61) : 18 E Ortega St. ☎ 568-0702. Dim-jeu 16h30-2h ; ven-sam 11h30-2h. Ce hangar reconverti, à deux pas de State Street, abrite un pub très sympa. Ici, tout est irlandais : la Guinness, bien sûr, mais aussi les patrons, les serveuses, une partie de la clientèle et la musique folklorique certains soirs. Ambiance chaleureuse et animée, avec jeux de fléchettes et baby-foot. Concert le samedi, musique folk et *step dancing* le jeudi (18h-20h).

À voir. À faire

🎥 *State Street :* vertèbre de la vieille ville. Quasiment tout se tient dans ses parages proches. La descendre sur une douzaine de blocs, de jour comme de nuit, se révèle une promenade plaisante. À articuler avec le *Red Tile Walking Tour,* un itinéraire mis au point par le *Visitor Information Center* (et qui se trouve au dos du plan de ville distribué gratuitement par ce même bureau), qui permet d'admirer d'anciens édifices en adobe (entre State, Anapamu, De La Guerra et Santa Barbara Street).

🎥👫 🚶 *Santa Barbara Maritime Museum* (plan B3, 79) : 113 Harbor Way. ☎ 962-8404. ● sbmm.org ● Tlj sf mer 10h-18h (17h en hiver). Entrée : 7 $; réduc ; gratuit le 3e jeu du mois. Pour les inconditionnels, cet intéressant petit musée met en scène le passé maritime de Santa Barbara, à travers des maquettes de bateaux, des vieux outils, des photos anciennes... On y découvre les îles plantées au large de la ville, qui sont de véritables petits joyaux écologiques à préserver. Collection de casques de scaphandriers pour rappeler que Santa Barbara est un grand centre de formation des plongeurs professionnels et militaires. Également des vitrines évoquant le commerce des Espagnols entre le Mexique et les Philippines (entre les XVIe et XVIIIe s), ainsi que les premiers explorateurs qui débarquèrent ici, comme Cabrillo en 1542. La chasse au phoque, à la baleine, l'histoire du *wharf* (quai) et l'exploitation du pétrole offshore ne sont pas non plus oubliées. Au 1er étage, amusant périscope de sous-marin pour une vue du port en immersion et une brève histoire de la navigation et du surf à Santa Barbara, ainsi qu'une petite section « verte » consacrée à la pollution des eaux.

🎥 🚶 *Carriage and Western Art Museum* (musée des Diligences, Chariots et Charrettes ; plan B2, 76) : 129 Castillo St. ☎ 962-2353. ● carriagemuseum.org ● Lun-ven 9h-15h. Donation libre. Étonnante collection de diligences et de chariots dignes de figurer dans les meilleurs *Lucky Luke* (on a un faible pour celui du croque-mort !). Certains sont vieux de plus de trois siècles. On les dépoussière chaque année au moment de la grande parade d'août des *Old Spanish Days.* On peut voir aussi une collection de selles ciselées et d'éperons. *Yeh man !*

🎥 🚶 *Ty Warner Sea Center* (plan C2) : 211 Stearns Wharf. ☎ 962-2526. ● sbnatu re.org ● Tlj 10h-17h. Entrée : 8 $; réduc. Sur la jetée qui prolonge State Street, une annexe du musée d'Histoire naturelle consacrée à la vie dans l'océan qui borde les côtes de Californie : géologie, aquariums avec oursins, étoiles de mer, maquette de baleine, tunnel dans un bassin pour voir quelques spécimens de poissons. À faire quand il pleut...

🎥 *Santa Barbara Winery* (plan B2, 78) : 202 Anacapa St. ☎ 963-3633 ou 1-800-225-3633. ● sbwinery.com ● Tlj 10h-17h. Dégustation : 5 $. Pas de visite, mais dégustation possible des vins de la Santa Ynez Valley (syrah, chardonnay, sauvignon blanc, pinot noir, cabernet sauvignon...). Si celle-ci vous a convaincu, vous pourrez acheter les produits à la boutique (qui occupe presque tout l'espace de la petite salle).

🎥 *Casa De La Guerra* (plan B1, 73) : 15 E De La Guerra St. ☎ 965-0093 (Presidio). Jeu-dim 12h-16h. Entrée : 5 $. Construite en 1828, l'ancienne résidence de José De La Guerra y Noriega, cinquième *commandante* du *Presidio* pendant 27 ans, a été réhabilitée et transformée en musée informel. C'est pour héberger ses nombreux enfants (il en avait douze) que De La Guerra s'installa ici. Sa résidence, qui tenait à l'origine plus de la ferme, avec des corps de bâtiments annexes abritant divers artisans, fut, durant tout son mandat, le centre de la vie sociale de Santa Barbara. Les pièces ne sont que partiellement meublées, mais on peut y voir quelques beaux coffres et meubles d'époque, ainsi qu'une grande maquette de l'ancienne Santa Barbara. C'est à la Casa De La Guerra que commencent, chaque année en août, les festivités des *Old Spanish Days*.

🦅🦅 *Santa Barbara Historical Museum* (*musée d'Histoire de la Ville ; plan B1,* **72**) : *136 E De La Guerra St.* ☎ *966-1601.* ● *santabarbaramuseum.com* ● *Mar-sam 10h-17h ; dim 12h-17h. Entrée gratuite, donation bienvenue.* Installée dans une ancienne résidence d'aristocrate, la *Casa Grande* fut construite en 1819 en brique et adobe. C'est l'une des plus belles de Californie, organisée autour d'un vaste patio au centre duquel se dresse une fontaine. Le musée présente chronologiquement l'histoire de Santa Barbara, des Indiens chumashs à l'arrivée des Espagnols au début du XVIIᵉ s, la période mexicaine (1822-1848), puis l'intégration aux États-Unis en 1850. À ne pas manquer : les vitrines consacrées à la vie des soldats dans le *Presidio,* celle de José De La Guerra, *commandante* de la place forte, et aussi à l'âge d'or de Santa Barbara à la fin du XIXᵉ s. Belle collection de vêtements brodés espagnols et de selles de cheval des *rancheros,* superbe autel chinois sculpté et doré, rappelant que Santa Barbara abritait autrefois une communauté chinoise. Très intéressant pour avoir une vision claire de l'histoire de la ville.

🦅 *Presidio de Santa Barbara State Historic Park* (*plan B1,* **70**) : *123 E Canon Perdido St.* ☎ *965-0093. Tlj 10h30-16h30. Entrée : 5 \$; réduc. Commentaire en français disponible à la caisse.*
Fondé en 1782, le *Presidio* royal de Santa Barbara fut le dernier d'une série de quatre places fortes édifiées par les Espagnols le long de la côte californienne (les autres furent construites à San Diego, Monterey et San Francisco).
Les *presidios* jouèrent un rôle vital dans la colonisation de la Nouvelle-Espagne. Ils protégeaient les missions et les nouveaux arrivants contre les attaques indiennes et les envahisseurs éventuels. Celui de Santa Barbara était le siège de l'état-major du gouvernement pour toute la région s'étendant depuis la limite sud du comté actuel de San Luis Obispo jusqu'au village de Los Angeles inclus. Toute la vie de la colonie s'organisait autour de lui. Comme tous les autres, il fut construit en adobe, une *maçonnerie* comparable au pisé, mais faite à partir de briques d'argile séchées au soleil. Plusieurs tremblements de terre en 1806 et 1812 ayant endommagé les structures, le *Presidio* était en ruine quand les Américains occupèrent la Californie (1846). Seules quelques portions du quadrilatère survécurent quand la ville se construisit selon le schéma américain en 1850.
Aujourd'hui, il ne reste que deux bâtiments d'origine : *El Cuartel,* maison du militaire chargé de la porte ouest, à côté duquel subsistent les bâtiments de l'ancienne Chinatown de la ville, et un autre bâtiment appelé *Cañedo Adobe,* qui sert de salle d'exposition. La chapelle, le logement des religieux, les quartiers du commandant et des soldats, et l'autre côté de la rue et de la cuisine et le quartier nord-ouest ont été reconstruits, et l'ensemble laisse un peu l'impression d'une coquille vide. À l'intérieur du *musée,* petit film très instructif sur la construction du *Presidio.*

🦅🦅 *County Courthouse* (*plan A1,* **74**) : *1100 Anacapa St.* ☎ *962-6464. Accès libre à la tour d'observation : sem 8h-16h45 ; w-e et j. fériés 10h-16h45. Visites guidées lun-sam à 14h ; lun-mar et ven, également une visite à 10h30.* Petit palais bâti en 1929 dans un style d'inspiration hispano-mauresque, avec ses fresques, portes sculptées et peintures. Magnifiques jardins. Ne pas manquer de grimper au sommet de la tour (accès à droite de l'entrée principale) pour admirer le panorama sur la ville.

🦅🦅 *Santa Barbara Museum of Art* (*plan A1,* **71**) : *1130 State St (angle Anapamu).* ☎ *963-4364.* ● *sbma.net* ● *Mar-dim 11h-17h. Entrée : 9 \$; réduc ; gratuit dim.* L'entrée s'ouvre sur un atrium encadré de sculptures antiques. Une grande partie du rez-de-chaussée est dédiée aux expos temporaires. Les œuvres exposées dans les salles de la collection permanente ne sont présentées ni de façon thématique ni chronologique, mais par « collectionneur », ce qui procure une sentiment de « fourre-tout » où se côtoient des œuvres qui n'ont pas grand-chose en commun (on y trouve beaucoup de peintures anglaises, françaises et américaines du XIX[e]s et du début du XX[e]s ainsi que quelques œuvres contemporaines). Le véritable intérêt de la visite (hormis les expos temporaires) est au 1er étage, où se trouve la remarquable section asiatique : vitrine remplie de statuettes en cuivre de la déesse Tara, symbole de compassion et de sagesse, paravent chinois en laque du XVIIIe s qui dépeint la vie des femmes à l'intérieur d'un palais, armure de samouraï... rien que du sublime. Ne manquez pas l'exceptionnelle collection de terres cuites très anciennes représentant les douze signes du zodiaque chinois.

🏃🏃 *Arlington Theatre* (plan A1, 75) : 1317 State St. ☎ 963-4408. Construit en 1875, ce fut d'abord un hôtel très chic. Ravagé par le feu en 1909, victime d'un tremblement de terre en 1925, il fut démoli. Ensuite, avec le retour en vogue du style colonial hispanique, on réédifia à cet endroit un théâtre. Sa vocation première est d'être un centre d'art plus qu'un cinéma, puisqu'il accueille concerts, ballets, etc. Chaque année, depuis 1986, s'y déroule un festival de cinéma fort couru. Si l'extérieur de style colonial est extravagant, l'intérieur n'est pas mal non plus, avec son décor de village mexicain occupant chaque mur et son plafond peint en forme de ciel étoilé. En prime, un écran large et des sièges confortables.

🏃🏃 *La mission Santa Barbara* (hors plan par B1) : tt au bout de Laguna St (n° 2201, à la hauteur de Los Olivos). ☎ 682-4713. • sbmission.org • Tlj 9h-17h. Fermé à Pâques, Thanksgiving et Noël. Entrée : 5 $; réduc. Pour la visite, petit dépliant français très complet.
La dixième mission franciscaine de Californie, fondée en décembre 1786 par Fermin Lasuen. Surnommée la « Reine des missions », elle a subi deux terribles séismes en 1812 et 1925. Le bâtiment actuel fut édifié entre 1815 et 1833, d'après un plan de l'architecte romain Vitruve. Longtemps paroisse des Indiens chumashs et école de théologie jusqu'en 1986, la mission abrite toujours une dizaine de frères. S'y trouvent : souvenirs sur la construction de la mission, artisanat chumash, statues qui armèrent le fronton jusqu'au séisme de 1925, outils du moine forgeron, statuaire de bois polychrome, cuisine de la mission, catéchisme en dialecte indien, etc. Beau cloître fleuri et paisible. C'est la seule mission de Californie à posséder une crypte, mais on ne peut pas la visiter. Une fois l'église traversée, on débouche sur le cimetière, où furent enterrés près de 4 000 Indiens (sans tombes), pour beaucoup victimes des maladies nouvelles introduites par les colons. Avant de continuer, retournez-vous : dominant la porte de l'église, des têtes de mort ornent les murs. Devant la mission, fontaine avec bassin construit en 1808 pour servir de lavoir aux femmes indiennes.

🏃🏃 *Museum of Natural History* (hors plan par B1) : 2559 Puesta del Sol Rd. ☎ 682-4711. • sbnature.org • Au-delà de la mission (par la route de gauche). Tlj 10h-17h. Entrée : 10 $; réduc ; gratuit 3e dim du mois sf juil-août. L'un des plus réputés du pays, mais moins prestigieux que celui de Los Angeles et tout compte fait un peu vieillot. On ne peut pas rater l'entrée : juste devant s'allonge un squelette de baleine de 22 m de long... On y découvre des sections intéressantes, en particulier celle consacrée aux Indiens chumashs (magnifique vannerie) et celle de paléontologie, avec d'étonnants fossiles : mastodonte voisinant avec un mammouth pygmée, trouvé dans les Channel Islands (un des rares lieux où ils vivaient), superbe crâne de lion à dents de sabre, etc. La section d'entomologie abrite une exposition sur les papillons monarques et leur incroyable migration, et une impressionnante collection d'insectes.

🏃🏃 *Botanic Garden* (hors plan par B1) : 1212 Mission Canyon Rd. ☎ 682-4726. • sbbg.org • Sur les hauteurs de la ville, à 1,5 mile de la mission et du musée d'Histoire naturelle (c'est fléché). Nov-fév, 9h-17h ; mars-oct, 9h-18h. Visite guidée (1h-1h30) comprise dans le prix du billet : sem 14h, w-e 11h et 14h. Entrée : 8 $; réduc.

Splendide panorama de la flore californienne, des cactus aux *redwoods* (impressionnant tronc d'un de ces séquoias datant de 1130, couché par une tempête en 1985) à travers différents paysages que l'on parcourt à pied (environ 1 mile pour le tour complet) : prairie, forêt, canyon, île et désert. Plus de mille plantes, dont de rares espèces indigènes. Le jardin est établi sur le flanc d'un ravin au fond duquel s'écoule une rivière, canalisée dès le début du XIXe s par les franciscains pour alimenter Santa Barbara en eau (on voit encore les vestiges des installations). Balade sympa sur les sentiers ombragés, avec passage à gué du ruisseau, en sautant de rocher en rocher.

Pour les fans de botanique, il reste encore le plus grand figuier des États-Unis, le *Moreton Bay fig tree,* planté en 1874 sur Chapala Street, au sud de la Highway 101. Il s'étend sur près de 50 m de large !

🎋 🚶 *Santa Barbara Zoo* (hors plan par D1-2) : *500 Niños Dr.* ☎ *962-5339.* ● *sbzoo. org* ● *Tlj sf Thanksgiving et Noël 10h-17h (tickets jusqu'à 16h). Entrée : 11 $; pour les 2-12 ans 8 $.* Bordé par la Highway 101 (idéal pour la paix des animaux !), ce petit zoo n'a évidemment rien à voir avec celui de San Diego, mais il est très bien entretenu et bien intégré dans son environnement. Il renferme environ 500 animaux (gorilles, wombats, fourmiliers, girafes, lions, otaries, perroquets, éléphants...), qui bénéficient d'un espace qui tente de ressembler à leur environnement naturel. La section « Eeeww ! » est consacrée à toutes les petites bestioles sympathiques qui font dresser les cheveux sur la tête, comme les araignées ou les serpents. Une agréable aire de pique-nique située sur une colline, près du *cactus garden,* permet de se relaxer au soleil, avec vue sur l'océan. Un petit train permet de faire le tour du zoo.

Fêtes et manifestations

Pour le programme complet des réjouissances, achetez *Independent.*

– *Festival international du film :* en fév, dans ts les cinémas de la ville. ● *sbfilmfestival.org* ●

– *Santa Barbara County Vintners' Festival :* en avr. ● *sbcountywines.com* ● Une journée en l'honneur du vin de la région. Portes ouvertes, dégustations...

– *Summer Solstice Parade :* le sam le plus proche du 21 juin. Grande fête extrêmement colorée.

– *French Festival :* le w-e le plus proche du 14 juil, à Oak Park. Rens (en anglais) : ☎ *564-PARIS.* ● *frenchfestival.com* ● Prendre la Hwy 101, sortie Pueblo ou Mission. Gratuit. C'est la célébration française la plus importante de la côte ouest. Danse, musique, saltimbanques, cuisine française et francophone. Intéressant de voir comment la France est représentée à l'étranger.

– *Festival Old Spanish Days :* ● *oldspanishdays-fiesta.org* ● C'est la fiesta du début du mois d'août. Cinq jours assez fous avec parade de vieux *buggies,* rodéo, chants de *mariachis* et danse dans les rues bondées. Pour se loger, réserver plusieurs mois à l'avance avec paiement des nuits.

– *Santa Barbara Harbor & Seafood Festival :* en oct. Une journée consacrée à la vie du port, son histoire, son activité avec quantité de fruits de mer à déguster !

– *The University of California of Santa Barbara* organise d'excellents concerts et spectacles de danse. *Rens :* ☎ *961-2951.* À articuler avec la visite de son musée d'Art, riche en toiles intéressantes.

Achats

⊕ *Beach House :* 10 State St, tt proche du front de mer. ☎ 963-1281. La boutique du parfait petit surfeur : shorts, chemises à fleurs, tongs, planches de surf, etc. Bref, des équipements de marque à prix vraiment très abordables, histoire de jouer les *beach boys.* Également des conseils pour trouver les meilleurs spots dans le coin.

➤ *DANS LES ENVIRONS DE SANTA BARBARA*

🏛 *Montecito :* très jolie petite ville à quelques miles à l'est de Santa Barbara, en direction de Los Angeles. Entre les collines luxuriantes et l'océan Pacifique, elle est surnommée le « petit Beverly Hills » de Santa Barbara.

🏨 Charlie Chaplin fit construire, en 1928, le *Montecito Inn,* refuge des vedettes d'Hollywood (Carole Lombard, Marion Davies...), qui est toujours là aujourd'hui, au 1295 Coast Village Rd (☎ 969-7854 ou 1-800-843-2017. • mon tecitoinn.com •). Prix d'un 4-étoiles : 245-375 $ pour les chambres et 345-475 $ pour les suites... De style soi-disant français, ses volets sont faux. Mais l'ascenseur est toujours d'époque et le service impeccable. Piscine bizarrement petite pour un hôtel de ce standing.

🍴 On peut également déjeuner ou dîner très agréablement au *Montecito Café,* situé dans l'hôtel (tlj 11h30-14h30, 17h30-22h).

🏛 *Railroad Museum* (musée du Chemin de fer) : 300 N Los Carneros Rd, à *Goleta.* ☎ 964-3540. Sur la Hwy 101, en direction du nord, sortie 107 (Los Carneros) ; prendre à droite, le musée est sur la droite 400 m plus loin. Ouv mer-dim 13h-16h. Entrée gratuite ; donation libre. Goleta est une petite ville située juste avant l'université de Santa Barbara, à la sortie ouest de la ville. Pour s'y rendre, bus n° 11 (mais il faut être motivé : le trajet est long). Vieux dépôt, gare, wagon de la *Southern Pacific,* immense petit train miniature, boutique, etc.

🏛 🚶 *Observation des baleines :* janv-avr pour les petites baleines grises ; l'été pour les grosses baleines bleues. Les petites baleines grises en provenance du Canada et en route vers les eaux chaudes du Mexique passent au large de Santa Barbara. L'été, c'est le tour des grosses baleines bleues. Pendant ces périodes, plusieurs bateaux partent tous les jours pour les observer (et l'été, vu l'affluence, les prix grimpent). Généralement, les explications données par les marins sont bonnes.
– *Condor Cruises :* sur le port, 301 W Cabrillo Blvd. ☎ 882-0088. • condorcruises. com • Excursions 50-100 $/pers selon saison.
– *Sunset Kidd's Sailing Cruises :* 125 Harbor Way ou 3 E De la Guerra. ☎ 962-8222. • sunsetkidd.com • Excursions de 3h sur des bateaux de 18 passagers de mi-fév à mi-mai. Prix : 35 $/pers.
– *Santa Barbara Sailing Center – Double Dolphin Cruises :* sur le port. ☎ 962-2826. • sbsail.com • Excursions (49 passagers à bord) de mi-fév à mi-mai slt. Prix : 20 $/ pers.

🏛 *La route des vins :* le vignoble se situe au nord-ouest de Santa Barbara, autour des localités de Santa Ynez, Los Olivos et Santa Maria, où l'on compte une cinquantaine d'exploitants viticoles, produisant du vin californien sur des cépages de chardonnay et pinot noir en particulier, mais aussi de riesling, sauvignon blanc, cabernet sauvignon et gewurztraminer. Un certain nombre de caves se visitent. Liste et carte des caves et du vignoble en vente au *Visitor Information Center (Santa Barbara County Wine Country).* Compter une demi-journée, ou tout simplement une escale en quittant Santa Barbara pour San Francisco (ou le contraire, dans l'autre sens). Le film *Sideways* a pour cadre la Santa Inez Valley.

🏛 *Channel Islands :* on les appelle aussi îles de la Baie. Au nombre de huit, elles flottent au large de la côte californienne, de la hauteur de San Diego jusqu'à Santa Barbara. Découvertes par Cabrillo en 1542, elles étaient alors habitées par les Indiens chumashs. Cinq d'entre elles (Anacapa, Santa Cruz, Santa Rosa, San Miguel et Santa Barbara Islands) font partie d'un parc national. Parmi les compagnies qui proposent des excursions, seules *Truth Aquatics* à Santa Barbara et *Island Packers* à Ventura sont habilitées à débarquer des passagers sur les îles, les autres compagnies n'en font que le tour par la mer. Le mieux est de partir pour une journée complète ou de camper sur place, ou encore pour une excursion en kayak de mer, afin d'apprécier toutes les richesses de la faune et de la flore ou explorer les nombreux chemins de randonnée de ces îles restées sauvages. Sur Santa Cruz, l'île la plus étendue, réside une espèce endémique de geai, plus grand et plus bleu que la normale. Plus de 50 000 lions de mer se rassemblent sur la côte venteuse et souvent plongée dans le brouillard de San Miguel, située à 55 miles de la côte. Quant à Santa Rosa, elle est surtout célèbre pour le squelette de mammouth pygmée qu'on y a découvert en 1994 et qui est maintenant exposé au musée d'Histoire naturelle de Santa Barbara. Autre habitant célèbre de cette île : le putois à pois. Attention où vous mettez les pieds !

Pour les excursions à la journée, compter env 50 $/pers pour Santa Cruz, 65 $ pour Santa Rosa et 75 $ pour San Miguel. Pour plus d'infos :

■ Sur le parc des Channel Islands : ● nps.gov/chis/ ●
■ **Truth Aquatics :** *301 W Cabrillo Blvd.* ☎ *962-1127.* ● *truthaquatics.com* ●

■ **Island Packers :** *1691 Spinnaker Dr, à Ventura.* ☎ *(805) 642-1393.* ● *island packers.com* ●

L'INTÉRIEUR DE LA CALIFORNIE (LA SIERRA NEVADA)

SACRAMENTO

445 335 hab.   IND. TÉL. : 916

Située à mi-distance de San Francisco et de South Lake Tahoe, la capitale de la Californie surprend par son air débonnaire. Le centre révèle pléthore de parcs publics, des fresques nombreuses et une vieille ville (Old Sacramento) très pittoresque, reconstruite comme au temps des westerns – les boutiques de souvenirs en plus. On y fait de bien agréables balades en calèche, à deux pas de la rivière Sacramento, où s'ancre la vieille gare. De magnifiques trains à vapeur, qui transportent des passagers, y passent encore. On la croirait tout droit sortie de la série télévisée *Les Mystères de l'Ouest.* Sacramento est également une excellente étape vers Coloma et le *Gold County,* où ont été découvertes les premières pépites à l'origine de la ruée vers l'or en 1848.

Arriver – Quitter

En avion

✈ *Sacramento International Airport :* à env 10 miles au nord-ouest de Sacramento, en prenant l'Interstate 5 N. ☎ 929-5411. ● sacairports.org ● Liaisons quotidiennes avec les principales villes des États-Unis.

En bus

🚌 *Greyhound :* 715 L St (angle 7th). ☎ 1-800-231-2222. En plein centre-ville. Consigne, téléphones pour appeler les motels de la ville, cafétéria et accès Internet.
➤ *De/vers San Francisco :* départ ttes les heures en moyenne 4h30-22h30.
➤ *De/vers Reno :* presque autant de départs que pour San Francisco.
➤ *De/vers Los Angeles :* 7 ou 8 bus/j.
➤ *De/vers South Lake Tahoe :* rotations beaucoup moins fréquentes que pour les destinations précédentes.

En train

🚆 *Amtrak :* angle 4th et I St, près de Old Sacramento. ☎ 1-800-872-7245. ● amtrak.com ● Env 20 départs/j. vers la région de San Francisco. Liaisons quotidiennes avec Los Angeles et Chicago.

Adresses et infos utiles

🛈 *Visitor Information Center :* 1002 2nd St, dans Old Sacramento. ☎ 442-7644. Tlj 10h-17h. ● discovergold.org ●

✉ **Post Office :** 801 I St (angle 8th St). Lun-ven 8h-17h.

@ **Internet :** accès gratuit pdt 1h à la Public Library, 828 I St (juste en face de la poste). Mar-jeu 10h-20h, ven 10h-18h, w-e 10h-17h. Adressez-vous à l'Information Desk du 2e étage.

■ **Nombreux parkings,** mais assez chers. Les endroits les plus intéressants sont relativement proches, il est donc aisé de se déplacer à pied. Vous gagnerez pas mal de temps, car la plupart des rues de Sacramento sont en sens unique : si vous vous trompez de direction en voiture, vous en serez quitte pour faire tout le tour du pâté de maisons.

Où dormir ?

Très bon marché

🛏 **International Hostel :** 925 H St. ☎ 443-1691. ● norcalhostels.org/sac ● Réception ouv 7h30-22h30. Lits en dortoir 23 $ pour les membres, 3 $ de plus pour les non-membres ; double 46 $ (jusqu'à 81,50 $ la suite avec sdb privée). Quelques places de parking 5 $/j. Internet payant, wi-fi gratuit. L'une des plus belles AJ du pays, installée dans une magnifique maison victorienne, en plein centre-ville – et pourtant très calme. Depuis sa construction en 1885, cette maison a déjà déménagé 3 fois ! On ne vous parle pas des occupants, mais bien du bâtiment tout entier. Dortoirs ou chambres privées spacieuses et très propres. Laverie, très belle cuisine, bibliothèque de voyage, machines à laver. Plein d'infos.

De prix moyens à chic

🛏 **Best Western Sutter House :** 1100 H St. ☎ 441-1314 ou 1-800-938-4774. ● thesutterhouse.com ● Doubles 100-125 $, petit déj continental compris. Accès Internet, wi-fi gratuit. À quelques minutes à pied du Capitole et de Old Sacramento, cet hôtel coquet offre de grandes chambres plutôt haut de gamme, avec TV, AC, machine à café. Les plus calmes donnent sur la piscine autour de laquelle l'hôtel est construit.

Où manger ?

De bon marché à prix moyens

|●| **Tower Café :** 1518 Broadway St. ☎ 441-0222. Dim-jeu 8h-23h ; ven-sam 8h-minuit. Env 10 $. Charmant café à la terrasse verdoyante, bercée par le glouglou d'une fontaine, juste à côté d'un cinéma dont la tour est visible à des kilomètres. On y sert d'excellents petits déj et brunchs. La spécialité maison, ce sont les French toasts, qui passent toute la nuit dans un bain de crème anglaise à la vanille, d'où leur moelleux. Côté salé, les omelettes, soupes, sandwichs, burgers et salades sont inspirés des cuisines du Nicaragua, de Grèce, d'Italie, du Mexique et de Chine. Le voyage au pays des saveurs est très réussi. Pour l'anecdote, en face se trouve le tout premier magasin de disques Tower Records, ouvert en 1960.

|●| **The Bread Store :** 1716 J St. ☎ 557-1600. Lun-ven 6h30-18h ; sam 8h-18h ; dim 8h-16h. Env 6 $. Parking gratuit juste à côté, mais slt pour 30 mn. Sympathique café très coloré où l'on sert des soupes savoureuses et des sandwichs et salades ultra-frais, copieusement garnis et préparés sous vos yeux. Le pain est la spécialité de la maison, vous pourrez choisir entre 9 variétés différentes pour votre sandwich. Quelques tables sur le trottoir, ou sur la terrasse couverte. Service ultra-souriant.

|●| **Fat City Bar :** 1001 Front St, dans Old Sacramento. ☎ 446-6768. Dim-jeu 11h30-22h ; ven-sam 10h30-23h. Sandwich ou salade env 12 $, plats plus élaborés 15-25 $. Situé en plein cœur de Old Sacramento, cet ancien magasin datant de 1849 et restauré à l'iden-

tique, est connu pour son bar en bois cossu et ses vitraux, dont la célèbre *Purple Lady*. On y sert une cuisine sans prétention mais bien tournée. Aux burgers plutôt ordinaires, préférez une salade copieuse, des pâtes bien relevées ou une viande tendre. Service aimable et efficace.

À voir. À faire

¶¶ Sutter's Fort State Historic Park : *2701 L St (entre 27th et 28th).* ☎ 445-4422. *Tlj 10h-17h. Entrée : 4 $; gratuit après 16h15.*
Au cœur de la ville se trouve le vieux fort (restauré) de John Sutter. Ceux qui ont lu *L'Or* de Blaise Cendrars, dont le héros est justement Sutter, feront une petite escale ici. C'est indéniable : sa vie est un roman. Né en Suisse en 1803, John Augustus Sutter laissa sa femme, ses cinq enfants et ses dettes derrière lui et émigra en Amérique en 1834. Il travailla à New York, passa par le Missouri, le Kansas, navigua aux îles Hawaii, et débarqua en Californie en juillet 1839 en vue d'y faire fortune. Le gouvernement mexicain d'alors lui accorda une immense concession territoriale (près de 20 000 ha) et un passeport mexicain. En échange, il s'engageait à participer à la « pacification » des terres indiennes. Dès l'été suivant, il entreprit la construction d'un fort. Pionnier de l'Ouest, son rêve était de fonder la « Nouvelle Helvétie » en sol américain. Il y parvint, devenant même à terme le plus grand propriétaire de l'Ouest, élevant chevaux, vaches et moutons. En 1847, Sutter demanda au menuisier Marshall de construire une scierie à Coloma, sur la rivière South Fork. Au début de l'année suivante, lors des travaux, Marshall découvrit par hasard quelques pépites. Ce fut le début de la ruée vers l'or. Ironie de l'histoire, Sutter ne gagna pas un sou, et il se ruina même pour avoir aidé trop de nouveaux émigrants. Il mourut dans la détresse en espérant une aide pour ses services de la part du gouvernement fédéral. Ce fort qu'il fit construire fut son Q.G. pendant de nombreuses années.
On y découvre des sections consacrées à la vie de Sutter, à l'histoire de Sacramento, ainsi qu'à celle de la ruée vers l'or. Ateliers d'artisans, cuisines, quartiers d'habitation, magasin du fort, hôpital de fortune, poste de garde restituent fidèlement le cadre à l'aube du XIXe s. De fin mai à fin septembre, des acteurs en costume font revivre le fort d'avant la ruée vers l'or. Le parc entourant le fort, avec son gazon épais, est idéal pour un pique-nique.

¶ State Indian Museum : *2618 K St, contre le fort Sutter.* ☎ 324-0971. *Tlj sf Thanksgiving, Noël et le Jour de l'an, 10h-17h. Entrée : 4 $.* Lorsque Marshall découvrit sa première pépite en 1848, environ 150 000 Indiens vivaient en Californie, dix fois plus que de colons. Ce fut le début de la fin. Dix ans plus tard, ils étaient moins de 20 000. Ce musée leur est consacré, et il présente de magnifiques pièces d'artisanat : parures de danse – dont une, de toute beauté, en plumes d'aigle –, vanneries d'une grande finesse, paniers recouverts de plumes (une spécificité californienne), etc. Tout le quotidien est décliné au travers de la chasse, de la musique, des croyances, des échanges commerciaux. La triste histoire d'Ishi, le dernier survivant de la tribu des Yahis, mort en 1916, est comptée par le menu. C'est lui qui a confectionné la cape en peau de lapin présentée à côté. Le musée diffuse un petit film (12 mn) et organise régulièrement des démonstrations d'artisanat et de danse.

¶¶ La vieille ville (Old Sacramento) mérite absolument qu'on lui consacre un peu de temps. Elle est située à l'ouest du Downtown (dans le prolongement de Downtown Plaza), sur les berges de la rivière Sacramento, par laquelle arrivèrent les premiers colons. On y trouve surtout des boutiques et des restaurants, mais le quartier est sympa pour se balader, avec sa rue pavée et sa vieille gare, ses bateaux à roue à aubes, ses devantures très western et ses vieux bâtiments en brique et bois.

¶¶ California State Railroad Museum : *125 I St (angle 2nd St), dans Old Sacramento.* ☎ 445-6645. ● *californiastaterailroadmuseum.org* ● *Tlj sf Thanksgiving, Noël et Jour de l'an, 10h-17h. Entrée : 8 $; 3 $ pour les 6-17 ans.* Ce musée est dédié à l'histoire du chemin de fer en Californie et à l'importance de Sacramento comme nœud ferroviaire. Dans les années 1860, la conquête de l'Ouest bat son plein. L'ingénieur Theodore Judah lance l'idée d'une ligne transcontinentale, qui relierait l'Est et l'Ouest, et dont Sacramento serait le terminal. Grâce à l'appui du président Lincoln et des barons du chemin de fer locaux Huntington, Hopkins, Crocker et Stanford, la ligne est inaugurée en mai 1869. Un film de 20 mn retrace cette aventure, avant d'entrer dans le musée lui-même où sont exposés une vingtaine de locomotives et de wagons rutilants. On peut pénétrer dans certains de ces monstres d'acier et admirer la complexité de la mécanique, ou visiter des wagons de transport de voyageurs très luxueux. À l'étage se trouve une expo de trains miniatures qui ne manquera pas de vous faire retomber en enfance. Si toutefois vous préférez les vrais aux modèles réduits, une balade de 6 miles en train à vapeur part le week-end, entre avril et septembre, de 11h à 17h ; tickets en vente au *Central Pacific Railroad Freight Depot,* sur Front Street, juste à côté du musée.

🏛 À voir encore, le ***Capitole,*** *situé à l'angle de 10th et L St. Tlj 9h-17h.* On peut visiter gratuitement le musée au rez-de-chaussée, ainsi que le bureau du gouverneur tel qu'il était en 1906. Jolis jardins tout autour.

➢ De Sacramento, prendre la route 50 pour se rendre à South Lake Tahoe. C'est un ***Scenic Drive.***

➤ DANS LES ENVIRONS DE SACRAMENTO

🏞 ***Marshall Gold Discovery State Park :*** *310 Back St, à **Coloma**, à 48 miles de Sacramento, sur la Hwy 49.* ☎ *(530) 622-3470. Musée-Visitor Center ouv tlj 10h-15h. Parc ouv dès 8h jusqu'au coucher du soleil. Entrée : 4 $/voiture.* C'est à Coloma, le 24 janvier 1848, que James Marshall découvrit de l'or dans l'American River, à proximité de la scierie qu'il construisait pour John Sutter. Cette découverte marqua le début de la *gold rush* : des milliers de chercheurs d'or affluèrent vers la petite ville, qui compta jusqu'à 10 000 habitants en 1849. Cette expansion fut de courte durée, d'autres filons ayant été découverts dans les environs. Marshall ne profita pas de sa trouvaille et mourut dans la pauvreté. Aujourd'hui, Coloma est une jolie petite bourgade où subsistent quelques bâtiments d'époque (atelier du forgeron, boutiques et cabanes de mineurs) ainsi qu'une reconstitution de la scierie de Sutter. L'originale a été démantelée pour son bois et a fini par s'effondrer dans les flots tumultueux de la rivière dans les années 1850. Une petite balade sur la rive permet de voir son emplacement, ainsi que l'endroit où Marshall découvrit sa première pépite. Animations en costume les week-ends.

SOUTH LAKE TAHOE

23 600 hab.   IND. TÉL. : 530 (côté Californie) et 775 (côté Nevada)

Ville de vacances au sud d'un grand lac, à cheval sur la Californie (South Lake Tahoe proprement dite) et le Nevada (Stateline). Ce qui explique que d'un côté on admire le paysage, de l'autre on joue dans les casinos – et ce dès la ligne de la frontière franchie.
Le lac, aux eaux bleu azur, est entouré de belles forêts, surtout des conifères. Une superbe route panoramique en fait le tour, traversant une noria de bourgades touristiques. Les eaux sont si bleues, les plages si méditerranéennes d'aspect (sable, conifères sur la berge, ciel bleu comme en Provence), le tout si éclatant que l'on se croirait partout sauf en altitude ! Et pourtant, contrairement à ces apparences, le lac Tahoe est un authentique lac de montagne, qui culmine à 1 867 m au-dessus de la mer. Le climat y est ensoleillé, tout en restant très supportable grâce à l'altitude.

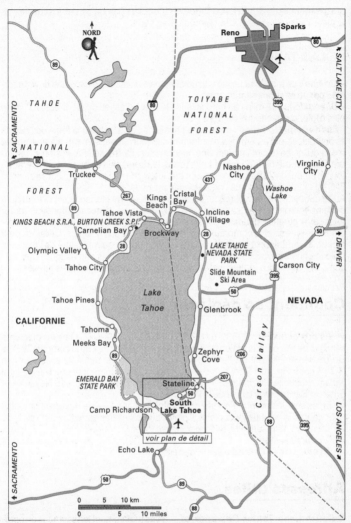

LE LAC TAHOE

Bien sûr, une telle merveille naturelle, si proche des grandes métropoles de la côte californienne, ne pouvait rester vierge *ad vitam æternam*. Le tourisme s'y est développé à une vitesse foudroyante. Beaucoup de San-Franciscains y débarquent le week-end ; bon nombre se sont fait construire des chalets. Et l'été, ils sont des milliers à fréquenter les plages et à barboter dans les eaux frisquettes, pratiquant des sports nautiques, se promenant en barque ou en hors-bord, se baladant en forêt, etc. C'est pourtant presque en hiver que la clientèle est la plus nombreuse : le lac est la porte d'accès à plusieurs stations de ski (de piste ou de fond). Les plus nombreuses se regroupent aux portes mêmes de South Lake Tahoe. Et n'oubliez pas qu'on est à deux pas de Squaw Valley, qui fut un site olympique en 1960.

LE LAC TAHOE

– *Origine :* ce n'est pas un lac volcanique, mais un lac situé dans une cuvette formée par un effondrement du relief.

– *Dimensions :* 22 miles du nord au sud, 12 miles d'est en ouest. C'est le 3e lac le plus profond d'Amérique du Nord (493 m).

– *Les eaux du lac Tahoe :* le lac est alimenté par la pluie et par la fonte des neiges et des glaces provenant des montagnes alentour. Curieusement, aucune goutte d'eau du lac ne rejoint l'océan. Une maigre rivière (la Truckee River) s'en va rejoindre Reno et même le Pyramid Lake, dans le désert du Nevada. La température tourne autour de 20 °C en moyenne en été, le long du rivage où l'on peut se baigner. Elle est plus basse dès que l'on s'éloigne des rives.

Autre curiosité : la transparence. La clarté des eaux du lac Tahoe est si forte qu'à certains endroits, dit-on, des objets peuvent être vus à 22 m de profondeur. Toutefois, cette pureté légendaire est sérieusement menacée aujourd'hui. Des sédiments de plus en plus nombreux favorisent la prolifération d'algues. Celles-ci, petit à petit, assombrissent les fonds ; la clarté diminue. En outre, malgré des mesures draconiennes, la pollution n'arrange rien. Le pire : les rejets domestiques des maisons, des bateaux à moteur (hors-bord) et particulièrement ceux des jet-skis.

Comment se déplacer ?

➢ *En bus et trolley :* ☎ (530) 541-7149 ou 1-800-COMMUTE. Gère les différents services de bus dans la région de South Lake Tahoe. Les bus de la compagnie *Blue Go* desservent le centre-ville tlj 6h-1h. Comme toujours, monnaie exacte exigée (1,75 $ par trajet, ou 3 $ pour un *pass* journalier). De mi-juin à mi-sept, le *Nifty-Fifty Trolley* circule ttes les heures, 11h30-20h30, entre Zephyr Cove – au Nevada – et Emerald Bay (mêmes tarifs que le bus).

➢ En saison, les *stations de ski* offrent ttes des services de *navettes* gratuites pour gagner la base de leurs pistes – plutôt que celles des autres... *Pour savoir où les prendre :* ☎ (530) 541-7548 pour Heavenly et Sierra-at-Tahoe, ☎ (775) 588-4472 pour Kirkwood.

➢ *À vélo :* voir « Adresses utiles », ci-dessous.

Adresses utiles

🛈 *South Lake Tahoe Chamber of Commerce :* 3066 Lake Tahoe Bvd. ☎ 544-5050. ● bluelaketahoe .com ● Tlj sf dim-lun 9h-17h (16h sam).

🛈 *US Forest Center* (plan, 2) : à Camp Richardson. ☎ 543-2674. À un bon mile à l'ouest de la ville, le long de la route US89. De mi-juin à mi-oct, tjl 8h-16h30 ; le reste de l'année, slt le w-e 8h-16h. Pour les infos sur l'environnement, c'est ici. Très serviable, et l'on peut voir une coupe souterraine de rivière qui permet d'observer les pois-

sons (notamment les saumons en octobre) et les animaux d'eau douce batifoler dans leur élément naturel en empruntant le *Rainbow Trail* qui part du *Visitor Center.*

✉ *Poste :* 1046 Al Tahoe Blvd, dans un petit centre commercial, à côté de l'Albertson's. Lun-ven 8h30-17h ; sam 12h-14h.

■ *Location de vélos et de skis :* Lakeview Sports, 3131 Hwy 50. ☎ 544-0183. En face du *Campground By The Lake.* VTT 32 $/j.

Où dormir ?

Ceux qui dorment dans les motels ont vraiment intérêt à ne pas venir le week-end : les prix grimpent alors d'une façon vertigineuse et il est difficile, malgré le très grand nombre d'établissements, de trouver une chambre. En semaine, en revanche, et surtout hors saison, la compétition est telle que les prix sont vraiment intéressants : à partir de 20-25 $ la double. Si vous désirez vous rendre à la plage de South Lake Tahoe (payante), il peut être intéressant de demander si l'hôtel fournit ou non un *beach pass* – c'est toutefois rarement le cas pour les moins chers.

Autre précision, la Highway 50 changeant de nom en traversant la ville, nous avons pris le parti de toujours la désigner par Highway 50.

Les bourgades encerclant le lac sont loin d'être dépourvues de motels, hôtels et *B & B* de toutes sortes, mais les prix qui y sont pratiqués sont nettement plus élevés qu'à South Lake Tahoe.

Campings

Bon nombre de campings, tant à South Lake Tahoe que sur le pourtour du lac, n'ouvrent qu'en mai ou juin.

⚊ *Campground By The Lake (plan, 10)* : 1150 Rufus Allen Blvd. ☎ 542-6096. Derrière le bureau de la chambre de commerce, au bord de la Hwy 50. Ouv début avr-fin oct. Emplacement env 23 $. En bord de route, mais pas bruyant. On plante sa tente sous les pins, entre les écureuils. Il arrive même qu'on ait la visite d'un coyote. Douches chaudes gratuites, w-c bien équipés.

⚊ *Eagle Point Campground :* env 6 miles au nord-ouest de South Lake Tahoe, sur la route 89. Résas : ☎ 541-3030 ou 1-800-444-7275. Ouv de mi-juin à sept. Emplacement env 25 $. Site superbe (le plus beau autour du lac), donnant sur Emerald Bay. Les emplacements sont éparpillés dans un bois surplombant une charmante crique. On vit au milieu des écureuils (certains sont porteurs de la rage, alors méfiance !). Les plus beaux emplacements pour leur vue

sur l'eau sont ceux qui vont du n° 54 au n° 70, à la pointe extrême du camping.

⚊ *D.L. Bliss State Park Campground :* sur la Hwy 89, à env 10 miles à l'ouest de South Lake Tahoe, après Emerald Bay. Résas : ☎ 525-7277 ou 1-800-444-7275. N'ouvre qu'en mai, lorsque la neige a fini de fondre, et ferme fin sept. Emplacement 25 $ env, 35 $ proche de l'eau (emplacements n°s 141 à 165). Encore un très beau camping, avec des emplacements ombragés (sous les sapins) et relativement espacés, qui s'étagent jusqu'au lac. Surtout des tentes et très peu de camping-cars. En plus, il y a une plage quasi méditerranéenne en bas, des coins pique-nique, des kilomètres de sentiers de randonnée, en particulier le Rubicon Trail, qui longe Emerald Bay pour rejoindre South Lake Tahoe. Douches chaudes payantes. Parfois des ours en goguette.

Bon marché

⚌ *Alpenrose Inn (plan, 12) :* 4074 Pine Blvd. ☎ 544-2985 ou 1-800-370-4049. ● alpenroseinntahoe.com ● De 50 $ pour une chambre standard avec 1 lit en sem à 180 $ avec 2 lits le w-e. Charmant petit hôtel blanc en bois, avec seulement 19 chambres, toutes décorées avec soin par Hannelore, la proprio suisse des lieux. Les chambres, très coquettes avec leur dessus-de-lit

en patchwork, rappellent tantôt un chalet des alpages, tantôt une maison de thé anglaise. Un vrai coup de cœur, à deux pas de la plage et du lac, à un jet de pierre des casinos, dans un quartier résidentiel très calme.

⚌ *Doug's Mellow Mountain Retreat (plan, 11) :* 3787 Forest. ☎ 544-8065. À moins de 1 mile des casinos et à 800 m du lac. Depuis la Hwy 50, prendre Wild-

L'INTÉRIEUR DE LA CALIFORNIE (LA SIERRA NEVADA)

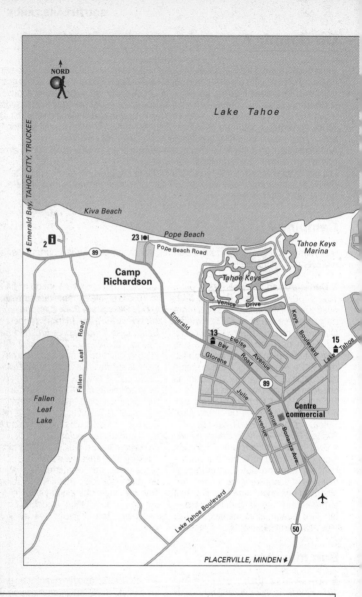

Adresses utiles

- **i** South Lake Tahoe Chamber of Commerce
- **i 2** US Forest Visitor Center
- ✉ Poste

⚐ ☗ Où dormir ?

- **10** Campground By The Lake
- **11** Doug's Mellow Mountain Retreat
- **12** Alpenrose Inn
- **13** Lazy S Lodge
- **14** National 9 Inn
- **15** Motel 6
- **16** Royal Valhalla Motor Lodge
- **17** Sail In Motel

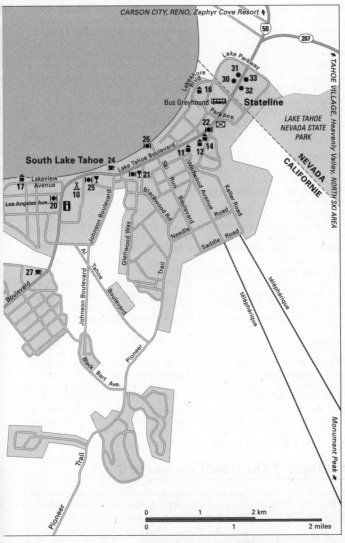

SOUTH LAKE TAHOE

|O| ≈ ♈ Où manger ? Où boire un verre ?	**25** The Tudor Pub & Restaurant **26** Riva Grill **27** Red Hut Waffle House

- **20** The Sprouts Café
- **21** The Brewery
- **22** Alpen Sierra Coffee Company
- **23** The Beacon Restaurant
- **24** Heidi's

● **Casinos**
- **30** Harvey's
- **31** Horizon
- **32** Harrah's
- **33** Montbleu

wood Ave ; Forest est la 3ᵉ à gauche. Compter 25 $/pers en dortoir et 75 $ le studio pour 6. Une AJ privée un peu vieillotte, dans les bois. Dortoir de 4 lits pour les filles et de 6 pour les garçons. En fait, le rapport qualité-prix est meilleur en louant le studio, équipé de 6 lits et d'une salle de bains, même si les coins sont un peu poussiéreux. Cuisine bien équipée, machines à laver.

Prix moyens

🛏 **Sail In Motel** (plan, **17**) : 861 Lakeview Ave. ☎ 544-8615. Compter 75 $ hors saison et en été lun-jeu, 100 $ vendim en été. L'un des motels les mieux situés de la ville, ancré juste au-dessus de Regan Beach, mais avec seulement 3 chambres (les autres sont habitées à l'année), qui ont toutes vue sur le lac. TV, AC et micro-ondes (cuisine disponible pour 25 $ de plus).

🛏 **Lazy S Lodge** (plan, **13**) : 609 Emerald Bay Rd. ☎ 541-0230 ou 1-800-862-8881. ● lazyslodge.com ● Chambres 85-95 $, cottages 115-125 $; réduc oct-mai. Entouré d'arbres, un

Salon avec divans et TV. Location de vélos (env 15 $/j.).

🛏 **National 9 Inn** (plan, **14**) : 3901 Pioneer Trail. ☎ 541-2119 ou 1-800-293-0363. Doubles 50-80 $ selon saison. Grand motel orangé très bien tenu, aux vastes chambres confortables, avec TV et AC. Café et donuts le matin ; Internet, wi-fi gratuit. Piscine et jacuzzi.

grand bâtiment en U avec des bungalows et des chambres bien arrangées, mais un peu datées. Les moins chères ont un mini-frigo ; les cottages disposent d'une cheminée, d'une cuisine et d'un salon. Piscine et gazon. Bon accueil. On peut louer des vélos juste à côté, chez Anderson.

🛏 **Motel 6** (plan, **15**) : 2375 Hwy 50. ☎ 542-1400 ou 1-800-4-MOTEL-6. Fax : 542-2801. Compter 35-55 $ hors saison, 20 $ de plus en été. Motel classique, récemment rénové. Confort standard, avec TV et AC. Café à la réception. Piscine et machines à laver.

Plus chic

🛏 **Royal Valhalla Motor Lodge** (plan, **16**) : 4104 Lakeshore Dr. ☎ 544-2233 ou 1-800-999-4104. ● tahoeroyalvalhalla. com ● Chambres à partir de 77 $ hors saison sans vue et avec un seul lit, jusqu'à 190 $ en été avec balcon tourné vers le lac, petit déj compris. Suites 8 pers 240-280 $ en été. Motel assez chic,

situé au bord du lac, dans un coin calme et plutôt vert, et non loin des casinos. Chambres spacieuses, d'un bon niveau de confort, avec frigo, cafetière, certaines avec cuisine. Suites de 2 et 3 chambres plus chères (mais intéressantes pour les familles) et piscine chauffée. Accueil très sympa et accès gratuit à la plage.

Où manger ? Où boire un verre ?

Comme à Las Vegas, les casinos sont les endroits les moins chers pour manger (tout est bon pour attirer les joueurs). Pensez à demander des fun books gratuits dans les motels pour obtenir des réductions dans les casinos.

Spécial petit déjeuner

🍴 **Red Hut Waffle House** (plan, **27**) : 2723 Hwy 50. ☎ 541-9024. Tlj 6h-14h. Moins de 8 $. CB refusées. Une institution du petit déj à Tahoe depuis 1959. La déco est restée volontairement d'époque, ce qui donne à l'endroit son côté authentique, loin des prétentieuses stations de ski toutes proches. Dans l'assiette, gaufres parsemées de fruits

frais, pancakes, omelettes, bref, les classiques du petit déj made in USA. De quoi faire le plein d'énergie avant d'attaquer les pistes ou les chemins de randonnée.

🍴 **Heidi's** (plan, **24**) : 3485 Hwy 50. ☎ 544-8113. Tlj 7h-14h. Petit déj 10 $ max. Malgré ses airs de chalet suisse, garé sur le bord de la route, et ses blasons des provinces helvétiques, la maison est spécialisée dans les petits déj à l'américaine. D'ailleurs, le proprio est tout ce qu'il y a de plus local, et, s'il a choisi le thème alpin, c'est uniquement parce que sa petite-fille s'appelle Heidi !

Très bon marché

I●I *The Sprouts Café* (plan, 20) : 3123 Harrison Ave (angle Hwy 50 et Alameda Ave, juste en face de la Chamber of Commerce). ☎ 541-6969. Tlj 8h-21h. Moins de 10 $. CB refusées. Petit resto à tendance bio tenu par des jeunes sympathiques. Carte variée : *bagels*, sandwichs, soupes, salades, *rice bowls* (riz mélangé à des légumes vapeur), *hummus* et grand choix de jus frais et de *smoothies*. Si vous n'avez jamais essayé le jus de blé *(wheatgrass)*, c'est l'occasion : les jeunes pousses sont récoltées devant vous, aux ciseaux, dans de grands plats où elles poussent ! Ajoutez à cela une agréable ter-

rasse pour les beaux jours, et vous obtiendrez une excellente adresse – le meilleur rapport qualité-prix de la ville.
I●I *Alpen Sierra Coffee Company* (plan, 22) : 3940 Hwy 50. ☎ 544-7740. Env 5 $. *Coffee house* plutôt sympa, avec de bons cafés venus du monde entier. Les meubles en bois rustiques donnent à l'endroit un côté très chaleureux. Le plafond est peint de paysages et d'animaux représentant leurs contrées d'origine. On peut aussi y manger des sandwichs et des paninis, et accompagner son café d'une bonne pâtisserie. Accueil sympa et possibilité de consulter gratuitement Internet sur l'ordinateur à l'entrée.

Prix moyens

I●I ▼ *The Brewery* (plan, 21) : 3542 Hwy 50. En face de l'entrée du Lakeland Village. ☎ 544-2739. Tlj 11h-22h. Env 12 $. Maisonnette en bois, spécialisée dans les pizzas à pâte fine mais généreusement garnies. La plus petite (30 cm) est largement suffisante pour caler une grosse faim ou 2 appétits d'oiseau. Fabrique ses propres bières : 6 variétés différentes. Terrasse avec bancs en bois agréable, mais bruyante sur l'avant.
I●I *The Beacon Restaurant* (plan, 23) : 1900 Jameson Beach Rd. ☎ 541-0630. Situé à Camp Richardson, à un bon mile à l'ouest de South Lake Tahoe et au bord même du lac. Tlj à partir de 11h en été, 11h30 le reste de l'année ; brunch w-e 10h-14h. Déj 12-15 $; plats dîner 15-30 $. Parking : 7 $, déduits ensuite de la note à partir de 25 $. Le midi, la carte se limite essentiellement aux *fish and chips* (frais et excellent), sandwichs et salades, mais le restaurant est alors plus

abordable, et c'est logiquement le meilleur moment pour profiter de la vue depuis la terrasse. Le soir, les plats sont plus sophistiqués et les prix grimpent. Musique live du vendredi au dimanche de 14h à 18h en été : ambiance garantie.
I●I ▼ *The Tudor Pub & Restaurant* (plan, 25) : 1041 Fremont St. ☎ 541-6603. Tlj 12h-2h. Repas 18-25 $. Situé derrière Lakeview Plaza, au bord d'une rue peu passante, le cottage, tout en noir et blanc, semble tout droit sorti de la campagne anglaise. À l'étage, un pub très british débite Guinness et London Pride à la pression *(pub fare)*. Au rez-de-chaussée, le restaurant *Dory's Oar* affirme un air à la fois chic et cosy. Avant d'élire domicile ici, les Simpson ont régalé jusqu'aux membres de la famille royale ! Anglais direz-vous ? Pas sûr. En fait, le menu s'inspire de la nouvelle cuisine, avec de notables influences *Pacific Rim* : napoléon de thon, quenelles de confit de canard, espadon grillé, etc.

Chic

I●I *Riva Grill* (plan, 26) : 900 Ski Run Blvd. ☎ 542-2600 ou 1-888-734-

2882. *Sur le blvd principal, en venant du Nevada, tourner à droite vers le lac, après le* McDo. *Plats 15-25 $ env.* Terrasse magnifique sur la marina. Sinon, la grande salle à manger est superbe aussi (splendide escalier en acajou), mais vite bruyante. L'accent est mis sur les produits de la mer, coquillages et poissons. Excellents *specials*. Belle carte des vins. Service attentif. Une bonne adresse loin du grand boulevard central trop bruyant.

À voir. À faire

🚶🚶 *La route panoramique autour du lac (shoreline) :* cette route, longue de 72 miles environ, offre des points de vue superbes ; les pressés seront contents puisque les plus beaux sites sont à une dizaine de miles à l'ouest de South Lake Tahoe. Si vous avez de bons mollets, louez un vélo (adresse plus haut) pour aller jusqu'à Baldwin Beach. La route, longée sur une partie du chemin par une piste cyclable, surplombe le lac. À un moment donné, elle décrit une courbe, puis grimpe sur une sorte de butte boisée d'où l'on aperçoit, à droite et à gauche, en contrebas, les eaux turquoise du lac Tahoe et d'un autre petit lac, le Cascade Lake. Il y a quelque chose de fascinant : la route semble si étroite qu'un son dôme de terre qu'on la dirait jaillie de nulle part, posée sur presque rien. C'est là que se trouve le point de vue justement nommé Inspiration Point. Aux alentours, plein d'agréables balades à faire à pied dans la forêt.

🚶 À *Emerald Bay,* il est possible de se baigner en été. En 1929, une riche veuve y fit construire le Vikingsholm Castle, une pseudo-forteresse de 38 pièces, inspirée d'un château scandinave du IXᵉ s. Il paraît qu'elle trouvait que la baie ressemblait à un fjord (à part les sapins...). Sur l'îlot de Fannette, Mrs Knight avait même fait aménager une « maison de thé », qui fut brûlée par des fêtards dans les années 1970. Aujourd'hui, Emerald Bay fait partie d'un *State Park,* et on peut visiter la demeure *(début juin-début sept, 10h-16h ; 5 $).* Le sentier pour s'y rendre fait 1 mile. Il existe plusieurs parkings payants le long de la route qui surplombe le lac, mais ne garez en aucun cas votre voiture au bord de la route, car, en plus d'une amende, c'est la fourrière assurée.

🚶 *Les casinos (plan, 30, 31, 32* et *33) :* à la sortie est de la ville. Valable seulement pour ceux qui ne connaissent pas Las Vegas, car ils n'ont ni leur splendeur ni leur démesure.

➢ *Excursion en bateau sur le lac (Lake cruise) : 3 départs/j.* avec le *Tahoe Queen, un joli bateau à aubes, genre Mississippi,* qui effectue une balade de 2h30 sur le lac jusqu'à Emerald Bay. *Env 31 $/pers.* Le bateau fait demi-tour juste devant le Vikingsholm Castle et tourne autour de l'île de Fannette. La vue est vraiment magnifique et, en plus, la croisière est commentée par le capitaine qui donne plein d'infos sur le lac.

– *Parachute ascensionnel sur le lac (para-sailing) : env 60 $ l'heure.* Plusieurs compagnies proposent ce type d'activité, non seulement à South Lake Tahoe, mais aussi ailleurs autour du lac.

– *Jet-ski, locations de bateaux* (à voile ou à moteur), *de kayaks, d'embarcations à pédales...* tout est possible un peu partout autour du lac.

RENO (NEVADA)   180 000 hab.   IND. TÉL. : 775

C'est Las Vegas en plus petit, plus provincial, moins cosmopolite et beaucoup moins *crazy.* Comme pour sa *sister-city* du sud-ouest du Nevada, les Américains viennent s'y encanailler le temps d'un week-end. On les voit jouer dans les casinos, dépenser leurs dollars, parfois se marier ou divorcer. Même si, au fil du temps, les formalités de mariage sont devenues plus faciles que celles du divorce (les époux doivent aujourd'hui résider dans l'État du Nevada au moins six semaines avant d'entamer la procédure), Reno reste dans l'esprit de beaucoup la capitale mondiale des cœurs brisés... Pourtant, sa clientèle est aujourd'hui surtout composée de mamies et de papis accrochés à leurs machines à sous, venus pour jouer avec le plus grand sérieux du monde et non pour admirer les folies architecturales d'un Las Vegas.

Dans les années 1930, Reno fut une ville de débauche, de jeu et de prostitution, alors que Las Vegas était encore bien sage. Puis, dans les années 1940-1950, le mouvement s'inversa : Las Vegas devint Babylone, tandis que Reno s'assagit. Aujourd'hui, sous des airs de grande ville vouée au jeu, Reno reste une grosse bourgade avec sa rivière campagnarde (Truckee River) et son rythme pépère. Elle est surnommée à juste titre « la plus grande petite ville du monde ». Ne faites pas de détour pour venir jusque-là, ça n'en vaut pas la peine. Mais si vous vous rendez de Sacramento à Salt Lake City, pourquoi ne pas y faire une courte escale ?

Adresses utiles

🗎 *Visitor Center :* 4001 S Virginia St, dans le Tahoe Town Mall. ☎ 1-800-367-7366. ● visitrenotahoe.com ● Lun-ven 8h-17h.

✉ *Post Office :* 50 S Virginia St. Lun-ven 8h30-17h. Un très bel exemple d'architecture Art déco.

Où dormir ?

Bon marché

🛏 *Travelodge :* 655 W 4ᵗʰ St. ☎ 329-3451 ou 1-800-578-7878. Fax : 329-3454. Très bien situé, à 0,5 mile des casinos. Env 40 $ pour un lit, 50 $ pour deux. Grand motel ocre, dont les chambres de taille correcte offrent un confort standard : TV, AC, frigo. Piscine. Le meilleur rapport qualité-prix-emplacement de Reno dans cette catégorie pendant la semaine.

🛏 *Easy 8 Motel :* 255 W 5ᵗʰ St. ☎ 322-4587. Compter 40 $ en sem, 60 $ le w-e. L'un des motels les plus proches du Downtown. Bon rapport qualité-prix en semaine, pour des chambres sans charme mais propres, avec TV et AC.

Si vous êtes motorisé, une myriade de motels de chaîne bon marché s'étire le long de South Virginia Street. Parmi eux :

🛏 *Motel 6 :* 1901 S Virginia St, à env 2 miles du centre-ville. ☎ 827-0255. Fax : 827-4728. Double env 50 $; gratuit pour les moins de 18 ans. Pas de surprise pour ce grand motel de 190 chambres : niveau de confort correct avec TV et AC. Piscine. Café gratuit à la réception le matin. Machines à laver.

Où manger ?

Les buffets des casinos offrent le meilleur rapport qualité-prix. Ils servent une cuisine correcte à prix modérés, selon le principe du *all you can eat* (buffet à volonté). La concurrence était si rude pour les petits restos indépendants qu'ils ont quasiment disparu du centre-ville.

🍽 *Victorian Buffet :* dans le casino Silver Legacy, 407 N Virginia St. ☎ 329-4777. Petit déj 8 $; lunch 9 $; dîner 15 $ en sem, 19 $ le w-e. Dans un joli décor d'inspiration victorienne, la cuisine se veut internationale et de plutôt bonne qualité : la chinoise ne baigne pas dans une sauce grasse, les salades ne se limitent pas à la portion congrue, les viandes sont tendres et savoureuses, et les pizzas croustillent. Service moyen.

⦿ Carvings : *dans le casino* Harrah's, *219 N Center St.* ☎ *786-3232. Brunch lun-ven 11 $, brunch au champagne le w-e 13 $. Le soir, buffet lun-jeu 14 $; seafood buffet ven 18 $; steak and seafood buffet sam 19 $; International buffet dim 15 $.* Le menu joue là aussi la carte de l'international, avec des plats mexicains, chinois, quelques sushis plutôt bons, des pizzas, des pâtes, beaucoup de viande. La particularité de ce buffet est de servir des poissons et fruits de mer excellents, en particulier crevettes et pâtes au crabe, qui rendent son rapport qualité-quantité-prix presque imbattable. Large choix de desserts. Service efficace.

⦿ Chef's Buffet : *dans le casino* Eldorado, *345 N Virginia St.* ☎ *1-800-879-8879. Lun-ven, petit déj 8 $, déj 9 $. Dîner dim-jeu 14 $; ven, seafood extravaganza 16h-22h 18 $; sam, steak et produits de la mer 16h-22h 19 $. Brunch sam 10 $ et brunch au champagne dim 12 $.* Décor assez bucolique pour ce buffet, où l'on retrouve les classiques du genre : chinois, mexicain, au moins 3 sortes de viandes et des pizzas. Excellent grill mongole : vous choisissez une multitude d'ingrédients qui sont ensuite saisis dans un wok. Choix varié de salades, pâtisseries mais aussi de glaces.

À voir

🔭 **Rainbow Arch :** *en plein centre, à l'angle de Virginia St et de Commercial Row.* Restaurée en 1987, elle enjambe la rue pour commémorer la renaissance du Downtown après des années de marasme économique. On voit bien l'arche dans *Sister Act,* célèbre film comique avec Whoopi Goldberg dans le rôle d'une impossible bonne sœur. Cela dit, ça ne vaut pas le moindre détour.

🔭 **Le casino Silver Legacy :** *Virginia St (entre 4th et 5th).* Le plus beau de tous les casinos. Sa toiture en forme de dôme postmoderne se remarque de loin, surtout la nuit. Ici, tout est placé sous le signe de l'argent, y compris le nom même du casino (*silver* = argent). À l'intérieur du dôme, un immense puits d'extraction minière a été reconstitué à l'ancienne, symbole des mines (d'argent) qui firent la fortune de la région au XIXe s.

🔭 **Virginia St Bridge** *(pont sur la Truckee River) :* les fans du chef-d'œuvre de John Huston, *The Misfits (Les Désaxés),* entièrement tourné dans la région de Reno, y feront un pèlerinage ému. Dans le film, ce n'est pas le pont des soupirs, mais celui des songes amers. Après sa sortie du tribunal où son divorce vient d'être prononcé, Roslyn (Marilyn Monroe) s'y arrête avec sa vieille copine Isabelle. Cette dernière lui lance : « Si vous y jetez votre anneau, vous n'aurez jamais plus d'autre divorce. » Roslyn, embarrassée, touche son alliance comme pour la protéger. Isabelle : « Faites donc, chérie. Tout le monde le fait. Y'a plus d'or dans cette rivière que dans le Klondike. » Roslyn ne le fait pas. Et elles vont boire un verre au bar d'un casino, pour fêter leur liberté. Leur aventure ne fait que commencer.

Fête

– **Reno Rodeo :** *ts les ans mi-juin. Infos au* Visitor Center. ● *renorodeo.com* ● L'un des plus spectaculaires du pays.

➤ *DANS LES ENVIRONS DE RENO (NEVADA)*

PYRAMID LAKE

🔭🔭 *À 35 miles au nord de Reno. Compter 1h de voiture.* Un somptueux lac aux eaux très pures, situé sur le territoire des Indiens paiutes *(Pyramid Lake Indian Reservation),* dont les premières traces autour du lac remontent à plus de 9 200 ans. Les Indiens paiutes de Pyramid Lake sont surnommés les « cui-ui ticutta » – mangeurs de cui-ui, du nom d'un poisson qui n'existe que dans ce lac, et qui peut vivre jusqu'à 50 ans. Les Paiutes ont toujours vécu de la chasse au daim et de la cueillette de pignons, jusqu'à ce que la rencontre avec le premier non-Indien, John Fremont, puis la ruée vers l'or viennent bouleverser leur existence. La réserve a été établie en 1873 pour préserver les populations ainsi que le lac, situé à 1 137 m d'altitude, dans un paysage quasi désertique. Des monts rocheux et des collines arides de couleur ocre l'entourent. Ciel très bleu et nuits particulièrement étoilées. Quelques sources d'eau chaude. Le lac tire son nom d'une formation rocheuse qui ressemble à s'y méprendre à une pyramide d'Égypte. La route bitumée longe la rive ouest (vers le nord) jusqu'à Pyramid Site. Au-delà, c'est une piste de terre. Le lac est très populaire auprès des pêcheurs à la truite (possible toute l'année, sauf de juillet à septembre). Les plus grosses dépassent 6 kg ! Malheureusement, depuis quelques années, la beauté du lac et de ses rives est menacée par la bêtise de quelques plaisanciers, qui déversent leurs ordures et taguent les pierres, si bien que les Paiutes envisagent d'interdire l'accès de certains endroits. Renseignez-vous à l'avance aux *Visitor Centers* (voir « Adresses utiles »).

Adresses utiles

🛈 **Museum and Visitor Center :** à Nixon, au sud du lac. ☎ 574-1088. Lun-ven 8h-16h30, plus sam 10h-16h30 en été. L'étape indispensable avant de commencer votre tour du lac. Le petit musée expose des objets de la vie quotidienne des Indiens et explique l'histoire de la tribu et du lac. Vous en apprendrez encore plus en discutant avec les Paiutes qui s'occupent du *Visitor Center.* Tous les permis relatifs au lac (camping, pêche, pique-nique…) s'achètent ici. N'oubliez pas que pour rester la journée dans la réserve, et même pour passer un moment au bord de l'eau (petite plage), il faut un *permis,* le *Day use permit (6-7 $).*

🛈 **Dunn Hatchery Visitor Center :** à gauche de la route avt le village de Sutcliffe (rive ouest) ; c'est indiqué. Tlj 9h-11h, 13h-15h. Quelques infos sur le lac, et surtout des viviers où grandissent les poissons qui peuplent la rivière. En effet, la baisse du niveau de l'eau oblige à élever des poissons dans ces viviers avant de les relâcher dans le lac pour la saison de la pêche. Très chouette d'y camper le soir *(permis à la journée autour de 9 $).* Les rangers indiens sont stricts sur les permis. Avis aux resquilleurs !
■ *Pour plus d'infos :* **Pyramid Lake Ranger Station,** juste en face de la Dunn Hatchery. ☎ 476-1155.

VIRGINIA CITY

Célèbre ville minière de la ruée vers l'or, à env 23 miles au sud-est de Reno et à 38 miles à l'est du lac Tahoe. Créée en 1859 sur le versant d'une colline à la suite de la découverte d'un filon (le *Comstock Lode*) dans le Six Mile Canyon, elle grandit à vitesse grand V, se peuplant d'hôtels et de restaurants de luxe. Parfaitement conservée, classée *National Historical Landmark,* on y trouve beaucoup d'anciens édifices en bois et brique le long d'une rue (la C Street) typique du Far West. L'écrivain Mark Twain y a vécu dans sa jeunesse, au temps de la *gold rush* ; il écrivit même pour le journal local, le *Territorial Enterprise.* Aujourd'hui, Virginia City et ses 750 habitants vivent bien entendu du tourisme.
Peu de choix pour dormir, c'est cher et surfait.

Adresse utile

🛈 **Virginia City Visitor Center :** 86 S C St. ☎ 847-7500. Fax : 847-7505. Tlj 10h-17h.

Où boire un verre ?

🍸 Nombreux vieux *saloons* comme l'*Old Washoe Club* (beau bar) ou le *Delta Saloon* qui renferme la fameuse « table des suicidés », réputée dans toute la région pour la guigne qui touchait tous les joueurs qui s'y installaient.

À voir. À faire

🍴 Visites souterraines de la *Chollar Mine,* une mine d'or et d'argent datant de 1861. *Située sur SF St, tt de suite sur la droite en venant de Carson City. Tlj de mi-juin à fin août 13h-17h ; de Pâques à mi-juin et sept-oct, sam-jeu 13h-16h.* ☎ *847-0155. Entrée : 6 $.* La visite guidée dure environ 30 mn et consiste essentiellement à s'enfoncer dans un boyau sombre et étroit, jusqu'à une « pièce » où l'on peut voir les outils de l'époque, ainsi que les structures en bois qui consolident la mine. Cette mine a été exploitée de 1861 à 1940 ; on en extrayait essentiellement l'argent et de l'or. Les mineurs travaillaient dans des conditions extrêmement pénibles, car il fallait sans cesse pomper l'eau thermale qui remplissait les boyaux. Certains puits de la mine atteignent plus de 1 000 m. On peut visiter une autre mine quand la *Chollar Mine* est fermée, au *Ponderosa Saloon,* sur C Street.
– Nombreuses boutiques et petits musées privés (pas toujours du meilleur goût).
– *Célèbres* **courses de chameaux** *en sept (le w-e après le Labor Day).*

CARSON CITY

À 30 miles au sud de Reno. Une autre ville mythique dans l'histoire de la conquête de l'Ouest, elle est la capitale de l'État du Nevada depuis 1864 (55 000 habitants seulement). Elle porte le nom de Kit Carson, un des grands pionniers de l'Ouest, mais aussi l'un des plus féroces ennemis des Indiens.

Adresse utile

🛈 *Convention and Visitor Bureau :* 1900 S Carson St. ☎ 687-7410 ou 1-800-NEVADA-1. ● *visitcarsoncity. com* ● *À la sortie sud de la ville, juste* derrière le Railroad Museum. Regroupe la Chamber of Commerce et le Visitor Bureau. *Lun-ven 9h-16h, plus w-e 10h-15h en été.*

Où manger ?

🍴 *Reds Old 395 :* 1055 S Carson St. ☎ 887-0395. *Tlj dès 11h.* Un grand ranch, avec plein de charrettes accrochées au plafond où l'on sert surtout des burgers absolument monstrueux en taille ! À moins de vous décrocher la mâchoire, vous aurez du mal à attaquer le millefeuille de viande, salade, tomate et oignons frits qui vous attend dans votre assiette. Et si vous êtes d'humeur aventureuse, essayez le *Colossus* (450 g de viande) ou le *Jiffy,* au beurre de cacahuètes ! Une bonne bière là-dessus (plus de 100 variétés différentes), et vous voilà calé. Karaoké le jeudi soir et courses de crabes (!) le mercredi.

À voir. À faire

➤ La ville offre le *Kit Carson Trail,* une pittoresque balade dans l'histoire et le folklore de l'Ouest. Carte gratuite avec itinéraire détaillé à demander au *Visitor Bureau.*

🍴 Quelques jolies maisons anciennes à voir, dont la *Krebs-Peterson House :* 500 N Mountain St. C'est dans cette maison que John Wayne tourna en 1972 des scènes de son dernier film, *The Shootist (Le Dernier des géants)*. Un musée dédié au célèbre cow-boy du cinéma américain devrait prochainement y ouvrir.

🎭 ***Nevada State Museum :*** *600 N Carson St.* ☎ *687-4810. Tlj sf Thanksgiving, Noël et le Jour de l'an, 8h30-16h30. Entrée : 5 $; réduc.*
Ce musée, très pédagogique, permet d'avoir une bonne vue d'ensemble de l'histoire du Nevada en général et de Carson City en particulier. Le plus logique est de commencer la visite par les salles à l'étage. Une section est dédiée à la géologie du Nevada, ainsi qu'à l'époque préhistorique (impressionnant squelette de mammouth). Mais les salles les plus intéressantes sont celles consacrées à l'histoire de l'État depuis son exploration par le général Fremont et Kit Carson en 1844. Le Nevada devint le 36e État américain, sous l'impulsion de Lincoln qui cherchait de nouvelles voix pour soutenir sa réélection en 1864.
Le musée revient sur l'aventure du *Pony Express*, l'importance de la communauté chinoise dans l'exploitation des mines, ainsi que sur le légendaire Mustang, ce cheval sauvage qui peuple les plaines du Nevada. Au rez-de-chaussée se trouve une presse servant à battre monnaie à Carson City et qui n'a jamais cessé de fonctionner depuis 1870. Elle est en marche le dernier vendredi du mois. On passera assez vite sur la collection d'armes, réservée aux amateurs, pour déambuler dans une ville fantôme reconstituée et descendre dans les boyaux de la mine.
Les mineurs avaient pris l'habitude de descendre avec des canaris : si l'oiseau arrêtait de chanter, c'est que l'oxygène se faisait rare et qu'il était temps de remonter... Ne manquez pas de faire un tour dans l'annexe du musée, consacrée aux Indiens shoshones, washoes et paiutes.

🎭 Quitte à être là, on peut aussi jeter un coup d'œil au ***Capitol*** *(101 N Carson St)*, dont la coupole argentée rappelle l'importance de ce métal pour l'État du Nevada.

YOSEMITE NATIONAL PARK IND. TÉL. : 209

◎ À environ 320 miles au nord de Los Angeles et à 181 miles à l'est de San Francisco. Ce fut le premier site protégé du monde – dès 1864, par un décret signé par Abraham Lincoln en personne ! Grâce à l'intense travail de lobbying de John Muir (1838-1914), un Écossais formé aux États-Unis, botaniste, géologue et vulgarisateur, Yosemite devint officiellement un parc national en 1890. On a donné à cette vallée le nom de Yosemite (prononcer « iossémiti ») en souvenir d'une tribu indienne, les Uzumatis, exterminée au milieu du XIXe s. Yosemite Park couvre des milliers d'hectares de forêts (dont une partie a été malheureusement dévastée par l'incendie d'août 1990) et de montagnes grandioses dont l'altitude varie entre 600 et 3 960 m ; c'est l'une des grandes zones privilégiées de la faune et de la flore du continent américain. La vallée de Yosemite (au centre du parc) est l'un des plus beaux exemples de vallée glaciaire qui soient, dominée par *El Capitan* et *Half Dome*, de fantastiques monolithes, uniques au monde. La vallée se caractérise par des flancs hauts et abrupts et un fond plat où coule la Merced River, qui est tout ce qui reste du lit du glacier.
En plein cœur de la Sierra Nevada, c'est l'image même que l'on se fait de la végétation et des montagnes : séquoias géants, paysages incroyables et panoramas à vous couper le souffle. Tous les animaux sont là : pumas, ours, daims en goguette et partout des écureuils qui viennent jusqu'à vos pieds pour vous quémander à manger. Ne les nourrissez pas. Ils sont mignons, mais certains sont porteurs de la rage. Bon à savoir : le parc étant truffé d'ours, il faut mettre toute votre nourriture (ainsi que tout ce qui sent bon, comme savon, after-shave ou mousse à raser) dans une grosse boîte en fer que l'on trouve à chaque emplacement de camping. Ne laissez rien dans votre voiture (les ours arrachent les portes avec une étonnante facilité – plus de 1 000 voi-

tures fracturées tous les ans) ni dans votre tente. Attention aussi aux tiques au printemps et aux moustiques en été.

Le parc est immense : les routes étant sinueuses et les *motor homes* ralentissant la circulation, il faut compter 1h30-2h pour le traverser (sans s'arrêter !) d'ouest en est. Il y a énormément de monde à Yosemite en été et tous les week-ends d'avril à octobre. D'ailleurs, devant cet afflux sans cesse plus important, les autorités essaient de limiter l'accès du parc aux voitures grâce à un système de navettes gratuites mises à la disposition des visiteurs. Pour l'instant, les voitures individuelles sont encore autorisées, mais il n'est pas impossible qu'à terme on s'oriente vers un plan semblable à celui mis en œuvre au Grand Canyon, avec des parkings obligatoires situés hors de l'enceinte du parc.

Enfin, question climat, il est préférable de réserver votre visite à Yosemite pour les mois d'été si vous comptez randonner. Il fait en effet très froid, même en avril (encore de la neige). Cela dit, les paysages hivernaux, avec les rivières partiellement gelées et un silence assourdissant, sont magnifiques – et vous les aurez presque pour vous seul. À noter également que les chutes sont vraiment spectaculaires lors de la fonte de la neige, alors qu'elles se réduisent à un filet d'eau à la fin de l'été. N'oubliez pas que même en été, il peut faire frisquet en soirée, car en dehors de la vallée, on peut monter jusqu'à 3 000 m d'altitude.

Arriver – Quitter

En bus (ou train puis bus)

➤ *Par l'ouest :* les cars *Greyhound* ne vont pas jusqu'au parc. La solution la plus simple est donc de se rendre d'abord en bus ou en train jusqu'à Merced, à 80 miles de Yosemite Village, puis de rejoindre le parc avec l'une des 2 compagnies qui desservent cette ligne (voir ci-dessous). Prévoir alors 2h30-3h de route. Pour aller de San Francisco à Merced : train *Amtrak* (☎ *1-800-USA-RAIL*). On peut réserver directement son billet de train et sa connexion avec *VIA*. ● via-adventures.com ●

■ **Grayline-VIA Yosemite Connection :** ☎ 384-1315. ● via-adventures. com ● Fonctionne toute l'année. Propose en moyenne 4 bus/j. pour le parc à la belle saison, qui empruntent la route 140 via Mariposa, Midpines (AJ) et El Portal (trajet 2h30-3h). Terminus au *Yosemite Lodge*. Env 10 $ l'aller simple, 20 $ l'aller-retour depuis Merced, droits d'entrée dans le parc inclus. Le plus gros avantage de *VIA*, c'est de proposer des départs en fonction des heures d'arrivée du train *Amtrak* en provenance de San Francisco ou de Fresno.

■ **YARTS** (*Yosemite Area Regional Transportation System*) : ☎ 388-9589 ou 1-877-989-2787. ● yarts.com ● Ce service a été conçu pour tenter de diminuer l'impact de la circulation automobile dans la vallée de Yosemite. Dessert plusieurs fois/j. en saison Merced, Mariposa, Midpines et El Portal sur la 140 (ouv tte l'année), ainsi que Mammoth Lakes et Lee Vining, à l'est du parc (juin-sept). On peut acheter ses billets dans un certain nombre d'hôtels de ces villes. Env 20 $ l'aller-retour entre Merced et Yosemite (même tarif depuis Mammoth Lakes), droits d'entrée dans le parc inclus.

➤ *Par l'est :* les bus du *Inyo Mono Transit*, en particulier la ligne *CREST*, qui relie Bishop à Reno, s'arrêtent à Lee Vining *(infos :* ☎ *(760) 872-1901.* ● *inyocounty.us/ transit ●).* Puis bus *YARTS* (voir ci-dessus). ATTENTION, cette route franchit le Tioga Pass, un col situé à une altitude de 3 031 m *(ouv slt juin-oct, et encore, pas toujours, ça dépend de la météo !),* pour cause d'enneigement.

➤ *À partir de San Francisco :* pour ceux qui ne disposent pas de beaucoup de temps, *Tower Tours* organise une visite d'une journée. Tower Tours : 865 Beach St. ☎ 1-888-657-4520. ● towertours.net ● Compter 140 $ pour une visite de 9h env (3 fois/sem).

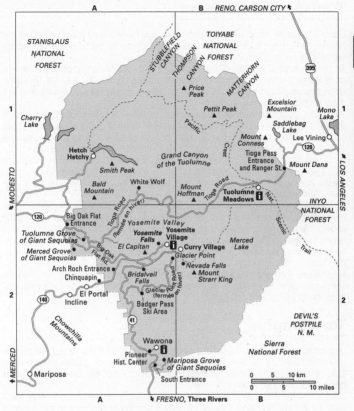

YOSEMITE NATIONAL PARK

En voiture

➤ *Quatre entrées :* deux à l'ouest, *Big Oak Flat Entrance,* facile d'accès si vous venez de San Francisco, et *Arch Rock Entrance,* un peu plus au sud (direction Merced).

Ceux qui viennent directement de Los Angeles arriveront a priori par l'entrée sud *(South Entrance).* Si c'est votre cas, tournez tout de suite à droite après l'entrée du parc pour ne pas rater les formidables séquoias de la Mariposa Grove (les plus beaux du parc).

Si vous venez de Las Vegas, de Death Valley ou du lac Tahoe, ATTENTION : l'entrée à l'est, par Lee Vining *(Tioga Pass Entrance),* est fermée une grande partie de l'année à cause de la neige. Ne comptez pas passer avant juin. Certaines années, il faut même attendre début juillet ! Le coin regorge de touristes déçus qui doivent se taper un détour de 7 ou 8h pour rejoindre l'entrée la plus proche, alors ne vous laissez pas surprendre. *Si vous venez à une période charnière, le mieux est de téléphoner avt aux* Road Conditions *:* ☎ *1-800-427-7623 (rens sur tte la Californie) ou (209) 372-0200 (concerne slt le Yosemite et donne aussi des infos sur la météo ; fonctionne 24h/24).* Les 3 autres entrées sont normalement ouvertes tte l'année. Mais, de nov à avr, il est souvent nécessaire d'avoir des chaînes.

Transports intérieurs

Dans la vallée de Yosemite proprement dite, une route à sens unique effectue une boucle, desservant tous les campings et les *lodges,* de même que les points de départ des sentiers les plus populaires.

➤ *Un bus gratuit (shuttle)* effectue la navette tte l'année dans le principal secteur de la vallée (campings, *lodges* et villages). En été : tlj 7h-22h, ttes les 15-30 mn selon l'heure. Attention, la route de Mirror Lake et Happy Isles, à l'est de la vallée, n'est accessible que par le *shuttle.*

➤ En été, d'autres ***navettes gratuites*** sont mises en service pour alléger le poids du trafic automobile dans les zones sensibles : dans la partie ouest de la vallée (vers El Capitan ; ttes les 30 mn, 9h-18h), de Wawona à Mariposa Grove, ainsi que de la *Tioga Pass Entrance* à Olmsted Point (le long de la 120, ou Tioga Rd).

➤ Du printemps à l'automne, les ***randonneurs*** peuvent aussi profiter du service du ***hikers bus*** : env 20 $ pour gagner Glacier Point ou en revenir sans devoir retourner sur ses pas. Un service similaire relie Tuolumne Meadows à la Yosemite Valley. Cher mais pratique. ☎ 372-1240.

➤ Plusieurs routes sont réservées aux ***bicyclettes,*** notamment les 4 miles qui permettent d'atteindre Mirror Lake (au nord-est du *Curry Village*). Sachez qu'il est impossible de louer un vélo plusieurs jours de suite : il faut le rendre tous les soirs avant la fermeture (17h hors saison, 18h en été), car ils n'ont pas d'éclairage ! Location de vélos au *Yosemite Lodge* et au *Curry Village* (voir « Adresses et infos utiles », plus bas).

➤ ***Balades à cheval :*** les écuries près du *North Pines Campground* (lire « Adresses et infos utiles »), ainsi qu'à Tuolumne Meadows (à partir de mi-juin) et à Wawona, proposent des balades équestres.

Topographie

Le parc est très vaste et forme une sorte d'œuf, au sud-ouest duquel se situe la vallée de Yosemite. Là sont concentrées les plus grandes beautés naturelles du parc : El Capitan, Half Dome, Nevada Falls, Glacier Point, etc. Bien sûr, la plupart des campings s'y trouvent.

L'été, c'est donc bondé et pas très calme : supermarché, vastes parkings, passage de voitures permanent. Nous, on préfère nettement camper à l'extérieur de la vallée, c'est plus calme et plus intime.

Adresses et infos utiles

– ***Entrée payante :*** 20 $/véhicule, valable 7 j. consécutifs ; 10 $ à pied ou à bicyclette. Pass America The Beautiful *accepté.*

– Bien entendu, comme dans tous les parcs nationaux, pour dormir, la solution idéale c'est le ***camping.*** Non parce que c'est la solution la plus économique (ce qui n'est pourtant pas négligeable), mais parce que c'est la seule manière de vivre en harmonie avec la nature et de bien découvrir ses richesses. Même si le centre du parc (la vallée) est souvent complet en plein été, il est parfois possible de trouver de la place.

– ATTENTION, pas de ***station-service*** dans la vallée. Il y en a uniquement à Crane Flat, El Portal, Wawona et Tuolumne Meadows en été. *Tlj 8h ou 9h-18h, mais accessibles 24h/24 par carte de paiement.* Bien sûr, l'essence est beaucoup plus chère qu'ailleurs.

🄸 En arrivant dans la vallée de Yosemite, à ***Yosemite Village*** s'arrêter impérativement au ***Visitor Center*** (tlj 9h-18h ; 17h *en basse saison).* Les rangers vous donneront différentes cartes indiquant les routes, les randonnées pédestres, les pistes cyclables, ainsi qu'un petit journal très bien fait sur le parc *(Yosemite Today).*

On peut aussi demander une brochure de présentation générale en français. Infos sur le taux de remplissage de chaque camping (tableau d'affichage à consulter), téléphones « de courtoisie », reliés directement aux hôtels des environs (situés hors du parc). Également affichés, la météo et l'état des routes. Vitrines pédagogiques et vidéos présentant le milieu naturel de Yosemite (géologie, topographie... et les dangers du feu). Le service des parcs propose des programmes différents tous les jours : balades accompagnées par un ranger sur différents sites et sur toutes sortes de thèmes (faune, flore, photo, etc.). En été, 2 autres *Visitor Centers* ouvrent à *Tuolumne Meadows* et à *Wawona (tlj 9h-18h ; 17h à Wawona)*. Mêmes infos.

■ *Infos sur le parc :* Superintendant, Yosemite National Park, CA 95389. ☎ (209) 372-0200 (répondeur). ● nps. gov/yose ●

■ Ceux qui envisagent de partir en randonnée feront mieux de s'adresser au *Wilderness Center,* tout près du *Visitor Center* de Yosemite Village. *Tlj 7h30-17h l'été, avr-oct 8h-19h. On peut aussi demander un permis par téléphone au* ☎ 372-0740, ou sur Internet ● nps.gov/yose/wilderness/permits.htm ● C'est ici que l'on obtient les permis de camping obligatoires *(backcountry permits)* pour les randonnées de plus d'une journée dans tout le parc (résas possibles jusqu'à 24 semaines à l'avance, en indiquant de préférence 2 ou 3 choix de destinations pour être sûr d'en décrocher un). On peut y acheter des cartes détaillées et des descriptifs des sentiers. On trouve aussi toutes les infos sur la météo, ainsi que sur les sentiers ouverts et fermés. En été, on peut également s'adresser à l'une des 4 annexes (à Wawona, à Big Oak Flat, à Hetch Hetchy ou à Tuolumne Meadows). *Tlj 8h-16h30.* Mêmes services.

✉ *Poste :* Yosemite Village. Lun-ven 8h30-17h ; sam 10h-12h. L'été, petites annexes à Tuolumne Meadows et Wawona (lun-ven 9h-17h ; sam 9h-12h).

■ *Distributeurs de billets (ATM) :* au supermarché et à la *Bank of America,* dans Yosemite Village ; au *Curry Village,* dans l'épicerie ; au *Yosemite Lodge,* à la réception ; à Wawona, dans le *Pioneer Gift Shop-Grocery* ; à Tuolumne Meadows, dans l'épicerie.

■ *Yosemite Medical Clinic :* Yosemite Village. ☎ 372-4637. Tlj 8h-19h (sur rdv, slt lun-ven 8h-17h). Traite les urgences 24h/24.

■ *Garage :* Yosemite Village. ☎ 372-8320. Tlj 8h-12h, 13h-17h.

■ *Location de vélos :* au Yosemite Lodge (☎ 372-1208) tte l'année (si le temps le permet) et au Curry Village (☎ 372-8319) avr-oct. Env 9,50 $/h ou 25,50 $/j.

■ *Écuries : contre le* North Pines Campground, ☎ 372-8348 ; à Tuolumne Meadows, ☎ 372-8427 ; à Wawona, ☎ 375-6502. Avr-nov (de mi-juin, voire juil, à fin sept pour Tuolumne Meadows). Balades guidées de 2h (env 51 $), à la demi-journée (env 70 $) ou à la journée (95 $). En 2h, on peut parcourir une partie du Tenaya Canyon et admirer le Half Dome ; en 4h, on peut aller jusqu'à Vernal et Yosemite Falls.

■ *Supermarché Village Store :* Yosemite Village. Tlj 8h-22h (21h en hiver). On peut y acheter du bois pour un barbecue au camping. Également des petites épiceries en saison à Tuolumne Meadows (tlj 9h-18h) et Wawona (tlj 8h-20h).

■ *Laverie :* au Housekeeping Camp, dans la vallée. Tlj 8h-22h.

■ *Douches :* au Curry Village (24h/24) et au Housekeeping Camp, tlj 7h-22h à partir de mai.

■ *Magasin de sport* (Sport Shop) : Yosemite Village. Tlj 8h-18h. Sacs à dos, équipement de camping, chaussures de randonnée, fringues, etc.

■ *Snacks, marchand de glace et restos :* Yosemite Village et Curry Village.

■ *Boutiques et galeries :* Yosemite Village.

Où dormir dans le parc ?

Campings

Le parc possède 13 campings avec des niveaux de confort variables. La moitié peut être réservée, l'autre non. À vous de savoir si vous préférez assurer le coup ou prendre le gros risque de ne pas trouver de place. Méfiez-vous en outre des dates d'ouverture : seuls quatre terrains sont ouverts toute l'année. Ceux proches de l'entrée ouest et de la Tioga Pass Entrance ne le sont généralement que de juin-juillet à septembre. Le séjour maximum autorisé est de une semaine entre le 1er mai et le 15 septembre dans la Yosemite Valley et à Wawona, de 2 semaines dans les autres secteurs. Pour toute question, une fois sur place, consultez la page camping du *Yosemite Guide* distribué au *Visitor Center.* Sinon, le site du parc est très bien fait : • nps.gov/yose/trip/camping.htm •

– *Pour les* ***réservations*** *depuis l'étranger,* ☎ *(518) 885-3639 ou, des États-Unis,* ☎ *(877) 444-6777.* • *recreation.gov* • *On peut aussi écrire : NPRS, PO Box 1600, Cumberland, MD 21502.* Possible de réserver jusqu'à 5 mois à l'avance, en donnant son numéro de carte de paiement et la date d'expiration. Les sites ouverts à la réservation sont tous à 20 $.

– Si vous n'avez pas réservé, il reste donc possible de se présenter très tôt le matin (après 10h tout est complet) sur les sites fonctionnant sur la base du *first come, first served* (« premier arrivé, premier servi »). Un seul camping n'exigeant pas de réservation est situé dans la vallée *(Camp 4).* Les autres se trouvent pour la plupart sur la route de la Tioga Pass Entrance, et trois d'entre eux n'ont pas d'eau potable (*Tamarack Flat, Yosemite Creek* et *Porcupine Flat*). Autre inconvénient : ceux qui sont venus en bus ne pourront pas s'y rendre. Malgré tout, il peut être judicieux de planter sa tente par là car, en été, cela vous permettra d'éviter la cohue de la Yosemite Valley. En arrivant sur le site, prenez une enveloppe, cherchez un emplacement et placez le paiement dans l'enveloppe (avec le numéro de l'emplacement sélectionné), puis dans le tronc. Si tout est complet, il vous reste éventuellement la possibilité de demander gentiment à des gens de partager leur site (repérez ceux qui ont une petite tente et qui ne sont que deux). Les emplacements avec eau potable sont généralement à 20 $, 10 $ s'ils n'en ont pas.

– Si vous tenez absolument à dormir dans la vallée et que tout est plein, il reste une dernière option : les annulations. Se rendre au chalet des *Campground Reservations,* au *Curry Village* (de 8h à 16h45 en été), et s'inscrire sur la liste d'attente. Vers 15h, on vous annoncera s'il reste des emplacements libres ou pas. Les premiers inscrits sur la liste d'attente ont logiquement plus de chances de trouver de la place, alors rendez-vous au chalet très tôt car, à 8h, la file est déjà longue ! Impossible évidemment, dans ces conditions, de choisir le site. Ce sera déjà beau si vous réussissez à en trouver un.

– Pour camper malgré tout, même si tout est plein, vous pouvez vous rabattre sur les campings situés hors du parc, dans les forêts domaniales d'Inyo, Sierra et Stanislaus. Ils sont assez nombreux, le plus généralement sans réservation et gratuits – et souvent assez mal équipés. On en trouve plusieurs de bien agréables à la sortie est du parc par la 120, près des lacs (ouverts, bien sûr, en fonction de la fonte des neiges). En dernier ressort, il existe aussi des terrains privés.

Dans la Yosemite Valley

Les 4 campings situés dans la vallée, *Lower Pines, Upper Pines, North Pines* et *Camp 4,* sont très, très demandés durant la période estivale. Si vous voulez y dormir, il est quasi obligatoire de réserver plusieurs semaines, voire plusieurs mois à l'avance. Mais sachez que, en été, la sérénité attendue est rarement au rendez-vous. À cette période, on conseille donc plutôt les terrains situés hors de la vallée. Hors saison, il y a plus souvent de la place (sauf le week-end) et tout est plus calme. À noter, le *Camp 4* est le seul de la vallée qui ne prend pas les réservations.

⛺ ***North Pines Campground :*** *emplacement env 20 $.* Situé dans un paysage qui rappelle la Corse et l'Ardèche à la fois. On campe sur un terrain sablonneux, sous les pins. Quelques emplacements, très demandés, à la confluence des rivières Tenaya et Merced. Beaucoup d'ombre. Espace assez important entre les tentes, sanitaires corrects bien que vieillots. Pas de douches, les plus proches sont au *Curry Village*. Peut-être un peu plus agréable que ses 2 voisins.

☒ *Upper* et *Lower Pines Campgrounds :* env 20 $. À deux pas l'un de l'autre, juste de l'autre côté du cours d'eau – mais légèrement plus en retrait. Là aussi, les emplacements sont abrités par les pins. Chacun dispose d'une table, d'un barbecue et d'un coffre à nourriture. En revanche, tranquillité et intimité illusoires. À noter : les emplacements de *Lower Pines* sont légèrement plus grands que ceux de son camping voisin. Douches au *Curry Village*.

☒ *Le Camp 4 :* env 5 $/pers. Situé à l'ouest de la vallée, juste après le *Yosemite Lodge,* au pied du sentier menant aux Upper Yosemite Falls. C'est un *walk-in campground :* on laisse sa voiture sur un grand parking, juste à côté. Compter 10 $. Peu d'espace entre les tentes et manque évident d'ombre pour certains emplacements, mais pas de gaz d'échappement ! Basique.

Dans le reste du parc

Si vous aimez la tranquillité et que vous êtes motorisé, vous serez mieux sur les terrains situés hors de la vallée durant toute la période s'étendant de mai à octobre. Cela dit, ils ne sont pas tous ouverts hors saison estivale (neige !) et sont loin d'être désertés pour autant... Les trajets étant assez longs, choisissez attentivement votre point de chute selon les lieux que vous souhaitez visiter et les infrastructures.

☒ *Hodgdon Meadow :* ouv tte l'année. *Résa obligatoire mai-sept ; le reste de l'année, « 1er arrivé, 1er servi ». Emplacement env 20 $.* Situé tout contre l'entrée ouest, sous les pins. Plutôt plus agréable que les sites de la vallée, car il offre un peu plus d'espace et d'intimité.

☒ *Wawona Campground : résa obligatoire mai-sept. Env 20 $.* Le seul camping qui soit situé au sud du parc et l'un des rares ouverts toute l'année, ce qui fait qu'il est assez demandé. C'est pourtant l'un des moins agréables, juste en contrebas de la route, avec des emplacements très rapprochés manquant de tranquillité.

☒ *Tamarack Flat,* proche de l'entrée ouest, et *Yosemite Creek,* en route vers la Tioga Pass Entrance : *ouv début juil-début sept. Pas de résas, « First come first served ». Env 10 $ (pas d'eau potable...).* Tentes seulement (pas de camping-cars, ouf !). Petite préférence toutefois pour le *Tamarack Flat,* situé à 3 miles de la route 120 (5 miles pour le *Yosemite Creek*), au bout d'une piste étroite peu épargnée par les nids-de-poule. Évidemment, à part les ours, ce n'est pas la foule des grands jours. Très bel environnement sauvage et petite rivière pour se ravitailler en eau (à purifier).

☒ *White Wolf Campground :* en retrait de la route 120, à un tiers du trajet pour la Tioga Pass Entrance. Desservi par le YARTS. *Ouv juil-sept. Env 14 $.* Ce petit camping, sur le mode du 1er arrivé, 1er servi, occupe un joli site en pleine forêt, largement à l'écart de la route 120. Autre avantage, et pas des moindres, il dispose d'un petit resto champêtre servant des repas le soir *(menu env 25 $).* Emplacements un peu resserrés, équipés de bancs et de tables.

Lodges et cabins

– *Pour réserver un* lodge *ou une* cabin *à l'intérieur du parc, écrire au* **Yosemite Reservations Delaware North Companies** *: 6771 N Palm Ave, Fresno, CA 93704.* ☎ *(559) 252-4848.* ● *yosemitepark.com* ● Dépôt obligatoire équivalent au prix d'une nuit. De juin à septembre, vous avez de grands risques d'entendre le répondeur vous dire que tout est *sold out* (bourré à craquer), car il faut en principe réserver un an à l'avance !

🏠 *Canvas tent cabins :* au Curry Village. De 81 $ (sans chauffage) à 85 $ (tente chauffée) la nuit. Au milieu de la forêt, un immense campement à la romaine aux unités alignées comme à la parade. Charme discutable. Tentes véritables, contenant 2 lits sommaires, montées sur des plates-formes en bois. Prévoir un sac de couchage. Douches communes. Une chance de trouver une place sans réservation en y allant à l'heure du *check-in*, vers 14h. Piscine sur le site. On trouve des *tent cabins* similaires avec chauffage (d'avril à octobre seulement) à *White Wolf Lodge* et *Tuolumne Meadows,* édifiées sur une dalle de ciment et avec poêle à l'ancienne. Les prix sont sensiblement les mêmes.

🛏 *Cabins :* au *Curry Village.* Compter 93 $ sans, 120 $ avec. Les murs sont en dur, mais c'est encore bien proche du camping. Petits chalets en bois avec lits, étagères et chauffage.

🛏 *Housekeeping Camp :* à côté du *Curry Village* et slt en été. Nuit 70-78 $. Un genre de camping. C'est une *tent cabin* un peu améliorée, avec une partie en dur surmontée d'un toit en toile, la chambre (lits à étage ou sommier pour 4 personnes), et un espace à ciel ouvert délimité par des murs en bois (tables et bancs). Douches communes. Basique. Location de draps sur place.

🛏 *Yosemite Lodge at the Falls :* à *Yosemite Village.* Doubles style motel 100-115 $, au lodge 110-170 $. Idéalement situé au cœur du parc, à proximité des restos et des boutiques du village, il se définit comme un complexe de plusieurs bâtiments sans beaucoup de charme de un ou 2 étages. Au choix : quelques chambres simples de style motel avec salle de bains et TV, et près de 220 chambres de *lodge,* plus grandes, avec un petit effort de personnalisation pour l'ameublement et une petite terrasse ou un balcon.

🛏 *The Ahwahnee :* également à *Yosemite Village* mais plus isolé. Chambres à partir de 426 $. C'est le plus beau et le plus couru des *lodges* du parc. Il ressemble un peu à un (très) gros chalet en bois et pierres grossières, avec un intérieur chaleureux, à la fois rustique et chic : piano-bar, salon d'apparat avec cheminée monumentale, tapis, antiquités indiennes... Les chambres sont bien sûr personnalisées et très confortables, avec frigo, TV, peignoirs, sèche-cheveux, etc. Possibilité de se faire masser. On peut également se contenter d'y prendre un repas *(de 15 $ pour un petit déj à 40 $ le soir).* Attention, tenue correcte exigée pour le dîner.

🛏 *Wawona Hotel :* ☎ (801) 559-4884. *Ouv fin mars-fin déc. Chambres sans sdb env 126 $; avec env 183 $.* Situé tout près de l'entrée sud, cet élégant *lodge* en bois blanc, de style victorien, date de 1876. C'est le premier à avoir été édifié dans le parc. Les nostalgiques de Rhet Buttler et de Scarlett apprécieront sans réserve la délicieuse atmosphère rétro du lieu, en rêvassant, bien calés dans un rocking-chair, depuis les grandes galeries donnant sur le parc. Chambres agréables avec une petite touche de personnalité à l'image de la maison. Les joueurs de golf y trouveront un 9-trous en plein parc !

Où dormir ? Où manger à l'extérieur du parc ?

Pour l'hébergement situé à l'est du parc, après la Tioga Pass Entrance (de juin à octobre seulement), voir à Mammoth Lakes et Lee Vining (plus loin). Sachez néanmoins qu'il existe un établissement aux portes de l'East Gate :

🛏 🍴 *Tioga Pass Resort :* ● tiogapass resort.com ● *Double style motel 115 $, avec douches et w-c en commun, maisonnette avec kitchenette pour 6 pers 230 $. Dégressif en fonction du nombre de nuits.* Simple et rustique, il propose un chapelet de petits chalets à flanc de coteau, plus ou moins équipés. Utile si tout est complet à Lee Vining. Petite restauration sur place *(7h-21h).*

À Oakhurst *(entrée sud)*

Au sud de Yosemite Park, sur la route 41, l'escale la plus logique si l'on vient de Fresno ou de Los Angeles. Ville sans aucun charme, où l'on ne fera que passer la nuit, mais où l'on peut se ravitailler facilement (essence, supermarchés...). On y trouve un certain nombre de motels (dont plusieurs chaînes).

🛏 *Oakhurst Lodge* : 40302 Hwy 41. ☎ (559) 683-4417 ou 1-800-OK-LODGE. ● oklodge.com ● *Dans le centre-ville, peu après le croisement de la 49 en provenance de Mariposa. Doubles 80-90 $, petit déj symbolique compris.* Motel de taille moyenne au confort standard, avec frigo, TV, machine à café et accès wi-fi dans des chambres conventionnelles très bien tenues. Piscine à l'écart et machines à laver. Pour être plus au calme, choisissez les chambres n°s 10 à 20, les plus éloignées de la route. Accueil aimable.

🛏 *Apple Blossom B & B* : 44606 Silver Spur Trail. ☎ (559) 642-2001 ou 1-888-687-4281. ● sierratel.com/appleblossominn ● *En venant d'Oakhurst (à 10 miles) via Ahwahnee par la route 49, prenez le chemin juste après le panneau marquant l'entrée du hameau de Nipinnawasee (on voit bien la maison de la route, à côté d'un joli verger de pommiers). Doubles 110-140 $ selon saison.* À une trentaine de minutes de l'entrée sud du parc, cette charmante maison bleue en bois offre 3 belles chambres, où l'on peut loger à deux ou à quatre... à condition de pousser les bibelots. Très douillet en somme, à l'image du salon commun doté d'une chaîne hi-fi et d'un poêle pour les jours de frimas. Excellent petit déj. Jacuzzi sur la petite terrasse panoramique à flanc de colline, bien agréable pour un bain sous la voûte étoilée, dans un cadre exceptionnel. Très calme, la maison étant exclusivement réservée aux hôtes (la propriétaire habite en contrebas).

À *Fish Camp* (entrée sud)

Fish Camp n'est pas vraiment un village, plutôt un hameau constitué de quelques motels perdus en pleine forêt, à 12 miles au nord d'Oakhurst, à l'entrée sud de Yosemite.

🛏 ▮●▮ *Narrow Gauge Inn* : 48571 Hwy 41, à quelques miles de Fish Camp en direction d'Oakhurst, sur la gauche. ☎ (559) 683-7720 ou 1-888-644-9050. ● narrowgaugeinn.com ● *Doubles 80-150 $ selon saison et confort.* Bien caché en contrebas de la route, ce beau *lodge* de caractère offre le meilleur de l'auberge de montagne. Chambres chaleureuses pleines d'atmosphère, bénéficiant pour la plupart de balcons ouverts sur la forêt. Piscine ainsi qu'une bonne table (plus chic) dans un cadre rustique et cosy (cheminée, chandeliers...). Excellent accueil.

🛏 *Owl's Nest Lodge* : ☎ (559) 683-3484. ● owlsnestlodging.com ● *À la sortie de Fish Camp, sur le bord de la route, côté gauche en venant du sud. Fermé nov-mars. Env 160 $ la nuit en chalet en plein été (au-delà de deux, supplément de 20 $ env/pers).* Chaque petit chalet comprend un salon accueillant organisé autour d'une cheminée, une cuisine, une salle de bains et une chambre à l'étage pouvant accueillir jusqu'à 6 personnes. Le tout avec TV, magnétoscope, terrasse et barbecue. Seul inconvénient : le séjour minimum est de 3 jours (deux hors saison). Il y a aussi des chambres partageant une même unité autour de 120 $, moins agréables mais tout de même d'un bon rapport qualité-prix. Pour ne rien gâcher, très bon accueil.

🛏 ▮●▮ *Tenaya Lodge at Yosemite* : 1122 Hwy 41. ☎ 683-6555 ou 1-888-514-2167. ● tenayalodge.com ● *Un peu avt Fish Camp en venant du sud, côté droit de la route. Doubles env 150-300 $; très bon petit déj-buffet qui permet de tenir jusqu'au soir (env 15 $: réduc enfants). Internet et wi-fi gratuits.* Grosse bâtisse moderne de 250 chambres, dressée à l'orée de la Sierra National Forest. À l'intérieur, belle déco indienne avec beaucoup de bois et de pierre, imposant *lobby* dominé par des trophées. Chambres spacieuses et confortables (peignoirs), certaines avec balcon et vue. Les prestations haut de gamme séduiront les familles aisées et soucieuses de leur bien-être : piscines intérieure et extérieure, jacuzzi, fitness, spa, salle de jeux vidéo pour les enfants, location de VTT, sans oublier les animations et autres sorties proposées. Patinoire l'hiver. Deux restos avec terrasse, un gastronomique et un grill à prix abordables, bien pratique car il n'y a pas grand-chose d'autre dans le coin. Laverie à pièces.

YOSEMITE NATIONAL PARK

YOSEMITE NATIONAL PARK

À *Mariposa* (entrée sud-ouest)

*Au sud-ouest du parc, au confluent des routes 140 et 49. Jolie bourgade de style western, née de la ruée vers l'or, avec beaucoup plus de caractère que la triste Oakhurst. On y trouve d'ailleurs le plus vieux tribunal encore en activité à l'ouest du Mississippi (depuis 1854, respect !), au coude à coude avec une dizaine de motels et une poignée de restos. À signaler : une bonne AJ, le *Yosemite Bug Lodge and Hostel*, à une dizaine de miles de là, à Midpines.*

⚓ 🏠 |●| *Yosemite Bug Lodge and Hostel :* 6979A Hwy 140. ☎ 966-6666. • yosemitebug.com • *À env 10 miles au nord de Mariposa, à Midpines, sur la route de Yosemite (Arch Rock Entrance), du côté gauche de la route 140 (panneau). Au bout d'un petit chemin, loin du bruit, en pleine nature. En bus YARTS : arrêt « Hostel ». Nuit en dortoir env 23 $, tent cabin 35-55 $, chambres 65-135 $ selon capacité (2 à 5 pers) et confort (avec ou sans sdb).* Enfin une AJ dans cette région qui en est si dépourvue ! Mais pas n'importe laquelle : elle se définit plutôt comme un village de tentes et de bâtiments sur pilotis, éparpillés au petit bonheur la chance en pleine forêt. Du coup, chacun y trouvera son compte. Formule AJ en dortoirs de 6 lits (cuisine à disposition), ou chambres privées joliment décorées pour l'option hôtel. Il en existe toute une gamme, des plus simples partageant une salle de bains aux grandes familiales avec salle de bains privée. On peut aussi camper *(20 $ jusqu'à 4 personnes)*, ou dormir dans l'une des *tent cabins* (tente meublée pour 2 à 4 personnes, avec un sol en dur). En plus, tout cela est très propre. Laverie, location de serviettes pour les *dorms* et les *tent cabins,* accès Internet. En hiver, loue aussi des raquettes pour randonner dans la neige. En été, les plus téméraires pourront plonger depuis une petite falaise dans un *swimming hole* (retenue d'eau naturelle alimentée par une cascade) ou se délasser dans le spa. Excellente adresse et accueil jeune et dynamique.

|●| *Café at the Bug :* au Yosemite Bug Lodge and Hostel *(ci-dessus). Ouv 7h-10h, 18h-21h30. Plats 8-13 $.* Charmant chalet en bois suspendu à flanc de colline, où l'on s'attarde près de la cheminée du salon avant d'aller savourer les plats végétariens de la maison, simples et d'une fraîcheur irréprochable. Pas de burgers dégoulinants de ketchup ni de frites huileuses, mais truite grillée, riz sauvage et légumes vapeur. De quoi attaquer sainement les balades à Yosemite. Atmosphère gentiment brouillonne et fraternelle, propre à toute bonne AJ.

🏠 *River Rock Inn :* 4993 7th St. ☎ 966-5793 ou 1-800-627-8439. • riverrockncafe.com • *Env 90 $ en été.* Une curiosité dans son genre. Depuis sa rénovation, ce motel de poche guilleret a tous les attributs d'un petit hôtel de caractère : des chambres confortables avec un brin de personnalité (couleurs agréables, meubles choisis), un jardinet à l'ombre d'un gros arbre pour prendre le frais, un petit déj servi dans le *deli* de la maison et un emplacement de choix en retrait de la rue. Très convivial.

🏠 *The Mariposa Lodge :* 5052 Hwy 140. ☎ 966-3607 ou 1-800-966-8819. • mariposalodge.com • *À la sortie de Mariposa en allant vers Yosemite. Doubles 110-130 $ en été.* Le bon motel de campagne. Accueil décontracté et souriant, à l'image des belles chambres spacieuses, très propres et bien équipées. Jardinières de fleurs pour égayer le tout et petite piscine chauffée irrésistible au retour de la randonnée du jour.

|●| *Savoury's :* 5027 Hwy 140. ☎ 966-7677. Tlj 11h-14h30, 17h-21h. Plats 12-25 $. Le meilleur resto de Mariposa selon les locaux. Propose une cuisine goûteuse et raffinée aux influences méditerranéennes, dans un charmant cadre vert olive rehaussé de boiseries jaunes. Chaque plat est accompagné d'une salade ou d'une soupe du jour, et tout est présenté avec beaucoup de soin. On s'en lèche encore les babines ! Terrasse très agréable dès le printemps.

À *El Portal* (entrée sud-ouest)

Situé à 30 miles de Mariposa sur la route 140, en direction du parc, El Portal n'est pas une ville, ni un village, pas même un hameau, tout juste un vallon encaissé où s'étirent quelques maisons, une station-service rudimentaire et deux immenses motels. C'est le plus proche de la Yosemite Valley (7 miles).

🛏 |●| *Yosemite View Lodge :* 11156 Hwy 140. ☎ 379-2681 ou 1-800-321-5261. ● *yosemite-motels.com ● De 85 $ hors saison à 150 $ en été.* Une vraie petite ville ! Ses nombreux bâtiments manquent incontestablement de charme, mais sa situation stratégique et ses équipements en font un excellent camp de base. Les chambres, très classiques, sont grandes et confortables, toutes avec kitchenette. Celles qui ont une vue sur la Merced River sont nettement plus agréables (mais surtaxées), avec leurs cheminées (au gaz), leurs bains bouillonnants et leurs balcons suspendus au-dessus des flots glouglougloutants. On trouve tout le nécessaire sur place : laverie, distributeur *ATM*, restaurant *(ouv 7h-11h et 17h-22h ; env 15-20 $),* correct et égayé par une terrasse tranquille donnant sur la rivière, et une pizzeria au cadre de cafétéria mais tout à fait convenable *(ouv 17h-22h).* Piscines et spas bien agréables, foi de routard !
– À noter que le *Cedar Lodge* (☎ 1-800-321-5261 ● *yosemite-motels. com* ●), le 2e motel, situé 5 miles plus loin en direction de Mariposa, est nettement moins sympa : à peine moins cher, sans aucun charme et doté de restaurants peu excitants. Chambres correctes, de bonne taille.

À *Groveland* (entrée ouest)

À 23 miles de l'entrée ouest du parc (Big Oak Flat Entrance) et 40 miles de la Yosemite Valley, Groveland est le village le plus agréable pour faire escale en venant de l'ouest par la route 120. Sur un air western et Californie pionnière, on y trouve tout ce dont on peut avoir besoin, les prix sont raisonnables et l'accueil vraiment sympa. Sa situation conviendra tout particulièrement à ceux qui ont quitté San Francisco tard dans la journée.

🛏 *The Groveland Hotel :* 18767 Main St. ☎ 962-4000 ou 1-800-273-3314. ● *groveland.com ● Chambres 145-185 $ selon confort.* Édifié dans le sillage de la ruée vers l'or, dans les années 1850, cet hôtel de charme s'est agrandi au fil du temps et possède aujourd'hui une vingtaine de chambres pleines de cachet : meubles de style, bibelots, édredons douillets et salles de bains. Superstition oblige, il n'y a pas de chambre 13, mais vous pourrez vous offrir la *Lyle's Room* abritant (paraît-il) le fantôme du même nom. Bonne nuit ! Une excellente adresse, d'autant plus que l'hôtel renferme également un bar mignon tout en boiseries, et une salle de restaurant accueillante.

|●| *Iron Door Saloon :* 18761 Main St. ☎ 962-8904 (saloon) ou 6244 (grill). Tlj 11h-22h ; plus tard pour le bar. Plats 10-20 $. Fondé en 1852, 3 ans seulement après la naissance de Groveland (qui auparavant s'appelait *Garrotte,* en mémoire d'un voleur de chevaux mexicains pendu haut et court), c'est le plus vieux saloon de Californie ! D'abord magasin et poste, le bâtiment devint véritablement saloon en 1896. Passez les lourdes portes en fer, importées d'Angleterre par le cap Horn (pour servir de coupe-feu !) et vous découvrirez une salle qui a peu changé depuis cette époque, avec grand comptoir en bois où les habitués jouent aux dés, trophées de chasse aux murs et dollars punaisés au plafond. Le week-end, la salle devient piste de danse. On peut déjeuner ou dîner dans le saloon, ou au grill, dans la salle attenante, au cadre moins parlant. Cela dit, on vient ici plus pour l'ambiance que pour la cuisine, décevante.

YOSEMITE NATIONAL PARK

À *Buck Meadows* (entrée ouest)

À 11 miles à l'est de Groveland, plus près du parc national, un hameau où l'on trouve tout juste deux motels et un restaurant.

⌂ ≜ ***Yosemite Lakes :*** *31191 Hardin Flat Rd.* ☎ *962-0121 ou 1-800-533-1001.* ● *stayatyosemite.com* ● *Entre Buck Meadows et l'entrée ouest du parc (à 5 miles) ; en venant de Yosemite, tourner à gauche à la station Exxon, la réception se trouve à côté dans la Yosemite Inn. Emplacement 28-35 $, double basique dès 60 $, cabin 4 pers env 70 $, yourtes familiales 130-170 $.* Bien situé, ce vaste complexe propose différents types d'hébergement, du camping (pas exceptionnel, mais correct) aux yourtes familiales aménagées (tentes rondes avec salle de bains et cuisine, la vue sur la rivière coûte plus cher), en passant par les *rustic bunkhouse cabins,* des cahutes rappelant

vaguement des maisons de jardin en bois. Toutes petites et toutes simples, elles peuvent accueillir jusqu'à 4 personnes dans 2 lits superposés (sanitaires communs). Propose enfin des chambres rudimentaires style AJ, avec sanitaires communs là aussi. Petit magasin et station-service.

≜ |●| ***Westgate Lodge :*** *7633 Hwy 120, dans le village.* ☎ *962-5281 ou 1-800-253-9673.* ● *yosemitewestgate.com* ● *Compter 130-160 $.* Grand motel sans surprise, ni bonne, ni mauvaise. Chambres bien tenues et de bon confort (AC), donnant sur une cour arborée agréable, avec piscine et aire de jeux pour les enfants. Fait aussi resto... mais attention, ne soyez pas pressé ! Accueil moyen.

À voir dans le parc

⛷⛷⛷ Yosemite est un des plus beaux parcs nationaux américains.
– Si vous n'avez pas beaucoup de temps, des *scenic tours* plus ou moins longs sont organisés chaque jour, au départ du *Yosemite Lodge* : en 2h, visite de la vallée *(22 $)* ; en 4h, aller-retour jusqu'à Glacier Point *(env 33 $; vous pouvez aussi ne faire qu'un aller pour 20 $ et revenir à pied, ou l'inverse)* ; en 8h, visite des séquoias géants de Mariposa Grove et de Glacier Point *(60 $).* Possibilité aussi de faire un *moonlight tour* les nuits de pleine lune. *Infos :* ☎ *372-1240.*
– *Valley View et Tunnel View :* deux superbes points de vue quand on arrive dans la vallée en voiture depuis l'entrée sud. Dans les deux cas, après le tunnel. D'un coup, on découvre toute la Yosemite Valley, merveilleux exemple de vallée glaciaire. À l'ouest se dresse la falaise d'El Capitan et, en arrière-plan, le sommet, enneigé jusqu'à la fin du printemps, du Half Dome. Les Bridalveil Falls tombent en panache sur le versant sud de la vallée. Vaut le détour même si vous n'arrivez pas par l'entrée sud.
– *El Capitan :* avec ses 900 m, c'est la plus haute falaise entière du monde. C'est le point de rendez-vous des *free climbers* du monde entier.
– Presque en face, les ***Bridalveil Falls*** (« chutes du voile de la mariée »), dont le nom rappelle le mouvement de cette étoffe si légère qui s'envole sous l'emprise du vent. Depuis le parking, un court sentier conduit à son pied, toujours très humide... Bien logiquement, ces chutes, comme toutes les autres, sont les plus belles au printemps et au tout début de l'été, lorsqu'elles sont nourries par la fonte des neiges. Dès le plein été, leur débit est réduit de manière significative.
– Un peu plus loin, les ***Yosemite Falls*** restent les cascades les plus hautes du parc. Superbes lors de la fonte des neiges, lorsque les eaux rugissantes dévalent la montagne dans un halo de brumes fantastiques. Un sentier facile de 15 mn, donc très fréquenté, mène à leur base. Possibilité d'emprunter une autre piste jusqu'au sommet, nettement plus tranquille, mais pour ceux qui sont en forme (voir plus loin).
– Le ***Half Dome,*** à la forme si caractéristique, est devenu le symbole du parc car on aperçoit sa silhouette de pratiquement partout.
– Les fameux ***séquoias géants :*** à Wawona et à Mariposa Grove, au sud du parc, et à Tuolumne Grove, à l'ouest (tt près de Crane Flat, compter 1h aller-retour de balade facile depuis le parking). Ces arbres mythiques font parfois plus de 6 m de diamètre

pour un âge allant jusqu'à 2 700 ans. Les plus beaux et les plus impressionnants sont concentrés à Mariposa Grove. Attention : en raison de l'exiguïté du parking de Mariposa Grove, il est recommandé en haute saison de se garer à Wawona, où un service de bus gratuit dessert le site toutes les 30 mn (dernier retour vers 18h). Par ailleurs, un autre bus propose en été une balade de 1h dans le secteur *(12 $; réduc)*, utile pour ceux que la marche effraie.

La curiosité la plus photographiée du parc fut longtemps l'*arbre tunnel* de *Wawona*, haut de 71 m et âgé de 2 100 ans, dans le tronc duquel passait une route à deux voies. Malheureusement, des chutes de neige très abondantes ont chargé son faîte d'un tel poids qu'un jour de l'hiver 1968-1969, le géant des cimes s'est abattu, ne laissant à la contemplation des touristes que son corps impressionnant, allongé pour quelques années encore. Il reste heureusement dans le parc des séquoias beaucoup plus vieux, comme le *Grizzly géant* qui est toujours debout depuis 2 700 ans. Pour le voir, il faut marcher 1 km à partir du parking.

– **Glacier Point :** *à 16 miles (30 mn de voiture) de l'intersection de Chinquapin (pompe à essence). À l'arrivée à Glacier Point, w-c et point d'eau ; buvette un peu plus loin.* Du haut de cette saillie rocheuse, dominant de près de 1 000 m le fond de la vallée de Yosemite, à l'orée du Merced Canyon, le panorama est époustouflant. Pas de glacier à l'horizon puisqu'ils ont tous disparu depuis 10 000 ans mais, face à vous, les Yosemite Falls, nourries au printemps de mille affluents. Et en toile de fond se dessinent, majestueux, les sommets de la Sierra Nevada. Le must est de s'y rendre au coucher du soleil, bien sûr. La route, très sinueuse, est fermée de novembre à mai, mais on peut alors s'y rendre en ski de fond...

– **Olmsted Point :** *sur la route de Tuolumne Meadows (la 120), peu avt le Tenaya Lake.* L'un des points de vue les plus grandioses du parc : depuis le promontoire, on embrasse d'un seul regard la vallée encaissée de la Tenaya Creek et les impressionnantes coulées de granit aride surveillées du coin de l'œil par le Half Dome.

– **Tuolumne Meadows :** *à plus de 7 miles à l'ouest de la Tioga Pass Entrance (l'entrée est du parc), sur la très belle route 120 (ou Tioga Road),* Tuolumne Meadows est une vaste prairie subalpine située dans la région des terres hautes, sauvage à souhait. Là se trouvent les paysages les plus rudes de la Sierra, qui sont parfois quasi lunaires. En raison du climat et de l'altitude (2 580 m), les forêts se font rares, au profit d'une maigre mais tenace végétation de haute montagne ; l'avantage, c'est qu'il fait bien moins chaud que dans la vallée, où la température avoisine les 40 °C en été. Les rangers du *Visitor Center* local qui s'y trouve donnent toutes les infos nécessaires pour les randonnées, très populaires dans la contrée avoisinante. Une balade facile à faire (8 km aller-retour) mène à *Elizabeth Lake* (moustiques en été), où les moins frileux peuvent se baigner (eau très, très fraîche !). Compter environ 4h.

– **Le Musée indien (Indian Cultural Museum) :** *Yosemite Village. Derrière le* Visitor Center. *Tlj 9h30-16h30. Entrée gratuite.* Le seul musée du parc mérite bien un peu d'attention. Consacré aux Miwoks et aux Paiutes, il présente un condensé de l'artisanat traditionnel et des coutumes des tribus. Reconstitution d'un village, avec la hutte du chef, la maison des cérémonies... Également une petite galerie photos sur la genèse du parc (au XIXᵉ s).

Trekking

Yosemite est intéressant avant tout pour ses randonnées pédestres : le parc compte près de 1 350 km de *hiking trails*. Si vous « trekkez », consultez impérativement le journal de Yosemite. Il est très complet : parcours, distances, dénivelées, temps moyens... Les itinéraires sont innombrables et pour tous niveaux.

Si vous partez plus d'une journée, il faut demander une autorisation *(wilderness permit)* gratuite au **Wilderness Center,** proche du *Visitor Center,* à Yosemite Village, ou dans l'une des 4 annexes (à Wawona, à Big Oak Flat Entrance, à Hetch Hetchy ou à Tuolumne Meadows) ; attention, les *Wilderness Centers* ne délivrent cette autorisation que d'avril à octobre. On peut l'obtenir sur place le jour ou la

veille du départ en randonnée, ou par réservation, ce qui n'est pas inutile en plein été, car devant l'affluence le nombre de randonneurs a été limité. *On peut réserver jusqu'à 24 sem à l'avance au ☎ 372-0740 ; ou en écrivant à Wilderness Permits, PO Box 545, Yosemite, CA 95389. Par courrier, précisez vos nom, adresse, téléphone, le nombre de participants à la randonnée, le moyen de transport (à pied, à raquettes, etc.), les dates de départ et de retour souhaitées et l'itinéraire prévu – sans oublier votre numéro de carte de paiement (avec date d'expiration) pour les 5 $ de frais de résa.*
Si vous souhaitez juste des infos sur la randonnée : ☎ 372-0200. ● nps.gov/yose/ wilderness ●

Ces précautions ne sont pas inutiles et permettent aux rangers de savoir où vous chercher en cas de non-retour dans les dates prévues. Évidemment, PRÉVENEZ BIEN LES RANGERS DE VOTRE RETOUR. Les ours sont nombreux et moins gentils que ceux de Walt Disney. Des randonneurs se font attaquer tous les ans, la plupart des voitures sont « contrôlées » chaque nuit, donc ne laissez pas traîner de nourriture quand vous campez ! Pour info, on peut louer des *bear cans* (boîtes pour nourriture s'ouvrant avec un tournevis) au magasin de sport. Un autre tuyau : ne fermez pas vos sacs à dos pour éviter que les ours n'arrachent les fermetures Éclair. Moins dangereux mais beaucoup plus nombreux : les moustiques ! Un répulsif adapté est bien utile (voir « Santé » dans « Californie utile » au début du guide).

Et même si vous ne partez que pour une balade de quelques heures, renseignez-vous au *Visitor Center* sur la durée et la difficulté du chemin que vous souhaitez emprunter, cela vous évitera de vous embarquer pour un entraînement commando alors que vous aviez juste prévu de faire une petite promenade digestive !

➤ *Trek de 3h* (parmi tant d'autres) *:* l'un des plus beaux (et des plus fréquentés !) consiste à partir d'Happy Isles (laissez votre voiture sur le parking du *Curry Village* et prenez le *shuttle* jusqu'à l'arrêt n° 16) et à atteindre Vernal Fall. Le chemin longe la rivière. Dernière partie un peu sportive en raison d'un long passage taillé en escalier dans le rocher. La baignade est interdite en théorie (les rangers veillent au grain), mais on peut se rafraîchir à différents endroits. Au retour, possibilité de redescendre par le John Muir Trail, ce qui oblige toutefois à monter encore un poil et rallonge la balade, mais la descente se fait ensuite facilement pour rejoindre le trajet d'origine au niveau du pont. On peut effectuer cette randonnée à cheval, mais les canassons empruntent une autre route, moins belle. Les plus courageux continueront jusqu'aux Nevada Falls (ça grimpe, mais c'est superbe ; compter 6h aller-retour). Pensez à prendre un K-Way pour vous protéger de l'inévitable douche de la cascade. À Happy Isles petit centre d'info sur la nature ainsi qu'une cabane à sandwichs (bien sympa après la balade).

➤ *Trek d'une grosse journée (l'ascension du Half Dome) :* on y accède par une sorte de *via ferrata* (escaliers creusés dans la roche, que l'on gravit à l'aide de câbles). Compter pour un marcheur expérimenté 10-12h pour parcourir les 17 miles (environ 27 km) aller-retour entre la vallée et le sommet du Half Dome. Ouvert seulement de fin mai à mi-octobre.

➤ *Trek de 2 jours :* suivez le même itinéraire que pour le trek de 3h indiqué plus haut. Puis, des Nevada Falls, continuez le chemin pour camper à *Little Yosemite Valley* (à environ 2,5 km des chutes). Ne pas oublier de demander un *wilderness permit* avant de partir. Site fantastique, mais attention à la rigueur du climat la nuit : il fait froid, car c'est à presque 2 000 m ! Le lendemain, revenez vers Glacier Point. Vue absolument superbe. Puis redescendez au Yosemite Village par le *4 Mile Trail*.

– *Pour faire trempette :* on peut se baigner dans la rivière Merced, qui coule au creux de la vallée (seulement de mi-juillet à septembre). Le reste de l'année, les rapides et la température glaciale de l'eau ne rendent pas la baignade très agréable ni bien prudente. Beaucoup de monde en été. Le lac Tenaya, sur la Tioga Rd, offre une eau limpide, calme et pas si froide.

– *Pour les vrais randonneurs :* des dizaines d'autres circuits de deux à dix jours. Voir avec les rangers.

– **Remarques :** possibilité de laisser ses affaires dans les consignes *(lockers)* situées près du *Registration Office,* au *Curry Village* (mais elles sont souvent pleines). Il est interdit de couper des arbres sur pied (que ces arbres soient vivants ou morts !) et de récolter du bois dans tous les sites les plus touristiques (même si vous campez). Inutile, bien sûr, de penser faire un trek en hiver (dès novembre), à moins d'être un fana du ski de fond ou des raquettes.

– **Escalade :** la réputation de Yosemite dans le monde de la grimpe n'est plus à faire. Spécialité des *big walls,* des murs verticaux : Half Dome, Nut Cracker, Serenity Crack, Sons of Yesterday, Direct North Buttress sont parmi les voies les plus renommées.

– **Rafting :** on peut faire du rafting sur la Merced River en louant tout l'équipement nécessaire au *Curry Village,* au même endroit que la location de vélos. Pour environ 21 $ par adulte, vous pourrez descendre la rivière sur environ 3 miles (entre une et 3h), et une navette vous ramènera au point de départ. Seulement de fin mai à juillet, si le temps le permet. *Infos :* ☎ 372-4386.

– **Patinage :** si vous passez par là en hiver, vous pourrez profiter de la patinoire en plein air qui se trouve au *Curry Village.* On peut louer des patins pour pratiquement rien.

➤ DANS LES ENVIRONS DU YOSEMITE NATIONAL PARK

🔦 **Saddlebag Lake :** *à quelques miles de la sortie est de Yosemite. Pour s'y rendre, prendre la 120 qui traverse le parc d'ouest en est par la Tioga Pass Entrance (on vous rappelle qu'elle est fermée oct-juin).* Quand on commence à redescendre, dans un virage, à gauche, une route mène à Saddlebag Lake. Celle-ci devient une piste (très bonne) sur environ 2,5 miles, mais est parfois fermée en raison de l'enneigement. Ne pas hésiter à y aller à pied : prévoir 45 mn de balade (aller), sans aucune difficulté. La petite route, très agréable, grimpe sans à-coup à flanc de montagne. Parfois, le rideau d'arbres s'entrouvre pour céder la place à un très beau point de vue sur la vallée.

On découvre alors un lac de haute montagne, superbe, dans lequel pêchent quelques amateurs de truite. Une bicoque en bois fait office de café et d'épicerie (en saison, toujours) dans un style refuge de montagne. Des sentiers font le tour du lac et d'autres permettent d'atteindre les cols qui le surplombent. Des canoës circulent sur le lac. Un « camping » rustique à côté du café accueille les amoureux du calme. Attention, le lac est situé au-dessus de 2 500 m, et il y fait vite froid quand le soleil se couche.

SEQUOIA NATIONAL PARK   IND. TÉL. : 559

À environ 80 miles au sud du Yosemite, une splendide région (2 000 à 2 500 m d'altitude moyenne) qui regroupe d'imposants sommets granitiques, des gorges profondes, des lacs, des rivières, des forêts d'arbres millénaires et notamment de séquoias géants, dont le célèbre *General Sherman Tree* au tronc de 11 m de circonférence, ce qui en fait l'être vivant le plus imposant au monde. Attenant au Sequoia National Park, Kings Canyon offre aussi des paysages de forêts et rivières tumultueuses. Évitez de vous y rendre avant juin : les routes sont enneigées. Autre conseil : si l'on considère la seule beauté des séquoias géants, il n'est pas nécessaire d'aller à Yosemite pour cela, car les forêts du Sequoia National Park sont plus majestueuses que nulle part ailleurs. En revanche, le relief et les montagnes qui leur servent de décor de fond ne sont évidemment pas aussi spectaculaires qu'au Yosemite, beaucoup plus vaste.

➤ Il n'y a que deux entrées, par la route 198 (Three Rivers) et par la 180 (Fresno). Si vous venez de Death Valley, n'espérez pas trouver une entrée à l'est du parc, il faut faire le détour.

– *Entrée : 20 $/véhicule pour 7 j., 10 $ si l'on est à pied, en bus ou à vélo (Pass America The Beautiful accepté).*

Adresses utiles

🏢 *Visitor Center de Foothills :* à l'entrée sud du parc en venant de Three Rivers. ☎ 565-3135. Tlj 8h-17h.
🏢 *Visitor Center de Lodgepole :* à quelques miles de la Giant Forest et de General Sherman. ☎ 565-4436. Tlj en été 9h-16h30.
🏢 *Visitor Center de Grant Grove :* à l'entrée nord du parc, dans Kings Canyon, à deux pas du séquoia General Grant. ☎ 565-4307. Tlj 8h-18h.
■ *Infos sur le parc :* ☎ 565-3341. ● nps.gov/seki ● *Infos pratiques et résas :* recreation.gov ●
■ *Réservations lodges :* ☎ 1-888-252-5757.
■ Autres services à Lodgepole : *poste, laverie, épicerie* (équipement pour randonneurs et campeurs), *snack.*

Où dormir ?

Dans le parc

⚠ *Il existe une vingtaine de campings,* répartis entre Sequoia National Park, Kings Canyon et Sequoia National Forest. Compter 12-20 $ pour un emplacement qui comprend une table et un barbecue. Les plus agréables sont ceux de *Buckeye Flat* (entrée sud), *Camping Sunset* et *Azalea* (Grant Grove Area) et aussi *Canyon View* (Cedar Grove, à l'extrémité est de Kings Canyon). Attention, la plupart des campings ne sont ouv que mai-oct. Résas : ☎ 1-800-365-2267 ou 1-301-722-1257 (depuis l'étranger). ● recreation.gov
🏠 *Wuksachi Lodge :* à l'ouest de Lodgepole. ☎ 1-888-252-5757. Doubles 155-220 $. Réparties entre plusieurs bâtiments, les 102 chambres plutôt luxueuses de ce complexe jouent la carte du rustique chic : décor en bois très chaleureux, beaucoup d'espace, TV et frigo. Restaurant sur place. Ce *lodge* est d'autant plus agréable qu'il est situé en retrait de la route principale, au milieu du calme majestueux des séquoias.

À Three Rivers

🏠 *Sequoia Motel :* 43000 Sierra Dr, Hwy 198. ☎ 561-4453. ● sequoiamotel. com ● À 3 miles de Three Rivers, sur la route du parc, à droite. De 70 $ pour 2 pers à 120 $ pour 6. Petit motel avec 2 bâtiments en bois, dont les 14 chambres n'offrent pas un charme particulier, mais sont confortables et très propres. Idéalement situé, à quelques miles de l'entrée du parc. Petite piscine. Accueil très sympa.
🏠 *Three Rivers Hideaway :* 43365 Sierra Dr, Hwy 198. ☎ 561-4413. ● threerivershideaway.com ● Cabin 2 pers 80 $; emplacement tente 30 $ pour 4 pers, camping-car env 35 $ (électricité, eau et câble pour TV). Seulement 3 *cabins,* dont une avec cuisine, toutes récemment rénovées, climatisées et propres, dans ce complexe plutôt fréquenté par les campeurs. Le site s'étend entre la route et la rivière Kaweah, et est plutôt agréable. La plupart des emplacements pour les tentes sont ombragés. Douches gratuites, machines à laver. Accueil aimable.

À voir

🏝 *Crystal Cave :* à 15 miles au nord de l'entrée sud du parc, à 3 miles au sud du General Sherman. Entrée : 11 \$; réduc, pour une visite guidée d'env 45 mn. Attention, en raison des distances et de la fréquentation, les billets doivent être achetés au moins 1h30 avt l'horaire de la visite et sont en vente slt aux Visitor Centers de Lodgepole et de Foothills. Après une petite marche en pente douce de 15 mn au milieu de la forêt, on entre dans cette grotte découverte en 1918, où la température oscille entre 9 et 10 °C ; pensez à votre petite laine. Les rivières souterraines ont façonné des décors étonnants dans différentes salles, où stalagmites et stalactites s'entremêlent, tantôt en nef de cathédrale, tantôt en orgues. L'éclat du marbre ajoute à l'ambiance très particulière du lieu. Les commentaires des rangers spéléologues qui conduisent la visite sont très intéressants.

🏝🏝 *Moro Rock :* du sommet de ce dôme en granit situé dans la Giant Forest, vous aurez une vue imprenable sur la partie ouest du parc. On accède à son sommet par un escalier assez raide, qui permet de gravir les 91 m du rocher. En poursuivant sa route vers l'est, on peut passer en voiture à travers le tronc d'un séquoia couché, avant d'atteindre *Crescent Meadows,* lieu de villégiature préféré des ours bruns qui peuplent le parc.

🏝 *Le séquoia géant General Sherman :* ce monstre sacré de la forêt, nommé d'après un héros de la guerre de Sécession, se trouve dans la Giant Forest, à droite de la General's Highway, qui traverse le parc du sud au nord. À un peu moins de 2 miles avant le *Visitor Center* de Lodgepole. Très bien indiqué.

🏝 *Le séquoia General Grant :* encore un autre vieux patriarche bien conservé, situé dans le coin de Grant Grove (futaie de Grant), à la sortie ouest du parc. Très bien indiqué, on y accède en faisant une petite balade entre d'autres géants, en particulier le Fallen Monarch, un séquoia couché dans

> **SACRÉES MENSURATIONS !**
>
> *On ne connaît pas l'âge exact, mais le général Sherman pourrait avoir entre 2 300 et 2 700 ans ! Les bristlecone pines, à l'est de la Sierra Nevada, sont plus vieux encore (parmi les plus vieux arbres de la planète). Ses mensurations dépassent tous les superlatifs : 84 m de haut, 11 m de diamètre, un poids total de 1 256 t, qui font de lui l'être vivant le plus volumineux sur Terre. La première de ses branches se trouve à 39 m du sol, et s'il a le malheur de perdre une de ses précieuses ramures, c'est une catastrophe nationale ! C'est d'ailleurs arrivé en 1978 : la branche tombée mesurait 42 m de long, sur un diamètre de 1,80 m !*

le tronc duquel on peut marcher, comme dans un tunnel. Le concurrent du séquoia General Sherman. Moins vieux, moins haut, mais plus grand à sa base (diamètre de 12,30 m).

BODIE

IND. TÉL. : 760

Dix ans après le début de la ruée vers l'or, les premiers filons découverts sur le versant occidental de la Sierra Nevada commençaient à s'épuiser. Certains mineurs décidèrent alors de se rendre sur le versant oriental pour « voir l'éléphant », comme on disait alors (chercher de l'or)... En 1859, un certain W. S. Bodey découvrait une pépite dans une zone d'altitude désolée (à plus de 2 500 m). En quelques jours, une ville surgissait de terre : Bodie. Mais le premier hiver, qui vit des records de froid, fut terrible. Les morts, l'isolement, les difficultés d'approvisionnement poussèrent plus d'un prospecteur à reprendre son balluchon. Bodie survécut.

En 1879, un filon très important était découvert. En quelques semaines, la bourgade paumée devint la deuxième plus importante ville de Californie après San Francisco : 10 000 habitants, aventuriers de tout poil, desperados en quête d'un mauvais coup, bandits notoires, tenanciers malhonnêtes, prostituées et rares prêcheurs illuminés... Dès 1880, la ville comptait 65 saloons, un nombre indéterminé de bordels, une Chinatown et 4 magasins de cigares ! Quant aux mines souterraines, elles forçaient les hommes, payés 3 à 4 $ par jour, à travailler par 100 à 200 m de fond. Autant dire que Bodie n'était pas un paradis... D'ailleurs, à cette époque, quand on partait pour Bodie, la phrase consacrée était : « *Goodbye God, I'm going to Bodie !* » Pour effacer cette image profane, il fut décidé de faire une collecte afin de bâtir une église méthodiste. Les pasteurs ne voulurent jamais y venir car tout l'argent venait, prétendait-on, des bordels et bars à opium. À la grande époque, il y avait un mort par jour. Pour rire, les mineurs disaient : « *Well, have we got a man for breakfast this morning ?* »

En 100 ans de prospection, les mines de Bodie ont livré 100 millions de dollars d'or. Puis, en 1942, la ville fut définitivement abandonnée à la suite d'un arrêté gouvernemental. Ils n'étaient plus alors qu'une douzaine d'oubliés à vivre dans les décombres d'une ville en bois quasiment détruite dix ans plus tôt par un gigantesque incendie (allumé par un gamin). Si 95 % de Bodie s'est envolé en fumée, il reste toutefois de très nombreuses maisons en état (partiellement restaurées), une église, des hôtels, une banque, la maison des pompiers et des pompes funèbres, une école, une prison, ainsi que les imposants bâtiments de la vieille mine qui surplombent ceux qu'elle a fait vivre. Sans être trop restaurée, la ville a bien gardé son esprit de jadis (on s'y croit vraiment). Située dans une lande désertique, où rien ne pousse sauf les cailloux, elle produit une impression assez fantasmagorique, presque angoissante. Rien n'a bougé. Si la plupart des bâtiments sont fermés, par les fenêtres sales on découvre des instants de vie figée. Les papiers peints s'émiettent, la poussière s'entasse, les vieux fauteuils et les paletots pendus aux patères sont bouffés par les rats, les planchers s'effondrent. Tout est là, sauf les habitants, dont beaucoup ont fini au cimetière sans même être débottés. Les Chinois et les gens de mauvaise vie (prostituées, voleurs et... enfants illégitimes) étaient inhumés hors de l'enceinte. Mais, de toute façon, toutes les tombes, ou presque, ont disparu, tant à l'intérieur qu'à l'extérieur. Leur souvenir perdure à travers une collection hétéroclite de vieux objets rassemblés dans le petit musée, judicieusement situé dans l'ancien Syndicat des Mineurs. Toute la ville et ses environs sont classés *State Park*.

LA BELLE HISTOIRE DES VILLES FANTÔMES ET DE LA RUÉE VERS L'OR

En 1848, Marshall, un jeune employé des moulins à eau de la vallée de Sacramento, découvre quelques pépites d'or dans la rivière South Fork, à Coloma. À cet endroit précis, au bord de la route 49, on visite aujourd'hui le *Marshall Gold Discovery State Historic Park*.

Les rumeurs vont aussi vite que les diligences de la *Wells & Fargo*. Aussitôt, les tricheurs au poker, les filles de bar et les desperados affluent, et des dizaines de villes jaillissent du désert. Les saloons poussent aussi vite que les champignons. Et les chercheurs d'or, éternellement assoiffés, éclusent leur bière face à un énorme miroir afin de protéger leurs arrières.

Le moulin où eut lieu la formidable découverte appartenait à un certain John A. Sutter. Cet aventurier suisse, devenu colon au service du Mexique, fonda Sacramento (voir le fort Sutter dans cette ville). Il explora et administra une grande partie de la région. La vie de Sutter est racontée par Blaise Cendrars dans *L'Or*, livre qu'avait lu Staline ! Or, ce propriétaire commit la grave erreur de ne pas entourer ses terres de fil de fer barbelé. D'après la loi de l'époque, les terrains non clos n'appartenaient à personne. En quelques jours, le malheureux Sutter se vit dépouillé de toute sa propriété. Malgré de multiples procès, il ne put jamais reprendre possession de ses biens et mourut en 1871 dans la misère.

C'est le début d'une fantastique épopée. Tous ceux qui, aux États-Unis, rêvent de faire fortune, se mettent en branle. On part en bateau des grands ports de la côte est, on double le cap Horn, on traverse à pied l'isthme de Panamá ou bien on s'en va à travers le continent en de longs convois qui partent de Saint-Louis, sur le Missouri. Mais, lorsque le filon est tari, ces villes-champignons en bois sont abandonnées aussi vite qu'elles s'étaient peuplées. Certaines ont été admirablement restaurées. En de nombreux secteurs de l'arrière-pays californien, les villes fantômes *(ghost towns)* et anciens campements de chercheurs d'or présentent un intérêt considérable pour le touriste européen, qui n'en connaît généralement l'existence qu'au travers des productions hollywoodiennes.

Arriver – Quitter

Bodie est située sur la route 270, à 13 miles de la Hwy 395, près de Bridgeport – au nord de Lee Vining et en direction du Lake Tahoe. Les 3 derniers miles pour s'y rendre ne sont pas goudronnés mais sont très facilement praticables avec une voiture de tourisme. La route n'est généralement dégagée que d'avr à oct-nov (l'hiver, on y compte jusqu'à 3 m de neige !). Assurez-vous d'avoir assez d'essence, car il n'y a aucun service sur place.

– **Bodie State Historic Park :** tlj 8h-19h (16h hors saison). Entrée : 3 $; réduc.

Adresse utile

🛈 **Visitor Center :** ☎ 647-6445. ● bodie.com ● *Dans le musée, au centre de Bodie (angle Green et Main St).* Tlj 9h-18h. Organise différentes visites guidées thématiques de juin à mi-octobre, pour 20 personnes minimum. Compter de 7 à 15 $, horaires affichés sur le parking. En général, visites tous les jours à 12h et 14h. Doc payante en français sur Bodie (commentaires sur les bâtiments, numérotés, et sur certains résidents).

Où dormir ? Où manger dans les environs ?

À Bridgeport

Une bourgade rurale de 500 habitants isolée dans une vaste plaine environnée de hautes montagnes, à quelques miles au nord de l'embranchement de la route 270 conduisant à Bodie – et à une trentaine de miles de l'entrée est *(Tioga Pass Entrance)* du parc de Yosemite. On y trouve une dizaine de motels à prix raisonnables, qui vaudront surtout pour ceux qui veulent dormir près de Bodie, ou qui font la route, en été, entre Yosemite et Lake Tahoe. À moins, bien sûr, d'avoir un faible pour les rodéos à l'ancienne mode organisés chaque été !

🏕 🍴 **Virginia Creek Settlement :** *Hwy 395, à 5 miles au sud de Bridgeport et 800 m avt l'embranchement pour Bodie.* ☎ 932-7780. ● virginiacrksettlement.com ● *Resto tlj sf lun hors saison. En chambre, 60-85 $, en chalet 110 $ et en wagon 25 $. Plats 10-15 $.* Les enfants seront ravis : reconstitutions amusantes, vieilleries et photos-souvenirs dynamisent ce petit établissement pittoresque où « en 1897, rien n'est arrivé ! ». Un trait d'humour qui justifie des prestations aussi hétéroclites qu'originales. Au-dessus du restaurant, 2 chambres basiques, avec salle de bains partagée, 5 autres plus classiques à l'arrière, avec leurs propres sanitaires, et quelques petites cabanes avec kitchenette. On peut aussi planter sa tente, ce qui est moins indiqué (cailouteux), ou dormir dans un *tepee* ou dans un chariot couvert *(wagon)* près de la rivière. Au resto, atmosphère *Old West,* on s'en doute, pour une cuisine sans surprise à base de salades, viandes et pâtes. Bon accueil.

MAMMOTH LAKES

IND. TÉL. : 760

Sur la US 395, au sud de Lee Vining, à 35 miles de l'entrée est *(Tioga Pass Entrance)* de Yosemite Park (environ 45 mn en voiture). Grande station de ski agréable, très vivante aussi bien en hiver qu'en été (il n'est pas rare de croiser des skieurs jusqu'en juillet, alors remplacés par les randonneurs). Sur la cinquantaine de restaurants, on ne compte que quelques fast-foods ! Ici, les prix sont plus élevés qu'à Bridgeport, un peu moins qu'à Lee Vining. Pour les adeptes, il existe des magasins d'usine *(Ralph Lauren* par exemple), l'occasion de rapporter un polo ou une chemise à prix cassés.

Adresses utiles

🅸 *Visitor Center :* *2500 Main St.* ☎ *934-2712* ou *1-888-GO-MAM-MOTH.* ● *visitmammoth.com* ● *À l'entrée de la ville. Tlj 8h-17h, sf Noël et Jour de l'an.* Regroupe les agents du *Forest Service* (si vous voulez camper dans la région ou faire des balades) et le *Visitor Bureau.* Petite brochure exposant les principaux centres d'intérêt, infos sur les conditions routières et téléphones pour joindre les hôtels. Compétent.

▪ *Mammoth Hospital :* *85 Sierra Park Rd.* ☎ *934-3311.* ● *mammothhospitals.com* ●

@ *Internet :* à *Looney Bean,* au *Gateway Center* (angle Main St et Old Mammoth Rd). Tlj 6h-19h (20h ven-sam). Connexion wi-fi gratuite, ou ordinateur payant.

Où dormir ?

Campings

⚠ On trouve de nombreux campings dans les forêts domaniales encadrant Mammoth Lakes (liste disponible au *Visitor Center*). *Résas :* ☎ *1-877-444-6777.* *La plupart ouvrent au plus tôt fin mai, bon nombre slt vers mi-juin. Emplacements 12-15 $ (un peu plus à Devil's Postpile, où les moustiques pullulent en été).*

De prix moyens à chic

🏠 *Davison St Guest House :* *19 Davison Rd.* ☎ *924-2188* ou *858-755-8648.* ● *mammoth-guest.com* ● *Au bout de Main St (en arrivant de la US 395), prendre Lake Mary Rd qui la prolonge : elle coupe Davison 600 m plus loin. Lit en dortoir de 25 $ (été) à 35 $ (hiver), doubles 60-80 $.* Avec un ours comme totem et une salle commune cosy façon tipi chic, cette AJ privée de poche est l'idéal du routard de haute montagne. Fraternelle, cela va de soi (chaude ambiance autour du poêle en hiver), mais aussi très fonctionnelle : balcons face aux pics enneigés pour le barbecue, cuisine équipée, dortoirs corrects... Rien que du bonheur !

🏠 *Swiss Chalet Motel Lodge :* *3776 Viewpoint Rd.* ☎ *934-2403* ou *1-800-937-9477.* ● *mammoth-swisschalet.com* ● *Sur une petite rue tranquille, au-dessus de Main St (juste avt Minaret Rd). Doubles 75-120 $ selon période.* Des anciens propriétaires suisses, il ne reste qu'une amusante collection de coucous dans la réception. Pour le reste, ce motel version chalet d'alpage est toujours une bonne affaire : chambres de bonne taille, bien tenues même si un peu datées (certaines avec coin-cuisine), belle vue (galerie à l'étage), petite terrasse pour lézarder, sauna et jacuzzi. Excellent accueil.

🏠 **The Inn at Mammoth :** 75 Joaquin Rd. ☎ 934-2710. ● mammothcountryinn.com ● Doubles à partir de 100 $ en basse saison, petit déj compris. À mi-chemin entre la chambre d'hôtes et l'hôtel, ce petit établissement douillet joue la carte de la convivialité pour séduire des voyageurs en quête de tranquillité. Au programme : un salon commun avec cheminée pour fraterniser, des chambres sobres et modernes tout confort (TV à écran plat, jacuzzi...) pour se requinquer... le tout dans un secteur résidentiel paisible comme tout ! Accueil efficace et sympathique.

🏠 **Motel 6 :** 3372 Main St. ☎ 934-6660. Fax : 934-6989. Doubles env 60 $ hors saison, 70-80 $ en été. Chambres habituelles de cette chaîne tristounette, mais fonctionnelles, à prix corrects. Si c'est complet, d'autres motels pas chers, du même côté de la route.

Où prendre le petit déjeuner ? Où manger ?

|●| ☕ **Schat's :** 3305 Main St, sur Factory Outlet Mall. ☎ 934-6055. Tlj 5h30-19h (6h-18h l'hiver). Boulangerie-pâtisserie renommée, impeccable pour le petit déj, pour un déjeuner rapide ou un quatre-heures gourmand : grand choix de gâteaux, biscuits, pain frais, confitures, chocolat maison, le tout à déguster avec un bon café dans une salle cosy dont les peintures murales évoquent la Hollande natale des propriétaires. Petite terrasse calme à l'arrière.

|●| ☕ **Breakfast Club :** 2987 Main St (angle Old Mammoth Rd). ☎ 934-6944. À l'entrée de la ville, en face de la 1re station Shell. Tlj 6h-13h. Moins de 10 $. CB refusées. Si la devanture n'a vraiment rien d'engageant, on découvre avec surprise une agréable petite salle vieille école : papier peint à fleurs, buffet de grand-mère envahi de bibelots, toiles cirées à motifs. Sert de bons petits déj robustes et sans chichis : huevos rancheros, club burritos, œufs brouillés, omelettes et pancakes.

|●| ☕ **Base Camp Café :** 3325 Main St, sur Factory Outlet Mall. ☎ 934-3900. Tlj 7h30-15h (21h jeu-dim). Encore une bonne adresse pour le petit déj, cette fois dans une ambiance de montagne plus que d'alpage. Le Base Camp, comme son nom et les photos affichées le suggèrent, est le point de rencontre de tous les grimpeurs et sportifs des environs. Assez classique, mais choix plutôt vaste sur une note naturelle. Specials plusieurs fois par semaine.

|●| ☕ **Perry's Italian Café :** 3399 Main St. ☎ 934-6521. Sur une plaza (Factory Outlet Mall). Tlj 6h30-22h. Plats 15-20 $. Une petite terrasse fraîche les soirs d'été, un bar, une salle de bistrot chaleureuse, voilà une bonne adresse pour prendre un repas américano-italien très convenable sans se ruiner. Le pain aux herbes tout chaud offert par la maison est un 1er bon point, confirmé par les bonnes pizzas à composer soi-même, le salad bar bien frais et les pastas correctes. Sans mauvaise surprise.

|●| **Roberto's Café :** 271 Old Mammoth Rd. ☎ 934-3667. Tlj 11h-21h30. Env 15 $. À voir les records d'affluence certains week-ends, le Roberto's a toujours le vent en poupe. Un succès qui s'explique par la fraîcheur des enchiladas et des burritos, les portions servies en format XL, un cadre propret (terrasse agréable) et la gentillesse de l'accueil. On adhère !

➤ DANS LES ENVIRONS DE MAMMOTH LAKES

🥾 **Devil's Postpile National Monument :** entrée du parc à env 5 miles à l'ouest de Mammoth Lakes, au bout de Minaret Rd. Les amateurs de roches et phénomènes volcaniques pourront y admirer les plus belles, les plus grandes et les plus régulières colonnes basaltiques du monde. Rappelez-vous Rencontres du troisième type... Le film ne fut pas tourné ici, mais dans le Dakota, où existe un phénomène similaire. Comme le parc est perché à près de 3 000 m d'altitude, on ne peut s'y rendre que de fin juin à début octobre, lorsque la neige a enfin fondu. La route d'accès, étroite et sinueuse, est longue de 17 miles. À moins d'y grimper à vélo (dur), de rater le dernier *shuttle* (on paie quand même !), ou d'avoir une réservation pour l'un des campings, il est interdit de dépasser le point de vue de Minaret Vista (beau panorama sur la vallée). Au-delà, seuls les bus du service des parcs peuvent l'emprunter *(7 $ la journée, pour un nombre de trajets illimité)*. Ils partent toutes les 20 mn de la station de ski de Mammoth (1 mile avant Minaret Vista) et desservent les différents sites du parc, dont les célèbres Rainbow Falls, de 7h à 19h. Compter 2h aller-retour seulement pour le Devil's (mais il serait dommage de se priver de la belle balade pour les Rainbow Falls).

LEE VINING

IND. TÉL. : 760

À environ 10 miles de l'entrée est *(Tioga Pass Entrance)* du parc de Yosemite, sur la route US 395. Simple hameau de 400 habitants dominant le magnifique lac Mono. Autre avantage : la ville fantôme de Bodie n'est qu'à 25 miles. Inconvénient : la *Tioga Pass Entrance* du Yosemite est fermée jusqu'en juin à cause de la neige, parfois même jusqu'en juillet. Dans ce cas, pas d'accès au parc par ce côté : on doit le contourner par le nord (une journée de route !) pour atteindre la porte ouest... Plusieurs motels, mais rien de bon marché à Lee Vining. Tout est vite complet en été : réservez. Si vous ne trouvez rien, allez à Mammoth Lakes (voir plus haut) plutôt qu'à Bridgeport.

Adresses utiles

🛈 Mono Basin Visitor Center : ☎ 647-3044. Situé sur un promontoire dominant le lac Mono, à la sortie nord de Lee Vining. L'été, tlj 8h-17h (19h ven-sam). Tout sur le lac, son origine géologique et celle de ses concrétions : petit film de 20 mn, expo de photos, librairie. Également des balades guidées proposées par les rangers, ou différents petits sentiers d'interprétation autour du site. Beau point de vue depuis la terrasse.

■ Chamber of commerce : ☎ 647-6595. ● monolake.org ● Au centre de Lee Vining, sur la Hwy 395, au niveau de la 3e rue. Tlj 8h-21h juin-août ; 9h-17h hors saison. Très bien documenté. Infos sur les balades dans la région (vend des cartes détaillées). Organise différentes visites guidées, ainsi que les week-ends en juillet-août des balades en canoë sur le lac Mono. Connexion Internet.

Où dormir ?

Camping

Å Camping Mono Vista RV Park : à la sortie nord du village. ☎ 647-6401. Emplacement env 15 $ (camping-car env 31 $). Ce n'est pas l'idéal, vu sa situation au bord de la Highway 395, mais ça peut dépanner : emplacements pour camping-cars très proches, sur de la pelouse, aucune ombre et peu d'intimité. Le terrain pour les tentes est plus agréable, en retrait de la route et équipé de tables et de bancs de bois. Sanitaires très propres. Attention : nuits glaciales.

De plus chic à chic

🏠 Murphey's Motel : Main St. ☎ 647-6316 ou 1-800-334-6316. ● murpheysyo semite.com ● Env 55-110 $ en été. Établissement de taille moyenne en bois sombre, aux huisseries vertes pour ajouter une petite touche champêtre à l'atmosphère. Accueil sympa et bonnes chambres de motel lambda, de taille raisonnable, propres, avec TV et téléphone, certaines avec jacuzzi. Une bonne option.
🏠 Gateway Motel : Main St. ☎ 647-6467 ou 1-800-282-3929. ● yosemitega tewaymotel.com ● Env 130 $ pour deux. Étagé à flanc de coteau, ce petit motel en bois vaut surtout pour ses chambres en

contrebas de la route, qui échappent par conséquent aux nuisances sonores et profitent d'une vue agréable sur le lac. On retiendra également l'option de l'annexe, une maisonnette sur pilotis plantée derrière le bâtiment principal. Chambres conventionnelles vieillottes, mais bien tenues. Accueil franchement médiocre.
🛏 *Best Western-Lake View Lodge :*

30 Main St. ☎ 647-6543. ● *bwlakeview lodge.com* ● *Double env 120 $ en saison.* À condition d'éviter la petite annexe de l'autre côté de la rue, ce motel se défend plutôt bien dans sa catégorie. Ses bâtiments en brique profitent d'un environnement agréable, encadrant une grande cour arborée en surplomb de la rue. Chambres classiques et confortables.

Où manger ?

|●| *Whoa Nellie Deli :* station-service Mobil, *route de Yosemite, à 100 m de l'embranchement de la Hwy 395 (sortie sud de Lee Vining). Tlj 7h-21h. Plats du jour 8-20 $.* Attention les yeux, cette véritable station-service abrite pourtant l'une des meilleures adresses du coin ! Outre de bons sandwichs bien frais, des pizzas (à emporter si l'on veut) à la commande, des salades colorées et des burgers juteux, on peut choisir parmi quelques plats du jour aussi surprenants qu'excellents – que diriez-vous de *tacos* de poisson à la mangue avec une salade de chou au gingembre ? Sachant qu'on peut déguster le tout sur une terrasse profitant d'une très belle vue sur le lac, on comprendra aisément

qu'il y a souvent la queue dans ce *deli* hors catégorie.
|●| *The Mono Inn :* 55620 Hwy 395. ☎ 647-6581. *À 5 miles au nord de Lee Vining. Mai-oct, tlj sf mar dès 17h. Plats 15-32 $.* Malgré son isolement, cette auberge cosy et conviviale fait souvent salle comble. Pour sa vue panoramique sur le lac, bien sûr, pour sa cuisine californienne fraîche et bien ficelée, on s'en doute, mais aussi pour sa galerie dédiée au célèbre photographe Ansel Adams, renommé pour ses paysages de Yosemite. Forcément, la proprio n'est autre que sa petite-fille ! De quoi mêler nourritures terrestres et spirituelles. Renseignez-vous avant d'y aller, l'auberge était fermée en 2008.

À voir

🏔🏔 *Mono Lake :* juste à côté de Lee Vining. Apparu il y a plus de 700 000 ans (ce qui en fait l'un des plus vieux lacs d'Amérique du Nord), le Mono occupe une cuvette dans une zone d'altitude hostile, semi-désertique, où survivent tout juste des buissons de sauge. En toile de fond se dressent les sommets enneigés de la Sierra Nevada. Le cadre est superbe. Mais si le Mono est célèbre, c'est aussi en grande partie pour ses étonnantes concrétions calcaires (vieilles de 13 000 ans), qui se dressent sur ses berges et hors de l'eau, comme d'éternelles sentinelles. Formées sous la surface, elles ont peu à peu été exposées lorsque le niveau du lac a baissé. C'est d'ailleurs là tout son drame : si le spectacle attire de nombreux touristes, il est aussi le révélateur d'un profond malaise. Car, depuis les années 1960, le Mono vit un drame : les sources l'alimentant ont été détournées au profit de Los Angeles, consommatrice avide d'eau potable. Et les risques d'assèchement demeurent. D'ailleurs, depuis la dernière ère glaciaire, sa taille a été divisée par 60 !
Au centre émergent deux îles aux formes érodées. La blanche, *Pahoa,* apparue il y a environ 300 ans, est constituée de sédiments surélevés par l'activité sismique de la région. *Negit,* la noire, est plus ancienne (1 700 ans) et le fruit direct d'un épisode volcanique. Il est possible de les atteindre à pied sec en été, mais elles sont toutes deux interdites d'accès d'avril à fin juillet, de manière à assurer la protection de l'immense colonie de mouettes qui y niche à cette période.
➤ Plusieurs points d'accès permettent de s'approcher du lac :
– Deux se trouvent sur la Highway 395, au nord de Lee Vining (direction Bridgeport), d'abord au niveau de l'ancienne marina (Old Marina Site), puis du Mono Lake County Park (4 miles au nord). Là, une plate-forme en bois permet de s'approcher de la berge à travers un jardin d'anciennes concrétions. Selon la saison, celles qui

ont encore les pieds dans l'eau dépassent franchement ou montrent tout juste la tête. Le *Mono Lake County Park* est également le point de départ pour une très belle balade jusqu'au *Black Point*. Du parking, la petite route goudronnée cède bientôt la place à une piste poussiéreuse, qu'on abandonne après environ 3 miles pour un chemin étroit, sur la droite, qui conduit au rivage. Adossé à un cône volcanique tapissé d'une surprenante poudreuse noire, on découvre dans un silence de fin du monde un paysage lunaire quasi surnaturel. Les sportifs tenteront d'ailleurs l'escalade du volcan, pour profiter d'un beau panorama circulaire sur la région. Prévoir de bonnes chaussures, du temps (on progresse difficilement dans le sable), de l'eau et un départ à la fraîche.

– Le troisième point d'accès, le plus populaire, est situé sur la rive sud. Pour vous y rendre, de Lee Vining, prenez la Highway 395 vers le sud. Après 6 miles, tournez à gauche (vers l'est) sur la route 120. Suivez-la pendant 5 miles, puis un chemin vous conduira au bord du lac. Entrée : 3 $; gratuit avec le *Pass America The Beautiful*. C'est ici que vous verrez les plus belles concrétions (moins visibles d'avril à juillet en période de hautes eaux). Sentier magnifique de 1 mile à parcourir dans un calme absolu (en tout cas hors saison). En été, tour du lac avec un guide et veillée d'observation des étoiles. Certains, curieux de tester la forte salinité du lac, rappelant un peu la mer Morte, n'hésitent pas à se baigner. Ce n'est pas impossible, mais l'eau est froide et on ne voit pas toujours les concrétions (aïe !). En plus, une fois qu'on s'est bien baigné, on est plein de... sel, et rien n'est prévu pour se rincer !

LONE PINE
1 700 hab. IND. TÉL. : 760

Sur la Highway 395, à la jonction de la route pour Death Valley. Peu fréquentée des touristes, cette petite ville de l'Ouest, fondée au milieu du XIXe s lors de la ruée vers l'or, est pourtant connue pour avoir été l'une des plus importantes annexes d'Hollywood.

C'est en effet dans le désert et les montagnes des environs que furent tournés la plupart des grands classiques du western et du film d'aventure : *La Charge de la brigade légère, Les Trois Lanciers du Bengale, Star Trek, Nevada Smith, Maverick, Gladiator* et tant d'autres. En débarquant à Lone Pine, sachez que vous mettez vos pas dans les empreintes des bottes de John Wayne (qui y tourna à quatre reprises), Gary Cooper, Errol Flynn, Cary Grant, Gregory Peck, Humphrey Bogart, Anthony Quinn, Rita Hayworth, Kirk Douglas, David Niven, Spencer Tracy, Lee Marvin, Clint Eastwood, Mel Gibson, Demi Moore, et on en oublie plein. Aujourd'hui, on y tourne surtout des pubs.

Lone Pine représente une bonne étape sur la route de la vallée de la Mort à Yosemite (ou vice versa). La ville peut également servir de camp de base à tous ceux qui disposent de plus de temps et veulent entreprendre une chouette découverte des environs. On est ici au pied du mont Whitney, le plus haut sommet des États-Unis (4 418 m). Du centre de la ville, une petite route grimpe dans la montagne. À son extrémité, une aire de pique-nique, point de départ idéal pour de belles randonnées. Vers le nord, au-dessus de Big Pine, la route 168 conduit à plus de 3 000 m d'altitude vers une forêt de *bristlecone pines,* qui seraient parmi les plus vieux arbres du monde (plus de 3 000 ans).

Adresses utiles

🛈 *Visitor Center :* à la sortie de la ville, à l'embranchement de la route 136 pour la *Death Valley.* ☎ 876-6222. Fax : 876-6234. Tlj sf Thanksgiving, Noël et Jour de l'an 8h-18h (17h oct-avr). Demander le plan de la région indiquant tous les lieux des tournages de films importants. Petite librairie intéressante : bouquins sur le western, les Indiens, la faune et la flore de l'Ouest, etc. Également toutes sortes d'infos – certaines en français – sur la Death Valley, les possibilités d'hébergement (campings, motels...) dans la région et les routes praticables selon la saison.

◎ *Internet :* *à la bibliothèque municipale (Library), angle Bush et Washing-* ton St. Lun-ven 10h-12h, 13h-17h ; mer 18h-21h ; sam 10h-13h. Connexions gratuites, limitées à 30 mn.

⊠ *Poste :* *121 Bush St.*

■ *Pompes à essence :* *3 stations-service sur Main St.*

Où dormir ?

Camping

⋏ *Diaz Lake Campground :* *Hwy 395.* ☎ *873-5577. À env 2 miles au sud de Lone Pine (passé l'embranchement de la route 136 vers Death Valley), sur la droite. Emplacements env 10 $.* Quelques places bien ombragées pour tentes, au bord d'un lac formant comme une sorte d'oasis. Très joli panorama sur la Sierra Nevada. Plein d'oiseaux et d'écureuils. Les emplacements sont assez proches les uns des autres, mais c'est ce qu'il y a de mieux dans les environs de Lone Pine. Hors saison, de toute façon, il n'y a pas grand monde. Douches près de l'entrée du parc, à 800 m des campements.

Bon marché

🛏 *Dow Villa Hotel & Motel :* *310 S Main St.* ☎ *876-5521 ou 1-800-824-9317.* ● *dowvillamotel.com* ● *À l'hôtel, doubles 45-62 $ selon équipement ; au motel, de 94 $ pour deux à 132 $ pour six.* Un ancien hôtel construit dans les années 1920 pour héberger les équipes de tournage de films. Chambres au confort simple, avec ou sans salle de bains, un peu vieillottes, mais propres et d'un bon rapport qualité-prix, avec un petit côté western qui ne manque pas de charme. À côté, un motel du même nom, plus récent. Les chambres y sont plus chères, plus confortables (avec sanitaires, minifrigo, TV câblée et magnétoscope), mais le charme en moins. Piscine, jacuzzi et accueil sympa. Café et thé à volonté. Et pour les nostalgiques des westerns, plein de photos de John Wayne dans le salon, ainsi qu'une vitrine de reliques et d'autographes de l'illustre acteur, qui séjourna, paraît-il, dans la chambre n° 23 du motel.

Prix moyens

🛏 *Mount Whitney Motel :* *305 N Main St.* ☎ *876-4207 ou 1-800-845-2362. Fax : 876-8818. Doubles 70-90 $ selon saison.* Grandes chambres, impeccablement tenues, mais déco inexistante. Toutes ont TV câblée, téléphone, frigo et cafetière. Petite piscine entourée d'un grillage.

🛏 *The Portal Motel :* *425 S Main St.* ☎ *876-5930 ou 1-800-531-7054. Doubles 60-90 $ selon saison.* Les chambres de ce petit motel blanc et bleu sont assez spacieuses et offrent un confort standard avec TV, frigo, micro-ondes et machine à café. Très bien tenu par une famille indienne (d'Inde) fort aimable.

🛏 *Trails Motel (National 9 Inn) :* *633 S Main St.* ☎ *876-5555 ou 1-800-862-7020. Doubles 50-90 $ selon saison.* Chambres sans fantaisie et à la déco dépassée, mais bien tenues et plutôt confortables : téléphone, AC, TV câblée, micro-ondes, cafetière, minifrigo. Sanitaires vieillots. Petite piscine qui donne sur la route. Bon accueil.

De plus chic à chic

🛏 *Best Western-Frontier Inn :* *1008 S Main St.* ☎ *876-5571 ou 1-800-231-* 4071. Fax : 876-5357. À la sortie sud de Lone Pine. Doubles standard 75-120 $

selon saison, petit déj inclus (gaufres et fruits au sirop). Chambres très confortables avec TV câblée, téléphone, cafetière et minifrigo. Les *deluxe* sont même équipées de baignoire à remous, pour mieux se détendre après les balades. Également piscine chauffée.

■ *Comfort Inn* : *1920 S Main St.* ☎ 876-8700. Fax : 876-8704. Presque

à l'embranchement de la route pour Death Valley et de la US 395. Doubles 110-150 $ selon confort et saison, petit déj continental inclus. Motel récent très confortable, avec piscine et vue superbe sur la Sierra Nevada. Toutes les chambres disposent de minifrigo et micro-ondes. Prix encore corrects. Bon accueil.

Où manger ?

|●| *Mount Whitney Restaurant* : *227 S Main St.* ☎ *876-5751. Tlj 6h30-21h30 ou 22h. Env 10 $.* Petit resto sans prétention, décoré des portraits de John Wayne, Clint Eastwood, Audrey Hepburn, et qui se vante tout de même de faire les meilleurs burgers de la ville. À juste titre : les steaks sont vraiment très bons, grillés au feu de bois. La spécialité de la maison : les burgers de bison *(buffalo)*, qui changent du bœuf habituel. Également des salades et des sandwichs. Accueil et service aimables.

|●| *Bonanza Family Restaurant* : *144 N Main St.* ☎ *876-4768. Sem 11h-21h ; w-e 7h-21h. Env 10-15 $.* Cette cantine mexicaine, fréquentée par les habitués du coin, sert les classiques de la cuisine *latina* exécutés avec soin : *flautas, sopas, quesadillas* sont servies en portions plus que généreuses, au cas où les *tortillas* et la *salsa* offerts en apé-

ritif ne vous auraient pas encore calé. Une bonne adresse sans prétention.

|●| *Seasons Restaurant* : *206 S Main St.* ☎ *876-8927. Lun-sam, slt le soir, 17h-22h. Env 25 $.* Au bord de la route, une jolie maison en planches avec des persiennes aux fenêtres. À l'intérieur, une multitude de vieilles photos accrochées aux murs, ainsi que des dédicaces d'acteurs de cinéma venus tourner dans le coin... Côté assiette, vous venez de vous asseoir à la meilleure table de la ville, réputée pour sa cuisine fine : copieuses salades, délicieuses viandes, pâtes arrangées avec goût et succulent plateau de desserts. Fraîcheur absolue des produits ; mais évitez quand même les fruits de mer, pas toujours bien portants par grande chaleur. Service aimable et stylé. Une rencontre quasi gastronomique inattendue et à prix justes.

Où dormir ? Où manger entre Lone Pine et Yosemite ?

À *Independence*

À 16 miles au nord de Lone Pine, dans la vallée d'Owens.

■ *The Winnedumah Hotel* : *211 N Edwards (Hwy 395).* ☎ *878-2040.* ● *winnedumah.com* ● *Chambres avec sanitaires privés 85 $, partagés 75 $.* Fonctionne comme un *B & B* avec petit déj inclus. De nombreux acteurs ont dormi dans cet hôtel de 1927, qui a gardé le par-

fum de l'Ouest. Parmi eux, Gary Cooper et Bing Crosby, qui y chantait sous la douche. Chambres décorées avec des meubles des années 1920. Certaines ont été aménagées en *hostel*, pour 2 ou 3 personnes *(25-32 $/pers)*. Une bonne alternative aux motels impersonnels.

À *Bishop*

À env 59 miles au nord de Lone Pine. La petite ville (3 700 habitants) s'est autoproclamée « capitale mondiale de la mule » ! Chaque année, fin mai, on célèbre donc une fête en son honneur, avec course à la clé, pour rappeler que c'est grâce à la mule que les chercheurs d'or réussissaient à survivre. Bishop est la porte d'entrée d'une réserve amérindienne paiute – on y trouve même un casino !

⌂ *Starlite Motel :* 192 Short St. ☎ 873-4912 ou 1-877-873-4912. De 44 $ pour 2 pers à 70 $ pour 6 pers. Petit motel au bout d'une rue perpendiculaire à Main Street, qui ne paie pas de mine de l'extérieur, mais les chambres viennent d'être repeintes en vert pâle. On vous l'accorde, la moquette aurait aussi besoin d'un sérieux lifting, mais elle n'empêche pas les chambres d'être confortables, équipées de frigo, TV et micro-ondes. Salles de bains toutes neuves. Petite piscine et accueil extrêmement chaleureux. Le meilleur rapport qualité-prix du coin.

⌂ *Town House Motel :* 625 N Main St. ☎ 872-4541 ou 1-888-399-1651. Fax : 873-5030. Tarif unique, hiver et été : 55 $. Motel assez coquet de l'extérieur avec ses toits rouges, ses lambris et ses clochetons. Les chambres sont un peu vieillottes, mais très propres, avec frigo et TV. Les plus belles donnent sur la piscine et disposent d'un petit balcon. Accueil très sympathique.

⌂ *Mountain View Motel :* 730 W Line St. ☎ 873-4242. ● thesierraweb. com/lodging/mountainview/ ● De 77 $ hors saison à 90 $ en été, petit déj inclus (servi à côté de la piscine). Grand motel sur 2 niveaux. Chambres spacieuses et confortables, avec moquette moelleuse, AC, frigo et TV. Certaines disposent même d'une kitchenette (env 15 $ supplémentaires).

|●| *Erick Schat's Bakery :* N Main St (angle Park Ave). Ouv 6h-18h en règle générale (21h ven, 19h w-e). Une autre des boulangeries de la famille Schat (voir plus haut à Mammoth Lakes), avec les mêmes touches hollandaises. Ici, la maison est en brique rouge avec tuiles et faïences. Tout un choix de sandwichs avec pain frais maison du côté cafétéria (servis 11h-15h, dim 11h-17h), gâteaux, viennoiseries et autres chocolats appétissants du côté boulangerie.

|●| *Whiskey Creek :* 524 N Main St. ☎ 873-7174. Ouv 11h-21h (22h ven-sam). Brunch w-e à partir de 7h30. Compter 20 $ côté resto. On peut grignoter pour moins cher au bar. Tire sa popularité de l'établissement qui le précédait : le *Kittie Lee Inn,* construit en 1924, où descendit dans l'entre-deux-guerres une belle brochette de grands acteurs lors de tournages dans la région, tels que Cary Grant et Bing Crosby. Aujourd'hui, le cadre n'est pas très évocateur de cet héroïque passé, mais le resto est très populaire pour ses steaks et ses *ribs.* Petite boutique à l'entrée.

Festival de cinéma

– *Lone Pine Film Festival :* ts les ans, vers mi-oct. Rens auprès de la Commerce Chamber de Lone Pine : ☎ 1-877-253-8981. ● lonepinechamber.org ● lonepine filmfestival.org ● Ce festival rend hommage au cinéma américain. Projection de films, concerts, rencontres d'acteurs, etc. Des circuits sont proposés pour revivre les tournages mythiques de Lone Pine : le désert où Johnny Weissmüller se prenait pour Tarzan, la route empruntée par Tony Curtis pour *The Great Race,* l'endroit où Robert Mitchum sauvait la vie de Hopalong Cassidy, etc.

DEATH VALLEY (LA VALLÉE DE LA MORT)

❀❀❀ Située à un peu plus de 130 miles au nord-ouest de Las Vegas, la vallée de la Mort, un des sillons les plus profonds dans l'hémisphère nord, s'enfonce à 86 m sous le niveau de la mer. D'une superficie de 13 354 km^2, c'est le plus grand parc national des États-Unis, devant Yellowstone. Son nom sinistre lui vient de la phrase lancée par un pionnier rescapé de l'expédition de 1849 et exprimant la reconnaissance des mormons : « Dieu merci, nous sommes sortis de cette vallée de la Mort. » D'autres n'eurent pas cette chance et, durant la ruée vers l'or, un certain nombre de prospecteurs (dont les fameux membres des *forty-niners*), en route vers la Californie, y perdirent plus que leur chemin. Certains en profitèrent pour découvrir des filons d'or (un peu) et d'argent (un peu plus). Contre toute attente, c'est finalement l'exploitation du borax, un minerai de moindre valeur mais qui entre aujourd'hui dans la composition de nombreux matériaux et produits, qui se révéla la plus rentable.

Entre les flancs resserrés de la vallée, le soleil est dément. C'est le point le plus chaud et le plus aride de tous les États-Unis. Le

> **CHAPEAU !**
>
> Lorsqu'il apparut que l'expédition de 1849 était bel et bien un échec, les forty-niners se résignèrent, la mort dans l'âme, à quitter la vallée. Mais sans plier bagages. À moitié morts de faim, affaiblis par les dures conditions climatiques, les pionniers durent se résoudre à tout abandonner pour alléger le convoi. Mais pour Mrs Arcan, qui venait de la ville, renoncer à ses belles toilettes était un véritable crève-cœur. C'est donc vêtue de sa robe la plus chic, un chapeau de prix sur la tête, qu'elle enfourcha une vieille mule pour le long chemin du retour. Royal !

pays de l'épouvante, un désert impitoyable où la température, en été, dépasse constamment 40 °C à l'ombre (pas de pot, il n'y a pas d'ombre). On peut faire cuire un œuf sur un capot de voiture ! L'année 1913 fut propice aux records : on y enregistra la même année la plus haute température (57 °C) et la plus basse (- 9 °C). Durant l'été 1994, il fit plus de 49 °C pendant 31 jours ! Mais ne noircissons pas le tableau : il pleut bel et bien dans la vallée... 3 à 4 cm par an en moyenne ! Cela dit, certaines années sont bien plus arrosées que d'autres. Ce fut le cas en 2004. Au printemps 2005, les visiteurs affluaient pour découvrir la vallée couverte de fleurs !

Le paysage, à la fois grandiose et lunaire, offre le spectacle d'une région brûlée par le soleil mais d'une incroyable diversité : montagnes et mer de sel, canyons et cactus, palmeraie et dunes de sable, cratères et phénomènes géologiques... N'oubliez pas que c'est à l'aube et à la fin du jour que les roches se colorent. De plus, la chaleur est moins étouffante. Difficile de le croire, car on la voit rarement, mais ce désert est peuplé d'une faune plutôt riche : lynx, coyotes, mouflons, serpents, pumas, et le *roadrunner*, l'oiseau Bip Bip du dessin animé.

Conseils pour traverser Death Valley

– **Période idéale :** d'octobre à début décembre, la température est douce. Février, mars et avril sont également agréables, surtout quand la vallée se couvre de fleurs sauvages, ce qui n'arrive pas chaque année. On le répète, l'été est torride.

– **Consulter la météo :** risques d'orage toute l'année, compte tenu des températures extrêmes.

– **Lutter contre la déshydratation :** l'humidité de l'air est quasi nulle et, au volant d'une voiture non climatisée, on peut perdre en transpiration plus de 1 l d'eau à l'heure. C'est pourquoi il est très prudent – dans tous les cas – d'emporter des réserves d'eau : au moins 4 l par personne et par jour. Il est exclu de traverser Death Valley en stop...

– **Éviter de randonner dans le fond de la vallée aux heures les plus chaudes :** préférer le matin et la fin de journée.

– **Rester sur les routes goudronnées,** à l'exception des pistes les plus empruntées. Si vous tombez en panne, ne quittez en aucun cas votre véhicule ; il passera tôt ou tard une voiture qui vous dépannera. Tous ces conseils, prodigués par le *Visitor Center,* ne sont pas à prendre à la légère : les avis de recherche placardés dans les centres d'information donnent froid dans le dos (un peu facile, le jeu de mots !).

– **La traversée est très dure pour les moteurs de voiture :** surtout, contrôlez le liquide de refroidissement avant d'arriver dans la vallée, vérifiez les radiateurs, et ne faites pas trop chauffer la voiture (coupez la clim' de temps en temps). Sur

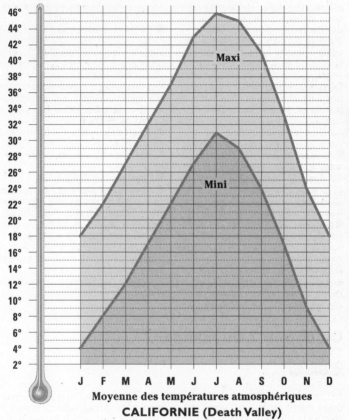

Moyenne des températures atmosphériques
CALIFORNIE (Death Valley)

toute la traversée de Death Valley, on trouve des réservoirs d'eau non potable pour les radiateurs des voitures avec la mention « *Radiator water only* ». Ne vous avisez pas de la boire...

Adresses et infos utiles

Furnace Creek est le seul point de ravitaillement et de civilisation à l'intérieur de la vallée.

🛈 *Visitor Center :* ☎ *(760) 786-3200. Sur la route 190, à 100 m env du Furnace Creek Ranch Resort. Tlj 9h-17h.* Plein d'infos utiles : l'état des routes (des inondations violentes – même en plein été – emportent parfois des tronçons de routes), la température du jour, les conseils pour se balader dans le désert. Carte bien détaillée gratuite et quelques feuilles d'information avec de

bons conseils pratiques en français. Par ailleurs, ne pas rater le petit ***musée*** (gratuit), joliment agencé et très intéressant. Là encore, plusieurs sections détaillent l'histoire quasi mythique des *forty-niners* et des mineurs qui tentèrent leur chance par la suite (objets anciens, audio), mais l'exposition s'intéresse aussi à toutes les facettes du désert : la faune (animaux naturalisés),

DEATH VALLEY (LA VALLÉE DE LA MORT)

la flore, la géologie, les cultures indiennes... et bien sûr la célébrité locale, Scotty (voir « Scotty's Castle »). D'autres bureaux d'information plus petits à Beatty, Lone Pine (voir plus haut) et à Stovepipe Wells *(après l'entrée ouest,* ☎ *760-786-2387).* Excepté à l'entrée nord, il n'y a pas de poste de contrôle aux frontières du parc. C'est donc au *Visitor Center* que l'on paie l'entrée si l'on vient d'une autre direction : 20 \$/voiture pour 1 semaine *(Pass America The Beautiful* accepté).

■ *Infos sur le parc :* par courrier, *Superintendant, Death Valley National Park, PO Box 579, Death Valley, CA 92328-0570.* ● *nps.gov/deva* ●

✉ *Poste :* au Furnace Creek Ranch Resort. *Ouv à priori en sem 8h30-17h.*

■ *Distributeurs d'argent :* à la réception du Furnace Creek Ranch Resort *et dans le* General Store *de Stovepipe Wells Village.*

■ *Épiceries :* au Furnace Creek Ranch Resort *(la plus importante),* à Stovepipe Wells, *et une petite à* Shoshone. *Tlj 7h-21h.* Produits de 1re nécessité, boissons, sandwichs, souvenirs et les dattes produites dans l'oasis. Cher.

■ *Pompes à essence :* à Furnace Creek *(24h/24),* Stovepipe Wells *(24h/24),* Panamint Springs *(24h/24) et à* Shoshone. Évidemment, c'est très cher (faire le plein avant d'arriver dans la vallée). Également quelques stations dans le Nevada tout proche : à Amargosa Valley (frontière Californie-Nevada), à Lathrop Wells et à Beatty.

■ *État des routes :* California Highways, ☎ *1-800-427-7623 ;* Nevada Highways, ☎ *1-877-687-6237.*

■ *Urgences :* ☎ *911 (24h/24).*

■ *Douches et piscines :* au Furnace Creek Ranch Resort *et à* Stovepipe Wells Village. *Env 4 \$.* S'inscrire à la réception des hôtels. Idéal pour ceux qui campent, car il n'y a pas de douches dans les campings. Attention, le nombre de places quotidiennes est limité (venir tôt).

■ *Laverie :* au Furnace Creek Ranch Resort.

Où dormir ? Où manger ?

À *Baker*

À l'intersection de l'Interstate 15 et de la route 127, à 112 miles au sud de Furnace Creek. Escale possible si l'on vient de Los Angeles. Petite bourgade morne et écrasée de soleil de 390 habitants, sans grand intérêt si ce n'est qu'elle possède le plus grand thermomètre (à affichage digital) du monde : 134 pieds de haut (41 m), en commémoration de cette année 1913 où la température atteignit 134 °F (57 °C) dans Death Valley, soit le record absolu aux États-Unis. Après Baker, c'est le désert pendant un bon bout de temps (penser à faire le plein !).

🛏 *Bun Boy Motel :* 72139 Baker Blvd. ☎ *(760) 733-4252.* Fax : *(760) 733-4111. Double 65 \$ en sem, 80 \$ le w-e.* Un petit motel du bout du monde, étape improbable pour voyageur égaré. La réception est dans le *Country Store* voisin, le parking face aux pompes à essence, et les chambres sont grandes ouvertes sur le désert. En ligne d'horizon, l'Interstate 15 et les *trucks* qui avalent inlassablement leur ration de bitume surchauffé. Pour trouver le sommeil, c'est plus original que de compter les moutons ! Chambres vieillottes, correctes en dépannage. Très ambiance Bagdad Café.

🍴 *Big Boy Restaurant :* 72155 Baker Blvd. ☎ *(760) 733-4660. Tlj 7h-22h (23h ven). Petit déj-buffet 6-9 \$, plats 8-12 \$.* Au pied même du thermomètre, un *diner* américain bien caractéristique, avec sa façade à damier rouge et blanc, ses banquettes confortables et ses serveurs souriants. Buffet *All you can eat* intéressant pour le petit déj, ou plats simples et convenables (burgers, salades, *chicken*...). Une halte bienvenue sur la route des Parcs ou de Las Vegas.

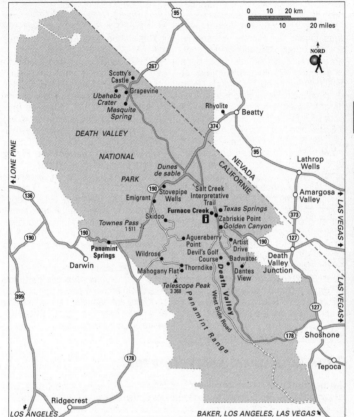

DEATH VALLEY NATIONAL PARK

À *Shoshone*

Pour ceux qui souhaitent remonter Death Valley par le sud (en provenance de Los Angeles), possibilité de dormir à Shoshone (sur la route 127, à l'intersection avec la 178). Village minuscule à l'ambiance *Bagdad Café*, assez insolite. Après, c'est 63 miles de désert ! Dans le village, une pompe à essence, une petite épicerie (avec un distributeur d'argent), une poste et même un *musée* pittoresque *(tlj 8h-21h)* fait de bric et de broc, niché dans l'ancienne station-service. La vieille guimbarde oubliée devant la façade vaut la photo, et la collection un rapide coup d'œil avec ses objets divers ayant appartenu à des mineurs, sa vitrine sur les minéraux et quelques reliquats de matériel agricole d'autrefois.

🛏 *Ranch House Inn :* 3 miles après le village de Tecopa, lui-même situé 10 miles au sud de Shoshone par la route 127. Sortir du village, puis à droite prendre Furnace Creek Rd. ☎ (760) 852-4580. ● ranchhouseinn.com ● Double env 100 $, avec petit déj. Atypique. Après 3 miles de piste poussiéreuse, on s'infiltre dans un étroit ravin qui débouche sur une merveilleuse oasis : des arbres, du gazon, dans un environnement de vastes étendues désertiques déroulées jusqu'aux lointaines montagnes. Quant au « ranch », il s'agit en réalité d'un genre de petit chalet coquet, aux chambres joliment meublées dans un style cosy. Simple, romantique, et définitivement au bout du monde ! Pour les aventuriers, la proprio possède également 2 mobile-homes à Tecopa, à louer sous forme d'AJ. Rudimentaire.

🛏 *Shoshone Inn :* dans la rue principale. ☎ (760) 852-4335. Env 75 $. Petit motel basique d'arrière-pays, proposant une quinzaine de chambres assez défraîchies, avec AC et douche. Bien trop cher pour la qualité proposée, mais peut tout de même s'avérer intéressant si l'on obtient une chambre équipée d'une kitchenette. Bon accueil par ailleurs, et accès possible à la piscine du village (plutôt un bassin), alimentée par une source naturelle d'eau chaude. En dépannage pour une nuit, point barre. *Sinon, quelques emplacements de camping (spartiates) à env 15-20 $ la nuit pour deux. Douches chaudes, w-c et accès à la piscine possible. Rens :* ☎ (760) 852-4569.

🍴 *Café C'est si bon :* à deux pas du Shoshone Museum, vers la sortie sud du village. ☎ (760) 852-4307. Tlj sf mar 8h-16h ou 17h. Env 10 $. Tout petit café à l'ambiance New Age, avec accès Internet. Au menu : crêpes, gâteaux, quiches, soupe du jour, le tout fait maison... Bien pour le petit déj ou une pause insolite en plein désert, dans le cadre tout aussi fantaisiste d'un pseudo-salon de thé aux allures de brocante. Pas étonnant, puisque le proprio tient une sorte de dépôt-vente nommé... UFO (*Unique and Found Objects* et non *Unidentified Flying Objects* !). Tout un programme !

🍴 *Crow Bar :* à côté du Shoshone Museum. ☎ (760) 852-4335. Tlj sf mer l'hiver 8h-22h. Plats 6-12 $. Le saloon-resto-bar du village, établi par Charles et Stella Brown, deux fameux pionniers de la vallée de la Mort, en 1920. Les cow-boys modernes garent leurs motos poussiéreuses avant d'avaler un sandwich en terrasse, les locaux s'y donnent rendez-vous pour une partie de billard. On a connu plus copieux, mais la qualité est honnête, l'accueil sympa et le cadre définitivement *Old West*. La petite étape carte postale.

Dans Amargosa Valley (Nevada)

Quelques maisons isolées en plein désert, à l'extérieur du parc national, déjà dans le Nevada, mais bien pratique quand toutes les autres adresses sont complètes (ce qui est souvent le cas en saison). Compter quand même au minimum 45 mn de trajet pour Furnace Creek, le cœur de la vallée.

🛏 *Amargosa Hotel :* 608 Death Valley Junction, à l'intersection des routes 190 et 127. ☎ (760) 852-4441. ● amargosa-opera-house.com ● Ouv tte l'année. Double 70 $. Dans une vieille hacienda blanche aux fenêtres bleues, où était autrefois installée l'une des compagnies exploitant le borax dans la vallée de la Mort. Un lieu isolé, modeste, que Marta Becket a tout de même choisi pour ouvrir cet établissement juste à côté de son théâtre pittoresque (lire plus loin « À voir encore »). Une quinzaine de chambres, simples et datées, avec AC et salle de bains. Les murs des couloirs et de certaines chambres sont toutefois décorés par les fresques de Marta. L'ensemble est un peu décrépi, surtout les moquettes, mais très propre. Et il règne ici une atmosphère bohème bien sympa. Souvent plein les jours de spectacle. Café le matin, mais pas de resto sur place (le plus près est le Long Street Inn Casino, à 7 miles au nord ; voir ci-dessous).

🛏 🍴 *Long Street Inn Casino :* à la frontière Californie-Nevada, sur la route 373 (si vous venez de Death Valley Junction, la route porte le n° 127 du côté Californie) et à une bonne douzaine de miles du village d'Amargosa Valley. ☎ (775) 372-1777. ● longstreetcasino. com ● Résa conseillée le w-e. Doubles 90-120 $ (les plus chères ont balcon ou terrasse). En plein désert, un établissement plutôt récent et conventionnel, qui vous donnera un (pâle) avant-goût de Las Vegas avec ses quelques machines à sous. Fréquenté par des routiers et des habitués, quand ce n'est pas le shérif qui fait une pause pendant la tournée du jour. Chambres spacieuses convenables, parfaitement équipées (cafetière, planche à repasser), certaines avec vue sur le petit étang et les montagnes à l'arrière-plan. Piscine, laverie. Petite boutique près de la réception et resto, assez médiocre. Pour changer, allez prendre un verre ou un burger dans le saloon en face : l'Amérique dans son jus !

À Beatty (Nevada)

Cette bourgade isolée et sans grand charme occupe une cuvette à 100 m d'altitude, dans les montagnes dominant la vallée par le nord. De là, la route 374 redescend en 26 miles vers le principal carrefour de la Death Valley. Comme Beatty se trouve juste de l'autre côté de la frontière du Nevada, quelques casinos s'y sont installés, fréquentés par les *truckers* de passage.

🛏 |❶| **Stagecoach Hotel & Casino :** *à la sortie du village, sur la Hwy 95 N (direction Tonopah).* ☎ *(775) 553-2419 ou 1-800-4-BIG-WIN.* ● *stagecoachhotelcasino.com* ● *Résa conseillée le w-e (eh oui, même ici !). Doubles 55-65 $.* C'est le plus grand hôtel de la ville, un vieux coucou à l'ancienne composé de plusieurs ailes. Les chambres sont correctes et bien équipées (AC, minifrigo), à condition d'éviter celles qui donnent sur un mur aveugle (dans un coin aussi peu urbanisé, c'est une vraie performance d'architecte !). Piscine et jacuzzi. Le resto du casino n'est pas très excitant mais relativement bon marché et ouvert 24h/24.

🛏 **Armagosa River Inn :** *350 S 1ˢᵗ St (parallèle à la Hwy 95, direction Las Vegas).* ☎ *(775) 553-2250. Fax : (775) 553-2260. Double env 45 $.* Petit motel rustique tout simple mais pas désagréable, avec ses bâtiments en bois blanc et bleu flanqués d'une longue galerie. Chambres évidemment datées et un peu sombres, mais très propres et correctement équipées (AC, TV câblée et minifrigo – et aussi, pour la plupart, un micro-ondes). Laverie à pièces. Très bon rapport qualité-prix-accueil.

🛏 **Motel 6 :** *à la sortie du village, sur la Hwy 95 N, un peu après le* Stagecoach Hotel & Casino. ☎ *(775) 553-9090.* ● *motel6.com* ● *Double env 60 $.* Tout le confort standardisé des *Motel 6*, celui-ci présentant l'avantage d'être neuf : chambres pas bien grandes mais impeccables, dotées de blocs de douches moulés. Pas de piscine, mais les clients ont accès à celle du *Stagecoach Hotel & Casino*. Laverie, café le matin.

|❶| **Ensenada Grill :** *600 Hwy 95 S (direction Las Vegas).* ☎ *(775) 553-2600. Tlj 7h-20h. Plats 6-15 $.* Spécialités mexicaines sans finesse mais roboratives : *tacos, enchiladas, fajitas...* sans oublier les burgers pour les irréductibles. Ce sont toutefois les *breakfasts* qui ont la préférence des gens du coin. Sinon, on a bien aimé la petite salle aux couleurs pétantes et l'ambiance « *In the middle of nowhere* ». Ne faites pas un détour exprès, mais pour une halte, c'est pratique et on n'en ressort pas fâché.

|❶| **Surdough Saloon :** *Hwy 95 N, au croisement avec la Hwy 95 S. Env 10-15 $.* Le vieux rade rustique à souhait, au parquet usé, au poêle à bois asthmatique, au comptoir élimé où s'accroche une brochette de réguliers. Pour boire un verre sur un air de country et avaler la meilleure pizza de la ville (absence de concurrence oblige). Pittoresque.

Dans Death Valley

Campings

Impossible de camper en été à cause de la chaleur. Il fait plus frais dans un four.

🏕 |❶| **Furnace Creek Campground :** *à côté du* Furnace Creek Ranch Resort. ☎ *1-877-444-6777.* ● *recreation.gov* ● *Ouv tte l'année. Emplacements 12-18 $*

selon saison. Notre préféré. En tout, 136 places, dont moins de la moitié avec de l'ombre (c'est le seul à en avoir). W-c, téléphone et tables de pique-nique. Pas de douche sur place, mais de nombreux services au *Furnace Creek Ranch Resort* voisin : restaurants, piscine, poste, douches, station-service, épicerie... et bar-saloon. Souvent complet, mais réservation possible de mi-octobre à mi-avril (c'est le seul du parc à le faire).

🏕 *Mesquite Spring Campground :* à *3 miles au sud de Scotty's Castle,* dans un cul-de-sac. *Ouv tte l'année sur le principe du « 1er arrivé, 1er servi ». Env 12 $ l'emplacement.* L'un des moins hostiles, isolé dans un bel environnement montagneux, mais ne comptez pas sur de l'ombre ou du gazon pour autant... Il s'agit d'une trentaine d'emplacements séparés par quelques broussailles, dotés de tables, de bancs et de braseros pour le feu. Eau et w-c, mais pas de douches.

🏕 Sept autres *campings* dans la vallée. On commence par les payants *(empla-*

cements env 12-14 $) : Sunset et *Texas Spring,* tout contre le *Furnace Creek Ranch Resort (ouv oct-avr),* le premier réservé aux camping-cars, le second avec, dans le meilleur des cas, 3 emplacements vaguement ombragés (le A2 est le mieux) ; *Stovepipe Wells (ouv oct-avr),* aux emplacements alignés comme à la parade, sur un immense terrain vague sans ombre aucune ! Le charme d'un parking, en somme. Les campings gratuits (et on comprend pourquoi) sont aussi les plus petits : *Wildrose (ouv tte l'année) ; Thorndike* et *Mahogany Flat (ouv mars-nov),* situés dans le Panamint Range, loin de tout, à l'écart de la route 178 reliant Ridgecrest à Death Valley (4x4 nécessaire). Tables et sanitaires sur tous les sites, pas d'eau à *Thorndike* et *Mahogany Flat.* Partout un soleil de plomb et aucune ombre. Enfin, le camping d'*Emigrant* qui n'accueille que les tentes *(ouv tte l'année),* au croisement des routes 178 et 190 : une poêle à frire caillouteuse, profitant toutefois d'une vue superbe sur la vallée (w-c, téléphone et point d'eau sur place).

De prix moyens à plus chic

🏠 ⦿ *Stovepipe Wells Village :* sur la Hwy 190, entre *Panamint Springs* et *Furnace Creek.* ☎ (760) 786-2387. ● *stovepipewells.com* ● *Doubles 71-115 $ selon taille et confort ; petit déj-buffet 7,50 $. Plats 10-22 $.* Cet ensemble de bâtiments en bois ne manque pas de caractère. D'abord, il doit son nom à un tuyau de poêle *(stovepipe)* planté par un pionnier pour indiquer une source d'eau, ensuite ce motel du Far West fut le 1er hôtel construit dans la vallée de la Mort (en 1926). Pittoresque, très paisible et convivial, il est par ailleurs moins cher que le *Furnace Creek Ranch Resort,* géré lui aussi par Xanterra. Tout pour plaire ! Les chambres, classiques et bien entretenues, proposent différents niveaux de confort. Les moins chères (les plus petites, sans TV) sont les plus demandées, pensez à réserver à l'avance. Si vous avez les moyens, celles situées dans le bâtiment *Road Runner* (ou *Forty Niner*) ont vue sur les Sand Dunes. L'autre gros avantage ici, c'est la piscine. On y trouve aussi un resto chaleureux *(ouv slt mat et soir*

l'été ; mat, midi et soir l'hiver) où l'on sert quelques plats classiques, un saloon à la déco western marrante, une épicerie avec *ATM* et une station-service. Les non-résidents, et en particulier ceux qui dorment au camping voisin, peuvent utiliser la piscine et les douches, moyennant 4 $. Le meilleur rapport qualité-prix à l'intérieur de la vallée.

🏠 ⦿ *Furnace Creek Ranch Resort :* à *Furnace Creek Village, au cœur de la vallée.* ☎ (760) 786-2345. ● *furnacecreekresort.com* ● *Doubles en motel 146-195 $ selon saison ; en bungalows* (cabins), *116-145 $.* Un cadre assez exceptionnel car, après des heures de désert total, on se retrouve dans une vraie oasis ! En fait, le « ranch » est un véritable village qui a le monopole dans la vallée, avec boutique, épicerie, laverie, poste, distributeur de billets et musée. En prime : piscine (d'eau minérale naturellement chaude), plusieurs tennis (éclairés la nuit), superbe golf 18 trous et promenades à cheval. Bien sûr, tout cela est éminemment touristique, souvent bondé, d'où un petit côté

« usine », et l'accueil s'en ressent en haute saison. Plusieurs possibilités de logement. Le motel (trop cher) a été rénové et renferme des chambres classiques, assez spacieuses et confortables (AC, TV, minifrigo, patio ou balcon). Les plus chères offrent une très agréable vue sur le golf, envahi au petit matin d'oiseaux à la recherche d'insectes. Les *cabin bedrooms,* des bungalows alignés en rang d'oignons et divisés en 2 chambres, sont moins chères mais très simples, avec juste un minifrigo et une clim' bruyante. Douche-piscine payante pour les campeurs (4 $). Côté resto, un saloon, le *Forty Niner Café (ouv 7h-21h)* pour des burgers et des pizzas à emporter, et 2 autres restos (corrects mais chers) : le *Wrangler Steakhouse* (buffets au petit déj et le midi, plats classiques le soir, entre burgers, salades et viandes) et, en saison, le bar-grill du golf.
△ 盒 |●| *Panamint Springs Resort :*

dans Panamint Valley, parallèle à Death Valley, juste à l'entrée ouest du parc (sur la route 190) et à 48 miles de Lone Pine. ☎ (775) 482-7680. ● *deathvalley.com* ● Resto tlj 7h-20h (21h l'été). Double env 85 $. Plats 6-15 $ le midi, 12-20 $ le soir. En plein désert, ce minuscule établissement au bois cuit et recuit par le soleil fera le bonheur des amateurs de grands espaces. Les autres trouveront sans doute les chambres vieillottes : réparties dans des chalets équipés de la clim', elles se révèlent basiques et juste acceptables pour une étape. Les nouveaux proprios devraient toutefois rajeunir le tout à court terme. En revanche, manger un burger ou une grosse salade depuis la terrasse en bois du saloon laisse un bon souvenir. De l'autre côté de la route, une aire de camping très rudimentaire (*env 15 $, 3 $ de plus pour la douche*). Terrain sec vaguement ombragé par une poignée d'arbres.

Très chic

盒 |●| **Furnace Creek Inn :** ☎ (760) 786-2345. ● *furnacecreekresort.com* ● Doubles 260-390 $ selon saison, vue et équipement. Fermé de mi-mai à mi-oct. Perché juste au-dessus de Furnace Creek, dans sa propre oasis de 1 500 palmiers dattiers. Sans conteste le plus agréable des hôtels de la vallée pour ceux qui en ont les moyens. Construit en 1927 alors que l'Amérique apprenait à découvrir ses parcs nationaux, cette longue bâtisse ocre en pierre et brique accueillit à cette époque les premières stars du cinéma

muet. Elle abrite aujourd'hui 66 chambres tout confort à la déco 1930, réparties sur 3 niveaux, à flanc de colline. Celui du bas s'ouvre sur les jardins, bercés par les gargouillis de la source à 28 °C qui alimente une bien charmante piscine. L'hôtel possède comme de juste un très bon restaurant, mais cher lui aussi et guindé, où on ne peut dîner que *smart* (ni jean ni T-shirt), et de préférence sur réservation. Le midi, c'est moins cher et plus *casual.* C'est en tout cas le seul endroit où l'on peut goûter des beignets de serpent à sonnette !

À voir

– *ATTENTION :* pour ceux qui souhaiteraient quitter les routes goudronnées, surtout bien s'informer de l'état des pistes auprès du *Visitor Center.* Aux heures chaudes, dès que vous quittez la voiture pour une balade à pied, prenez chapeau, crème solaire et beaucoup d'eau.

À Furnace Creek

🦴 **Borax Museum :** juste en face du Wrangler Steakhouse. *Tlj 10h-16h ; parfois fermé l'été. Entrée gratuite.* Comme de juste, le musée est installé dans la plus vieille maison de Death Valley, une baraque en bois de 1883 transportée ici depuis le *canyon des Vingt-Mules.* Il est tout à la gloire des héros de jadis : pionniers, aventuriers, mineurs, bref, tous ceux qui ont écrit l'histoire de la vallée. Quelques textes relatent des anecdotes croustillantes, illustrées par une ribambelle d'objets d'époque. C'est toutefois dans la cour qu'on découvre les plus belles pièces, comme une antique locomotive, des calèches, des wagonnets utilisés dans les mines... C'est d'ailleurs l'autre principal thème du musée. Une petite exposition est consacrée à l'exploitation minière dans la vallée, dont le fameux borax, un minerai découvert en 1875 par un prospecteur français du nom d'Isidore Daunet. C'est lui qui mit sur pied la première exploitation. Peu après, il y en eut des dizaines. À l'origine, le borax était surtout utilisé dans la confection du savon. Aujourd'hui, il sert à fabriquer : céramique, porcelaine, insecticides, composants électroniques, antigel, liquide de transmission, et même à protéger la navette spatiale de la surchauffe lors de son retour dans l'atmosphère ! Près de la moitié de la production mondiale vient de Californie. Vous apprendrez aussi tout sur les convois de 20 mules qui transportaient le borax jusqu'à la gare la plus proche, à Mojave, situé à... 166 miles de là !

¶ **Visitor Center Museum :** voir « Adresses et infos utiles ».

Vers le sud

¶¶¶ **Zabriskie Point :** 4,5 miles après Furnace Creek, sur la 190, direction Death Valley Junction. Rendu célèbre par le film du même nom réalisé par Antonioni, c'est l'un des phénomènes géologiques les plus fascinants de la vallée. Le point de vue porte le nom de celui qui a exploité le borax dans la vallée. S'y rendre absolument au lever du soleil, avant la ruée des cars de touristes : calme olympien et magie des couleurs assurés. La vue sur les collines voisines, ravinées par la force conjuguée des éléments, offre un paysage absolument unique, à 360°. On se croirait sur la Lune ! La roche, plissée comme un drap jeté négligemment, présente des couleurs merveilleuses, allant du vert à l'orange

SILENCE, ON TOURNE !

Death Valley a fait rêver un nombre incalculable de réalisateurs de cinéma : canyons étroits, étendues steppiques, paysages lunaires, tout y est pour offrir le plus beau des décors aux Indiens, aux cow-boys... ou aux Martiens ! Quelques exemples parmi la liste interminable de movies : Three Godfathers *de John Ford, avec l'incontournable John Wayne (1948) ;* Les Mines du roi Salomon *de Bennett, avec Deborah Kerr et Stewart Granger (1950) ;* Spartacus *de Kubrick, avec Kirk Douglas et Laurence Olivier (1960) ;* Zabriskie Point *d'Antonioni (1970), avec Mark Frechette et Harrison Ford ;* Star Wars *de Lucas (1977), avec tout le monde sait qui. La Force était sans doute avec eux pour affronter la chaleur !*

en passant par le rose. Quand on pense qu'il y a plusieurs millions d'années, il y avait là un lac...

¶ **Twenty Mule Team Canyon :** juste après Zabriskie Point (1 mile au sud). À l'écart de la route 190. Boucle (en sens unique) non goudronnée, mais en bon état. Route étroite qui s'enfonce sur près de 4 miles dans les roches de couleurs de Zabriskie Point, serpente entre les gros mamelons de pierre et dégringole abruptement au creux de petits ravins.

¶¶ **Dante's View :** à l'écart de la route 190 (à 13 miles), après Zabriskie Point (parking pour camping-cars au pied de la dernière montée). Promontoire du haut duquel se révèle une vue absolument superbe sur une grande partie de Death Valley (surtout au lever du soleil). En empruntant un petit chemin de crête depuis le parking, on la domine entièrement de 1 669 m de haut. Le dernier kilomètre, qui monte à 15 %, est pénible pour les voitures. Il est préférable de couper la clim', sinon le moteur risque de bouillir.

¶ **Golden Canyon :** à 3 miles au sud du Furnace Creek Ranch, sur la route 178 (direction Badwater et Shoshone). Y aller très tôt pour éviter les grosses chaleurs.

Petite balade à pied de 3 km dans un ravissant canyon. Intéressantes formations géologiques, de couleur jaune évidemment. Emporter de l'eau, un chapeau et des lunettes de soleil.

🚶🚶 *Devil's Golf Course : à 12 miles au sud du* Furnace Creek Ranch, *le long de la 178, entre Artist Dr et Badwater.* Une immense étendue de sel, presque aveuglante, abandonnée en plein désert après l'assèchement d'un ancien lac ! D'où le surnom de « terrain de golf du Diable »... Le vent a sculpté la terre craquelée, faisant de chaque motte une œuvre d'art étincelante aux arêtes tranchantes.

🚶🚶 *Badwater : toujours au bord de la route 178, à 18 miles au sud du* Furnace Creek Ranch. Une vaste étendue d'eau, résidu salé d'un lac immense qui recouvrait la vallée entière, il y a très longtemps. C'est le point le plus bas des États-Unis, et même de tout l'hémisphère nord, à 86 m au-dessous du niveau de la mer ! Notez qu'il a fallu escalader la paroi rocheuse dominant la route pour y installer un panneau indiquant l'endroit exact du niveau de la mer... Un ponton de bois permet de s'avancer au-dessus des plaques de sel et des mares, où se baladent quelques rares insectes malgré le fort taux de salinité. Encore un miracle de la nature !

🚶🚶 *Artist's Palette (Artist Drive) : juste avt le Golden Canyon (route 178), en revenant de Badwater, à 9,5 miles au sud du* Furnace Creek Ranch. *À faire au retour, car boucle en sens unique.* Sur environ 9 miles, la petite route solitaire serpente dans un somptueux paysage de montagnes, avant de parvenir à une curiosité naturelle qui justifie la balade. Dans un amphithéâtre, des pigments minéraux ont donné aux pierres volcaniques des couleurs très intenses. Le fer produit les rouges, roses et jaunes. La décomposition du mica donne les verts, le manganèse, les pourpres et les violets. Encore un régal pour les yeux (et l'appareil photo !). À faire de préférence en fin de journée pour profiter de la belle lumière mordorée.

Vers le nord

🚶 *Harmony Borax Works Interpretative Trail : à quelques miles de Furnace Creek, sur la gauche.* À flanc de colline s'échelonnent les maigres vestiges d'une des premières exploitations de borax de la vallée, datant de 1883. On peut encore voir la charrette, mais surtout les cuves et la cheminée, des installations qui servaient à traiter le minerai sur place afin de réduire les coûts de transport. Mais l'opération était impossible en été, car pour séparer le borax du mauvais minerai... il fallait chauffer le tout à plus de 120 °C ! Torride. De là, panorama sur le Mustard Canyon, dont les roches arborent en effet de jolis tons jaune moutarde.

🚶 *Salt Creek Interpretative Trail : à un peu plus de 1 mile de la route 190, en direction de Scotty's Castle.* Balade assez inattendue de 800 m sur un ponton en bois surélevé à quelques centimètres au-dessus du sol (pour éviter d'abîmer la flore). De loin en loin, quelques panneaux donnent une poignée d'explications sur la flore et la faune du coin. Autant dire qu'en plein été ça tape fort, et qu'à part le désert, les lézards blancs et les insectes, il n'y a rien à voir. En revanche, en hiver, c'est l'un des meilleurs endroits pour observer la vie sauvage : petits poissons et oiseaux migrateurs sont au rendez-vous.

🚶🚶 *Sand Dunes (dunes de sable) : toujours sur la route 190, peu avt Stovepipe Wells Village, sur la droite.* L'un des points forts de la visite dans la vallée. On croit rêver : au loin apparaît un morceau de Sahara dans l'Ouest américain ! Ces dunes de sable blanc sont l'œuvre des vents, qui se rencontrent à ce point précis de la vallée, apportant grain par grain les fragments de roche des montagnes voisines. Essayer de venir au lever ou au coucher du soleil, c'est encore plus beau. Et bien sûr, si vous avez l'intention d'atteindre les dunes, n'oubliez pas qu'il n'y a pas de sentier balisé et qu'il est très fatigant de marcher dans le sable mou. En revanche, la balade est belle. Ne confondez pas ces dunes-ci avec celles du *Great Sand Dunes National Monument* dans le Colorado, beaucoup plus imposantes.

🚶🏃 *Scotty's Castle* : ☎ (760) 786-2392. *Visite guidée tlj 9h-16h (17h l'hiver). Entrée : 11 $; réduc. Souvent une longue attente. Après avoir pris son billet, on peut aller faire un tour au cratère d'Ubehebe (voir ci-dessous) pour tuer le temps (attention, c'est à 10 miles, quand même !). Demandez une brochure en français. Attention, il est interdit d'entrer avec sac photo, trépied, sac à dos...*

Walter Scott (aucun rapport avec l'Écossais d'*Ivanhoé*) était, au début du XXe s, un sacré escroc. Ancien du *Buffalo Bill Wild West Show,* pour lequel il fut tireur d'élite et cascadeur, il devint prospecteur dans la vallée de la Mort et réussit à convaincre un certain Johnson, magnat des assurances, qu'il y avait découvert une mine d'or. Il parvint à lui soutirer des fortunes pour exploiter cette prétendue mine. Jusqu'à ce que Johnson aille sur place pour se rendre compte de la supercherie. Mais le milliardaire, très malade, s'aperçut que le climat très sec du désert améliorait sa santé. Du coup, il n'en voulut pas à Scott et alla même jusqu'à lui verser une pension mensuelle. Johnson décida sur la foulée de faire construire une résidence dans un vallon perdu en plein désert : rien de moins qu'un véritable palais (3 658 m²) de 20 pièces, dans le style d'une hacienda espagnole du XVIIIe s, avec tourelles, porches, dépendances et une tour à l'horloge d'un kitsch redoutable. Il lui en coûta 2 millions de dollars de l'époque, une sacrée somme ! Rien n'était trop beau : meubles anciens achetés en Europe, ferronnerie d'art, étoffes précieuses... Johnson y passa dès lors toutes ses vacances d'hiver avec sa femme, et de nombreuses personnalités de l'époque leur rendaient visite. En raison de la crise de 1929, le château ne fut jamais achevé. Scotty, qui y avait une chambre attitrée, mais habitait une baraque en plein désert, affirmait durant l'absence des Johnson que le « château » lui appartenait, construit grâce à l'or découvert dans sa mine fantôme – ce qui explique que la maison soit encore baptisée Scotty's Castle. Il y finit ses jours, une fois le château revendu, jusqu'à sa mort en 1954.

Si vous arrivez trop tard pour la visite guidée (une dizaine de pièces restées en l'état : salons avec cheminées, salle de musique, cuisine, chambres, et même le garage avec véhicules d'époque), vous pourrez visiter la salle d'expo (gratuite), où est racontée l'histoire du château et de Scotty – voire jeter un coup d'œil à sa tombe, isolée sur la colline surplombant le site.

🚶🏃 *Ubehebe Crater :* à 5 miles de l'entrée nord du parc et 10 miles du Scotty's Castle. Un site magnifique qui mérite largement le détour. Dès que l'on s'éloigne de la route principale, les vastes étendues désertiques changent de couleur, désormais tapissées de poudres volcaniques noires. Puis la route grimpe à flanc de colline pour déboucher au bord du cratère, une cuvette de 800 m de large et de 500 pieds (152 m) de profondeur, due à une explosion volcanique vieille d'environ 3 000 ans. En langue shoshone, *ubehebe* signifie « panier », ce qui évoque bien sa forme et les couleurs jaune orangé de la falaise. Beau panorama sur la vallée depuis le bord du cratère.

🚶 En continuant la piste au-delà du cratère, on parvient après 27 miles à la *Racetrack Valley.* Phénomène étonnant : de grandes traces, ressemblant à s'y méprendre à des empreintes de roues, marquent le sol. Mais aucun véhicule n'est passé par là ! En fait, de gros blocs de pierre ont tout simplement roulé sur le sol, poussés par le vent. 4x4 indispensable.

🚶 *Titus Canyon :* à 6 miles au sud de Beatty, dans le Nevada (juste avt l'entrée dans le parc), une piste en sens unique part sur la droite. Elle traverse d'abord des paysages montagneux, puis rejoint l'entrée d'un défilé très étroit, assez spectaculaire. Méfiance toutefois, car cette piste de 26 miles n'est accessible dans son intégralité qu'aux 4x4. À défaut, on peut gagner le débouché du canyon par le sud (depuis la route 190 en direction de Scotty's Castle, à 14 miles du carrefour principal de Death Valley) puis le remonter à pied. Nul besoin de beaucoup s'éloigner pour découvrir de beaux points de vue et s'imprégner de l'ambiance...

À voir encore

🏹 La ville fantôme de *Rhyolite,* située à l'écart de la route 374, à 4 miles à l'ouest de Beatty, hors du parc, ne vaut pas tripette – surtout si vous vous êtes déjà arrêté à Bodie ou prévoyez de le faire. Il ne reste que la vieille gare (entourée de grillages), un wagon, une citerne et des pans de maisons en pierres dispersés dans les champs environnants. Si vous êtes venu jusque-là, vous pourrez toujours jeter un coup d'œil sur la fameuse *Bottle House,* datant de 1906, aux murs complètement recouverts de bouteilles de bière (50 000 !)...

> ## CHARGÉ COMME UNE MULE
>
> *Les célèbres attelages de 20 mules, véritables icônes de la vallée, étaient capables de tracter des charges de 36 t, auxquelles s'ajoutaient 1 200 gallons d'eau (4 545 l). Chaque chariot mesurait 7 pieds (2,10 m) de hauteur, et l'ensemble du convoi dépassait les 30 m de long. De vrais* trucks *à pattes !*

🏹 *Amargosa Opera House :* à *Death Valley Junction, intersection des routes 190 et 127.* ☎ *(760) 852-4441.* ● *amargosa-opera-house.com* ● *Billets vendus à l'Amargosa Hotel :* 15 $. Marta Becket est une femme étonnante. Un jour, la voiture de cette danseuse new-yorkaise tombe en panne dans ce petit hameau isolé du monde. Elle découvre alors le désert et décide d'y vivre. Ainsi, depuis 1968, tous les samedis à 20h15 (d'octobre à mi-mai), organise-t-elle un spectacle de danse, ballet, comédie et pantomime. Les murs sont recouverts d'une gigantesque fresque peinte par Marta, figurant des tribunes de spectateurs entourant un roi et une reine, probablement au XVIe s.

🏹 *Wildrose Charcoal Kilns :* ces étonnants fours à charbon de bois, conçus par un ingénieur suisse en plein milieu de nulle part en 1879, ne valent quand même pas le grand détour nécessaire pour s'y rendre depuis Furnace Creek. En revanche, c'est sur le chemin de ceux quittant la vallée par la route 178 en direction de Ridgecrest (plus exactement, à 7 miles du camping de Wildrose). Les 10 fours, en forme de ruches, s'alignent parfaitement (c'est ça la précision helvétique !). Le charbon de bois était vendu à la mine de Modock, située à environ 30 miles vers l'ouest.

🏹 *Mojave National Preserve :* si vous venez de Los Angeles ou si vous repartez dans cette direction et que vous n'avez pas eu votre ration de désert, pourquoi ne pas vous offrir quelques heures de balade en voiture à travers cette réserve ? La troisième plus grande du pays, elle s'étend sur 6 500 km² du grand désert de Mojave – soit un territoire plus important que l'État du Delaware ! On peut y découvrir une vaste étendue de grandes dunes, d'une belle couleur mordorée, dont les plus hautes mesurent 180 m *(Kelso Dunes).* À voir aussi, la plus importante forêt de *Joshua trees* de l'Ouest américain. Pas de droit d'entrée.

🛈 On peut obtenir de la documentation au *Mojave National Preserve Visitor Center,* situé au Kelso Depot, Kerbaker Rd. ● nps.gov/moja ●

LOS ANGELES ET LE SUD DE LA CALIFORNIE

LOS ANGELES 3 800 000 hab. (10 200 000 pour le Grand Los Angeles)

IND. TÉL. : voir « Indicatifs téléphoniques par secteurs *(area codes)* », dans « Adresses et infos utiles », plus loin.

> Pour les plans de Los Angeles, se reporter au cahier couleur.

> « If New York is the Big Apple,
> L.A. is the Big Nipple. »
> (« Si New York est la Grosse Pomme,
> L.A. est le Gros Nichon. »)
>
> **Louis Malle.**

À 400 miles de San Francisco et 131 miles de San Diego, s'étendant chaque année davantage grâce à son réseau tentaculaire de *freeways*, Los Angeles dévore tout sur son passage. Métropole riche, énergique, créative, bouillonnante, et pourtant inégalitaire (plus de 22 % de la population vit en dessous du seuil de pauvreté) et travaillée de l'intérieur par une foule de problèmes sociaux et de conflits ethniques, voilà une agglomération sans centre véritable, sorte d'immense puzzle de 88 quartiers (Hollywood, Downtown, Venice, Santa Monica, South Central, Chinatown, Koreatown...) vivant chacun de façon autonome et juxtaposée, avec ses riches et ses pauvres, sa splendeur et sa misère, son or et sa poussière.

On dit souvent de L.A. qu'elle n'est qu'une mer infinie de béton... Erreur ! La ville frappe, au contraire, dès les premiers instants, par son horizontalité verdoyante, ses espaces verts, l'omniprésence de la nature : proximité du désert, abondance des arbres, des taillis, des herbes folles au bord des autoroutes qui la sillonnent. Hormis les tours géantes de Downtown où les gens travaillent mais n'habitent pas, Los Angeles ressemble à une banlieue à perte de vue, où les maisons en bois entourées de jardins coquets témoignent d'une réelle qualité de vie. On la dit inhumaine à cause de la circulation, des tremblements de terre, des incendies, des inondations et de la criminalité (dans certains quartiers). Ce n'est ni tout à fait vrai ni vraiment faux. Côté circulation (difficile, en effet, de se passer de la voiture), mieux vaut éviter les heures de pointe *(rush hours)*, mais en dehors de ces périodes embouteillées, la ville devient presque facile à dompter, à condition de bien étudier une carte avant de s'y lancer.

Cette grande mal-aimée est d'abord une grande méconnue. Avec plus de dix millions d'habitants, elle est la deuxième ville américaine après New York, et sera la capitale de l'empire économique du Pacifique (le futur centre du monde, selon certains), qui englobe l'ouest des États-Unis et une grande partie de l'Asie (Japon, Chine, Taiwan, Corée du Sud, Indonésie, Philippines, Malaisie, Australie...). Los Angeles, c'est donc aussi la ville où le Far West rencontre le Far East, où l'Occident rencontre l'Extrême-Orient. En moins d'un siècle, cette ville, qui marche plus vite que son ombre, est devenue le berceau d'une culture capable de s'exporter dans le monde entier : tout a commencé avec l'usine à rêves d'Hollywood. Puis ont été inventés des objets et des modes de vie qui ont fait le tour du monde : le roller-skate et le roller tout court, le body-building, le jogging. Et ce n'est pas fini...

Point d'aboutissement de la conquête de l'Ouest, point d'arrivée de la fameuse Route 66 qui commence à Chicago et s'achève à Santa Monica face au Pacifique, Los Angeles continue, en dépit de la pollution qui la gangrène et de la mise au ban caractérisée de ses laissés-pour-compte, à porter le rêve américain à bout de bras.

Drôle de destin quand même pour cette bordure de désert devenue une des villes les plus importantes du monde en moins d'un siècle !

SUPERFICIE

La ville (dans ses strictes limites administratives) s'étend sur 1 290 km^2, ce qui la place au deuxième rang des plus grandes villes des États-Unis. Mais s'il s'agit du *Los Angeles County* (c'est-à-dire « le Grand Los Angeles »), alors on arrive à une étendue presque dix fois plus importante (12 308 km^2), même si la zone urbaine proprement dite n'en couvre pas toute la surface. L.A. County a grosso modo la forme d'une enclume. Les dimensions de cette immense métropole – bordée par le Pacifique à l'ouest, par les collines d'Hollywood au sud, par celles de Beverly au nord, et par le désert à l'est – ont vraiment de quoi impressionner : 50 miles à vol d'oiseau d'ouest en est, soit de Malibu à Euclid Avenue (au niveau de la Highway 83) ! Du nord au sud, on compte environ 38 miles (toujours à vol d'oiseau) entre la vallée de San Fernando et le bout de Point Fermin dans le quartier San Pedro, près du port de L.A.

POPULATION

La ville compte près de 4 millions d'habitants. Le Los Angeles County (ou *Greater L.A.*), 10,2 millions, et la région de Los Angeles (qui, elle, s'étend bien au-delà de l'agglomération), quelque 18 millions. Des chiffres assez bas, somme toute, compte tenu de la superficie de ces différentes entités. C'est que les Angelenos (c'est le nom des habitants de Los Angeles) ont le privilège de ne pas vivre serrés comme des sardines et de jouir de beaucoup d'espace. À l'inverse de New York ou Chicago, L.A. est une ville très aérée, constituant une sorte d'immense banlieue, mais dépourvue de HLM ou autres immeubles d'appartements, et donc à faible densité de population. Ainsi, si elle est l'une des villes les plus étendues (si ce n'est la plus étendue) du monde, Los Angeles vient tout de même, par la population, assez loin derrière d'autres « géantes » comme Mexico, Tokyo, São Paulo ou même New York (plus de 18,7 millions d'habitants en comptant la grande banlieue). Pour vous donner une idée de cette faible densité, un quartier comme Beverly Hills ne compte que 35 000 âmes (triées sur le volet et bien nanties, il est vrai, mais bon...). Quant à Santa Monica, on n'y recense jamais que 86 400 habitants, et pourtant c'est déjà une ville d'une superficie de plusieurs kilomètres de côté. Enfin, plus parlant que tout ce qui précède : la densité à L.A. est de 3 165 habitants au km^2, contre 10 316 à New York !

GROUPES ETHNIQUES ET LANGUES

Dans cette bourdonnante tour de Babel tournée vers le Pacifique, on parle plus de 86 langues et dialectes du monde entier. Moins d'un tiers de la population est blanche. La majorité (47 %) des Angelenos appartient à la communauté hispanique (originaires du Mexique et d'Amérique centrale). On les appelle souvent les « chicanos », mais ce terme est péjoratif, évitez de l'employer à tort et à travers. Autrement dit, avec 4,8 millions d'habitants, la communauté hispanique de L.A. représente la 3e plus grande ville hispanique d'Amérique du Nord, après Mexico et Guadalajara (2e ville du Mexique). D'ailleurs, si l'*American English* est la seule langue officielle, les informations en espagnol sont très fréquentes dans les lieux publics (c'est le moment ou jamais de dépoussiérer l'espagnol que vous avez appris au lycée !). Voici les principaux regroupements ethniques de la ville :

– **Quartier latino :** à Downtown, autour d'Olvera Street, le berceau hispanique de la ville. Mais les hispanophones habitent beaucoup aussi dans les faubourgs à l'est de Downtown. D'ailleurs, East Los Angeles est le cœur du *barrio,* conglomérat de plusieurs petits quartiers juxtaposés entre Lincoln Heights et Whittier Boulevard. C'est la capitale *latina* des États-Unis.

– **Chinatown :** les Asiatiques forment 12,9 % de la population de L.A. Parmi eux, les Chinois, la plus ancienne communauté d'Asie en Californie. Bien qu'ils soient 72 % à avoir acquis la nationalité américaine, ils demeurent fidèles à leurs pays d'origine. Hsi Lai, le plus grand édifice bouddhique américain, témoigne de l'importance de cette communauté qui contrôle 15 % des entreprises de la région de L.A. Chinatown, situé au nord de Downtown et non loin du quartier mexicain (autour de North Broadway Boulevard), est beaucoup plus petit que le Chinatown de San Francisco, mais il est tout aussi animé.

– **Little Tokyo :** le quartier japonais de L.A. Situé à l'est de Downtown, entre 1st, Alameda, 3rd et Los Angeles Street. Il concentre la plus grande communauté japonaise vivant en dehors du Japon.

– **Koreatown :** comme son nom l'indique, il s'agit du quartier coréen de L.A. Il s'étend entre Hollywood et Downtown, plus exactement entre les Wilshire et Western Avenues, le Pico Boulevard et la Freeway 110. Ce quartier serait la 3e ville coréenne au monde ! Le dynamisme et l'esprit d'entreprise des immigrés coréens se retrouvent dans la multitude de commerces en tout genre qu'ils contrôlent. Toutes les enseignes sont écrites en coréen. De nombreux commerçants ont été la cible des révoltés de South Central lors des émeutes d'avril 1992.

– **Little Saigon :** quartier peuplé presque exclusivement de Vietnamiens, accueillis aux États-Unis comme réfugiés politiques après la guerre du Vietnam et sa réunification par les communistes en 1975. Très excentré, Little Saigon se trouve au sud, dans Orange County, dans le quartier de Westminster, le long de Bolsa Avenue (dans le secteur compris entre Beach Boulevard et Bristol Street).

– **Les Afro-Americans :** les Blacks représentent environ 8,8 % de la population de L.A. Les plus pauvres habitent le quartier de South Central et de Watts, une sorte d'immense ghetto livré à la drogue, à la violence et à la loi des gangs. *Asphalt jungle !*

CLIMAT

Ce n'est pas la « terre promise », mais ça pourrait bien s'en rapprocher. Par le nombre important de journées d'ensoleillement (plein ou partiel) sur une année (291 jours !) et la rareté des précipitations (seulement 38 cm de pluies par an, et encore, elles sont occasionnelles), le climat de Los Angeles fait partie, officiellement parlant, de la zone subtropicale tempérée, de type méditerranéen, s'il vous plaît.

Cela donne un résultat délicieux : d'immenses palmiers (où en trouve-t-on d'aussi hauts ?), des cyprès comme en Provence, des eucalyptus comme en Australie, des cactus comme dans le désert (ils commencent aux portes de la ville), des orangers comme en Andalousie (le parfum de leurs fleurs est envoûtant !). Été comme hiver, on laisse tomber la veste pour le T-shirt (sauf le soir). Le climat de L.A., comme celui du sud de la Californie en général, est si bon qu'il enchanta immédiatement les tout premiers pionniers du cinéma d'Hollywood, heureux de pouvoir tourner toute l'année en extérieur. Le temps d'ici rappelle, grosso modo, celui qu'il fait en Afrique du Nord sur la côte atlantique, à Casablanca par exemple. Bref, avec des conditions climatiques pareilles, on peut y venir à n'importe quelle époque de l'année. Mais il y a quand même un distinguo à faire entre l'été et l'hiver. Voici quelques nuances essentielles :

– **D'octobre à avril :** même temps qu'à Casablanca à la même époque, ou à Paris au mois de mai. La température moyenne est de 18 à 19 °C le jour et de 8 à 9 °C la nuit. N'oubliez donc pas d'emporter un pull et une veste si vous venez pendant cette période.

– *Mai-juin :* sorte d'intersaison, plus douce qu'en été (de 23 à 25 °C de moyenne journalière). Juin est connu pour son fameux *June gloom,* la grisaille de juin, avec ses matinées embrumées par le *smog* (mélange de *fog* et de *smoke*). Le soleil fait son apparition en début d'après-midi et le ciel bleu chapeaute à nouveau la ville pour le reste de la journée.

– *Juillet-août-septembre :* les trois mois les plus chauds et les plus secs de l'année. Les températures moyennes journalières oscillent entre 27 et 28 °C (16 à 17 °C la nuit). En juillet, il y fait quasiment le même temps qu'à Malaga (sud de l'Espagne), avec cependant des nuits un peu plus fraîches. En août, le soleil brille autant qu'à Faro (sud du Portugal), Alger ou Ajaccio. La lourdeur de l'air est heureusement tempérée par les brises du Pacifique. Aucune pluie à cette époque !

SIGNES PARTICULIERS

Savez-vous que l'on compte à Los Angeles pas moins de 20 studios de TV, une petite cinquantaine de stations de radio, 176 universités (dont la fameuse UCLA), une multitude de maisons de production de films (les 5 *majors* – MGM, *Columbia, Warner, Universal* et *Paramount* – et une ribambelle de *minors*) ? 249 000 personnes travaillent dans l'industrie cinématographique.

Nouveau débouché commercial, les *X rated tapes* ou *adult videos* (plus connues chez nous sous le nom de films pornos) : 95 % des films X américains sont produits à L.A., notamment dans la vallée de San Fernando.

La ville de L.A. attire comme un aimant les Américains de la côte atlantique : on a ainsi calculé que tous les jours, en moyenne, 18 habitants de New York quittent la Big Apple pour s'installer dans le « Big Nipple », et plus de 70 viennent s'installer dans le L.A. County, preuve que Los Angeles reste, malgré ses problèmes, une métropole pleine d'énergie, et qui, nonobstant la concurrence acharnée dont elle fait preuve, brigue le statut un peu pompeux de capitale mondiale du XXIe s !

UN PEU D'HISTOIRE

– *1542 :* le navigateur portugais João Cabrilho (Juan Rodriguez Cabrillo) pose les yeux sur le site de Los Angeles, qu'il admire de son bateau. Les feux des Indiens forment une telle nappe de fumée au-dessus de la terre qu'il baptise l'endroit *Bahia de los Fumos.* Étonnant navigateur ce Cabrilho, qui découvre mais ne cherche pas à coloniser.

– *1769 :* alors que toute la Californie est aux mains de l'Espagne, son gouverneur, Gaspar de Portola, dirige une expédition à la recherche de la baie de Monterey. Il traverse, avec sa cavalerie, le vaste territoire de la ville actuelle. Objectif : établir une chaîne de missions franciscaines et de *presidios* (forts), reliés entre eux par El Camino Real (la voie royale), afin de consolider la mainmise espagnole sur la Californie. 21 missions sont ainsi créées à la fin du XVIIIe s, dont deux dans les faubourgs de Los Angeles : San Gabriel Arcangel (1771) et San Fernando Rey de España.

– *1781 :* le 4 septembre, un groupe de 44 *vecinos pobladores* (des colons), la majorité de races mélangées (afro-indienne-hispanique), fondent un embryon de colonie qu'ils appellent *El Pueblo de Nuestra Señora La Reina de Los Angeles del Río Porciuncula,* du nom d'une sainte fêtée la veille dans le calendrier... Un nom à rallonge pour un petit village qui deviendra le centre de L.A.

– *1822 :* le Mexique devient indépendant de l'Espagne et hérite de la Californie qu'il contrôle. Los Angeles est alors une succession de *ranchos* immenses où l'on élève des chevaux et des bêtes à cornes. Le *rancho* Rodeo de Las Aguas deviendra Beverly Hills, le *rancho* San José deviendra la ville de Pomona, le *rancho* San Vicente y Santa Monica donnera naissance à la célèbre station balnéaire de Santa Monica. « Sous l'asphalte, le *rancho* », pourrait-on dire de cette ville à l'histoire si récente...

– *1835 :* L.A. devient une ville à part entière *(ciudad)* et la capitale de l'Alta California. Le gouverneur mexicain continue de résider à Monterey.

– *1846 :* conséquence de la guerre entre les États-Unis et le Mexique, Los Angeles, comme le reste de la Californie, est rattachée aux États-Unis et devient une ville américaine. Tandis que San Francisco, au nord, connaît la fièvre de l'or (1848-1856), L.A., plus pauvre et moins connue, vit de son agriculture et de ses plantations. Avec l'ouverture en 1885 de la ligne de chemins de fer de Santa Fe, tout change. Le décollage économique de L.A. peut commencer.

– *1886 :* Horace et Daeida Wilcox, deux émigrants, achètent un grand terrain dans les environs de la ville, qu'ils transforment en une ferme prospère (arbres fruitiers, cultures divisées en blocs et en parcelles). L'allée centrale de cette nouvelle propriété s'appelle Prospect (qui deviendra Hollywood Boulevard). Mme Wilcox baptise sa ferme *Hollywood,* « bois de houx », un nom qu'elle a piqué dans le train à sa voisine. Ce n'est guère original, mais bientôt un empire, celui du 7e art, naîtra et se développera au milieu des abricotiers, des orangers et des eucalyptus.

Pour la suite, lire l'introduction d'Hollywood, plus loin (« À voir »).

Le 29 avril 1992

Ce jour-là, un jury blanc de la Simi Valley, comté blanc et réactionnaire de L.A. (celui de Reagan), acquitte quatre policiers blancs accusés d'avoir passé à tabac Rodney King, un automobiliste noir. Pas de chance pour eux, un vidéaste amateur avait filmé la scène et ses images avaient fait le tour du monde. À l'annonce de l'acquittement scandaleux des policiers, South Central, l'un des quartiers les plus pauvres de L.A., se soulève, s'embrase et s'attaque à tous les symboles de la société de consommation par le pillage et l'incendie.

L'émeute dure 2 jours et fait plus de 40 morts et des millions de dollars de dégâts. L.A. se réveille avec la gueule de bois. Pourtant, ça devait bien arriver un jour ou l'autre, avec l'immense dose de frustration accumulée par les communautés noire et mexicaine : suppression des programmes d'aide sociale, racisme des *cops,* chômage, écart sans cesse croissant entre les revenus des riches et ceux des pauvres... Et pourtant, les feux de détresse n'avaient pas manqué au cours des dix années précédentes, notamment au travers du cinéma, avec le remarquable *Boys'n The Hood* de John Singleton et *Do The Right Thing* de Spike Lee, qui traitait du désastre de la « ghettoïsation » de la communauté noire et montrait bien le baril de poudre prêt à sauter.

Le jury de la Simi Valley alluma la mèche... Deux mois plus tard, en juillet 1992, la Cour suprême de Californie fit cependant appel du verdict et renvoya les policiers en jugement. Et le 17 avril 1993, au second procès des mêmes policiers, deux d'entre eux sont déclarés coupables : un verdict accueilli avec soulagement. Analyse d'un sociologue : « Les révoltés se sont vengés sur leur propre quartier, ont détruit leurs propres biens. La prochaine fois, ils déferleront sur Beverly Hills ! Ils ont très peu de conscience politique et de capacité d'organisation, mais ça ne durera pas éternellement. » Aujourd'hui, les ghettos américains sont parvenus au bout de leur désespoir...

Le tremblement de terre de 1994

Le 17 janvier 1994, à 4h30, un séisme d'amplitude 6,6 sur l'échelle de Richter réveille la ville endormie. Certains habitants pensent que c'est l'heure du Big One qui sonne ! Ce tremblement de terre, dont l'épicentre se trouve à une trentaine de kilomètres du centre-ville, dans la vallée de San Fernando, cause la mort de 51 personnes, fait 3 000 blessés, 9 000 sans-abri, endommage près de 3 000 immeubles et touche gravement l'infrastructure routière, élément vital dans l'économie de la région. Résultat : 15 à 30 milliards de dollars de dégâts ! Mais ce n'était pas le Big One tant redouté.

Habitués aux secousses telluriques, les habitants de L.A. ont vite dédramatisé cette catastrophe et se sont montrés surtout irrités par le temps supplémentaire qu'ils mettaient pour aller à leur travail. *Business is business !* Un mois après cet événement, ils n'y pensaient déjà plus...

Arrivée à l'aéroport

Outre un bureau de change ouvert de 7h à 23h, on trouve, dans les terminaux d'arrivée des vols internationaux 2 (Air France, KLM), 5 et 6 de l'aéroport, des panneaux avec le numéro d'appel de plus de 40 compagnies de *location de voitures.* Simple : il suffit de contacter le loueur de votre choix (il y a un téléphone juste devant le panneau) et une navette de la compagnie vient (en principe) vous chercher gratuitement pour vous emmener jusqu'à son parc de stationnement. Les grandes compagnies disposent d'une navette qui fonctionne 24h/24. Pour les autres, renseignez-vous avant le départ, ou tentez votre chance à l'arrivée.

➢ *Pour rejoindre les différents quartiers de la ville* (Downtown, Hollywood, Santa Monica, etc.) *sans voiture de location,* tout est très bien indiqué de la manière suivante :
– *LAX Shuttle Airlines connections :* C'est la navette pour le *Transit Center* (la plate-forme où vous prendrez le bus ou le métro pour vous rendre en ville) et pour les parkings longue durée (Lot B, C).
– *Shared Ride Vans* (taxis collectifs, assurés par 2 compagnies, *Primetime* et *Super Shuttle,* 9 personnes maxi par minibus) : on peut aussi le prendre seul ; prix : 32 $.
– *Taxis :* ils se garent le long de la bordure de trottoir la plus près des portes de sortie. Un *taxi starter* se charge de la police des départs. Compter 35 $ la course pour Downtown ou Santa Monica.
– *Fly Away :* bus et vans longue distance (passent par la gare ferroviaire *Amtrak*).
– *Rental Shuttles :* navettes gratuites qui conduisent aux plates-formes des loueurs de voiture.
– *Hotel & Courtesy Shuttles :* navettes gratuites pour les grands hôtels.

➢ La solution la moins chère (mais la plus lente) consiste à prendre le *bus* ou le *métro.* Compter pour l'un ou l'autre au moins 1h de trajet jusqu'à Downtown.
Pour le bus, prendre la navette gratuite *LAX Shuttle Airlines connections* (précisez au chauffeur que vous allez au *Transit Center*), puis le bus correspondant à votre destination : n° 439 (ou n° 42, mais moins rapide) pour Downtown ; n° 42 puis n° 210 (après changement à l'intersection de Stocker St et Crenshaw Blvd) pour Hollywood ; n° 3 pour Santa Monica, etc. Pour Disneyland, bus n° 120 jusqu'à l'intersection de Pioneer Blvd et Imperial Hwy, puis le n° 460 (plus de 2h de trajet). Comme dans tous les bus de L.A., prévoir le montant exact (1,25 ou 1,85 $, un peu plus pour Disneyland) car le chauffeur ne rend pas la monnaie.
Pour le métro, du *Transit Center,* prendre la direction Norwalk *(green line),* changer à Imperial/Wilmington/Rosa Park et prendre la direction Downtown.
➢ *En taxi :* env 35-45 $ par voiture jusqu'à Downtown. Pas trop cher si vous êtes quatre, par exemple. Si vous êtes seul, ou plus de quatre, on conseille de prendre une navette payante *(Super Shuttle, Primetime...)* ; la première personne paye 22 $, ensuite chaque passager 10 $ (32 $ si vous la prenez seul). Ces fourgonnettes vous emmènent à l'endroit précis où vous désirez aller. Bien moins cher que le taxi et nettement plus facile et rapide que le bus ou le métro.
➢ Un certain nombre d'hôtels (surtout ceux situés pas trop loin de l'aéroport ou bien les hôtels chic) possèdent une *navette* qui peut venir vous chercher à l'aéroport sur un simple coup de fil, mais mieux vaut avoir réservé auparavant pour ne pas poireauter. Par ailleurs, en cas d'urgence ou si vous arrivez en plein milieu de la nuit, les comptoirs *Travelers Aid,* que vous verrez aussi dans les terminaux d'arrivée, peuvent vous proposer des chambres d'hôtel à tarifs réduits et se charger de la réservation, ce qui peut être intéressant pour ceux qui arrivent fatigués et qui n'ont rien réservé.

Comment se déplacer ?

Orientation

Si vous optez pour la voiture de location et que vous comptez rayonner en ville, l'utilisation d'un positionneur GPS vous sera d'une grande utilité (il est généralement facturé 10 $ par jour par les loueurs). Sinon, première chose à faire : se procurer un bon plan de L.A. (voir plus bas pour plus de détails), car la règle n° 1 pour une conduite efficace ici, c'est de toujours savoir où l'on va avant d'y aller. Autrement dit, étudier méticuleusement le plan pour déterminer sa destination et l'itinéraire à suivre. En voiture à L.A., c'est comme en métro : pour se rendre d'un point à un autre, il faut toujours avoir en tête son itinéraire, les noms des sorties et les numéros des *freeways* à suivre, et savoir « prendre les correspondances ». Sans quoi, on se perd dès la 1re virée en voiture. Attention, la file de droite est souvent utilisée pour sortir, ce qui vous oblige à vous déporter sur la gauche pour continuer tout droit. Beaucoup de personnes changent de file à la dernière seconde, ce qui est la cause de nombreux accidents. Enfin, la bonne nouvelle dans tout ça, c'est que le tracé des rues en damier rend la conduite plutôt aisée, d'autant que le nom des rues que l'on croise est toujours très clairement indiqué.

À apprendre par cœur cependant, les routes-clés de cette immense métropole :

– L'*Interstate 5 (the Golden State Freeway)* traverse la ville du nord-ouest (elle vient de San Francisco) au sud-est (elle va à San Diego), en passant par Downtown.

– L'*Interstate 10 (the Santa Monica Freeway)* traverse la ville d'est en ouest, de Santa Monica vers Palm Springs, l'Arizona et le Nevada.

– L'*Interstate 405 (the San Diego Freeway)* coupe la ville du nord-ouest au sud-est, parallèlement à Interstate 5, mais plus près de la côte.

– L'*Interstate 110 (the Harbour Freeway)* relie Pasadena (au nord) au port de L.A. (au sud), en passant par Downtown.

– Enfin, la *route 1,* plus connue comme la *Pacific Coast Hwy,* longe le Pacifique de Malibu (au nord-ouest de Santa Monica) à Laguna Beach, aux confins sud-est de L.A.

Plans et guides

Trouvez la carte de Los Angeles distribuée gratuitement dans tous les *Visitor Centers.* Elle est grandement suffisante pour se déplacer. Autrement, on trouve des cartes détaillées dans toutes les librairies, bureaux de tabac et kiosques à journaux. Pour un séjour touristique ordinaire, les *city-maps Los Angeles and Hollywood* ou *Los Angeles and San Fernando Valley,* publiées par Rand MacNally, devraient parfaitement faire l'affaire. Elles ne coûtent pas cher et présentent un plan clair de la ville, avec bonne signalétique et distinction claire entre *freeways,* routes principales, secondaires et petites rues. Si elles ne couvrent pas toute l'agglomération, vous y trouverez au verso un grand encadré qui la reprend dans son ensemble, très utile pour entrer et sortir de la ville. Pour les budgets vraiment serrés, il existe une carte moins chère, la *Los Angeles and Hollywood,* publiée par *City in your Pocket,* mais moins bien faite que les cartes Rand MacNally. Sinon, vous trouverez aussi des plans plastifiés, comme celui de Quick Access *(Los Angeles and Hollywood),* plus maniables que les précédents mais plus limités quant à la surface couverte. Enfin, citons encore les atlas routiers (le meilleur est sans conteste le *Thomas Guide,* mis à jour chaque année), mais ces ouvrages, très détaillés, sont plus onéreux et volumineux que les plans ordinaires.

Location de voitures

Quand on sait que les coins intéressants sont parfois éloignés du centre de 20 à 30 km, et quand bien même le réseau des bus est satisfaisant, il est alors souvent plus confortable de posséder une voiture. L.A. est une des rares villes américaines où l'on conseille vraiment d'en louer une. En se groupant à 3 ou 4, on s'y retrouve très vite, et le gain de temps est réel. En dehors des *rush hours* (heures de pointe), les *freeways* se révèlent sacrément pratiques quand vous voulez vous rendre dans un lieu un peu éloigné. Si vous optez pour un *compact-car* (petite voiture), vous consommerez peu, et le prix du carburant étant nettement meilleur marché qu'en Europe, vous ne grèverez pas trop votre budget.

Deux grandes agences

■ **Alamo :** *9020 Aviation Blvd, Inglewood.* ☎ *(310) 649-2242. Résas pour l'ensemble des États-Unis :* ☎ *1-800-462-5266. Fax : (310) 649-2245. Proche de l'aéroport international. Un peu moins cher que chez les grosses agences.* Voitures neuves, toujours en bon état. Kilométrage illimité. Navette *(shuttle)* régulière entre l'aéroport et le parc de stationnement de la compagnie..

■ **Cafla Tours :** *20855 Ventura Blvd, suite 10, Woodland Hills.* ☎ *(818) 785-4569 ou 1-800-636-9683.* ● *caflatours.*

com ● *autorentnet.com* ● Tenue par des Français, cette agence fort recommandable s'engage à vous dénicher une auto au meilleur prix (voiture de moins de 6 mois et de toute catégorie). En fait, elle travaille avec de grands loueurs, mais propose des tarifs souvent plus bas que si l'on s'adresse directement à eux, pour les mêmes véhicules. Inutile de vous déplacer, car l'agence est très loin de l'aéroport. Il suffit de téléphoner et vous prenez votre voiture de location près de l'aéroport (possible 24h/24).

Les petits loueurs

Ces nombreuses agences indépendantes, éparpillées à la périphérie de l'aéroport, offrent généralement des tarifs plus avantageux que les gros loueurs *(Avis, Hertz, Budget, National).* Mais, revers de la médaille, elles ont beaucoup moins de voitures, et les navettes depuis l'aéroport ne tournent pas aussi régulièrement (il faut souvent leur demander de venir vous chercher). De plus, leurs véhicules ne sont pas toujours en aussi bon état que ceux des grosses compagnies et, enfin, il n'est pas toujours possible de prendre une auto à un point A et de la rendre à un point B. Voici quelques adresses :

■ **Fox Rent-a-Car :** *5500 Century Blvd (près de l'aéroport, repérer le Travelodge Hotel).* ☎ *(310) 641-3838 ou 1-800-225-4369.* ● *foxrentacar.com* ● Navette gratuite depuis l'aéroport. Plusieurs bureaux en Californie. Prix très compétitifs et véhicules de moins de 12 mois. Loue également aux 21-24 ans, moyennant un supplément. Consulter leur site internet, très bien fait (ce qui n'est pas le cas de tous) et facile à utiliser.

■ **Deluxe Rent-a-car :** *11101 S Hindry Ave (non loin du parking Lot B, pointe sud-est de l'aéroport).* ☎ *(310) 338-3370 ou 1-800-831-5556.* ● *deluxerentacar.com* ● *Ouv 24h/24.* Navette gratuite entre leur parking et l'aéroport. D'après eux, on ne trouverait pas de

meilleurs tarifs à Los Angeles.

■ **Lucky Rent-a-Car :** *8620 Airport Blvd.* ☎ *(310) 641-2323 ou 1-800-400-4736.* ● *luckyrentacar.com* ● Navette gratuite depuis l'aéroport. Bonne réputation et prix intéressants là encore.

■ **Avon Rent-a-Car :** *7080 Santa Monica Blvd, à Hollywood.* ☎ *(323) 850-0826.* ● *avonrents.com* ● Possède 3 bureaux à Los Angeles : à Hollywood, Beverly Hills et Santa Monica. Pratique si vous êtes par là.

■ **Enterprise Rent-a-Car :** *8734 S Bellanca Ave.* ☎ *(310) 215-6856 ou 1-800-261-7331.* ● *enterprise.com* ● *Tlj 5h-23h. Aussi une agence à Santa Monica au 718 Wilshire Blvd.* Prix intéressants. Propose des GPS en location *(10 $/j. ou 50 $/ sem).*

Location de motos

Lorsqu'on voyage seul ou à deux, c'est probablement le moyen de locomotion le plus agréable. Malheureusement, l'obligation de prendre une, voire deux assurances supplémentaires, le rend très coûteux. Il faut le savoir et disposer, bien sûr, du permis moto.

■ Ceux qui veulent « faire la route » à la manière de Johnny Hallyday peuvent louer une Harley-Davidson chez *Eagle Rider*, qui s'est spécialisé dans ce type

de motos. *On le trouve pas très loin de l'aéroport au 11860 S La Cienega Blvd.* ☎ *(310) 536-6777.* ● *eaglerider.com* ●

Stationnement, mode d'emploi

ATTENTION : en dehors des parkings surveillés, chers en général et très fluctuants dans les tarifs appliqués, qui vont parfois du simple au quintuple en fonction du jour de la semaine. À titre d'exemple, un parking public coûte 40 $ *la nuit en sem à Downtown et slt 8 $ le w-e ; à Venice Beach, c'est exactement l'inverse, compter 7-8 $/j en sem, 25-30 $/j le w-e aux beaux jours.* BIEN lire les panneaux le long des rues qui réglementent le stationnement. Ils sont toujours différents les uns des autres et donnent des autorisations très précises. Par exemple, il faut obligatoirement (quand c'est indiqué) enlever sa voiture entre 7h et 9h et entre 16h et 18h, au moment des *rush hours.* Les amendes sont distribuées très rapidement par des brigades mobiles et quasi invisibles (des agents fantômes, presque omniprésents !), et les mises en fourrière sont hyper-rapides (on a vu plusieurs fois des *tow-away* arriver une minute après 7h ou 16h !). Parfois, le stationnement est autorisé de 15 mn à 1h gratuitement (les *cops* relèvent alors, dans leurs tournées, les numéros de plaque minéralogique pour piéger les éventuels fraudeurs). De toute façon, même lorsque le stationnement est payant, vous pouvez rarement vous garer plus de 2h de suite au même endroit. Enfin, bien faire attention aux jours et heures de nettoyage des rues (qui changent suivant les rues, bien entendu) car le stationnement est interdit à ces moments-là ! Le pire, à L.A., c'est qu'on ne peut même pas opter pour la marche à pied...
– *Une ligne rouge sur la bordure d'un trottoir :* interdiction de stationner et de s'arrêter.
– *Une ligne verte :* stationnement possible pendant 20-30 mn.
– *Une ligne jaune ou blanche :* arrêt autorisé seulement pour débarquer (ou embarquer) un passager.
– *Pas de marquage :* garez-vous, sapristi !

Bus

Pour les fauchés, on indique dans le texte les accès avec les bus locaux. Certes, les bus vont partout, mais ils sont lents car ils prennent rarement les *freeways.* Et puis, ils arrêtent pour la plupart de circuler à minuit. Mais vous vous enquiquinez moins pour vous garer, ce qui, à L.A., n'est pas négligeable. De plus, à l'intérieur d'un quartier (Santa Monica, Downtown, Long Beach, etc.), les transports publics sont assez efficaces, et permettent de relier tous les centres d'intérêt pour à peine un *quarter,* et avec transfert gratuit s'il vous plaît !
À part ça, plusieurs compagnies de bus couvrent l'étendue de L.A. : la *MTA* qui, avec presque 200 lignes, dessert l'essentiel de la ville ; les *Big Blue Buses,* qui couvrent toute la partie ouest (Westwood, Santa Monica) ; et les *Culver City Buses* (de Culver City vers Santa Monica et Westwood).
Prenez, si votre destination l'exige, un billet avec correspondance *(with transfer)* qui, pour 25 cents de plus, permet de s'arrêter une fois en route jusqu'à l'heure marquée en bas du billet.

■ *Pour ttes infos, horaires, plans et billets forfaitaires, se rendre (ou téléphoner) à la* **MTA Bus Information,** *Arco Plaza, 515 S Flower St (Level C), dans Downtown.* ☎ *(213) 626-4455 ou 1-800-COMMUTE.* ● *mta.net* ● *Lun-ven 7h30-13h30. Un autre bureau, situé à l'angle de Chavez Ave et de Vignes St, est ouv lun-ven 6h-18h30.* Bien pour se procurer le plan général du réseau. On peut aussi les appeler en disant : « Je suis ici et je veux aller là » et, miracle ! On vous indique quel bus prendre, où

changer, etc. Pour ceux qui désirent voyager d'un quartier à un autre, il est bon aussi de connaître les bus *Metro Rapid MTA* ou *Commuter Express* qui ne s'arrêtent qu'aux carrefours importants et permettent de gagner pas mal de temps. ATTENTION : prévoir le montant exact pour l'achat du billet avant de monter dans le bus, car on ne vous rendra pas la monnaie.
■ *Bureau MTA à Hollywood :* 5301 Wilshire Blvd. Lun-ven 9h-17h. *Pass à la semaine : 17 $, carnet de*

10 tickets 12,50 $. On y trouve les plans de ttes les lignes de bus et métro. Bureau des objets trouvés. Petit conseil : Hollywood est un assez bon point d'attache pour les « busophiles », car situé grosso modo à mi-chemin entre Santa Monica et Downtown et pas trop loin de UCLA, des *Universal Studios,* de Beverly Hills, etc.

🚌 *Terminal Greyhound : 1716 E 7th St (angle Alameda).* ☎ 629-8401 ou 1-800-231-2222. *Ouv 24h/24.* Plus rapide que les bus *MTA* pour se rendre à Hollywood, Santa Monica et Anaheim (Disneyland). Cafétéria pas chère dans le terminal, mais le quartier craint un peu. Le soir, on vous conseille de prendre un taxi jusqu'au Financial District (plus sûr) et de prendre un bus à partir de là. Arrêt des *yellow cabs* sur le côté du terminal, côté des arrivées. Les plus courageux et les fauchés prendront le n° 60 ou 62 du terminal *Greyhound (direction ouest ; pour l'hôtel Hilton, arrêt juste en face du terminal, sur 7th St).*

Métro

Même si le métro de Los Angeles est encore trop peu développé et peu pratique (5 lignes slt), il permet tout de même d'atteindre très rapidement certaines destinations assez éloignées, pour un prix modique *(1,25 $ l'aller simple, valable 2h).* Les tickets sont uniquement vendus dans des distributeurs automatiques, à chaque station.

– La **Red Line** va d'Union Station à Wilshire Blvd et Western Ave. Une ligne additionnelle relie la station Wilshire-Vermont à North Hollywood en passant par Universal City.
– La **Blue Line** relie 7th St (à Downtown) au centre-ville de Long Beach.
– La **Green Line** va de Norwalk à Redondo Beach. L'arrêt « Aviation » permet de rejoindre l'aéroport grâce à une navette gratuite.
– La **Gold Line** relie Union Station à Pasadena.
– La **Orange Line** prolonge la Red Line, de North Hollywood au Warner Center.

Train

– **Union Station :** belle gare dans un style assez indéfinissable, genre Art déco version rustique, située face au Pueblo de Los Angeles. C'est là que l'on prend son billet pour *l'Amtrak Coast Starlight,* le train qui relie L.A. à San Diego en longeant le Pacifique (magnifiques paysages). Dans le grand hall, un snack pas désagréable affichant des prix convenables ; également des loueurs de voiture. Devant la gare, toutes liaisons possibles : bus, métro, navette pour se rendre à LAX (aéroport de Los Angeles).

Adresses et infos utiles

Informations touristiques

Il y a 3 principaux offices de tourisme : un à Downtown, un autre à Hollywood et un troisième à Santa Monica.

🛈 *Downtown Los Angeles Visitor Information Center (plan couleur I, B3) :* 685 S Figueroa St (entre Wilshire Blvd et 7th St).* ☎ (213) 689-8822. ● *seemyla. com* ● *Tlj sf sam-dim 8h30-17h.* Outre une foule de brochures, catalogues et autres prospectus, retirez-y gratuitement le plan de la ville, le dépliant du *Dash* (l'excellent réseau d'autobus qui permet de se rendre rapidement n'importe où à Downtown), ainsi que le magazine *Where Los Angeles* et le journal *L.A. Weekly,* qui vous révéleront tout ce qu'il y a à voir et à faire à L.A. L'accueil n'est pas franchement chaleureux, et ils ne possèdent les brochures que des hôtels et restos ayant adhéré à leur association... Quelques coupons de réduction pour certains hôtels et la liste des différentes visites guidées (tournée des résidences de vedettes de cinéma, *Universal Studios...)* proposées par la compagnie *Starline Tours,* ainsi que des tickets de spectacle à moitié prix, en général quelques jours avant la représentation. Également toutes infos sur les différents quartiers et banlieues : Pasadena, Venice, Santa Monica, Long Beach, Burbank, etc. Enfin, si vous avez beaucoup d'argent, sachez encore qu'il est possible de survoler la ville en hélicoptère...

🅸 *Hollywood Visitor Center (plan couleur III, J9) :* 6801 *Hollywood Blvd, au rdc du centre commercial* Hollywood and Highland, *sur la gauche de l'entrée principale du Kodak Theater.* ☎ *(323) 467-6412. Tlj 10h-22h (19h dim).* Un mur entier de *flyers* et autres prospectus.

🅸 *Santa Monica Visitor Center (plan couleur II, F6) :* 1920 Main St. ☎ *(310) 393-7593.* ● *santamonica.com* ● *Lun-ven 9h-18h.* Un *Visitor Center* tenu par des jeunes (eh oui, ça arrive !) sympas comme tout, qui ne manqueront pas de vous indiquer les endroits pour vous connecter gratuitement au wi-fi, les bons plans pour sortir le soir, les bars et les restos qui bougent. Accès Internet gratuit. Vend également des tickets de bus et des forfaits pour le réseau *Mini Blue* (intraurbain) et *Big Blue* (périurbain), très efficace depuis Santa Monica pour gagner les différents quartiers de L.A.

■ *Renseignements téléphoniques :* ☎ *411.* Très efficace.

Bureaux de poste

✉ *À Downtown (plan couleur I, B3) :* 750 W 7th St (entre Hope et Flower). Lun-ven 8h30-17h30.

✉ *À Hollywood (plan couleur III, K9) :* 1615 Wilcox Ave (et Selma Ave). Tlj sf dim 8h30-17h30 (15h30 sam). Aussi près de Farmer's Market, à l'angle de

The Grove Dr et de Beverly Blvd, repérer le marché bio Erewhon (distributeurs de timbres, cartes et enveloppes à l'extérieur du bâtiment de la poste).

✉ *À Santa Monica (plan couleur II, F5) :* carrefour 5th St et Arizona. Tlj sf dim 9h-18h (15h sam).

Indicatifs téléphoniques par secteur *(area codes)*

On rappelle qu'il faut les composer (toujours précédés du « 1 ») si on se trouve en dehors de la zone que l'on veut atteindre, ce qui n'est pas toujours facile à savoir, car il y en a beaucoup... Pour vous faciliter la tâche, nous les indiquons systématiquement entre parenthèses, pour chaque numéro de téléphone cité dans le texte.

– *213 :* Downtown et Vernon.
– *323 :* Hollywood et Montebello.
– *562 :* Huntington Park.
– *310 :* Malibu, Santa Monica, Westwood, Venice, Pacific Coast Hwy, Westside, Southern et Eastern Los Angeles County.
– *818 :* Northern Los Angeles County, incluant North Hollywood et San Fernando Valley.
– *626 :* Pasadena (et certaines parties de Eastern L.A.).
– *714 et 949 :* Orange County.
– *619, 858 et 670 :* San Diego County.
– *805 :* Ventura County.

Argent, banques, change

Vous trouverez un peu partout des *guichets automatiques (ATM)* qui acceptent les principales cartes de paiement. Pour changer des chèques de voyage ou de l'argent liquide au comptoir, voici quelques adresses :

■ *Bank of America (plan couleur I, B3, 1) :* 525 S Flower St, à Downtown. ☎ *(213) 312-9000. Lun-ven 9h-17h.* Change les chèques de voyage et les devises mais moyennant une commission.

■ *Union Bank of California (plan cou-*

leur II, E5) : angle Santa Monica Blvd et 5th St. Lun-ven 9h-17h. Distributeurs de billet dans une petite salle, à l'abri des regards, attenante à la banque. Fermé le dim, alors on peut retirer à la *Citibank,* juste en face (distributeurs sur la rue).

■ *Bureau de change de l'hôtel Bona-*

venture (plan couleur I, C3, **153**) : *404 S Figueroa St. Au 6e étage, près de la passerelle qui mène au World Trade Center. Lun-ven 9h-17h ; sam 10h-14h.* Le meilleur endroit où changer des chèques de voyage et de l'argent liquide à Downtown. Bon taux et pas de commission. Possibilité aussi de changer à la réception de l'hôtel, mais les taux sont moins avantageux.

■ *Foreign Currency Exchange* (plan couleur I, C3) : *520 S Grand Ave, à Downtown à côté de l'hôtel Biltmore).* ☎ *1-888-533-7283. Tlj sf dim 9h-17h (13h sam).* Petite commission sur les chèques de voyage.
■ *Change 24h/24* (plan couleur III, J9) : *6565 Hollywood Blvd. Fermé du dim 17h au lun 8h.* En dépannage uniquement, car le taux de change est élevé.

Internet

Pour celles et ceux qui voyagent avec leur *laptop* (ordi portable), l'accès au wi-fi s'est considérablement accru. Il est gratuit dans bon nombre de bâtiments publics, mais également dans les parcs et jardins. La plupart des hôtels et motels moyenne gamme proposent à leurs clients un accès gratuit. En revanche, le wi-fi dans les hébergements haut de gamme est généralement payant et cher. Peu de centres Internet à L.A. De plus, ils sont chers (env 1 $ pour 10 mn !). La plupart des *hostels* (officiels ou privés) disposent d'une ou plusieurs bornes, mais les tarifs n'y sont pas plus bas qu'ailleurs. Heureusement pour le routard pas trop fortuné (mais qui vit quand même avec son temps), on peut surfer gratuitement pendant 15 mn dans toutes les bibliothèques municipales *(public libraries)*. Dans tous les cas, ayez votre passeport sur vous, il est exigé pour se connecter à Internet dans un lieu public. Voici quelques adresses :

@ *À Downtown* (plan couleur I, C3, **202**) : *630 W 5th St. Lun-jeu 10h-20h ; ven-sam 10h-18h ; dim 13h-17h.* Pour la trouver, facile : dirigez-vous vers la plus haute tour de la ville, c'est en face, dans une bibliothèque superbe, moderne et lumineuse. Quelques ordinateurs, souvent occupés, dans les étages.
@ *À Hollywood* (plan couleur III, K9, **10**) : *1623 Ivar Ave. Mêmes horaires que la bibliothèque de Downtown. Fermée* pdt vac scolaires.
@ *À Santa Monica* (plan couleur II, F5, **7**) : *1343 6th St. Lun-jeu 10h-21h ; ven-sam 10h-17h30 ; dim 13h-17h.* Une heure et demie gratuite : remplir un formulaire et demander un numéro d'accès au *Customer service bureau* au rez-de-chaussée ; les ordinateurs sont au 1er étage. Très aimable. Également des annexes où l'on peut se connecter à Ocean Park, Fairviews, Montana Ave, mais elles sont fermées le dimanche.

Sachez aussi que les boutiques *Apple* ne sont pas trop regardantes sur l'utilisation que vous faites de leur connexion Internet. Essayez tout de même de rester discret...

Consulats

■ *France :* 10390 Santa Monica Blvd, suite 410, Beverly Hills (angle Beverly Glen Blvd, prendre le bus n° 4 ou 404). ☎ (310) 235-3200 ● consulfrance-losangeles.org ● Lun-ven 8h30-12h30 (accueil téléphonique jusqu'à 14h30). N° d'urgence (nuit, w-e, j. fériés) : ☎ (310) 477-3965. Le consulat peut, en cas de difficultés financières, vous indiquer la meilleure solution pour que des proches puissent vous faire parvenir de l'argent, ou encore vous assister juridiquement en cas de problème.

■ *Belgique :* 6100 Wilshire Blvd, suite 1200, Beverly Hills (au 12e étage de la grande tour de la City National Bank). ☎ (323) 857-1244. Fax : (323) 936-2564. Lun-ven 9h-12h30, 13h30-16h.
■ *Canada :* 550 S Hope St (angle 6th St), Downtown. ☎ (213) 346-2700. Fax : (213) 620-8827. Au 9e étage d'un immeuble situé juste à côté de la bibliothèque publique. Lun-ven 8h30-16h30.
■ *Suisse :* 11766 Wilshire Blvd, suite 1400, Beverly Hills. ☎ (310) 575-1145. Fax : (310) 575-1982. Lun-ven 9h-12h.

LOS ANGELES ET SES ENVIRONS

Santé, urgences

Tous les hôpitaux ont un service d'urgence (emergency). Les deux que nous vous indiquons ci-dessous ont bonne réputation.

■ **Hôpital Cedars Sinai :** 8700 Beverly Blvd. ☎ (310) 423-3277.
■ **Hôpital Good Samaritan :** 1225 Wilshire Blvd, dans West Downtown. ☎ (213) 977-2121.
■ **Pharmacie ouverte 24h/24** (plan couleur IV, O12, **11**) : 7900 W Sunset Blvd. ☎ (323) 876-4466. Une autre au 3201 N Vermont Ave, entre Downtown et Hollywood.
■ **Médecin français :** Dr Michel Mazouz, 4727 Wilshire Blvd, suite 100. ☎ (323) 938-2942.

Journaux, magazines, livres...

– Se procurer l'hebdo gratuit L.A. Weekly (190 pages !), pour être informé de tout ce qui se passe à L.A. Nombreux encarts publicitaires donnant droit à des réductions. On trouve cet hebdo un peu partout dans les lieux publics, et même dans la rue.
– Il existe également un mensuel, Where L.A., pour tout savoir sur Los Angeles : attractions, musées, films, restaurants, tout ça classé par quartiers. ● wherela. com ●

■ **Skylight Books :** 1818 N Vermount Ave, à Hollywood. ☎ (323) 660-1175. Tlj 10h-22h. Dans le quartier animé de Vermount, juste à côté du ciné Los Feliz. Sympa car on peut y bouquiner tranquillement sur de petites chaises. Spécialisé dans les livres qui traitent, d'une manière ou d'une autre, de L.A. et de ses mythes.
■ **Universal News Agency** (plan couleur III, J9) : 1655 N Las Palmas Ave, à Hollywood (proche du théâtre égyptien). Tlj 7h-22h. Kiosque à journaux d'une bonne vingtaine de mètres. Presse française, entre autres.
■ Dans le resto Sidewalk Café, à Venice, on trouve **SWB**, une librairie intéressante à un jet de pierre de la plage (☎ (310) 399-2360). Voir « Où manger ? », plus loin.

Divers

■ **Cali'fun :** ☎ 1-877-225-9386 (précédé de 001 depuis la France). ● califun.com ● Ce nouvel organisme, monté par un jeune Français, propose des visites guidées personnalisées (et en français) de Los Angeles. Compter 65-70 $ par personne (réduc enfants) pour un tour de jour ou de nuit, à la découverte des quartiers mythiques d'Hollywood et Beverly Hills, des maisons de stars, sans oublier les plages, etc. Ambiance décontractée (10 pers max par van), anecdotes.
■ **High Tech Electronics :** 6630 Hollywood Blvd. ☎ (323) 469-2585. Tlj 10h-18h. Un des rares magasins où l'on peut trouver un transformateur de 220 V en 110 V et de 110 V en 220 V.
■ **E.T. Surf :** 904 Aviation Blvd, à Hermosa Beach (au sud de l'aéroport). ☎ (310) 379-7660. Ouv 10h-20h (19h sam, 18h dim). Un méga stock de boards, skates et autres engins de glisse, avec tout l'équipement qui va avec. Bonnes informations et conseils nécessaires sur le surf. Réduction de 15 % sur présentation de ce guide, ce qui est d'autant plus intéressant que les articles sont déjà moins chers qu'en France. L'endroit où ne pas lâcher un surfeur avec une carte de crédit !

Où camper ?

Voir aussi à Anaheim, plus loin.

⚠ *Malibu Beach RV Park :* 25801 Pacific Coast Hwy (la 1). ☎ (310) 456-6052 ou 1-800-622-6052. ● maliburv.com ● À 30-40 mn de Santa Monica, par la Pacific Coast Hwy. Bus n° 439. Forfait env 30-65 $ (hte saison 23 mai-30 sept) pour 2 pers, une tente et la voiture. Vue magnifique sur l'océan pour certains emplacements, les autres donnent sur la montagne. Aménagé en terrasses, simple et très bien tenu, mais pas de gazon et un peu en pente pour planter sa guitoune. Douches chaudes et wi-fi gratuits. Un peu loin de tout cependant.

⚠ *Newport Dunes :* 1131 Back Bay Dr, à Newport Beach. ☎ (949) 729-3863 ou 1-800-765-7661. ● newportdunes. com ● À env 40 miles au sud-est du centre de L.A., par la Pacific Coast Hwy (ou la 405 puis la 73). Pas moins de 6 catégories d'emplacements (1-4 pers). Du petit emplacement en terre battue coincé près de la route au palace sableux avec plage privée face à la marina. Compter 60-70 $ quand même pour le petit, 120-400 $ (sic !) pour le grand. Le « Ritz » des campings, au cœur de la lagune (et à deux pas de la marina) de Newport Beach, dans un environnement assez urbain mais plutôt agréable. Impeccablement tenu, avec plage privée et tout le confort nécessaire (piscine, jacuzzi, bar, épicerie, location de bateaux). Bien choisir son emplacement en fonction des vents dominants (la *Pacific Coast Highway* n'est pas loin), mais il y a aussi l'aéroport... à vous de voir...

Où dormir ?

Si vous comptez séjourner plusieurs jours à Los Angeles, basez-vous au bord de la mer, comme par exemple à Santa Monica, Venice ou Long Beach, ou encore à Hollywood ou dans la proche banlieue, comme Pasadena. Evitez si possible Downtown, à moins de détester les espaces verts et d'avoir un penchant pour le béton, l'asphalte, le verre fumé et les ascenseurs.

Dans les hôtels, les chambres disposent généralement de deux lits *Queen size*, notés *Queen beds* (140-160 cm) ou d'un seul lit *King size* (180-200 cm), éventuellement de deux lits doubles (120 cm).

Les prix des chambres dépendent de la loi de l'offre et de la demande, ils peuvent parfois varier du simple au quadruple, et tiennent compte de la saison, du calendrier des évènements programmés en ville, et du taux de remplissage des hôtels. Si vous arrivez tôt le matin, vous aurez plus de chances d'avoir un meilleur prix que lorsque l'hôtel est presque plein. Mais si vous arrivez tard et qu'il reste des chambres, vous pourrez toujours tenter de négocier... À vos calculettes !

Près de l'aéroport

À moins d'avoir un avion à prendre de bonne heure, ce quartier présente relativement peu d'intérêt. Encore moins si l'on ne possède pas de véhicule. On est loin de tout et l'on ne peut rien faire à pied aux alentours. En revanche, pratique quand on arrive tard à L.A. par avion ou que l'on décolle tôt le matin, d'autant que beaucoup d'hôtels disposent de navettes gratuites. Sur simple demande, ils viendront vous chercher ou vous conduiront à l'aéroport.

Bon marché

🏠 *Econo Lodge :* 4123 Century Blvd. ☎ (310) 672-7285. Fax : (310) 672-1046. Doubles 65-80 $ avec petit déj suivant période. Wifi gratuit. Une quarantaine de chambres propres et fonctionnelles, avec TV, AC et frigo, particulièrement grandes. Suffisamment en retrait de la route pour qu'elles soient silencieuses. Navettes gratuites toutes les heures vers l'aéroport ; depuis l'aéroport, il suffit de téléphoner à votre arrivée.

🏠 *Tivoli Motor Hotel :* 4861 W Century Blvd, à Inglewood. ☎ (310) 677-9181. Doubles avec un grand lit 70-80 $. Café offert le matin. Un hôtel dans les tons beiges, avec de petits balcons

verts en fer forgé. Les chambres sont correctes, avec TV, mais elles mériteraient un coup de peinture. Petite piscine, mais propre. Accueil réservé.

De prix moyens à plus chic

≜ Super 8 Motel Airport : 4238 Century Blvd. ☎ (310) 672-0740 ou 1-800-800-8000. ● stayanight.com/super8lax ● Doubles 80-115 $ suivant période, petit déj compris. Navette pour LAX (aéroport) : 5 $. Wifi gratuit. Grand motel sur 3 niveaux, aux chambres spacieuses et confortables : TV, frigo, micro-ondes. Quatre disposent même d'un jacuzzi (mais sont plus chères). Une bonne option.
≜ La Quinta Inn & Suites Hotel : 5249 West Century Blvd. ☎ (310) 645-2200 ● lq2005agm2@laquinta.com ● Doubles 110-150 $ suivant période, petit déj

compris. Navette pour LAX gratuite et 24h/24. Wifi gratuit ; accès Internet juste en face, de l'autre côté du boulevard, mais attention de ne pas vous faire couper en deux en traversant la route, ça circule ! Dans le quartier des tours de verre. Un hôtel de 280 chambres on ne peut plus classique et conforme aux établissements pour voyageurs encravatés. Mais le rapport qualité-prix est intéressant, d'autant qu'on est à 5 mn de l'aéroport. Les chambres sont lumineuses et meublées en bois blanc, comme l'exige le standard de ce genre d'hôtel. Piscine.

Downtown (plan couleur I)

Certains coins du quartier ne sont pas très rassurants le soir. Une fois la nuit tombée, mieux vaut même carrément éviter l'est de Downtown et le MacArthur Park, lieu de rendez-vous des dealers et des gangs. Inutile pourtant de sombrer dans la sinistrose, entre Figueroa Street et Main Street, vous pouvez vous balader sans souci, même à pied ! D'autant que, le soir, de nombreux bus permettent de rallier les coins intéressants. Pour s'y rendre de l'aéroport, prendre le bus n° 439 ou n° 42 (ou le métro). Pour se loger, mieux vaut taper dans la catégorie « Prix moyens », par souci de confort, de propreté et de sécurité. Downtown n'est pas le quartier le plus agréable pour séjourner à L.A., aussi ne vous donnons-nous qu'un choix limité d'adresses.

Bon marché

≜ Royal Pagoda Motel (plan couleur I, D1, **10**) : 995 N Broadway. ☎ (323) 223-3381. Double 75 $ avec thé ou café offert au petit déj. Parking gratuit. Dans le quartier chinois, à proximité des restos les plus cotés du coin, un motel-pagode de

bonne tenue. Une trentaine de chambres assez petites mais propres, aménagées dans les tons kaki. Mobilier sombre, TV, frigo, AC, tout y est. Préférer quand même les chambres en retrait. Le patron chinois n'est pas très souriant.

De prix moyens à plus chic

≜ Rodeway Inn (plan couleur I, A3, **11**) : 1904 W Olympic Blvd. ☎ (213) 380-9393 ou 1-888-350-7793. ● laconventioninn.com ● Doubles 105-120 $ avec petit déj. Parking gratuit. Un motel classique, avec de belles chambres spacieuses, confortables et très propres, équipées avec TV, micro-ondes, frigo et ADSL gratuit. Demander celles qui don-

nent sur l'arrière. Petite piscine agréable avec des tables et des parasols. Pas mal, non ? Possibilité de discuter les prix pour plusieurs nuits.
≜ Clarion Hotel (plan couleur I, A3, **12**) : 1901 W Olympic Blvd. ☎ (213) 385-7141 ou 1-888-385-9889. ● clarionhotel la.net ● Doubles avec 2 queen beds 90-140 $, + 10 $ si pers sup. Wifi gratuit

et Internet payant. Très belle réception (« embaumée ») par la cuisine du resto asiatique attenant), assez belles chambres aménagées en faux bois sombre, avec TV, AC et frigo. Déco sans prétention. On préfère celles qui donnent sur le patio fleuri ou sur la piscine. Bon accueil.

🛏 *Ritz-Milner Hotel (plan couleur I, B3-4, 16)* : 813 S Flower St. ☎ (213) 627- 6981 ou 1-800-827-0411. ● *milner-hotels. com* ● *Doubles 135-170 $ selon taille et confort, petit déj inclus. Internet gratuit à condition d'avoir un câble.* Les chambres sont petites et les salles de bains minuscules, mais l'ensemble est très bien tenu, repeint de frais et idéalement situé pour les affaires. TV, AC dans les chambres. Ni parking ni piscine. Bon accueil.

De plus chic à très chic

🛏 *Figueroa Hotel (plan couleur I, B4, 14)* : 939 S Figueroa St (à la hauteur d'Olympic Blvd). ☎ (213) 627-8971 ou 1-800-421-9092. ● *figueroahotel. com* ● *Double 190 $. Parking 15 $.* Situé dans un quartier en plein boum, un vieil immeuble en brique de 12 étages arrangé dans un style oriental à dominante maghrébine, avec de la faïence aux motifs aztèques et une végétation exotique. Quelque 285 chambres pleines de caractère, garnies de vieux meubles et équipées de salle de bains avec lavabo en azulejos. Superbe. Retour au rez-de-chaussée, où un petit bar délicieusement ombragé invite à la relaxation, au bord de la piscine, au milieu des cactus et plantes grasses. Dommage que l'accueil soit si désagréable.

🛏 *Millennium Biltmore Hotel (plan couleur I, C3, 17)* : 506 S Grand Ave. ☎ (213) 624-1011 ou 1-800-245-8673. ● *millennium-hotels.com* ● *Doubles 180-320 $ (le maxi en période de grande affluence ou de conventions). Valet parking 45 $* comme dans ts les hôtels du coin. Propose également des formules week-end avec dîner dans un de ses nombreux restos, très chic et très chers. Hôtel légendaire, construit en 1923 et fréquenté par les stars de cinéma et les présidents des États-Unis depuis les années 1930. Il n'a rien perdu de sa superbe et même si vous n'y logez pas, il vaut le coup d'œil, notamment pour un immense *lobby* remarquablement décoré. Magnifiques chambres (près de 700 !), bien à la hauteur de leur coût, ce qui n'est pas toujours le cas, même dans les établissements haut de gamme. Agréable *teatime* au restaurant le *Smeraldi's*. Allez-y rien que pour ça ! En un mot, si vous avez toujours rêvé de descendre dans un grand hôtel de Los Angeles, ne cherchez pas plus longtemps... Superbe piscine à la romaine au sous-sol.

🛏 ▨ *The O Hotel (plan couleur I, B4, 15)* : 819 S Flower St. ☎ (213) 784-8196. ● *ohotelgroup.com* ● *Doubles avec un seul lit Queen size 185-250 $ suivant période, petit déj compris. Parking 22 $. Internet gratuit (apporter son câble).* Dans un grand immeuble, une belle architecture à dominante sombre et jouant sur les volumes. Alternance des textures, briques et murs laqués noirs. Faux-feu dans l'entrée. Design scandinave revisité à la mode californienne. C'est classe. Dans les chambres, tout est au diapason. Resto à prix corrects, prisé des golden boys le midi, avec photophores sur les tables et écran géant. La mezzanine est agréable pour prendre un verre en amoureux. Bel endroit.

🛏 *Best Western Dragon Gate Inn (plan couleur I, D1-2, 13)* : 818 N Hill St. ☎ (213) 617-3077 ou 1-800-282-9999. ● *dragongateinn.com* ● *Doubles env 115-205 $, petit déj compris. Parking 8 $. Wifi gratuit.* En plein Chinatown, dépaysement assuré avec un hôtel en harmonie avec le quartier : meubles d'inspiration asiatique et cabinet d'acupuncture. Les chambres, spacieuses, sont équipées de TV, AC, micro-ondes et frigo, mais les salles de bains sont minuscules. Si le réceptionniste est absent, frappez sur le gong !

À *Venice et à Santa Monica* (plan couleur II)

Situé sur la côte, cet endroit à l'atmosphère de vacances est le plus sympathique où séjourner. C'est aussi le lieu idéal pour faire du roller ou du vélo (vous trouverez

pas mal de loueurs), car c'est plat et le trafic y est plutôt moins dense qu'ailleurs. Pour s'y rendre de Downtown, prendre le bus bleu n° 10 « Santa Monica via Freeway », qui part de Union Station. D'Hollywood, monter dans le n° 217 West sur Highland Avenue et Hollywood Blvd (demander un *transfer*), descendre à l'angle de Santa Monica Boulevard et Fairfax Avenue puis prendre le n° 4 West, jusqu'à Santa Monica. De l'aéroport enfin, bus n° 3 (voir plus haut « Arrivée à l'aéroport »).
– CONSEIL : si vous êtes en voiture, sachez qu'il n'est pas toujours aisé de se garer à côté de la plage sans s'acquitter des taxes de parking qui peuvent atteindre 25-30 $ le week-end... Le mieux, à notre avis, est de laisser la voiture un peu plus loin, à côté d'un parcmètre à 5 ou 10 mn à pied de la plage, où l'on trouve plus facilement de la place et où l'on peut généralement stationner 2h pour 2-3 $. Il est pratiquement impossible de se garer la nuit (surtout le week-end, mais aussi à cause du nettoyage nocturne des rues, le stationnement étant alors interdit). Près de la plage, un des parkings les moins chers est situé à l'angle de Broadway et de 3rd Street : 2h gratuites, puis 1 $ les 15 mn *(7 $ max).* Il y a aussi un grand parking public au 1431 2nd St, en face de l'auberge de jeunesse et juste à côté de l'hôtel de police *(tlj 6h-18h, 1 $/30 mn ; 7 $ max/j. et 3 $ la nuit entre 18h et 6h du mat ; pensez à mettre votre réveil !).*

Bon marché, près de la plage

🏠 *Hostelling International* (plan couleur II, F5, **20**) : 1436 2nd St. ☎ (310) 393-9913. ● hilosangeles.org ● Dortoir 37-39 $ avec ou sans sdb, doubles sans sdb 70-115 $. Navette LAX pour l'aéroport 18 $. Réduc pour les membres. Une auberge de jeunesse « de luxe », très bien située, à 2 blocs de la jetée de Santa Monica. Logée dans un bâtiment moderne très coloré, à côté d'une boutique de bouquins, guides, cartes et matériel de randonnée. Ensemble très bien tenu et bon accueil. À l'intérieur, beaucoup d'espace et un patio avec fontaine colorée. Intéressant pour les dortoirs (6 à 10 lits), mais chambres un peu chères, vu le confort. Grande cuisine, laverie, consignes à bagages, Internet, salon TV et vidéo. Pas d'alcool et interdiction de fumer. Les lundis et jeudis en été, barbecue *All you can eat* 6 $. Films chaque soir à 20h et 22h. Enfin, nombreuses activités, dont des excursions à Disneyland et aux Universal Studios. Un bon plan pour faire des rencontres.

🏠 *Venice Beach Cotel* (plan couleur II, G8, **22**) : 25 Windward Ave. ☎ (310) 399-7649. ● venicebeachcotel.com ● De l'aéroport, prendre le bus bleu n° 3 jusqu'à l'intersection de Lincoln et de California Blvd, puis le n° 2 qui va jusqu'à Windward Ave ; sonner en bas puis monter l'escalier, la réception est au 1er étage. Ouv 24h/24. Dortoir 6-8 lits 25 $/pers sans sdb, 30 $ avec ; chambres privées 70 $ avec sdb, 55 $ sans. Au cœur historique du quartier, entouré des derniers immeubles à arcades de style californien-byzantin, l'hôtel est reconnaissable à l'immense peinture murale qui couvre le mur ouest du bâtiment. Bien situé, à deux pas de la plage. Ambiance très routarde, avec plein de jeunes du monde entier qui occupent les dortoirs. Moyennement propre, mais globalement assez bien tenu. Mention spéciale pour les chambres, relativement agréables et d'un bon rapport qualité-prix. Certaines donnent sur l'océan. Borne Internet et petit bar *B.Y.O.* (traduisez « chacun amène sa bibine »). Très bruyant cependant. Bon accueil.

🏠 *Venice Beach Hostel* (plan couleur II, G8, **26**) : 1515 Pacific Ave. ☎ (310) 452-3052. ● caprica.com/veni ce-beach-hostel ● Dortoir env 30 $ (un peu plus le w-e) et doubles 95-100 $ avec sdb. Grande AJ un peu de guingois. La faune de Venice ne figure pas seulement sur les grandes fresques colorées qui ornent les murs : cette AJ est aussi un repaire de fêtards. Confort spartiate et ménage sommaire si vous restez plusieurs jours (il est fait à fond entre chaque occupant). Laverie, billard, cuisine, salon TV. Ordinateur dans chaque chambre, avec accès Internet gratuit. Attention, le *check-out time* est fixé à 10h.

Bon marché, un peu plus loin de la plage

🛏 *International Hostel California (plan couleur II, H7, 25) :* 2221 Lincoln Blvd. ☎ *(310) 305-0250.* ● *hostelcalifornia. net* ● *De l'aéroport LAX, prendre le bus bleu n° 3, arrêt « Lincoln/Venice », à côté du* Marina Car Wash. *Compter 17 $ la nuit dans un dortoir de 30 lits et 21 $ dans un dortoir de 6 ; aussi 3 doubles 50 $ (résa obligatoire par Internet pour les chambres). Parking et wifi gratuits.* Grande AJ privée située dans un quartier animé et proposant des dortoirs assez désordonnés de 6 à 30 lits, équipés de *lockers,* et des chambres un peu nues et sans salle de bains mais plutôt agréables, avec TV. Pour se relaxer, coin-canapé avec écran TV géant. Cuisine, laverie, barbecue, distributeurs de boissons et Internet. Location de vélos pas trop chère. Georges, un Tahitien, fait tourner la boutique et ne tarit pas d'éloges sur l'auberge... à la grande satisfaction de Klaus, le patron. Bon accueil, et la plage de Venice n'est qu'à 20 mn à pied.

🛏 *Venice Marina Hotel (hors plan couleur II par H7, 29) :* 2915 Yale Avenue, Marina del Rey. ☎ *(310) 433-4025. Doubles 60-65 $, 40 $ sans sdb, petit déj inclus. Résa conseillée. Wifi et prise en charge à l'aéroport gratuits (passer un coup de fil avt).* Un hôtel discret sur une rue tranquille perpendiculaire à Washington Blvd. Ambiance un tantinet rasta dans cette demeure en bois d'une demi-douzaine de chambres aménagées sobrement mais avec goût. C'est pas vraiment nickel, mais visiblement les clients s'y sentent bien. La plage n'est qu'à un quart d'heure à pied et s'il vous reste un peu d'énergie, le jardin dispose d'une petite aire de muscu. Autrement, vous passerez la soirée vautrés dans les canapés, autour du billard ou sur Internet, au sous-sol. Bon accueil.

De prix moyens à plus chic

🛏 *Sea Shore Motel (plan couleur II, G6, 28) :* 2637 Main St. ☎ *(310) 392-2787.* ● *seashoremotel.com* ● *Doubles 110-150 $. Wifi et parking gratuits.* Ce motel rose, orné de grilles vertes, à 2 blocs de la plage, offre de fort belles chambres, avec TV, AC et frigo. Terrasse sur le toit, et petit café très agréable à l'avant du motel, pour le petit déj. Quelques chambres avec kitchenettes un peu plus loin dans la rue. Accueil charmant.

🛏 *Jolly Roger Hotel (plan couleur II, H8, 24) :* 2904 Washington Blvd. ☎ *(310) 822-2904 ou 1-800-822-2904.* ● *jollyrgr. com* ● *À deux pas du* Venice Marina Hotel. *Doubles avec grand lit 100-125 $, petit déj inclus. Wifi et parking gratuits.* Motel de 82 chambres, plutôt spacieuses, avec TV, AC, micro-ondes et frigo, et déco quasi inexistante. Machines à laver. Piscine, jacuzzi et plusieurs fontaines rendent l'endroit très agréable.

🛏 *Cadillac Hotel (plan couleur II, G7, 27) :* 8 Dudley Ave (angle Ocean Front Walk). ☎ *(310) 399-8876.* ● *thecadillacho tel.com* ● *Doubles 140-170 $. Petit parking payant. Accès Internet.* Il s'agit d'une grande bâtisse de 3 étages construite en 1905, transformée depuis en hôtel et entièrement rénovée dans un style Art déco. Pratiquement les pieds dans l'eau, au cœur de l'endroit le plus branché de Venice Beach, on la reconnaît immédiatement à ses murs peints en rose saumon et vert pastel, et à son vieil escalier métallique de secours, lui aussi préservé. Dans les années 1920, Charlie Chaplin y passait 2 semaines par an et y écrivait films et critiques. La suite n° 402 a conservé son nom. La petite histoire raconte qu'il louait simultanément 6 chambres dans 6 hôtels différents de Los Angeles, afin de pouvoir y retrouver chacune de ses petites amies quand ça lui chantait... Après avoir battu de l'aile pendant des années, le *Cadillac Hotel* offre aujourd'hui un confort satisfaisant. Bon accueil.

Très chic

🛏 *The Inn at Venice Beach (plan couleur II, H8, 30) :* 327 Washington Blvd. ☎ *(310) 821-2557 ou 1-800-828-0688.* ● *innatvenicebeach.com* ● *À 500 m de la plage. Doubles 160-210 $, petit déj compris. Parking 8 $. Wifi gratuit.* Bel hôtel, à deux pas des canaux. Une quarantaine de grandes chambres très confortables et colorées, avec TV, frigo, AC. Joli patio pour prendre le petit déj. Accueil très aimable.

🛏 *The Embassy Hotel Apartments* (*plan couleur II, E5,* **23**) : *1001 3rd St.* ☎ *(310) 394-1279.* ● *embassyhotelapts. com* ● *Dans un quartier résidentiel, à quelques mn à pied de la plage. Compter 170-390 $ suivant confort et superficie de la chambre ; 185 $ le w-e pour une double ; pas de petit déj, on le prend à deux blocs. Parking payant.* Une trentaine de chambres, studios et appartements dans une superbe demeure au style hispanisant de 1927, parfaitement au calme. Magnifique petit jardin fleuri et vaste hall meublé à l'ancienne, avec un vieux piano. Chambres à l'image du

Encore plus chic

🛏 *Marina Pacific* (*plan couleur II, G8,* **31**) : *1697 Pacific Ave.* ☎ *(310) 452-1111 ou 1-800-421-8151.* ● *mphotel.com* ● *Doubles 180-260 $ selon saison, vue et jour de la sem (les w-e d'été étant les jours les plus meurtriers pour le portefeuille), vrai petit déj compris. Parking 15 $. Wifi gratuit.* Hôtel plaisant, à deux pas de la plage de Venice et récemment rénové. Fort jolies chambres, claires et colorées en jaune et bleu, avec TV, AC, frigo, machine à café, sèche-cheveux et planche à repasser. Les suites, avec cuisine équipée, salon et chambre séparée, peuvent accueillir jusqu'à 6 personnes, sans surcharge de prix.

🛏 *Hotel Carmel* (*plan couleur II, F5,* **32**) : *201 Broadway Blvd.* ☎ *(310) 451-2469.* ● *hotelcarmel.com* ● *Doubles 180-190 $, petit déj inclus. Parking payant. Wifi.* Très bien situé, à deux pas du front de mer et de la 3rd Street Promenade, cet hôtel d'une petite centaine de chambres affiche des tarifs encore acceptables. Les chambres, de style

reste : impeccables, hautes de plafond et pourvues d'une TV et d'une literie de bonne qualité. Les studios et appartements sont nettement plus chers.

🛏 *Best Western Gateway Hotel* (*hors plan couleur II par F5,* **34**) : *1920 Santa Monica Blvd (angle 20th St).* ☎ *(310) 829-9100.* ● *gatewayhotel.com* ● *Doubles 180-200 $. Parking gratuit. Wifi.* Un hôtel de 120 chambres tout confort : cafetière, sèche-cheveux, frigo, TV... Une demi-douzaine de chambres (plus chères, évidemment) donne sur un balcon avec chaises longues. Au programme également, un centre de fitness (accès gratuit) avec sauna. Navettes pour la plage. Pas de petit déj, mais le resto *IHOP*, dans le même bâtiment, ouvre dès 6h30. Un peu excentré toutefois.

colonial, sont meublées en bois foncé ; le lit est très imposant et remplit parfois tout l'espace. Bonne literie, TV et AC.

🛏 *The Ambrose* (*hors plan couleur II par G5,* **21**) : *1255 20th St (angle Arizona Ave).* ☎ *(310) 315-1555.* ● *ambrose hotel.com* ● *Doubles de luxe 240-280 $ petit déj inclus. Parking 18 $. Accès Internet gratuit.* Situé dans un quartier résidentiel à proximité des grands axes, un hôtel d'inspiration zen, offrant un service de grande qualité. Chaque chambre est décorée avec beaucoup d'attention, en utilisant des matériaux nobles. Dans la salle de bains, très beaux peignoirs en coton, pousses de bambous, tableaux contemporains colorés et même poubelle compartimentée pour trier ses déchets par souci d'écologie. Le petit déj se prend dans le salon donnant sur un jardin japonais. Compris dans le prix, certes élevé mais qui se justifie : le transport jusqu'à la plage et l'accès à un centre de fitness. Accueil très chaleureux.

À Hollywood, Melrose, West Hollywood et Beverly Hills (*plans couleur III et IV*)

Hollywood ne ressemble plus vraiment à ce qu'elle fut dans les années 1920-1940, sa période de gloire. À certains endroits, notamment dans les petites rues perpendiculaires à Hollywood Boulevard (partie est, c'est-à-dire grosso modo entre

Highland et Western Avenue), quelques prostituées, sex-shops minables et mauvais garçons ont même fait leur apparition. Faire preuve de vigilance donc, surtout à la nuit tombée. En revanche, la partie ouest de ce même boulevard légendaire est restée sûre. C'est d'ailleurs là que se tient la cérémonie des oscars... Pour s'y rendre de l'aéroport, bus n° 42 puis n° 210 (après changement à l'intersection de Stocker Street et Crenshaw Boulevard).

Bon marché

🛏 *Vibe Hotel – Banana Bungalow* (plan couleur III, L9, *42*) : 5920 Hollywood Blvd. ☎ (323) 469-8600 ou 1-866-751-8600. • vibehotel.com • Compter 22-27 $ en dortoir, 65-85 $ en chambre avec kitchenette et sdb privative. Réduc pour les membres FUAJ ou en cas de séjour prolongé (négocier). Parking gratuit. Accès Internet. Un motel « jeune » et bleu, idéalement placé, qui propose des chambres ou des dortoirs à 3 lits superposés avec kitchenette. C'est clean. Au rez-de-chaussée, un petit salon-cinéma dans un garage, canapés sous les bananiers, bar pour repasser le film entre potes. Certainement le meilleur plan pour loger pas trop cher à Hollywood. Accueil décontracté.

🛏 *Hollywood International Hostel* (plan couleur III, J9, *44*) : 6820 Hollywood Blvd. ☎ (323) 463-0797 ou 1-800-750-6561. • hollywoodhostels. com • Bien situé, juste en face du métro Hollywood et Highland. Dortoir 18 $ et une dizaine de doubles 40 $ sans sdb ; draps, couvertures et petit déj inclus. Lorsque vous y passez plus de 2 nuits, remboursement de 50 % du ticket de la navette en provenance de l'aéroport (gardez bien le reçu !). Une auberge qui vaut surtout pour sa situation exceptionnelle (lors de la remise des oscars, vous êtes sur le devant de la scène, car la rue est barrée !). Dans un bâtiment vaste et lumineux, qui peut accueillir 160 personnes, cuisine minuscule, sanitaires assez sommaires et mobilier fatigué. L'endroit, à peu près bien tenu, accueille des jeunes d'un peu partout. On se retrouve dans la salle TV, à jouer au billard ou à bavarder dans une ambiance typiquement routarde. Propose des excursions à prix intéressants. Bon accueil.

🛏 *Orange Drive Manor* (plan couleur III, J9, *48*) : 1764 N Orange Dr. ☎ (323) 850-0350. • orangedrivehostel.

com • Résa conseillée. Compter 26 $ en dortoir, doubles 60-70 $ avec ou sans sdb ; pas de petit déj. Wi-fi gratuit. Dans une grande maison bourgeoise plantée au milieu des arbres et en retrait de la rue. À peine une vingtaine de doubles, dont six avec salle de bains. Préférer celles de l'étage. Une demi-douzaine de dortoirs aussi, moitié gars, moitié filles. C'est propre et lumineux. Parquets encaustiqués, murs en bois blanc, meubles en teck. Dans le salon, une mappemonde pour étudier sa route, un piano, de larges sofas et de beaux tapis. On se sent bien. L'ensemble a du charme, d'autant qu'Edouardo vous accueille avec le sourire. Navette pour l'aéroport. Prévenir en cas d'arrivée tardive : la réception ferme à 1h du mat.

🛏 *Banana Bungalow* (plan couleur IV, O12-13, *66*) : 603 N Fairfax Ave. ☎ (323) 655-2002. • bananabungalow.com • Compter 22-27 $ en dortoir, 80-90 $ en chambre double, petit déj compris. Wi-fi gratuit. Ambiance sixties, déco simili et formica, tout en couleurs chatoyantes. Une quinzaine de doubles, propres avec un grand lit sur lequel se superpose un lit plus petit (pour celui qui tient la chandelle, sans doute), le reste en dortoirs. Les espaces communs sont grands. Petite terrasse au soleil pour siroter un jus. Dans le patio, un bar avec musique, quelquefois barbecue. Organise aussi des tours dans le coin. Bonne adresse.

🛏 *USA Hostels Hollywood* (plan couleur III, J9, *41*) : 1624 Schrader Blvd. ☎ (323) 462-3777 ou 1-800-524-6783. • usahostels.com • En plein cœur d'Hollywood, à deux pas du Walk of Fame. Dortoirs 8 pers 25-36 $, doubles 55-95 $ avec ou sans sdb, petit déj compris. Accès Internet, wi-fi gratuit. Une AJ entièrement rénovée qui, dès l'abord, invite à la relaxation, avec sa petite terrasse à l'avant. À l'intérieur, atmosphère genre fellow travellers. Chambres doubles et dortoirs convenables, sans plus, avec salle de bains privée. Pas de couvre-feu, pas de carte de membre exigée. Coin-lecture et TV, laverie, et même une sorte de petit cabaret où des comédiens se produisent les dimanches et mercredis soirs. Soirées à thème organisées presque chaque jour (projection de films, « All you can eat » barbecue pour 5 $...). Ah oui ! plein d'offres d'excursions aussi et navette gratuite pour la plage et depuis l'aéroport (ou la gare) si vous restez au moins 4 nuits. Un bon plan pour lier connaissance.

🛏 *Orbit Hotel and Hostel (plan couleur IV, O12-13, 55) : 7950 Melrose Ave (angle Hayworth).* ☎ *(323) 655-1510 ou 1-877-ORBITUS ou ● orbithotel.com ●*

Prix moyens

🛏 *Saharan Motor Hotel (plan couleur III, I9, 46) : 7212 Sunset Blvd.* ☎ *(323) 874-6700 ou 1-877-815-1938. ● saharanmotel.com ● Doubles 80-90 $, triple 140 $ (bon pour 6 pers) ; ajouter 10 $ le w-e. Parking gratuit.* Situé au cœur d'Hollywood, un motel particulière-

Très chic

🛏 *Celebrity Hotel (plan couleur III, J9, 47) : 1775 Orchid Ave.* ☎ *(323) 850-6464 ou 1-800-222-7017. ● hotelcelebrity.com ● Doubles avec 2 Queen beds 150-170 $, petit déj inclus. Parking gratuit. Accès Internet.* Entièrement refait à neuf dans les tons blanc et olive, ce charmant hôtel d'une quarantaine de chambres, très bien situé, à deux pas du métro et au cœur d'Hollywood, offre un confort exemplaire. Chaque chambre est agrémentée d'un dessin au mur représentant une star de l'âge d'or du cinéma américain. Salle de bains absolument nickel, petit coin avec table et chaises. Agréable terrasse sur rue pour prendre son petit déj. Accueil moyen, en revanche.

🛏 *Wilshire Crest Inn (plan couleur IV, O13, 67) : 6301 Orange Street.* ☎ *(323) 936-5131 ou 1-800-654-9951. ● wilshirecrestinn.com ● Doubles avec 2 Queen beds 165-180 $, petit déj inclus. Parking gratuit, mais dans la cour (places réservées par l'hôtel). Wi-fi gratuit.* Dans un quartier tranquille, en plein centre, un hôtel aménagé dans les tons pastel. Les

Réception ouv 8h-minuit. Dortoir 27 $; doubles 80-90 $, thé et café offerts. Internet. Grosse maison proposant une centaine de lits, au décor *seventies* qui fait un peu usine à dodo. Dortoirs mixtes de 6 lits avec mobilier moderne et salle de bains. Draps, couvertures, serviettes et consignes inclus. Les chambres privées possèdent TV, ventilo ; possibilité d'y loger des familles. Grande salle commune avec TV, billard (tournoi le mercredi) et flipper. Possibilité de prendre petit déj et dîner au café attenant. Barbecue gratuit le dimanche. Machine à laver. Propose également des tours dans L.A., à Disneyland (prix avantageux) et au Grand Canyon.

rement bien entretenu. Les chambres viennent d'être refaites, et si elles ne contiennent que le strict nécessaire (AC et TV), elles sont impeccables. Préférez celles qui donnent sur la piscine, sinon, vous aurez la vue sur le parking ou les poubelles. Accueil variable.

chambres sont lumineuses avec une petite table et un fauteuil en rotin. Salles de bains microscopiques. L'ambiance est agréable dans les parties communes. La salle du petit déj est à dimension humaine, à moins qu'on ne préfère prendre son jus de chaussette en terrasse en pensant à l'Italie, sur la rue, très agréable aux beaux jours.

🛏 *The Beverly Laurel Hotel (plan couleur IV, O13, 63) : 8018 Beverly Blvd.* ☎ *(323) 651-2441 ou 1-800-962-3824. Fax : (323) 651-5225. Doubles 110-150 $. Parking gratuit.* Un hôtel très bien situé ! Si vous cherchez quelque chose d'un peu différent, voici l'endroit où poser vos affaires : vous y trouverez des chambres de style *sixties,* et vraiment réussies, à dominante jaune et noir, certaines avec kitchenette. Elles sont toutes très calmes, car elles donnent sur la petite piscine dans la cour intérieure. Bon accueil et bonne adresse !

🛏 *Park Plaza Lodge (hors plan couleur IV par O13, 65) : 6001 W 3rd St.* ☎ *(323) 931-1501. ● parkplazalodgeho* tel.com • *Doubles 120-135 $. Parking gratuit. Wi-fi gratuit.* Situé à deux pas du Farmer's Market, quartier animé. À l'entrée, vous verrez d'abord les grands cactus. Des plantes luxuriantes envahissent les fenêtres. C'est frais. Le mobilier est soigné, dans un style anglais, et l'ensemble est bien agencé. Agréable restaurant-bar près de la piscine, tout en longueur. Accueil charmant.

📍 *Hollywood Orchid Suites (plan couleur III, J9, 49) : 1753 Orchid Ave.* ☎ *(323) 874-9678 ou 1-800-537-3052.* • *orchidsuites.com* • *Doubles 150-190 $. Wi-fi gratuit.* Situé à deux pas du Chinese Theater et d'Hollywood Boulevard, cet établissement propose des chambres spacieuses. Et pour cause, il s'agit d'anciens appartements transformés en chambres d'hôtel. Résultat : on échappe à la standardisation forcenée des motels ! Les 40 chambres disposent de TV, AC et d'une cuisine tout équipée. Piscine chauffée. Excellent accueil.

📍 *Farmer's Daughter Motel (plan couleur IV, O13, 62) : 115 S Fairfax Ave.* ☎ *(323) 937-3930 ou 1-800-334-1658.* • *farmersdaughterhotel.com* • *Doubles 180-245 $. Parking 16 $. Accès Internet gratuit.* Au cœur de Fairfax Village, juste à côté du LACMA (lire « À voir » à West Hollywood). La façade à carreaux bleus annonce la couleur : la volonté du propriétaire a été de recréer l'esprit de la vie à la ferme, le confort en plus. Le résultat est probant : lits douillets aux couvertures bleues, petits fauteuils et mobilier en bois peint, mais aussi DVDthèque et piscine gratuites (enfin, une fois que vous avez acquitté le prix de la chambre, car ce n'est pas donné). Une adresse un poil branchouille.

📍 *Highland Gardens Hotel (plan couleur III, J9, 50) : 7047 Franklin Ave.* ☎ *(323) 850-0536 ou 1-800-404-5472.* • *highlandgardenshotel.com* • *Proche du centre d'Hollywood. Double 160 $ avec cuisine, petit déj inclus. Parking gratuit. Accès Internet (cher).* Un motel mythique, fréquenté dans les années 1950 par Frank Sinatra, Sammy Davis, Errol Flynn... C'est aussi ici, dans la chambre n° 105, que Janis Joplin fut retrouvée morte. Aujourd'hui encore, de nombreuses stars continuent de hanter les lieux. Les chambres, sans originalité, ont été repeintes, ce qui n'était pas du luxe ! Préférer celles donnant sur le jardin. Petite piscine dans la verdure. L'ensemble est un peu vieillot mais possède un caractère indéniable.

📍 *Liberty Hotel (plan couleur III, J9, 54) : 1770 Orchid Ave.* ☎ *(323) 962-1788.* • *hollywoodlibertyhotel.com* • *Dans une rue calme perpendiculaire à Hollywood Blvd. Doubles avec 2 Queen beds 150-170 $ avec cuisine, petit déj compris. Parking gratuit.* Petite maison jaune et bleu d'une vingtaine de chambres à l'ombre de la grande tour de l'hôtel *Renaissance,* au cœur d'Hollywood. Bien située, avec chambres assez spacieuses mais dont le confort et la propreté sont un peu sommaires. Bon accueil.

Encore plus chic

📍 *Magic Castle Hotel (plan couleur III, J9, 53) : 7025 Franklin Ave.* ☎ *(323) 851-0800 ou 1-800-741-4915.* • *magic castlehotel.com* • *Doubles 180-200 $ et véritables petits appartements 250 $, petit déj compris. Parking 10 $. Wi-fi gratuit.* Plutôt calme, vu la situation en bordure de boulevard. Belles chambres bien équipées, avec cuisine et même un petit coin pour manger. Intéressant pour les chambres qui donnent sur la très agréable piscine. Les résidents de l'hôtel ont accès au club très privé du *Magic Castle,* manoir de style victorien où, pour 80 $, on assiste à un spectacle de magie, dîner compris. Bon accueil.

📍 *Maison 140 (plan couleur IV, N13, 64) : 140 S Lasky Dr.* ☎ *(310) 281-4000 ou 1-800-432-5444.* • *maison140bever lyhills.com* • *Compter 250-300 $ selon taille de la chambre (un peu moins cher via Internet).* Ancienne demeure de l'actrice de muet, Lillian Gish (connue pour son rôle dans *La Nuit du chasseur*), qui l'avait transformée en dortoir pour actrices débutantes, cette maison à la déco design est très accueillante. Deux types de chambres : *Parisiennes* ou *Mandarine* très cosy, décorées avec goût, avec TV à écran plat et lecteur DVD. Excellente literie. Dégustation de vins chaque soir. Accueil charmant. Un

French kiss au cœur de Beverly Hills.

🏠 *The Standard* (plan couleur IV, O12, **51**) : 8300 Sunset Blvd. ☎ (323) 650-9090. ● standardhotel.com ● Au cœur de Sunset Strip. Compter 295-325 $ pour une chambre avec 2 Queen beds, 160-240 $ avec un lit King size. *Parking* 27 $. Ici, rien n'est standard, l'hôtel surfe encore sur sa réputation d'établissement branché, même si ça commence sérieusement à se tasser. Dès l'entrée, le décor est planté : la vision du futur des années 1970. Un petit air de vacances, notamment au bord de la piscine (entourée d'une « pelouse » bleue !), bien au calme, qui donne agréablement sur une partie de la ville. Chambres évidemment à l'image du reste : murs clairs, chaîne stéréo, téléphone portable, salle de bains orange électrique. Bar, restaurant (pas aussi cher que ce qu'on peut croire et vraiment original), DJ à la réception tous les soirs... Dès 19h, une femme nue est allongée dans un aquarium situé derrière la réception ! On laissera le lecteur seul juge de cette fantaisie pour le moins réductrice de l'idée de la femme. Cela dit, cet hôtel n'a pas le meilleur rapport qualité-prix qu'on ait vu dans le coin.

🏠 *Best Western Sunset Plaza Hotel* (plan couleur IV, O12, **56**) : 8400 Sunset Blvd. ☎ (323) 654-0750 ou 1-800-421-3652. ● sunsetplazahotel.com ● Sur le Sunset Strip, un coin qui s'enflamme dès la tombée de la nuit. Doubles 185-

340 $ selon vue, période et type de chambre, petit déj compris. Wi-fi gratuit. L'un des rares établissements à peu près abordables au cœur de l'animation de Sunset. Chambres spacieuses et calmes, équipées de TV à écran LCD, AC, frigo et micro-ondes. Literie confortable. Les salles de bains sont très belles. En prime, une superbe terrasse fleurie aux tons pastel, avec piscine, agrémentée de jolies chaises longues vertes et de tables en fer forgé. Bon accueil.

🏠 *Hollywood Roosevelt* (plan couleur III, J9, **52**) : 7000 Hollywood Blvd. ☎ (323) 466-7000 ou 1-800-950-7667. ● hollywoodroosevelt.com ● Situation idéale, sur le « Walk of Fame ». Doubles standard avec 2 Queen beds 270-360 $ selon situation et période ; pas de petit déj. Parking 28 $. Construit en 1927, en pleine effervescence hollywoodienne, ce palace étonnant a abrité les amours et les extravagances d'une société bien particulière : celle des producteurs, des stars de cinéma et de la littérature américaine. La toute 1re cérémonie des oscars y eut lieu. Intérieur Art déco tendance hispano-mauresque, avec plafonds peints, grilles en fer forgé et marbre blanc. Chambres très soignées, équipées de TV, lecteur de CD, AC (un peu bruyant). Les salles de bains pourraient être plus spacieuses. Piscine décorée par le peintre David Hockney et salle de fitness. Accueil commercial mais souriant.

À Westwood (UCLA)

Pour ceux qui désirent séjourner entre Santa Monica et Hollywood, ou tout simplement s'imprégner de l'atmosphère estudiantine du campus. Peu d'hôtels cela dit, et pas particulièrement bon marché. Pour s'y rendre de l'aéroport, bus n° 561 du Parking Lot C.

Très chic

🏠 *Hilgard House Hotel* (plan couleur IV, M13, **61**) : 927 Hilgard Ave. ☎ (310) 208-3945 ou 1-800-826-3934. ● hilgardhouse.com ● En bordure du campus, à deux pas de l'hôpital de l'UCLA. Doubles 170-190 $, petit déj compris. Parking et wi-fi gratuits. Évidemment, ce n'est pas bon marché, mais on en a pour son argent ! Beaucoup de charme et de classe dans

un environnement assez vert. Chambres de style anglais, vraiment très jolies et dotées de tout le confort (coffre-fort, frigo, TV...). Salles de bains carrément luxueuses, surtout celles au 1er étage avec jacuzzi (pour le même prix !). Un établissement vraiment recommandable et excellent accueil du réceptionniste canadien qui parle le français.

À Anaheim (Disneyland) et Fullerton

À env 25 miles au sud-est de Downtown. De là, vous pouvez rayonner autour de trois attractions majeures, tout à côté : Disneyland, Knott's Berry Farm et Movieland Museum.

Pour y aller en transports publics, le moins cher (3 $) consiste à prendre le bus n° 460 de Downtown (sur 6th Street). Possibilité aussi de prendre un train de Union Station jusqu'à Fullerton, puis le bus n° 43 jusqu'à Disneyland. Plus cher (env 20 $) mais plus rapide que le bus. En voiture, prendre la Santa Ana Freeway (la 5) et sortir à Disneyland ; on tombe sur West Katella Avenue, sur laquelle sont alignés les principaux motels. À propos, sachez qu'ici les tarifs hôteliers varient énormément en fonction de l'affluence. Préférez y séjourner en semaine. On vous indique la fourchette des prix, étant entendu que c'est en été et le week-end que la note sera la plus salée.

Bon marché

≜ *Hostelling International Fullerton :* 1700 North Harbor Blvd, Fullerton. ☎ (714) 738-3721. ● fullerton@lahostels. org ● *Ouv 15 juin-15 sept. Le mieux pour s'y rendre est de prendre un* Shared Ride Van *de l'aéroport. Compter 27 $ la nuit en dortoir, petit déj compris. Réduc pour les membres de la FUAJ. Wifi gratuit.* Une petite auberge de jeunesse perchée au faîte d'une colline plantée d'eucalyptus et de pins de Griffith. À peine vingt lits, répartis en dortoirs de 6, filles, garçons ou mixtes. C'est très propre et agréable. Charmante petite kitchenette ouverte sur la verdure, salle commune prolongée sur la terrasse en bois. AC, salon TV, vidéo, piano pour les mélomanes. Centre commercial pas trop loin pour aller faire le plein et remplir le frigo. Un bel endroit pour se mettre à la lecture. Bon accueil de John, le père aubergiste.

≜ *Little Boy Blue :* 416 W Katella Ave. ☎ (714) 635-2761 ou 1-800-284-3804. ● anaheim-littleboyblue.com ● *Double 70 $, café et donuts inclus. Parking et wifi gratuits.* Chambres sans charme, avec frigo, micro-ondes et une TV d'avant-guerre. Petite piscine au fond du parking. C'est vieillot, mais propre et tout près de Disneyland. Bon rapport qualité-prix, vu la situation.

Prix moyens

≜ *Anaheim Astoria Inn & Suites :* 426 W Ball Rd. ☎ (714) 774-3882 ou 1-888-795-0195. ● anaheimastoriainn. com ● *Doubles 95-130 $, petit déj compris. Parking et wifi gratuits.* Situé à un bon quart d'heure à pied de l'entrée des parcs d'attractions. Si vous avez envie de vous économiser pour marcher vers Mickey, prenez le *shuttle* sur Harbour Drive. L'un des hôtels les moins chers du coin, sans que la qualité des chambres ne s'en ressente : elles sont grandes et propres, meublées en bois sombre. Piscine avec spa. Bon accueil.

≜ *Econolodge :* 1126 W Katella Ave. ☎ (714) 533-4505. ● econolodgeatthe park.com ● *À deux pas de Disneyland. Doubles à 2 Queen beds 105-130 $, petit déj inclus. Parking et wifi gratuits.* Motel classique, d'un rapport qualité-prix tout à fait convenable. Chambres agréables et bien équipées, avec frigo et micro-ondes. Bon accueil.

≜ *Alpine Inn :* 715 W Katella Ave. ☎ (714) 535-2186 ou 1-800-772-4422. ● alpineinnanaheim.com ● *Tt près de Disneyland. Env 70-130 $ pour 2-4 pers, petit déj compris. Parking gratuit. Internet.* Reconnaissable à son drôle de faux toit enneigé. Chambres ravissantes, meublées en bois clair et équipées de salles de bains impeccables. TV, micro-ondes et frigo. Préférer celles de l'aile nord. Piscine. Bon accueil.

≜ *Islander Inn & Suites :* 424 W Katella Ave. ☎ (714) 778-6565 ou 1-800-882-8819. ● anaheimislander. com ● *Env 80-115 $ pour 2-4 pers, petit* *déj inclus*. *Wifi gratuit*. Petit motel jaune d'une trentaine de chambres, à 2 étages, disposé en U, orné de plantes grimpantes, à deux pas de l'entrée de Disneyland. Les chambres sont spacieuses et décorées avec plus de soin que dans les motels du genre. Elles offrent un bon niveau de confort, avec TV, AC, frigo et micro-ondes. Préférer celle situées au rez-de-chaussée de la partie ouest, plus fraîches en été. Accueil réservé.

🛏 *Motel 6 : 100 W Disney Way*. ☎ *(714) 520-9696 ou 1-800-RED-ROOF*. ● *m61*

066bo@motel6.com ● *À 1 petit mile de Disneyland ; prendre Disney Way et passer Clementine St, c'est le bâtiment au toit rouge... Doubles 80-130 $; pas de petit déj. Parking gratuit. Wifi*. Un hôtel appartenant au groupe européen *Accor* qui satisfait visiblement une clientèle populaire. Chambres pas très originales avec TV, frigo et micro-ondes. Suffisamment calmes, malgré la proximité de la *Freeway 5* (emportez quand même vos bouchons d'oreille). Piscine et jacuzzi. Accueil expéditif.

De plus chic à très chic

🛏 *Park Vue Inn : 1570 S Harbor Blvd*. ☎ *(714) 772-3691 ou 1-800-334-7021*. ● *parkvueinn.com* ● *En face de l'entrée de Disneyland. Doubles 150-175 $, petit déj inclus. Parking et wifi gratuits*. Un hôtel tout en longueur d'une soixantaine de chambres, dont certaines, situées au-dessus des commerces, ont été totalement refaites. Confortables et impeccables, avec TV, AC et une très belle salle de bains. Piscine. Dommage que la proximité des restos environnants laisse planer dans l'air quelques odeurs de fritures. Accueil variable.

🛏 *Carousel Inn & Suites : 1530 S Harbor Blvd*. ☎ *(714) 758-0444 ou 1-800-854-6767*. ● *carouselinnandsuites. com* ● *En face de Disneyland. Repérer la tourelle en verre fumé. Env 150-220 $ pour 2-4 pers, petit déj compris. Chambres avec un seul grand lit un peu moins chères. Parking 10 $. Wifi*. Une belle

adresse, tant pour sa situation que pour la qualité des chambres, fort bien arrangées, harmonieuses et colorées, avec petite table, bergères et mobilier en bois clair. Petit déj servi au dernier étage, près de la piscine, avec une vue imprenable sur Disneyland (bof !).

🛏 *Camelot Inn : 1520 S Harbor Blvd*. ☎ *(714) 635-7275 ou 1-800-828-4898*. ● *bei-hotels.com* ● *À côté du* Carousel Inn & Suites. *Env 115-175 $ pour 2-4 pers, petit déj compris. Parking gratuit. Wifi*. Hôtel de 160 chambres sur 4 niveaux, aux allures de château alémanique, troué en son centre par une arche. Les chambres sont spacieuses et confortables, meublées coquettement. TV, AC, frigo et micro-ondes. De la terrasse où se trouve la piscine, très belle vue sur le feu d'artifice tiré chaque soir à Disneyland. Dommage que l'accueil ne suive pas.

Un peu plus au sud, vers les plages

À *Hermosa Beach*

Hermosa est une petite station balnéaire entre Venice et San Pedro. La plage y est belle, et l'ambiance moins m'as-tu-vu qu'à Venice ou Santa Monica. Rues commerçantes, avec quelques restos et bars de nuit, Boutiques de surf. Agréable *front walk*. Tous les vendredis, un *Farmer's Market* se tient du côté du gymnase et des tennis, à deux blocs en retrait de la plage. On y déguste les fruits de la région, de la charcuterie et aussi du fromage qui pue. Un Français y vend même du pain.

🛏 *The Sea Sprite Motel & Appartments : 1016 The Strand, Hermosa Beach*. ☎ *(310) 376-6933. Doubles avec kitchenette 115-125 $*. Un motel les pieds dans l'eau sur la plage d'Hermosa. En fait, un ensemble de petits

appartements avec coin-cuisine, deux grands lit, avec salon et lit d'appoint, ou chambres standard avec lit *King size* et kitchenette. C'est un poil vieillot mais propre et ouvert sur la mer grâce à de grandes baies vitrées. Louer un appart à six est un bon plan hors saison. Le *swell* déroule à moins de 50 m ! Petite | piscine. Pour ceux qui aiment la plage.

À *San Pedro*

San Pedro est un quartier isolé du grand L.A. Il n'en demeure pas moins un lieu magique, car c'est certainement, avec l'observatoire de Griffith Park, l'un des points de vue sur la ville les plus remarquables. Une auberge de jeunesse aménagée dans un ancien camp militaire tient le haut du pavé en matière d'hébergement au bon rapport qualité-prix.

🛏 *Hostelling International San Pedro :* 3601 Gaffey St, San Pedro. ☎ (310) 831-8109. ● southbay@laho stels.org ● Ouv 15 juin-15 sept. Dans l'History Angel's Gate Park, tt près du mémorial coréen. De Downtown, se rendre à Union Station et prendre le bus n° 446 ou 447 jusqu'à Korean Bell Site (c'est le terminus) ou le bus n° 445 qui vous dépose à San Pedro, puis 15 mn à pied env. Compter 28 $ la nuit en dortoir, 30 $ en semi-private (chambre de 3 lits) et 57 $ en double avec grand lit, petit déj compris. Réduc pour les membres de la FUAJ. Une auberge de jeunesse idéale quand on a fait la route et galéré son sou. D'abord parce que l'emplacement est exceptionnel, ensuite parce que c'est propre et que l'accueil est chaleureux. Aménagée dans les baraquements d'un ancien camp militaire, avec vue imprenable sur la baie de Los Angeles, à 5 minutes à pied de la plage. Dortoirs filles, garçons ou mixtes, au choix... Chambres privées aussi. C'est nickel. Agréables pièces communes, belle cuisine, de quoi lire, et plein de plans sympas pour visiter le coin. Seul bémol, c'est peut-être un peu loin de tout et on ne peut y séjourner plus de 7 jours d'affilée. Un plan qui satisfera ceux qui préfèrent les étoiles de mer à celles d'Hollywood Boulevard.

À *Long Beach*

La plage de Long Beach est agréable et nettement moins fréquentée que celles de Venice ou Santa Monica. C'est un lieu de résidence intéressant pour qui souhaite échapper au côté un peu trop théâtral des stations précitées. Broadway, l'avenue principale, concentre les restos, les pubs et les bars de nuit. Une artère très animée le soir en saison.

🛏 *Beach Plaza Hotel :* 2010 East Ocean Blvd. ☎ (562) 437-0771. Doubles standard 140 $, 165 $ avec vue sur mer ; petit déj inclus. Un hôtel très bien situé d'une quarantaine de chambres réparties sur deux bâtiments face à la mer (accès privé à la plage). Les chambres sont grandes et lumineuses, équipées tout confort mais sans AC (ventilo). Salles de bains sans grand charme, mais on séjourne ici surtout pour la plage. On a un faible pour la 206, pratiquement les pieds dans l'eau. Également une petite piscine à l'abri des regards. Accueil aimable.

À *Huntington Beach*

À 40 mn en voiture de l'aéroport (et 20 mn au sud-ouest de Disneyland), Huntington est une sympathique petite ville de 175 000 habitants, entre Long Beach et Newport Beach. 34 km de plages ! Beaucoup de spots pour le surf, des dizaines de kilomètres de pistes cyclables...

🛏 *Sun'n'Sands Motel :* 1102 Pacific Coast Hwy. ☎ (714) 536-2543. ● sunn sands.com ● En venant du nord, c'est entre la 12e et la 11e rue, sur la gauche. Doubles avec 2 lits Queen size 130-170 $. Wi-fi gratuit. Idéalement situé, sur le front de mer, en face de l'île Santa Catalina (cachée par la brume les matins d'été). Charmantes chambres dans de jolis tons et équipées de salles de bains impeccables, TV et micro-ondes. Bon accueil.

À Newport Beach

🏠 **Newport Channel Inn :** 6030 W Pacific Coast Hwy. ☎ (714) 642-3030 ou 1-800-255-8614. ● newportchanne linn.com ● Double env 110 $. Parking et wi-fi gratuits. De l'autre côté de la plage, dans un quartier situé à proximité d'Huntington Beach, un motel blanc et bleu, à gauche en venant du nord, à la hauteur de 62nd Street et à côté d'un surplus militaire. Rien à redire du côté des chambres, toutes équipées avec TV, AC, frigo et micro-ondes, si ce n'est qu'elles pourraient être un peu plus calmes. Bon accueil.

LOS ANGELES QUARTIER PAR QUARTIER

À l'aéroport

Où manger ?

Que ce soit bien clair, le restaurant qui suit vaut le détour si vous vous trouvez justement par ici, ou si vous avez un peu de temps avant de prendre l'avion.

🍽 **Encounter :** 209 World Way, près du terminal 2, au cœur du Los Angeles International Airport. Pour y accéder, descendre au terminal 2. ☎ (310) 215-5151. Tlj 11h-21h ; bar ouv jusqu'à 20h. Résa conseillée, surtout le soir. On dîne pour 45-55 $. Difficile de louper cette œuvre architecturale, soucoupe volante suspendue au milieu des terminaux de l'aéroport. Dans l'ascenseur qui vous propulse au cœur du vaisseau, la musique électro vous plonge dans un univers digne des Indestructibles. Et si le décor futuriste, dessiné effectivement par Disney, a quelque peu vieilli, l'endroit reste surprenant. La nuit, de l'extérieur, le vaisseau se teinte de bleu, de magenta, de vert. Un mélange détonant. La carte est limitée et la cuisine n'est pas exceptionnelle, mais honnête. Demandez une place près des baies vitrées : le soir, vous aurez une vue imprenable à 270° jusqu'à Downtown. Presque un dîner sur la voie lactée.

Downtown (plan couleur I)

Le cœur de Los Angeles ne peut laisser indifférent. On se croirait au lendemain d'une catastrophe qui aurait poussé les habitants à abandonner les tours de verre, aux pieds desquelles seraient venus s'encartonner pour la nuit tous les laissés-pour-compte. Quand les employés quittent les immeubles, le soir, les homeless plantent leurs tentes sur les trottoirs ; mieux vaut éviter de se promener seul. On est à mille lieues de la frime et des paillettes d'Hollywood ou de Malibu. En plus de ça, Downtown est en lifting permanent, et partout des grues, partout des marteaux-piqueurs... Autant dire que ce n'est pas le meilleur quartier pour une villégiature...

Où manger ?

Spécial petit déjeuner

🍴 **Clifton's Cafeteria** (plan couleur I, C4, **90**) **:** 648 S Broadway St. ☎ (213) 627-1673. Tlj 6h30-19h30 (petit déj tlj 6h30-11h). Breakfast complet à moins de 5 $. Pour échapper à l'ambiance un peu morose de Downtown, cette caféteria typique, ouverte depuis 1935, convie à une petite escapade au cœur des Rocheuses. Ici on prend son petit déj un *Stetson* sur le crâne. Une cascade de 3 m se jette du haut de montagnes en carton-pâte, surmontées par une petite chapelle et peuplées par un orignal empaillé, dans une forêt de séquoias. Et comme c'est bien connu que l'air des montagnes creuse, on ne ressort pas sans l'estomac calé par une bonne nourriture roborative, de l'omelette au bacon aux grillades, en passant par des pâtisseries en tout genre et autres *pancakes*. Une expérience à faire.

⚲ *Grand Central Public Market* (plan couleur I, C3, *87*) : voir plus loin. Parmi les multiples étals de ce marché couvert, *La Adelita* (côté Broadway) propose d'excellentes pâtisseries mexicaines, pains, gâteaux et jus de fruits frais pour une somme dérisoire. Ou encore *The Original Pantry* : 877 S Figueroa St (angle 9th), un endroit très apprécié des locaux.

Bon marché

|●| *Blossom* (plan couleur I, C3, *83*) : 426 S Main St. ☎ (213) 623-1973. Tlj midi et soir. On mange bien pour moins de 10 $. Sur Main Street, en limite du quartier où il vaut mieux ne pas faire de vieux os le soir. Un resto qui change un peu des *burgers* et autres spécialités roboratives de la côte ouest. On y vient en famille, en couple, entre copains. Pas de décor, pas d'ambiance, ici, tout est dans l'assiette. Service minimum pour mini-prix. Excellente cuisine vietnamienne, savoureuse et bien servie. Essayer d'abord de finir votre soupe avant de commander la suite !

|●| *The Original Pantry* (plan couleur I, B4, *80*) : 877 S Figueroa St (angle 9th). ☎ (213) 972-9279. Tlj 24h/24. Breakfast moins de 5 $; plat moins de 10 $. CB refusées. Parking de l'autre côté de la rue : 2 $ pour 1h30 moyennant validation de votre ticket par le resto. Ce resto très populaire est ouvert 24h/24 depuis 1924, date de sa création, ce qui lui vaut l'honneur de figurer dans le *Livre des records* américain. Aujourd'hui, le lieu détonne, car son environnement a été complètement bouleversé : tout autour ont poussé de nouveaux immeubles, mais l'endroit a gardé son ambiance de cantine, avec ses tables en formica, sa déco surannée et ses serveurs en tablier de sommelier. Le slogan de la maison ? « *Never closed, never without a customer.* » Et c'est vrai qu'il y a toujours du monde (jusqu'à 3 000 clients par jour !). Devant la caisse, amusez-vous à compter les couches de lino usé. À propos de records, quelques chiffres : le resto consomme chaque année 77 t de pain, 7 200 bœufs, 3 000 porcs, 2 300 agneaux, 876 000 œufs et 46 000 bouteilles de ketchup. Sans passer tous les légumes en revue, sachez qu'il se grignote en *appetizer* 130 t de chou et que 15 t de sucre sont utilisées pour la cuisine et le café (fourni annuellement par 20 000 caféiers). La cuisine est correcte et les portions généreuses.

|●| *Philippe The Original* (plan couleur I, D2, *81*) : 1001 N Alameda St (à la hauteur de Main St). ☎ (213) 628-3781. Entre le vieux quartier mexicain (El Pueblo de Los Angeles) et Chinatown. Tlj 6h-22h. Env 5-7 $. Parking gratuit. On n'hésite pas longtemps sur le menu : la spécialité de la maison, c'est le *French dipped sandwich*, au bœuf, porc, agneau ou à la dinde, accompagné de salade de pommes de terre, de choux, de pâtes et servi avec une moutarde maison. Aussi des pieds de cochon. Depuis 1908, près de 3 000 personnes se pressent chaque jour dans cette grande salle au sol recouvert de sciure, aux grandes tables conviviales et propices aux rencontres. Le secret de la réussite ? Le pain du sandwich est délicatement trempé dans le jus de viande avant confection, une idée d'un certain Philippe Mathieu, du sud de la France. Sur le comptoir, remarquer les œufs durs marinant dans le jus de betterave. Il paraît même que certains en mangent...

|●| *Tommy's* (plan couleur I, A1, *82*) : 2575 W Beverly Blvd (angle Rampart Blvd). ☎ (213) 389-9060. Tlj 24h/

24. *Env 2 $ le burger ; menu complet avec frites et boisson moins de 6 $.* Cette gargote occupe tout le carrefour depuis 1946 et vend le burger le moins cher de la ville, notamment le *triple cheeseburger* à moins de 5 $. N'oubliez pas de demander des couverts en plastique, sous peine de vous heurter à quelques difficultés. Pas de tables, on engloutit sa pitance debout, ou le cul posé sur une borne anti-stationnement, le nez dans la faïence rouge qui court sur les murs. Depuis le temps, *Tommy's* s'est franchisé et a essaimé, mais c'est ici qu'on revient, au tout premier. Presque un culte !

|●| *Cassell's (hors plan couleur I par A2) :* 3266 W 6th St. ☎ (213) 480-8668. *À la frontière ouest de Downtown, à 2 blocs de Vermont Ave, juste à côté de l'hôtel* Quality Inn. *Tlj sf dim 10h30-16h. Moins de 5 $.* On peut lire sur leur carte de visite : « *World's best hamburger.* » Un peu exagéré, certes, mais c'est peut-être bien le meilleur de L.A., grâce à une technique de cuisson qui grille simultanément les 2 côtés du steak, emprisonnant ainsi les jus de cuisson. Qu'importe, le burger est bien goûteux ! La viande, d'une fraîcheur légendaire, est hachée chaque jour juste avant l'ouverture et généreusement servie. Avec votre burger, commandez des *fried zucchini* (légères et délicieuses courgettes frites) et, comme Johnny Carson, Clint Eastwood, Liza Minnelli et la regrettée Jane Mansfield (qui avait

crié « divin » à propos des burgers de *Cassell's* dans *The Girl Can't Help It*), régalez-vous de ses onctueuses et originales sauces maison. Un incontournable pour les amateurs du genre !

|●| *Grand Central Public Market (plan couleur I, C3, 87) :* entrée soit sur Hill St, soit sur Broadway, entre 3rd et 4th St. ☎ (213) 624-2378. *Tlj 9h-18h, depuis 1917. Parking gratuit pdt 1h si vous achetez pour au moins 10 $ (entrée à l'angle de Hill St et de 3rd St, attenante au marché ; ne pas confondre avec celui en plein air, payant).* Des étals de fruits, de légumes (bien meilleur marché qu'en *supermarket*), de la barbaque qui saigne, des poissons dans la glace, des grainetiers mexicains, des épices chinoises... Un marché traditionnel avec ses *mariachis* le midi, c'est ce qui le rend sympathique. On peut y faire des emplettes, mais aussi prendre, sur une croûte de pain et pour quelques dollars, un *cóctel* de fruits de mer – mélange de *camarones, calamares, pulpo* et huîtres préparées à la mexicaine – ou un de ces excellents *fish tacos* au comptoir chez *Maria Fresh Seafood* (côté Broadway). Vivement conseillé aussi : le *clam chowder,* soupe onctueuse aux palourdes, *delicioso* ! De l'autre côté du marché, vers Hill Street, le *China Café,* avec son comptoir en formica rouge et ses sièges inamovibles, est également très prisé des locaux à l'heure du déjeuner. Très bons plats, et sacrément copieux. Toilettes publiques au sous-sol.

Prix moyens

|●| *Marcello's (plan couleur I, C3, 84) :* 404 S Figueroa St. ☎ (213) 629-2000. *Dans l'Hôtel* Bonaventure. *Tlj midi et soir. On dîne bien pour 20-25 $.* Dans un établissement de cet acabit, on s'attendrait à une carte exorbitante, et bien non ! Certes, la cuisine n'a rien de véritablement transalpine, mais elle se

tient ! On y vient pour des pâtes, des *bruschette* ou quelques belles salades. Pas pour les pizzas en revanche. Le service est attentionné. Attention, comme dans la plupart des restos dépendant d'un hôtel, la *gratuity* est d'office incorporée dans la note ! Soyez vigilants, ne doublez pas la mise !

Chic

|●| *Ciao Trattoria (plan couleur I, B3, 91) :* 815 W 7th St. ☎ (213) 624-2244. *Au cœur du quartier des Affaires. Tlj midi et soir. On dîne bien pour 45 $.* Un resto

100 % italien, sans l'once d'une influence californienne, sauf peut-être le coulis de framboise sur le tiramisu ! La salle est haute de plafond, c'est sans

doute pour cela qu'on s'entend parler... L'ensemble a du style, le service est nappé, avec double couvert, photophore et fleurs coupées. On sait vivre. Dans l'assiette, un carpaccio de saumon, des *linguine* (pâtes longues) aux fruits de mer, arrosées d'un chianti au verre. Belle carte des vins italiens, de Toscane ou du Piémont. On aurait apprécié un service plus souriant !

|●| *Café Pinot (plan couleur I, C3, 88)* : *700 W 5th St.* ☎ *(213) 239-6500. À côté de la Public Library. Tlj 11h30-14h30, 16h30-21h. On mange pour 25 $ le midi,*

pour le double le soir. Splendide terrasse en plein cœur de Downtown et de ses gratte-ciel. Situation assez exceptionnelle, surtout le soir, lorsque les tours s'illuminent. La cuisine de facture French-Asian *est bonne et très soignée, avec un bon équilibre entre les viandes et les poissons. Poulet de Bresse,* French bruschette, *avec tomate et tapenade auxquelles viennent se marier des saveurs aux accents de gingembre. Belle carte des vins, mais les prix au verre sont exagérés. Accueil charmant.*

Où boire un verre ? Où sortir ?

🍸 *Bar Bonavista de l'Hôtel Bonaventure (plan couleur I, C3, 153)* : *404 S Figueroa St. Tlj 16h30-1h. Au 35e étage d'un complexe hôtelier à l'architecture étonnante (lire plus loin « À voir »). Le prix des consommations est un peu exagéré, mais venez-y, ne serait-ce que*

pour la vue panoramique sur les gratte-ciel de Downtown que vous offre ce bar tournant à 360°, à laquelle vous prépare la montée dans un ascenseur extérieur en verre. Fabuleux au coucher du soleil. On y dîne aussi, mais les prix ont tendance à atteindre les sommets !

Où danser ?

À Downtown, les boîtes retrouvent une certaine faveur du public à la suite du *revival* du quartier. Elles sont vastes, et pour cause : il s'agit en général d'anciens bâtiments publics, entrepôts ou cinémas désaffectés.

🎵 *Mayan (plan couleur I, B4, 150)* : *1038 S Hill St (entre Olympic Blvd et 11th St).* ☎ *(213) 746-4674.* ● *club mayan.com* ● *Ven-sam 21h-3h. Entrée : 15 $, parfois plus en fonction des évènements. Guichet ouv lun-jeu 10h-17h.* Ancien cinéma avec un décor de temple maya-aztèque assez époustouflant, notamment la façade, le plafond et les bars. Impossible de manquer son néon la nuit ! Dans l'immense salle principale, énorme volume et un *stage* digne des plus beaux opéras rock, avec musique essentiellement groove, voire techno, mais aussi des compétitions de salsa. C'est chaud ! Au 1er étage, un *lounge bar* avec, selon les soirs, ambiance *seventies* ou de la house. Si vous ne voulez pas détonner dans ce

temple de la musique, soignez votre tenue, c'est très branché.

🎵 *Crash Mansion (plan couleur I, B4, 152)* : *1024 S Grand Ave (angle Olympic Blvd).* ☎ *(213) 747-0999.* ● *crashman sionla.com* ● *Lun-sam 19h-23h30 pour dîner (menu de base moins de 15 $), ensuite on danse. Guichet ouv lun-sam 10h-18h. Entrée : 15 $ env ; plus cher si concert. Parking payant.* Musique bien martelante, électronique au rez-dechaussée, dans l'immense salle avec sa scène où ça se trémousse grave, et plutôt hip-hop et *R & B* dans la petite salle du haut. Live tous les lundis, mais aussi rock, dub... Éclairage au laser. Agoraphobes s'abstenir... Parfois, shows érotiques ; se renseigner à l'avance sur leur site internet.

À voir

Comme dans la plupart des grandes villes américaines, après la journée de travail (vers 17h), le centre se vide progressivement pour laisser la place aux laissés-pour-compte, Noirs et Mexicains notamment. Downtown est assez sale et parfois dangereux le soir. On assiste, cependant, comme dans toutes les grandes métropoles américaines (New York, Chicago, Washington, Boston, San Francisco, etc.), à une réappropriation du centre-ville. Certes, cette tendance s'avère moins avancée à L.A. qu'à New York (où le processus de *gentryfication* n'est pas loin d'être achevé) mais, dans certains coins, les gratte-ciel récupèrent massivement l'espace.

Savoir profiter du *Dash* !

Un bon moyen de circuler à Downtown, c'est le **Dash.** Pour le prix d'un *quarter (25 cents)*, 6 lignes (3 le week-end) relient tous les centres d'intérêt du quartier. Si vous devez changer de bus pour atteindre votre destination, demandez simplement un *transfer* en achetant votre billet. Sans supplément, il vous permettra de sauter dans un autre bus, si toutefois l'itinéraire de ce dernier croise celui du premier. Se procurer absolument le plan du réseau au *Visitor Center* ou au **MTA Bus Information** *(Arco Plaza, 515 S Flower St (Level C).* ☎ *(213) 626-4455.* ● *mta.net* ● *Lun-ven 7h30-13h30).* Un autre bureau à l'angle de Chavez Avenue et de Vignes Street *(ouv lun-ven 6h-18h30).*

LOS ANGELES ET SES ENVIRONS

🏃 **L'Hôtel Bonaventure** *(plan couleur I, C3, 153)* : *404 S Figueroa St.* Architecture étonnante. Sa conception est proche du *Hyatt* de San Francisco et rappelle un peu les décors de science-fiction des années 1950. Presque une ville en lui-même, on y croise des joggers ! Autrement, boutiques, restos, salle de fitness, jet d'eau dans le hall. Vue spectaculaire au 35e étage : y aller rien que pour la montée dans l'un des ascenseurs extérieurs en verre (gratuit), où s'est déroulée la bagarre entre Malkovich et Eastwood dans le film *Dans la ligne de mire.* On y a également tourné des scènes de *True Lies, Rain Man* et *L'Arme fatale.* Bar panoramique et tournant *(ouv 16h30-1h).* À la tombée de la nuit, l'endroit devient presque magique.

🏃 **Park Plaza Hotel** *(plan couleur I, A2)* : *607 S Park View St, en bordure de MacArthur Park, près de Koreatown St.* ☎ *(213) 384-5281.* Ⓜ *Westlake-MacArthur Park (ligne rouge).* C'est l'un des plus beaux édifices Art déco de L.A. et un hôtel mythique construit en 1925. À défaut d'y dormir, on peut visiter le hall, avec son immense escalier éclairé par de magnifiques girandoles. Les photos dédicacées d'acteurs (à droite dans le hall en entrant) rappellent les nombreux films et téléfilms tournés ici : *Bugsy, Bodyguard, Hook, Chaplin, Stargate, Nixon, The Fisher King* et bien d'autres encore. Dans les années 1920, c'était une adresse prestigieuse. Eleanor Roosevelt et Bing Crosby y descendaient. Bien avant que Charlton Heston, Sylvester Stallone, Richard Pryor, Robin Williams et d'autres ne leur emboîtent le pas.

🏃 **Grier-Musser Museum** *(plan couleur I, A2, 207)* : *403 S Bonnie Brae St (entre 3rd et 4th St).* ☎ *(213) 413-1814. Dans un quartier résidentiel, à 2 blocs du MacArthur Park. Mer-sam 12h-16h. Sur rdv uniquement. Entrée : 10 $; réduc.* Une petite haie de buis conduit à la porte de cette maison de style Queen Anne (1898), une des rares subsistant dans ce quartier. Visite intéressante pour la décoration intérieure : ameublement, aquarelles, porcelaines anciennes, vitraux victoriens, collection de vieilles cartes postales sur la ville, objets domestiques insolites, etc.

🏃 **Millennium Biltmore Hotel** *(plan couleur I, C3, 17)* : *506 S Grand Ave.* Un lieu mythique, là encore, fréquenté par les présidents, les rois et les stars de cinéma dans les années 1930, et où fut inaugurée la cérémonie des oscars. Cet hôtel de luxe a aussi servi de décor à de nombreux films dont *Le Flic de Beverly Hills* et *L'Arnaque.* Curieusement, ce n'est pas l'hôtel le plus cher de Downtown, si bien qu'on vous le recommande même plus haut, naturellement dans la catégorie « Très chic ». Allez vous promener dans la *Main Galeria*, dont l'entrée se trouve sur 5th Avenue ! La réception est délirante, avec des plafonds à caissons immenses. Les peintures murales dans les salons et les halls ont été réalisées par un artiste italien qui signa également celles de la Maison-Blanche et du Vatican. Enfin, le *Millennium*

Biltmore cache dans son sous-sol une magnifique piscine qui n'est pas sans rappeler les tépidariums de la Rome antique.

🏃 ***Public Library*** *(plan couleur I, C3, 202)* : *630 W 5th St, à deux pas du* Millennium Biltmore Hotel. *Lun-jeu 10h-20h ; ven-sam 10h-18h ; dim 13h-17h. Visites guidées lun-ven 12h30, sam 11h et 14h, dim 14h.* Pas moins de 215 millions de dollars furent nécessaires pour restaurer la bibliothèque municipale, après qu'un incendie l'eut sévèrement endommagée en 1986. Possibilité d'y surfer gratuitement sur Internet, mais le nombre de postes est limité. Un snack, le ***Panda Express*** *(tlj sf dim 10h30-18h ; ferme plus tôt le sam),* permet de se sustenter. Les amateurs de grasse matinée viendront y prendre leur petit déj.

🏃 Quasiment en face de la bibliothèque, la ***Library Tower*** (315 m) est désormais la tour la plus haute à l'ouest de Chicago. Imaginée par Pei, l'architecte de la pyramide du Louvre.

🏃🏃🏃 ***Museum of Contemporary Art*** *(MoCA ; plan couleur I, C3, 203)* : *250 S Grand Ave (à la hauteur de la* California Plaza). ☎ *(213) 626-6222. • moca.org • Lun et ven 11h-17h ; jeu 11h-20h ; w-e 11h-18h. Fermé mar-mer. Entrée : 10 $; réduc ; gratuit jeu 17h-20h et pour les moins de 12 ans.* Ouvert depuis 1986, ce musée, construit par l'architecte japonais Isozaki, s'efforce de ne pas exposer que les artistes consacrés. On garde un œil sur les nouvelles tendances, les courants les plus fous, les œuvres les plus surprenantes. Ici, on n'attend pas que les artistes soient morts pour apprécier leur travail. La collection permanente rassemble plus de 5 000 œuvres (exposées par roulement) d'artistes américains et européens postérieurs à 1945. Le musée abrite aussi un grand nombre d'expos temporaires (que des guides professionnels viennent mettre en perspective à 12h, 13h et 14h), possède une bibliothèque (fermée au public) et une très riche librairie (sur la terrasse), et organise régulièrement (dans son souci d'interagir avec le public) conférences et discussions. La visite commence par un tête-à-tête avec les 3 *puppies* de Jeff Koons, et on est tout de suite attiré par l'œuvre de Barbara Kruger, puis par la toile immense de Jean-Michel Basquiat, bien apprécié ici, notamment pour son travail sur la représentation de la communauté noire. La visite se poursuit avec Michaël Borremans et sa volonté de créer des ambiances hors du temps. Noter également une toile géante d'Anselm Kiefer, intitulée *Le Départ d'Égypte,* et comme par hasard, juste à côté, un portrait de Bonaparte revisité par Hiroshi Sugimoto. Aussi Ruscha, Sam Francis et Joseph Cornel. Enfin, le travail de Nan Goldin, dont le réalisme des prises de vues peut choquer les âmes sensibles. Une belle collection d'expressionnisme abstrait sous toutes ses formes (peinture, sculpture, collage, etc.). À découvrir.

🏃🏃 Au 111 S Grand Ave (angle 1st St), jetez un œil aux extraordinaires volutes d'acier du ***Walt Disney Concert Hall*** *(plan couleur I, C2, 201),* siège de l'orchestre philharmonique de L.A. *Tlj sf mar 10h-14h (15h en été).* Dessiné par Frank Gehry, le bâtiment fut créé en hommage à Walt Disney (grâce aux subventions de sa veuve, Lillian) et inauguré en 2003. Le projet a coûté au total 274 millions de dollars. C'est une vaste salle de 2 265 places dont l'acoustique plaira aux mélomanes. *Rens sur les concerts :* ☎ *(213) 972-7211. • musiccenter.org • On peut le visiter tlj à 9h, 10h30 ou 15h (lorsque l'orchestre ne joue pas en matinée). Loc audioguide 12 $.* Un peu cher, sauf si vous êtes passionné de musique et d'architecture, car vous aurez une vision complète du magnifique projet, avec des explications exhaustives sur les architectes qui ont conçu et réalisé le *concert hall,* le directeur musical Esa-Pekka Salonen, l'acousticien Yasuhisa Toyota, une interview de la fille de Lillian Disney, etc. Hélas, il est impossible de voir la salle principale à cause des répétitions incessantes, ce qui est un peu frustrant tout de même. Consolez vous en allant écluser un gorgeon dans l'enceinte même de l'établissement, au ***Concert Hall Café*** *(tlj 11h30-14h, jusqu'à 20h les soirs de représentation).* Un endroit calme et reposant.

¶ *Le Water Court de la California Plaza* (plan couleur I, C3, **200**) **:** 350 S Grand Ave. Nouveau complexe urbain assez réussi. Un petit espace de fraîcheur au cœur de Downtown. Outre la belle architecture du MoCA, noter l'audacieuse forme biseautée de la *Wells & Fargo*. Autour d'une sorte de petit lagon artificiel, quelques belles terrasses où les gens des bureaux descendent de leur tour pour venir se prendre un sandwich ou une salade à l'heure du déjeuner. Un endroit frais l'été, ce qui est, somme toute, assez rare à Downtown. On y trouve aussi un **bureau de poste** (ouv lun-ven 8h30-17h30).

¶ *El Pueblo de Los Angeles* (plan couleur I, D2, **204**) **:** sur Olvera St, à l'extrémité nord de Main St. Juste en face de la gare ferroviaire. Le long et autour de cette petite rue, quelques maisons en adobe, construites à l'époque espagnole. Quarante-quatre fermiers s'installèrent là en 1781. Ce fut le premier L.A. Depuis, c'est devenu ultra-touristique et les boutiques débordent de souvenirs ringards. On peut s'en passer, ou alors se consoler en allant manger chez *Philippe The Original* (voir plus haut « Où manger ? »). S'y rendre de bonne heure, avant les « marchands du temple ». Derrières les bazaristes, ne manquez pas l'**Avila Adobe** et ses parquets craquants. Construite en 1818, elle donne une idée de l'habitat de l'époque. Pendant la guerre américano-mexicaine, elle servit de Q.G. aux troupes américaines. Intéressante et fraîche à visiter en été. Un peu plus bas, au 12 Olvera Street, la **Sepulveda House** (lun-ven 9h-16h), de facture typiquement victorienne (1887), aujourd'hui siège du *Visitor Center*. Possibilité d'y voir un film, *Pueblo of Promise*, sur demande. Au rez-de-chaussée, un véritable petit musée, joliment décoré et meublé à l'ancienne. S'y procurer *El Pueblo de Los Angeles Historic Monument*, petit dépliant fort bien fait, avec plan. Autres bâtiments intéressants : le **Masonic Hall** (1858), la *Fire House* aménagée dans la première caserne des pompiers de L.A. (1884) et dans laquelle on trouve quelques belles pompes et une intéressante collection de casques. Aussi quelques galeries d'art, un souffleur de verre et beaucoup de petites échoppes où l'on vend tout et n'importe quoi.
– *Visites guidées du Pueblo gratuites* : mar-sam 10-12h. Rdv à « Las Angelitas del Pueblo » dans le bâtiment en brique rouge donnant sur la place (juste à côté de la Plaza Fire House). Également des visites de 2h en bus des plus vieux quartiers de la ville de L.A., les 1er et 3e mer de chaque mois. Pour ces dernières, résa obligatoire au ☎ (213) 628-1274.

¶¶ *California Science Center* (plan couleur d'ensemble) **:** 700 State Dr, dans Exposition Park. ☎ (323) SCIENCE. ● *californiasciencecenter.org* ● *Entrée sur Exposition Blvd et Figueroa. Tlj 10h-17h. Entrée gratuite (sf pour l'Imax Theater : env 8 $, compter 20 $ pour les expos temporaires ; réduc).*
Musée contemporain des Sciences et Technologies. Ouvert, mais actuellement en cours de rénovation, les travaux seront terminés en 2010. Un musée où l'on peut toucher à tout et tout essayer. C'est très bien expliqué (en anglais évidemment, mais même les petits francophones pourront s'y amuser sans souci). Une succession d'ateliers interactifs qui mettent en évidence la plupart des phénomènes physico-chimiques ayant conduit à l'avancée des techniques. Tout sur l'espace, les tremblements de terre, les énergies, la santé, les mathématiques, l'économie, l'alimentation de la planète, etc., divisé en plusieurs sections. À l'étage une grande section est entièrement consacrée à l'automobile, notamment par l'approche des énergies renouvelables. Aussi quelques attractions, mais payantes. Les enfants adorent.
– *World of Life :* dans le tunnel de la vie, des écrans géants comparent les différentes formes de vie et montrent que les plantes, les animaux et les humains sont semblables dans leur fonctionnement. Plein de microscopes permettent de voir les micro-organismes. Un corps humain géant permet d'explorer les différents muscles et organes, mais aussi, un peu plus trash, l'intégralité du système digestif (bruitages compris !). On peut ailleurs se prendre pour un globule rouge et voir naître et évoluer de vrais poussins. Un simulateur de conduite teste vos réactions en cas d'ébriété. Un *surgery theater* permet d'assister à une opération chirurgicale du point de vue du médecin.

– **Creative World :** des explications sur les communications par la mise en évidence des phénomènes ondulatoires, électriques ou magnétiques (sons, images digitales, ondes, puces électroniques), sur les structures (constructions de bâtiments antisismiques, simulation du *Big One*) (un peu vieillot et sans intérêt), sur les sources d'énergie, avec recommandations pour moins polluer notre planète (ça fait rire !), et sur les transports (voitures solaires, électriques, avions, principes d'aérodynamisme et de magnétisme). On peut même jouer les équilibristes sur un vélo suspendu dans le vide (payant, et on a du mal à trouver l'intérêt d'un tel jeu). En revanche d'autres simulateurs sont plus intéressants, comme le *Simulator Ride*, où pour 5 $ on peut choisir un petit voyage dans une navette spatiale, participer à une course de formule 1 ou encore apprécier le trajet d'une goutte de pluie tombant du ciel dans son cycle complet : précipitation-migration-évaporation. Mais la partie la plus intéressante est certainement l'exposition des clichés de la Nasa, pris par le télescope *Hubble*, placé en orbite, et qui livre les secrets des galaxies situées à plusieurs milliers d'années-lumière, dont ceux de la Nébuleuse de l'Aigle ou du Petit Nuage de Magellan.

– Au rez-de-chaussée, un mur d'escalade et des expos temporaires.

– **Imax Theater :** propose d'extraordinaires conditions de projection, avec écran haut de 7 étages, long de 23 m, son sur 6 pistes, etc. Films à couper le souffle, bien entendu (genre incroyables exploits sportifs, éruptions de volcans). *Programme et horaires :* ☎ *(213) 744-2019.*

🚶🚶 🏃 **Air & Space Gallery** *(plan couleur d'ensemble) : juste à côté du California Science Center, dans Exposition Park. Lun-ven 10h-13h, w-e et vacances 11h-17h. Entrée gratuite.* Dans un bâtiment moderne sur 4 niveaux, une visite rapide mais qui a surtout l'intérêt de présenter des « pointures » de la découverte spatiale telles que la capsule *Apollo XI* (celle-là même qui renvoya sur Terre Armstrong, Aldrin et Collins au lendemain de leurs premiers pas sur la Lune), mais aussi la capsule *Gemini II* (qui expédia à son bord les premiers astronautes Charles Conrad et Richard Gordon en 1966), ainsi que *Mercury-Redstone II,* dans laquelle voyagea la femelle chimpanzé Ham, le 31 janvier 1961. À part ça, la visite commence par quelques appareils interactifs (peu probants), puis se poursuit avec un test en soufflerie (censé vous donner l'impression de voler, bof !). Pour la photo-souvenir, mettez vous aux commandes d'un hélico de la police ! Et bien sûr, levez les yeux, quelques aéronefs remarquables sont suspendus au plafond...

🏃 **California African American Museum** *(plan couleur d'ensemble) : 600 State Dr, à Exposition Park.* ☎ *(213) 744-7432.* ● *caamuseum.org* ● *Mar-sam 10h-17h ; 1ᵉʳ dim du mois 11h-17h. Entrée gratuite.* Musée consacré à la culture afro-américaine dans l'ouest des États-Unis, en particulier en Californie. Sur les 4 salles, les trois quarts sont consacrés à des expos temporaires. Dans la salle permanente : belles pièces d'art africain, masques, statuettes et cimiers provenant du Nigeria, du Burkina Faso et de Côte-d'Ivoire (manque un peu d'éclairage). La visite se poursuit dans la section appelée « The Migration Trail » avec quelques pièces de choix, comme le sac de Bill Spiller (1ᵉʳ joueur de golf noir). Aussi, une partie à la gloire d'Ella Fitzgerald (dont une de ses très belles robes de scène) et du jazz, une autre consacrée à Tom Bradley, premier maire noir de L.A. (1973-1993), et aux Black Panthers, avec notamment un dessin de Plantu. Le 1ᵉʳ dimanche du mois, concerts gratuits et petit marché africain. Un musée dont on a vite fait le tour en dehors des évènements spécifiques qu'il accueille de temps en temps.

🚶🚶🚶 🏃 **Natural History Museum** *(plan couleur d'ensemble) : 900 Exposition Blvd (presque à l'angle de Vermont Ave), à Exposition Park.* ☎ *(213) 763-DINO.* ● *nhm. org* ● *Au sud-est de Downtown. Pour y aller, prendre le bus Dash F South à l'angle de Flower et de 7ᵗʰ St. En voiture, prendre la 110 vers le sud et sortir à Exposition Blvd. Tlj sf 4 juil, Thanksgiving, Noël et Jour de l'an, 9h30-17h ; w-e 10h-17h. Entrée : 9 $; réduc ; gratuit jusqu'à 5 ans et pour te le 1ᵉʳ mar du mois. Visites guidées gratuites à 14h et présentation d'animaux à 15h.*

Le plus grand musée d'Histoire naturelle de l'Ouest américain, sur 3 étages. Visite :
– *Au sous-sol,* l'histoire de la Californie avec des sections sur les Amérindiens (ridicule, soit dit en passant), l'exploration du Nouveau Monde, la colonisation espagnole, la Californie mexicaine puis américaine (en 1850, elle devient le 31e État de l'Union), la Première Guerre mondiale, le développement de l'industrie du cinéma. Intéressante maquette de L.A. en 1940. Beaucoup d'objets des villes et des champs astucieusement mis en scène, ce qui donne de l'intérêt à la visite, et reconstitution d'une maison en adobe comme dans le Pueblo. Également un atelier créatif pour les enfants et, surtout, un vivarium-terrarium où les gamins viennent chatouiller les mantes religieuses, les mygales et toutes sortes de bestioles à vous faire hérisser les poils. De gentils serpents aussi... bref, un bestiaire en bonne santé animé par des conférences à heures régulières.

– *Au rez-de-chaussée,* d'intéressantes mises en scène où l'on voit de grands mammifères empaillés évoluer dans leur biotope (les amateurs de taxidermie apprécieront). Une partie est entièrement consacrée à la culture amérindienne et notamment à l'art latino-américain de 1 500 av. J.-C. à 1 500 apr. J.-C., classé par pays : textiles péruviens, bijoux du Panamá, poteries du Costa Rica. Magnifique réplique d'une « pierre de soleil » aztèque, datant de 1790, et dont le poids, à l'origine, était de 27 t. Également des figurines en terre cuite d'Équateur, du Costa Rica, de Bolivie ; de nombreuses pièces issues des fouilles du Machu Picchu. Beaux exemples de vannerie et de costumes des Indiens d'Amérique. Une salle complète vouée aux fossiles et aux squelettes de dinosaures, avec d'intéressants spécimens, dont un superbe moulage de T-rex, mais également une remarquable section sur le *sequoia giganteum* de près de 220 cm de diamètre. Enfin, la partie consacrée aux minéraux est absolument superbe. On y découvre les gemmes autochtones, comme ce magnifique jade du Wyoming, une des pierres précieuses les plus lourdes du monde ; très belles cristallisations de tourmaline, météorites, quelques pièces rares, telle cette boule de cristal de roche de 32 kg d'une pureté incroyable. La section des pierres précieuses est exceptionnelle, avec une superbe aigue-marine de 638 carats. Ne pas rater la pièce au sol rouge dans laquelle se trouve une incroyable collection d'opales, dont une sphérique de 2 200 carats ! Et que dire de cette topaze bleue de 4 646 carats ?

– *À l'étage,* une expo sur les oiseaux à faire pâlir Audubon. On est sensibilisé à la fragilité des écosystèmes et un marécage est reconstitué avec les différents cris des espèces. Sont expliqués les mécanismes du vol, la signification des couleurs (pourquoi les flamants roses sont roses, par exemple) ainsi que celle des différents gazouillis. De même, la forêt tropicale et sa vie sonore sont représentées. La section sur la vie marine, en revanche, est assez désertée, mieux vaut aller à l'aquarium de Long Beach. *Attention,* actuellement en cours de rénovation, certaines salles étaient fermées lors de notre passage et ne rouvriront qu'en 2011.
Pour 3 $ de plus, ne pas manquer, à l'extérieur, la volière aux papillons. Plus de 18 espèces et 300 spécimens. Aux beaux jours seulement, car en hiver, ce sont des araignées qui prennent leur place (mygales, tarentules et autres bébêtes velues...).

🌹 *Rose Garden* (plan couleur d'ensemble) : *Exposition Blvd, juste en face de l'entrée derrière le California Science Center.* ☎ *(213) 763-0114. Tlj 8h30-17h30. Fermé 1er janv-15 mars.* Une très grande roseraie en plein air qui ravira les amateurs de botanique et de fragrances subtiles. Plus de 15 000 pieds et 145 variétés. Absolument magnifique... excepté à l'approche de l'hiver ! Une visite qui ne manque pas de piquant. Mignonne, allons voir...

À faire

– *Staples Center :* 1111 S Figueroa St. ☎ (213) 742-7340. ● staplecenter.com ● Accessible par Harbor Freeway. Ouv sem 10h-18h (17h w-e). Parking : 15-25 $ selon évènement, voire plus. Cette arène venue d'une autre galaxie abrite l'un des plus beaux espaces pour assister à un concert ou à une rencontre sportive, et pas des moindres. Les *Lakers*, ça vous dit quelque chose ? C'est juste l'une des meilleures équipes du circuit NBA (basket-ball), affichant son quota de stars : Kobe Bryant et le français Ronny Turiaf ! Une ambiance incroyable, où les voix des quelque 19 000 fans à l'unisson vous donneront la chair de poule ! L'espace modulable accueille aussi les matchs de hockey, de football américain, et bien d'autres manifestations, comme la remise des diplômes universitaires *(graduates)* et autres distinctions du genre.

Chinatown *(plan couleur I)*

Enclavé entre les Freeways 110 et 101, au nord de Downtown, ce petit quartier fut créé en 1938, lorsque la communauté chinoise fut évincée d'Union Station consécutivement à la construction de la gare. Aujourd'hui, Chinatown n'offre pas réellement d'attrait, sauf pour ses restos authentiques et bon marché.

Où manger ?

|●| *Via Café* (plan couleur I, D1, 85) : 451 Gin Ling Way, Central Plaza. ☎ (213) 617-1481. Tlj sf mar 10h30-20h30 (23h ven-sam). Plats env 7-8 $; on mange bien pour moins de 15 $. CB acceptées à partir de 10 $. Dans un style résolument moderne (portrait de Van Gogh au-dessus du comptoir), ce petit resto très clair offre un point de vue idéal pour observer la vie de ce mini-Chinatown. Cuisine délicieuse, bœuf à la citronnelle servi avec des vermicelles, poulet au curry ou très bons rouleaux de printemps.

|●| *Hop Louie* (plan couleur I, D1, 86) : 950 Mei Ling Way (accès par Hill St).

☎ (213) 628-4244. Tlj lun-ven 11h-15h, 17h-21h ; w-e 11h-21h. Lunch specials 5 $ et special dinner combination plate env 7 $, thé inclus. D'autres menus plus chers. Pagode en plein cœur de Chinatown. Le restaurant est au 1er étage, en haut d'un escalier garni de photos de stars qui sont passées par ici, notamment Robert Redford, Nicolas Cage et Jackie Chan. Décoration typiquement asiatique, qui sert souvent de décor à des films. Les menus sont très intéressants, avec soupe ou entrée et un plat principal, accompagné de riz frit ou à la vapeur et de thé. La cuisine est bonne et copieuse, et le service aimable.

À voir

🏃 *Le petit Chinatown piéton* (plan couleur I, D1-2) : délimité par Bernard au nord, College au sud, Hill à l'ouest et Broadway à l'est. Animé et coloré, avec ses boutiques attrape-touristes et ses populaires « puits aux souhaits ».

Little Tokyo *(plan couleur I)*

Créé dès 1908, le quartier japonais s'étend entre 1st et 3rd Street, Central Avenue et San Pedro Street. Dans les années 1940, il s'est presque totalement vidé de ses habitants quand les États-Unis ordonnèrent l'internement des Japonais après Pearl Harbor. Plus dynamique et moins surfait que Chinatown, ses rues piétonnes offrent un dépaysement authentique. Le musée américano-nippon vaut à lui seul le détour. Au sud de Little Tokyo, évitez toutefois le quartier très mal famé de Skid Row où se concentre un large nombre de sans-abri (entre 60 000 et 200 000).

Où manger ?

|●| *Takumi* (hors plan couleur I par D3, 89) : 333 E 2nd St, à l'entrée de la Japanese Village Plaza. ☎ (213) 626-1793.

Entre San Pedro St et Central Ave. Tlj sf lun 11h30-15h, 17h30-22h20 ; w-e en continu. Assortiments de sushis

10-18 $; dinner box 18 $ pour les nomades. Très bon petit resto japonais, pratiquant de surcroît des prix plutôt sages. Au menu, principalement des sushis et sashimis. Dans un cadre design, ten

dance zen, on s'attable au comptoir en face du poisson cru... et des cuistots qui s'affairent, ou l'on s'installe à une table. Le poisson du jour est à l'affiche sur le tableau blanc. Bon rapport qualité-prix.

À voir

🎥🎥 *Japanese American National Museum* (hors plan couleur I par D3) **:** 369 E First St (angle Central Ave). ☎ (213) 625-0414. ● *janm.org* ● *Tlj sf lun et j. fériés, 11h-17h (20h jeu). Entrée : 8 $; réduc ; gratuit le 2e jeu du mois 17h-20h*. Expos temporaires au rez-de-chaussée, permanentes à l'étage. Dans un beau bâtiment à l'architecture de verre, un intéressant musée retraçant l'histoire de la communauté japonaise émigrée sur le sol californien principalement dans les années 1920, au travers d'une riche collection d'objets et de photos et de quelques documents audiovisuels. Les Japonais commencèrent à émigrer aux États-Unis à la fin du XIXe s, à la recherche d'une meilleure vie. Parce que la loi interdisait aux Chinois d'émigrer, les Nippons étaient une main-d'œuvre toute trouvée. Mais des lois restreignent bien vite leur immigration : dès 1907, seules les femmes peuvent entrer sur le territoire américain ; en 1913, les Japonais perdent le droit d'être propriétaires de terres, et, en 1924, toute immigration est interdite. On découvre, non sans une certaine émotion, la tragédie que 110 000 Japonais d'Amérique connurent suite au bombardement de Pearl Harbor, lorsque le gouvernement ordonna leur déportation massive dans des camps de concentration. Une des baraques du camp de Heart Mountain, dans le Wyoming, a été reconstituée dans le musée. Les excuses du gouvernement américain pour ces exactions se firent attendre jusqu'à Reagan. On y apprend aussi que c'est aux soldats américano-japonais (14 000 s'engagèrent dans l'armée américaine) que l'on doit la libération non seulement de la ville de Bruyères, dans les Vosges, mais aussi du camp de Dachau, en Bavière. Parmi les pièces remarquables : un fragment du bar de l'*Atomic Café*, ouvert à Los Angeles dans Little Tokyo en 1946, quelque temps après Hiroshima. Le musée, tout à la gloire de la *Yellow Power*, propose également de fréquentes expositions temporaires dédiées à l'art américano-japonais (dessin, peinture, sculpture...).

🎥 *Little Tokyo Walk :* petite promenade commémorant l'histoire de la communauté japonaise de L.A., depuis la fin du XIXe s jusqu'à la Seconde Guerre mondiale. Elle démarre à l'angle de 1st Street et de Central Avenue (en face de l'entrée du musée) pour se terminer quelques centaines de mètres plus loin, en face de la *Royal Federal Courthouse*, d'où partirent les

> **LES BOULES !**
>
> *Les premiers immigrants nippons se sentaient très seuls : on comptait parmi eux pas moins de 20 hommes pour 1 femme ! Pas étonnant que ce quartier rassemblait à lui seul un quart de tous les billards de la ville : il fallait bien passer le temps...*

émeutes de 1992 (car c'est là que l'acquittement des policiers blancs avait été prononcé).

Santa Monica *(plan couleur II)*

C'est à Santa Monica, face au Pacifique, que s'achève la fameuse Route 66 : le Santa Monica Boulevard est la dernière ligne droite de cette route mythique (voir « Route 66 » dans « Hommes, culture et environnement » au début du guide). On vous l'indique au cas où vous viendriez de son point de départ, Chicago ! Prolongement naturel de Venice vers le nord, Santa Monica est un quartier beaucoup plus résidentiel. C'est également une des plages les plus proches du centre, dont les voies d'accès connaissent en été de démentiels embouteillages. Heureusement, le réseau de bus *(Metro)* est bien pratique. La rénovation du centre-ville, la fameuse *Third Street Promenade,* en a fait un lieu de rencontre très en vogue des *yuppies* de tout poil, avec de nombreux cinémas, des bars et des restos branchés. C'est, avec Main Street, le quartier le plus animé ; il contraste avec l'atmosphère un peu glauque qui caractérise Venice Beach dès la tombée de la nuit.

Le quartier de Santa Monica possède son propre réseau d'autobus *(Big Blue Bus),* qui la relie à Downtown, Hollywood, et à l'aéroport.

Où manger ?

Spécial petit déjeuner

☛ **Omelette Parlor** *(plan couleur II, G7,* **100**) : 2732 Main St. ☎ (310) 399-7892. *Tlj 6h-14h30 (16h sam-dim). Compter 6-15 $.* Dans un décor tout à fait charmant, qui rappellera peut-être à certains la salle à manger de leur grand-mère, on sert « *the best omelettes in the West* », rien que ça ! Cette réputation n'est pas usurpée, car les omelettes aux épinards, à la feta ou au jambon, accompagnées de pommes de terre rôties, d'un *English muffin* et de fruits frais, sont succulentes. Mais on peut aussi préférer les gaufres, des *tacos* ou des *pancakes,* tout aussi excellents. Bondé le dimanche pour le brunch.

☛ **Jinky's** *(plan couleur II, F5, 99)* : 1447 2nd St. ☎ (310) 917-3311. *Tlj 7h30-15h. Moins de 10 $.* Dans ce petit café très lumineux sur deux niveaux, on sert d'excellents petits déj : omelettes, fruits frais, *burritos…* accompagnés d'un grand choix de cafés. Aux beaux jours, préférer la terrasse. La spécialité maison, ce sont les *flaky French toast,* du pain perdu enrobé d'une fine croûte de *Corn Flakes* et de pépites de chocolat. Pour le midi, salades, sandwichs et un fameux chili plus ou moins épicé ; au-delà de la force 5, c'est à vos risques et périls !

☛ Et aussi **The Novel Café** *(plan couleur II, G7, 164)* : voir plus loin « Où boire un verre ? Où écouter de la musique ? ».

De bon marché à prix moyens

|●| **Cha Cha Chicken** *(plan couleur II, F6, 98)* : 1906 Ocean Ave. ☎ (310) 581-1684. *Tlj 10h ou 11h-22h. Moins de 12 $.* Marrant petit boui-boui jamaïcain où l'on commande au comptoir, avant d'aller s'installer à une table en plastique sur l'une des 2 terrasses ombragées et fleuries qui jouxtent le trottoir. Des fûts de 200 litres peints de couleurs vives, dans lesquels poussent une multitude de plantes vertes, protègent cette cantoche de la circulation. Dans les assiettes, de bons petits plats, exotiques et colorés, et surtout bien relevés. Idéal donc pour une halte le midi (ce n'est pas loin de la plage), ou tout simplement pour ceux qui cherchent à mettre un frein à leurs dépenses. Service sympa et rapide (surtout aux heures creuses !).

|●| **Broadway O'Deli** *(plan couleur II, F5, 95)* : 1457 3rd St Promenade *(entrée à l'angle de Broadway et 3rd St).* ☎ (310) 451-0616. *Tlj 7h ou 8h-23h (1h ven-sam).* Happy hours *lun-ven 16h-19h.* Salades et sandwichs env 12-15 $; 10-15 $ pour le reste. Vaste resto qui fait aussi traiteur. La partie épicerie est impressionnante : vous y trouverez toute une gamme de vins français et italiens, du pain digne de ce nom, de la charcuterie, des pâtisseries fines, etc. L'endroit est plutôt cher pour le petit déj, mais les pâtes, pizzas, poissons fumés et sandwichs qu'on y sert le reste de la journée sont bons, et la cuisine ouverte sur la salle rend l'atmosphère très conviviale. Service moyen.

|●| **Lula Cocina Mexicana** *(plan couleur II, G7, 165)* : 2720 Main Str. ☎ (310) 392-5711. *Tlj 11h30-22h (23h ven-sam). On mange pour moins de 20 $.* Un resto typiquement mexicain, très coloré mais aussi très bruyant ! Matez la carte des tequilas, il y en a plus de 150 ! Au bar ou en salle, l'ambiance est plutôt jeune. Dans l'assiette, les inévitables *tacos, enchiladas* et autres chilis. Le tout servi avec efficacité et très copieuse-

ment. Ça fonctionne !

|●| Border Grill (plan couleur II, F5, **103**) : 1445 4ᵗʰ St. ☎ (310) 451-1655. Ouv 11h30-22h (23h ven-sam). Plats 12-25 $. De grandes fresques colorées ornent les murs de ce mexicain chic et moderne où règne une ambiance chaleureuse aux sons latinos rugissants. Plats complets, plutôt travaillés, comme ce cochinita pibil, du porc mariné et cuit dans une feuille de bananier avec des épices (ça fond dans la bouche...). On peut y grignoter aussi des bocaditos (ou little bites), comme les empanadas de bananes plantain ou les tamales. Une très bonne adresse avec, en plus, de délicieux desserts.

Plus chic

|●| Enterprise Fish & Co. (plan couleur II, G7, **91**) : 174 Kinney St. ☎ (310) 392-8366. Tlj 11h30-22h. Le midi, repas env 15-20 $; le soir, dès 30-35 $. Une bonne adresse pour les amateurs de poissons, fruits de mer et autres crustacés. Homards du Maine ou king crabs un peu chers, mais de qualité. On mange assis dans des petits box, dans une grande salle à la déco marine, assez chic : beaux murs de brique, poutres de bois, cuivres ayant essuyé des tempêtes.... Terrasse dans le jardin, tout en longueur. Essayez la Spicy Thai Seafood Salad (superbe !) ou le Maryland Soft Shell Crab, sans oublier les « prises du jour ». Ambiance jazzy le soir, plutôt réfectoire le midi.

|●| World Café (plan couleur II, G7, **101**) : 2820 Main St (angle Ashland St). ☎ (310) 392-1661. Lun 17h30-minuit ; mar-dim 11h30-minuit. Repas 35-45 $, voire plus avec un bon dessert. À l'intérieur, dans une ambiance feutrée, photophore et service nappé, ou en terrasse ombragée par 2 palmiers, chauffée en hiver. Les plats, du tartare de thon aux grosses salades composées et aux pizzas au feu de bois, sont succulents. La présentation, soignée, apporte une touche d'exotisme supplémentaire. Quant aux desserts, ils sont un vrai péché. Belle carte des vins et de cocktails. Service efficace.

|●| Trastevere (plan couleur II, F5, **104**) : 1360 3ʳᵈ St Promenade (angle Santa Monica Blvd). ☎ (310) 319-1985. Tlj

|●| Light House (plan couleur II, E5, **97**) : 201 Arizona Ave. ☎ (310) 451-2076. Tlj 11h30-14h30, 17h30-21h. Déj 15 $, le soir env 25-30 $. Cette cafétéria, au décor quelconque, est très prisée par les locaux pour son buffet « All you can eat » : frais et délicieux sushis, crabes, clams, moules gratinées, calamars, poissons divers (crus et cuits), salades, crevettes géantes, poulet teriyaki, travers de porc, et on en oublie... Rapport qualité-quantité-prix absolument imbattable ! Bref, venez-y nombreux, et surtout affamés !

|●| Et aussi : Farmer's Market (voir plus loin, « À voir »).

11h30-23h. Compter 30-40 $; lunch specials moins de 20 $ en sem. Vous ne pouvez pas louper cette façade en pierre sobre dont le nom se détache en haut. La belle terrasse vous permet de lorgner sur la Promenade, toujours animée. Les plats, italiens jusqu'au bout des ongles, vous feront passer un bon moment méditerranéen, à commencer par la tapenade, bien aillée, servie d'emblée avec un pain délicieux, les bruschette. Puis viennent les pizzas, bien croustillantes, la pasta aux fruits de mer, les calamars dorés, les risotti fumants et crémeux... Jolie carte des vins, un peu chers, comme partout.

|●| Houston's (plan couleur II, E5, **102**) : 202 Wilshire Blvd. ☎ (310) 576-7558. Tlj 11h30-22h30 (1h ven-sam). On mange bien pour 50-60 $; moins de 20 $ pour un sandwich. Un resto qui ne désemplit pas et où les locaux viennent en nombre pour déguster, entre autres, les fameux spare ribs (même pas à la carte, tellement c'est connu !) ou les sushis. Que vous veniez en amoureux, en famille ou entre potes, les banquettes rouges vous accueilleront avec chaleur (d'ailleurs, il y a un petit feu de bois à l'entrée). Une adresse chic et décontractée avec, aux murs, des photos aériennes de parking plutôt jolies. Belle carte des vins californiens, mais qui peut vite faire grimper la note !

|●| Boa Steakhouse (plan couleur II, E-F5, **109**) : 101 Santa Monica Blvd. ☎ (310) 899-4466. Tlj 11h30-22h30

(23h30-minuit ven-sam). Compter 20 $ le midi, 55-65 $ le soir. Un resto sur le front de mer, à l'ambiance chic et branchée, où l'on se retrouve volontiers autour d'un verre après le travail. Le midi, la carte se limite aux salades, sandwichs et quelques *appetizers*. Celle du dîner est en revanche très appétissante, avec un large choix de « *Turf* » (viandes) et de « *Surf* » (poissons et coquillages). En guise d'amuse-bouches, quelques bouchées fondantes aux escargots ou au foie gras. Les pièces de viande sont impressionnantes, mais les accompagnements sont en plus. Liste des vins exhaustive.

Où boire un verre ? Où écouter de la musique ?

♟ Library Ale House *(plan couleur II, G7, 169)* **:** *2911 Main St.* ☎ *(310) 314-4855. Tlj 11h30-minuit.* La variété de bières à la pression (pas moins d'une trentaine !) a fait la réputation de ce bar-resto prétendument « littéraire » où l'on vient se tremper le nez dans la mousse aux *happy hours*. L'ambiance y bat son plein jusque fort tard dans la soirée, c'est même le point de ralliement des oiseaux de nuit en partance vers leur migration nocturne. Ambiance survoltée et visiblement très appréciée. On y mange aussi, mais c'est plutôt pour calmer le feu du gosier !

♟ La Cabana *(plan couleur II, G7, 160)* **:** *738 Rose Ave (presque à l'angle avec Lincoln Blvd).* ☎ *(310) 392-7973. Tlj 11h-3h.* Un endroit assez intimiste où l'ambiance bat son plein lorsque la musique est live (du jeudi au dimanche). Réputé pour ses *margaritas*. De rigolotes figurines en papier mâché très colorées sont accrochées un peu partout. Au fond, patio couvert fort agréable. Très pratique aussi pour grignoter mexicain, vu que la cuisine reste ouverte jusqu'à la fermeture. Nourriture à prix tout doux.

♟ Ye Old King's Head Restaurant and Pub *(plan couleur II, F5, 163)* **:** *116 Santa Monica Blvd.* ☎ *(310) 451-1402. Entre Ocean Ave et 2nd St, dans les derniers 300 m de la fameuse et légendaire Route 66, avt le Pacifique. Tlj 7h-1h30 (minuit lun-sam). Happy hours lun-ven 16h-19h.* Un des pubs les plus populaires de L.A., avec 2 bars : l'un, calme, orné par des portraits de bulldogs, l'autre, très animé, où se déroulent des tournois de fléchettes endiablés. Entre les deux, resto au cadre très anglais, cossu et confortable : salades, sandwichs, quelques curries indiens. Inévitable portrait de Winston Churchill et nombreuses peintures, photos et gravures aux murs. Une petite vingtaine de bières anglaises à la pression (Newcastle, Watney's, John Courage, etc.). Ambiance Rock & Roll.

♟ ☕ The Novel Café *(plan couleur II, G7, 164)* **:** *212 Pier Ave.* ☎ *(310) 396-8566. Tlj 7h ou 8h-minuit ou 1h. Petits déj, sandwichs et salades 6-10 $. Wi-fi payant.* Adorable librairie-*coffee shop*, avec rayons surchargés de bouquins vénérables. On y croise toutes sortes de gens, en général des profs et des étudiants, dont certains passent presque leur journée ici, assis devant leur ordinateur... Atmosphère studieuse en journée, animée le soir. Petite terrasse sur le trottoir. Outre les bons gâteaux, c'est aussi une excellente adresse pour le petit déj : expresso, super muffins, bagels, assiettes composées...

♟ ♪ O'Brien's *(plan couleur II, G7, 169)* **:** *2941 Main St.* ☎ *(310) 396-4725.* ● *obriensonmain.com* ● *Tlj 17h-2h ; w-e 10h-2h. Happy hours lun-ven 17h-20h.* L'un des *Irish pubs* les plus en vogue du coin. Musique live à tendance rock tous les soirs jusqu'à 2h. Consulter le tableau affiché dans la rue ou le site internet pour la programmation. Mais on vient aussi pour sa *Guinness* qui, au dire des barmen, serait la mieux tirée du *West Side* !

♟ ♪ Cock'n'Bull Pub *(plan couleur II, G6, 162)* **:** *2947 Lincoln Blvd.* ☎ *(310) 399-9696. Tlj 10h-2h (21h pour la cuisine).* Reconnaissable à sa cabine téléphonique rouge sur le trottoir. Un pub anglais élu *« best soccer bar in L.A. »*. Bref, si vous êtes amateur de foot, c'est ici qu'il faut venir : retransmission garantie de tous les matchs importants. À part ça, *live bands* ou soirée DJ certains vendredis et samedis, ou billards, vieux juke-box et fléchettes le reste du temps. Le dimanche, soirée *live comedy*. Ambiance assurée s'il y a foule, sinon c'est tristounet et franchement excentré.

Où danser ?

♪ *Circle Bar* (plan couleur II, G7, **168**) : 2926 Main St. ☎ (310) 450-0508. ● the circlebar.com ● Tlj 21h-2h. Interdit aux moins de 21 ans. Si vous faites jeunot, n'oubliez pas votre passeport ! L'un des endroits les plus en vogue de Santa Monica. On y viendrait même expressément de certains coins reculés de L.A. Atmosphère endiablée. Au centre, un vaste bar, aux murs, des photos intrigantes, pas toujours de très bon goût, un peu partout une lumière rougeâtre et parcimonieuse... Clientèle à cheval entre la vingtaine et la quarantaine, qui rigole, s'époumone, se contorsionne, s'éclate... Soirées DJs du mardi au samedi et juke-box (chansons surtout) le reste de la semaine. Voir la programmation sur leur site internet.

À voir

🐾🐾🐾 *Getty Center* : 1200 Getty Center Dr. ☎ (310) 440-7300 ou 60. ● getty.edu ● Accès par la 405 (San Diego Freeway), sortie Getty Center Dr (très bien indiqué). En bus de Downtown, prendre le n° 21 sur Wilshire Blvd (angle Flower St), descendre au croisement de Hilgard Ave et de Westholm St puis prendre le n° 761. Tlj sf lun 10h-18h (21h ven-sam). Entrée gratuite. Parking : 8 $. De là, tram gratuit jusqu'au musée. Au pied du tram, fauteuils roulants et poussettes gratuites à disposition. Perché sur une colline à l'ouest de Los Angeles, ce musée constitue l'un des complexes culturels les plus importants au monde. Son histoire commence en fait en 1953, lorsque J. Paul Getty, magnat du pétrole, créa un petit musée d'art sans prétention dans son ranch près de Pacific Palisades. Puis il fit construire une somptueuse villa romaine à Malibu, qui abrita son musée de 1974 à 1997, année où les collections furent transférées au tout nouveau, tout beau *Getty Center*. À noter que les antiquités grecques, romaines et étrusques ont rejoint, depuis 2006, la villa Getty de Malibu, entièrement rénovée et agrandie.

J. Paul Getty n'eut jamais l'occasion de voir ce magnifique Getty Center puisqu'il s'est éteint 21 ans plus tôt, en 1976.

Avant de mourir, il légua 1,3 milliard de dollars à sa « fondation » afin que celle-ci poursuive son petit bonhomme de chemin... Certes, elle le poursuivit, mais non sans semer le chaos sur le marché de l'art : les administrateurs du musée obtinrent n'importe quoi à n'importe quel prix ! Le résultat, c'est ce que vous allez voir, même si l'on raconte que des escrocs de génie auraient réussi à refiler quelques faux magnifiques !

L'œuvre de Richard Meier

À pied, on arrive sur une place futuriste au bas de la colline, d'où un tramway vous conduit au musée. Pendant la grimpette, jetez un coup d'œil vers l'est... Conçue pour être visible des kilomètres à la ronde, cette imposante construction, taillée de telle sorte que la surface brute réfléchisse les variations de la lumière, marie le verre et la pierre (du travertin italien). Admirez l'effet ! Pour les habitants de Los Angeles et les routards motorisés, elle est immanquable depuis la San Diego Freeway (l'Interstate 405).

Implanté sur 87 000 m² dans des jardins de 45 ha, le Getty Center, œuvre de l'architecte Richard Meier, comprend, outre le musée, un institut de recherche et de conservation, et constitue le nouveau bastion californien de la « haute culture ».

– Côté jardin, un gigantesque bouquet d'azalées disposées géométriquement dans un bassin évoque une île flottante. Ou l'île de Catalina peut-être ?

– Côté musée, 5 pavillons (les 4 points cardinaux, plus un destiné aux expos temporaires) sont reliés par des cours, des jardins, des passerelles vitrées ou à ciel ouvert. L'idée de Meier était de guider les visiteurs à travers les salles d'exposition (qui se suivent chronologiquement) par un savant jeu de cache-cache avec le paysage. Mission accomplie. « L'apothéose » se produit en fin de parcours, lorsqu'un panorama de L.A. se dévoile enfin, embrassant une vue allant de Downtown à l'océan en passant par les collines d'Hollywood.

Les collections

Le musée loue des audioguides pour 3 $.

– **Le rez-de-chaussée** des différents pavillons rassemble tout ce qui n'est pas peinture : principalement des arts décoratifs allant du Moyen Âge au XVIIIe s mais aussi de la photo contemporaine. On trouve, en vrac : un bassin italien en porcelaine du XVIe s dit « de Deucalion et Pyrrha », de superbes manuscrits médiévaux, une série de statuettes de chevaux de style baroque, une collection d'esquisses du XVe au XIXe s, du fin mobilier XVIIIe s, dont un somptueux lit « à la polonaise », à baldaquin et à plumes, une sculpture de Joseph Chinard, taillée dans un seul bloc, d'une remarquable finesse, ou encore cette armoire qui exhibe le coq français triomphant sur le lion espagnol et l'aigle du Saint Empire (mais dont le devant est faux !).

– **À l'étage** des différents pavillons : la peinture européenne, depuis le Moyen Âge jusqu'au XXe s. Pour vous en donner un avant-goût, citons le *Couronnement de la Sainte Vierge* de Gentile Da Fabriano (recouvert d'une couche d'or), d'étonnants tableaux de Venise (Bellotto), *Portrait des sœurs Zénaïde et de Charlotte Bonaparte* de David, *Nature morte avec des pommes* de Cézanne, et les célèbrissimes *Iris* de Van Gogh... De Manet, nous retiendrons surtout *La Rue Mosnier,* un petit chef-d'œuvre. Le *Model Resting* de Toulouse-Lautrec respire le relâchement, et Renoir nous offre une très belle *Promenade au banc.* Remarquez le rendu de la peau de la *Mise au Tombeau* de Rubens, glaçante. *Madeleine pénitente* du Titien offre un moment très émouvant. Enfin, ne passons pas sous silence le très caustique et controversé *Christ's Entry Into Brussels* (1889) de James Ensor, qui occupe un mur à lui tout seul, dans le pavillon ouest. C'est avec lui que se termine votre voyage dans le temps... et, puisque le Getty a avant tout été pensé comme un lieu d'échanges, n'hésitez pas à questionner les conservateurs du musée sur l'origine des pièces.

– De même, des artistes viennent régulièrement montrer leurs techniques et la *family room,* avec ses jeux interactifs autour de différentes œuvres, permet aux plus petits (dès 5-6 ans) de découvrir la peinture et la sculpture.

Farmer's Market : *sur Main St, à proximité du California Heritage Museum. Ts les dim 9h-14h.* Un lieu de rencontre très agréable, surtout à la belle saison, quand les maraîchers de la région viennent proposer leurs fruits et légumes. On trouve de tout : des produits de bouche à la fripe, en passant par la brocante. On s'y presse à l'heure du brunch, et dans une ambiance bon enfant, on n'hésite pas à faire la queue pour une omelette, une part de brioche, où un plat moyen-oriental, qu'on déguste ensuite, assis en tailleur sur la pelouse, à la bonne franquette. Une ambiance typiquement californienne, où se mêlent les influences de la lointaine Angleterre à celles du Far West. Une belle façon de s'immerger dans la culture californienne et aussi d'y faire des rencontres. D'ailleurs, on y vient aussi pour ça !

Third Street Promenade *(plan couleur II, E-F5) : comprise entre Broadway et Wilshire Blvd, 3rd St est la rue piétonne de Santa Monica.* Bordée de magnifiques jacarandas, on y trouve des cafés et restos branchés, comme le **Cabo Cantina,** où il fait bon écluser un mojito ou une tequila au retour de la plage. Aussi des boutiques de mode, des marchands de journaux (presse étrangère chez *Barnes & Noble* le géant du livre et du disque, à l'angle de Wilshire Blvd). Aux beaux jours, des bancs et des chaises permettent de s'asseoir pour regarder les nombreux spectacles de rue qui émaillent les journées (musiciens, saltimbanques, portraitistes...). L'endroit est évidemment très fréquenté.

Au bout, sur 3rd Street et Broadway, le **Santa Monica Place,** avec un grand centre commercial, des restos, quelques cafés.

Bergamot Station : *2525 Michigan Ave.* ☎ *(310) 586-6488. Tlj sf dim-lun 11h-18h ; sam 11h-20h. Entrée : 3 $ pour le Santa Monica Museum of Art ; les autres* *galeries sont gratuites. Parking gratuit.* Dans des entrepôts rénovés d'une ancienne gare de trolley se situent le *Santa Monica Museum of Art* ainsi que plus d'une trentaine de galeries d'art. C'est la plus grande communauté d'artistes de Californie. Le musée, qui a fêté ses 20 ans en 2008, anime régulièrement des symposiums et organise des performances artistiques, expose de l'art contemporain et d'avant-garde. En gros, trois grosses manifestations par an. Entre temps, les ateliers sont libres d'accès, c'est l'occasion de voir les artistes œuvrer en live. À part le musée, les galeries proposent quelques œuvres à la vente ; on y a trouvé pêle-mêle des Miró, Chagall et Picasso à plusieurs milliers de dollars, mais aussi des photos originales d'Helmut Newton et de Jerry Uelsmann. Un endroit fait pour les passionnés d'art contemporain.

Où faire du shopping ?

◈ *Montana Avenue :* *entre Lincoln Blvd et 17th St.* Une large avenue plantée d'arbres majestueux, où l'on trouve des antiquaires, de magnifiques boutiques de déco, mais aussi du prêt-à-porter et quelques magasins de luxe. Un shopping à faire en voiture, vu la longueur de la rue !

◈ *Outdoor Rei :* à l'angle de *4th St et Santa Monica Ave.* Tlj 10h-21h (19h dim). Sur deux niveaux, tout pour les sports de pleine nature : vélo, camping, sports nautiques, rando, montagne. Également un beau rayon *sportswear* et une librairie.

◈ *Hennessey & Ingalls :* 201 Wilshire Blvd (près de l'angle avec *2nd St*). Une très belle librairie spécialisée qui propose des livres d'art neufs ou d'occasion sur des sujets tels que l'architecture, le design, la déco, la mode, le cinéma. La Mecque du beau et de l'esthétique.

Venice *(plan couleur II)*

À l'aube du XXe s, Abbot Kinney, baron du tabac, veut faire de ce quartier une ville de détente et de plaisir à l'image de la Venise italienne. Ainsi naît *Venice of America,* et dès 1905, la foule découvre les promenades en gondoles (fraîchement importées d'Italie par bateau) sur les 16 miles de canaux gagnés sur le marécage. Un petit train permet de relier la fête foraine située sur le ponton aux plages et à la grande piscine d'eau de mer couverte. Kinney engage même des pilotes chevronnés pour réaliser des acrobaties aériennes au-dessus de l'océan.

Aujourd'hui, il subsiste encore quelques ponts et maisons d'inspiration vénitienne, notamment sur Windward Street (le *Venice Beach Cotel* en est un bel exemple !) ou sur Ocean Front Walk (tel le *Sidewalk Café & Bar*).

En 1920, Kinney meurt d'un cancer du poumon ; la semaine suivante, un gigantesque incendie ravage une grande partie du front de mer. Venice est reconstruite, avant de devenir, dès 1925, un quartier à part entière de Los Angeles. Du coup le trafic s'intensifie, et en 1929 une partie des canaux est comblée pour permettre aux voitures de circuler plus facilement. La même année, on découvre du pétrole en ville. Le pays est en plein krach boursier, alors profitant de cette manne, quelque 148 puits sont mis en branle afin d'extraire le précieux or noir, défigurant très vite le paysage. L'exploitation se poursuit jusqu'à la fin des années 1960.

Venice, délaissée depuis près de 40 ans, devient le repaire des beatniks puis des hippies. En 1974, la construction d'une large piste cyclable le long de la plage relance l'attrait touristique pour le quartier. Venice devient alors la capitale mondiale du *roller-skate*.

Le front de mer est aujourd'hui le lieu de rendez-vous des artistes et des marginaux. Un commerce de plage à vocation balnéaire s'y déroule toute la semaine (T-shirts réputés pour être les moins chers de Californie), mais ferme à la tombée du jour, livrant les abords de la plage à la gouverne des *homeless*. Mieux vaut ne pas y faire de vieux os. Dans la journée, et surtout le week-end, c'est la grande parade des corps sculptés, lustrés, siliconés, tatoués, huilés. À l'évidence on vient ici pour se montrer... En marge de ça, il demeure toujours un petit fond populaire, et les *piers* (les jetées) sont pris d'assaut le dimanche par les pêcheurs qui viennent y pique-niquer, les yeux rivés sur le scion de leur canne, sous les yeux médusés des surfeurs attendant le meilleur *peak* pour un *ride* d'enfer !

Infos utiles

– On le répète, c'est à Venice que le ***roller*** est né. D'ailleurs, on peut en louer une paire et s'éclater tout le long de la plage. Les piétons s'écartent, vu la foule qui se balade sur roulettes. Ça vaut le coup d'œil et la peine d'essayer. Certains effectuent des figures assez étonnantes, d'autres dansent.

■ ***Location de vélos et de rollers :*** Venice Bike & Skates *(plan couleur II, H8, 6), 21 Washington Blvd (à côté du resto C & O Trattoria). Tlj 9h30-17h30 ; w-e 8h30-18h. Compter 6 $/h, max 18 $.* J's Rentals, à côté du Venice Beach Cotel, à *Venice Beach.* ☎ (310) 310-1951. *Tlj 10h-* 17h30 ; w-e 9h30-18h. Compter 5 $/h, 15 $/j. pour un bike ; 10 $/h, 25 $/j. pour un board. Et pour quelques dollars de plus, une combi (bien en hiver). Et encore un autre loueur (Blazing Saddles) sur la jetée de Santa Monica (ouv jusqu'à 17h30).*

– ***Pour ceux qui viennent en voiture,*** un conseil : ne pas se garer sur les parkings privés des maisons en bord de plage ou des rues annexes ; fourrière garantie en quelques minutes. La nuit, il est difficile de stationner. Préférez négocier avec votre hôtel. Dès la fin d'après-midi, l'animation s'essouffle pour finalement s'éteindre complètement. On y retrouve alors les mêmes problèmes de sécurité qu'en maints endroits de L.A. Balades romantiques à éviter le soir.

Où manger ?

Spécial petit déjeuner

☙ ***Rose Café*** *(plan couleur II, G7, 94) :* voir ci-dessous.

Assez bon marché

|●| ***Mao's Kitchen*** *(plan couleur II, G8, 106) : 1512 Pacific Ave.* ☎ *(310) 581-8305. Tlj 11h30-22h30 (3h ven et sam). Plat moins de 10 $.* À deux pas de la plage de Venice, un resto souvent plein à craquer qui sert une délicieuse cuisine chinoise. Ainsi, sous le portrait de Mao, version Andy Warhol, vous pourrez essayer les aubergines à la Sichuan (un peu épicées), les *Mao's hometown* (Mao venait de la province du Hunan) ou les bouchées à la vapeur au bambou. Le tout est accompagné de riz au jasmin ou d'une salade. Un régal.

|●| ***Café 50's*** *(plan couleur II, H7, 90) : 838 Lincoln Blvd (angle Lake St).* ☎ *(310) 399-1955. Tlj 7h-23h. Plats 8-15 $.* Bonne petite adresse, excentrée mais tellement sympa ! Comme son nom l'indique, nos lecteurs fans de James Dean et de Marlon Brando savoureront ici un décor et une atmosphère des *fifties* pur jus, avec ses murs ornés de disques et de vieilles affiches, les sièges rouges pailletés et ce vieux juke-box toujours en état de marche. Une photo a été dédicacée par Roy Rogers (la plus grande vedette chantante du western). Vrais bons burgers maison à moins de 7 $, mais aussi salades, nombreux sandwichs, omelettes, *specials*... Tout ça au son d'une musique extra, bref, un incontournable pour les mordus de ces années-là. Évitez d'y aller aux *happy hours* sous peine de rester bloqué dans les embouteillages !

|●| ***Rose Café & Market*** *(plan couleur II, G7, 94) :* angle Hampton Dr et Rose Ave. ☎ *(310) 399-0711. Tlj 7h ou 8h-17h. Petit déj env 7-10 $. Repas*

10-15 $ si on se contente d'une salade ou d'un sandwich. Parking gratuit pour 1h. Reconnaissable à la rose peinte en façade, que l'on retrouve à l'intérieur de cet entrepôt joliment transformé en café-resto-boutique. On commande au comptoir avant de s'asseoir plutôt à l'intérieur qu'en terrasse (vraiment pas terrible). À la carte : salades appétissantes, *tacos*, pizzas, quiches, lasagnes... Bien aussi pour un café dans l'après-midi, car il y a également des cakes au chocolat et de délicieuses tartes.

lOl *Sidewalk Café & Bar* (plan couleur II, G8, *92*) : 1401 Ocean Front Walk. ☎ (310) 399-5547. À hauteur d'Horizon Ave, au cœur de Venice. Tlj 8h-23h. Petit déj complet 12 €. Sandwichs, sala-des et burgers 15-20 $. Bâtiment construit par Abbot Kinney et fréquenté par Jack Kerouac dans les années 1960, quand il servait d'atelier aux artistes. Grande terrasse donnant sur la plage, abritée sous une bâche rouge et blanche. L'un des meilleurs postes pour observer la foule bigarrée de Venice. Salades, plats mexicains, *pasta* et burgers sur une ambiance de vacances. L'intérieur est plus remuant, avec, au fond, un grand écran et un billard. Enfin, ça dépend où l'on va à l'intérieur, car il y a aussi, dans la salle d'à côté, une intéressante librairie, pleine de bouquins sur l'histoire de Venice. Toujours beaucoup de monde aux *happy hours*, et surtout le dimanche pour le brunch.

De prix moyens à plus chic

lOl *C & O Trattoria* (plan couleur II, H8, *105*) : 31 Washington Blvd. ☎ (310) 823-9491. Sem 11h30-22h ou 23h ; w-e 8h-23h. Plats de pâtes 16-25 $; on mange pour 35-45 $. On conseille de ne prendre qu'une *small portion*, déjà très copieuse. Vous l'avez deviné, un grand spécialiste des pâtes : 25 sortes ! Un resto au décor de jardin, avec ses nappes à carreaux, ses chaises en plastique et ses croisillons garnis de plantes vertes. La devise de la maison : « Ici on ne repart pas la faim au ventre », et c'est le moins qu'on puisse dire, vu la taille des assiettes ! En plus de ça, en guise de prélude, on vous apporte des petits pains ronds à l'ail, chauds et fondants. Service efficace et aimable.

lOl *The Terrace* (plan couleur II, H8, *93*) : 7 Washington Blvd. ☎ (310) 578-1530. Tlj jusqu'à 1h. Compter 10-12 $ pour une salade ou un fish & chips. On aime bien cet endroit, pour sa terrasse agréable ou son arrière-salle qui donne sur le front de mer. Idéal pour un petit creux entre deux vagues. On y sert des sandwichs, salades et pâtes le midi, et des plats plus consistants comme de l'agneau braisé ou du bœuf Stroganov le soir. Accueil et service efficaces. Un peu d'attente le samedi soir mais c'est le jour du *prime rib* ! Bons cocktails et expressos.

lOl *Canal Club* (plan couleur II, G8, *96*) : 2025 Pacific Ave et N Venice Blvd. ☎ (310) 823-3878. Tlj 17h-22h (23h ven-sam). Plats 10-20 $. Happy hours tlj 17h-19h. Cuisine internationale dans un décor polynésien avec store en paille et lampes couvertes de chemises à fleurs au plafond... Sympa et décontracté ! La carte affiche un choix exhaustif de sushis, des burgers de bœuf ou de thon et des salades. Clientèle assez jeune et branchée. Côté animation enfin, soirée DJ le week-end après le dîner.

Très chic

lOl *The Warehouse* (hors plan couleur II par H8, *108*) : 4499 Admiralty Way, Marina del Rey. ☎ (310) 823-5451. Prendre Washington Blvd, tourner à droite dans la Via Dolce et à gauche dans Admiralty Way, c'est sur votre droite. Tlj 11h30-22h ou 23h. On dîne pour 55-65 $ sans faire de folies ; Sunday brunch 30 $. À travers les palmiers et les bambous, vous apercevrez le décor étonnant de cet ancien entrepôt pour bateaux, réhabilité en 1969 en resto tropical très chic. À l'intérieur, piles de caisses en bois, tonneaux, lampes de couleur, vieilles photos coloniales, chaises en osier... Tout invite au voyage. Le plus : la terrasse au 1er étage donnant sur la marina. Certes, les plats sont un peu chers, mais le cadre est exceptionnel. Dans les assiettes, beaux poissons et viandes grillées. Excellent accueil. Une adresse qui vaut vraiment le détour pour son côté *Pirates des Caraïbes.* À l'abordage !

Où boire un verre ?

Tony P's (hors plan couleur II par H8, *167*) **:** 4445 Admiralty Way, Marina del Rey. ☎ (310) 823-4534. *Tlj 11h30-22h (23h30 ou 0h30 w-e) ; ouv à 9h pour le brunch le dim. Parking privé. Compter 35-45 $ le midi, 10 $ de plus le soir.* Le bar se situe à droite de l'entrée (à gauche c'est le resto, avec une belle vue sur la marina depuis la terrasse couverte, mais la nourriture n'est pas à la hauteur des prix). Un vrai *sports bar* à l'américaine, plutôt sombre, où des écrans de toutes les tailles diffusent les événements sportifs. Impressionnante collection de manches pour les bières à la pression. Les soirs de grands matchs, ambiance torride assurée. Si vous voulez y grignoter, tenez-vous-en aux sandwichs. Moins de 21 ans bienvenus (mais pas au comptoir). Accueil très moyen.

Venice Whaler Bar and Grill (plan couleur II, H8, *161*) **:** 2-10 Washington Blvd. ☎ (310) 821-8737. *Dim-jeu 11h-minuit ; ven-sam 10h-1h30. Happy hours lun-ven 16h-20h. Salades 6-12 $.* Reconnaissable à la fresque de sirène peinte sur le pignon. On aime bien cette adresse pas branchée pour 2 sous parce que c'est ici que se retrouvent les gens du quartier. On vient y prendre un pot après le bureau, avant le footing, entre 2 vagues pour les surfeurs. À l'étage, terrasse protégée du vent mais pas du soleil. L'idéal pour déguster une bonne bière. Possibilité de grignoter quelques trucs de la mer.

À faire

– **Ocean Front Walk :** *en face de Muscle Beach. Tlj 10h-19h.* Beaucoup de petits box où l'on vend des babioles et autres souvenirs à faire chauffer la carte de crédit des touristes. Nombreux ateliers de tatoueurs aussi. Juste en face, un terrain de basket où, chaque soir, les gars du coin viennent se prendre pour les *Lakers.* Le secteur connaît une seconde jeunesse depuis quelques années : tout a été réaménagé. Le plus gros de l'animation se situe dans les parages du *Sidewalk Café & Bar* (plan couleur II, G8, *92*). Pas mal de shows improvisés ou non, des automates, bonimenteurs, équilibristes. Le dimanche, des groupes viennent se produire devant les gradins du terrain de basket : rock, soul, *R & B,* etc. Mais le clou du spectacle, c'est *Muscle Beach,* un centre de musculation en plein air, où chacun peut s'admirer et se faire admirer ; dans sa jeunesse, Schwarzenegger était un régulier. Regarder ces écorchés huilés soulever de la fonte est un spectacle en soi. D'autres préféreront aller s'asseoir sur la plage pour admirer les *riders* de vagues.

En poussant un peu plus loin, entre Winward et le *pier* (« la jetée »), la promenade du front de mer égraine un chapelet de maisons à touche-touche dont l'architecture caractéristique rappelle celle de Frank Lloyd Wright, mariant avec élégance le bois, le métal et le verre. Une appropriation de l'espace tout en volumes imbriqués les uns dans les autres, privilégiant la lumière et la sensation d'être dehors tout en étant dedans. Notez la chambre perchée à l'extrémité d'un poteau au n° 2509.

Il faut absolument explorer la minuscule section de **canaux** préservés (6 seulement), dont l'épicentre est *Dell Avenue,* juste au sud de South Venice Boulevard. On y trouve le *Caroll Canal,* le *Linnie Canal,* le *Howland Canal* et le *Sherman Canal.* Inutile de préciser que c'est à pied que l'on explore le secteur (après s'être garé *réglementairement* – on se répète : les enlèvements sont plus que rapides). Ces quelques voies d'eau rescapées nous font imaginer, ô combien romantique devait être l'ensemble du quartier ! Emprunter les chemins piétons qui longent les coquettes maisons, les architectures originales, sans luxe ostentatoire, les petits ponts qui enjambent élégamment ces sympathiques bras d'eau, séparant les jardins où pousse une végétation tantôt méditerranéenne, tantôt carrément tropicale. Senteurs de chèvrefeuille, de magnolia, d'oranger du Mexique, on adore... Un art de vivre cultivé par une poignée de privilégiés (des bobos, pas des richards), car il ne faut pas se leurrer, ça coûte une petite fortune de vivre ici.

Malibu *(hors plan couleur d'ensemble)*

LOS ANGELES ET SES ENVIRONS

🏃 Au nord-ouest de Santa Monica s'étend la très longue Pacific Coast Highway. Par elle, on arrive à Malibu, la côte favorite des stars. Ses maisons en bord de plage comptent parmi les plus chères de L.A. (de 1 à 10 millions de dollars), mais sont souvent de médiocre architecture. La plupart sont sur pilotis sur une minuscule bande de sable, coincées entre mer et autoroute (il faut savoir souffrir pour être dans le coup !).

Ne fantasmez donc pas trop sur Malibu qui s'avère plutôt décevant. Trafic assez intense sur la route côtière et nombreuses zones privées avec gardes et molosses. Parmi les *people* qui ont pignon sur la grande bleue : Pierce Brosnan, Steven Spielberg, Sean Penn, Mel Gibson, Sting, Tom Hanks, Leonardo Di Caprio, le top model Cindy Crawford...

L'endroit le plus branché de Malibu est **Carbon Beach,** la plage la plus chère des États-Unis, prisée par tous les milliardaires. C'est là que vivent Courteney Cox (une des actrices de la série *Friends*), son mari David Arquette, et sa copine Jennifer Aniston.

Pour les amateurs de surf, le **Malibu Lagoon** est un spot mondialement connu.

🦖 **Getty Villa :** *17985 Pacific Coast Hwy, moins de 1 mile au nord de Sunset Blvd ; attention, l'accès se fait slt en arrivant par le sud (interdiction de tourner en venant du nord).* ● *getty.edu* ● *Jeu-lun 10h-17h (dernière entrée 16h). Attention : entrée gratuite mais prérésa des billets (avec créneau horaire indispensable) obligatoire sur Internet ou au ☎ (310) 440-7300. Audioguide : 3 $ (en anglais ou en espagnol). Parking obligatoire pour ceux qui viennent en voiture (mesure pour empêcher le parking sauvage dans les environs) : 8 $. Sinon, le bus RTD nº 434 sur Ocean Ave, au bout de Santa Monica, vous dépose tt près. Dans ce cas, gardez bien votre ticket de bus, qui vous sera demandé à l'entrée.*

Pour tout savoir sur l'histoire de J. Paul Getty, voir plus haut le texte consacré au Getty Center à Santa Monica.

Fermée depuis 1997 pour travaux de rénovation et surtout d'agrandissement, la Getty Villa a rouvert ses portes en 2006, mais les travaux continuent.

Construite au début des années 1970 sur le modèle de la *Villa dei Papiri,* la villa du beau-père de Jules César, la plus fastueuse découverte de Pompéi, elle est lovée dans un étroit canyon avec vue imprenable sur le Pacifique. Merci donc à M. Getty de nous avoir donné une idée de ce joyau antique.

Les architectes chargés de l'agrandir se sont employés à utiliser des matériaux en usage à l'époque, comme le bois, le bronze et le verre. Superbes jardins avec péristyle, plantés de quelque 300 variétés. Les collections regroupées ici sont consacrées exclusivement à l'Antiquité grecque, romaine et étrusque. Sculptures monumentales, momie, objets de la vie quotidienne tels que vases, amphores peintes, pièces de monnaie, verreries, bijoux... présentés dans des galeries thématiques. Le rez-de-chaussée de la villa est dédié à Dionysos, le théâtre, aux dieux et déesses et à la guerre de Troie (superbe sarcophage figurant Achille traînant la dépouille d'Hector) ; une aile reproduit un temple dédié à Héraclès, dont les douze travaux sont représentés sur des amphores, et où est exposée une statue du demi-dieu trouvée dans la villa d'Hadrien à Tivoli. Le *Timescape Room* permet de s'y retrouver dans cette chronologie lointaine. À l'étage, des statues cycladiques et des poteries minoennes et mycéniennes, puis des galeries sur les animaux, les athlètes (avec un rarissime bronze grec, surnommé *The Getty Bronze,* représentent en grandeur nature un jeune homme portant une couronne d'olivier, symbole de la victoire aux

J.O.), les bijoux, les activités masculines, féminines et enfantines. Des expositions temporaires, toujours tournées vers l'Antiquité, y sont également programmées. Enfin, très agréable *coffee shop*. Une visite à ne rater sous aucun prétexte.

⌖ Voici quelques plages intéressantes : la *Topanga State Beach,* pour le surf surtout. Plus haut, les plages de *Corral* et *Point Dume Beach,* en général sympas et peu fréquentées. Enfin, tout au nord, la plage de *Zuma,* très populaire chez les Angelenos. Et pour les plus pressés, *Malibu Park,* un beau spot au nord du *pier* de Malibu, pas mal de restos et autres commodités. On se gare le long de la Pacific Coast Hwy.

■ Possibilité d'obtenir plus d'infos en contactant le *Department of Beaches and Harbors,* 13837 Fiji Way, Marina del Rey, CA 90292. ☎ (310) 305-9503. ● bea ches.co.la.ca.us ● Ils connaissent par cœur leurs 72 miles de côte (dont 40 miles de plages) et peuvent vous indiquer les spots de surf, les conditions pour y pratiquer ce sport et les pièges à éviter (forts courants à la marée descendante), celles qui sont surveillées, etc.

I●I ☿ *Malibu Seafood :* 25653 Pacific Coast Hwy. ☎ (310) 456-3430. Un peu avt le camping en venant de Santa Monica. Tlj 10h-20h30. Un petit *diner* typique de la côte pacifique. On y vient acheter la pêche du jour pour l'emporter ou la manger sur le pouce. C'est frais : colin, thon rouge, poulpes et toutes sortes de fruits de mer. John, le patron, a installé quelques tables à l'extérieur. Ici, on vient prendre un peu de phosphore avant de se jeter à l'eau.

I●I ☿ Sur la Pacific Coast Hwy, au niveau du Malibu Pier, vous trouverez un sympathique bar et resto, le *Malibu Inn,* 22969 Pacific Coast Hwy. ☎ (310) 456-6060. Tlj 8h-22h (show payant, env 40 $ jusqu'à 2h). On y mange bien pour 9-13 $. Parking 4 $. Un vrai saloon couvert de vieilles photos des stars mythiques d'Hollywood avec quand même, c'est plus fort qu'eux, quelques surfs au plafond. Belle terrasse. Excellente cuisine, spécialités de *fish & chips* à base de colin d'Alaska, pas très chères. Aussi de délicieux burgers et salades. Sur le *stage,* du live, rock, jazz et quelques *jam-sessions* certains soirs, qui attirent une foule en claquettes et short à fleurs. Un côté cowboy sans éperons, en somme... Si vous remontez vers le nord dès le matin, c'est aussi une chouette halte pour le petit déj.

Hollywood et Melrose (plan couleur III)

Un peu d'histoire de la capitale du cinéma

Au commencement : une terre promise et une étable

À l'avènement du cinéma, Hollywood ressemblait à un petit paradis. Cette paisible localité, proche de Los Angeles, adossée à une chaîne de collines et pas loin de l'océan, était renommée pour la douceur de son climat et ses vastes horizons vierges de toute construction. Arriver à Hollywood, c'était comme entrer dans l'Éden : on y respirait un air délicieusement tempéré de parfums d'orangers, d'eucalyptus et de jasmins. Des bougainvillées, des rosiers, des géraniums, des lupins poussaient en toute liberté. Des palmiers, hauts et élégants, grimpaient dans un ciel d'azur. La nuit, des coyotes hurlaient dans les canyons désolés proches de la ville... Un beau jour de décembre 1913, Cecil B. DeMille, de la compagnie *Famous Players Lasky* (qui deviendra la *Paramount*), débarque de New York avec son équipe de cinéma. Après avoir remonté une large avenue ombragée nommée Vine Street, le groupe s'arrête au « studio » : une étable formée d'un vaste bâtiment de bois vert sombre, tachée par la chute des fruits des arbres voisins. DeMille envoya un télégramme au bureau de sa compagnie à New York : « Demande autorisation louer étable dans lieu nommé Hollywood pour 75 $ par mois. » La réponse ne se fit pas attendre longtemps : « Autorisons location étable. » C'est ainsi que DeMille put tourner *Le Mari de l'Indienne (The Squaw Man),* le premier long métrage (muet) de l'histoire. Ainsi commença la ruée vers la terre promise d'Hollywood. Pionniers du cinéma, cinéastes et producteurs accoururent, attirés par la douceur du climat (possibilité de tourner des films en extérieur été comme hiver, sous une lumière magnifique). En outre, le prix peu élevé des terrains, la présence d'une main-d'œuvre abondante et moins chère qu'à New York, et enfin la variété des paysages aux alentours (ville, mer, montagne, désert) décidèrent nombre de pionniers du 7ᵉ art à venir s'y installer. Le génial D. W. Griffith, qui traînait dans le coin depuis 1910 déjà, réalisa la première superproduction en filmant *Naissance d'une nation* (1914), suivie d'*Intolérance* (1916). Du jamais vu ! À titre d'exemple, pour *Intolérance*, il fit appel à 5 000 figurants. Le tournage dura seize semaines ; 76h de pellicules furent imprimées pour un film long de 3h !

C'est naturellement aussi à Hollywood que l'un des tout premiers genres du cinéma muet vit le jour, la comédie burlesque ou *slapstick*. Son pionnier fut Mack Sennett, qui tourna des centaines de ces courts-métrages comiques pour la *Keystone* dans des baraques minables du côté d'Edendale.

Sennett lança de nombreux acteurs comiques, dont Charlie Chaplin.

Celui-ci, fraîchement arrivé de son Angleterre natale, inventa son personnage de Charlot en fouillant dans la garde-robe de la *Keystone*. Le triomphe fut immédiat et fulgurant. Sa canne, sa moustache, son chapeau melon et sa démarche inimitable firent de lui une vedette mondiale en moins de trois ans. Embauché à 75 $ la semaine à ses débuts, Charlie Chaplin signa en 1917 le premier contrat de 1 million de dollars enregistré dans les annales du cinéma.

Avec cette somme mirobolante, il devint multimillionnaire à 28 ans et s'installa, en 1918, dans ses propres studios, au 1416 North La Brea (ils sont toujours là, lire « À voir »). Avec Douglas Fairbanks et Mary Pickford, les deux vedettes en vue de l'époque, il fonda en 1919 *United Artists* (dont Griffith faisait partie), contribuant ainsi à asseoir l'image d'Hollywood comme capitale mondiale du cinéma, d'autant que la Première Guerre mondiale avait ruiné les premières années du cinéma en Europe.

L'âge d'or des usines à rêve

Les années 1920, 1930 et 1940 représentent une sorte d'âge d'or pour le cinéma d'Hollywood. Plusieurs raisons à cela : la TV n'existait pas encore, la jeunesse et le tonus de l'industrie cinématographique américaine, la fréquentation assidue des salles de cinéma (un ménage américain y allait en moyenne trois fois par semaine), le culte des stars.

Dès la fin de la Première Guerre mondiale, la première *Major Company* est née : la *Paramount*, dirigée par Adolf Zukor. Dans les années 1920, les fameuses *roaring twenties*, le cinéma d'Hollywood se constitue en *movie business* (industrie du cinéma), dont Hollywood est le centre névralgique, le cerveau et le moteur. Les grandes maisons de production conservent leurs bureaux à New York, mais montent d'énormes studios à Hollywood. Le travail, l'organisation, la production y sont tellement soumis aux règles de la rentabilité qu'on les appelle très vite les *dream factories*, les « usines à rêve ».

Hollywood emploie alors près de 28 000 personnes, dont 170 réalisateurs et 350 scénaristes qui fournissent 500 à 700 scénarios par an à cette puissante chaudière d'images toujours sous pression. « Hollywood est une cité ouvrière », écrit Joseph Kessel. « Sous ses apparences de calme, de loisir, sous sa carapace de luxe, elle est pareille aux villes minières, aux agglomérations de hauts-fourneaux qui se vident de l'aube au crépuscule pour envoyer leur population aux galeries ou à la chaîne. Hollywood fabrique des images parlantes comme *Ford* sort des automobiles. »

La plupart des studios américains ont été fondés par des petits commerçants juifs originaires d'Europe centrale, venus tenter leur chance aux États-Unis à la fin du XIXᵉ s. La réussite de ces nababs tient sans doute à leur profond désir d'intégration et à leur volonté de s'américaniser jusqu'à l'occultation complète de leurs origines israélites. En 1939, Hollywood n'avait produit qu'un seul film dénonçant le régime nazi !

Cinq grandes « usines à rêve » (les *Big Five Majors*) dominent le monde du cinéma :

– La *MGM (Metro Goldwyn Mayer)* collectionne les stars, fidèle à sa devise « *More stars than there are in heaven* » (« plus d'étoiles qu'il n'y en a dans le ciel »). Greta Garbo, Clark Gable, Marion Davies, Joan Crawford, Norman Shearer jouent pour la *MGM*.

– La *Paramount* : on y trouve l'irrésistible Mae West, le sémillant Gary Cooper, les Marx Brothers, Bing Crosby, Bob Hope, Tyrone Power et la divine Marlene Dietrich.

– La *Warner Bros.*, dirigée par les quatre frères Warner, n'a pas autant de stars, mais rien que du brillant : Humphrey Bogart, James Cagney, Bette Davis.

– La *Twentieth Century Fox* ne renaît de ses cendres qu'en 1935, devenant ainsi la quatrième des *Big Five Majors*.

– Enfin, la *RKO*, qui aura le génie de produire *Citizen Kane* d'Orson Welles.

Après les *Big Five* viennent les *Little Three* : *Columbia, United Artists* et *Universal*. Déjà aux débuts du cinéma, le plus grand, le plus impressionnant des parcs à studios, c'est *Universal City*, sorte de cité du cinéma, fondée par Carl Laemmle à quelques kilomètres au nord d'Hollywood, sur des terrains vagues. Chacun des studios la composant forme une ville dans la ville, une forteresse entourée de murs infranchissables, gardée par des cordons de sentinelles. « Tout est organisé, hiérarchisé, standardisé. Jusqu'à la pensée, jusqu'à l'inspiration », remarque Kessel, qui en sort ébloui et écrasé.

Deus ex machina de ces usines à rêve : les producteurs. Ils règnent en maîtres absolus, font la pluie et le beau temps, contrôlent tout, voient tout, interviennent à tous les niveaux de la fabrication du film : ils choisissent les sujets, les auteurs, les metteurs en scène, les acteurs, l'équipe technique. Par l'étendue de leur pouvoir, on les surnomme « les Moguls ». Un de ces Moguls d'Hollywood, Irving Thalberg (bras droit de Louis Mayer à la *MGM*), a servi de modèle à Scott Fitzgerald pour son *Dernier Nabab (The Last Tycoon)*. Quelques producteurs indépendants réussiront à se faire un nom à l'ombre des *Majors* : il s'agit de Samuel Goldwyn et de David O. Selznick, le producteur d'*Autant en emporte le vent* (1939), film feu d'artifice de l'âge d'or hollywoodien.

Les années 1930 sont marquées par de grands réalisateurs comme Frank Capra (le génie des comédies qui font réfléchir), John Ford (le père des westerns), Howard Hawkes (initiateur du film noir). Les années 1940 ouvrent l'ère du film noir et des pin-up, ces *glamour girls* qui nous changent des beautés académiques d'avant-guerre. Rita Hayworth est surnommée « la star atomique » ; Esther Williams, « la naïade » ; Jane Russell, « la brûlante » ; Lana Turner, « la torride » ; Barbara Stanwyck, « la perverse » ; Bette Davis, « la garce » ; Ingrid Bergman, « l'étrangère » ; Ava Gardner, « le plus bel animal du monde ». Et, bien sûr, Marilyn Monroe, star hollywoodienne par excellence, « la *baby doll* du 7e art ». Toutes ces vedettes, « esclaves les mieux payées du monde », habitent Beverly Hills, à deux pas des studios.

Côté réalisateurs, une pléiade de génies roule pour Hollywood : John Huston *(Le Faucon maltais, La Nuit de l'iguane, Asphalt Jungle...)*, Raoul Walsh *(High Sierra...)*, Billy Wilder *(Sunset Boulevard, Sept Ans de réflexion...)*, Joseph Mankiewicz *(Le Château du dragon, Ève, La Comtesse aux pieds nus...)*, Ernst Lubitsch *(Ninotchka, Jeux dangereux, Le ciel peut attendre)* et, bien sûr, Alfred Hitchcock (inventeur du thriller au cinéma). Et bien d'autres encore...

La statuette ressemblait à oncle Oscar

Un chevalier longiligne, en bronze plaqué or, tient une épée verticalement, les pieds posés sur une bobine de film : cette statuette prestigieuse est remise chaque année depuis 1929 comme récompense aux meilleurs films, réalisateurs, scénaristes et techniciens du 7e art. Une sorte de prix Nobel du cinéma, en somme.

Hollywood aujourd'hui

La réputation mondiale d'Hollywood est toujours inégalée. À peu près les 9/10e des personnes travaillant dans l'industrie du cinéma et des dépenses faites dans ce domaine aux États-Unis sont concentrées dans ce seul district. Bien que les studios hollywoodiens aient traversé une crise extrêmement grave à l'époque de l'avènement de la TV, leur recyclage partiel dans la production d'émissions destinées à la TV les a sauvés de la catastrophe. Et la boulimie des centaines de chaînes de TV américaines (dont la plupart émettent souvent 24h/24) leur permet de voir, pour longtemps encore, l'avenir en rose.

Dernière évolution du cinéma américain : la plupart des gros budgets visent le marché des ados qui, on le sait, vont plus souvent au cinéma que leurs parents. Les films pour adultes trouvent

UN ONCLE EN OR

Mais pourquoi ce prénom désuet d'Oscar ? Jusqu'en 1931, les Awards n'avaient pas de nom. Une obscure bibliothécaire de l'académie des Awards, Margaret Herrick, baptisa la statuette en raison de sa ressemblance avec son oncle Oscar ! Le sobriquet passera dans le domaine public le 18 mars 1934 dans l'article d'un écho-tier d'Hollywood, Sidney Skolsky. L'obscure Margaret deviendra plus tard directrice exécutive des Awards, donc des oscars. Mais là, son cher tonton n'y fut pour rien...

plus difficilement leur producteur. Crise du cinéma, mais aussi crise du star-system, puisque ces films font moins souvent appel aux grandes vedettes. Spielberg, d'ailleurs, a toujours dit qu'il préférait investir dans les effets spéciaux plutôt que dans les têtes d'affiche. Pour l'instant, les faits lui donnent plutôt raison.

C'est l'activité débordante des studios d'Hollywood (situés en réalité dans leur grande majorité à Burbank, dans la vallée de San Fernando) qui a contribué à répandre le mythe américain à travers le monde.

À ne pas manquer, le mythique panneau « Hollywood » qui se découpe en lettres géantes dans les collines. Pour faire la photo-cliché du lieu, prenez Franklin Avenue, puis tournez dans Beachwood Drive, entre Gower Street et Cheremoya Avenue.

À l'origine, en 1923, le panneau « Hollywood » était en fait une publicité imaginée par un promoteur pour vendre des maisons sur les collines d'Hollywood, qui s'appelait à l'époque *Hollywoodland* (la fin du mot a disparu). En état de détérioration depuis longtemps, il fut heureusement sauvé in extremis grâce à une souscription nationale parrainée par les stars du rock, Alice Cooper en tête, qui a financé le dernier « O » – David Bowie a payé, quant à lui, la lettre « H » (est-ce un message ?).

L'évènement de la fin du XXe s à Hollywood fut l'annonce, en 1995, de la création par Steven Spielberg (réalisateur d'*E.T.*, *Indiana Jones* et *La Liste de Schindler*, entre autres) et ses deux copains, Jeffrey Katzenberg (le n° 2 des studios Disney) et David Geffen (magnat du disque), d'une nouvelle compagnie multimédia nommée *Dreamworks SKG*. La fondation d'un nouveau studio de cette envergure fut d'autant plus surprenante que, depuis 50 ans, aucun n'avait ouvert ses portes à Hollywood. Spielberg et ses deux comparses voulaient en faire le prototype du studio du XXIe s, capable de produire des films, des téléfilms, des disques, des dessins animés, des jouets « qui rendront les parents dingues », selon l'expression de Spielberg, ainsi que des produits informatiques de divertissement. L'objectif est largement atteint. Ce nouveau type de studio participe à l'avènement d'un cinéma où les images virtuelles remplacent certaines séquences ; gain de temps, mais surtout d'argent : plus besoin de décor, de figurants, il reste assez d'argent pour payer les têtes d'affiche dont les salaires sont sans cesse plus exorbitants. Le star-system, lui, fait toujours recette...

Où manger ?

Spécial petit déjeuner

☛ *Vienna Café* (plan couleur III, I11, **112**) : 7356 Melrose Ave (angle Fuller Ave). ☎ (323) 651-3822. Tlj 8h-20h. Env 8-12 $. Une poignée de tables en marbre noir dans un décor ocre et brun, rafraîchi par la nonchalance d'un ventilo. On y sert de bons petits déj avec des céréales bio, des fruits frais, des œufs cuisinés de 1 001 manières... Pour le midi, rien que du simple et du classique (pâtes, sandwichs et salades), mais c'est bon. Petite terrasse sur le trottoir, très bruyante, mais agréable au coucher du soleil.

☞ *Le Croissant Club* (plan couleur III, J9, **111**) : 6541 Hollywood Blvd. ☎ (323) 463-5156. Dans un passage piéton,

repérer le Melograno (resto italien). Tlj 7h30-19h30. Des petits déj complets autour de 7 $. Sur une terrasse en plein Hollywood... Qui dit mieux ? Également des sandwichs, paninis et salades. Cadre très agréable à côté de la Jane's House Square. Pour tous ceux qui ne peuvent pas se passer de leur expresso-croissant du matin ou qui veulent se réveiller avec un véritable *American breakfast*. Délicieux jus de fruits frais.

Bon marché

|●| *Bulan Vegetarian Thai* (plan couleur III, I11, **176**) : 7168 Melrose Ave. Tlj sf dim 11h-22h (23h ven-sam). Plats 6-8 $. Un petit resto thaï très simple mais qui sert une cuisine efficace. *Veg'* ou *non-veg'*, les plats sont bien servis, ceux épicés sont cochés. On peut se contenter d'une salade ou de quelques rouleaux de printemps. Le tout arrosé d'une bière de gingembre. Clientèle jeune et décontractée. Attention, pour la petite ou la grande commission, vous repasserez, l'endroit ne dispose pas de toilettes...

|●| *El Coyote* (plan couleur III, I11, **119**) : 7312 Beverly Blvd. ☎ (323) 939-2255. Tlj 11h-22h (23h ven-sam). Plats 6-12 $. *Résa conseillée le w-e.* Un mexicain qui joue ouvertement la carte du kitsch. Depuis 1931, on s'y affaire dans une succession de salles éclairées par des lampes multicolores. C'est intime, mais bruyant, on s'entend à peine parler. Bien entendu, les serveuses sont en costume du pays. La cuisine est tout à fait correcte, à des prix imbattables à L.A. (en particulier, les *special combinations*). Plats *low calories* pour ceux qui surveillent leur ligne. On sert même des *tacos* à la viande d'autruche.

|●| *Miceli's* (plan couleur III, J9, **110**) : 1646 N Las Palmas (angle Hollywood Blvd). ☎ (323) 466-3438. Tlj 11h30-23h ou minuit. Déj env 15 $ si on se contente d'un plat de pâtes ; dîner 25-35 $. Les centaines de bouteilles de chianti au plafond donnent le ton. Et puis il y a le pianiste qui joue tous les soirs. Et parfois un serveur qui l'accompagne en poussant des vocalises « opéresques ». D'authentiques pizzaiolos préparent sous vos yeux

d'appétissantes pizzas dorées (en 3 tailles possibles). Une ambiance de véritable *trattoria* comme on les aime, avec du pain qui reste chaud pendant tout le dîner. Une adresse tenue par la même famille depuis 1949 (et donc le plus vieux resto italien de L.A.), à ne rater sous aucun prétexte pour les amateurs de *cucina italiana*.

|●| *Joseph's* (plan couleur III, K9, **114**) : 1775 N Ivar Ave. ☎ (323) 462-8697. Tlj sf dim 10h-22h (2h jeu-sam). On mange bien pour env 20-25 $. Une belle maison en blanc et bleu à coupole qui évoque un petit bout des Cyclades. Trois salles, 3 ambiances : le patio et ses coussins bigarrés ; le bar, d'un superbe bleu roi à l'ambiance plus intimiste ; et enfin, la salle de resto, très kitsch avec ses colonnes dorées, ses tentures à pompons et ses lustres en perles, qui se transforme en night-club le soir (jeu, vendredi, samedi et lundi). Dans les assiettes, un délicieux mélange de cuisine grecque et moyen-orientale : moussaka, salades crétoises, *falafels*, feuilles de vigne farcies, taboulé... Une bonne escale le midi, même si le service est un peu lent.

|●| *Delancey* (plan couleur III, L9, **118**) : W 5936 Sunset Blvd (angle Tamarind Ave). ☎ (323) 924-2093. Lun-ven 12h-2h ; sam-dim 18h-2h). Plats 15-22 $. Un bistrot romain revisité façon cow-boy, à tout le moins pour ce qu'il y a dans l'assiette. Stores vénitiens sur Sunset, mariage brique et bois, ventilo, c'est rustique. Dans l'assiette, *crostini*, pizza, *pasta* et tout le toutim. La soupe de lentilles est excellente. Au bar, pas moins de 21 bières pression pour vous faire tour-

ner la tête. Si vous trouvez que c'est un peu bruyant... « Hein ? Qu'est-ce tu dis ? »... Allez vous installer en terrasse !

De prix moyens à plus chic

I●I *Birds* (plan couleur III, L9, **113**) : 5925 Franklin Ave. ☎ (323) 465-0175. Tlj 12h-23h ; le bar ferme plus tard. Happy hours lun-ven 16h-18h. On dîne pour 30 $, moins de 16 $ pour une salade. Parking gratuit à côté, au Mayfair Market. Intérieur en brique, décoré de tentures rouges. On s'assoit sans façons sur les grosses banquettes noires pour déguster la spécialité de la maison : le poulet rôti. Sinon, salades, sandwichs et copieux burgers, servis par un staff dynamique. Et comme, après tout, on est à Hollywood, une photo d'Hitchcock avec ses fameux *Birds* ; ceux dans votre assiette devraient être plus goûteux et surtout moins agressifs !

I●I *Pig'n Whistle* (plan couleur III, J9, **222**) : 6714 Hollywood Blvd, juste à côté de l'*Egyptian Theater*. ☎ (323) 463-0000. Tlj 11h30-22h30 (le bar ferme à minuit). On dîne pour 35 $, un peu moins le midi. Drôle de parcours pour ce resto, créé en 1927, grand rendez-vous des stars dans les années 1930 et 1940, qui laissa place, au début des années 1950, à une boutique de vêtements, pour renaître en 2001, tout beau tout neuf, restauré à l'identique dans un style moyen-oriental, dont un superbe plafond en cèdre. Bien sûr, l'époque, la clientèle et la cuisine ont changé, mais on y mange plutôt bien. La terrasse est idéale pour observer les passants qui déambulent sur le boulevard. Accueil moyen.

I●I *Lala's* (plan couleur III, I11, **115**) : 7229 Melrose Ave. ☎ (323) 934-6838. À Melrose. Tlj 11h-23h. Repas 25-30 $, à condition de ne pas piocher dans les spécialités. Dans ce quartier chic où l'on vient surtout pour le lèche-vitrine, un resto argentin rouge brique, dans un joli patio, à l'ombre le midi et chauffé le soir. Propose de succulentes viandes grillées (servies à la cuisson souhaitée). Également des salades, des sandwichs, du poulet (accommodé de 8 manières différentes) et des plats végétariens. Service enjoué. Souvent beaucoup de monde, surtout le dimanche. Vins au verre à prix décents pour une fois.

I●I *The Musso and Frank Grill* (plan couleur III, J9, **116**) : 6667 Hollywood Blvd. ☎ (323) 467-7788. Tlj sf dim-lun 11h-23h. Omelettes et sandwichs 8-12 $, plats 15-25 $. C'est le plus vieux restaurant d'Hollywood ; en 2009, il fêtera son 90e anniversaire ! On y rencontre tous les intellos et scénaristes d'Hollywood depuis qu'Hemingway, Dashiell Hammet, Aldous Huxley et William Faulkner y ont eu leur rond de serviette. D'ailleurs, ce dernier avait la fâcheuse habitude d'enjamber le bar pour montrer à ses copains comment faire les vrais *mint juleps* ! Célèbre pour ses rôtis et ses serveurs débordés. Excellents vins californiens. Deux salles : le restaurant et un genre de cafétéria avec petits box et banquettes de moleskine. Si vous n'avez pas faim, allez quand même boire un verre au grand bar en bois sombre où tant de gens ont déjà refait le monde. *Daily specials* inchangés depuis le début : *corned beef and cabbage* (mardi) ; *sauerbraten and potato pancakes* (mercredi) ; *chicken pot pie* (jeudi) ; bouillabaisse marseillaise (vendredi). Goûtez au *flannel cake* inventé par l'ancien chef ! Inutile de dire que le lieu a déjà servi de décor à de nombreux films et qu'on y voit encore régulièrement débarquer du beau monde, d'où les prix un peu exagérés.

I●I ☕ *Figaro Café* (hors plan couleur III par L9, **175**) : 1802 N Vermont Ave. ☎ (323) 662-1587. Tt au nord d'Hollywood. Tlj 8h30-minuit (1h ven-sam). Env 15 $ pour une salade ou un croque-madame le midi ; tabler sur 30-40 $ le soir. Si le mal du pays commence à se faire sentir, faites une halte dans ce bistrot typiquement parisien, avec les standards des années 1930 en fond sonore. Tout ici est bio, des croissants du petit déj au pâté, en passant par le vol-au-vent du midi et la fondue savoyarde du soir. Aussi des escargots, du foie gras poché et une belle assiette de charcuterie. Petite terrasse très agréable, avec quelques chaises sur le trottoir. Un petit coin de France patiné aux encoignures...

Encore plus chic

🍴 *Yamashiro (plan couleur III, J9, 117) : 1999 N Sycamore Ave.* ☎ *(323) 466-5125. Dans une rue qui donne sur Franklin Ave (entre La Brea et Highland), en haut d'une colline. Tlj 17h30-22h (1h ven-sam). Live jazz ts les dim 19h-23h. On dîne pour 60-70 $. Valet parking obligatoire 6 $.* Superbe restaurant offrant un panorama fantastique sur L.A. Une réplique exacte d'une pagode de Kyoto, construite en 1911 par 2 frères qui s'étaient enrichis dans l'import-export. Plusieurs centaines d'artisans d'Extrême-Orient vinrent y travailler. Magnifique jardin zen. Pas étonnant que le lieu ait servi de décor au club des officiers dans le film *Sayonara*, avec Marlon Brando, ou plus récemment pour *Mémoires d'une geisha*. Assez cher, mais la cuisine, *Calasian (Californian et Asian*, à prononcer *keuleujeun*), est divine. Le chef est coréen. Il marie les saveurs panasiatiques avec maestria. Bons vins. On peut aussi se contenter d'y boire un saké ou un thé (bar ouvert jusqu'à 2h). Clientèle assez chics, cela va sans dire. Réserver une table avec vue sur la ville. Tenue correcte exigée dans la salle de resto, décontractée dans le patio ou au bar. Un des rares endroits de L.A. pour un dîner en amoureux.

Où boire un verre ? Où écouter de la musique ?

🍸 🎵 *Cat and Fiddle Pub (plan couleur III, J9, 170) : 6530 Sunset Blvd.* ☎ *(323) 468-3800. Tlj 11h30-2h. On grignote pour 12-15 $.* Élu meilleur pub d'Hollywood par le *L.A. Weekly*, et nous sommes d'accord avec eux ! Vaste patio dans la verdure et petite fontaine qui glougloute : on se croirait à Séville. Clientèle *trendy*. Idéal en semaine pour un lunch en tête-à-tête. Le week-end, l'ambiance monte. *Happy hours* uniquement au bar. Salle télé spéciale match de basket. À moins d'y venir pour le couvert, dommage que l'accès à la terrasse soit interdit après 16h. Bonne sélection de bières. Vin et champagne au verre. Petit orchestre le dimanche soir. Bon accueil.

🍸 *Snow White (plan couleur III, J9, 171) : 6769 Hollywood Blvd.* ☎ *(323) 465-4444. Tlj 9h-2h. Happy hours 15h-19h. Forfait sandwich + bière 10 $.* Le thème de la déco a beau être celui de *Blanche-Neige et les sept nains*, l'ambiance n'est pas celle du dessin animé : musique plutôt rythmée et écran en bout de salle. Et pourtant, c'est Walt Disney lui-même qui a ouvert cet endroit, en 1946... Mais le lieu ne devait assurément pas être aussi design. Large gamme de bières, dont 14 à la pression. Une bonne halte l'après-midi aussi, entre 2 musées, lorsque l'ambiance y est plus reposante.

Où voir un spectacle ?

Pour tous les spectacles dont l'intérêt repose avant tout sur la parole, et surtout les nuances que la langue peut véhiculer, inutile de préciser qu'il vaut mieux connaître l'anglais, et plutôt bien, voire très, très bien...

◼ *The Groundlings Theater (plan couleur III, I11, 173) : 7307 Melrose Ave.* ☎ *(323) 934-4747. ● groundlings. com ● En général, spectacle à 20h mer-dim. Résa hyper-conseillée. Compter 12-25 $ en fonction du show.* Immanquable avec sa façade en brique rouge qui se détache des boutiques. En ce moment, le théâtre le plus imaginatif de L.A. consacre une part importante à l'impro. Depuis plus de 25 ans, la salle ne désemplit pas. Le fameux « Pee-Wee Herman » en est issu.

◼ *Hollywood Bowl (hors plan couleur III par J9, 172) : 2301 N Highland Ave.* ☎ *(323) 850-2000. ● holly woodbowl.com ● Pour y aller, remonter Highlands Ave, puis à gauche juste avt d'entrer sur la freeway.* Amphithéâtre de 18 000 places construit en 1922 pour accueillir le L.A. Philharmonic, c'est devenu un lieu incontournable dans le paysage culturel de la région. Les plus grands musiciens (et chanteurs) s'y produisent régulièrement. Depuis quelque temps, le *Bowl* diversi-fie un peu sa programmation, en y incluant des festivals de jazz et de *mariachis.* Pour en savoir plus, feuilleter le *L.A. Weekly,* téléphoner ou consulter leur site internet.

À voir. À faire

🎬 **Grauman's Chinese Theater** *(plan couleur III, J9,* **220**) : *6925 Hollywood Blvd, près de Highland Ave.* ☎ *(323) 464-8111. Premières séances 11h30.* Classé Monument historique en 1968, c'est certainement le cinéma le plus célèbre du monde. Les conditions de projection y sont parfaites. C'est là qu'ont lieu la plupart des « grandes premières ». Non, Sid Grauman n'était pas chinois. C'est à la suite d'un voyage en Chine qu'il eut l'idée de construire cette salle « à la chinoise » en 1927. Par ailleurs, c'est lui qui initia la tradition en invitant Mary Pickford et Douglas Fairbanks à sceller leurs empreintes dans le béton le 30 avril 1927.

🎬 **Les empreintes des stars :** sur une esplanade, au pied du Chinese Theater, les plus grandes personnalités du cinéma sont immortalisées par l'empreinte de leurs mains et de leurs pieds dans le ciment. À remarquer, celles de R2D2 (le petit robot de *La Guerre des étoiles*) et celles de Donald Duck, l'humour super de Bogart, les petits petons de Shirley Temple, les minuscules talons de Marilyn Monroe et les immenses panards de Schwarzenegger.

Chaque année, 3 nouvelles empreintes s'ajoutent à la collection. Sur le parvis, un kiosque propose de faire la même chose que les stars, à savoir placer vos empreintes dans un cadre de ciment (à séchage rapide), puis de repartir avec... moyennant quelques dizaines de dollars.

🎬 À partir de là s'étend, sur près de 1 mile, de part et d'autre du boulevard, le *Walk of Fame,* avec ses étoiles attribuées aux grandes vedettes selon 5 catégories : cinéma, radio, TV, théâtre et disques. De grandes étoiles incrus-

> ## MARQUE DÉPOSÉE
>
> *Les belles histoires ont souvent une origine fort simple. C'est un maçon français, Jean Klossner, qui posa sa première empreinte manuelle dans le ciment. Le propriétaire du théâtre, Sid Grauman, lui demanda ce qu'il faisait là. Il expliqua qu'à l'image de ses ancêtres bâtisseurs de la cathédrale Notre-Dame à Paris, il était important de laisser sa marque pour la postérité... Il n'en fallut pas plus à M. Grauman pour lui donner l'idée de continuer.*

tées dans les trottoirs (souvent sous la crasse) depuis 1958. Il y en a plus de 2 300 aujourd'hui. Régulièrement, une nouvelle étoile voit le jour. Pour l'obtenir, la vedette doit en faire la demande puis (si celle-ci est acceptée) verser 15 000 $ (bien peu de chose...). *Pour connaître la date de la cérémonie d'attribution, écrire ou téléphoner à la Hollywood Chamber of Commerce, 7018 Hollywood Blvd, Hollywood CA 90028.* ☎ *(323) 469-8311. Ou, plus simple, consulter leur site internet :* ● holly woodchamber.net ● Mickey Mouse, Bugs Bunny, Snow White (Blanche-Neige) et Woody Woodpecker sont à peu près les seuls personnages de fiction à avoir leur étoile. Reagan aussi a la sienne, mais elle est si proche de celle de son ex-femme, Jane Wyman, que les Américains puritains s'en trouvent gênés. Beaucoup d'anciennes vedettes n'étant pas passées à la postérité, vous ne connaîtrez pas forcément tout le monde. Si jamais vous voyez des fleurs sur une étoile, c'est que la star vient de mourir et que des fans lui ont rendu un dernier hommage.

🎬 **Starline Tours :** *dans le centre commercial* Hollywood & Highlands. *Billetterie à côté de l'entrée du Grauman's Chinese Theater, sur Hollywood Blvd. Départs ttes les 30 mn 9h-18h. Un peu moins en hiver. Départ le mat slt pour le grand tour. Adulte*

40 $, enfant 30 $. Deux heures de tour de la ville dans un bus à impériale décapoté qui sillonne Hollywood et Beverly en passant par plus d'une quarantaine de maisons de stars. Prévoir un couvre-chef car le soleil cogne fort en été.

🕴 Hollywood semble avoir retrouvé un second souffle avec l'ouverture du *Kodak Theater,* salle de spectacle pouvant accueillir 3 500 personnes, où se déroule depuis 2002 la cérémonie des oscars. Dans les parages, un très beau complexe cinématographique, le *Galaxy,* 7021 Hollywood Blvd *(angle Sycamore Ave)* : réminiscences Art déco et débauche de néons bleus. Au n° 6838, *El Capitan,* une autre superbe salle datant de 1926 et récemment rénovée ; rachetée par Disney, on n'y projette que les productions de cette firme. Hall au riche décor. Au n° 6712, de l'autre côté de Highland, l'*Egyptian Theater,* de 1922, le premier cinéma de Grauman dans le quartier, qui projette aujourd'hui des films indépendants et organise de nombreux festivals et rétrospectives. Hélas, les ouvreuses ne sont plus déguisées en servantes égyptiennes.

🕴 *Hollywood Wax Museum (plan couleur III, J9, 223) :* 6767 Hollywood Blvd. ☎ (323) 462-8860. • hollywoodwax.com • *À un bloc du Grauman's Chinese Theater. Tlj 10h-minuit. Entrée : 16 $; réduc ; ticket combiné avec le Guinness World of Records Museum 18 $; moitié prix pour les enfants.* Petit musée de Cire assez cher pour ce qu'on y voit, d'autant que les effigies ne sont pas toujours réussies : Tom Cruise a le regard biaiseux, Gwyneth Paltrow a dû manger avarié, la perruque de John Wayne est en déroute, Uma Thurman et John Travolta ont un gros coup de soleil, et Russell Crowe combat un tigre en peluche ! En fait, c'est surtout grâce au décor et à leur habillement qu'on identifie les personnages, de Johnny Depp et Orlando Bloom dans *Pirates des Caraïbes* à Sean Connery dans *À la poursuite d'Octobre rouge.* Pour ce qui est du Christ, miracle ! On le reconnaît sans l'avoir jamais vu. Petite chambre d'horreur avec nos amis Freddy, Dracula, Hannibal Lecter, Beetlejuice...

🕴 *Guinness World of Records Museum (plan couleur III, J9, 224) :* 6764 Hollywood Blvd *(à la hauteur de Highland Ave).* ☎ *(323) 463-6433. Tlj 10h-minuit. Entrée : 16 $; réduc ; ticket combiné avec le Wax Museum 18 $.*
Sir Hugh Beaver, manager des bières Guinness dans les années 1950, eut un jour un différend avec un camarade lors d'une partie de chasse pour savoir quel oiseau était le plus rapide. Il se rendit compte qu'un livre qui fournirait ce genre d'information pourrait devenir un succès. Ce qui ne manqua pas d'arriver dès 1955, date de la parution du premier *Guinness World of Records Book,* qui s'est vendu, à ce jour, à plus de 100 millions d'exemplaires ! Inévitablement, des musées ont éclos un peu partout aux États-Unis. Dans la lignée des *Believe it or not* et autres, on y trouve le pire et le vraiment rigolo (ou insolite). Présentation parfois naïve, franchement ringarde, mais toujours voyeuriste (genre *freaks* des temps modernes).
On y apprend en vrac que Mickey a reçu plus de 800 000 lettres par mois d'admirateurs, contre seulement 8 000 pour Rintintin, que *Thriller* est l'album le plus vendu au monde avec 47 millions d'exemplaires écoulés depuis 1982, qu'Henri Rochetain passa 185 jours sur une corde tendue à 25 m du sol à Saint-Étienne, et qu'il réussit même à dormir, que les Sud-Coréens sont les plus gros fumeurs, que les Finlandais sont les plus gros buveurs de café, et que le plus long hoquet a duré 69 ans ! Bref, une somme d'infos très intéressantes et qui élèvera drôlement votre niveau de culture générale...

🕴 *Hollywood Forever (plan couleur III, K10, 225) :* 6000 Santa Monica Blvd, à l'angle de Gower St. Connu aussi sous le nom d'Hollywood Memorial Park. Tlj 9h-18h. Un très beau parc planté d'arbres multiséculaires qui se visite en voiture. Là, les midinettes viennent pleurer sur les tombes de Rudolph Valentino (dans la cathédrale, crypte 1205), Fairbanks, Tyrone Power, Griffith, John Huston, Cecil B. DeMille... et Joe Dassin (tombe 79, rang 1, section 14, il voulait l'Amérique et il l'a eue !). Jayne Mansfield y a également sa sépulture, et plus récemment Johnny

Ramone, le second guitariste des Ramones. Ne cherchez pas Marilyn, elle est enterrée au cimetière de Westwood Village, c'est plus calme.

🏃 *Hollywood History Museum* (plan couleur III, J9, **229**) : 1660 N Highland Ave. ☎ (323) 464-7776. Mer-dim 10h-17h. Entrée : 15 $; réduc. À deux pas du *Walk of Fame,* un musée à ne pas manquer pour tous les nostalgiques du ciné-club ou tout simplement pour les amateurs de belles choses. Pêle-mêle, on y trouve, sur 5 niveaux, principalement des costumes ayant été portés par Elvis, Marylin, Mae West ou encore Bette Davis pour ce qui est des plus anciens. Mais également la tenue d'officier de Russel Crowe dans *Masters & Commanders,* la robe de Nicole Kidman dans *Moulin Rouge.* Pas mal de belles pièces, aussi, comme la Rolls de Cary Grant ou la cellule du diabolique Hannibal Lecter. Une visite qui ravivera des souvenirs. Bien sûr, une boutique, des fois qu'on laisse passer quelques dollars....

🏃 *Hollywood Heritage Museum* : 2100 N Highland Ave. (vers Hollywood Bowl). ☎ (323) 874-2276. ● hollywoodheritage.org ● Jeu-dim 12h-16h. Entrée : 5 $. Organise des tours guidés d'Hollywood ts les sam tte l'année ; durée 3h ; rens : ☎ (323) 465-6716. Entrée : 10 $; réduc. Le seul musée consacré à l'ère du cinéma muet. Installé dans une ancienne grange qui sert tout à la fois de lieu de tournage, de vestiaire et d'écurie pour *The Squaw Man,* le premier long métrage d'Hollywood réalisé par Cecil B. DeMille. Elle fut rénovée, déplacée près de la *Paramount* (à l'angle des rues Vine et Selma) et réinstallée là, il y a quelques années. On peut notamment voir le bureau de Cecil B. DeMille, des photos du tournage des *Dix Commandements* (1923) et d'*Intolérance* (1916), des projecteurs utilisés par Buster Keaton, les disques de sonorisation des premiers films parlants... Une visite à ne pas manquer pour les mordus de cinéma.

🏃 *Les studios de Charlie Chaplin* (plan couleur III, I9-10, **227**) : 1416 N La Brea Ave. À l'angle de La Brea et de Paul de Longpré Ave (le nom d'un peintre français installé à Hollywood au début du XXe s). L'ensemble est aujourd'hui occupé par un autre studio et ne se visite pas. Il s'agit d'une longue et basse demeure, de style vaguement anglo-normand, en plein cœur d'Hollywood. Classés Site historique d'Hollywood, les studios ont enfin été sauvés de la destruction. C'est là, en 1918, alors qu'à 28 ans il est déjà millionnaire et célèbre, que Charlie Chaplin, alias Charlot, fait construire, au milieu des champs d'orangers, de citronniers et de tomates, ses propres studios, pour y tourner ses 8 premiers films commandés par la *First National* (*A Dog's Life, The Pilgrim...*). À l'époque, le bâtiment abritait le secrétariat, le *casting office,* le bureau d'A. Reeves et le bungalow de 2 pièces – à l'angle de Longpré Avenue – réservé à Chaplin. Mais, ne voulant pas être importuné, celui-ci se réfugiait souvent dans une bicoque d'une pièce au fond du studio. Il travailla ici jusqu'en septembre 1952, habitant au 1085 Summit Drive, à Beverly Hills. On reconnaît bien une partie du bâtiment (l'angle avec Longpré Avenue) au début d'*Une journée de plaisir* (court-métrage de 1919). À voir si vous êtes un passionné de Chaplin.

🏃 *Paramount Pictures Studios* : 5555 Melrose Ave. ● paramount.com/studio ● Lun-ven, visites guidées de 2h par groupes de 8 pers à 10h, 11h, 13h et 14h (slt en anglais). Résa par téléphone obligatoire : ☎ (323) 956-1777. Entrée : 35 $. Attention, les moins de 12 ans ne sont pas admis ! Forts du succès de *The Squaw Man* (1913), Cecil B. DeMille et ses partenaires Jesse Lasky et Sam Goldwyn s'associèrent à Adolph Zukor pour créer les studios *Paramount.* Très rapidement, la *Paramount* devient la deuxième *Major,* juste derrière *MGM,* et produit plus de 100 films par an entre 1920 et 1940, employant des stars comme les Marx Brothers, Cary Grant, D. W. Griffith, Marlon Brando. Après une traversée du désert dans les années 1950 et 1960, la *Paramount* est rachetée en 1967 et renoue avec le succès en produisant *Rosemary's Baby, Love Story, Le Parrain* et *Chinatown.* Aujourd'hui propriété de *Viacom,* la *Paramount* est loin de sa gloire d'antan, mais ce sont les seuls studios à être restés à Hollywood. Durant la visite, on circule à travers les différents plateaux, avec la possibilité d'entrer sur ceux qui ne sont pas réquisitionnés pour un tournage. On se retrouve ensuite dans les rues de New York, qui servirent de décor au dernier *Spiderman*. Un arrêt très intéressant est le *Costume Department*, où l'on peut admirer le costume du cavalier sans tête de *Sleepy Hollow*, le caleçon de Mike Myers dans *Wayne's World*, ou encore le blouson de cuir de Tom Cruise dans *La Guerre des mondes*. On longe ensuite les rives d'un parking qui peut se transformer en lac, et où fut tournée la célèbre scène d'ouverture de la mer Rouge dans *Les Dix Commandements*. Pour finir, arrêt impératif devant les portes mythiques de la *Paramount*, que Gloria Swanson franchit dans *Sunset Boulevard*. L'intérêt de la visite guidée tient bien sûr beaucoup à la compétence et à la culture cinématographique des guides. Nous, on n'a pas été déçus.

🎭 Barnsdall Art Park : *4800 Hollywood Blvd (entre Edgemont et Vermont).* ☎ *(323) 644-6269. Mer-dim 12h-17h. Dans l'est du quartier, un beau parc proposant de nombreux sites et activités. On peut y voir **The Hollyhock House,** la première construction à Los Angeles de l'architecte Frank Lloyd Wright (1921). Rens :* ☎ *(323) 644-6269. Visites guidées ttes les heures mer-dim 12h30-15h30. Entrée : 7 $. Résa obligatoire. Photos interdites.* Une étonnante réalisation où les volumes s'interpénètrent en lignes biaises, droites ou ciselées, terrasse, décrochements, échancrures, meurtrières permettant à celui qui se trouve à l'intérieur de percevoir l'extérieur comme un tableau, une œuvre d'art, un reflet. À l'intérieur, beaux effets d'ombres qui se prolongent vers les jardins. Les vitraux distillent une lumière diffuse. Une archi qui n'est pas sans rappeler certains ouvrages massifs de l'architecture aztèque ou encore les temples jaïns du sud du Rajasthan en Inde.

🐾 Les cimetières d'animaux *(Pet Cemeteries) :* allez visiter un cimetière d'animaux, c'est unique ! *Par exemple, le Los Angeles Pet Park, 5068 N Old Scandia (à 20 miles de L.A.).* ☎ *(818) 591-7037 (24h/24 !).* ● lapetcemetery. com ● *Pas facile à trouver : à la sortie de la Ventura Freeway, tourner à droite, et aussitôt à gauche dans un chemin privé, faire quelques mètres et tourner encore à gauche. Lun-sam 8h-17h ; dim de 8h au coucher du soleil.*

> **REQUIEM FOR A DOG**
>
> *La loi californienne interdisant d'enterrer les animaux dans les jardins, nombre d'Angelenos font inhumer leurs défuntes bêtes dans les deux cimetières qui leur sont réservés dans la périphérie de L.A. Coût minimum des obsèques : 75 $ pour une crémation, 150 $ pour un enterrement (supplément si le cercueil est en acajou !).*

– Dans le même genre, plein de **cliniques pour animaux** sur Sepulveda Boulevard South, notamment au n° 1736.

Achats

Les boutiques d'Hollywood

À partir de North Highland Avenue jusqu'à Cahuenga Boulevard, nombreux magasins originaux et pittoresques, à côté des traditionnelles boutiques de fringues folles, T-shirts et gadgets hollywoodiens. En voici quelques-uns.

☸ Frederick's of Hollywood *(plan couleur III, J9, 219) : 6751 Hollywood Blvd.* ☎ *(323) 466-8506.* ● fredericks.com ● *Lun-ven 10h-21h ; sam 10h-19h ; dim 11h-18h.* Le roi de la petite culotte et de la combinaison aguichante ! La vitrine affiche des dessous des plus érotiques : guêpières, porte-jarretelles, strings léopard, dentelles, soieries, tout y est pour pimenter ses nuits câlines. Les grandes stars s'y sont pourvues en déshabillés roses affriolants ou soutiens-gorge coquins. La façade violette, mauve et rose vaut déjà presque le déplacement. À l'intérieur, une gamme explosive de choses délicieuses !

☸ Hollywood & Highland *(plan couleur III, J9, 230) :* centre commercial de 5 étages s'organisant autour d'une esplanade babylonienne avec ses deux énormes éléphants perchés en haut de colonnes (inspirés par les décors du film *Intolérance*, qui fut tourné à cet endroit en 1916). Une fois de plus, les Américains ont vu grand ! Autour de la cour, de nombreux cafés ont planté leur terrasse. Au 1er étage, deux restos le *Koji* dont la spécialité est le *shabu-shabu* (bouillon parfumé dans lequel on fait cuire soi-même différents ingrédients) et le *Trastevere* avec de délicieuses pizzas au feu de bois. À gauche des éléphants, depuis la passerelle du 3e niveau, on a une belle vue, certes un peu lointaine, sur les lettres de « Hollywood ». Dans le centre, quelques boutiques de mode, du prêt-à-porter et des souvenirs ayant trait au cinéma.

✿ *Starworld* : 6665 Hollywood Blvd. Tlj 11h-20h. Boutique où l'on trouve, à tous les prix (selon la célébrité du modèle ou du signataire), autographes, photos, posters, scripts... Bien pour l'amateur de cinéma et de musique souhaitant un vrai souvenir d'Hollywood. Les *story-boards* marchent fort, on peut même passer commande de dédicaces sur le Net en consultant leur site : ● starworld-holly wood.com ● Le soir, quand la boutique ferme, E.T. qui monte la garde derrière la caisse a les yeux qui s'allument !

✿ *Hollywood Toys and Costumes* : 6600 Hollywood Blvd (angle Whitley Ave). Tlj 10h-19h. La plus grande boutique de L.A. pour les costumes, déguisements, jouets, masques. Un choix incroyable et des trucs vraiment surprenants.

✿ *Iguana* : 6320 Hollywood Blvd. ☎ (323) 462-1010. Un magasin dément de fringues d'occase (vintage) des années 1940 aux années 1980, vraiment rigolotes et à des prix raisonnables *(robes de soirée 25 $, jeans 15 $...)*. Des chemises à paillettes, des *flyers*, des perruques... Beaucoup de copies de vintage aussi, bien sûr. À voir.

Les boutiques de Melrose Avenue

Longue avenue au sud d'Hollywood. Elle prend sa source à Beverly et disparaît dans les marais de la Hollywood Freeway. Mais la partie la plus intéressante se trouve entre Alta Vista Blvd et Spaulding Avenue *(plan couleur III, I11)*.

C'est vraiment devenu le quartier qui bouge à L.A., avec ses magasins dans le vent, ses créateurs et ses restos. Un mélange de « branché des Halles » et de calme anglais. Un des rares endroits où l'on se balade à pied et où les Angelenos retrouvent les joies du lèche-vitrine. Ici, la bohème, la bourgeoisie et la *punk generation* se côtoient avec courtoisie. C'est, jour et nuit, le rendez-vous des tatoués et des adeptes du piercing en tout genre.

Voici quelques-unes de nos boutiques préférées, mais bien sûr ce ne sont pas les seules. La durée de vie de ces magasins n'est d'ailleurs pas toujours très longue, et il s'en crée sans cesse de nouveaux, dans une course permanente à l'excentricité.

✿ *Palais des Modes* : 7660 Melrose Ave. ☎ (323) 651-0384. Tlj 11h-20h. Une boutique 100 % cuir qui satisfera tous les cow-boys et autres *easy riders*. Harley, bien entendu, mais également Vanson Leathers, Schott, Cat, etc. Pour des santiags, un Perfecto, un cuir de motard...

✿ *Maya* : 7452 Melrose Ave. Tlj de 11h-12h à 20h-21h. Bijoux du monde entier, en particulier d'Extrême-Orient et d'Amérique centrale. Comme toujours dans ce genre d'endroits, on peut douter de l'authenticité de certains objets, mais le choix est tel que certains y trouveront de toute façon leur bonheur.

✿ *Wasteland* : 7428 Melrose Ave. ☎ (323) 653-3028. Tlj 11h-20h (19h dim). La déco de la façade donne le ton. Objets et surtout vêtements d'occasion. Tout n'est pas mettable, mais c'est plutôt marrant de voir la clientèle.

Griffith Park *(plan couleur d'ensemble)*

Entre les *freeways* 101 et 5 s'étend le plus grand parc municipal du monde. À l'origine, en 1896, un don effectué par Griffith J. Griffith, émigrant gallois qui fit fortune et s'installa à cet endroit au nord de L.A. Se souvenant qu'il avait été très pauvre, il mit une condition à son legs : que ses terres deviennent un lieu de loisirs et de repos pour le peuple.

Hautes collines, canyons, bois, sentiers de randonnée et de jogging, pistes cyclables, équitation, etc. Un bol d'air à deux pas d'Hollywood (le mont Hollywood culmine à 540 m). De nombreuses parties demeurent très sauvages. On y compte plusieurs dizaines de kilomètres de sentiers. Enfin, on y trouve le zoo de L.A. et d'intéressants musées.

Adresse utile

▯ *Park Rangers Headquarters :* 4730 Crystal Springs Dr. ☎ (323) 913-7390. À l'est du parc, juste avt d'arriver au Museum of the American West. Parc ouv tlj 5h-22h (Rangers Headquarters). Juste à côté, le **Visitor Center**. Tlj 7h-21h. Ouv au public 9h-18h. Après 18h, sonner ! Toutes les infos sur Griffith Park, ses randonnées, etc. On y trouve aussi une carte illustrée avec tous les sites et musées à voir. À deux pas : location de vélos en tous genres ; il y en a même pour 4 pers, marrant si vous êtes en groupe !

À voir

🏃🏃 *Museum of the American West - Autry National Center :* 4700 Western Heritage Way. ☎ (323) 667-2000. ● autry-museum.org ● Situé dans le Griffith Park, à la jonction de la 5 (Golden State Freeway) et de la 134 (Ventura Freeway) ; sortie Zoo. Pour s'y rendre depuis le centre, le plus simple est d'attraper Los Feliz Blvd (depuis Western ou Vermont) et de le suivre presque jusqu'à la 5 ; tourner à gauche sur Crystal Springs Dr et continuer tt droit vers le zoo et le musée (ils sont face à face). Tlj sf lun et j. fériés, 10h-17h ; jeu (juin-sept) 10h-20h. Entrée : 9 $; réduc ; gratuit le 2e mar du mois.

Musée ouvert depuis 1988 et installé dans un vaste édifice à l'architecture rappelant les missions espagnoles.

Il fut longtemps dénommé Gene Autry Museum, du nom de la fameuse vedette du western qui tourna 95 films de 1934 à 1953. Gene Autry anima également pendant seize ans *Melody Ranch*, une émission de radio à succès sur CBS, et le *Gene Autry Show* à la TV de 1950 à 1955. Il enregistra aussi 635 chansons et vendit 40 millions de disques. Recordman du nombre d'étoiles sur le célèbre Walk of Fame d'Hollywood Boulevard.

Vous allez donc visiter un grand musée de l'Histoire de l'Ouest, mais, attention, strictement du point de vue... des Blancs, du moins pour le moment : en effet, le musée actuel ne fait preuve d'aucun recul critique, les Indiens n'y apparaissant que comme éléments de folklore. On espère que ce sera moins le cas avec l'aménagement du *Southwest Museum of the American Indian*, dont l'ouverture au public est prévue en 2010, juste en face du bâtiment actuel. Compter au minimum 2h de visite. En effet, si on laisse de côté l'avertissement du début, on a affaire à un musée vraiment fascinant par la qualité des objets, souvenirs et iconographies présentés, pour ceux qui s'intéressent aux cow-boys. Également des expos temporaires, se renseigner sur leur site internet.

Divisé en grandes sections thématiques : Spirit of Romance, Spirit of Imagination, Spirit of Cow-Boys, Spirit of Community (!) et Spirit of Opportunity and Conquest. *Salles du haut*

– *Spirit of Romance :* ou l'Ouest dans l'art, à travers des peintures, gravures, aquarelles, fusains sur la conquête de l'Ouest. Affiches du cirque de Buffalo Bill, ameublement kitsch (Steinway décoré et siège en velours rouge orné de cornes !), argenterie avec motifs indiens, objets d'art, etc. Intéressante section sur les spectacles de Buffalo Bill.

– **Spirit of Imagination :** ou l'Ouest au cinéma. Une rue de ville de l'Ouest est reconstituée de façon pittoresque. Puis tout sur le cinéma-western : vénérables caméras, costumes (celui de Clint Eastwood dans *Pale Rider*, chapeau de Steve McQueen dans *Tom Horn*, ceux de John Wayne et Gary Cooper), disques, cowboys d'opérette, jouets (Roy Rogers), selles d'apparat, gadgets. Il y a même une vitrine consacrée aux *cow-girls*. Évidemment, une large section est consacrée à Gene Autry. Salle de ciné et vidéos (sur l'histoire de l'Ouest).

– Dans l'aile ouest, des expos temporaires, souvent sur les Indiens (un début de mea culpa ?).

Salles du bas

– **Spirit of Cow-Boys :** vêtements, objets, outils, étriers, éperons, photos. Vous serez étonné de la variété des barbelés qui encerclaient les prairies. Belle collection de selles.

– **Spirit of Community :** superbe galerie de colts et fusils, photos de la mort des frères Dalton, documents sur *OK Corral*, salle de jeu et bar en acajou, pittoresque voiture de pompiers de 1873, reconstitution des conditions de vie quotidienne des Chinois, des Noirs et des mormons dans l'Ouest.

– **Spirit of Opportunity and Conquest :** remarquable reconstitution d'une diligence, vêtements et artisanat indiens, poupées, jouets, souvenirs de pionniers, broderies, meubles, objets domestiques, datant de la ruée vers l'or.

🍴 🚶 **Travel Town Transportation Museum :** 5200 Zoo Dr, tt au nord de Griffith Park. ☎ (323) 662-5874. Tlj 10h-17h (18h w-e). Entrée gratuite. Ce musée des Transports rassemble la plus importante exposition de locomotives à vapeur à l'ouest du Mississippi. Toutes sortes de véhicules de 1849 à la Seconde Guerre mondiale. Quelques voitures de pompiers aussi et une impressionnante *Union Pacific* de 110 t (dommage que la visite du wagon-restaurant soit interdite !). Petit train à vapeur miniature se baladant dans le musée. Dans l'ensemble, assez intéressant. Aire de pique-nique à côté. Pour les amateurs de grosses machines.

🍴 Plus loin, le **L.A. Live Steamers,** club de fans des modèles réduits. *Balade gratuite sur un train miniature, dim 11h-15h.*

🍴 🚶 **Griffith Park Southern Railroad Station :** si vous n'êtes pas saturé, il en reste encore un à tester au 4400 N Crystal Springs Dr (tt au début en venant du sud). ☎ (818) 566-7133. Tlj 10h-17h. Adulte 2,50 $; réduc.

– À côté, pour les enfants, petite piste pour poneys et mini-balade en diligence (mar-dim 10h-17h).

🍴🍴 🚶 **Le zoo :** 5333 Zoo Dr. ☎ (323) 644-4200. ● lazoo.org ● En sortant du Museum of the American West, continuez droit devant vous pdt 800 m. Tlj sf 25 déc 10h-17h ; les animaux commencent « à rentrer chez eux » 1h avt la fermeture. Entrée : 12 $; réduc. Parking gratuit. La balade dure au moins 4h, et le dépaysement est assuré. Quelque 370 espèces habitent le parc, bénéficiant pour la plupart de larges espaces de vie et non de ridicules enclos ; on est toutefois loin de l'agencement très réussi du zoo de San Diego. Parmi les vedettes : les phoques, les dragons de Komodo, les gorilles, les éléphants, les chimpanzés, les hippopotames... Spectacles proposés aux visiteurs, tous les jours. Ceux avec les oiseaux se déroulent à 11h30 et à 14h (ainsi qu'à 15h30 le week-end). Enfin, le zoo renferme également un superbe jardin botanique. On oublie presque qu'on est à Los Angeles. Venir de préférence le matin et éviter les vacances scolaires.

🍴🍴🍴 🚶 **L'observatoire :** 2800 E Observatory Rd. Un incontournable du Griffith Park. Sa construction fut financée par Griffith J. Griffith, grâce à un don de 700 000 $. La ville de Los Angeles refusa dans un premier temps cet argent, car Griffith venait de sortir de prison pour le meurtre manqué de sa femme, et on attendit sa mort en 1919 pour commencer la construction de cet édifice Art déco qui servit de décor dans *La Fureur de vivre* et *Terminator*. La visite vaut vraiment le détour, non seulement pour la vue superbe sur la ville, mais aussi pour les différentes animations qui y sont proposées. L'expo permanente sur la découverte spatiale est gratuite (seules quelques sessions au planétarium sont payantes, 7 $). Superbes photos des missions Apollo, puis quelques attractions plus ou moins interactives, telles qu'un pendule de Foucault, inventé par le physicien français en 1851, et qui apporte la preuve que la terre tourne bien autour de son axe. Plus marrant, cette caméra vidéo qui vous filme en infrarouge : plus vous dégagez de chaleur, plus vous serez coloré (amenez-y votre dernière conquête, histoire de prendre la température...). Aussi, tout un ensemble d'animations interactives montrant les galaxies, les différentes phases lunaires et solaires, le phénomène des éclipses et des marées. Intéressante expo sur les éléments basiques constituant l'Univers, les atomes, les molécules, la décomposition de la lumière. Vidéos sur les éruptions solaires, les comètes.

Au sous-sol : une remarquable muséographie présente de très belles météorites. Pour les nostalgiques d'Armageddon, un simulateur d'impact. On apprend tout sur ces cailloux qui tombent du ciel, leur origine, leur nature, le danger qu'ils représentent. Dans une grande salle, tout sur les planètes du système solaire, les étoiles (ça change des stars de parade enkystées dans l'asphalte des trottoirs d'Hollywood Blvd !). On teste son poids sur Pluton, sur Neptune... Sur Jupiter, faut sérieusement penser à se mettre au régime ! À noter, pour finir, le sismographe qui enregistre, en temps réel, les moindres tressaillements de la ville. Enfin, une boutique, mais surtout, une très agréable terrasse en balcon sur la ville pour admirer le soleil couchant en écoutant L.A. qui ronronne juste en dessous. Une visite qui change des paillettes et du côté très superficiel d'Hollywood... Exceptionnel !

À faire

Nombreux sports pratiqués dans le parc : tennis, golf (4 terrains municipaux), équitation. Sentiers équestres spécialement prévus.

Équitation

Voici deux centres où louer des chevaux, mais il en existe d'autres. *Rens au* Park Rangers Headquarters *(voir plus haut). Ils pratiquent ts sensiblement les mêmes prix : env 25 $/h.*

■ *L.A. Equestrian Center :* 480 Riverside Dr, Burbank (à l'extrémité de Main St, c'est aussi indiqué depuis Zoo Dr). *Dans Griffith Park.* ☎ (818) 840-8401. *Tlj 8h-18h.* Un très grand centre équestre disposant également d'un terrain de polo. Une cinquantaine de chevaux, en majorité des *quarter horses,* mais également des *paints,* des *appaloosas...* Compter 25 $ l'heure de rando.

■ *Sunset Ranch :* 3400 N Beechwood Dr. ☎ (323) 469-5450. *D'Hollywood, remonter Beechwood Ave, c'est au bout de la rue.Tlj 9h-17h. Compter 25 $/h, 40 $/2h, 60 $ pour un sunset dinner ride (repas inclus). Avoir* min 7 ans. Une autre bonne adresse. On se retrouve en pleine campagne à moins de 5 mn de voiture du centre d'Hollywood, incroyable ! Un ranch d'un peu plus d'une cinquantaine de chevaux, en majorité des mustangs, mais aussi des *quarter horses, paint horses, appaloosas, pintos...* Possibilité d'effectuer un *sunset ride,* une balade à cheval débutant vers 16h30 du ranch, pour vous promener à travers les collines d'Hollywood jusqu'à Burbank. Panorama sur L.A. tout illuminé. On mange dans un restaurant mexicain et l'on revient vers 22h. Une expérience inoubliable.

Randonnées pédestres

Très populaire ici d'aller se décrasser les bronches à travers les collines vierges du Griffith Park. Au moins 80 km de pistes. Certaines sont également partagées avec les sentiers équestres. Ne pas manquer d'aller au *Park Rangers Headquarters* pour préparer votre randonnée (voir plus haut « Adresse utile »). L'une des balades les plus fameuses est celle du mont Hollywood. Elle débute au parking du planétarium (compter une dizaine de kilomètres aller-retour). Beau panorama sur tout L.A.

West Hollywood *(plan couleur IV)*

Où manger ?

Bon marché

|●| *Farmer's Market (plan couleur IV, O13,* **233***)* : W 3rd St et Fairfax Ave. De Downtown, bus n° 16 à l'angle de 5th et de Flower St. Tlj 9h (ou 10h)-20h (ou 21h). Une profusion d'échoppes dans un marché en plein air (lire également « À voir ») pour goûter à un peu de tout, des *falafels* aux sushis en passant par des plats chinois, des pizzas, des viandes rôties, des crêpes, des *burritos*, des salades... à des prix plus que raisonnables. *Bennett's* fait de délicieuses glaces artisanales et **Light My Fire** propose uniquement des sauces épicées comme la *New Orleans Amnesia* ou la sauce *Burn in Hell Osama* ! **Monsieur Marcel**, quant à lui, fait de la soupe à l'oignon...

|●| *Ulysses Voyage (plan couleur IV, O13,* **233***)* : 6333 W 3rd St, dans le Farmer's Market, étal n° 750. ☎ (323) 939-9728. Tlj 11h-22h (9h le dim pour le brunch). Plats 13-15 $. Salades 9-14 $. Pour le midi, entre deux emplettes au Farmer's Market, ou le soir dans la petite salle ou en terrasse ventilée, à la fraîche, aux beaux jours. Pour une cuisine grecque, avec ou sans sa Pénélope. Tout y est, de la moussaka au *tzatziki*, en passant par les feuilles de vignes farcies. Essayer le *saganaki*, un fromage de chèvre que le garçon fera flamber à l'ouzo devant vous. Demandez un coulis de miel ! Aussi quelques fruits de mer. Le service pourrait être plus rapide, en revanche. En attendant, on a le temps de bien étudier sa commande...

|●| *Barney's Beanery (plan couleur IV, O12,* **130***)* : 8447 Santa Monica Blvd. ☎ (323) 654-2287. À l'endroit précis où Santa Monica Blvd vire vers le sud-ouest (vers Santa Monica, quoi !). Tlj 10h-2h (dès 9h le w-e). Happy hours 7j/7 16h-19h (-50 % sur la pression et les appetizers). Assiette pleine 9-12 $, salades 12-15 $. Resto-bar très authentique installé à Hollywood depuis 1920, et fréquenté en leur temps par Marylin Monroe, Steve McQueen, Jim Morrison, Janis Joplin (elle y fit son dernier repas) et Peter Falk. En plus de 80 ans, cette grande cabane en bois a eu le temps d'accumuler les objets les plus divers : vieilles coupures du *L.A. Times* punaisées au plafond, photos de pin-up et de stars, banquettes multicolores... La liste est longue, tout comme le menu sous forme de journal : petits déj, œufs, omelettes, *chili plates, stuffed potatoes,* hot dogs extra-longs, pâtes, sandwichs, poulet, fruits de mer, salades, pizzas, *house specialties* et, bien sûr, burgers (pas moins de 80 sortes !) ; excellente cuisine mexicaine, aussi. Côté boissons, quelque 250 variétés de bières – yankees, mais aussi du monde entier. On y trouve même de la bière namibienne, salvadorienne, coréenne et israélienne ! Ambiance super-décontractée et service efficace.

|●| *Mel's Drive-in (plan couleur IV, O12,* **141***)* : 8585 Sunset Blvd. ☎ (310) 854-7200. Tlj 24h/24. On s'en sort pour moins de 15 $, moins de 8 $ si simple hot dog. En plein Sunset Strip, un *diner* typique qui vient de souffler ses 60 bougies. Rien ne semble avoir changé depuis les années où Elvis poussait sa chansonnette en disant « C'est maintenant ou jamais ». Box en alu et moleskine, largement vitrés sur Sunset Blvd, où passent, le soir, les étoiles filantes ; bruit de friture (mais sans odeur), musique d'époque, pour se refaire une santé après un concert sans casser sa tirelire. *Red beans & rice,* poulet rôti, salades, burgers, plateau du pêcheur. Juke-box à chaque table, pour écouter grésiller ses idoles...

Prix moyens

I●I Canter's (plan couleur IV, O13, **143**) : 419 N Fairfax Ave. ☎ (323) 651-2030. Tlj 24h/24. Plats 10-15 $. Parking gratuit juste derrière. Immense deli au décor d'une rare banalité, mais où l'on a toujours la garantie de trouver une bonne nourriture casher et plus largement des plats d'Europe de l'Est. À 3h, on se croirait au coup de feu de midi. Clientèle très mélangée, allant des petits vieux insomniaques et discrets aux gens du show-biz, extravertis et bruyants. Serveurs du même acabit, souvent de l'âge de l'établissement. Service pas trop rapide. Carte longue comme le bras avec les classiques reuben, hot corned-beef and cabbage, lox and cream cheese, chopped liver, blintzes et les gros special sandwiches... Très bien aussi pour les petits déj, mais ça sent un peu le graillon...

I●I La Piazza (plan couleur IV, O13, **144**) : 189 The Grove Dr. À l'extrémité est du Farmer's Market, juste devant la fontaine musicale. ☎ (323) 933-5050. Tlj 11h-23h (minuit ven-sam). Le midi, env 25 $; le soir, 45 $, moins de 20 $ si pizza slt ; lunch specials en sem 12 $. Dans le nouveau complexe piéton de The Grove, un des restos les mieux situés ; inutile de dire que c'est souvent bondé. Une cuisine italienne tout à fait correcte dont vous apprécierez sûrement les pizzas bien garnies. Belles assiettes de pâtes, salades très copieuses et excellent risotto aux champignons, à accompagner d'un verre de prosecco pour se croire en Italie. On vous fait un peu payer le cadre, mais ne boudez pas votre plaisir. Accueil en demi-teinte.

I●I Saddle Ranch Chop House (plan couleur IV, O12, **142**) : 8371 Sunset Blvd. ☎ (323) 656-2007. Tlj 8h-2h. Sandwichs, soupes et salades env 9 $; pour les viandes (slt le soir), compter 20-40 $; mar soir, ribs à volonté 19 $. Au cœur du Sunset Strip, grosse baraque en bois qui appartient aux deux héros d'Easy Rider, Dennis Hopper et Peter Fonda. Au centre de la salle, un taureau mécanique se cabre tous les lundis après 22h pour un concours de rodéo ! Ambiance assurée ! Clientèle assez jeune et bruyante, sans doute à cause de la légion d'écrans plats qui retransmettent des images de sport. Pas vraiment l'endroit idéal pour un repas intime, à moins d'opter pour la terrasse brumisée qui donne sur le boulevard. Cuisine rustique et copieuse.

De plus chic à chic

I●I Clafoutis (plan couleur IV, O12, **133**) : 8630 Sunset Blvd. ☎ (310) 659-5233. Tlj 8h-23h30 (1h30 ven-sam). On dîne pour 35-40 $. Ce restaurant est tenu par un Français, installé depuis environ 15 ans sur Sunset Boulevard. Terrasse prise d'assaut aux beaux jours, ce qui n'est visiblement pas le cas de tous les restos des environs... À l'intérieur, joli décor, clair, avec de belles chaises stylées. À la carte, cuisine raffinée avec de fortes influences italiennes dans la préparation des pâtes, salades et volailles. Les penne piccole sont un vrai bonheur, et il est impossible de résister au plateau de desserts. Beaucoup d'Américains sensibles à la French culture se retrouvent ici. Une bonne adresse pour dîner.

I●I Koi (plan couleur IV, O13, **146**) : 730 N La Cienega Blvd. ☎ (310) 659-9449. Tlj 18h-23h (minuit ven-sam). Env 40 $, moins de 20 $ si on se contente de sushis. L'un des restos les plus tendance du moment avec, pourtant, des prix assez sages. Que ce soit sur la terrasse aux plantes luxuriantes, dans la salle japonisante avec vue sur les cuisines ou même dans le patio arrière où poussent de magnifiques bambous ou encore dans la petite salle du fond avec son « ciel ouvert », le décor de cet endroit est très à la mode. Fréquenté par des Hollywoodiens hype avec une musique lounge. La nourriture n'est pas en reste, loin s'en faut : salade de homard parfumé à l'essence de truffe, filet mignon kobe style, thon épicé et riz croustillant. Les sushis sont, paraît-il, très prisés par Paris Hilton.

|●| *The Spanish Kitchen* (plan couleur IV, O12, **147**) : 826 N La Cienega Blvd. ☎ (310) 659-4794. Tlj 11h-23h (minuit ven-sam). Platos pequeños env 10-12 $ et 16 $ pour les grandes assiettes. Dans le quartier le plus branché d'Hollywood, un authentique mexicain un peu chicos et toujours plein les soirs où les *Lackers* astiquent le parquet. Sous la porte voûtée, une terrasse couverte au décor d'hacienda. La salle, où trône le bar, est éclairée par une multitude de spots au plafond, lui conférant une certaine intimité. Au menu, très bonne paella, des brochettes de poulet à l'ananas, mais aussi du crabe ou du porc cuits dans des feuilles de bananier. Un dîner exotique dans une ambiance *trendy*.

Où boire un verre ? Où écouter de la musique ?

🍷 ♪ *Molly Malone's* (plan couleur IV, O13, **190**) : 575 S Fairfax Ave (entre 5th et 6th). ☎ (323) 935-1577. Tlj 10h-2h. Pub irlandais tenu par la même famille depuis plus de 3 décennies. On dit que l'établissement précédent fut l'un des premiers à obtenir une licence après la prohibition. Très animé, même en semaine. Musique live tous les soirs dès 21h, sauf le lundi (petit droit d'entrée mardi et mercredi et le week-end). Au programme : un peu de tout, mais pas de hard rock ni de métal. Un vrai bar de quartier en somme, avec ses habitués. On y danse, aussi.

♪ *Whisky à Gogo* (plan couleur IV, N12, **189**) : 8901 Sunset Blvd. ☎ (310) 652-4202. Entrée payante. Concert rock ts les soirs dès 20h. C'est le plus ancien club d'Hollywood (1964), endroit mythique où les Doors signèrent leur 1er contrat. On est surpris par la petitesse de l'endroit, qui le rend très chaleureux. Entièrement non-fumeurs.

♪ *House of Blues* (plan couleur IV, O12, **194**) : 8430 Sunset Blvd. ☎ (213) 848-5100. ● hob.com ● Pile en face du Comedy Store. Tlj 20h-2h (resto ouv dès 17h30). Droit d'entrée variable, en moyenne 30 $ mais jusqu'à 70 $ si plus grosse pointure. Gospel-brunch le dim 40 $, résa obligatoire dans ce cas-là. Leur devise : « In the Blues we trust », ben tiens donc ! Créée par Isaac Tigert, un hurluberlu fortuné adepte de Bouddha et féru de blues, *House of Blues* est à la fois un resto, un bar et une salle de concerts. L'extérieur du bâtiment est recouvert de tôles ondulées qui proviennent de la grange située à la croisée des chemins où, selon la légende, Robert Johnson vendit son âme au diable pour pouvoir créer le blues. À l'intérieur, un immense saloon tout en bois à l'ambiance survoltée. Excellente programmation, qui fait aussi dans le rap, le rock, le reggae...

Où boire un verre ? Où danser ?

Dès la tombée de la nuit, des milliers de noceurs envahissent Sunset Boulevard autour du n° 9000 (à la hauteur de San Vincente Boulevard et de Doheny Drive). On y frôle une faune branchée, classe, bruyante, aguicheuse, sophistiquée, allumeuse, affectée, voire carrément déjantée ! Bref, de quoi détourner le regard... souvent (attention aux torticolis !). Une ménagerie très peu farouche, donc, qu'il vous faudra apprivoiser avec votre accent *so Frenchy* !

♪🍷 *Here* (plan couleur IV, O12, **185**) : 696 N Robertson Blvd (angle Santa Monica Blvd). ☎ (310) 360-8455. Tlj 16h-2h. Grande terrasse arborée qui fait le tour de l'établissement et où l'on peut boire un verre tout en fumant légalement une cigarette ! On y est serrés comme des sardines, car, dès l'ouverture, le Tout-L.A. se presse pour s'y faire voir. Prenez alors votre mal en patience ! C'est à la fois un bar très prisé et un night-club pour se défouler sur de la musique hip-hop, dance et R & B. Dimanche, soirée gay, jeudi, c'est entre filles... Dans la salle du fond, double bar central pour étancher toutes les soifs, de la musique plein les oreilles. Clientèle très éclectique et accueil plutôt sympa, ce qui est assez rare dans ce genre de boîte. Si c'est plein, rendez-vous au *Bossa Nova,* juste en face !

♩ ♫ **The Abbey** *(plan couleur IV, O12,* **185***)* : 692 N Robertson Blvd ; juste à côté de Here. ☎ (310) 289-8410. Tlj 20h-2h. Pas de droit d'entrée. Enfants de chœur, passez votre chemin ! Dans ce décor gothique, rendez-vous des gays et des *straights,* les DJs disent la messe tous les soirs dans des confessionnaux, tandis que les fidèles s'adonnent au stupre dans des alcôves sombres. Quelques shows de mecs en string léopard. Excellente musique et bonne ambiance. Pour les amateurs du genre. C'est plein à craquer le dimanche soir (après la messe, bien sûr !)

♫ *Roxy (plan couleur IV, N12,* **188***)* : 9009 Sunset Blvd. ☎ (310) 278-9457. Repérer le 9000 éclairé en haut de la grande tour, c'est juste en face. Tlj sf dim à partir de 19h (quand ça ouvre) ; ferme vers 2h. Entrée : 13-30 $ selon spectacle. Environ 3 groupes différents chaque soir. La 1re grosse tête d'affiche en 1974 fut Neil Young. Polnareff s'y est produit dans les années 1990. Depuis, la programmation s'est diversifiée, avec non seulement du rock, mais aussi du jazz.

♫ **The Viper Room** *(plan couleur IV, N12,* **186***)* : 8852 Sunset Blvd. ☎ (310) 358-1880. Entrée sur Larabee St (repérer la petite lumière verte). Tlj 21h-2h. Entrée : env 15 $. Dans les années 1940, ce club était le lieu de rendez-vous de nombreux gangsters, en particulier Bugsy Siegel. Jusqu'en 2004, il appartenait à l'acteur Johnny Depp. Intérieur Art déco. Une expérience purement hollywoodienne si vous avez la patience de faire la queue. On dit qu'il n'est pas rare de croiser des têtes connues. Nous, on n'a vu personne, à part des rouleurs de mécaniques et des Barbies siliconées.

♩ ♫ Nombreux **bars** et **restos gays** sur Santa Monica Blvd, aux abords de San Vicente, entre Doheny Dr et Westmount Dr, entre autres la *Fiesta Cantina (plan couleur IV, O12,* **187***)*, 8865 Santa Monica Blvd, un bar-resto avec une cahute en palmier, qui débite les consommations, et avec plein d'objets, tendance plage, qui pendent au plafond. Une ambiance qui déménage. Pour du hyper-branché, vous pouvez essayer *Rage,* juste à côté, le rendez-vous des *drag-queens* et des mecs en latex. Chaud, on a dit !

Où voir un spectacle ?

■ **The Comedy Store** *(plan couleur IV, O12,* **194***)* : 8433 Sunset Blvd. ☎ (323) 650-6268. • thecomedystore.com • *Immanquable avec sa façade toute noire à côté de l'hôtel Hyatt. Tlj 19h ou 20h-2h. Prix env 20 $, à quoi il faut encore ajouter min 2 consos. Spectacles parfois gratuits dans la* Belly Room. *Pour la programmation et les horaires,* téléphoner ou consulter leur site internet. Un des plus fameux comedy clubs des États-Unis. C'est ici que Robin Williams ou Richard Pryor ont fait leurs débuts. Depuis, place aux (plus) jeunes, avec des comédiens comme Jim Carrey (qu'on ne voit plus beaucoup, cinéma oblige), Martin Lawrence ou Eddy Griffia.

À voir

⛥⛥⛥ *Los Angeles County Museum of Art (LACMA ; plan couleur IV, O13,* **231***)* : 5905 Wilshire Blvd. ☎ (323) 857-6000. • lacma.org • *Dans l'Hancock Park, pas très loin du Farmer's Market. De Downtown, bus nos 20 ou 21 que l'on prend sur Wilshire Blvd, à la hauteur de Flower St. Lun-mar et jeu-ven 12h-20h (21h ven) ; w-e 11h-20h. Entrée : 12 $; réduc ; gratuit le 2e mar du mois et tlj après 17h. Parking 7 $ (mais réduc avec votre billet d'entrée).*
Avec un fonds d'environ 100 000 œuvres, le LACMA est le musée d'arts visuels le plus important de la moitié ouest des États-Unis. On y trouve de tout : de l'art ancien et moderne des quatre coins du globe. Dans les jardins, de nombreux bronzes : Moore, Rodin, etc... En constante amélioration, il est souvent difficile d'en avoir une

approche exhaustive. Sachez toutefois que les collections permanentes sont divisées en plusieurs sections :

– **Broad Center** (bâtiment nouvellement construit, exclusivement voué à l'art contemporain) : la visite commence par une œuvre monumentale de Richard Serra, un gigantesque copeau de métal déployé, au pied duquel vous risquez bien d'en perdre la tête. Puis une salle entière consacrée à Jean-Michel Basquiat, Barbara Goldstein, l'étonnant Chris Burden et son alignement d'uniformes de flics (c'est à lui qu'on doit la forêt de candélabres à l'entrée du musée). Viennent ensuite Robert Therrien et ses chaises géantes, qui amuseront vos enfants ! Quelques montages photographiques de Cindy Sherman, de remarquables vitraux de papillons de Damien Hirst.

Au 2e niveau, quelques pointures, comme Warhol, Jeff Koons, le regard photographique de John Baldessari, mais aussi Ruscha, à mi-chemin entre le pop art et l'art conceptuel, sans oublier Roy Lichtenstein...

– **Lacma West** est surtout un atelier d'expression artistique pour les enfants. On vient y peindre, découper, coller, assembler, modeler... en un mot, laisser libre cours à son imagination. Abrite également quelques expos temporaires.

– **Ahmazon Building :** quelques expos temporaires au rez-de-chaussée (principalement de la photographie). À l'étage (niveau 1), l'Europe 1900-1930, la France et les Pays-Bas, ainsi que les États-Unis après 1950. Avec, pêle-mêle, des œuvres majeures, notamment une très belle collection de Kandinsky, mais également Kirchner, Klee, Chagall, les peintres du Bauhaus comme Feininger, les Russes avec Archipenko...

Au même niveau, on pose agréablement son regard sur les toiles de Pissaro, Degas, Vuillard, Dufy et sur quelques courbes féminines à mettre au crédit de Maillol. Puis un étonnant face à face avec la *Tête de Jacqueline*, de Picasso, dont on compte ici pas moins d'une trentaine d'œuvres, mais aussi quelques bronzes.

Les Giacometti ne sont pas en reste, ils annoncent une salle entièrement vouée aux expressionnistes tels Smith, de Kooning, Morris Louis. Le surréalisme et le dadaïsme sont aussi présents avec Magritte (sa fameuse pipe), Mondrian, Miro et Fernand Léger. Souvent associées, les toiles de Soutine et de Modigliani (*Jeune fille du peuple,* 1918). Toutes les œuvres sont accompagnées de petits textes clairs, concis, restituant les œuvres et les artistes dans le contexte de leur époque. La muséographie est très belle.

– **Hammer Building,** situé au même niveau et communicant avec le premier, abrite une belle collection de gravures et lithos : Goya, Daumier, Otto Dix, et une mention spéciale pour James Ensor, classé dans la rubrique « Scatology and Anarchism ». Puis retour aux grands maîtres : Fantin-Latour, Toulouse-Lautrec, des bronzes de Rodin. Très belle collection de Cézanne, Gauguin, Vuillard, Caillebotte et Sisley ; un Delacroix dans sa période sombre et l'original de la statue de la Liberté de Bartholdi. L'art africain, en revanche, d'une facture très classique, est loin de rivaliser avec celui de Washington. On pourrait continuer avec Fragonard, Rubens, Rembrandt, Hals, parler des céramiques de Bernard Palissy, des reliques, icônes et bondieuseries du XVIe s...

Dans la section « Archéologie », les égyptophiles y trouveront leur compte : statuettes, bas-reliefs, sarcophages. Belle muséographie consacrée à l'art aulique des Achéménides et aux arts islamiques. La salle consacrée aux périodes hellénistiques et romaines est éclairée par la lumière du jour : vases, céramiques, mosaïques, bijoux. Enfin, belle section concernant la Renaissance espagnole, italienne, et le maniérisme.

Le 3e niveau du Hammer Building est entièrement dédié à l'art américain et aux designers californiens, aux peintres comme Poussette-Dart, Thomas Eakins, Georges Bellow, Mary Cassatt, Thomas Hill...

– **L'art japonais** n'est pas en reste : dans un pavillon à part, seul bâtiment uniquement consacré à l'art japonais en dehors du Japon... On y trouve notamment une riche collection de gravures des périodes Meiji, Taisho et Showa, d'œuvres picturales de la période Edo et de sculptures miniatures netsuke.

– *L'art latino-américain :* l'une des plus importantes collections des États-Unis. Magnifiques sculptures mexicaines.

– *La photographie :* à travers quelque 5 000 photos prises entre 1840 et aujourd'hui. Quelques noms : Pfahl, Gutmann, Stieglitz et Telberg.

Certainement l'un des plus beaux musées des États-Unis. Prévoir d'y passer une bonne demi-journée. Sur place, cafétéria, boutique.

🎎🎎🎎 🚶 *George C. Page Museum of La Brea Discoveries* (hors plan couleur IV par O13) : 5801 Wilshire Blvd. ☎ (323) 934-PAGE. ● tarpits.org ● Bus nᵒˢ 20 ou 21 de Downtown (angle Flower St et Wilshire Blvd). Lun-ven 9h30-17h ; w-e et j. fériés 10h-17h. Entrée : 7 $; réduc ; gratuit jusqu'à 5 ans et le 1ᵉʳ mar du mois. Petite brochure en français disponible. Parking gratuit.

Visite en deux temps : le musée proprement dit et, très recommandée, la visite des *pits* (les sites de fouilles). Film projeté toutes les 30 mn de 10h30 à 16h30.

Un musée d'Histoire naturelle créé au *Rancho La Brea*, immense ranch qui se révéla être au début du XXᵉ s un gisement gigantesque d'asphalte. La véritable surprise fut d'y découvrir, complètement fossilisés, des milliers d'animaux : 3 000 loups, 2 000 tigres à dents de sabre, des mammouths, insectes, oiseaux, micro-organismes, plantes, et... une femme (qui n'est pas exposée). Tous avaient été noyés dans la masse d'asphalte. Découverte prodigieuse donc, qui incita George C. Page, un milliardaire philanthrope, à créer ce musée.

Milliardaire au destin curieux, qui quitta à 16 ans son Nebraska natal à la suite de la découverte d'une orange. Fantasmant sur le pays capable de produire un fruit aussi délicieux, il débarqua en Californie et fit fortune dans le... commerce des fruits tropicaux avec les pays froids (naturellement !).

Présentation remarquable de ce musée, conçu en grande partie pour les enfants (jeunes mammouths animés, exercice de force avec le goudron, laboratoire visible, etc.). L'âge des animaux varie de 10 000 à 40 000 ans. Les plus nombreux à s'être fait piéger par le bitume sont les *smilodon californicus,* genre de tigres géants à dents de sabre, les *dire wolves* (loups énormes) et puis les ours à « museau court », lions américains, chevaux, pécaris et autres bisons dont les ossements ont été particulièrement bien conservés. Le gros plus : on voit non seulement les squelettes reconstitués mais aussi des images de synthèse pour se représenter les animaux tels qu'ils devaient être.

BOIRE DU GOUDRON ET Y LAISSER DES PLUMES

La Brea est situé sur une zone marécageuse où l'asphalte, roche bitumineuse naturelle, suinte depuis des milliers d'années. À l'époque où furent ensevelis les animaux de la préhistoire, ces lacs de bitume se couvraient d'une mince pellicule d'eau, créant ainsi un véritable leurre pour les animaux assoiffés. Les experts estiment qu'un animal devait se faire piéger tous les dix ans en moyenne et finissait irrémédiablement englué. Aujourd'hui, l'asphalte perle encore sur les trottoirs contigus au musée. Attention où vous mettez les pieds, la moquette de votre chambre d'hôtel risque de souffrir de votre passage à La Brea !

🎎🎎 *Petersen Automotive Museum* (plan couleur IV, O13, **235**) : 6060 Wilshire Blvd (angle Fairfax). ☎ (323) 933-9211. ● petersen.org ● À deux pas du LACMA mais sur le trottoir d'en face. Tlj sf lun 10h-18h. Entrée 10 $; parking 8 $. Encore un musée à mettre à l'initiative d'un milliardaire. Présente des expos permanentes ou temporaires qui retracent l'aventure de l'automobile en Californie depuis le début du XXᵉs jusqu'à nos jours et son impact sur la société américaine. Sur 3 niveaux, plus de 150 modèles exposés : vieilles pétoires, bolides, *concept cars,* camions et motos. Tout ce qui de près ou de loin tutoie les courbes, embrasse la ligne droite, colle au goudron. Aussi de nombreuses vidéos et ateliers interactifs où l'on décortique les processus mécaniques qui font rouler le rêve américain. Ravira les amateurs de belles calandres, tous les pistonnés et les fondus de carter, de carrosseries « polishées », de chromes étincelants et de gommes caoutchoutées qui sentent le neuf.

🏃🏃 *Farmer's Market* (plan couleur IV, O13, **233**) : W 3ʳᵈ St et Fairfax Ave. ☎ (323) 933-9211. De Downtown, bus n° 16 à l'angle de 5ᵗʰ et de Flower St. Lun-ven 9h-21h ; sam 9h-20h ; dim 10h-19h. Fondé en 1934 par 18 agriculteurs qui décidèrent de vendre eux-mêmes leurs produits, le Farmer's Market compte aujourd'hui 160 stands qui proposent une variété infinie de produits alimentaires venus des quatre coins du globe. Vraiment très sympa de s'y balader, plein de monde le week-end mais ça vaut le coup d'œil. Voir également, plus haut, « Où manger ? ».

🏃 *Wilshire Blvd :* à partir de Downtown, vers l'ouest, vous y découvrirez quelques-uns des plus remarquables édifices Art déco de L.A., ainsi que d'intéressantes maisons victoriennes en bois de la fin du XIXᵉ s.

🏃 *Magnin Wilshire et Wiltern Theater :* respectivement aux 3050 et 3790 Wilshire Blvd. Le Magnin date de 1928. Considéré comme le plus bel édifice Art déco de L.A. Abrite encore aujourd'hui une bibliothèque privée. Joli décor intérieur. Quant au Wiltern Theater, construit en 1931, il offre de pittoresques façades en céramique verte. Au rez-de-chaussée, une belle salle de spectacle. Ne pas manquer d'assister à une *performance*, là aussi pour le cadre intérieur.

Beverly Hills et Westwood *(plan couleur IV)*

Contrairement à ce que l'on imagine souvent, *Beverly Hills* n'est pas un simple quartier, mais une vraie ville (36 000 habitants) avec une mairie et une administration distinctes du reste de Los Angeles. Heureux maire dont les administrés forment une des communautés de résidents les plus riches des États-Unis et du monde ! Stars du cinéma (du disque aussi) et producteurs ont pris l'habitude, depuis le début du XXᵉ s, d'habiter à Beverly Hills, une incroyable zone résidentielle noyée dans la végétation tropicale, à deux pas des grandes « usines à rêve » d'Hollywood. On travaille dans la plaine, en somme, mais on loge sur les collines, à l'écart du tohu-bohu et des miasmes de la grande cité.

Grosso modo, Beverly Hills se situe sur une chaîne de coteaux entre Hollywood et Santa Monica. À l'ouest, le quartier de Bel Air en est une prolongation, aussi huppée que Beverly. Sur le terrain, il faut faire la distinction entre le Beverly Hills d'en bas et le Beverly Hills d'en haut. Celui d'en bas s'étend de Santa Monica à Sunset Boulevard, formant un immense quadrillage d'avenues bordées d'arbres magnifiques (hauts et majestueux palmiers notamment), mais sans âme aucune, sauf, peut-être, dans les quartiers purement résidentiels. Les espaces publics sont réduits à leur portion congrue. Ici, c'est la propriété privée qui dicte sa loi. Pas de centre véritable, pas d'harmonie dans le traitement des rues, ni d'unité dans l'architecture, pas de ville véritable, mais plutôt une banlieue de luxe... Ce Beverly-là est quasiment plat. Les vraies collines commencent au-dessus de Sunset Boulevard. C'est le Berverly Hills d'en haut. Un vrai repaire de célébrités donc, même si la tendance actuelle est de déserter Beverly pour aller s'installer sur la côte, à Santa Monica ou dans les environs.

Pour *Westwood* : de Downtown, prendre le bus n° 21 à l'angle de Wilshire Boulevard et de Flower Street. De l'aéroport, bus n° 561 du parking « Lot C ».

Le principal centre d'intérêt est l'*Université de Californie de L.A. (UCLA),* rendue indirectement célèbre par les marchands de fringues français. Comment ? Eh bien parce que le sigle, inscrit sur des millions de pull-overs, fut en fait inventé par un petit marchand vendéen de prêt-à-porter. Bien sûr, ça signifiait « Union des coopératives de Loire-Atlantique » et non « Université de Californie de L.A. », mais bon, les initiales se sont répandues...

Pour en revenir à nos moutons, Westwood, c'est d'abord l'un des plus anciens villages de L.A., très charmant, avant de faire l'objet de la convoitise des promoteurs. À la fin des années 1980, on a construit le *Shopping Village,* agréable quar-

tier commerçant de style hispano-méditerranéen. Aujourd'hui, le *Dome* (Westwood et Broxton), la *Tower* (Westwood et Weyburn) et le ravissant *Village Theater,* au 961 Broxton Avenue (édifié en 1930), restent les symboles de cette époque.
Le week-end, Westwood s'anime furieusement autour de ses 250 boutiques, ses cinémas, théâtres et nombreux cafés et restaurants.

Où manger ?

Spécial petit déjeuner

☛ **Le Pain Quotidien** (plan couleur IV, N13, **132**) : 9630 South Santa Monica Blvd. ☎ (310) 859-1100. Tlj 7h30-19h. Tartines 8-12 $ et salades 8-16 $. Cette boulangerie belge, qui fait aussi table d'hôtes, a essaimé un peu partout (on en trouve une dizaine à New York). On peut s'asseoir à la très grande table rustique, conviviale à souhait. On vous recommande le *baker's basket,* un

échantillon de tous leurs pains, accompagnés de confitures et de pâte de noisettes bio, un régal ! Et le café et le thé sont servis dans un vrai bol, s'il vous plaît ! Le midi, tartines multiples et variées (brie, pâté de canard, fromage blanc, etc.), carpaccio, assiette toscane ou encore salade atlantique... Terrasse sur le va-et-vient de la rue, agréable l'été.

Bon marché

|●| **Urth Caffé** (plan couleur IV, N13, **135**) : 267 S Beverly Dr. ☎ (310) 205-9311. Tlj 7h-23h30. Moins de 12 $ pour les salades. Que de monde ! On se met en liste d'attente et on poireaute pour être placé. Grand choix de thés et de cafés *organic* pour accompagner de succulentes pâtisseries. Beaux *chee-*

secakes à prix fort raisonnables (certains sont même *very low calories* !). Également des salades, lasagnes, quiches, soupes et sandwichs bio. On boit son kawa ou son jus de fruits bio sur la terrasse ou dans la salle rustique qui sent bon le café moulu. Le dimanche pour le brunch, allez-y dès potron-minet !

Prix moyens

|●| **The Farm of Beverly Hills** (plan couleur IV, N13, **137**) : 439 N Beverly Dr. ☎ (310) 273-5578. Ouv 7h30 (8h le w-e)-21h. Sandwichs et salades 9-20 $, plats 17-30 $. Si le lèche-vitrine vous a mis en appétit, faites donc une pause dans cette ferme de luxe. Sur la terrasse ou dans la salle au décor campagnard faussement vieilli, on reste dans le chic et le (un peu) cher, mais le service est décontracté, les sandwichs, les pâtes et salades, façon nouvelle cuisine californienne, sont tout à fait abordables. Ingrédients ultra-frais de très bonne qualité. En dessert, laissez-vous tenter par les *smores,* ces chamallows fondus au-dessus d'un petit barbecue portatif et trempés dans le chocolat chaud.
|●| **Il Fornaio** (plan couleur IV, N13, **138**) : 301 N Beverly Dr. ☎ (310) 550-8330. Situé à l'angle de Dayton Way. En sem, 6h30-23h (minuit ven) ; le w-e, 7h30-23h (minuit sam). Paninis et salades env 6 $.

Pizzas 13-15 $. Dans ce resto italien plutôt chic, qui fait également fournil, on dîne avec vue sur la grande cuisine centrale où tournent de croustillants poulets embrochés et où s'affairent les pizzaïolos. Les employés du quartier s'y pressent en nombre le midi pour des raviolis aux aubergines accompagnés d'une sauce aux artichauts ou pour un bon carpaccio. Le soir, c'est un lieu de sortie assez prisé et animé, et l'on comprend pourquoi en voyant arriver les assiettes d'*antipasti* ou les *linguine mare chiaro.* Et, pour une fois, les portions sont à taille humaine. Accueil charmant.
|●| **Nate'n'Al** (plan couleur IV, N13, **149**) : 414 N Beverly Dr. ☎ (310) 274-0101. Tlj 7h-21h. Petits déj et sandwichs 6-15 $, plats 10-15 $. Façades aux vitres fumées, box à touche-touche pour un petit déj au coude à coude, le *deli* le plus célèbre et le plus authentique de Beverly Hills. Une superbe adresse pour débuter la journée.

Pour les gourmands, nous vous recommandons au déjeuner l'*assorted deli* qui permet de goûter toutes les spécialités. Sinon, viande d'Angus très tendre, saumon sauvage et autres produits d'une qualité irréprochable. Également, pour les nostalgiques, une épicerie fine proposant du fromage suisse ou du vin français...

|●| *Milky Way* (*plan couleur IV, N13-14, 140*) : *9108 W Pico Blvd (angle Doheny Dr).* ☎ *(323) 859-0004. Lun-jeu 11h30-14h30, 17h30-20h ; ven 11h30-14h30 ; dim 17h30-20h. Fermé sam. Plats 10-12 $.* Au cœur du quartier juif de L.A. Repérer les ficus taillés en boule sur le trottoir. Restaurant casher plutôt végétarien servant aussi de nombreux produits laitiers (*dairy kosher food*), d'où le nom de *Milky Way* (« voie lactée »). Tenu par Leah Adler, la mère de Steven Spielberg. À plus de 80 printemps, elle a une pêche d'enfer ! On a d'ailleurs l'impression d'arriver chez elle, avec les murs blancs, les briques rouges, son piano, les peluches, les banquettes en rotonde et tous les souvenirs se rapportant au fiston... La cuisine n'est pas en reste, on y mange d'excellents *cabbage rolls* ! Ceux qui n'aiment vraiment pas les choux pourront toujours se rabattre sur les aubergines au parmesan, les lasagnes maison, la *mozzarella marinara* ou encore les *cheese blintzes*.

Plus chic

|●| *Spago* (*plan couleur IV, N13, 131*) : *176 N Cañon Dr.* ☎ *(310) 385-0880. Lun-sam 11h30-14h15, 17h30-22h ou 23h ; dim 17h30-22h ou 23h. Résa fortement conseillée. Plats 18-25 $ le midi et env 30-35 $ le soir ; on dîne pour 75 $.* Situé dans le quartier des affaires, voilà plus de 15 ans qu'il ne désemplit pas. Engouement compréhensible, pour un resto proposant des plats bien travaillés, qui vous donneront une idée de la nouvelle cuisine californienne. Mariage de saveurs asiatiques, méditerranéennes et hispaniques, concoctées avec goût par le chef Wolfgang Puck. L'établissement est devenu terriblement *trendy* (voire un peu trop) et « voir et être vu » semble être devenu sa devise (on y croise d'ailleurs régulièrement une star ou deux). Cadre chic et sophistiqué, avec cuisine bien en vue, où s'affairent les chefs en couvre-chef (et non en toque).

Où boire un verre ? Où écouter de la musique ?

🍸 *O'Hara's* (*plan couleur IV, M13, 192*) : *1000 Gayley Ave (angle Weyburn Ave), à Westwood.* ☎ *(310) 208-1942. Lun-mer 16h-2h ; jeu-ven 11h30-2h ; sam-dim 9h-2h ; cuisine ouv jusqu'à 22h.* Pub clinquant avec énorme bar en bois tout verni et murs tapissés de photos d'acteurs. Écrans de TV diffusant bien sûr les matchs de base-ball. Ambiance jeune et étudiante (on est sur le campus) et grosse affluence le soir. Snacks, soupes, salades à prix corrects. Dans le coin, près du cinéma *Bruin*, plein d'autres cafés étudiants dont certains avec terrasse. L'ambiance dépend vraiment des jours de la semaine.

♪ *The Mint* (*plan couleur IV, N13, 193*) : *6010 W Pico Blvd.* ☎ *(323) 954-94000.* ● *themintla.com* ● *Tlj 19h-0h30 (2h en ven-sam). Reconnaissable de loin à son enseigne verte au néon. Entrée : 12-15 $.* On y mange aussi une cuisine « *Calasian* » (un mix de Californie et d'Asie) pour moins de 20 $. Située en plein quartier juif, petite salle assez intime ; enfin, c'est ce qu'on se dit au début car l'ambiance monte assez rapidement. Orchestres live de rock, blues, soul et jazz de très bonne qualité, tous les soirs dès 20h30. Voir la programmation sur leur site internet.

À voir. À faire

Avant tout, quelques **conseils pratiques pour tenter d'approcher vos stars préférées** (on a bien dit tenter...) :

– Se procurer la carte détaillée *Map of the Movies Stars Homes,* en vente dans les librairies à environ 7 $, ou dans la rue, auprès des sans-logis ou des vendeurs à la sauvette pour 2 $. Un peu attrape-nigaud, cette carte dresse l'inventaire des adresses de célébrités. Intéressera surtout les amateurs de caméras de surveillance, de grilles en fer forgé ou de portails coulissants, vous vous en doutez !

– Sinon, pour tout connaître des potins, des meurtres, des suicides qui ont fait l'histoire d'Hollywood depuis 80 ans, se procurer *This is Hollywood,* de Ken Schessler. Facile à comprendre, très complet, avec de nombreuses cartes.

– Toutes les maisons sont des *résidences privées,* surveillées par des systèmes de sécurité performants. N'essayez donc pas d'y pénétrer ni d'escalader les murs des propriétés. Vous risquez de mettre en branle les alarmes les plus puissantes de la ville, de provoquer l'arrivée immédiate d'une brigade de flics (*Le Flic de Beverly Hills,* ça vous dit quelque chose ?), ou encore de subir l'assaut d'une meute de chiens redoutables (genre dobermans aux crocs de requin !). Les stars ont une devise : pour vivre heureux, vivons cachés (ou cachet, ou cash) !

– Si jamais vous tombez nez à nez avec l'une de vos idoles : n'essayez pas de l'approcher, car celle-ci (homme ou femme) interprétera votre geste comme une agression. Vous risquez d'être rejeté manu militari par le chauffeur ou les gardes du corps qui tournent en orbite autour de votre étoile préférée...

– *Un truc facile pour se repérer :* les numéros des maisons sont peints sur les bordures des trottoirs ; donc, en les suivant, on s'y retrouve plus facilement, surtout lorsque l'on conduit une voiture.

– *Visites guidées :* de toutes les agences qui proposent de vous emmener à la découverte des résidences de stars (*Movie Stars' Home Tour*), seule *Starline* offre un tour qui se limite au quartier de Beverly Hills et de Bel Air. Intéressant car plus ciblé, plus court et donc moins cher que les tours des autres agences (*VIP, Guideline...*) qui incluent d'autres curiosités dans leur programme. La visite dure 2h et se fait en minibus, avec un départ toutes les 30 mn du Chinese Theater à Hollywood (lire « À voir à Hollywood »). Au programme : une quarantaine de propriétés, dont celles de Tom Cruise, Nicolas Cage, Dean Martin, Johnny Weissmuller (avec une piscine de 1 mile de long), et celle du producteur Aaron Spelling, qui, avec 123 pièces et une patinoire, est la plus grande résidence privée des États-Unis. *Rens :* ☎ 1-800-959-3131. ● starlinetours.com ●

🍴 *Rodeo Drive* (*entre Wilshire Blvd et Santa Monica Blvd*) : bus nᵒˢ 20 ou 21 de *Wilshire Blvd.* L'avenue la plus chère du monde se situe à Beverly Hills. C'est le temple du luxe, du surfait et de la sensiblerie. Ici, rien que du superficiel. La mode, en revanche, y est assez bien représentée : on y trouve les plus grandes marques françaises et italiennes. Juste par curiosité, jetez un œil chez *Boulmiche :* Julia Roberts en est évincée comme une malpropre dans *Pretty Woman.* Quant au magasin d'habillement masculin *Bijan,* il faut prendre rendez-vous pour y entrer ; et si vous n'achetez rien, on vous fera payer 1 500 $ pour le précieux temps que vous avez fait perdre !

Dans les rues alentour, possibilité de se garer dans certains parkings publics gratuitement à partir de 18h. Juste le temps d'aller faire son shopping au *Rodeo Collection,* un centre commercial regroupant des boutiques extrêmement chic. Autrement, chaque année, le dimanche de la fête des Pères, la rue est neutralisée pour une exceptionnelle présentation de voitures de collection. À ne pas manquer si vous êtes amateurs (ou amatrices) de belles calandres.

🍴 *Beverly Wilshire :* 9500 Wilshire Blvd. C'est l'hôtel où fut tourné *Pretty Woman.* Si vous avez l'âme d'une star, il vous en coûtera 400 $ par nuit, et jusqu'à 7 000 $ pour une suite.

🍴 *La maison d'Elvis Presley :* 144 Monovale Dr (entre Sunset et Carolwood). La star du rock'n'roll y habita de décembre 1967 à mars 1975. Puis il vendit la maison à Telly Savalas (alias Kojak), lequel la revendit à son tour à Paula Meehan, actuelle proprio (une des femmes les plus riches du monde). De la rue, on ne voit pas grand-chose, on distingue seulement la fameuse terrasse si le portail d'entrée est ouvert.

🎋 *La maison de Walt Disney :* 355 Carolwood Dr. Le célèbre dessinateur et inventeur de Mickey Mouse y vécut jusqu'à sa mort, en 1966. À côté, au 375 Carolwood, la maison où vécut Gregory Peck.

🎋 *La maison de Charlie Chaplin :* 1085 Summit Dr (angle Cove). On la distingue à peine à travers les arbres qui l'entourent. Construite en 1922 dans un style hispanique, elle fut surnommée « *the Breakway Home* », soit « la maison déglinguée », ou « la maison tout-fout-le-camp » !
Chaplin y vécut jusqu'en 1950. Puis la maison passa entre plusieurs mains, et notamment celles du dictateur philippin Marcos et du marchand d'armes saoudien Adnan Khashoggi, qui l'offrit à sa fille.

🎋 *La maison de Mary Pickford et Douglas Fairbanks :* 1143 Summit Dr. « Pickfair » (contraction des deux noms de ce couple de superstars du cinéma des années 1920 et 1930) était la plus célèbre demeure d'Hollywood à l'époque du muet. Mieux encore : Pickfair était l'adresse la plus connue des États-Unis, devant la Maison-Blanche. Cette vaste maison de 42 chambres fit rêver toute

> ### DE VRAIS CHARLOTS, CES CHARPENTIERS !
>
> *Afin d'économiser sur les travaux de construction, Chaplin fit appel aux charpentiers de ses studios, habituellement chargés de réaliser les décors des films. Ne sachant pas comment s'y prendre pour construire une structure solide et définitive, ils firent comme si c'était du provisoire. Résultat : Charlot était à peine installé dans son petit palace que des morceaux de stuc tombèrent du plafond, des éléments du plancher se mirent à craquer, des portes sortirent bizarrement de leurs gonds...*

l'Amérique. Malheureusement, elle fut vendue à la chanteuse Pia Zadora et à son époux, le milliardaire Meshulam Riklis. Une fois propriétaires, ils commencèrent par la démolir, au grand dam des associations de sauvegarde et de protection du patrimoine de Beverly Hills. Une maison de trois étages s'élève aujourd'hui à la place du nid d'amour de Mary Pickford et de Douglas Fairbanks.

🎋 *La maison de Bugsy Siegel :* 810 Linden Dr. Benjamin « Bugsy » Siegel fut surnommé « l'homme le plus dangereux d'Amérique ». À Los Angeles, dans les années 1930, il dirigeait le plus important réseau de jeux et de prostitution. Gangster mais visionnaire (il créa Las Vegas), il fut assassiné dans cette maison, louée par sa maîtresse, alors qu'il était paisiblement installé au salon. Voir le film *Bugsy,* avec Warren Beatty.

🎋 *La maison de Greta Garbo, David O. Selznick et Elton John :* 1400 N Tower Gr. Au sommet d'une des collines de Beverly Hills (angle Seabright Dr). Même si l'actuelle maison, sorte de manoir néofrançais avec deux lions en bronze devant la grille d'entrée, n'offre pas grand intérêt, la route sinueuse qui y monte à flanc de colline vaut vraiment le coup d'œil. Greta Garbo et son amant John Gilbert vécurent dans une maison de style hispanique, qui fut rachetée par David O. Selznick, le producteur d'*Autant en emporte le vent*, puis vendue bien plus tard au chanteur Elton John. Malheureusement, cette maison fut détruite en 1986 pour être remplacée par le pseudomanoir actuel. En contrebas, dans un des canyons, la villa de Cary Grant.

🎋 *La maison de Hugh Hefner :* 10236 Charing Cross Rd. « The Playboy Mansion » est une sorte de gros manoir de style british, abritant 23 chambres. C'est là que vit depuis 1971 Hugh Hefner, le fondateur de l'empire *Playboy,* le magazine de charme le plus lu dans le monde.

🎋 *Les maisons de Laurel et de Hardy :* toujours ensemble devant les caméras, Laurel et Hardy se quittaient pour se coucher, car ils habitaient séparément. Hardy (le gros) habitait au 621 Alta Drive (dans la partie basse de Beverly Hills), tandis que son copain Stan Laurel (le maigre) avait sa maison au 718 Bedford Drive.

🎥 *La maison d'Harold Lloyd :* le plus grand comique du cinéma, avant l'arrivée de Charlot, avait une superbe maison au 1225 Benedict Canyon.

🎥 *La maison d'Alfred Hitchcock :* 10957 Bellagio Rd.

🎥🎥 *Spadena House ou la maison de la Sorcière :* 516 N Walden Dr (angle Carmelita), dans le bas Beverly Hills. À ne manquer sous aucun prétexte. Encore un vestige de la grande époque du film muet ! Alors que toutes les baraques autour rivalisent d'opulence et de luxe, voici une maison de conte de fées, biscornue, tordue, de style vaguement bavarois, avec un insolite petit jardin entouré d'une haie de bois non moins anachronique. Elle ressemble à la maison de la sorcière dans *Hansel et Gretel*. À l'origine, cette étrange maison abrita les bureaux d'*Irvin Willat Productions* (jusqu'en 1926). D'après les spécialistes, on la verrait dans certains films muets des années 1920.
– *Autres célébrités vivant ou ayant vécu à Beverly Hills :* Kirk Douglas, Phil Collins, Elizabeth Taylor, Ronald Reagan (qui y vécut jusqu'à sa mort en 2004)...
– *Dans Benedict Canyon :* Mickey Rourke, Jacqueline Bisset, Eddie Murphy.
En 1969, Sharon Tate, la femme de Roman Polanski, fut assassinée alors qu'elle était enceinte de 8 mois, sur Cielo Drive, par Charles Manson.

🎥 *Bel Air :* un des quartiers les plus huppés de Beverly Hills. Y habitent Lionel Richie, Judith Krantz, Quincy Jones, Gene Wilder...
– *Plus loin, dans les Hollywood Hills :* sur Mulholland Dr, rendue célèbre par le film de David Lynch, on trouve une brochette de maisons de stars. Celles de Jack Nicholson au 12850, de Marlon Brando au 12900, ainsi que de Burt Reynolds et Sharon Stone. *Mulholland Drive* est très agréable à parcourir la nuit tombée, car elle offre un panorama superbe sur la ville toute illuminée (à conditions de ne pas se perdre dans le labyrinthe des petites routes qui partent à l'assaut des collines...)

🎥🎥🎥 *Armand Hammer Museum of Art and Cultural Center (plan couleur IV, M13, 232) :* 10899 Wilshire Blvd. ☎ (310) 443-7000. ● *hammer.ucla.edu* ● *Tlj sf lun 11h-19h (21h jeu, 17h dim). Entrée : 7 $; réduc ; gratuit le jeu et en été. Parking : 3 $ avec validation.*
Curieuse histoire que celle de ce musée. Armand Hammer (1898-1990), industriel qui fit fortune dans le pétrole, collectionneur d'art, ami de Lénine et membre du conseil d'administration du LACMA, s'apprêtait à léguer à ce dernier ses riches collections. Mais quand il sut qu'elles allaient être dispersées, il décida de créer son propre musée afin qu'elles conservent leur unité. Résultat : un imposant musée, construit en 1990 et dont l'architecture laisse beaucoup de visiteurs perplexes (elle est toutefois beaucoup plus intéressante à l'intérieur qu'à l'extérieur). Les collections sont estimées à environ 300 millions de dollars et présentent d'admirables chefs-d'œuvre.
On y trouve notamment des gravures et des lithographies : Jacques Callot, Hogarth, Dürer. Ainsi que la plus grande collection de caricatures d'Honoré Daumier exposée hors de l'hexagone. Des encres du Piranèse, les pages d'écolier de Chris Burden. Un mur entier voué à l'œuvre de Goya et représentant les désastres de la guerre.
En ce qui concerne la peinture : Bonnard, Renoir, Toulouse-Lautrec, *Les Paysans au repos* de Jean-François Millet, mais également Rubens, le Titien et *L'Homme au chapeau* de Rembrandt. Aussi Fantin-Latour, Cézanne, *Hôpital Saint-Paul à Saint-Rémy-de-Provence* de Van Gogh, qui s'oppose au *Jardin de presbytère à Nuenen* peint par le Maître, quatre ans auparavant. Enfin Gauguin, Monet, Ingres, Géricault, Degas *(Trois Danseuses en tutu jaune)*, Gustave Moreau (l'une de ses plus belles œuvres, *Salomé dansant devant Hérode*), Chardin, Boucher, Fragonard *(L'Éducation de la Vierge)*, Pissarro, Chagall *(L'Ange bleu)*, Mary Cassatt *(Reine Lefèvre et Margot)*, etc. Toutes ces œuvres tournent en permanence, car elles sont très sollicitées par les musées du monde entier.
Également de très prestigieuses expos temporaires, de nombreuses conférences toute l'année et des concerts de rock indépendant dans le patio en été. Enfin, une librairie fort bien fournie et relativement exhaustive de livres d'art à des prix tout à fait compétitifs.

🕯 *La dernière maison de Marilyn Monroe : 12305 5th Helena. Dans le quartier résidentiel de Brentwood, entre Sunset Blvd et San Vincente.* Seulement pour les fans de Marilyn, car la maison, située au fond à gauche de l'impasse, ne se visite pas. Il y a une grille noire couverte d'une bâche qui empêche de voir l'intérieur de la propriété. Seuls les grands pourront jeter un coup d'œil par-dessus la grille, en se hissant sur la pointe des pieds.
Le 5 août 1962, la célèbre actrice fut retrouvée morte, nue sur son lit, une main mystérieusement posée sur le téléphone. On pense aujourd'hui qu'il s'agit d'un assassinat par intraveineuse maquillé en suicide (dans son estomac, pas de trace des 47 cachets de Nembutal, un sédatif très puissant, qu'officiellement elle était supposée avoir avalés, mais on en a trouvé dans son sang... !).
La villa, plus humble que les luxueuses demeures de Beverly Hills, rappelle les mas provençaux avec ses tuiles et ses murs blanchis. C'est dans le petit bâtiment au fond à droite (la fenêtre de sa chambre se trouve à gauche de la porte couleur turquoise) qu'elle a été retrouvée morte. Elle avait 36 ans.

🕯 *La maison de l'affaire O. J. Simpson : 875 S Bundy. Au sud de San Vincente.* Nicole Simpson fut assassinée dans cette maison. Un crime qui a profondément ému l'Amérique et qui a jeté un (nouveau) doute sur sa justice. O. J. Simpson, ancien footballeur américain vedette, fut jugé devant deux tribunaux (ce qui est inconcevable en France). Il fut d'abord acquitté... puis condamné. Ron Goldman, l'ami de Nicole, assassiné avec elle, travaillait au restaurant *Mezzaluna,* 11750 San Vincente. Ils y prirent leur dernier dîner.

🕯 *La tombe de Marilyn Monroe : Westwood Memorial Park, 1218 Glendon Ave. À l'angle de Wilshire Ave et de Glendon, il y a 2 tours, la tour Oppenheimer et celle de la Wells & Fargo Bank. Juste après celle-ci, avant le deuxième immeuble sur la gauche, une voie mène au cimetière, îlot de calme caché derrière cette rangée de tours.* La tombe (en fait une simple plaque dans le mur) se trouve à gauche de l'entrée, après les trois premiers *sanctuaries of devotion.* Curieux : elle est à peine entretenue mais souvent recouverte de traces de rouge à lèvres, baisers envoyés pour l'au-delà par les admirateurs de la star.
Dans le même cimetière, tombe de Natalie Wood (sur la pelouse centrale, la plus fleurie). Y reposent également John Cassavetes, Billy Wilder, Truman Capote, Peter Lorre et Darryl F. Zanuck (simple plaque dans le gazon).

🕯🕯 *Museum of Tolerance (plan couleur IV, N14, 230) : 9786 W Pico Blvd.* ☎ *(310) 553-8403.* ● *museumoftolerance.com* ● *Dans le* Simon Wiesenthal Center. *Tlj sf sam et fêtes juives, 10h (11h dim)-17h ; horaires élargis en été ; dernière entrée 2h avt la fermeture. Entrée : 13 $; réduc. Env 2h30 de visite. Parking gratuit en sous-sol.* Né en 1993, ce musée est en fait une émanation du *Simon Wiesenthal Center,* organisme fondé en 1977 pour sensibiliser le public au problème global de l'intolérance. Sujet principal du musée : l'Holocauste. La visite commence au *Tolerancenter,* qui s'efforce, de façon interactive, de démonter la logique du langage de la haine. Nombreuses vidéos sur la discrimination raciale aux États-Unis, sur les derniers massacres au Rwanda ou encore (dans une pièce à part baptisée *Millennium Machine*) sur l'exploitation des femmes et des enfants dans le monde, sur la menace du terrorisme et la situation des réfugiés. Autour d'un *diner* des années 1950 reconstitué, les visiteurs sont invités à donner leur avis sur les limites du *free speech,* notion sacro-sainte en Amérique mais pas pour autant dénuée d'effets pervers, ainsi que le musée veille bien à nous le faire sentir... On entame alors la deuxième partie, qui retrace et explique l'Holocauste à travers toute une série de mises en scène et de documents audiovisuels (déconseillé aux moins de 12 ans). Très bien fait. Au début du parcours, on vous présente sur ordinateur, photo à l'appui, un enfant né dans les années 1930 et dont vous découvrirez le destin en fin de visite. Ceux qui désirent en savoir plus sur la Shoah iront ensuite faire un tour au *Multimedia Learning Center,* situé au 1er étage, où une trentaine d'ordinateurs répondent à de nombreuses questions. Également, sous vitrine, d'autres documents et témoignages du génocide, en particulier des lettres envoyées par Anne Frank et sa sœur Margot à leurs correspondantes américaines. Et dans son souci d'interagir avec le public, le musée invite quotidiennement des survivants de l'Holocauste à venir témoigner de leur expérience.

Une exposition intitulée « *Finding ourselves, finding our families* » explore la diversité de la nation américaine, à travers l'histoire personnelle de Carlos Santana, la poète Maya Angelou, le basketteur Kareem Abdul Jabbar, ou encore la patineuse Michelle Kwan.

The Paley Center for Media (*plan couleur IV, N13, 234*) : 465 N Beverly Dr. ☎ (310) 786-1000. ● *mtr.org* ● *Mer-dim 12h-17h. Entrée gratuite, mais on apprécie un petit geste.* Si vous avez toujours rêvé de voir le débat entre Nixon et J.F.K. ou les infos relatant la mort de Marilyn (on est à Beverly Hills après tout !) ou si votre cousin a participé au *Juste Prix* et que vous avez raté l'émission, ce musée, bâti par l'architecte Richard Meier, le même qui a conçu le Getty Center, permet de rechercher puis d'écouter ou de visionner plus de 145 000 émissions de TV, de radio et de pubs, en grande majorité américaines. Le ticket (gratuit) que vous prenez à l'entrée vous indique à quelle heure un poste de visionnage (45 disponibles) sera libre. Dans les différentes salles du rez-de-chaussée, des épisodes de séries diffusés à heures fixes, comme précisé sur le programme quotidien qu'on vous remet à l'entrée. Pour les « cathodiques pratiquants » !

University of California at Los Angeles (*UCLA ; plan couleur d'ensemble et plan couleur IV, M13*) : de Downtown, bus n° 21 (angle Wilshire Blvd et Flower St). Sur place, un RTD Shuttle *bon marché dessert les principaux centres d'intérêt. Pour les* campus tours *avec un guide, téléphoner au* ☎ (310) 825-8764. ● *ucla.edu* ● Fondée en 1929, d'abord constituée de quatre édifices qui forment son centre historique et entourent aujourd'hui la *Dickson Plaza.* Les *Powell, Kinsey, Royce* et *Haines Buildings* furent construits en brique, en style dit « romanesque ». L'architecte du Royce Hall s'inspira de la basilique Sant'Ambrogio à Milan, tandis que celui de la Powell Library copia le *duomo* de San Sepolcro à Bologne (ainsi que l'église San Zeno Maggiore à Vérone pour l'entrée principale). Aujourd'hui, c'est un immense campus délimité par les avenues Le Conte, Gayley, Hilgard et Sunset Boulevard.

Pour visiter l'UCLA, se garer au parking n° 3 *(8 $ pour la journée),* puis descendre tranquillement vers le *Sculpture Garden,* par le passage souterrain ou bien en longeant les bâtiments immergés dans une végétation dense de pins de Griffith, de cyprès d'Arizona et d'eucalyptus. Très odorant en été. Sur une pelouse qui fait face au McGowan Hall, plusieurs bronzes alanguis ou érigés entre les différents chemins d'eau et fontaines du jardin conçu par le paysagiste Ralph Cornell. On y trouve pêle-mêle des œuvres de Calder, Rodin, Miró, Matisse, Deborah Butterfield et Henry Moore.

Descendez ensuite vers le Dickson Court South, l'une des places ombragées par des arbres tortueux où se déroule la remise des diplômes en juin. Chaises blanches, colliers de fleurs coupées... Un peu plus loin, de la fontaine qui fait face à l'entrée du Royce Hall, belle perspective sur le stadium de l'université en contrebas.

– **Fowler Museum of Cultural History :** *à côté du Royce Hall.* ☎ (310) 825-4361 ● *fowler.ucla.edu* ● *Mer-ven et dim 12h-17h ; jeu 12h-20h. Entrée gratuite.* Un musée d'ethnographie et d'ethnologie. On y découvre une très remarquable collection de masques, totems, cimiers, parures et objets de culte africains. L'Inde est également bien représentée, ainsi que l'Océanie et la culture aztèque. Vous y verrez, entre autres, un étonnant calendrier divinatoire de Sumatra. Aussi des parures, des bijoux, et quelques ensembles et compositions rares, comme cette chevauchée de Don Quichotte, un mobile en papier mâché représentant des squelettes d'une étonnante légèreté, œuvre mexicaine de 1936. Dans une autre salle, remarquable collection d'argenterie, faïences et porcelaines. Les explications sont sommaires car tout a été conçu pour mettre en valeur le côté esthétique des objets. Le musée abrite également des expos temporaires. Vaut le coup d'œil pour tous ceux qui aiment les belles choses.

– Pour ceux qui disposent d'un peu plus de temps, plusieurs choses à voir, notamment de petites expos, comme au *Schœnberg Hall* (le conservatoire). Tout à côté, l'*Inverted Fountain* qui recrée l'atmosphère d'un torrent de montagne. Dans la *Wight Art Gallery (au nord du campus, dans le Dickson Art Center),* expos temporaires intéressantes *(lun-ven 9h30-21h30 ; entrée gratuite).*

🛏 **UCLA Guesthouse :** *330 E Young Dr.* ☎ *(310) 825-2923.* ● *guesthouse.ucla. edu* ● *Double env 140 $, dans un charmant cottage. Parking gratuit mais tt petit. Si vous êtes affilié, de près ou de loin, à l'UCLA et sur invitation slt. Petit déj, téléphone local, ordinateurs avec accès Internet et TV gratuits. Possibilité de se rendre à la piscine du campus et de profiter des nombreuses activités de l'université.*

🍴 À l'intérieur de l'*Ackerman Union Building,* plein de petits endroits où se sustenter, notamment le *Cooperage* (pizzas, *salad bar* et burgers) et le *Tsunami* (japonais) où l'on grignote pour moins de 6 $. Aussi un accès Internet payant, un distributeur de billets, une salle de billard, un coiffeur...

🛍 **Student's Store :** *situé dans l'*Ackerman Union Building *(B Level), sur Bruin Walk (ts les étudiants connaissent).* ☎ *(310) 825-7711. Ouv tlj.* Pour ceux qui pensent à leur rentrée universitaire. On y trouve de tout : matériel scolaire, calculatrices, films, T-shirts, bouquins, etc. À l'extérieur, le *Bruin Bear* (l'énorme ours), symbole de l'université, et le *UCLA Athletic Hall of Fame,* qui retrace toute son histoire sportive, ses succès, les grandes vedettes sportives, etc.

Pasadena *(plan couleur d'ensemble)*

Ville résidentielle très coquette au nord-est de Downtown, et l'avant-dernière étape sur la route du Pacifique pour les *riders* de la Route 66. Un lieu de villégiature agréable, où il est quelquefois plus pratique de séjourner quand on visite Los Angeles. Les *freeways* desservent Downtown et Hollywood en moins de vingt minutes (quand ça n'embouteille pas !). Avec de beaux musées, des jardins botaniques et un centre-ville animé jusque fort tard dans la nuit, c'est à coup sûr une destination à découvrir. En outre, la ville est réputée pour ses antiquaires et ses boutiques de déco. Tous les deuxièmes dimanches du mois *(9h-15h),* s'y déroule une mégabrocante, avec plus d'un million d'articles exposés : de la fripe, des bijoux, des reliques, des pièces de monnaie, des photos, des coquillages, tout un panel d'objets à faire baver les collectionneurs. À partir d'Hollywood, prendre la *freeway* 110 North, puis *exit 3b* en direction de Pasadena. Suivre Old Town, Orange Grove Ave, ou Fairoaks Ave.

Adresse utile

ℹ **Visitor Center :** *168 S Los Robles Ave. Juste en face de l'hôtel Hilton.* ☎ *(626) 795-9311. Lun-ven 8h-17h ; sam 10h-16h.* Nombreuses infos sur la ville et une kyrielle de *flyers* sur toutes les attractions du coin – il existe un *scenic tour* à faire avec sa propre voiture qui, des somptueuses villas ou des belles résidences, vous conduit dans les quartiers huppés d'Old Pasadena à San Marino. Pour celles et ceux qui rêvent de gagner au Loto...

Où dormir ?

De prix moyens à plus chic

🛏 **Saga Motor Hotel :** *1633 E Colorado Blvd, Pasadena.* ☎ *(626) 795-0431.* ● *the sagamotorhotel.com* ● *Double avec 2 Queen beds 120 $, petit déj inclus. Wifi et parking gratuits.* Un corps de bâtiments en L sur 3 niveaux caractéristique des motels construits dans les *sixties.* La couleur vieux rose et les palmiers lui donnent même un petit air tout à fait exotique. On se croirait à Marrakech. D'autant qu'une belle petite piscine invite à la baignade. Les chambres, propres, avec leurs fenêtres à claire-voie, sont agréables. Préférer celles du troisième avec vue sur la piscine. Bon accueil.

🛏 **Vagabond Inn** : 1203 E Colorado Blvd, Pasadena. ☎ (626) 449-3170. ● va gabondinn-pasadena-hotel.com ● Double avec 2 Queen beds 120 $, petit déj

inclus. Wifi gratis. Un motel classique à la sortie de la ville, mais pas trop éloigné du centre animé. Une cinquantaine de chambres propres, même si l'extérieur a un peu vieilli. Grand écran LCD, micro-ondes, frigo, cafetière, tout y est. La déco est soignée, tout en bois sombre, avec des estampes japonaises. Kitchenette dans certaines chambres. Préférer celles à l'étage. Petit piscine donnant sur la rue. Accueil correct.

Où manger ?

Bon marché

|●| **Barney's Beanery** : 99 E Colorado Blvd, Old Pasadena. ☎ (626) 405-9777. Tlj 7h30-2h. Lunch 9-18 $. Après Hollywood et Santa Monica, c'est le 3e du nom ! Au coude à coude dans les box ou, plus intime, dans l'impériale du bus garé à l'intérieur, calé face aux écrans géants qui « crachent » des clips ou des matchs de basket. Dans l'assiette, c'est du tout cuit : carte mexicaine, californienne, disons panaméricaine avec tacos, omelettes, burgers, Caesar salad, guacamole et fajitas, plus toutes les sauces pour se graisser les hanches. Une nourriture pas forcément facile à digérer, mais on vient surtout ici pour l'ambiance. Pas moins d'une quarantaine de pressions au bar et 170 canettes, c'est peu dire... Les queutards trouveront leur compte dans la salle de billard à l'étage. Bar plus intime au sous-sol. Théâtre sans cover charge le lundi. Un petit côté West Coast, tout ça !

|●| **Hurry Curry** : 37 S Fairoaks Ave, Old Pasadena. ☎ (626) 792-8474. Tlj 11h30-22h (23h le w-e). Happy hours

lun-ven 15h-18h, bière à 2 $ et appetizer itou, ça vaut le coup ! On mange très bien pour 15-20 $, moins si on se contente d'un plat. Petit resto clair et propret. Dans l'assiette, une cuisine japonaise à base de.... On vous le donne en mille ? De curry ! Bref, goûtez aux seafood spaghetti, arrosés d'une Sapporo, une bière nippone, un régal ! Service attentionné.

|●| **All Indian Café** : 39 S Fairoaks Ave, Old Pasadena. ☎ (626) 440-0309. Tlj 11h30-22h (23h le w-e). Vegetarian thali 14 $. Santokh Singh, le chef, est aussi le patron de ce véritable restaurant indien qui vous plongera illico dans les ambiances de la péninsule des Dieux. Murs en brique avec tableaux dont on appréciera la valeur artistique, nappe blanche sur les tables distribuées autour du bar-cuisine, ventilo. C'est comme à Delhi, mais disons, en plus nickel ! Excellente nourriture : thali, tandoori, mixed vegetables, cuisine veg' ou non-veg', de quoi s'en mettre plein la panse pour quelques roupies...

Prix moyens

|●| **Twin Palms** : 101 W Green St, Old Pasadena. ☎ (626) 577-2567. Prendre la Freeway 134, direction Pasadena ; sortie Orange Gr, à droite, puis 1re à gauche ; le resto fait l'angle de Green et de Delacey. Tlj 11h30-14h30, 17h-22h. Sunday brunch dim 10h30-14h. Plats env 12-15 $ le midi, lunch express 12 $ (2 plats) ; le soir, compter dîner pour 40-50 $. Une immense tente nomade brumisée en été, posée comme par magie sur 2 imposants palmiers. Éton-

nante métamorphose pour une ancienne station-service devenue aujourd'hui l'un des restos chic et relax de L.A. Plats très variés (excellent Pacific seafood hot pot), délicieuses pizzas et sandwichs bien garnis servis à toute heure. Côté desserts, on recommande chaudement le melting chocolate soufflé cake ou le dessert sampler, un assortiment des 4 desserts les plus réputés du resto (à partager à deux au moins). Jazz le jeudi ; le resto se transforme en piste de danse le week-end, on swingue jusqu'à 1h du mat. Brunch jazzy le dimanche.

|●| *Central Park Restaurant : 219 S Fairoaks Ave, Old Pasadena.* ☎ *(626) 449-4499. Sem 7h30-21h ; w-e 8h-22h. Comptez manger pour 20 $.* Un peu en retrait du centre, face à Central Park. Un resto agréable, meublé en bois sombre,

photos de stars courant en cimaise sur les murs. À l'évidence, un resto d'habitués. On vient ici pour la spécialité maison : la gaufre belge, une gaufre avec 2 œufs, un morceau de dinde ou une tranche de saucisson. Roboratif, une fois ! Autrement, cuisine américaine correcte et bien servie, on est déjà presque à la campagne et on a plus d'appétit !

Où manger une bonne glace ?

🍦 *21 Choices Frozen Yogurt : à l'angle de Colorado Blvd et Delancey Ave, Old Pasadena. Tlj 11h-23h (minuit le w-e).* Un petit côté désuet avec son grand comptoir en bois et ses mamies qui viennent tremper le bout de leur nez dans les échantillons que leur proposent les serveuses. Faites en autant, goûtez à tout ! Grand choix de parfums et *toppings* sucrés, fruités, aux céréa-

les. Un endroit qui a dû, à un moment donné, symboliser le futur, même si aujourd'hui on ne croit plus guère au mur de vidéos surannées installé au-dessus du comptoir !

🍦 *Piccomolo : 20 E Colorado Blvd, Old Pasadena. Tlj 11h-23h (minuit le w-e).* Un glacier italien dont la production n'est pas donnée mais riche et colorée. Excellentes glaces à la pistache !

À voir

🚶🚶 *Pacific Asia Museum : 46 N Los Robles Ave, Old Pasadena.* ☎ *(626) 449-2742.* ● *pacificasiamuseum.org* ● *Entrée 7 $; réduc. Parking gratuit avec validation.* En plein centre. Un musée créé à l'origine par une passionnée d'art oriental, Grace Nicholson, qui émigra de Philadelphie à Pasadena en 1901. En 1924, elle fit bâtir sa maison, mariant le style du grand Ouest à celui de la Chine. Elle y vécut au rez-de-chaussée, l'étage étant entièrement consacré aux objets qu'elle collectionnait. Décédée en 1948, sa maison abrite aujourd'hui l'un des quatre musées américains entièrement consacrés à l'Asie et aux îles du Pacifique. Plus de 7 000 pièces y sont exposées. La muséographie est très belle, et quand bien même les œuvres paraissent bien peu nombreuses, elles sont très bien restituées. La salle où est exposée la porcelaine de Chine est superbe. Admirez la finesse des détails. Belle collection d'objets en jade, dont une paire de boucles d'oreille ayant appartenu à la mère de la dernière impératrice (XIXe s). On trouve aussi des poteries vietnamiennes, coréennes, de l'art bouddhique d'Inde, de Thaïlande et d'Indonésie. Un très bel ensemble réunissant des œuvres du Japon, de Chine et du Tibet. Très remarquable bodhisattva du XVe s. De très beaux tangkas. Un cheval céleste datant de l'époque han, superbement mis en valeur. Accueille également des expos temporaires, notamment d'artistes influencés par l'art oriental ou d'héritage culturel du Levant. Belle petite boutique. Une visite rapide, mais qui vaut le coup d'œil.

🚶🚶🚶 *Norton Simon Museum : 411 W Colorado Blvd.* ☎ *(626) 449-6840.* ● *norton simon.org* ● *Pour s'y rendre en voiture de Downtown : remonter Alvarado St, puis emprunter la Hwy 2 (nord) ; sortir à W Colorado Blvd. Sinon, bus n° 483 depuis Olive St, entre 6th et 7th.* Ⓜ *Memorial Park (Gold Line). Tlj sf mar 12h-18h (21h ven). Entrée : 8 $; réduc ; gratuit pour les moins de 18 ans et pour ts le 1er ven du mois 18h-21h. Audioguides (anglais et espagnol slt) : 3 $. Parking gratuit.* Magnifique musée de peintures et de sculptures dans un superbe bâtiment entièrement rénové entre 1995 et 1998 par Frank Gehry. Pour la petite histoire, c'est l'ancien musée d'Art de la ville de Pasadena, premier musée d'Art contemporain de L.A., qui, en 1974, fit faillite, avant d'être repris par le richissime Norton Simon, homme d'affaires passionné d'art, qui avait déjà amassé un gros paquet d'œuvres et à qui il ne manquait plus qu'un endroit pour les exposer. Moins connu que le

MoCA (le musée d'Art contemporain) et que le County Museum of Art, mais il les vaut bien. Certains critiques vont même jusqu'à avancer que ses collections dépassent en qualité celles du Getty Center, ce qui n'est pas peu dire... Elles sont réparties sur deux étages.

– *L'étage inférieur* abrite un ensemble remarquable de sculptures d'Orient, principalement du sous-continent indien. Entre autres : un fragment de *stupa* indien du IIe s av. J.-C. (la plus vieille pièce du musée), un très beau bouddha en bronze du VIe s (appelant la terre à être témoin de sa victoire sur la tentation) et de nombreuses autres sculptures de la période *Chola*, l'âge d'or du bronze (si l'on peut dire) en Inde du Sud. Pas mal de figures en pierre aussi, comme ce krishna joueur de flûte (qui captivait, outre les vaches, les vachères), ce bouddha thaï (qui, contrairement au bouddha indien, sourit), ou encore ce Vishnu khmer.

– *Au rez-de-chaussée,* on trouve l'art européen du XIVe au XXe s, avec bien sûr quelques-uns des plus grands. La liste des œuvres est longue : une salle entière est consacrée à Rubens et au Greco, puis les thèmes bibliques se poursuivent avec la *Vierge à l'Enfant au livre* de Raphaël et une très belle collection d'icônes. Les XVIIe et XVIIIe s sont dignement représentés par Bruegel l'Ancien, des portraits exécutés par Rembrandt, des paysages de Claude Gellée, *La Cage aux oiseaux* de Fragonard, un portrait de cour de Goya et une magnifique peinture du plafond du palais Manin de Venise réalisée par Tiepolo. On poursuit avec une très belle collection de bronzes de Degas, sur son thème fétiche de la danse, ainsi que des pastels, et une pléthore d'artistes français (Cézanne, Redon, Pissarro, Monet, Toulouse-Lautrec, Renoir, Courbet, entre autres). Notez le portrait de sa mère peint par Van Gogh : le peintre s'est inspiré d'une photo noir et blanc, et comme il n'aimait pas l'absence de couleurs dans les photos à l'époque, sa chère maman est toute verte ! On termine par les artistes du XXe s, avec les cubistes Picasso et Braque, des sculptures de Maillol, une *Vendeuse de fleurs* de Diego Rivera, un *Paysage exotique* du Douanier Rousseau... Ne manquez pas non plus le petit Kandinsky vraiment remarquable, ainsi que le magnifique Modigliani aux tons rougeoyants. À voir aussi : le *Basel Mural* de Sam Francis, un des trois grands tableaux réalisés par l'artiste pour remplir de lumière et de couleurs la cage d'escalier du *Kunsthalle* de Bâle. Pour les amoureux de la nature, le musée possède aussi, depuis sa restauration, un splendide jardin conçu, pour rester dans les tons, d'après celui de Monet à Giverny.

★★★ *Huntington Library and Art Gallery :* 1151 Oxford Rd. ☎ (626) 405-2100. ● huntington.org ● *D'Old Town Pasadena, prendre le Colorado Blvd jusqu'à Allen Ave, puis à droite et toujours tt droit, c'est au bout de la route. Tlj sf mar 12h-16h30 ; w-e, juin-août et pdt les vac 10h30-16h30. Entrée : 15 $ (20 $ le w-e et pdt les vac) ; réduc ; gratuit le 1er jeu du mois. Parking gratuit.*
Un formidable espace culturel créé par un businessman de haut vol, Henry Huntington (1850-1927). On y trouve une bibliothèque de livres rares avec pas moins de quatre millions d'ouvrages (!), une expo sur l'histoire américaine, un musée (peinture, mobilier français du XVIIIe s) ; enfin, de magnifiques *jardins botaniques* : jardins tropical, japonais, du désert (des centaines de cactus, en tout), plus de 15 000 plantes du monde entier. C'est parti pour la visite !
Dans un parc copieusement arrosé l'été, un ensemble de bâtiments de style *Greek revival* admirablement intégré au paysage. Végétation d'essences méditerranéennes ou tropicales – euphorbes, bambous, succulentes –, mais aussi de remarquables sujets, tels que magnolias, catalpas, albizzias, jacarandas, faux poivriers, chênes des Amériques, etc. La visite commence par l'*Huntington Mansion,* à la très belle scénographie (*audioguide en anglais 3 $*) : une parfaite harmonie d'œuvres d'art, d'objets de la vie courante, dont mobilier et vaisselle du XVIIIe s.
Dans la grande bibliothèque du rez-de-chaussée, superbes boiseries ripolinées, marqueteries vernies au tampon, remarquable tapisserie d'après François Boucher (1703-1710), puis dans le hall, des œuvres de Thomas Gainsborough, un artiste visiblement très apprécié de la famille. La visite se poursuit dans la *Drawing Room,* puis dans la salle à manger décorée d'un inévitable portrait de Washington et de mobilier du XVIIIe s. Admirer dans le boudoir, un chiffonnier table-à-encas de Nicho-

las Petit, une horloge de Joseph-Léonard Roque avec émaux de Barbezat (XVIIIe s). Belle collection de tabatières. Dans la *Thornton Portrait Gallery,* le remarquable *Blue Boy* de Gainsborough (1770), une commode en palissandre marquetée de Pierre Langlois, avec fermoirs en bronze.

À l'étage, les collections de peinture : Dubigny, Corot *(Le Pêcheur remontant son filet),* Louis Breton *(Les Dernières Moissons),* Turner *(Le Grand Canal à Venise),* Fragonard *(L'Amour dans les buissons),* François Boucher, Watteau *(La Danse paysanne).* Enfin, on évitera les mauvaises blagues avec *La Femme à plumes* de Rembrandt. Beaucoup de peintres britanniques, aussi. Très belle collection de bois de la Renaissance italienne ; entre autres, Lorenzo di Credi, Domenico del Ghirlandaio. Une salle entière dédiée aux porcelaines des lumières, de Sèvres notamment. Noter le très élégant secrétaire-en-cabinet de Bernard Molitor, le maître ébéniste de l'époque. Les amateurs d'instruments de musique ne seront pas en reste : belle épinette en *mahogany* de Jacob Kirkman (début XVIIIe s), ainsi qu'une harpe du XVIIIe. Bref, un ensemble très harmonieux.

Dans la **Huntington Library,** la bibliothèque donc, la visite commence par l'histoire de la conquête et de l'indépendance du pays. Mais les bibliophiles et autres amateurs de beaux livres apprécieront un très bel ouvrage d'Audubon présentant pas moins de 400 espèces d'oiseaux et plantes des Amériques. Les philosophes auront un petit pincement au cœur en regardant la page manuscrite extraite de *Walden,* de Thoreau, et celle de *Martin Eden,* de Jack London. Plus loin, une lettre originale de Charlotte Brontë à William Smith, un autoportrait de Bukowski, la *Lettre à Christopher* de Isherwood, la 1re édition du *Léviathan* de Hobbes (1651), l'édition originale de *Beaucoup de bruit pour rien* (1600) de Shakespeare, ou encore la Bible de Gutenberg imprimée à Mayence en 1455. À coup sûr, une visite à ne pas manquer.

Les extérieurs ne manquent pas de piquant, notamment le *Desert Garden,* avec sa profusion d'euphorbes, de cactus et d'aloès, ainsi que toutes variétés de plantes succulentes (dites « grasses »). Aussi un très beau parc et un remarquable jardin japonais (attention, ferme de bonne heure).

Le hall n° 1, en cours de rénovation depuis quelque temps, rouvrira ses portes fin 2009. Il est entièrement consacré à la peinture américaine.

Compter une bonne demi-journée de visite. Sur place, une boutique et de quoi se sustenter.

Glendale (plan couleur d'ensemble)

À voir

🏃🏻 *Le cimetière de Forest Lawn :* 1712 S Glendale Ave. ☎ 1-800-204-3131. ● forestlawn.com ● Tlj 8h-17h. Depuis la Freeway n° 5 (direction Sacramento), prendre la Freeway n° 2, direction Glendale ; sortie San Fernando, puis Glendale Ave. C'est avant tout un très grand parc agréablement vallonné qui offre un très beau panorama sur la ville de L.A. Un grand bol d'oxygène garanti ! Pas du tout morbide, bien au contraire, la plupart des tombes se résument à des plaques en fonte posées à même le gazon. Les familles viennent y pique-niquer, les amoureux tenter quelques rapprochements interlopes... Possibilité d'y circuler en voiture. Toutefois, par respect pour les familles des défunts, le personnel du cimetière n'est pas autorisé à vous indiquer l'emplacement exact des tombes.

– Près du *Freedom Mausoleum,* Walt Disney, Sammy Davis Jr, ainsi que la prêcheuse évangéliste Aimée Semple MacPherson, qui s'y est fait (paraît-il) enterrer avec un téléphone et une ligne en état de fonctionnement... Près du Freedom Mausoleum encore, la tombe d'Errol Flynn : on dit qu'il a été enterré avec six bouteilles de whisky. Reposent ici également Tex Avery, Bette Davis ainsi que Stan Laurel, sans son Hardy !
– À l'intérieur du *Freedom Mausoleum,* urnes funéraires d'Alan Ladd, Nat King Cole, Clara Bow, Chico et Gummo Marx (Gummo était l'agent des Marx Brothers).

– Tout en haut, dans le *Court of Freedom,* voir la reproduction de la célèbre œuvre de Trumbull, *La Signature de la Déclaration d'indépendance,* en mosaïque (700 000 petits morceaux et 1 500 coloris !).

– Noter aussi, sur la terrasse du *Great Mausoleum,* le vitrail de *La Cène,* d'après Léonard de Vinci, exposée toutes les 30 mn de 9h30 à 16h. À l'intérieur, on peut également voir les plaques funéraires de Clark Gable et de sa femme Carole Lombard (une crypte à droite, la plus éloignée du vitrail de *La Cène*), ainsi que celle de David O. Selznick, le producteur d'*Autant en emporte le vent.* Superbe vitrail.

– Enfin, le *Forest Lawn Museum* abrite pas mal d'œuvres et objets, comme *The Song of the Angels* de Bougereau et une collection de toutes les pièces de monnaie mentionnées dans la Bible !

Universal Studios Hollywood *(plan couleur d'ensemble)*

🎭🎭🎭 👫 *Au nord d'Hollywood.* ☎ *(818) 622-3801.* ● *universalstudioshollywood. com* ● *Pour y aller de Downtown ou de Hollywood/Highland, prendre le métro (Red Line) direction North Hollywood et descendre à « Universal City ». En voiture : prendre, à l'angle d'Hollywood Blvd et Highland Ave, la 170 puis la 101 N, sortie Universal City ou Universal Studios. Compter un bon quart d'heure.*
Horaires d'ouverture variables selon saison : tlj 9h ou 10h-20h ou 21h. Fermé à Noël. Entrée : 64 $; 54 $ pour les enfants mesurant moins de 1,20 m (certaines attractions ne leur sont pas autorisées) ; gratuit pour les moins de 3 ans. Le Front of the Line Pass *permet de griller ttes les files d'attente, à un prix exorbitant : 139 $! Et 199 $ pour le pass VIP ! Parking 13 $. Mais vu les embouteillages et au point où vous en êtes, utilisez le valet parking (22 $ maxi). Pas d'attente et vous vous garez juste devant l'entrée. Comptez une bonne journée de visite.*
Deux conseils : en été, y aller dès l'ouverture et de préférence en semaine, histoire d'éviter la cohue. Et évitez d'y amener de trop jeunes enfants, les attractions étant surtout destinées aux plus de 10 ans.
Construit à côté des « véritables studios », ceux où l'on tourne pour de vrai, *Universal Studios Hollywood* est avant tout un parc à thème, qui permet d'expérimenter de nombreuses attractions basées sur des films célèbres et, plutôt accessoirement, de voir comment on monte les décors, réalise des trucages, etc. La visite vous donnera néanmoins l'occasion de voir une partie des vrais studios (notamment les décors extérieurs) en faisant, assis dans un petit train, le *Studio Tour.*
Les studios *Universal* furent créés en 1915 et la visite organisée, instituée pour dynamiser la firme, commença en 1964. De nouvelles attractions ont vu le jour, et le parc, peu à peu, a pris forme. La dernière en date, le *Simpsons Ride* (un simulateur bien fichu) a été conçu pour concurrencer *Six Flags Mountain,* un peu plus au nord. Un parc qui connaît une vraie réussite puisque, depuis sa création, il a accueilli plus de 90 millions de visiteurs.
Il comprend trois parties : le *Upper Lot,* le *Lower Lot* et le *Back Lot* (tour des studios). On vous conseille de vous précipiter (c'est le mot) sur les attractions en contrebas *(Lower Lot),* puis de monter faire le *Studio Tour* qui parcourt les studios (véritable ville de hangars immenses, de rues et quartiers reconstitués), et de terminer par le *Upper Lot.* Vous ferez de toute façon la queue à un moment ou à un autre, mais un peu moins dans cet ordre.

Où manger ?

En dehors des adresses qui suivent (et qui sont à l'intérieur du parc), il existe tout plein d'endroits où grignoter un morceau, à l'extérieur comme à l'intérieur des *Studios.* Pour sortir puis entrer à nouveau, se faire « tatouer » la main.

Certains restos du parc (notamment les deux qui suivent) participent à l'offre « *All you can eat* » : pour 25 $ par adulte et 15 $ par enfant, vous pouvez manger toute la journée (de toute façon, il n'y a que ça à faire, vu les files d'attente)... Seule la boisson n'est pas comprise. Le *pass All you can eat* peut être acheté soit à l'entrée du parc, soit dans les restos participants.

|●| **Mel's Diner :** *dans Upper Lot. Env 12-15 $/pers.* Célèbre *diner* style *fifties*, pour d'ordinaires burgers et de crémeux milk-shakes. La quintessence de l'Amérique !

|●| **Jurassic Café :** *dans Lower Lot. Au moins 12 $.* Au choix, pizza, burger, poulet ou chinoiseries à manger de préférence dehors, au milieu de la végétation luxuriante de l'attraction du même nom.

À voir

Lower Lot

– **Jurassic Park :** cette attraction a coûté la bagatelle de 110 millions de dollars, soit 2 fois plus que le film de Spielberg ! On navigue à bord d'un grand radeau parmi les dinosaures et autres monstres préhistoriques qui ont l'air bien vivants. Une sono de 10 000 watts délivre les rugissements d'un *Tyrannosaurus rex* de 45 t qui fonce mâchoires ouvertes vers vous. Le final vous garantit un grand frisson... on ne vous en dit pas plus. Protégez vos appareils photo et caméscopes (des cirés sont vendus à l'entrée de l'attraction), ça mouille beaucoup !

– **Backdraft** (« *le retour de flamme* ») **:** trois salles pour vous expliquer les trucages du cinéma et vous faire vivre un spectaculaire incendie à l'intérieur d'un entrepôt. Pas de chance, c'est un entrepôt de gaz et d'essence et vous êtes à l'intérieur ! Déconseillé aux moins de 10 ans.

– **Special Effects Stages :** ce show de 30 mn dévoile quelques-unes des techniques utilisées pour créer toutes sortes d'effets spéciaux ; on apprend ainsi que le sang dans la scène mythique de la douche, dans *Psychose* d'Hitchcock, était en fait du sirop au chocolat. Les animateurs font participer le public, l'occasion ou jamais pour certains de se voir un peu acteurs !

– **Revenge of the Mummy, The Ride :** ce *Roller Coaster* (« *montagnes russes* ») absolument démentiel vous emmène dans le monde magique et mystérieux de la momie. Vos affaires doivent être mises dans un *locker,* c'est dire si ça secoue, surtout en arrière ! À réserver aux plus grands, bien sûr.

Back Lot

C'est l'endroit où se trouvent les studios proprement dits, que vous aurez l'occasion de frôler à bord d'un wagonnet (nous vous conseillons de vous placer à gauche, si possible) en faisant le *Studio Tour* (départ du *Upper Lot*). Au programme : pas mal de décors extérieurs, dont le motel Bates et la maison de *Psychose,* un Boeing 747 explosé de *La Guerre des mondes,* les maisons de *Desperate Housewives,* le décor de *Jurassic Park* et de *King Kong.* Laissez-vous entraîner, mais ne vous fiez pas trop au train-train de ce petit train-là. En chemin, vous pourriez bien vous retrouver en plein tremblement de terre à San Francisco, face à King Kong ou coincé dans le tombeau de la Momie. On ne vous en dit pas plus... il faut bien ménager l'effet de surprise ! Les commentaires, pour peu qu'on comprenne l'anglais et que l'on ait quelques références sur les séries télévisées américaines, sont très bien faits. Avec un peu de chance, vous pourriez apercevoir le tournage d'un feuilleton télévisé ou d'une séquence de film.

– Au sortir du *Studio Tour,* d'autres superbes attractions vous attendent...

Upper Lot

– **Shrek 4D :** l'effet 3D et le siège dynamique rendent cette attraction assez sympathique. Shrek y poursuit Lord Farquois qui a enlevé sa femme, la princesse Fiona. Effets spéciaux en pagaille. Muni de lunettes pour voir en relief, vous en prendrez plein la vue !

– **Terminator 2-3D :** calé dans votre fauteuil et lunettes 3D sur le nez, vous allez vous retrouver au cœur de l'action. Schwarzy sort de l'écran pour se battre à vos côtés et vous voilà plongé dans un monde hostile et apocalyptique ! Effets spéciaux impressionnants et particulièrement réussis.

– **The Simpsons Ride :** on vous installe dans une petite voiture, avec la famille Simpson en goguette dans le parc d'attractions Krustyland. Dommage pour vous ! C'est un parc low-cost, tenu par Krusty le Clown... Hilarant ! Ça secoue dans tous les sens, avec quelques petites surprises en cours de route. Notre attraction préférée.

– **Water World :** d'après le film de Kevin Costner. Effets spéciaux assez impressionnants. Les jours de grande affluence, s'y pointer au moins 30 mn avant si l'on veut avoir une place. Tout y est : les méchants, ces fameux *smokers* à la recherche de Dryland, et les gentils. Impressionnant cascades sur l'eau dans un décor de fin du monde de haute tenue. L'atterrissage de l'hydravion est ahurissant. Attention aux éclaboussures, certaines places sont très arrosées (la *soak zone,* les premiers rangs) !

– **House of Horrors :** dans le château de Dracula, une sorte de train fantôme sans train (et donc à pied !), avec de vrais acteurs qui surgissent des coins sombres. Des frissons et des cris pour les plus jeunes.

– **The Blues Brothers :** ils arrivent bruyamment dans leur voiture, puis concert en extérieur reprenant les vieux tubes du duo légendaire.

– D'autres attractions, comme **Universal's Animal Actors** : des animaux de films (et un peu de cirque, il faut bien le dire) démontrent leurs talents. Beaucoup ont à leur crédit un joli petit nombre de films, presque de quoi faire envie à certains comédiens humains. Très bien avec ou sans enfants. Les plus sensibles à la cause animale se réjouiront d'apprendre que la plupart des quadrupèdes montrés ont été recueillis dans des refuges, et qu'un programme de retraite leur est même réservé !

– Il y a aussi des **spectacles à heure fixe,** d'où de longues files d'attente l'après-midi (mais qui se résorbent assez vite). Les horaires sont précisés sur les dépliants disponibles à l'entrée. Notre préféré reste *Fear Factor Live.*

– Enfin, à chaque coin de rue, vous pourrez tomber sur Groucho Marx, Marilyn Monroe, Frankenstein, Charlot, Shrek, Dracula, etc.

Warner Bros. Studios *(plan couleur d'ensemble)*

🏃 *À Burbank. Entrée au 3400 Riverside Dr, Gate 6.* ☎ *(818) 972-8687.* ●*warnerbros. com/vipstudiotour ● De Hollywood Blvd, prendre la 101 vers le nord puis Barham Blvd, à droite avt d'arriver à Universal City ; c'est tt au bout, à env 2 miles. En bus, prendre le n° 163 E à Hollywood/Highland et descendre au croisement de Hollywood Way et de Riverside Dr. Ouv tte l'année, lun-ven. Visites guidées ttes les 20 mn, 8h20-16h. Résa par Internet ou par téléphone « first come, first served » : arrivez donc de bonne heure. Durée : 2h. Entrée : 45 $. Âge min : 8 ans. Parking : 5 $. Aussi une visite plus exhaustive mais plus chère : le* Deluxe Tour *(une seule par jour), qui se fait en bus et à pied. Départ à 10h20. Prix : 150 $. Autre conseil : préférez le lun ou jeu, y'a moins de monde !*

Très différent de *Universal Studios Hollywood* : ne s'agit nullement d'un parc d'attractions mais de la visite pure et simple des studios de la *Warner Bros.,* enfin, ce qu'on veut bien vous en montrer. Fondée par quatre frères, en 1929, la *Warner,* outre les longs métrages, produit beaucoup d'émissions pour la TV en *prime time.* Pour la petite anecdote, c'est elle qui a réalisé le premier film parlant de l'histoire, *The Jazz Singer,* l'année même de sa création (ça commençait très fort !).

La visite débute par un clip très court sur les différentes productions de la *Warner.* Ensuite, par voiturette de 12 personnes, on embarque pour le tour des studios, qui, à vrai dire, est bien décevant et ne justifie pas le déplacement, et encore moins le prix. En fait, cela dépend énormément du guide qui vous accompagne. Pour nous, ce dernier se contentait de pointer du doigt les immenses hangars où sont tournés films et séries télévisées, sans qu'on puisse y pénétrer ni prendre de photos. Sous prétexte d'une sécurité accrue depuis les attentats du 11 septembre 2001, la visite est plus que fliquée, avec même l'obligation d'enfermer sacs et appareils photo dans le coffre de la voiturette. L'autre grand regret que laisse cette visite est que l'accent est surtout mis sur les productions télévisées de la *Warner*, en l'occurrence un tas d'émissions inconnues en France, à part *Urgences* (long arrêt devant l'entrée de l'hôpital) et *Friends*. Vous pourrez vous faire photographier sur le fameux canapé de la série.

Une grande exposition se tient annuellement, toujours très ludique, ayant pour thème le film important de l'année. Toujours très complète, cette expo reprend des objets créés pour les différents tournages, met en scène les décors des films... En général, les enfants adorent !

La visite se termine par le musée, encore une fois essentiellement consacré à la TV. Pas un mot sur les dessins animés ni sur les films *Warner*. Télévores, vous y trouverez peut-être votre bonheur ; cinéphiles, passez votre chemin !

> **INITIALS W.B.**
>
> *On raconte que Jack Warner avait l'habitude de rabattre le caquet de ses détracteurs en pointant les lettres W.B. sur la grande citerne et en leur demandant : « C'est le nom de qui, là ? » Pas de chance, un jour ce fut Warren Beatty qui s'opposa ouvertement à sa volonté. Jack Warner, montrant la citerne du doigt, le questionna donc : « C'est le nom de qui, là ? » « C'est peut-être votre nom, répondit Warren Beatty, mais ce sont mes initiales ! »*

➤ *PLUS LOIN, AU NORD DE LOS ANGELES*

👥 🎿 ⛷ *Six Flags Magic Mountain :* à 35 miles au nord-ouest du centre de Los Angeles. ☎ (661) 255-4100 ou (818) 367-5965 (depuis L.A.). ● sixflags.com ● Prendre la Freeway 405 N (qui devient ensuite la 5 N) jusqu'à la sortie Magic Mountain Parkway. Aussi possible d'y aller en bus Graylines. De Memorial Day au Labor Day, juin-début sept : tlj 10h30-20h (minuit sam) ; le reste de l'année, ouv le w-e et pdt vac scol, avec des horaires variant selon l'affluence. À proscrire le w-e, car les temps d'attente sont... longs. Tarifs : 60 $; 30 $ enfant et senior. Meilleur plan : un ticket acheté en ligne = un gratuit. Pensez aussi à prendre les coupons de réduc dans les hôtels (certains couvrent jusqu'à 6 pers d'une même famille). Sinon, tarifs parfois vraiment intéressants sur leur site internet. Bien noter son parking (15 $, au passage !) et prendre les navettes gratuites qui conduisent jusqu'au parc. Un parc aux attractions assez folles, qui, en tout cas, cumule les records ! Quelques exemples : le *Revolution,* premier looping géant de l'histoire, le *Colossus,* la plus rapide montagne russe en bois de l'Ouest, le *Viper,* sans oublier le *Goliath,* d'une hauteur vertigineuse, le *Déjà-Vu,* qui effectue une boucle à la verticale, ou encore le *X,* qui vous fera subir des pirouettes comme vous n'en avez sans doute jamais fait... Ne pas manquer non plus *Superman The Escape,* un wagonnet qui accélère de 0 à 160 km/h... en 7 s pour se hisser jusqu'à la hauteur d'un immeuble de 41 étages ! Dernière attraction en date, *Tatsu* est le *Roller Coaster* le plus haut, le plus long et le plus rapide au monde, qui vous promet de vous faire voler « à la vitesse de la peur » pendant 3,30 mn. Également un village artisanal, une tour d'observation de 117 m, un *Showcase Theater* où se produisent des vedettes de variété, et l'on en passe. Si vous voulez expérimenter la descente du Colorado en bateau, faites aussi les *Roaring Rapids* : très chouette, mais qu'est-ce que ça mouille ! Certainement une des attractions qui génère le plus d'adrénaline. Cela dit, *Scream* n'est pas mal non plus : le principe du *Roller Coaster,* sauf que vous n'êtes pas dans un train mais sur un siège suspendu, les pieds dans le vide.

– À côté, **Six Flags Hurricane Harbor** propose 25 jeux d'eau très prisés des (grands) enfants, avec des toboggans tous plus déments les uns que les autres. Tentez le *Black Snake Summit,* le plus haut de Californie, le *Bamboo Racer,* le *Tor-*

nado ou encore le *Reptile Ridge.* Maillot de bain indispensable. *Mai-sept, tlj 10h-20h. Tarifs : 30 $ adulte ; 21 $ enfant et senior ; billet combiné pour les 2 parcs 70 $. Parking : 15 $.*

ANAHEIM (DISNEYLAND ET DISNEY'S CALIFORNIA ADVENTURE)

IND. TÉL. : 714

À 25 miles au sud-est du centre de Los Angeles *(plan couleur d'ensemble).*

Comment y aller ?

En transports publics

De Downtown, la solution la moins chère consiste à prendre le bus n° 460, sur 6th St. Env 1h30 de trajet. Billet : un peu plus de 4 $. Le bus vous dépose à Harbor Blvd, en face du parc. Il est possible de faire la route plus rapidement en prenant le train de Union Station (Downtown) à Fullerton, puis le bus n° 43 jusqu'à Disneyland, mais c'est plus cher *(env 14 $)*, vous devez changer et vous ne gagnerez, au mieux, que 30 mn.

En voiture

Prendre Santa Ana Freeway (la n° 5) et sortir à Disneyland.

Adresse utile

i *Discount Tickets & Tours :* 1650 S Harbor Blvd. ☎ 714-490-6100. ●discount ticketandtours.com ● Tlj 8h-22h. Infos sur tout ce qu'il y a à voir et à faire dans *Orange County* et au-delà. S'y procurer le plan d'Anaheim et, si vous n'avez pas de voiture, celui du réseau d'autobus *OCTA,* qui dessert toute la zone et les environs. Une centrale d'achat qui vend des tickets pour les parcs d'attractions à prix discount, certains à demi-tarif *(20 $ de réduc sur l'entrée pour Six Flags Mountain,* par exemple). Fait également bureau de change..

LE MAGIC KINGDOM DE DISNEYLAND

ONCE UPON A TIME... DISNEY STORY

Comme toutes les stars, Mickey est descendu du ciel à Hollywood en 1928. Au départ, ce n'était pas un personnage de B.D., comme on l'a souvent pensé. Mickey est d'abord un héros de dessin animé. À noter qu'il fut second rôle jusqu'aux années 1940 ; plus tôt, c'était plutôt Pluto la vedette. Disney n'était pas un dessinateur exceptionnel. Très vite d'ailleurs, il s'arrêta de dessiner. Car c'était avant tout un homme d'idées, à la fois pour les concevoir, puis pour les faire réaliser. Sa première idée de génie fut de donner aux visages de ses héros des expressions reflétant de manière toute simple leurs émotions et leurs sentiments.

La légende veut que Disney ait recueilli une petite souris qu'il appela Mortimer. Sa femme le poussa à la débaptiser pour la dénommer Mickey, nom moins ronflant (ce qui ne l'empêcha pas, plus tard, d'être contre le nom de Donald pour le canard...). Bref, pour faciliter le travail des dessinateurs, Mickey se compose de ronds : les oreilles, la tête, les yeux... jusqu'aux boutons de culotte. De même n'a-t-il pas de poils ! Plus tard, les psychanalystes décèleront dans ces rondeurs un signe d'humanité et de sympathie (le rond évoque la femme, les fruits...). Félix le Chat, avec ses oreilles en pointe, est plus dur, plus agressif. Pas toujours très courageux, Mickey a l'héroïsme du brave homme. Il fuit devant Pat Hibulaire, mais n'hésite pas à défendre l'honneur de Minnie. Timide avec les filles, Mickey bénéficie toutefois d'une noblesse de caractère qui le fait ressembler étrangement au personnage de Charlie Chaplin. Un exemple pour les enfants. Et un personnage fréquentable.

Très vite, Disney crut en l'avenir du parlant. *Steamboat Willie* (que l'on peut voir à Disneyland) est le premier dessin animé doté d'une piste sonore synchronisée. Peu de gens savent que la voix nasillarde de Mickey n'était autre que celle de Walt Disney *himself*.

Autre trait de génie, Disney inventa le marketing et les études de marché avant la lettre. Il invitait son équipe au cinéma et faisait projeter son dernier dessin animé devant un public. On notait les réactions dans la salle. Une dis-

UNE SOURIS POUR SAUVER L'EUROPE

Saviez-vous que Mussolini avait interdit tous les comics *américains sauf Mickey ? En revanche, dès le début des années 1930, les nazis considérèrent Mickey comme « l'expression de l'idéal le plus méprisable jamais révélé à la face du monde ». Est-ce pourquoi le mot de passe des Alliés, le 6 juin 1944, au Débarquement, était « Mickey Mouse » ? Difficile à dire...*

cussion s'ensuivait à la sortie pour essayer de voir pourquoi certains gags fonctionnaient, d'autres non.

À Disneyland, lorsqu'un enfant demande à parler à Mickey au téléphone, l'opératrice répond d'une façon désolée qu'« il est malheureusement en train de faire la sieste ». Pour les lettrés, il est bon de savoir qu'« entuber » se dit en argot américain *to make somebody Mickey Mouse*...

En ce qui concerne les autres vedettes, Disney pilla tout simplement les personnages de contes pour enfants, tombés dans le domaine public. *Cendrillon* fut empruntée à Charles Perrault, *Alice au pays des Merveilles* à Lewis Carroll, *Pinocchio* à Collodi, *Mowgli* à Kipling, le *Capitaine Nemo* à Jules Verne et, plus récemment, *Le Bossu de Notre-Dame* à Victor Hugo.

Walt Disney est mort d'un cancer du poumon le 15 décembre 1966, à l'âge de 65 ans. Disneyland avait ouvert ses portes 10 ans plus tôt (on a célébré son cinquantenaire en 2005 !) et, en 1971, Disneyworld (Floride) fut inauguré.

Depuis 2001, Disneyland a un petit frère, le nouveau parc d'attractions Disney's California Adventure, situé juste à côté. Comme son nom l'indique, il a plus particulièrement pour thème la Californie.

Les tarifs

N'oubliez pas qu'Onc' Picsou tient la caisse et que l'entrée est chère (seuls les moins de 3 ans ne paient pas). Mais on n'a rien sans rien ! Même tarif pour les deux parcs (Disneyland et Disney's California Adventure), mais il faut choisir entre les deux car l'entrée de l'un ne donne pas accès à l'autre. Si vous ne disposez que d'un jour, on vous conseille plutôt Disneyland, tout simplement parce qu'il est plus grand et qu'il y a plus d'attractions (on en a plus pour son argent, quoi !)...

– *Single Day Theme Park Ticket :* 66 $; 56 $ pour les 3-9 ans. Un jour, un parc.
– *1-Day Park Hopper Ticket :* 91 $; 81 $ pour les 3-9 ans ; réduc. Possibilité de naviguer d'un parc à l'autre pendant une journée, mais ne pas oublier de se faire tamponner.
– *2-Days Park Hopper Ticket :* 132 $; 112 $ pour les 3-9 ans. Donne accès aux 2 parcs d'attractions sans restriction pdt 2 j. Même formule pour 3 j. à 169 $; 139 $ pour les 3-9 ans (attention quand même à l'overdose !).

Infos préliminaires

– Si vous ne logez pas suffisamment près du parc pour pouvoir vous y rendre à pied (voir plus haut, dans Los Angeles, « Où dormir ? » à Anaheim), prévoyez 12 $ pour le parking.

– Consignes à l'entrée : 7 $. Possibilité aussi de louer pour 8 $ des poussettes (*strollers*) pour les tout-petits et des chaises roulantes.

– Objets trouvés : à gauche de l'entrée de Disney's California Adventure, à côté des *Guest Relations*.

– ARCHI-IMPORTANT : évitez à tout prix d'y aller le week-end ou pendant les périodes de vacances américaines (renseignez-vous pour les dates), les parcs sont pleins à craquer ; plusieurs heures de file d'attente. Mieux vaut aussi, d'une manière générale, éviter l'été (juin-sept).

– *Horaires :* en été, tlj 8h-minuit (les guichets ouvrent 30 mn plus tôt pour mieux résorber la file d'attente) ; Disney's California Adventure, tlj 10h-21h. En dehors de cette période, horaires variables, disponibles au ☎ (714) 781-4565 (répondeur en anglais). Pour avoir quelqu'un en ligne : ☎ (714) 781-7290. Enfin, pour tt type d'infos sur les 2 parcs : ● disneyland.com ●

– ATTENTION : en basse saison, qui commence avec le Labor Day (le 1er lun de sept), Disneyland est ouv 9h-20h slt et Disney's California Adventure 10h-18h. Plus de parade, et certaines attractions sont fermées ; mais les prix restent les mêmes...

– *Le super tuyau :* si vous venez quand même en été, tâchez d'être là 30 mn avant l'ouverture puis, sitôt l'entrée franchie, de faire au pas de course les attractions les plus visitées (c'est stressant chez Mickey !). En commençant par la gauche : *Indiana Jones, Pirates of the Caribbean, The Haunted Mansion, Big Thunder Mountain Railroad, Matterhorn Bobsleds* et, enfin, *Space Mountain.* Vous gagnerez facilement 2-3h de file d'attente. Ensuite, quand les visiteurs commencent à affluer, allez vers les attractions les moins visitées, comme le *Liberty Square Riverboat* ou la *Tom Sawyer Island.*

– Penser aussi à utiliser le système *Fast Pass* qui permet de réduire l'attente aux attractions en réservant gratuitement son passage dans l'une d'elles (mais attention, certaines attractions ne fonctionnent pas toute l'année, d'autres ne sont ouvertes que le w-e en hiver, bien se renseigner). À *Disneyland,* ce système s'applique aux attractions suivantes : *Space Mountain, Splash Moutain, Indiana Jones Adventure, Big Thunder Mountain Railroad, Autopia, Buzz Lightyear Astro Blasters* et *Roger Rabbit's Car Toon Spin.* À *Disney's California Adventure,* il s'applique à *Grizzly River Run, Soarin' Over California, California Screamin', Mulholand Madness* et *Tower of Terror.*

Le principe est simple mais futé : on passe les tourniquets de la file d'accès *Fast Pass* (située à l'entrée de l'attraction), on introduit son billet d'entrée dans une machine, et l'on récupère un ticket *Fast Pass* indiquant l'heure à laquelle on peut se présenter à nouveau à l'attraction. Naturellement, l'effet n'est pas immédiat. Il faut bien attendre 1 à 2h avant de pouvoir revenir à l'attraction. À l'heure dite, il suffit d'emprunter directement la file *Fast Pass.* En général, on accède en quelques minutes à l'attraction. On vous conseille donc de retirer votre *Fast Pass* dès votre arrivée, surtout si vous ne restez pas la journée entière. Savoir cependant qu'on ne peut pas cumuler de tickets *Fast Pass* : il faut avoir utilisé celui qu'on a pour pouvoir en obtenir un autre. Malin, Mickey ! En plus de ça, le système n'est pas cumulable entre les deux parcs, il vous faudra donc un *Fast Pass* pour Disneyland et un autre pour Disney's California Adventure (une véritable pompe à fric, cette souris !) !

– Si vous voulez sortir en cours de journée (pour aller faire une sieste à l'hôtel, par exemple), c'est possible, mais bien veiller à demander un *re-entry stamp* gratuit à la sortie (et conservez votre ticket de parking si vous êtes en voiture).

– Enfin, de nombreuses attractions parmi les plus anciennes ont été reprises à Disneyland Paris (*Space Mountain, Haunted Mansion, Big Thunder Mountain Railroad, Buzz Lightyear, Tower of Terror...*) : pour ceux qui seraient déjà allés à Marne-la-Vallée, il est probable que le parc aura un air de déjà-vu...

Où dormir ?

Voir, dans le chapitre consacré à Los Angeles, « Où dormir ? » à Anaheim, où nous vous indiquons une série de motels pas trop chers, ainsi qu'une agréable auberge de jeunesse à Fullerton. À noter que le seul hôtel situé dans le parc même (à Disney's California Adventure) est le *Grand California Hotel*. Un vrai chef-d'œuvre d'architecture en bois, notamment pour l'immense hall et sa gigantesque cheminée. Bon, vraiment peu de chances de pouvoir y séjourner, vu les prix (on n'ose même pas vous les donner !) mais, si vous avez des amis qui y sont, allez y jeter un œil !

Où manger ?

Les possibilités ne manquent vraiment pas, tant à l'intérieur des parcs qu'en dehors. Si vous comptez rester dans le parc, sachez tout de même qu'il est interdit d'y introduire de la nourriture et des boissons (on s'en doutait !) ; ce qui n'empêche pas la plupart des visiteurs d'en apporter discrètement dans leur sac. Une aire de pique-nique est toutefois installée à côté de l'entrée principale et les habitués du Coke et du *burger* les trouveront aux mêmes prix qu'ailleurs.

LE SUD DE LA CALIFORNIE

À Disneyland

|●| Si vous avez quelques dollars en trop (environ une trentaine, quand même !), allez manger une salade ou un des plats à tendance cajun au *Blue Bayou*, à New Orleans Square. La salle de resto est à l'intérieur de l'attraction *Pirates of the Caribbean*. On se retrouve dans une plantation de Louisiane, sous une nuit étoilée comme on n'en a jamais vu. Éclairage très romantique à la bougie *[résa conseillée : ☎ (714) 781-4565, ou en passant en début de journée, car le lieu est très prisé]*.

À California Adventure

Plus de restos qu'à Disneyland (pourtant, le parc est plus petit). Fruits frais au Farmer's Market à Bug's Land.

|●| *Ariel's Grotto :* tlj jusqu'à 21h. Entrée (salade ou soupe) + plat 20-30 $. Choisir parmi les *fish and chips* ou les lasagnes, ou bien encore le sandwich au saumon. On déjeune ou l'on dîne sur le ponton qui donne sur le lac. Très agréable et rafraîchissant, avec une vue imprenable sur les eaux exagérément bleues du lagon.

|●| *California Zephyr :* à Golden State, en entrant sur Sunshine Plaza. Muffins, croissants, gâteaux env 5-6 $. Un wagon d'un train de la fameuse *Western Pacific* transformé en grignoterie avec le quai de gare en guise de terrasse.

|●| *The Wine Country Trattoria :* env 12-15 $. On passe devant un mini-vignoble pour accéder à la terrasse, bien au calme. Pâtes, paninis et salades à manger dans un environnement vraiment agréable. Des dégustations de vin sont également organisées avec petit grignotage en prime. Un autre type d'attraction, en somme.

En dehors des parcs

|●| *Rainforest Café :* 1515 S Disneyland Dr. ☎ (714) 772-0413. Tlj jusqu'à 23h ou minuit. Résa conseillée. Plats au moins 15-25 $. Impossible à rater ! C'est l'énorme temple maya de Downtown Disney, le district piéton situé entre les 2 parcs. Le décor recrée – excusez du peu – l'environnement de la forêt tropicale, dans laquelle un orage éclate toutes les 25 mn, et les animaux s'animent toutes les 10 mn ! Le problème, c'est qu'il y a tellement de monde qu'on n'entend rien du tout. On dirait une giga-cantine de maternelle dans laquelle on aurait donné des porte-voix aux enfants ! Côté nourriture, c'est l'usine, il y a en moyenne 200 personnes qui attendent en permanence sur le trottoir. Y aller seulement pour voir qu'on a bien fait de pas y aller !

|●| *California Pizza Kitchen :* 321, W Katella Ave, à l'entrée du Gardenwalk. ☎ (714) 991-0305. Tlj jusqu'à 23h. On casse la croûte pour moins de 20 $. Cer-

tainement « le moins pire » de tous les restos des environs. On y sert une cuisine californienne très convenable, variée et goûteuse, qui change des burgers, *fish & chips* et autres plats tout juste décongelés ailleurs. En plus de ça,

les portions sont généreuses. Personnel efficace et souriant.

⊛ *WalGreens* : *à l'angle de Beach Blvd et de Chapman Ave.* Un supermarché ouvert 24h/24, pour se nourrir à moindres frais.

À voir

Disneyland

🕴🕴🕴 🕴 La *Guide Map* gracieusement offerte par Disneyland dresse la liste intégrale des attractions.

Pour bâtir les superbes maisons qui longent *Main Street*, on a utilisé la « perspective forcée », technique très employée pour les décors de cinéma. Ainsi, les 2e et 3e étages sont de plus en plus petits pour accroître l'impression de chaleur et d'intimité. Déjà les Grecs avaient découvert ce procédé pour la construction du Parthénon !

– Sur Main Street, une petite salle de cinéma projette sur 6 écrans *Steamboat Willie,* le premier dessin animé de Walt Disney, créé en 1928. Un monument historique. D'autres petits chefs-d'œuvre également.

– Juste à l'entrée à droite, *Disneyland : the first 50 magical years,* sur l'histoire du parc.

> **POUR DE FAUX !**
>
> *Au cœur du parc se dresse l'emblème et le point de mire de tous les parcs Disneyland, le fameux château de Cendrillon. Contrairement aux apparences, il n'est pas construit en pierre mais en fibre de verre.*

– *Space Mountain* (Fast Pass) : *à Tomorrowland.* Un modèle de perfection en matière d'effets spéciaux, qui vous emmène dans un voyage intersidéral mouvementé. Attaché aux commandes d'un vaisseau spatial, on est propulsé à une vitesse formidable (jusqu'à 45 km/h) au beau milieu d'une nuit bleutée éclairée par une pluie terrifiante de météorites. Véritables montagnes russes dans l'espace.

– *Star Tours :* voyage dans l'espace sur un siège dynamique. Création de George Lucas. Assez tourmenté, comme le précise le *warning* à l'entrée. Beaucoup de monde aussi.

– *Pirates of the Caribbean :* à *New Orleans Sq.* Décors superbes, d'autant qu'ils ont été entièrement refaits suite au succès du film du même nom avec Johnny Depp et Orlando Bloom. Vous voilà parti sur une barque dans le monde des corsaires. Il fait nuit. Jack Sparrow est recherché ; personne ne le voit, sauf peut-être vous. Une tête de mort vous délivre un message inquiétant, juste avant le grand plongeon ; puis les coups de canon fusent, et vous voici pris dans une bataille navale rangée.

– *Haunted Mansion :* à *New Orleans Sq.* Ne manquez surtout pas de répondre à l'invitation de tous ces fantômes et morts vivants. Installé dans une petite voiture, vous déambulerez dans l'enfilade des couloirs obscurs et des pièces diaboliquement poussiéreuses. Les fantômes dansent. Le vampire, bon enfant, sucerait volontiers votre sang. Les cris succèdent aux grondements, les spectres aux vampires, jusqu'au frisson suprême provoqué par la valse lente d'une dizaine d'hologrammes extraordinaires réunis pour un bal morbide.

– *Indiana Jones Adventure* (Fast Pass) : une des grandes attractions du parc, à Adventureland. On embarque dans une sorte de grosse jeep qui vous mène dans le dédale de ce maudit temple de l'Œil-Interdit. Coulées de lave, flèches empoisonnées, vermine, serpents menaçants, chutes de pierres... le parcours est semé d'obstacles... comme dans le film de Spielberg. Assez génial !

– *Jungle Cruise :* le monde mystérieux de la forêt tropicale. Rien ne manque : animaux sauvages, vilains indigènes, etc.

– *Big Thunder Mountain Railroad* (Fast Pass) : à *Frontierland.* Il s'agit d'une course folle à bord d'un petit train type *Far West,* qui crache une fumée ne piquant pas les yeux. À toute allure, on parcourt des tunnels au fond des mines pour resurgir dans un village du temps de la ruée vers l'or. Le tout dans un joli décor de montagnes aux roches rouges.

– Toujours à Frontierland, pour vous replonger dans l'atmosphère de cabaret des films de cow-boys série B, il faut assister au **Golden Horseshoe Stage,** un spectacle gratuit avec des cow-boys musiciens, dans une salle climatisée. Très prisé. *Réserver sa place dès le mat pour l'ap-m. Shows en principe à 11h15, 13h, 14h35, 16h et 17h15 (mais les horaires changent souvent).*

– **Mark Twain Riverboat :** balade à bord d'un *steamboat* du Mississippi (fixé sur des rails).

– **Splash Mountain** *(Fast Pass) :* à *Critter Country. Roller Coaster* sur un tronc d'arbre qui circule le long d'une rivière bordée d'automates... Le final est mémorable (comme l'atteste la file d'attente). À 11h, un jour de semaine, déjà 1h de queue.

– Ne pas oublier, pour les plus jeunes, les très belles attractions qui leur sont spécialement dédiées, comme **It's a Small World** (vraiment enchanteur). Sans oublier celles qui permettent de rentrer dans leurs histoires préférées comme *Peter Pan, Pinocchio, Dumbo, Blanche-Neige* (cette dernière est un peu décevante, et effrayante pour de petits enfants).

– **Conclusion :** celui qui est persuadé que Disneyland ne vaut que pour les enfants se fourre le doigt dans l'œil. Certains adultes s'y amusent vraiment ! (sic !)

Disney's California Adventure

🎭🚶 Un parc à thème ouvert par Disney en 2001, mais indépendant de Disneyland.

Entièrement consacré au Golden State (la Californie), il se divise en trois sections : *The Golden State* bien sûr, *Paradise Pier* et *Hollywood Pictures Backlot.* L'entrée donne le ton, avec son *mini-Golden Gate Bridge,* emblème de San Francisco. Au centre, un espace rocailleux d'où émerge le corps d'un ours de pierre, symbole de la Californie. Tout autour, bien délimités, les trois *districts* précités.

Quelques mots sur les attractions les plus spectaculaires ou les plus réussies sur le plan technique :

Au Golden State

La plupart des baraques en bois rappellent l'épopée des pionniers, des premiers petits ports et des conserveries de la côte sud californienne. C'est la Californie de Steinbeck et de Kerouac... revisitée par Disney.

– **Soarin' Over California** *(Fast Pass) :* attaché comme dans un ULM, on vous emmène dans un voyage visuel (en Imax dynamique) qui survole en rase-mottes les plus beaux paysages de Californie. Impressionnant, car on a vraiment le sentiment d'être dans les airs. Alternent sous vos mirettes côtes rocailleuses, plages infinies, Yosemite, Los Angeles, San Diego, Napa Valley, le Golden Gate... Sensas !

– **Grizzly River Run** *(Fast Pass) :* installé comme sur une grosse chambre à air équipée de sièges, on descend des rapides qui éclaboussent singulièrement. Prévoir un vêtement de rechange ou un imperméable très couvrant. Amusant car l'environnement est plutôt bien reconstitué, avec mini-geysers, végétation, vieille mine désaffectée avec sa roue à aubes.

– **It's Tough to be a Bug :** on s'enfonce dans une fausse caverne souterraine comme pour vivre la vie d'un insecte. Le spectacle en 3D met en scène l'insecte vedette du film *1001 Pattes,* présentant quelques-uns de ses amis qui, évidemment, n'en font qu'à leur tête. Un mélange extra d'effets 3D, de personnages automatisés, de sensations réelles et mêmes olfactives et fumigènes. Beaucoup d'humour et un (tout petit) peu de frayeur.

– **Golden Dreams :** un film d'environ 15 mn sur l'épopée de la Californie, racontée par Whoopi Goldberg. Si les images sont belles, il faut bien connaître l'anglais pour saisir l'histoire qui nous est racontée là. Historiquement, le film permet assez bien de comprendre les grandes étapes de la merveilleuse épopée californienne, mais on regrettera que les Indiens soient traités en 20 s, que le mouvement *beat* et hippy se réduise à une évocation très fleur bleue, etc. Cela dit, on apprend quand même des trucs sur les chercheurs d'or, la naissance de L.A., l'industrie du cinéma...

– *Redwood Creek Challenge Trail :* pour les plus petits. Structure en bois permettant toutes les fantaisies (passage d'obstacles, traverse de ponts, escalade...).

– *The Twilight Zone, Tower of Terror (Fast Pass) :* on se retrouve plongés dans la *Quatrième Dimension* (la série télévisée !) dans un ascenseur de vieil hôtel californien qui ne tourne pas rond et qui a même tendance à descendre un peu vite les étages. À faire à jeun.

À Hollywood Pictures Backlot

Remarquable reconstitution d'une rue de L.A. qui rend hommage au cinéma en général et à Hollywood en particulier. La rue se termine par un étonnant trompe-l'œil. On a savamment mélangé les styles paquebot, Art déco, *diner's,* etc. Du bel ouvrage. Souvent un groupe de musique ambulant et des personnages de Disney qui s'animent.

– *Disney Animation :* plusieurs animations réunies en un espace, concernant le travail de la B.D. Décorticage de la création d'un *character (Drawn to animation)* où un vrai dessinateur dialogue avec son futur personnage. Dans *Art of Animation,* galerie de dessins originaux des plus fameux personnages de Disney. *The Animation Screening Room* retrace les différentes étapes de la création d'un dessin animé. Bien fait. Et puis dans le *Sorcerer's Workshop,* on cherche à vous identifier à un personnage sur ordinateur.

– *Jim Henson's Muppet Vision 3D (Fast Pass) :* un excellent spectacle en 3D où *Kermitt la Grenouille* présente justement le principe de la dimension. Évidemment, rien ne se passe comme prévu. Vraiment drôle. On retrouve dans les loges les deux vieux du *Muppet Show.*

– *Hyperion Theater :* spectacle 5 fois/j. Grande salle de spectacle où est présenté un *show live.* Danse, chant, musique, ayant pour thème l'amitié, l'amour ou le courage.

Au Paradise Pier

Ensemble d'attractions qui s'organise autour d'un grand plan d'eau tentant de rappeler les atmosphères balnéaires. Aux âmes non sensibles, on conseillera le *California Screamin' (Fast Pass),* des montagnes russes qu'on parcourt dans des wagonnets propulsés de 0 à 55 miles en moins de 5 s. Dans le même ordre d'idées, le *Maliboomer* vous propulse sans préavis à la verticale. Plusieurs autres manèges plus tranquilles pour les enfants.

Downtown Disney

L'artère piétonne située juste entre les deux parcs. Très américain, avec des édifices aux couleurs acidulées et, bien sûr, une foule de boutiques où acheter un tas de trucs parfaitement inutiles et chers. À noter, entre autres, le *House of Blues* et le *Rainforest Café* (voir plus haut « Où manger ? »).

➤ DANS LES ENVIRONS DE DISNEYLAND

La compagnie *Coach USA Sightseeing* assure deux liaisons quotidiennes (en principe à 8h et 11h) entre Disneyland et Buena Park, où se trouvent les autres attractions d'Anaheim *(Knott's Berry Farm, Movieland Wax Museum...).* Sinon, on rappelle aux non-motorisés que le *Discount Tickets & Tours* en face de Disneyland donne le plan du réseau de bus desservant tout Orange County *(Octa Bus System Map).* Très bien fait et très pratique.

LE SUD DE LA CALIFORNIE

🚶 🧍 *Knott's Berry Farm* (plan couleur d'ensemble) : 8039 Beach Blvd, à Buena Park. ☎ (714) 220-5200. ● knotts.com ● Au sud de la Santa Ana Freeway, à 10 km de Disneyland. En été, tlj 10h-22h (23h sam) ; hors saison, ouv à 10h, fermeture variable 18h-22h selon les j. Entrée : 50 $ (25 $ après 16h) ; 19 $ pour les 3-11 ans. Parking : 9 $.
Sur près de 61 ha, encore un parc d'attractions qui remplit bien son rôle avec tout plein de restos et de magasins, et attire une clientèle assez populaire. Divisé en six sections : *Ghost Town, Fiesta Village, The Boardwalk, Camp Snoopy* (pour les plus petits), *Wild Water Wilderness* et *Indian Trails.*
Le plus drôle est cette étonnante *Ghost Town* (ville de chercheurs d'or abandonnée). Tout y est : saloon, gare de chemin de fer, *trading post,* armurier, maréchal-ferrant, prison, et même hôtel de passe ! On peut chercher de l'or, visiter une mine et entreprendre un circuit sur un vieux chemin de fer à vapeur (avec embuscades !). Cocasse, le musée de l'Ouest : photos d'époque, pépites d'or, ustensiles de cowboys, armes à feu, etc. Le village indien est, quant à lui, assez affligeant : sacrifié sur l'autel du folklore à la mode beauf, on y trouve d'authentiques *teepees, hogans,* chants et danses traditionnels... Parmi les attractions vedettes : le *Ghostrider* (un grand-huit en bois), *Perilous Plunge,* la descente de rapides la plus haute et la plus raide du monde (quasiment la taille des chutes du Niagara) et le *Supreme Scream* qui vous propulse en 3 s à 80 km/h...
🍽 Plusieurs restos : le mieux et le moins cher est sans conteste le **Fireman's Brigade BBQ.** On y mange des grillades (assez grasses) dehors, sur de grandes tables.

🚶 🧍 *Crystal Cathedral* : 12141 Lewis St, à l'angle de Chapman Ave, à quelques minutes au sud de Disneyland. De la Freeway 5, on aperçoit cette extraordinaire cathédrale tout en verre et haute de 70 m. Elle a coûté la modique somme de 17 millions de dollars. Construite en 1980, à l'initiative de Robert Schuller, le pasteur le plus célèbre des États-Unis. Tous les dimanches, ses prêches sont retransmis par des dizaines de chaînes de TV pour près de 20 millions de téléspectateurs. « *If you can dream it, you can do it* », telle est la devise de ce gourou des temps modernes (c'est presque la même que *Nike*). Vraiment une église par comme les autres avec ses bassins d'eau qui s'avancent vers la scène (ou l'autel, comme vous voulez), et des pans entiers de ses murs qui s'ouvrent l'été pour faire rentrer le ciel à l'intérieur de l'édifice (plus près de toi, Seigneur !). Bluffant ! En plus de ça, l'acoustique est exceptionnelle. Assistez à une messe le dimanche (9h30 et 11h), c'est du grand spectacle : mise en scène hollywoodienne, anges qui s'envolent, etc. Sinon, concerts d'orgue pratiquement tous les jours à 12h.

🚶 *Air Combat USA* : 230 N Dale Pl, à Fullerton (nord d'Anaheim). ☎ (714) 522-7590 ou 1-800-522-7590. ● aircombatusa.com ● Tlj 9h-17h. Après un briefing pour les consignes de vol, les apprentis *Top Gun* s'offrent une virée avec des pros et vont connaître toutes les émotions d'un pilote de chasse. Bien sûr, on n'expédie pas un missile sur l'adversaire, mais un rayon laser qui, lorsqu'il fait mouche, déclenche un fumigène. Toutes ces fortes émotions coûtent cher, vous vous en doutiez : de 1 200 à 2 000 $ (!) suivant les options (le droit de tirer un ou deux missiles, avec variantes dans les figures : chandelles, tonneaux, etc.). À la carte, quoi ! À la fin, les nouveaux Tom Cruise repartent fiers comme des bars-tabacs avec la vidéo de leurs exploits (comprise dans le prix).

SUR LA ROUTE ENTRE LOS ANGELES ET SAN DIEGO

LONG BEACH (plan couleur d'ensemble)

Où manger ?

Le meilleur plan pour manger à Long Beach, c'est d'aller à *Shoreline Village.* Une sorte de village de pêcheurs reconstitué, certes très touristique, mais très agréable avec ses maisons en bois coloré, ses pontons et de beaux bateaux à quai. On y trouve quelques bons petits restos, mais aussi des snacks et des bars pour acheter quelques sandwichs et les manger sur le pouce face à la marina. Sur Broadway, on trouve également quelques restaurants.

|●| *Parker's Lighthouse* : 435 Shoreline Village Dr, Shoreline Village. ☎ (562) 432-6500. Tlj 11h-15h, 17h-22h ou 23h. Compter manger pour 40 $, moins de 20 $ si on se contente d'une salade. C'est le resto aux toits rouges à l'extrémité des pontons. Se présenter au *desk* pour être placé. À l'intérieur, dans de grands volumes en noir et blanc, on retrouve les ambiances « d'avant le départ », du temps où la *Cunard* expédiait ses passagers à l'autre bout de la terre. En terrasse sur la marina, pour toile de fond le *Queen Mary I*. Dans l'assiette, rien d'exceptionnel, on vient pour y manger du poisson, une douzaine d'huîtres accompagnée d'un verre de sauvignon, d'un blanc sec néo-zélandais ou du comté de Sonoma. Essayer le *Chopped Salad*, vous nous en direz des nouvelles ! Service agréable.

|●| *Ambrosia Café* : 1923 E Broadway, Long Beach. ☎ (562) 432-1098. Tlj midi et soir jusqu'à 23h. Salades et plats 10-12 $; on mange bien pour moins de 20 $. Mike est grec et il est fier de sa cave. Maria est aux fourneaux et elle est fière de sa popote. Un resto méditerranéen comme là-bas, dis ! Cuisine moyenne-orientale, tendance végétarienne avec tofu, taboulé, falafels, mais aussi du filet mignon et du pigeon farci. En terrasse face à l'œnothèque copieusement fournie en vins grecs, italiens, français, chiliens, californiens ou en salle pour un dîner aux chandelles sans casser sa tirelire. Live jazz tous les soirs en été. Bonne ambiance.

|●| *Claire's at the Museum* : 2300 E Ocean Beach Blvd, Long Beach. ☎ (562) 439-2119. Mar-ven 11h-15h ; sam-dim 8h-17h. Sandwich 12 $, plats 15-17 $. Un agréable petit resto pour déjeuner, attenant au musée des Arts. L'endroit est superbe. Quelques tables en teck réparties autour d'une fontaine en terrasse avec pleine vue sur l'océan. Dans l'assiette, des sandwichs ou des pâtes. Essayer la *Museum Work of Art*, une *bruschetta* aux calamars frits, servie avec des épinards frais et des artichauts.

Où boire un verre ?

Le meilleur plan, c'est soit de traîner sur Broadway (nombreux bars et pubs, aussi des boîtes), soit d'aller à *Shoreline Village*.

▼ |●| *Spring Bok Bar & grill* : 423 A Shoreline Village Dr, Shoreline Village. ☎ (562) 437-3734. Tlj 11h-23h (plus tard le w-e). Happy hours 15h-18h. Un *bar & grill* créé à l'initiative de 3 Sud-Africains amateurs de ballon ovale. On s'installe au bar, devant les écrans plats, ou en terrasse face aux voiliers de la marina, pour un burger, une escalope sur une salade ou une viande grillée. Ambiance typique des marinas de l'hémisphère sud. Blues en live (tous les mer à 21h30), jazz ou *jamsessions* (ven-sam). Karaoké endiablé certains soirs.

▼ |●| *Yard House* : 401 Shoreline Village Dr, Shoreline Village. ☎ (562) 628- 0455. Tlj 11h-23h (plus tard le w-e). Happy hours le dim 22h-minuit. Un barresto qui tire son nom d'un verre à bière de 3 pieds de long que s'enfilaient les conducteurs de diligence après leur journée de travail. Paraît que ça les requinquait ! *Yard House* affiche clairement ses intentions : la plus grande sélection de bières à la pression du monde ! En effet, autour d'un bar elliptique, plus de 240 manettes (173 marques de bières différentes). À vous d'essayer. Autrement, gentil brouhaha le soir, plus calme le midi pour un lunch les pieds dans l'eau. Dans l'assiette, cuisine californienne classique. On vient surtout ici pour l'ambiance !

À voir

🐾 *Queen Mary* (plan couleur d'ensemble) : 1126 Queen's Hwy. ☎ (562) 435-3511 ou 1-800-437-2934. ● queenmary.com ● À 25 miles du centre de L.A. De

Downtown, prendre le métro (la Blue Line) jusqu'à la station « Transit Mall ». En voiture, suivre la 710 vers le sud et sortir à Queen Mary. Tlj 9h-18h. Entrée : 25 $, 33 $ pour la formule en First Class Passage qui comprend le show, la visite du Queen *et celle du sous-marin russe ; réduc. Parking : 3 $ la 1re heure, 12 $ au-delà (attention, ne perdez pas votre ticket, ou il vous en coûtera 85 $!).*

Il fut longtemps le plus grand paquebot transatlantique jamais construit... jusqu'au lancement du *France*, puis de son successeur, le *Queen Mary 2*. Mis à l'eau en 1934, le navire fut acheté par la ville de Long Beach en 1967 et aménagé en musée de la Navigation et en hôtel de luxe. De son passé, si intimement lié aux Années folles, demeure le souvenir de ses illustres passagers : Churchill, Clark Gable, Greta Garbo, etc.

Reconstitution de scènes d'époque grâce à des personnages en cire : jeune couple au resto, salle de jeux du navire... Plusieurs scènes rappellent la Seconde Guerre mondiale, lorsque le *Queen Mary* fut réquisitionné pour le transport des troupes. On visite des cabines, la salle des commandes. L'*Observation Bar* est un chef-d'œuvre Art déco. Ne pas manquer non plus la piscine ni la salle des machines. Possibilité de dormir dans l'une des 307 cabines aménagées en chambres d'hôtel style Art déco *(à partir de 120-150 $, avec ou sans hublot extérieur)*. On peut également y bruncher le dimanche, dans une ambiance raffinée *(9h30-14h ; env 40 $ quand même)*. Amarré le long du paquebot, un sous-marin russe est aussi ouvert au public. Compter 11 $.

⚓ **Long Beach Museum of Art :** *2300 E Ocean Blvd.* ☎ *(310) 439-2119.* • *lbma. org* • *Tlj sf lun 11h-17h. Entrée : 7 $; réduc ; gratuit jusqu'à 12 ans et ts les ven.* Situé dans une demeure historique de 1912 dominant la mer. Peinture contemporaine, expos temporaires et vidéos. Les expos permanentes ne concernent que la céramique et sont présentées au rez-de-chaussée. Notez la très belle réalisation de Rudy Autio intitulée *The mad woman of sulfur springs,* ainsi que de très belles porcelaines du céramiste Paul Mathieu. La villa d'à côté fait également partie du musée, c'est très agréable d'y venir déjeuner (voir plus haut « Où manger ? »).

🎎 **Shoreline Village :** *près de Downtown et du* Convention Center, *un peu après l'*Aquarium of the Pacific. *Parking 2h30 pour 1 $ avec validation ; sinon, 8 $.* Une reconstitution de village de pêcheurs avec ses baraques en bois de toutes les couleurs, qui abritent des magasins de souvenirs et des restos. Location de vélos. L'été, concert de *latin jazz (ts les ven et sam soir 19h-22h)* au *Melodrama Theater & Music.*

🎎👪 **Long Beach Aquarium of the Pacific :** *100 Aquarium Way.* ☎ *(562) 590-3100.* • *aquariumofpacific.org* • *Pas loin du* Queen Mary. *Tlj sf Noël et le w-e du grand prix de Long Beach (en avr), 9h-18h. Entrée : 21 $; enfant 12 $; réduc. Parking juste en face : 7 $.* Ce bel aquarium, situé au bord de l'océan, est entièrement consacré au Pacifique. Dans le hall d'entrée, une énorme baleine bleue et son baleineau nagent au-dessus des visiteurs. Une des attractions qui fonctionnent le mieux : la fosse où l'on voit évoluer les lions de mer et les otaries. Mais c'est sans conteste le lagon aux requins qui attire les foules. Comme dans tous les bassins, vous avez la possibilité de voir évoluer les animaux par-dessous ou au-dessus. Quelques beaux spécimens de nourrice, scie, tigre, zèbre, bambou, sans compter les roussettes et les peaux bleues. Sur le côté, la raie, plutôt câline, que l'on s'amuse à caresser. De temps en temps, quelques amateurs s'égosillent pour tenter de donner quelques explications aux enfants. Plus loin, un aquarium permet d'observer les puffins, macareux et autres oiseaux de mer en plongée. Super intéressant de voir voler les oiseaux sous l'eau ! Mais aussi les méduses, dont la magnifique *Crystal Jelly,* d'une esthétique intersidérale ! À ne pas manquer non plus, la *lorikeets forest,* ne serait-ce que pour profiter des brumisateurs en été, une volière où évoluent autour de vous une foule de petits corps colorés et criards. Une section est également consacrée aux tarentules, scolopendres, serpents à sonnettes et autres charmantes bestioles venimeuses de Californie. Au 1er étage, les loutres de mer, si emblématiques de la côte pacifique, ont l'air de bien s'amuser. On termine la partie des animaux avec les poissons colorés de la zone tropicale, en particulier le poisson-palette et le poisson-clown, que tous les enfants reconnaîtront sous les traits de Dory et Nemo. Avant de partir, ne manquez pas la salle qui tente de faire prendre conscience aux visiteurs du danger du réchauffement climatique. Met aussi en évidence le massacre des océans. On y apprend, entre autres, que la mondialisation a engendré un très fort accroissement de la fréquentation des routes maritimes, et qu'un porte-container a vu sa cargaison passer de 300 à 2 500 « boîtes » entre 1950 et 2008. Enfin le *Honda Theater* propose un show en relief moyennant 3 $ (5 $ avec les lunettes spéciales). Bref, une visite à ne pas manquer.

🎨🎨 *Museum of Latin American Art* : *628 Alamitos Ave, Long Beach.* ☎ *(562) 437-1689.* ● *molaa.org* ● *Mar-ven 11h30-19h ; sam 11h-19h ; dim 11h-18h. Entrée : 8 $; gratuit jusqu'à 11 ans.* Un très beau musée qui présente les œuvres d'artistes provenant d'Amérique centrale et du Sud. On y découvre une peinture riche et colorée, comme par exemple celle de Marta Minujín, de José Garcia Cordero, d'Elmar Rojas. L'histoire de chaque pays est abordée à travers l'œuvre d'un artiste, restituant par là même son travail dans le contexte ayant présidé à sa réalisation. Cela permet d'avoir un court aperçu d'une époque ou d'un événement particulier. Ainsi s'expriment les toiles du Chilien Roberto Sebastian Matta, de l'Équatorien Eduardo Kingman, où celles plus caractéristiques de Fernando Botero (dont *La Calle*). Aussi des compositions à connotation politique du Cubain Kcho, de la Mexicaine Laura Hernandez. Et puis une toile majeure représentant l'exode d'Arnold Belkin (1951) ; une peinture colorée et vivante, où la matière prend le dessus. La muséographie est peut-être un peu dense, mais riche. Notez au passage le tableau intitulé *Le Nœud*, très évocateur, du Salvadorien Miguel Antonio Bonilla, représentant un patron et un militaire de dos en train de pisser. Enfin, très belle salle consacrée à Wifredo Lam, l'un des artistes les plus importants d'Amérique latine. Une visite à ne pas louper pour les amateurs de peinture.

– *Catalina Express* : *95 Berth, à San Pedro.* ☎ *1-800-481-3470 (infos et résas).* ● *catalinaexpress.com* ● *Lun-ven 8h30-17h30. Aller-retour 65 $ (ajoutez 15 $ de parking pour votre voiture).* Départs de San Pedro, de Long Beach Queen Mary ou de Long Beach Downtown et Dana Point (plus au sud). Compagnie assurant une demi-douzaine de liaisons quotidiennes par port avec l'île de Catalina (une trentaine en tout). Vous pouvez choisir d'y passer la nuit et par avance organiser votre séjour. Différentes options disponibles selon vos goûts, comprenant le transport en bateau, l'hôtel et une activité (golf, pêche, plongée ou escalade). Également à votre disposition : un casino, de nombreux restaurants et bars, bref, tout ce qu'il faut pour vous encanailler...

LA ROUTE DE LOS ANGELES À LAS VEGAS (SUR LES TRACES DE L'ANCIENNE ROUTE 66)

Peut-être en chemin aurez-vous la chance de rencontrer Bob, un artiste peintre qui vit la moitié de l'année sur la Route 66 dans sa Mustang d'époque, un véritable chef-d'œuvre sur laquelle le tracé de la mythique route est illustré. Il vous donnera plein de bons tuyaux (il vous mettra en garde contre les différentes sortes de serpents dont vous verrez de beaux croquis) et vous pourrez admirer ses dessins. Il a même cartographié la France sur une carte postale. N'hésitez pas à le demander dans les différentes stations-service et cafés (entre autres le *Bagdad Café* du film, voir plus loin) qui bordent la route, tout le monde le connaît ! Il est quasiment une légende dans le coin.

CALICO

🚶 🚶 Ville fantôme (pas si terrible !) située à l'est de Barstow, sur la Hwy 15 (et non la route 15). *Visite tlj de 8h au coucher du soleil. Entrée : 6-10 $/pers et supplément de 1-2 $/pers pour presque ttes les attractions.*

Dans les années 1890, Calico était une ville prospère qui devait son essor à une mine d'argent dont la production annuelle représentait près de 86 millions de dollars. Il est possible de visiter l'endroit *(pour 2 $ de plus)* à bord du petit train qui transportait jadis le précieux minerai. Camping à proximité, dans le canyon, mais peu d'ombre. Ne vaut pas le détour mais halte amusante sur la route de Las Vegas, surtout si vous avez des enfants.

On peut se déguiser en pionnier, chercheur d'or, et se faire prendre en photo ! Ne manquez pas la maison penchée (1 $), vous croirez résister à la pesanteur. À voir aussi : l'ancienne mine (1 $).

C'est, vous vous en doutez, extrêmement touristique : chaque maison est une boutique de souvenirs et l'on vend des *burgers* dans le saloon. Les amateurs de fossiles en trouveront à bon marché.

LE VRAI « BAGDAD CAFÉ »

🏃 *Il se cache à Newberry Springs, 46548 National Trail Hwy.* ☎ *(760) 257-3101. Tlj 6h-19h ; 7h-18h en hiver.* Vous souvenez-vous de ce film irrésistible, magnifié par la voix captivante de Jevetta Steele chantant *Calling You* ? *Bagdad Café,* de Percy Adlon, césar du meilleur film étranger en 1989, fut le film culte de la jeunesse française cette année-là. Nous avons retrouvé le motel et le bar où ce petit chef-d'œuvre a été tourné à 60 miles de la localité Bagdad, où a existé jusqu'en 1968 un *Bagdad Café.* Il se trouve en plein désert californien, sur la célèbre Route 66, à l'écart de la Highway 40 qui relie Barstow et Ludlow. Sortir à Newberry Springs, puis faire encore 2 miles en suivant les indications. La patronne a changé, mais l'ambiance *in the middle of nowhere* imprègne encore un peu l'endroit. À l'intérieur du bar, on peut voir des photos dédicacées du tournage. Tous les classiques de la cuisine américaine et d'excellents milk-shakes. Un must (ce n'est qu'à 19 miles à l'est de Barstow et l'on peut rejoindre la Highway 15 sans faire demi-tour) pour tous nos lecteurs cinéphiles. Mais vraiment pour les inconditionnels, car le Coca y est bien cher...

Où dormir ? Où manger dans les environs ?

Camping

⛺ *Camping KOA :* à Yermo. ☎ *(760) 254-2311. Entre Calico et Barstow. Env* 13 $ l'emplacement. Bien équipé et sanitaires propres.

Bon marché

🍴 *Peggy Sue's :* 1-15 Ghost Town Rd, à Yermo (à côté du motel Calico). ☎ *(760) 254-3370. Service le soir jusqu'à 22h. Compter 8 $.* Un amusant petit resto, genre routier, à l'atmos- phère *fifties.* Ambiance très sympa. Carte bien fournie, du *Buddy Holly bacon cheeseburger* à la *Lana Turner tuna salad,* en passant par le *Hank Williams chili spaghetti.*

LES PLAGES DE LA CÔTE SUD
(hors plan couleur d'ensemble)

⌂ Pour ceux qui souhaitent rejoindre San Diego en voiture, la *Pacific Coast Highway (PCH* pour les intimes) égraine un chapelet presque ininterrompu de plages, ponctuées de temps en temps par une petite station balnéaire. Tout au long du parcours, les spots de surf ne manquent pas ; d'ailleurs, aux endroits les plus fréquentés, on trouve souvent un camping carrément les pieds dans l'eau. Tous ne sont pas fameux. Notre sélection tient compte des ambiances, mais également des nuisances éventuelles occasionnées, car si les emplacements sont bien tournés vers le large, dans le dos, en revanche, on trouve presque toujours la *PCH* et une ligne de chemin de fer. Cette côte attire depuis quelques années les Américains fortunés, lassés par Malibu ou Santa Monica : plages superbes s'étendant sur des kilomètres comme *Seal Beach* et *Sunset Beach,* lieux de prédilection des surfeurs. Grosses stations balnéaires telles *Huntington Beach* ou *Newport Beach,* ou plus petites comme *Laguna Beach.* Un peu plus au sud, c'est à *Dana Point* que vous embarquerez pour aller observer les baleines lors de leur migration.

SEAL BEACH *(plan couleur d'ensemble)*

Seal Beach est une petite station balnéaire à dimension humaine. Très agréable avec ses maisonnettes colorées, noyées dans une végétation dense de palmiers et de bananiers. Ses différents quartiers s'articulent autour de Main Street, rue dans laquelle on trouve la majorité des commerces et qui débouche sur Ocean Boulevard. Les accès à la plage se font à partir d'Ocean Boulevard. Sympa d'aller jusqu'à la jetée *(pier)*, construite en 1906. On trouve quelques restos et des snacks. Parking payant ouvert tous les jours de 6h à 22h ; autrement, se garer dans la rue. Pour info, les boutiques de surf de Main Street vendent des cartes indiquant les meilleurs spots de la région.

SUNSET BEACH *(plan couleur d'ensemble)*

La station en continuité de la précédente en allant vers le sud, de l'autre côté de la zone lagunaire. Un peu moins facile pour se garer. Mais beaucoup plus animée.

Adresse utile

■ *Sunset Rentals :* 16862 Pacific Coast Hwy, Sunset Beach, ☎ (562) 592-5537. Tte l'année, lun-ven 10h-17h (w-e 9h-17h). Loc de kayaks de mer : 13 $ pour 2h. Une excellente manière pour partir à la découverte de la lagune et observer les oiseaux, ou tout simplement pour se balader dans les canaux de la marina de *Huntington Harbour.*

Où dormir ? Où manger ?

🛏 *Sanatra Inn :* 16555 Pacific Coast Hwy, Sunset Beach. ☎ (562) 592-1993. ● sanatrainn.com ● Doubles 145-160 $ avec ou sans vue sur mer. Wifi et parking gratuits. Un petit motel tenu par Rajni et son délicieux accent du pays du Taj. Coincé entre la *PCH* et la plage, il offre de grandes chambres avec 2 grands lits ou 1 grand lit et 1 petit, plus kitchenette. C'est assez propre. Pas d'effort de déco en revanche, mais vous êtes pratiquement sur la plage. Sert le petit déj parfois en hiver. Bon accueil.
|●| *West Bay Café :* 16600 Pacific Coast Hwy (angle Admiralty Ave), Sunset Beach. ☎ (562) 592-9469. Tlj 9h-22h (23h w-e). Plats 8-12 $. En terrasse sur la *PCH* (on est mieux assis) ou à l'intérieur, calé dans les box, dans un intérieur « colonial » en bois blanc typique des *warps* (restos de marina) du Pacifique. On y vient pour se caler l'estomac avant une bonne session de surf, ou après, pour se requinquer. Salades, sandwichs, rien de bien extraordinaire côté saveurs, mais c'est copieusement servi. Parking gratuit à l'arrière.

Où écouter de la musique ?

🎵 *The Blue Café :* 17208 Pacific Coast Hwy, Huntington Beach. ☎ (562) 592-1302. ● thebluecafe.com ● Au fond d'un parking en bordure de la PCH. Ouv mer-

dim, le soir slt. Entrée : 8-12 $ suivant le concert. Frère jumeau du *Blue Café* de Long Beach. Une programmation éclectique mais à dominante rock-reggae, quelquefois du métal, rarement de l'acoustic. Idéal pour évacuer l'eau salée des oreilles quand on a trop mariné dans le *shorebreak.* Étudier savamment la programmation sur leur site internet.

NEWPORT BEACH *(plan couleur d'ensemble)*

C'est à Newport Beach que l'on trouve un camping grand luxe, jusqu'à 400 $ la nuit, s'il vous plaît ! (voir « Où camper à Los Angeles ? »). Quelques beaux spots de surf, comme à **Dog Beach,** ou encore un excellent *swell* juste en face de 17th Street, très prisé des *goofies* (ceux qui surfent le pied droit en avant).

IOI **Joe's Crab Shack :** *2607 Pacific Coast Hwy, Newport Beach.* ☎ *(949) 650-1818. Tlj 11h-22h (23h le w-e). Plats 12-20 $.* Friture et fond de *rock & roll,* dans un rade tout en bois, façon *Pirates des Caraïbes* ou *Révoltés du Bounty.* Sur de grandes tables, à la bonne franquette, pratiquement sur la plage avec en fond le va-et-vient des yachts. Ici pas de chichis, on mange avec les doigts ! Un *Crab in the bucket,* bien servi mais pas donné. Autrement, les pirates écumeurs de mousse sauront partir à l'abordage du bar, petit mais efficace ! Bondé aux *happy hours* ; le week-end, les « valets de parking » ne chôment pas !

DANA POINT *(hors plan couleur d'ensemble)*

Avant d'arriver à Dana Point, quelques belles plages, notamment à la sortie de *Laguna Beach* (vers le n° 30000 de la *PCH*). De beaux endroits pour faire du *snorkeling* (plongée avec masque et tuba) ou de la plongée sous-marine. Aussi au niveau du *Ritz-Carlton,* où les plus nantis séjourneront peut-être. Les autres choisiront de stationner sur le parking derrière le *Starbucks Coffee* et iront à la petite plage tranquille. Beau petit *swell* régulier et bien formé. Pas beaucoup de monde. Dana Point est une ravissante petite station balnéaire, avec son architecture typique de maisons en bois qui cascadent vers le port, très agréable avec ses vendeurs de matériel marin et ses petits restaurants sur les pontons. C'est à partir de Dana Point que vous embarquerez pour aller observer les gros cétacés durant leur période migratoire.

Où dormir ? Où manger ?

⚐ **Doheny State Beach Campground :** *25300 Dana Point Harbour Dr.* ☎ *(800) 444-7275 (pour résas slt). Tte l'année.* Deux types d'emplacement : côté mer 35 $ ou sans vue 25 $. Maxi 3 véhicules et 8 pers/emplacement. Résa pour 7 nuits maxi, renouvelable ensuite nuitée par nuitée ; si pas de résa, tirage au sort ts les mat après le départ des occupants si disponibilités. Mieux vaut choisir l'emplacement le plus cher, car vous campez carrément sur la plage. Les places sont goudronnées et séparées les unes des autres par une petite haie de persistants assez mal en point. Ambiance plutôt familiale, étant donné les tarifs. Avec une tente, campez sur le sable, à même la plage, c'est plus confortable ! La présence de la *PCH* est supportable, car les vents dominants viennent de la mer.

IOI **Jolly Roger :** *34610 Golden Lantern St, sur le port, marina de Dana Point.* ☎ *(949) 496-0855. Tlj 7h-21h (22h ven-sam ; bar ouv jusqu'à 23h). Plats 12-18 $, breakfast 8 $.* Un endroit charmant à même les pontons, avec une vue imprenable sur le port. Très agréable pour y prendre son petit déj en terrasse quand les premiers rayons du soleil viennent caresser les eaux calmes de la marina. Dans la salle, larges baies donnant sur la grande bleue. Cuisine californienne correcte, sans plus : sandwichs, hamburgers et salades. Aussi des pâtes. Aurait pu tirer meilleur profit de la cuisine, vu la situation...

À faire

🎣 *Dana Wharf Sportfishing :* *34675 Golden Lantern St, sur le port, marina de Dana Point.* ☎ *(800) 979-3370 ou (949) 496-5794.* ● *danawharf.com* ● *Se renseigner sur leur site internet pour les horaires. Organise des tours l'ap-m 13h-17h, mais également à partir de 9h30 quand la saison bat son plein. Adulte 50 $; enfant 30 $.* Un centre de pêche au gros qui propose du *Whale Watching,* entendez l'observation des baleines et autres cétacés qui se cachent dans l'eau. En hiver, de fin novembre à fin mars, c'est la baleine grise ; en été, de juin à août, la bleue – les soirs d'été, sur les coups de minuit, elle est rose. Toute l'année les dauphins. Le tour dure environ deux heures, on peut acheter son pique-nique à bord (et éventuellement le donner aux dauphins si la mer est agitée). Côté bonnes prises, du barracuda, du *bass* et en août la *yellowtail (seriola lalandi dorsalis),* la sériole à queue jaune.

SAN ONOFRE *(hors plan couleur d'ensemble)*

Un des plus fameux spots de surf de la côte californienne, surtout pour le *longboard,* se trouve juste à côté de la centrale nucléaire de San Onofre, au sud de San Clemente. Parking payant *(env 10 $, 6h-22h).* On se gare à moins de 10 m de l'eau, fidèles au cliché des plages californiennes. Off shore, au-delà de la barre, gauches et droites alternent dans un rythme parfait. C'est meilleur au montant. La plage comporte néanmoins quelques portions de gros galets. Ici pas de boutique, pas de resto ni de café. C'est la plage, un point c'est tout. Sur les zones de beau sable, quelques terrains de beach-volley. Il y a aussi une plage de nudistes (vers la centrale nucléaire) et un camping, mais il est un peu près de la PCH.

⊛ *Ralph's :* *juste à la sortie de San Clemente, à gauche, en direction de San Diego.* Un supermarché où l'on trouve de tout, notamment pour constituer son pique-nique avant d'aller à la plage. Aussi des pains de glace.

OCEAN SIDE et CARLSBAD
(hors plan couleur d'ensemble)

Ocean Side est une station balnéaire tout en longueur avec un parterre de petites maisons en bois ponctué par quelques boutiques. Les accès à la plage contenteront plus les surfeurs que les adeptes de la bronzette. Ici le surf est presque une religion. Pas mal de possibilités d'hébergement. Pour accéder aux plages, quitter la *PCH* et prendre Pacific Street. Plus loin, Carlsbad déroule une très longue plage de sable fin le long de la route qui mène à San Diego. On peut garer sa voiture le long de la bordure de trottoir et, en plus, c'est gratis !

Adresse utile

🛈 *Ocean Side Welcome Center :* *928 North Coast Hwy.* ☎ *(760) 721-1101 ou (800) 350-7873.* ● *visitcalifornia.com* ● *Tlj 9h-17h.* Un mur de brochures sur les principales attractions de Californie. Les retraités bénévoles se feront un plaisir de vous donner tous les renseignements que vous souhaitez, mais aussi ceux dont vous n'avez rien à faire...

Où dormir ?

⌂ Ocean Side Inn & Suites : *1820 South Coast Hwy.* ☎ *(760) 433-5751.* ● *oceansideunn@mediaone.net* ● *Doubles avec kitchenette 55-75 $ (110 $ en août) ; pas de petit déj. Parking et wi-fi gratuits.* Un petit côté défraîchi vu de l'extérieur, mais dedans, c'est propre. D'autant plus que ce motel d'une vingtaine de chambres, franchement bon marché et bien géré par Raj, a été rénové récemment. Moquette à fleurs, TV, micro-ondes, frigo, tout y est. Préférez les chambres n°s 104 à 112, elles sont un peu plus loin de la route. *Legoland* n'est qu'à 5 mn, *Seaworld* à 15 mn et la plage d'Ocean Beach à quelques encablures.

⌂ Carlsbad Inn Beach Resort : *3075 South Carlsbad Blvd, Carlsbad.* ☎ *(760) 434-7020.* ● *carlsbadinn.com* ● *Doubles avec 2 Queen beds 200-265 $; pas de petit déj.* Archi-typique des fermes du *Midwest,* avec chambres distribuées sur deux niveaux entourant pelouse et piscine. C'est cossu. Salle de bains avec baignoire-douche, armoire en bois ripoliné, rideaux comme chez mamie, cafetière, frigo, TV et lecteur DVD. Pas de doute, un hôtel qui soigne ses clients. Centre de fitness, jacuzzi, jardin pour enfants, solarium, accès privé à la plage, mais à travers le parking. Pas de restaurant, en revanche.

À voir

Legoland California : *1 Legoland Dr, à* **Carlsbad.** ☎ *(760) 918-LEGO.* ● *legoland.com* ● *Navette possible depuis votre hôtel (rens à la réception). Pour y aller en bus régulier :* ☎ *(619) 233-3004 pour la route à suivre. En voiture, prendre l'Interstate 5 N et sortir à Cannon Rd ; suivre ensuite les panneaux « Legoland ». Trajet : 30 mn. De Carlsbad, prendre Carlsbad Blvd, puis à gauche sur Cannon Rd, ensuite à droite sur Legoland Dr. Tlj 10h-17h (18h ou 20h juin-août). Fermé mar-mer à certaines époques de l'année (se renseigner au préalable). Tarifs à la journée :* 60 $ *adulte ;* 50 $ *pour les 3-12 ans. Parking :* 10 $.

Un parc très aéré, agréablement planté et moins fréquenté que Disneyland. Depuis août 2008, un aquarium est venu le compléter. Il est interactif, plutôt destiné aux familles, et comprend une cinquantaine d'attractions, où l'on doit nager, ramper et construire. C'est le paradis des petits. Tout est fait pour leur plaire. Et, il faut bien le dire, certaines réalisations sont vraiment étonnantes. Quelques points forts de la visite :

– *Amazone :* un manège flottant où l'on s'assied à bord d'un simulacre d'hydrojet pour avoir la sensation de conduire vite sur l'eau.

– *Bionicle Blaster :* une genre d'autos tamponneuses pour petits, où l'on prend place à bord d'engins tournicotant sur eux-mêmes.

– *Lost Kingdom :* installé à bord de wagonnets, vous voilà parti pour une chasse aux méchants. Bien sûr, vous devez tirer dessus avec un pistolet laser, le décompte de points s'affichant devant vous. Le meilleur affiche un score de 1600 points. Qui dit mieux ?

– *Beetle Bounce :* un manège où, alignés en rang d'oignons, on vous fait monter et descendre à toute vitesse ; ça crie, mais on n'y croit pas trop ! Idéal pour tasser votre burger-frites !

– *Miniland :* l'une des attractions qui plairont aux grands aussi puisqu'il s'agit d'une reproduction à l'échelle des principales villes américaines, avec leurs bâtiments les plus célèbres. Les détails sont remarquables. On peut même déjà voir la *Freedom Tower* qui remplacera les tours jumelles du *World Trade Center* à New York.

– *Knight's Kingdom :* on fait ici un voyage vers les temps médiévaux. Avec, au programme, le *Dragon Coaster* et l'exploration de la forêt enchantée sur des chevaux en Lego.

– *Fun Town :* là, les enfants peuvent conduire de véritables voitures électriques et passer leur permis à l'auto-école Legoland. Dans le même temps, à la *Sky Patrol Lego,* les pilotes en herbe prennent le contrôle de l'hélicoptère Lego.

– *Safari Trek :* on vous propose ici de conduire une jeep à travers une Afrique factice et de découvrir des animaux en Lego.

– *The Ridge :* montez tout en haut de la *Kid Power Tower* et profitez de la vue imprenable sur le parc... avant de vous laisser dégringoler.

– *Imagination Zone :* cette zone invite les familles à jouer avec une multitude de constructions en Lego différentes. Idéal pour les Lego *maniacs* !

– *Pirate Shores :* une zone d'où l'on ressort trempé jusqu'aux os, en participant à la *Splash Battle* à bord d'un bateau de pirates, en descendant des cascades en bûches, ou en recevant un seau de plus de 1 500 l sur la tête ! (vous pouvez acheter un maillot et une serviette sur place).

En résumé, un parc un peu plus romantique que Disneyland et surtout moins « beaufland ». D'ailleurs, chose assez révélatrice, ici, ce sont les enfants qui s'amusent le plus !

AU SUD DE CARLSBAD *(hors plan couleur d'ensemble)*

Encore quelques belles plages avant d'arriver à La Jolla et Punta Loma, les plages mythiques de San Diego. Celle de **South Ponto,** à la sortie sud de Carlsbad, avec son sable blanc, est superbe. Également un très agréable spot de surf à *San Elijo,* beaucoup de monde quand la vague est là.

Où dormir ?

⚊ **South Carlsbad Campground :** 7201 Carlbad Blvd, à environ 3 miles au sud de Carlsbad. ☎ (760) 438-3143. ● *parks.ca.gouv* ● Tte l'année. Toujours le même principe pour les campgrounds d'État : deux types d'emplacement, côté mer 35 $ ou sans vue 25 $. Maxi 3 véhicules et 8 pers par emplacement. Résa pour 7 nuits maxi, renouvelable ensuite nuitée par nuitée. Un grand camping qui s'étire le long de la *highway* en tête de falaise. Prévoir des remontées de plage difficiles ! Wi-fi gratuit, y compris sur la plage !

⚊ **San Elijo State Beach Campground :** à peine 1 mile au nord de San Elijo. ☎ (760) 753-5091 ou (800) 447-7275. ● *parks.ca.gouv* ● Tte l'année. Deux types d'emplacement : côté mer 35 $ ou côté route 25 $. Ici, préférer côté mer, mais dans la partie sud du camping seulement, car au nord, la marche est ardue (falaise). Les emplacements sont assez poussiéreux, mais la mer, ici, est peu profonde, idéale pour s'initier au surf. Un des camps les plus sympas de la côte. École de surf, location de *boards,* supérette.

SAN DIEGO

1 300 000 hab.

À 120 miles au sud de Los Angeles et une vingtaine de miles de la frontière mexicaine (Tijuana). Ville la plus méridionale de la côte californienne, et aussi la plus ancienne : en 1769, le père Junipero Serra y fonda la première des 21 missions qui permirent aux Espagnols de coloniser la Californie. Deuxième agglomération de Californie par le nombre d'habitants (plus de 3 millions d'habitants pour le Grand San Diego), San Diego fut, au XIXe s, oubliée par le chemin de fer. Elle est néanmoins la 7e plus grande ville américaine.

Un climat chaud et sec et une situation exceptionnelle, sur deux baies bien protégées, en font un centre résidentiel fort apprécié. Ce serait la dixième destination touristique préférée des Américains. Pour les surfeurs, l'océan présente pourtant quelques dangers, à cause des courants. Enfin, San Diego est une ville prospère et patriote, avec ses bases navale et aérienne, telle Miramar, qui a inspiré le film *Top Gun* ; au total, 160 000 militaires sont stationnés à San Diego. Les projets immobiliers explosent à Downtown et les industries de haute technologie y ont investi massivement. Les touristes apprécieront le centre-ville bien restauré, agréable à la balade, de même que le charme désuet d'Old Town, gentiment touristique avec sa forte influence mexicaine.

Arriver – Quitter

En bus

🚌 **Greyhound Bus Terminal** (plan I, B2) : 120 W Broadway, à la hauteur de 1st Ave. Infos : ☎ (619) 239-3266 ou 1-800-231-2222. Résas, rens et achats en ligne sur ● greyhound.com ● jusqu'à 2 h avt le départ. Sur place, le ticketing ferme pendant l'heure du déjeuner. Possibilité de choisir son siège pour un supplément de 5 $. Arriver 20 mn au moins avant l'heure H.

En avion

➤ Pour rejoindre le centre-ville (Horton Plaza), prendre le **bus n° 992.** Env 15 mn et 5 $.

➤ Possibilité aussi de se rendre n'importe où à San Diego avec le service de navette **Cloud Nine Shuttle**. Rens et résas : ☎ (858) 505-4900 ou 1-800-9SHUTTLE.

Adresses et infos utiles

Infos touristiques, services

🎫 **Visitor Center** (plan I, A2) : 1040 1/3 W Broadway (angle Harbor Dr). ☎ (619) 236-1212. ● sandiego.org ● Juin-sept, tlj 9h-17h ; oct-mai, tlj 9h-16h. Dans une cabane en préfabriqué, sur un parking payant face au quai où est amarré le porte-avions USS Midway. Plans, brochures et catalogues (dont le Official San Diego Visitors' Planning Guide, très bien fait). Retirez-y aussi les magazines San Diego Travel Values ou Traveller Discount Guide, qui contiennent de nombreux coupons de réduction. Le Visitor Center vend aussi des tickets à prix réduits pour la plupart des attractions du coin, et des cartes de téléphone.
– Procurez-vous absolument le **Reader,** distribué gratuitement dans les bars, restos, magasins de disques et dans des bornes disposées dans Gaslamp, souvent à côté des journaux payants. On y trouve plein d'infos sur la ville : sorties, restos, coupons de réduction, mais aussi annonces pour trouver une chambre chez l'habitant. Le journal a aussi sa version en ligne : ● sdreader.com ●
– Possibilité de faire le tour de la ville dans un bus à ciel ouvert mis en service par la compagnie Citysightseeing, avec d'intéressants commentaires du chauffeur, notamment sur l'évolution de l'architecture de la ville. Le billet est plutôt cher (25 $), mais permet d'interrompre et de reprendre la course à loisir (hop on, hop off) pendant 48h. Brochure disponible au Visitor Center. Rens : ☎ (619) 231-3040.

✉ **Poste** (plan I, B2) : bureau sur Horton Plaza. Lun-ven 9h30-18h.

■ **Consulat du Mexique** (plan I, B1) : 1549 India St (angle Cedar St). ☎ (619) 308-9953. Lun-ven 8h-13h pour les demandes de visa des non-Mexicains (dès 7h pour les ressortissants).

🖥 La plupart des hostels disposent d'un **accès Internet** (mais c'est plutôt cher). Sinon, possibilité de surfer gratuitement 15 mn dans les très nombreuses **Public Libraries** (bibliothèques) de la ville. La plus centrale se trouve au 820 E St (plan I, C2, **2**), juste en face de la grande poste : lun, mer 12h-20h ; mar et jeu-sam 9h30-17h30 ; dim 13h-17h. Possibilité d'y surfer 1h gratuitement en prenant rdv, au 1er étage, au Computer Lab. D'autres bibliothèques à Pacific Beach : 4275 Cass St. Lun, mer et ven 12h30-20h ; mar, jeu et sam 9h30-17h30 ; dim 13h-17h. À Coronado : 640 Orange Ave, mêmes horaires que ci-dessus.

Se repérer

Comme dans la plupart des villes américaines, San Diego est quadrillée à partir d'un centre qui correspond à l'intersection entre First Ave et Broadway, dans Downtown. Toutes les adresses figurant entre l'océan et First Ave sont notées W (West), celles en deçà E (East). De même, toutes les adresses au sud de Broadway sont numérotées jusqu'à 1000 (1000 étant Broadway), celles qui partent de Broadway vers le nord, à partir de 1000. En plus de ça, les rues sont à sens unique par alternance, mieux vaut le savoir. Ceci dit, bon courage quand même !

Parkings, transports

– *Stationnement* compliqué, d'autant plus que, dans le centre-ville, il est interdit de se garer les dimanches, mardi et jeudi de 3h à 6h, de même qu'à certaines autres heures plus ou moins incongrues. Dans la journée, on peut se garer gratuitement pendant 3h au centre commercial *Horton Plaza,* avec validation auprès d'un commerçant.

– *En cas de prune :* si par mégarde, vous avez écopé d'un papillon gentiment coincé sous l'essuie-glace de votre voiture pour dépassement du délai de stationnement, allez illico au *Parking Management Division,* 1255 5th Ave (angle avec A St). Il vous en coûtera la modique somme de 25 $ (en espèces). C'est rapide, pas d'attente. Mais exigez bien un justificatif, de manière à prouver à votre loueur de voiture que vous avez bien payé l'amende lors de la restitution du véhicule.

■ *Transit Store* (plan I, B2, 3): 102 Broadway St. ☎ (619) 234-1060 ou 1-800-COMMUTE. ● sdcommute.com ● Lun-ven 9h-17h. Pour obtenir ts les rens (horaires et trajets) sur les bus et les trolleys (trams) de San Diego. Les *San Diego Trolleys* desservent Downtown, Old Town, la frontière mexicaine et les banlieues est et nord. Billet simple : 1,25 $ (gratuit jusqu'à 5 ans). Également les passes valables 1-4 j. (9-15 $). Le *Transit Store* donne aussi des infos sur le *coaster,* qui relie toutes les stations de la côte.

■ *Super Shuttle :* Blue Vans. ☎ (858) 505-4900 ou 1-800-974-8885. ● clou d9shuttle.com ● Service de navettes qui vous conduit où vous voulez sur simple réservation.

■ *Location de voitures :* Rent-a-Wreck, 3740 5th Ave. ☎ (619) 702-8012. ● rentawreck.com ● Propose des voitures à moins de 25 $/j. Outre les grands loueurs, il y a aussi la compagnie *Bob Baker* (730 Camino del Rio N (au nord de la Freeway 8) ; ☎ (619) 297-5001, ● bob baker.com ●) qui pratique des tarifs un peu plus élevés que *Rent-a-Wreck* mais jouit d'une bonne réputation.

■ *Pedicab :* dès 5 $/pers. Des *rickshaws* ont fait leur apparition dans les rues de San Diego, pour vous balader dans le centre-ville exclusivement, et plutôt dans l'après-midi ou la soirée. Un peu cher mais tellement plus écolo que le taxi !

Santé

■ *Alvarado Hospital :* 6655 Alvarado Rd. ☎ (619) 287-3270.

■ *Pharmacie :* ouv 24h/24 (Rite Aid) au 535 Robinson Ave, à l'angle de 5th Ave (dans Hillcrest, au nord de Downtown).

Spectacles, loisirs

■ *Times Arts Tix :* Center Broadway Circle, petite guérite à l'entrée d'Horton Plaza. ☎ (619) 497-5000. Mar-sam 11h-18h ; dim 11h-17h. Pour l'achat de places de théâtre, de concerts à prix réduits. Réduc jusqu'à 50 % si on achète son billet le jour même.

Librairies

■ *Le Travel Store :* 739 4th Ave. ☎ (619) 544-0005. À Gaslamp, dans un immeuble de 1907. Ouv tlj 10h-19h, dim 12h-18h. Livres, guides de voyage, car-

SAN DIEGO ET SES ENVIRONS

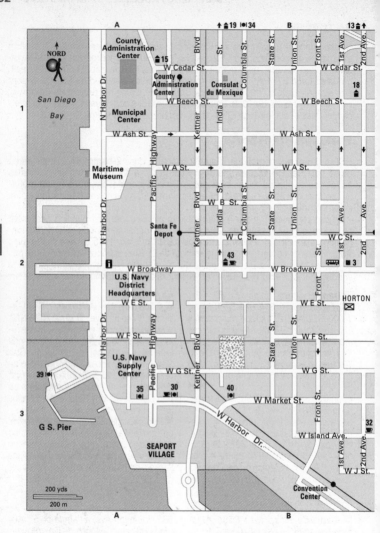

■ **Adresses utiles**

🛈 Visitor Center
🚌 Greyhound Bus Terminal
✉ Poste
@ 2 Bibliothèque
3 Transit Store

⌂ **Où dormir ?**

10 Hostelling International USA
San Diego
12 Lucky D's Hostel

13 Keating House Inn
15 Pacific Inn
17 Days Inn
18 Motel 6
19 La Pensione Hotel
43 500 West Broadway Hotel

🍴 **Où manger ?**

30 Buster's Beach House
31 Cheese Shop
32 Café 222

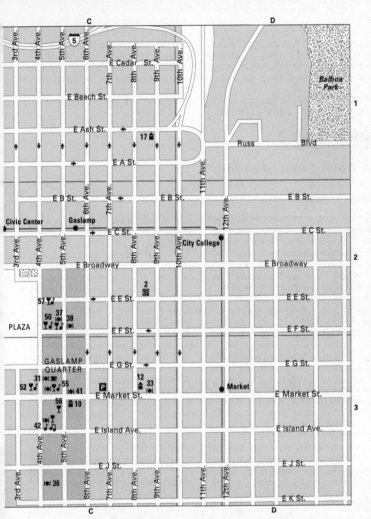

SAN DIEGO – DOWNTOWN (PLAN I)

33 Valentines
34 Filippi's Pizza Grotto
35 Greek Islands Cafe
36 Dick's Last Resort
37 Croce's
38 Mister Tiki
39 Fish Market
40 Kansas City Barbeque
41 Blue Point Coastal Cuisine
42 Sevilla

43 Grand Central Café

🍷 ♪ ♫ Où sortir ?

37 Croce's
42 Sevilla
50 Patrick's II
52 The Shout House
55 Henry's Pub
56 The Field
57 Red Circle

tes, sacs à dos et matériel en tout genre, dont quelques gadgets vraiment pratiques pour les routards (adaptateurs, notamment). Aussi un bon plan pour se procurer une carte du Mexique. Équipe très sympa et qui parle un peu le français.

■ **Upstart Crow :** *au Seaport Village, 835 W Harbor Dr.* ☎ *(619) 232-4855. Tlj 9h-22h (23h ven-sam).* Un vrai café-librairie (pas un café littéraire), où alternent tables et rayons chargés de bouquins. Un endroit très agréable qui doit son nom au tragédien oublié Robert Greene qui, jaloux de sir William Shakespeare, son contemporain, lui donna ce surnom dans une de ses pièces.

Où dormir ?

À *Downtown et autour*

Bon marché

🛏 **Hostelling International USA San Diego** *(plan I, C3, 10)* : *521 Market St.* ☎ *(619) 525-1531 ou 1-888-464-4872.* ● *sandiegohostels.org* ● En plein Gaslamp Quarter, le quartier le plus animé de la ville. De l'aéroport, prendre le bus n° 992 et descendre à l'intersection 4th/Broadway. En dortoir 19-33 $, compter 55-135 $ pour une chambre particulière (plus 10 $ si sdb privée), tarifs variant en fonction de la saison, petit déj inclus. Pas moins de 80 lits en dortoirs de 4, 6 ou 10 lits, gars et filles séparés ou mixtes, au choix ; une trentaine de chambres particulières avec 1, 2 ou 3 lits. Le tout très propre, dans un immeuble sur 3 étages colorés et lumineux. Parquet de bois clair, murs placardés de bons tuyaux sur ce qu'il y a d'intéressant à faire en ville. Agréable petit patio garni de plantes vertes. Idéal pour faire des rencontres. Organise des repas en commun, des virées en ville, à Balboa Park ou même jusqu'à Tijuana. Certainement le meilleur plan pour se loger à San Diego sans casser sa tirelire. Excellent accueil.

🛏 **Lucky D's Hostel** *(plan I, C3, 12)* : *615 8th Ave.* ☎ *(619) 595-0000.* ● *luc kyds.com* ● De l'aéroport, un Express Shuttle *vous conduit ici pour 5 $/pers sur la base de 9 dans le minibus. En dortoir 25 $, compter 72 $ pour une double privative (plus 15 $ si vous êtes 3), petit déj (léger) inclus. Accès Internet et wifi gratuits.* Une auberge de jeunesse privée (même proprio que le bar-grill du rez-de-chaussée). Assez centrale, des vélos dans les couloirs, grande cuisine où l'on cause de la route, musique à donf. Ambiance décontractée, un tantinet Bob Marley, surtout dans les dortoirs. Aussi une demi-douzaine d'étonnantes *private rooms* avec grand lit sur lequel est superposé un petit lit (pour qui, on vous le demande ?). Autrement, commodités à chaque étage et l'ensemble est assez propre.

De prix moyens à chic

🛏 **La Pensione Hotel** *(hors plan I par B1, 19)* : *606 W Date St (angle India St).* ☎ *(619) 236-8000 ou 1-800-232-4683.* ● *lapensionehotel.com* ● À Little Italy, situé entre Downtown et l'aéroport. De Horton Plaza, prendre Broadway vers la baie puis, à env 500 m, à droite, India St ; c'est à 7 blocs. Double env 100 $. Wifi gratuit à la réception. Un bel hôtel, à la déco design à dominante violette, de la réception jusqu'aux chambres. L'endroit revendique son *European style*, en 3 mots : confortable, pas prétentieux et propre ; il remplit tout à fait ces conditions. On pourrait rajouter pas très cher. Chambres petites, avec un seul lit, mais lumineuses et nickel, toutes avec TV, ventilo, frigo, et sèche-cheveux. Petit patio avec une fontaine. Accueil timide.

🛏 **Pacific Inn** *(plan I, A1, 15)* : *1655 Pacific Hwy.* ☎ *(619) 232 6391 ou 1-800-571-2933.* ● *pacificinnsd.com* ● *Double avec 2 Queen beds 130 $, grand petit déj inclus ; ajouter 40 $ le w-e, mais peut atteindre des sommets les j. de*

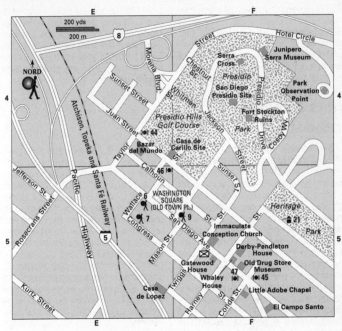

SAN DIEGO – OLD TOWN (PLAN II)

convention (se renseigner). Wifi gratuit. À deux pas du port, un petit motel jaune en L disposé autour d'une piscine, dont les chambres décorées dans les tons beiges sont très convenables. TV, AC, frigo, micro-ondes sur demande et une belle salle de bains. Accueil très sympathique.

🛏 **500 West Broadway Hotel** (plan I, B2, **43**) : l'adresse est dans le nom de l'hôtel. ☎ (619) 234-5252. ● *500westhotel.com* ● *Doubles standard 110-135 $ (pas de sdb privatives) ; pas de petit déj. Parking 15 $. Wifi gratuit.* Un grand hôtel de 260 chambres en plein centre. Une réception vaste et carrelée qui n'est pas sans rappeler les hôtels d'Afrique du Nord. De toute façon, ici, tout est

hybride. Ascenseur défraîchi, poussif et tremblotant, murs kaki, parfois beiges, sols marron. On se croirait à Moscou ou à Dresde aux plus belles heures du communisme. Les chambres sont petites, mais lumineuses et propres. Seul bémol, les salles de bains sur le palier (une pour 2 à 3 chambres), ce qui explique le prix raisonnable de cet hôtel. Bon accueil. À essayer.

🛏 **Days Inn** (plan I, C1, **17**) : 833 Ash St. ☎ (619) 239-2285 ou 1-800-522-1528. ● *daysinnsandiegodowntown.com* ● *Doubles avec 2 Queen beds 100-450 $, bon petit déj inclus. Wifi gratuit.* Bien se renseigner sur les prix avant de réserver. Grand motel sur 3 niveaux. Chambres très spacieuses, toutes avec TV,

AC, micro-ondes, frigo et cafetière. Petit sauna. Bon accueil.

≜ Motel 6 *(plan I, B1, 18) : 1546 2nd Ave.* **☎ (619) 236-9292 ou 1-800-4-MOTEL6.** ● *motel6.com* ● *Double 70 $ en sem, 85 $ le w-e ; gratuit pour les enfants de moins de 18 ans. Attention,* peut atteindre 160 $ les j. de convention ! Parking gratuit. Un hôtel bien placé, qui a été complètement rénové. Dans les chambres, un seul lit double. C'est propre. Z'auraient aussi dû rénover l'accueil, car il est toujours aussi déplorable !

Hors du centre

Campings

⋇ San Diego Metro KOA : *111 N 2nd Ave, à Chula Vista.* ☎ *(619) 427-3601 ou 1-800-KOA-9877.* ● *sandiegokoa. com* ● *Prendre la Freeway 5 vers le sud et sortir à E St ; remonter celle-ci jusqu'à 2nd Ave, tourner à gauche, puis continuer tt droit ; le camping est tt au bout, sur la droite. Compter 55 $ pour 2 pers, une tente et la voiture (un peu moins en hiver). Loc d'une trentaine de petites maisons en rondins 95-105 $.* Pas l'environnement le plus spectaculaire qu'on ait vu, mais pas désagréable non plus, avec suffisamment d'arbres et d'espaces verts. Piscine. Animation musicale (ou autres) certains soirs et *pancake breakfast* le dimanche en été. La plage de Coronado est à un quart d'heure en voiture.

⋇ Campland on the Bay : *2211 Pacific Beach Dr.* ☎ *1-800-422-9386.* ● *campland.com* ● *De la Freeway 5 (en venant* du sud), sortir à Mission Bay Dr et prendre Grand Ave, à gauche, jusqu'à Olney St ; tourner à gauche, c'est tt au bout. Échelle de 10 prix différents de 42-50 $ (primitive) à 175-400 $ (super-site) pour un emplacement pouvant accueillir jusqu'à 4 pers, 3 voitures, mais un seul chien ! Belle situation, mais qu'on paie très cher, les prix étant encore plus élevés en été. Ceux qui cherchent l'intimité fuiront ce camping, réservé aux amateurs du genre : plage privée, 2 piscines, 2 jacuzzis, supermarché, laverie, jeux vidéo, location de vélos et de bateaux aussi (kayak, canot à pédales, catamaran...). Resto abordable et animation tous les soirs, parfois même concerts. Les emplacements sont ombragés et séparés par des espaces verts. Peu de tentes et beaucoup de camping-cars géants. Accueil réservé.

Bon marché

≜ Hostelling International Elliott (AJ) : *3790 Udall St (angle Worden St), à Point Loma.* ☎ *1-800-909-4776.* ● *pointloma@sandiegohostels.org* ● *De Downtown (env 6 miles), prendre le bus n° 923 (sur B St) et descendre à l'angle de Voltaire et Chatsworth ; l'auberge est à deux pas, repérer la façade rouge. En voiture : de la Freeway 5, sortir à Rosecrans ; continuer 1 km env, prendre à droite Lytton St (qui devient après Chatsworth Blvd) jusqu'à Voltaire St. Dortoirs 17-19 $ (w-e et l'été 23-28 $), doubles sans sdb 48-60 $, familiales 60-70 $, petit déj inclus (pancakes).* Une grande maison rouge de 2 étages, avec balcons, dans un quartier très agréable et plein de verdure. Sympathiques dortoirs de 4 à 8 lits et chouettes petites chambres, conçues dans des tons chauds. Grande cuisine équipée aussi, et coin TV plutôt cosy. Internet, ping-pong, baby-foot, machines à laver. Barbecue vendredi soir. Une bonne affaire pour le prix. Accueil très sympa.

≜ Ocean Beach International Hostel (OBIH) : *4961 Newport Ave, Ocean Beach.* ☎ *(619) 223-7873 ou 1-800-339-7263.* ● *californiahostel.com* ● *Bien située, à deux pas de la plage, et reconnaissable à sa façade blanc et bleu pavoisée. Résa conseillée en été. Dortoir 17-24 $, et 22-29 $ en chambre privée de 3 lits, petit déj compris. Barbecue gratuit mar et ven. Navette gratuite depuis l'aéroport (l'AJ rembourse le prix de la course, mais appelez avt pour prévenir de votre arrivée). Loc de surf 10 $/j.* Auberge d'une centaine de très appréciée des *backpackers.* Pas mal de passage et d'ambiance. Les dortoirs sont très convenables et les sanitaires fort bien tenus, mais les chambres se révèlent un peu sommaires. Draps fournis. Côté espaces communs : salon TV avec cassettes vidéo et terrasse sur le devant pour les fumeurs. Bien sûr, possibilité de laver son linge et de faire la cuisine. Lockers gratuits. Internet payant. Plein de petits restos dans le coin. Bon accueil.

🛏 *Banana Bungalow Hostel and Hotel :* 707 Reed Ave, Pacific Beach. ☎ 1-800-546-7835 ou 1-858-273-3060. ● bananabungalowsandiego. com ● *Pour y aller : bus n° 30 sur Broadway (à Downtown), direction Pacific Beach, et descendre à l'angle de Mission Blvd et Reed Ave ; à un demi-bloc vers la plage. De l'aéroport : bus n° 992 jusqu'à Broadway ; là, même itinéraire que précédemment. En voiture : pren-* dre la Freeway 5, sortir à Grand Ave et suivre la Highway jusqu'à Mission Blvd ; là, tourner à gauche, c'est à 2 blocs (sur la droite). Dortoir 20-25 $ ou doubles 65-105 $ suivant saison, petit déj inclus. Consignes payantes. Une petite AJ très bien située, le long de la promenade qui borde la plage, mais hébergement spartiate et assez exigu : petits dortoirs avec salle de bains attenante, ou chambre privée avec TV et frigo dont le prix est exagérément élevé en été. Heureusement qu'on ne vient pas à 10 m de la plage pour rester enfermé dans sa chambre. Au contraire, les occupants profitent un maximum de la terrasse sur la plage. Machines à laver, Internet payant et grande cuisine commune. Ambiance très jeune et détendue, avec *free barbecue* (dimanche) et soirée *cheeseburger* (mercredi à 1 $).

De prix moyens à plus chic

🛏 *The Beach Cottages :* 4255 Ocean Blvd, Pacific Beach. ☎ (858) 483-7440. ● beachcottages.com ● *En face du Banana Bungalow. Doubles type motel avec 2 Queen beds 125-180 $ et cottage pour 6 pers à partir de 325 $; attention, grosses variations de prix suivant saison, se renseigner.* Situé à deux pas de la plage, cet établissement blanc à la toiture verte abrite un large choix de logements (évitez le *North building*). Les moins fortunés se contenteront d'une chambre standard, avec TV, AC, minifrigo, machine à café. Les cottages comportent une cuisine tout équipée et s'avèrent très intéressants à 4 ou 6. Ambiance familiale, barbecues, table de ping-pong et accès direct à la plage. Accueil très aimable.

🛏 *Ocean Beach Hotel :* 5080 Newport Ave. ☎ (619) 223-7191. ● obho tel.com ● *Doubles standard 110-200 $ (ajouter 55 $ si vue sur mer). Parking 5 $.* Le coucher de soleil sur le Pacifique a un prix, et il est plutôt élevé. Un hôtel d'une petite soixantaine de chambres presque sur la plage dont la moitié avec vue. Les chambres ne sont pas très grandes, mais joliment meublées, confortables et propres, avec TV, AC, frigo, micro-ondes et fer à repasser. Accueil très aimable.

🛏 *Keating House Inn* (hors plan I par B1, **13**) : 2331 2nd Ave. ☎ (619) 239-8585 ou 1-800-995-8644. ● keatinghou se.com ● *Au nord de Downtown, dans le quartier de Little Italy. Résa conseillée. Doubles 125-180 $ selon taille, petit déj compris.* Dans un beau quartier résidentiel, splendide maison victorienne de 1888 entourée d'un verdoyant jardin avec jacarandas, palmiers, bananiers, roses et bougainvillées. Intérieur très soigné, décoré avec goût et souci du détail. Une petite dizaine de chambres, plus ou moins grandes, chacune avec sa propre déco. On a un faible pour la *Garden Suite*. Mieux vaut réserver, car l'adresse commence à être connue. Un seul bémol et de taille : on entend un peu trop passer les avions, comme souvent à San Diego, d'ailleurs....

🛏 *Inn at Sunset Cliffs :* 1370 Sunset Cliffs Blvd. ☎ (619) 222-7901. ● innat sunsetcliffs.com ● *Juste après Point Loma Ave. Doubles à partir de 175 $, compter 265 $ pour une minisuite pour quatre avec 2 chambres séparées ; réduc si séjour prolongé.* Un hôtel de 24 chambres, quasiment au ras des flots, sur les Sunset Cliffs, célèbres pour leurs couchers de soleil. Les chambres toutes équipées, avec frigo, TV, AC, donnent soit sur l'océan, soit sur la piscine entourée de rosiers. Rénovées récemment, elles sont agréables et bien entretenues. Très bonne literie. Accueil prévenant et sympathique.

▣ *Coronado Island Inn* : 301 Orange Ave. ☎ (619) 435-0935 ou 1-888-436-0935. ● *coronadoinn.com* ● *De Downtown, prendre Harbor Dr vers le sud puis le Coronado Bridge ; éventuellement la Hwy n° 5 et sortie Coronado. Doubles 100-150 $ selon j. et saison, petit déj continental inclus. Parking gratuit mais sans garantie. Réception au*

Coronado Inn, *juste en face. Wi-fi gratuit.* Pour ceux qui souhaitent résider sur l'île de Coronado. Petit motel à 2 étages. Chambres plutôt bien arrangées, avec TV, ventilo, frigo, voire cuisinette. Vous avez accès à la piscine du *Coronado Inn* (même direction), qui propose des chambres similaires pour 150-180 $. Bon accueil. Vous ne trouverez pas moins cher sur cette île.

Très chic

▣ **Heritage Park B & B Inn** (plan II, F5, **21**) : 2470 Heritage Park Row. ☎ (619) 299-6832 ou 1-800-995-2470. ● *herita geparkinn.com* ● *Situé dans Old Town (accès par la Freeway 5). Au fond de l'allée Heritage Park Row, à gauche d'un superbe « Brisbane Coral ». Doubles 165-330 $, teatime et petit déj (aux chandelles !) inclus, servis dans une superbe salle à manger. Résa conseillée.* Magnifique maison de 1889 d'une douzaine de chambres, sur une verdoyante colline, entourée d'autres maisons anciennes. Salon, chambres et pièces communes richement décorés, dans le style victorien. Superbe. On croirait presque que l'on vient rendre visite à une arrière-grand-tante, comme celles qu'on voit dans les films ; d'ailleurs, des classiques du cinéma américain sont projetés chaque soir. Chambres personnalisées : la *Queen Ann* avec alcôve, *The Garret* avec sa

porte secrète, d'autres avec *teddy bears* sur le lit... Accueil très chaleureux.

▣ *Crystal Pier Hotel :* 4500 Ocean Blvd, Pacific Beach. ☎ (858) 483-6983 ou 1-800-748-5894. ●*crystalpier.com* ● *Pour y accéder, prendre Garnet Ave, c'est au bout de la rue. Résa indispensable, parfois jusqu'à 6 mois à l'avance. Maisonnettes pour 4 pers 265-350 $, pour 6 pers 365-500 $ selon saison.* Très cher mais vraiment surprenant : une bonne vingtaine de cottages sur une longue jetée en bois surplombant la mer et les surfeurs. À l'intérieur, belle déco marine, atmosphère intime. Terrasse, baie vitrée, cuisine équipée... Un vrai petit paradis. Idéal pour admirer le coucher du soleil et se laisser bercer au son des rouleaux. Si vous n'avez pas les moyens, allez quand même jeter un œil sur le ponton, libre d'accès jusqu'à la tombée de la nuit.

Où manger ?

Downtown

Spécial petit déjeuner

☙ *Buster's Beach House* (plan I, A3, **30**) : 807 West Harbor Dr. ☎ (619) 233-4300. *Dans la partie de Seaport Village située vers le Mariott. Tlj 8h (7h w-e)-22h. Full breakfast 12 $.* À prendre en terrasse, face à la marina en rêvant d'un prochain départ. Les matins de brume, attablez vous à l'intérieur, sur l'une des planches de surf vernissées qui font office de tables. Au choix, *breakfast* californien ou mexicain, mais on peut tout aussi bien s'envoyer un

simple kawa.

☙ *Café 222* (plan I, B3, **32**) : 222 Island Ave (angle 2^(nd) Ave). ☎ (619) 236-9902. *Tlj 7h-13h45. Full breakfast 10 $, sandwichs itou.* Armez-vous d'un peu de patience pour commencer la journée dans ce petit café jaune, éclairé par des chandeliers en tasses et petites cuillères : élu « *best breakfast* » pratiquement chaque année à San Diego depuis 2003 ! Il attire à juste titre les foules matinales. Dans la salle, toute vitrée, ou sur les 2 petites terrasses, on peut y déguster des gaufres nature, au potiron ou aux fruits et yaourt, des omelettes, *pancakes,* des œufs et du bacon. Pour midi, un bon choix de sandwichs, de paninis et de salades. Service efficace et souriant.

☛ *Cheese Shop* (plan I, C3, **31**) : 627 4*th* Ave. ☎ (619) 232-2303. Un petit resto tout en profondeur, au décor chaleureux avec son grand bar en bois et ses murs de brique. Ne vous y trompez pas, l'endroit n'a rien d'une fromagerie, à peine un petit étal et même pas l'ombre d'un munster ! En revanche, on y sert d'excellents cookies faits maison, *bagels,* toasts, fruits de saison et

omelettes. Bons sandwichs le midi (voir plus loin). Service sympa.

☛ *Grand Central Café* (plan I, B2, **43**) : 500 W Broadway (angle India St). ☎ (619) 234-CAFÉ. Sem 7h-14h, 16h-21h ; w-e 7h-13h. Env 12 $. En plein quartier des affaires, à deux pas de la *Santa Fe Station,* ce grand café décoré sur le thème du train est fréquenté par les businessmen qui vont travailler. Au menu, les classiques du petit déj américain : omelettes, bacon, *bagels, pancakes,* accompagnés de jus de chaussette. Pour le midi ou le soir, on reste dans le typique, avec sandwichs, *burgers* et salades. Service très aimable.

Bon marché

|●| *Greek Islands Cafe* (plan I, A3, **35**) : à l'extrémité ouest de Seaport Village. ☎ (619) 239-5216 ou (619) 2342407. Tlj 10h-21h (22h le w-e). Plats 7-10 $. Un resto grec qui vous facilitera la tâche. La Californie étant le royaume de la silicone, tous les plats sont moulés en cette matière et placardés au-dessus du comptoir. On commande au chef, puis on va s'asseoir à l'intérieur ou en terrasse en attendant qu'un porte-voix annonce au porte-voix le numéro qui figure sur votre ticket. Toute la cuisine grecque est là, du *tzaziki* aux *dolmades* en passant par la moussaka, l'houmous, les falafels et autres *souvlakis.* C'est pas cher et bien servi. Vin au verre ou au pichet à des prix convenables. Un petit air de Pirée-sur-Pacifique.

|●| *Filippi's Pizza Grotto* (hors plan I par B1, **34**) : 1747 India St, dans Little Italy. ☎ (619) 232-5095. Ouv 11h-22h (à partir de 9h pour les plats à emporter, jusqu'à 23h30 ven-sam). Pizzas env 16 $, plats de pâtes 8-12 $, vins italiens à prix doux. Un gigantesque resto, et si l'entrée ne paie pas de mine, on est tout de suite séduit en traversant l'épicerie qui fleure bon le parmesan et le jambon fumé. Le four est caché au fond de cette grotte d'où sortent d'énormes pizzas débordant de mozzarella. Également d'excellents raviolis, lasagnes et spaghettis. Au plafond, des bouteilles de chianti montrent qu'ici on lève le coude allegro. De l'ambiance dès 18h et un service pas trop *piano.*

|●| *Cheese Shop* (plan I, C3, **31**) : 627 4*th* Ave. ☎ (619) 232-2303. Tlj 7h (8h w-e)-16h. Intéressant lunch special avec plat, boisson et frites : moins de 12 $. Des énormes sandwichs au *pastrami* en passant par les *bagels* ou le *French dip,* on vient ici pour manger dans un vrai « *deli New York style* » avec sa salle à dominante de bois, haute sous plafond, ou sur une petite terrasse sur le trottoir aux beaux jours. Chauds ou froids, les sandwichs sont un régal. Une bonne adresse pour ne pas se ruiner dans le quartier, fréquentée par des habitués (voir aussi plus haut « Spécial petit déjeuner »).

|●| *Valentines* (plan I, C3, **33**) : 844 Market St (angle 9*th*). ☎ (619) 234-8256. Tlj 8h-1h (2h ven-sam). Env 7 $ (moins pour certains plats). Zéro pour le cadre, préférer les deux ou trois tables sur le trottoir, s'il fait beau ! Une espèce de fast-food mexicain, mais rapport « prix-bouffe » assez imbattable. Excellents *tacos, burritos* et autres *enchiladas* à prix minuscules ! Également d'autres plats, comme le *chimichanga* ou le *pollo asado.* Conclusion : idéal pour ceux qui trouvent que le pays est cher mais qui n'ont quand même pas envie d'avaler n'importe quoi...

|●| *Kansas City Barbeque* (plan I, B3, **40**) : 610 W Market St. ☎ (619) 231-9680. Tlj 11h-1h. Plats 9-15 $. Le proprio est originaire de Kansas City, ville où un style culinaire propre est né : celui d'une viande cuite à la flamme et assai-

sonnée d'une sauce à base de tomate à peine sucrée... Ici, il y a de quoi goûter à l'Amérique version « beauf », et au cœur même de San Diego ! Atmosphère en rapport avec le reste, sans chichis, assez crade d'ailleurs, et très animée, à la limite du mauvais goût certains soirs. Il faut dire que c'est un des lieux de tournage du film *Top Gun* avec Tom Cruise.

À propos, avez-vous remarqué le portrait de femme derrière le comptoir ? C'est Cyclone Carry, présidente, au début du XXe s, de la *Woman's Christian Temperance Union* (hmm !). Il paraît qu'elle allait, une bible dans une main et une hachette dans l'autre, faire du grabuge dans les saloons. L'Amérique... profonde qu'on vous disait !

Prix moyens

|●| **Mister Tiki** (plan I, C2, **38**) : 801 5th Ave. ☎ (619) 233-1183. Tlj 17h-22h (voire plus). Plats à partager env 20-30 $; menu 3 plats 35 $. Un petit bout de tropiques au milieu du Gaslamp Quarter. Décor exotique moderne : grande statue en bois derrière le bar, lampes multicolores design, confortables banquettes pour descendre tranquillement quelques cocktails joliment garnis de fruits frais. Pour rester dans le thème, la cuisine, très fine et goûteuse, s'inspire des îles polynésiennes, avec beaucoup de poulet et fruits de mer, mélange de sucré-salé, de doux et d'amer, le tout parsemé de quelques influences asiatiques. Service très sympa. On évitera la terrasse, peu confortable.

|●| **Dick's Last Resort** (plan I, C3, **36**) : 345 4th Ave (entre J et K St ; également une entrée sur 5th Ave). ☎ (619) 231-9100. Tlj 11h-2h. Sandwichs, burgers et salades le midi env 10 $; le soir, plats 13-20 $. Immense hall à l'atmosphère rugissante le week-end (surtout le soir), à peine plus calme en semaine. Déco éclectique, sur fond de mur de brique ponctué de néons multicolores, avec au plafond une moto, des chandeliers ultra-kitsch, et des soutiens-gorge (un classique du genre chez les cow-boys). Dans l'assiette, pas mal de friture ainsi que des *ribs*, du poulet, des crevettes, du crabe et du poisson, accompagnés de *dragon fries* pour les plus aventureux et les cracheurs de feu en herbe... Le tout ponctué par un orchestre de blues ou de rock compensant ses faiblesses par une sono assourdissante. Côté boissons, choix de 60 bières. Agréable terrasse à l'arrière pour échapper à l'usine et au bruit : à 100 m de la scène, on commence à s'entendre ! Soirées à thème régulièrement organisées. À découvrir !

Plus chic

|●| **Fish Market** (plan I, A3, **39**) : 750 N Harbor Dr (sur G S Pier). ☎ (619) 234-4867. Ouv 11h (10h30 dim)-22h. Résa conseillée le w-e (bien préciser pour quelle salle !), car c'est bondé. Plats 12-25 $ au rdc et 20-38 $ à l'étage. On dîne pour 60 $, mais sans piocher dans les crustacés. Au bout d'un immense parking, avec une vue sympa sur la baie. En terrasse sur le port, à condition d'avoir réservé, ou dans l'un des deux restos : brasserie au rez-de-chaussée, avec bars à sushis et à huîtres (pas besoin de réserver), et salle un peu plus chic à l'étage (*Top of the Market*), avec bois ripolinés, cuivres et miroirs pour une ambiance marine un poil rétro (la musique est là pour le souligner). Une formidable adresse qui sert presque exclusivement du poisson. Pas donné, mais c'est l'occasion de manger du requin, du *Hawaiian ono* et bien d'autres poissons bien préparés. Les arrivages du jour sont affichés à l'entrée.

|●| **Sevilla** (plan I, C3, **42**) : 555 4th St. ☎ (619) 233-5979. Tlj 17h-1h30. Tapas env 5-12 $; paella 20-25 $ (13 $ lun). À voir la patine sur les montants des baies, on se doute bien que l'endroit attire les foules... Dès la porte franchie, un éclairage rougeoyant vous plonge immédiatement dans une ambiance espagnole. Et c'est sous le ciel étoilé d'une rue de Séville (avec ses lampadaires, scènes de vie quotidienne, fenêtres ouvragées...) que vous dînerez d'un assortiment de tapas ou d'une paella. Laissez donc de la place pour les des-

PLANS ET CARTES
EN COULEURS

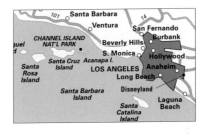

SOMMAIRE

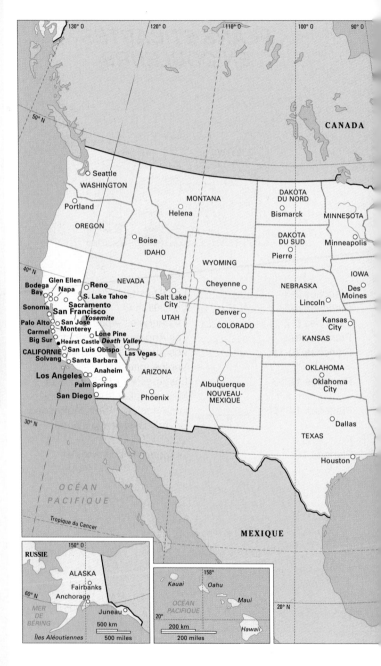

LES ÉTATS-UNIS

2

80° 0   70° 0   60° 0

MAINE
Augusta

1 VERMONT
2 NEW HAMPSHIRE
3 MASSACHUSETTS
4 RHODE ISLAND
5 CONNECTICUT

Albany
NEW YORK

New York

WISCONSIN   MICHIGAN
Madison   Detroit

PENNSYLVANIE
Pittsburgh   NEW JERSEY
Philadelphie
DELAWARE
Chicago
INDIANA   OHIO
ILLINOIS   Colombus   Washington   MARYLAND
Indianapolis   VIRGINIE
OCC.
Charleston   VIRGINIE
St. Louis   Frankfort   Roanoke
KENTUCKY   Raleigh
MISSOURI
Nashville   CAROLINE DU NORD
TENNESSEE
ARKANSAS   CAROLINE DU SUD
Little
Rock   Birmingham   Atlanta
MISSISSIPPI   Charleston
ALABAMA   GEORGIE
Jackson

LOUISIANE   Jacksonville
La Nouvelle-
Orléans   FLORIDE

Miami

OCÉAN
ATLANTIQUE

Golfe
du Mexique

CUBA   RÉP.
DOM.
HAÏTI

JAMAÏQUE

MER
DES CARAÏBES   500 km

500 miles

LES ÉTATS-UNIS

LES ÉTATS-UNIS

4

LA CALIFORNIE

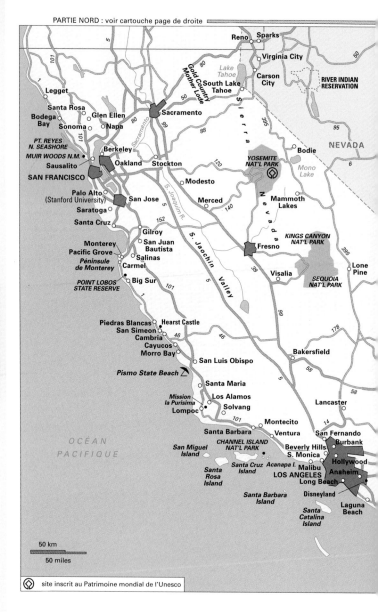

50 km

50 miles

⊗ site inscrit au Patrimoine mondial de l'Unesco

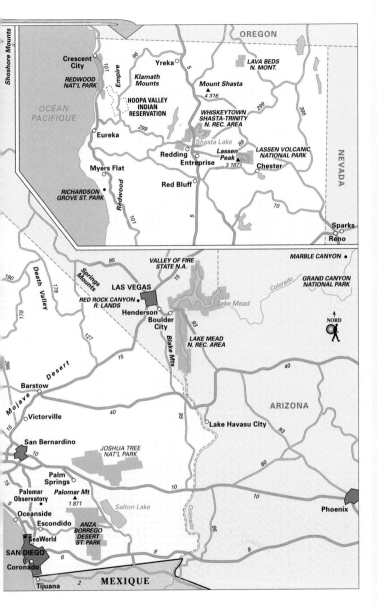

LA CALIFORNIE

LOS ANGELES – PLAN D'ENSEMBLE

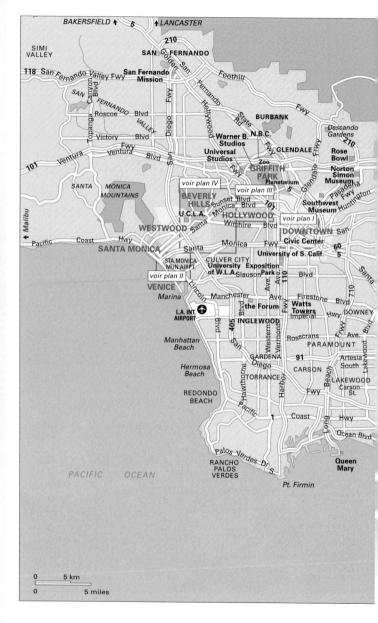

BAKERSFIELD ↖ 5 ↑ LANCASTER

SIMI VALLEY

210

SAN FERNANDO

118 San Fernando Valley Fwy

San Fernando Mission

Foothill Fwy

SAN FERNANDO

Roscoe Blvd

BURBANK

Descando Gardens

N.B.C.

Victory Blvd

Warner B. Studios

GLENDALE

Rose Bowl

Universal Studios

Zoo

Norton Simon Museum

Pasadena

SANTA MONICA MOUNTAINS

GRIFFITH PARK

Planetarium

voir plan IV

BEVERLY HILLS

voir plan III

Southwest Museum

Ventura Fwy

U.C.L.A.

Sunset Blvd

HOLLYWOOD

101

WESTWOOD

Wilshire Blvd

DOWNTOWN

Pacific Coast Hwy

Santa Monica

Civic Center

SANTA MONICA

STA. MONICA MUN. AIRP'T.

CULVER CITY University of W.L.A.

Exposition Park

University of S. Calif.

60

voir plan II

VENICE

Slauson Ave

Blvd

Manchester Ave

Firestone Blvd

Marina

the Forum

Watts Towers

DOWNEY

L.A. INT. AIRPORT

INGLEWOOD

Imperial Hwy

Manhattan Beach

Rosecrans Ave

PARAMOUNT

GARDENA

91

Artesia

Hermosa Beach

CARSON

South

LAKEWOOD

TORRANCE

Carson St.

REDONDO BEACH

Pacific

1 Coast Hwy

Ocean Blvd

PACIFIC OCEAN

Palos Verdes Dr. S.

RANCHO PALOS VERDES

Queen Mary

Pt. Firmin

0   5 km

0   5 miles

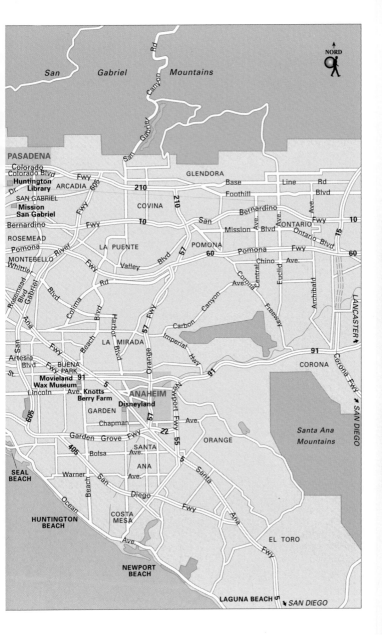

LOS ANGELES – PLAN D'ENSEMBLE

LOS ANGELES – DOWNTOWN (PLAN I)

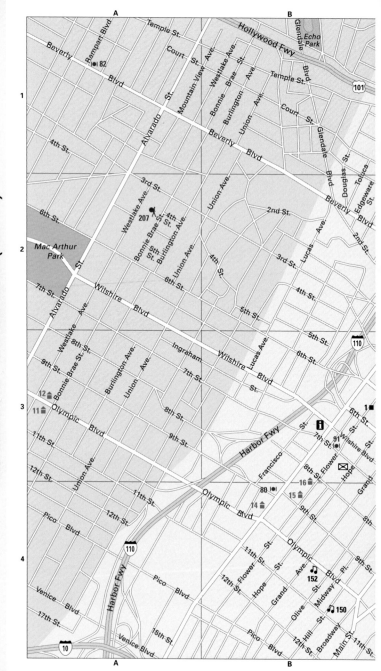

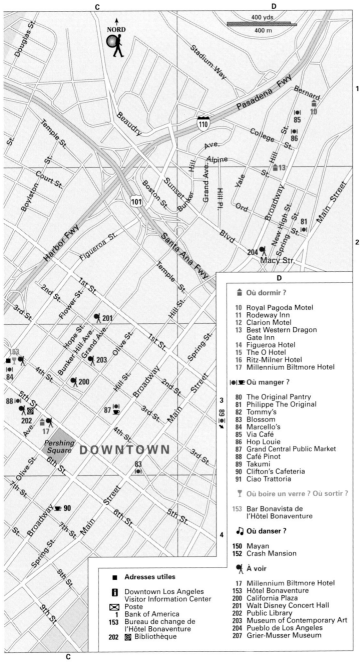

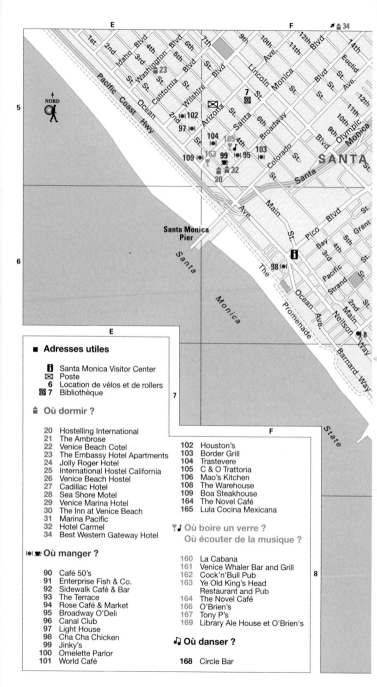

■ **Adresses utiles**

🛈 Santa Monica Visitor Center
✉ Poste
6 Location de vélos et de rollers
@ 7 Bibliothèque

🛏 **Où dormir ?**

20 Hostelling International
21 The Ambrose
22 Venice Beach Cotel
23 The Embassy Hotel Apartments
24 Jolly Roger Hotel
25 International Hostel California
26 Venice Beach Hostel
27 Cadillac Hotel
28 Sea Shore Motel
29 Venice Marina Hotel
30 The Inn at Venice Beach
31 Marina Pacific
32 Hotel Carmel
34 Best Western Gateway Hotel

🍴🍷 **Où manger ?**

90 Café 50's
91 Enterprise Fish & Co.
92 Sidewalk Café & Bar
93 The Terrace
94 Rose Café & Market
95 Broadway O'Deli
96 Canal Club
97 Light House
98 Cha Cha Chicken
99 Jinky's
100 Omelette Parlor
101 World Café
102 Houston's
103 Border Grill
104 Trastevere
105 C & O Trattoria
106 Mao's Kitchen
108 The Warehouse
109 Boa Steakhouse
164 The Novel Café
165 Lula Cocina Mexicana

🍸🎵 **Où boire un verre ?**
Où écouter de la musique ?

160 La Cabana
161 Venice Whaler Bar and Grill
162 Cock'n'Bull Pub
163 Ye Old King's Head Restaurant and Pub
164 The Novel Café
166 O'Brien's
167 Tony P's
169 Library Ale House et O'Brien's

🎵 **Où danser ?**

168 Circle Bar

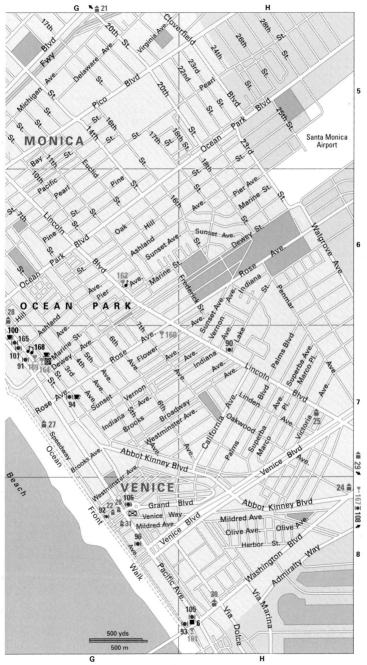

LOS ANGELES – HOLLYWOOD ET MELROSE (PLAN III)

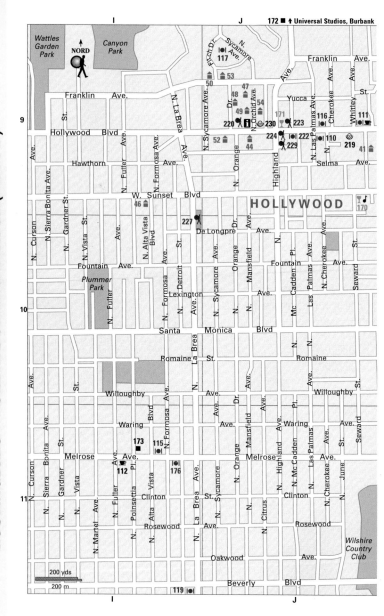

172 ■ ↑ Universal Studios, Burbank

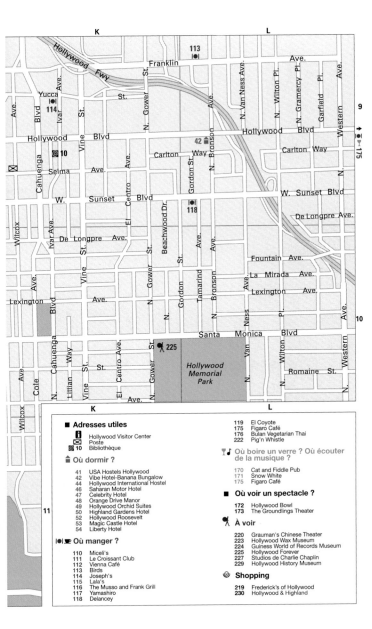

■ **Adresses utiles**

- **ℹ** Hollywood Visitor Center
- **✉** Poste
- **@ 10** Bibliothèque

🛏 **Où dormir ?**

- 41 USA Hostels Hollywood
- 42 Vibe Hotel-Banana Bungalow
- 44 Hollywood International Hostel
- 46 Saharan Motor Hotel
- 47 Celebrity Hotel
- 48 Orange Drive Manor
- 49 Hollywood Orchid Suites
- 50 Highland Gardens Hotel
- 52 Hollywood Roosevelt
- 53 Magic Castle Hotel
- 54 Liberty Hotel

🍽 **Où manger ?**

- 110 Miceli's
- 111 Le Croissant Club
- 112 Vienna Café
- 113 Birds
- 114 Joseph's
- 115 Lala's
- 116 The Musso and Frank Grill
- 117 Yamashiro
- 118 Delancey

- 119 El Coyote
- 175 Figaro Café
- 176 Bulan Vegetarian Thai
- 222 Pig'n Whistle

🍷🎵 **Où boire un verre ? Où écouter de la musique ?**

- 170 Cat and Fiddle Pub
- 171 Snow White
- 175 Figaro Café

■ **Où voir un spectacle ?**

- 172 Hollywood Bowl
- 173 The Groundlings Theater

🎭 **À voir**

- 220 Grauman's Chinese Theater
- 223 Hollywood Wax Museum
- 224 Guiness World of Records Museum
- 225 Hollywood Forever
- 227 Studios de Charlie Chaplin
- 229 Hollywood History Museum

⚙ **Shopping**

- 219 Frederick's of Hollywood
- 230 Hollywood & Highland

LOS ANGELES – HOLLYWOOD ET MELROSE (PLAN III)

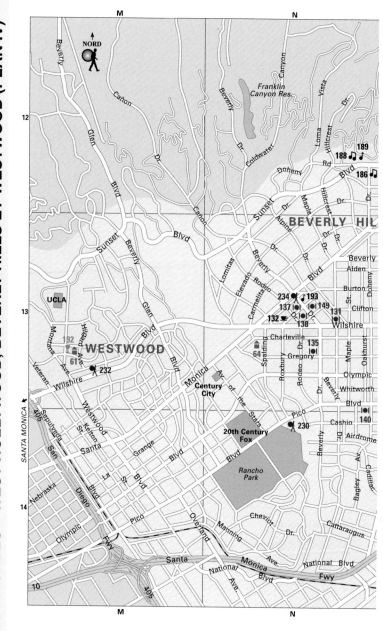

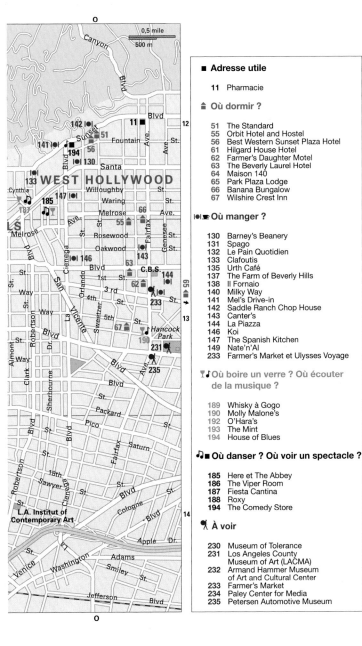

■ **Adresse utile**

11 Pharmacie

🛏 **Où dormir ?**

51 The Standard
55 Orbit Hotel and Hostel
56 Best Western Sunset Plaza Hotel
61 Hilgard House Hotel
62 Farmer's Daughter Motel
63 The Beverly Laurel Hotel
64 Maison 140
65 Park Plaza Lodge
66 Banana Bungalow
67 Wilshire Crest Inn

🍴 **Où manger ?**

130 Barney's Beanery
131 Spago
132 Le Pain Quotidien
133 Clafoutis
135 Urth Café
137 The Farm of Beverly Hills
138 Il Fornaio
140 Milky Way
141 Mel's Drive-in
142 Saddle Ranch Chop House
143 Canter's
144 La Piazza
146 Koi
147 The Spanish Kitchen
149 Nate'n'Al
233 Farmer's Market et Ulysses Voyage

🍷 **Où boire un verre ? Où écouter de la musique ?**

189 Whisky à Gogo
190 Molly Malone's
192 O'Hara's
193 The Mint
194 House of Blues

🎵 **Où danser ? Où voir un spectacle ?**

185 Here et The Abbey
186 The Viper Room
187 Fiesta Cantina
188 Roxy
194 The Comedy Store

🎬 **À voir**

230 Museum of Tolerance
231 Los Angeles County Museum of Art (LACMA)
232 Armand Hammer Museum of Art and Cultural Center
233 Farmer's Market
234 Paley Center for Media
235 Petersen Automotive Museum

LOS ANGELES – WEST HOLLYWOOD, BEVERLY HILLS ET WESTWOOD (PLAN IV)

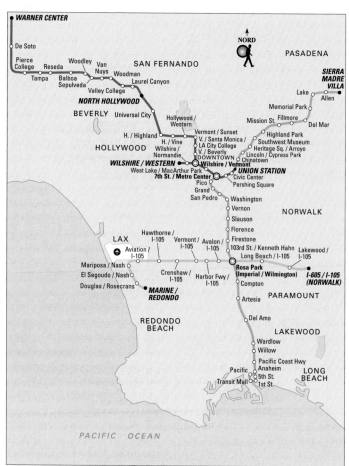

LE MÉTRO DE LOS ANGELES

serts. Groupe de musiciens sévillans pour rythmer la soirée (voir « Où sortir ? ») dès 21h. Une adresse envoûtante.

i●i *Blue Point Coastal Cuisine* (plan I, C3, **41**) : 565 5ᵗʰ Ave. ☎ (619) 233-6623. Tlj 17h-22h (23h ven-sam). Plats 30-35 $. Cuisine de la côte californienne, proposant surtout des viandes et des poissons grillés (*sauted mahi mahi, fresh cioppino* composé de crabes, moules, huîtres et clams dans un fumet de tomates safranées, hmm !). Déco plutôt chic, service nappé, verres bleus, le décor se paye aussi. Aquarium et peintures sur le thème de la pêche, cuisine bien en vue, places compartimentées et fauteuils de style Chesterfield. À priori plutôt intimiste... Y aller en semaine, car le weekend, c'est noir de monde ! Petite terrasse sur la rue très passante.

i●i *Croce's* (plan I, C2, **37**) : 802 5ᵗʰ Ave (angle F St). ☎ (619) 233-4355. En plein dans Gaslamp, le cœur de la ville. Sem 17h30-minuit ; w-e dès 8h30. Salades 12-18 $ le midi ; le soir, compter dîner pour 60 $. Grand resto, très prisé des San-Diegans, qui appartient à la veuve de Jim Croce, un chanteur de folk, décédé prématurément dans un accident d'avion en 1973. Il a connu un succès éphémère, avec des chansons comme *Bad Bad Leroy Brown, Time in a Bottle*, ou *Operator*. Dans un décor *black & red*, larges ventilos, mezzanine pour un dîner tranquille. Le midi, c'est plutôt relax, *casual*, pour une salade, un *burger*, un sandwich... Le soir, c'est pas la même histoire, clientèle beaucoup plus chicos, on pousse un peu à la conso, mais les plats, poissons, viandes ou pâtes, sont bons, finement exécutés et très joliment présentés. La carte des vins peut atteindre des sommets (300 $ la bouteille !) Excellents desserts. Musique live, surtout du jazz, tous les soirs pour accompagner votre repas. Service un peu prétentieux.

Dans Hillcrest

Bon marché

i●i *The Corvette* : 3946 5ᵗʰ Ave. ☎ (619) 542-1001. À moins de 2 miles de Downtown, en ligne droite (facile à trouver). ☎ (619) 542-1476. Ouv 11h-22h (minuit ven-sam). Burgers et salades 9-12 $. Bar-grill dans une ambiance animée, dédié non seulement aux *fifties*, mais aussi à l'une des plus célèbres automobiles, la Corvette (on retrouve un exemplaire jaune de 1963 à l'intérieur). L'immense salle est censée pouvoir contenir 288 personnes ou 49 voitures. Décor remarquable, éclairé de néons multicolores. La jeunesse s'y rue le week-end pour s'empiffrer de *burgers*, de sandwichs et salades variés, sur fond de musique rock'n'roll (avec DJ). Petite recommandation : si vous voulez prendre des photos, faites-le très discrètement car, inexplicablement, la direction refuse catégoriquement qu'on immortalise le lieu ! Nombreux souvenirs à vendre à l'intérieur. Service décontracté.

i●i *Chow* : 540 University Ave. ☎ (619) 269-9209. Tlj 11h-23h. Plats 8-12 $. Le temple de la nouille. Une cuisine panasiatique à dominante thaïe, servie copieusement dans un décor plutôt scandinave que nippon. Bois veiné, sièges design en inox, orchidée sur chaque table, un miroir agrandit avantageusement la salle... À table, une clientèle jeune, le nez dans sa soupe. Également des rouleaux de printemps, quelques variations sur le thème de la nouille, végétarienne ou non, et une intéressante banane caramélisée en dessert. Service généreux et dynamique. Bonne adresse.

Chic

i●i *Celadon* : 3671 5ᵗʰ Ave. ☎ (619) 297-8424. Lunch lun-sam 11h30-15h ; dîner dim-jeu 17h-23h, ven-sam 17h-minuit. Repas env 60 $. Résa obligatoire pour dîner et tenue correcte exigée. Dans un agréable décor très chic, lignes épurées, mariage des matières sur fond blanc, présence de Bouddha, piano blanc, ce resto thaï est réputé pour la délicatesse de sa cuisine. Les *curries* sont bien relevés, les rouleaux de printemps excellents, et les *cho chee*

savoureux et copieux. Pour parfaire cet excellent repas, on vous offre un véritable feu d'artifice de desserts. Service raffiné et très prévenant.

Dans Balboa Park

Prix moyens

|●| **The Prado** : 1549 El Prado. En plein cœur du Balboa Park, juste à côté du Visitor Center, *dans le bâtiment qui regroupe restos, services, etc.* ☎ (619) 557-9441. Tlj 11h30-15h ; 17h-21h sf lun. Env 20-25 $. Resto très joliment décoré, tant à l'intérieur qu'au bar ou sur la terrasse, ombragée par quelques parasols et rafraîchie par une petite fontaine. On y sert une cuisine assez raffinée, en particulier de délicieuses salades très fraîches et des sandwichs avec du pain maison accompagnés de chips au *taro*. Les gros mangeurs se laisseront tenter par une savoureuse paella. Service un poil obséquieux.

Dans Old Town

Bon marché

|●| **Café Coyote** (plan II, F5, **47**) : 2461 San Diego Ave. ☎ (619) 291-4695. Tlj 11h-1h. Plats 8-12 $. Il y a belle lurette que le *Coyote* n'a plus à faire ses preuves ! C'est bien simple, c'est toujours plein ! La recette ? Une cuisine mexicaine copieusement servie à un prix tout à fait compétitif. En intérieur, dans l'un des deux restos séparés par une petite allée servant de terrasse, ou en terrasse justement, au son des mariachis. Commencez par commander le guacamole, puis laissez-vous guider. Clientèle éclectique, qui va du *golden boy* venant de dénouer sa cravate à la midinette tout juste sortie de la plage et tétant sa Corona au goulot. Dans l'assiette, un festival de *fajitas, burritos, enchiladas* et *tacos*. Et pour faire passer le tout, l'une des dix mousses à la pression. Bonne ambiance, mais si vous avez des choses à vous dire, allez voir ailleurs !

De prix moyens à chic

|●| **Casa de Reyes** (plan II, E-F5, **46**) : Juan St. ☎ (619) 296-3267. Au fond de la Plaza del Paseo. Tlj 10-21h (22h ven-sam). Plats 9-12 $. Un mégaresto mexicain, genre usine à touristes, allez-y assez tôt si vous ne voulez pas attendre 1h. Situé au cœur du Bazar del Mundo, on y est gentiment dépaysé. Grande terrasse aux couleurs chaudes, orchestre de *mariachis*, serveuses en costume traditionnel, *tortilla maker*, pour voir comment se confectionne cette spécialité... tout y est. Même la fontaine ! Impressionnants cocktails, très colorés, et cuisine copieuse. Également des plats « spécial santé »... si, si, ne riez pas...
|●| **Casa Guadalajara** (plan II, E4, **44**) : 4105 Taylor St. ☎ (619) 295-5111. Ouv 11h-22h ; sam 8h-23h ; dim 8h-22h. Moins de 15 $ pour une salade ou des tacos, le double pour des plats à base de fruits de mer. Une oasis de fraîcheur, à deux pas du Bazar del Mundo, un peu à l'écart de l'agitation touristique. Dans la grande salle colorée ou sur la terrasse ombragée, au son des *mariachis*, on sert des plats copieux et très bien exécutés, des *fajitas* croquantes aux *quesadillas* fondantes, sans oublier les *tacos* de poissons bien croustillants. Une petite *margarita* pour la soif, et le dépaysement est complet. Service souriant et efficace.
|●| **Zocalo Grill** (plan II, F5, **45**) : 2444 San Diego Ave. ☎ (619) 298-9840. Lun-sam 11h30-22h ; brunch dim 10h-15h, dîner 16h-22h. Happy hours 16h-18h30. Pizzas env 10 $, pâtes, viandes et poissons 15-25 $; on dîne pour

45 $. Vous reconnaîtrez aisément cette jolie petite maison au toit de tuiles à sa citerne en bois noyée dans la verdure. À l'intérieur, murs de pierre et grand comptoir. À l'extérieur, vaste terrasse tranquille, flanquée de 2 cheminées étonnantes, d'où arrivent les embruns musicaux *du Café Coyote,* juste en face. Côté cuisine, tout le monde devrait y trouver son bonheur : pizzas, salades, délicieuses grillades et fruits de mer. Plats un peu sophistiqués dans une ambiance très relax. Demandez le vin du mois !

À La Jolla

Bon marché

|●| Cheese Shop : *2165 Avenida de la Playa.* ☎ *(858) 459-3921. Tlj 8h-16h. Env 7 $.* Avant d'ouvrir une succursale à Downtown, ce *deli* s'est bâti une solide réputation, grâce à des sandwichs délicieux, copieusement garnis de viande, et à son bel assortiment de fromages qui puent. Les amateurs de *pastrami* au saut du lit y prendront leur petit déj, les autres se caleront l'estomac avant d'aller surfer. La plage est au bout de la rue !

À Pacific Beach

Prix moyens

|●| The Green Flash : *701 Thomas Ave, Pacific Beach.* ☎ *(858) 270-7715. Tlj 8h-22h.* Happy hours *lun-ven 16h-18h. Moins de 15 $ le midi, 30-35 $ le soir. Menu réduit 15h-17h.* Une grande cabane en bois, directement sur la plage. Petite terrasse pour cuire au soleil en journée, ou pour apercevoir le rayon vert (d'où le nom du resto), un phénomène optique dû à la réfraction, au moment où le soleil disparaît dans la mer. La cuisine est simple et bonne, notamment les spécialités de fruits de mer et poissons, mais on peut aussi y déjeuner d'une omelette ou d'une belle salade. Le soir, la carte est plus raffinée et mieux fournie en produits de la mer. On aurait aimé une carte des vins avec plus de choix ! Service moyen.

|●| Sushi Ota : *4529 Mission Bay Dr, Mission Bay.* ☎ *(858) 270-5047. Proche de Pacific Beach et facilement accessible par l'Interstate 5 ; juste à côté d'un concessionnaire* Nissan, *au fond du parking d'un petit centre commercial. Marven, 11h30-14h, 17h-22h30 ; lun et sam-dim, slt le soir. Plateau de sushis ou sashimis 15-27 $.* Japonaise jusqu'au bout des concombres *sunomono,* cette adresse attire tous les fins connaisseurs de poissons crus. Et pour cause : les prix sont doux et la qualité irréprochable. Le poisson est préparé sous vos yeux par une équipe experte. Le décor sobre mais assez chic vient ajouter la touche finale à ce resto en tous points remarquable.

Sur l'île de Coronado

Chic

|●| Hôtel del Coronado : *1500 Orange Ave, Coronado Beach.* ☎ *(619) 522-8000. Compter moins de 20 $ pour une salade, on dîne pour 60-80 $, mais si on vous l'indique, c'est principalement pour leur brunch du dim mat (70 $).* Une pure merveille, servie dès 9h30 dans une immense salle à manger avec plafond à caissons et en forme de carène de navire renversée. Boiseries et murs tendus de tissu vieux rose. Bref, cadre vraiment élégant. Ne pas avoir peur de la longue file d'attente (prendre d'abord un ticket), elle se résorbe assez vite. Mets en abondance et délicieux. Gardez tout de même un peu de place pour les desserts. L'hôtel compte d'autres restaurants, comme le *Sheerwater,* le moins cher et le moins formel d'entre eux, ou bien le *1500 Ocean,* plus chic, spécialisé en poissons. Le *teatime* n'est pas mal non plus, avec le pianiste qui anime le bar américain. Belle terrasse près de l'eau pour admirer le coucher de soleil en prenant un cocktail.

Où sortir ?

Partie prenante du *revival* de Downtown : l'irruption de super lieux musicaux. Rock et blues déferlent sur le trottoir. On peut presque choisir à la carte en se baladant. La plupart des boîtes se situent dans le quartier récemment rénové de Gaslamp, et particulièrement sur 5th Street. En semaine, quasiment jamais de *cover charge*.

♪ *Sevilla* (plan I, C3, 42) : 555 4th St. ☎ (619) 233-5979. ● cafese villa.com ● Joli bar en bois où pendent d'appétissants saucissons et fromages espagnols (voir « Où manger ? »). Après 21h, venez boire un verre ici au son de l'orchestre live aux accents de Séville, de New Orleans ou des docks de Dublin (voir la programmation sur leur site internet). Sinon rendez-vous dans la partie club *(entrée : 8-10 $)*, située au sous-sol, pour un cours (gratuit avec paiement de l'entrée) de salsa ou de flamenco à 20h30 (mardi, mercredi et jeudi), avant de vous élancer sur la piste de danse jusqu'à 1h30. Ambiance torride le week-end. ¡ Arriba !

♦ *Patrick's II* (plan I, C2, 50) : 428 F St. ☎ (619) 233-3077. À côté du Hard Rock Café. Tlj 9h-2h. Entrée : 3-5 $ le w-e. Petit pub irlandais bien sombre, bien animé le soir et ouvert sur la rue en été. Tous les soirs, de remarquables orchestres de blues, jazz et rock dès 21h. Le 1er vendredi du mois, festival de blues. Une chouette adresse.

♦ *The Field* (plan I, C3, 56) : 544 5th Ave. ☎ (619) 232-9840. Ouv 11h (9h w-e)-2h. Happy hours *tlj sf dim* 16h-19h ; sam 9h-17h. Concerts 3 soirs/sem. Encore un pub irlandais ! Rustique celui-ci, un peu sombre, mais très authentique comme en témoigne la clientèle, plus irlandaise qu'ailleurs, et les barmen, *Irish too*. Bric-à-brac en face du bar, vaisselle d'antan ornant les murs et cheminée avec chaudron. Méga-ambiance les soirs de match. Au dire des habitués, on y tire la meilleure *Guinness* de San Diego ! De quoi justifier le détour, du moins pour certains. Pour les autres, il reste l'ambiance, très chaleureuse et moins tonitruante que dans les bars alentour.

♦ *Red Circle* (plan I, C2, 57) : 420 E St. ☎ (619) 234-9211. Mar-ven, ouv à 17h ; sam, ouv à 18h. Happy hours mar-ven 17h-20h. LE bar branché de San Diego, pour voir et être vu. Colonnes corinthiennes dorées, ambiance hollywoodienne, sofa en skaï blanc (on croyait qu'il était bleu !). Derrière le bar, un soleil rouge descend du plafond, des écrans géants – pour se voir peut-être ? L'ambiance est très people le weekend, et la file s'allonge vite sur le trottoir pour entrer dans ce temple de la nuit plutôt sélect. Au fond des verres, de la vodka, déclinée sous une centaine de marques. Au bout du grand bar qui fait toute la longueur, une petite piste de danse avec soirées DJ house tous les vendredis et samedis (droit d'entrée ces soirs-là après 22h). Une valeur sûre pour les *party-goers*...

♦ |●| *Henry's Pub* (plan I, C3, 55) : 618 5th Ave. ☎ (619) 238-2389. Tlj 11h-1h30. Entrée payante lun et ven-sam à 21h30 (5-10 $) ; après 21h30, le menu change, on grignote pour moins de 15 $. Belle salle à l'éclairage tamisé avec parquet où s'agite la jeunesse de San Diego. Musique live tous les soirs, avec DJ lundi, vendredi et samedi, rock et swing mardi, blues mercredi, rock des *eighties* jeudi et karaoké dimanche. On peut manger un bout aussi. Intéressants cocktails. Entrée interdite aux moins de 21 ans après 21h30.

♦ *Croce's* (plan I, C2, 37) : 820 5th Ave. ☎ (619) 233-4355. Ouv jusqu'à 2h. Une fresque d'ancienne façade de cinéma orne l'intérieur. Atmosphère sympa. Intéressants cocktails. Excellente programmation jazz et *rhythm'n'blues* dès 21h, et *salsa night* samedi.

♦ *The Shout House* (plan I, C3, 52) : 655 4th Ave. ☎ (619) 231-6700. ● the shouthouse.com ● Tlj sf lun 20h (19h ven-sam)-1h15. Entrée gratuite dim et mar-mer ; jeu : 5 $, ven-sam : 8 $. Grande salle où les ventilateurs découpent les paroles des clients attablés devant leur verre d'écume. Derrière le comptoir, les barmen s'activent aux manettes des pressions. Ici la *Bud* coule à flot, dans une ambiance de rade à l'époque de la prohibition. Sur l'estrade, 2 grands pianos se font face. C'est simple : vous remplissez le *request form*, vous le déposez sur un piano et votre morceau sera interprété moyennant souvent quelques arrangements délirants ou comiques par les duettistes. Ambiance déjantée. *Burgers* de rigueur ; quant à la bière, c'est bien connu, à partir de trois, dit-on, on comprend bien mieux l'anglais !

À voir. À faire

Downtown *(plan I)*

Comme cela s'est produit dans la plupart des grandes villes américaines au cours des années 1960, le centre s'est progressivement vidé au profit des banlieues résidentielles. Depuis quelques années cependant, la municipalité effectue un travail considérable pour redonner à ce centre son éclat du début du XXe s. Et c'est réussi ! Les façades victoriennes sont désormais ravalées et, dans le Gaslamp Quarter, les restaurants, cafés et boîtes champignonnent à tout va, consacrant le *revival* de Downtown. Bien sûr, il ne suffit pas de donner un bon coup de chiffon au centre-ville pour en évacuer tous les problèmes sociaux. Le nord de Downtown, à partir de Broadway Avenue, reste encore, la nuit, un lieu de rassemblement des laissés-pour-compte et des *street people* à la recherche d'un peu de chaleur.

🏃 *Gaslamp Quarter (plan I, C2-3) : quartier historique de San Diego, récemment rénové, qui s'étend sur 8 blocs et demi entre 4th et 6th Ave.* Visite possible ts les sam 11h. Rens : ☎ (619) 233-5227. Un endroit vraiment sympa pour flâner ou s'installer à une terrasse. Bondé le week-end. Surtout des restos-cafés-boîtes de nuit, mais aussi quelques magasins intéressants. À noter, entre autres, dans 5th Avenue, un magasin-fabrique de cigares, *Cuban Cigar Factory,* au n° 551 (angle Broadway). Un Cubain s'active à la presse devant vous pour une production locale que viennent négocier des hommes aux temps grises. Compter 4-12 $ suivant la qualité du barreau de chaise ! Plus loin, au n° 861, *Classic Cars,* magnifique magasin de voitures d'occasion : Corvette, Cadillac...

🏃🏃🏃 *Maritime Museum (plan I, A1) : 1492 N Harbor Dr.* ☎ (619) 234-9153. ● sdmaritime.com ● *Pas très loin du centre-ville (à la hauteur de A St), sur les quais. Tlj 9h-20h (21h juin-août). Entrée : 14 $; réduc.* On y trouve de très nombreux bateaux, de toutes tailles et de toutes les époques. Il y a surtout le plus vieux navire du monde encore en activité : le *Star of India* (1863), ainsi que le *Berkeley* (un *steam ferry* de 1898), le *Medea,* un luxueux yacht de 1904 et le *HMS Surprise,* réplique d'un navire de la Royal Navy de la fin du XVIIIe s, utilisé dans *Master and Commander* avec Russell Crowe. Les amateurs de belles coques apprécieront le *Wings* de 1931, le 1er bateau de *match racing* qui allait assurer la renommée de l'architecte naval George Kettenburg Jr. Explications et informations données par des gens passionnés, souvent retraités des métiers de la mer. Visite à ne pas manquer pour ceux qui aiment la mer et les bateaux, d'autant plus qu'en fin de journée l'été, la promenade sur les quais est très agréable.

🏃 *Museum of Contemporary Art of San Diego (plan I, A2) : 1100 et 1001 Kettner Blvd.* ☎ (858) 454-3541. ● mcasd.org ● *Au niveau de la gare de trolleys Santa Fe. Tlj sf mar 11h-17h (19h jeu). Entrée : 10 $; gratuit pour les moins de 25 ans ; gratuit 3e jeu du mois.* Dans un bâtiment à l'architecture délirante, collection et expos d'œuvres d'artistes contemporains. Minimalisme, art populaire, conceptuel, etc. Éveil de l'imaginaire de l'enfant mais aussi possibilité de peindre, de dessiner, de construire... Deux nouveaux espaces, situés en face du bâtiment original, sont venus agrandir le musée en 2007, et ainsi accueillir davantage d'artistes. À noter que celui de La Jolla (voir plus loin) est plus riche.

🚶 🕴 *Firehouse Museum* (plan I, B1) : 1572 Columbia St (angle Cedar). ☎ (619) 232-3473. En limite du quartier de Little Italy. Jeu-ven 10h-14h ; w-e 10h-16h. Entrée : 3 $. Dans la plus ancienne caserne des pompiers de la ville, tout sur les soldats du feu, avec exposition de vieux matériel et hommage au rôle des *firemen* lors du 11 septembre 2001.

Dans Balboa Park (plan I, D1)

Pour s'y rendre : bus n°s 7, 7A ou 7B depuis Broadway. C'est un espace vert de 560 ha situé au cœur de la ville et au milieu duquel se trouvent les plus importants musées ainsi que le zoo. Créé en 1868, au moment où San Diego n'était qu'un village de quelques milliers d'habitants, il est aujourd'hui un véritable bol d'oxygène pour plus d'un million de personnes. Dans un parc luxuriant, planté de palmiers, de jacarandas et de magnolias magnifiques, les bâtiments de style colonial espagnol, parfois gentiment baroques, ont fait l'objet d'une récente réhabilitation. Ce sont les vestiges de ceux qui ornèrent les grandes expositions de 1915 et 1935.

ℹ️ *Information Center :* 1549 El Prado. ☎ (619) 239-0512. • *balboapark.org* • Tlj 9h30-16h30 (17h juil-août). Possibilité d'acheter le *Balboa Park Passport* (39 $, 65 $ avec le zoo), valable une semaine, qui donne accès aux 13 musées du parc. Ne pas manquer non plus les 8 jardins (accès gratuit) dont le très beau *Desert Garden*. Possibilité de louer un audio-guide (seulement en anglais) sur l'architecture et l'historique du parc pour 5 $ (à rendre avant 16h30). Y aller pour se procurer le plan du parc sur lequel sont localisés les différents musées.

– *Un tram* gratuit circule dans le parc et permet de relier les différents musées : juil-oct, tlj 8h30-20h (18h lun) ; nov-juin, tlj 8h30-18h. Toutes les 15 mn.

🍴 🕴 *Le zoo :* ☎ (619) 234-3153 ou 231-1515. • *sandiegozoo.org* • De Downtown, prendre la Freeway 5, sortie Pershing Dr, puis suivre le fléchage. Tlj 9h-20h juil-août (attention, les portes ferment à 16h !) ; l'heure de fermeture varie le reste de l'année. Entrée : 25 $; réduc. Tour guidé en bus : 12 $. Téléphérique : 3 $ par trajet. Ticket comprenant 2 entrées possibles, bus et téléphérique : 34 $. Possibilité de billet combiné valable 5 j. avec le Wild Animal Park (60 $) ou avec, en plus, Seaworld (109 $). Pour les enfants, spectacles nocturnes organisés le w-e ; billet d'entrée moins cher.

Le plus vaste zoo du monde, dans un site absolument superbe. Compter une bonne demi-journée de visite si vous voulez en profiter réellement. On se retrouve dans une sorte de forêt tropicale avec un canyon naturel. Plus de 4 000 animaux vivent ainsi dans un environnement aussi adapté que possible à leur constitution et à leurs habitudes. Comme spécimens particulièrement exceptionnels, panthère noire, girafes (on peut les nourrir moyennant 5 $), koalas, ours à lunettes, rhinocéros, okapis et, bien sûr, presque en vedette, le grand panda (attention, jusqu'à 17h30 seulement). Ne pas manquer non plus le grand bassin aux hippopotames et les ours polaires.

Le zoo possède également une partie réservée aux enfants, ainsi qu'un jardin botanique de plus de 4 500 espèces de plantes. Pour les paresseux ou les pressés, un bus permet de visiter en 40 mn les endroits les plus intéressants, excepté l'enclos des pandas.

🍴 *San Diego Museum of Art :* 1450 El Prado. ☎ (619) 232-7931. • *sdmart.org* • Tlj sf lun, Thanksgiving, Noël et Jour de l'an, 10h-18h (21h jeu). Entrée : 10 $; réduc ; gratuit le 3e jeu du mois. Dans un bâtiment de style colonial espagnol à la superbe façade, ce musée d'art rassemble sur deux étages des collections très diverses, organisées par donateurs. Le rez-de-chaussée est consacré à l'art américain du XVIIIe au XXe s, avec des œuvres de Blackburn, Theodore Robinson ou Alexander Archipenko, mais également les toiles toujours très colorées de Russel, celles d'Harry Steinberg, de Stuart Davis et de Georgia O' Keefe (aux couleurs chaudes du Sud). Quelques natures mortes de Peale, *Elizabeth et son chien* de Thomas Eakins.

L'art européen n'est pas moins bien représenté avec Matisse, Braque, Dufy, Miró, Renoir, Modigliani et Magritte. Chez la figuratifs, *La Femme marchant dans l'eau* de Maillol, une ballerine de Degas et *La Femme lisant* de Robert Delaunay. Toujours classé dans le French Art, une vue de la Seine de Dufy, Berthe Morisot et un Courbet jouxtant un Corot. Également des expositions temporaires excellentes. À l'étage, la galerie Gluck comprend des œuvres de Marie Laurencin, Bonnard, Vuillard, Braque et Hopper. La collection Binney est dédiée à l'art asiatique, avec de splendides peintures indiennes, mais aussi des terres cuites et des céramiques japonaises. L'art islamique rassemble pour sa part quelques belles lames, sabres, et dagues, enfin tout ce qu'il faut pour découper son ennemi en rondelles... Une salle exclusivement consacrée à l'art bouddhique, une autre qui rassemble des portraits exécutés par Van Dyck, Tiepolo, le Tintoret, Goya, ainsi que des scènes de la vie quotidienne et des natures mortes des maîtres flamands et de la Renaissance italienne. La dernière salle a pour thème les formes de dévotion, principalement des peintures et des icônes. L'organisation des œuvres peut surprendre, mais la visite de ce musée n'en reste pas moins intéressante. En plus de ça, un beau petit jardin dans lequel trônent quelques bronzes de Moore et de Barbara Hepworth et dans lequel il est très agréable de déjeuner.

🕴 *Timken Museum of Art :* *1500 El Prado.* ☎ *(619) 239-5548.* ● *timkenmuseum. org* ● *Non loin du San Diego Museum of Art. Mar-sam 10h-16h30 ; dim 13h30-16h25. Fermé en sept. Entrée gratuite.* Grâce à son éclairage zénithal qui met en valeur les œuvres, un intéressant musée d'art avec d'étonnants chefs-d'œuvre. Plus petit que le San Diego Museum of Art mais décrit comme le « coffret à bijoux de Balboa Park ». Il fut créé dans les années 1940 par les sœurs Putnam, qui contribuèrent aussi à l'enrichissement des collections du San Diego Museum of Art. On y trouve des toiles de grands maîtres européens du XVIe au XIXe s : Boucher, Fragonard, Corot, David pour les Français, mais aussi des toiles italiennes, espagnoles, comme le très touchant *Jugement dernier* de Murillo, ou encore *La place de Venise* du Caravage, *La Madone et son enfant* de Véronèse. Aussi des peintres hollandais, tels que Bruegel le Vieux, Rubens, et Rembrandt avec son célèbre *Saint Barthélemy,* ainsi que des œuvres d'artistes américains : Eastman Johnson, Albert Bierstadt et Peale, pour ne pas perdre la face. Également au programme, des tapisseries des Gobelins et une remarquable collection d'icônes russes des XVIe et XVIIe s, dont une très belle miniature double face du XVe s, de l'école de Novgorod.

🕴 *Japanese Garden :* *à côté de l'amphithéâtre en plein air. Tlj sf lun 10h-16h ; en été, tlj 10h-17h. Entrée : 4 $.* Une promenade très reposante et agréablement accompagnée de fragrances végétales : parfums des mousses et des lichens. Admirez l'art de la taille. Jardin zen, jeux d'eau circulant dans les bambous et caressant la pierre. Dans un des pavillons, petite expo sur l'immigration nippone en Californie. La visite est rapide, ne pas manquer les bonzaïs, tout au fond du jardin. L'été, concert en plein air tous les lundi à 19h30 dans l'amphithéâtre juste à côté (indépendant du jardin) ; hors saison, seulement le dimanche, à 14h.

🕴 *Botanical Building :* *à côté du San Diego Museum of Art et du Timken. Ven-mer 10h-16h. Entrée gratuite.* Bel espace en bois dans lequel pousse un nombre incroyable de palmiers, bananiers, fougères arborescentes et autres plantes exotiques. Une promenade rafraîchissante en été.

🕴🕴 *Reuben H. Fleet Science Center :* *1875 El Prado.* ☎ *(619) 238-1233.* ● *rhfleet. org* ● *Tlj 9h30-17h (20h ven-sam, 18h dim) ; juin-août, tlj 9h30-20h (21h ven). Entrée : 8 $ pour le musée ; 12,50 $ avec un film Imax, 16,50 $ les deux ; gratuit le 1er mar du mois.* Genre de palais de la Découverte où les gamins peuvent s'éveiller à l'astronomie, la mécanique des fluides, les illusions d'optique, la gravité, l'électricité... Plusieurs fois par jour, projection d'un film Imax, généralement sur le sport ou les phénomènes naturels.

🕴🕴 *Museum of Man :* *1350 El Prado.* ☎ *(619) 239-2001.* ● *museumofman.org* ● *Tlj 10h-16h30 (on peut rester dans le musée jusqu'à 17h15). Entrée : 8 $; réduc.* Installé dans un édifice genre belle église baroque espagnole, érigé pour l'expo Panamá-California, en 1915, en l'honneur de l'ouverture du canal de Panamá. Excellent Musée anthropologique, en grande partie consacré à l'évolution des primates jusqu'à l'homme, avec une salle très intéressante sur la génétique, le clonage, les nanotechnologies, et le cerveau. Sections sur l'Égypte ancienne (sarcophages, amulettes, faucon momifié...), avec également un atelier interactif pour les enfants. Les Indiens qui peuplaient la région de San Diego (les Kumeyaays), ainsi que les peuples indigènes de tout le Sud-Ouest américain et du Mexique, sont également représentés. Fréquentes expos temporaires, bien faites, avec le souci de mettre en évidence les composantes essentielles de la vie humaine à travers les différentes cultures.

🏃🏃 *Museum of Photographic Arts :* *dans un long bâtiment qui regroupe la* Casa de Balboa *et del Prado.* ☎ *(619) 238-7559.* ● *mopa.org* ● *Tlj sf lun 10h-17h (21h jeu). Entrée : 6 $; réduc ; gratuit le 2e mar du mois.* Très bonnes expos temporaires qui changent tous les 4 mois et plus de 4 000 photographies dans le fonds permanent. De grandes et agréables salles avec un éclairage qui met bien en valeur les œuvres exposées. Dans le fonds permanent, citons un étrange portrait de la photographe Nancy Burson représentant un homme politique composé respectivement de 55 % de Reagan, de 45 % de Brejnev, le pourcentage restant étant constitué d'un savant mélange de Thatcher et de Mitterrand. Autrement, quelques belles photos à la chambre de William Talbot et de Curtis, dont la très célèbre *Oasis des Badlands* où l'on voit Red Hawk, le chef des Sioux, abreuver son cheval. Plus loin, un non moins remarquable portrait de Victor Hugo sur son lit de mort, exécuté par Nadar en 1885 (le portrait, pas Victor !). Un superbe portrait de Georgia O'Keeffe par Arnold Newman et une étrange solarisation de David Lynch par James Fee. Aussi un très rare portrait d'Alfred Tennyson en compagnie de ses fils, pris par Margaret Cameron en 1862 (l'une des plus remarquables portraitistes du XIXe s). Vraiment une belle expo. Et dans la boutique, ne manquez pas de vous prendre en photo dans un authentique Photomaton de 1950 !

🏃 *Museum of San Diego History :* *dans un long bâtiment qui regroupe la* Casa de Balboa *et del Prado.* ☎ *(619) 232-6203.* ● *mopa.org* ● *Tlj 10h-17h. Entrée : 5 $; réduc ; gratuit le 2e mar du mois.* Un musée sur San Diego, en particulier à la gloire de la conquête de l'Ouest, genre « San Diego, Terre promise ». Quelques vieilles bagnoles, des œuvres d'art d'influence hispanique, des artistes locaux. Une salle entièrement consacrée à la communauté musulmane de la ville, où l'on voit des femmes voilées jouer au basket (donc, potentiellement intégrées... Si les mollahs voyaient ça !). Les amateurs de mode ne rateront pas la petite salle à part où sont exposées quelques-unes des œuvres des grands couturiers de San Diego, des années 1950-1980. Une visite qui laisse un peu sur sa faim, à moins de faire une thèse sur la ville.

🏃 *San Diego Model Railroad Museum :* *1649 El Prado.* ☎ *(619) 696-0199.* ● *sdmo delrailroadm.com* ● *Tlj sf lun 11h-16h (17h w-e). Entrée : 6 $; réduc ; gratuit le 1er mar du mois.* Plusieurs reconstitutions de lignes de chemin de fer des années 1940 *(Cabrillo Southwestern, Pacific Desert lines...).* En tout, quelque 2 km de voies. Un musée qui contentera petits et grands et tous les abonnés à la *Vie du Rail.* Une très belle expo. Pour une fois, imaginez-vous à la place des vaches regardant passer les trains ! Admirez la finesse des détails, la science des aiguillages, la maestria du timing. Mais le plus rigolo, c'est peut-être de regarder les papys s'exciter aux manettes de ce jouet géant. Ils ont l'air de beaucoup s'amuser !

🏃🚶 *San Diego Natural History Museum :* *1788 El Prado. Près de la fontaine, au bout de l'allée d'El Prado.* ☎ *(619) 232-3821.* ● *sdnhm.org* ● *Tlj 10h-17h. Entrée : 9 $; réduc.* Ce musée propose surtout de grandes expos temporaires sur les dinosaures, les fossiles, la faune et la flore de Californie. On peut aussi y voir des documentaires historiques ou scientifiques sur écran géant. La pièce maîtresse de ce musée se trouve dans le hall d'entrée : une rondelle de séquoia de 654 ans d'âge !

🏃 **San Diego Hall of Champions :** 2131 Pan American Plaza (on y accède par President Blvd. ☎ (619) 234-2544. ● sdhoc.com ● Tlj 10h-16h30. Entrée : 8 $; réduc ; gratuit le 4ᵉ mar du mois. Tout sur plus de quarante sports, du base-ball à la pêche au gros. La partie la plus intéressante concerne le surf. Présentation de films. Contentera les amateurs de sport-spectacle. Peu d'intérêt.

🏃🏃 🚶 **Air and Space Museum :** 2001 Pan American Plaza. ☎ (619) 234-8291. ● aerospacemuseum.org ● Tlj 10h-16h30 (18h en été). Entrée : 15 $; réduc. Plus de 100 appareils présentés. Dès l'entrée, une réplique du Spirit of Saint Louis donne le ton, ici on est chez les fous volants. Même pas besoin de bruitage pour s'y croire, la présence toute proche de l'aéroport se charge de vous mettre dans l'ambiance. Hall of Fame avec tous les grands pilotes de l'histoire. Avions français et allemands de la Première Guerre mondiale, et avions de légende comme le Zéro, le Flying Tiger et un Mig. À l'entrée, deux appareils assez impressionnants : l'avion furtif A12 et l'hydra-vion supersonique Sea Dart. Évidemment une large section consacrée à la Seconde Guerre mondiale. Un musée à faire les yeux en l'air pour voir, entre autres, la capsule Apollo 9. Aussi quelques simulateurs de vol, mais payants, notamment un où, pour 8 $, vous vous faites un petit tour à deux dans un avion de chasse. Très réaliste. Pensez quand même à venir à jeun !

🏃 🚶 **Automotive Museum :** près de l'Air and Space Museum. ☎ (619) 231-2886. ● sdautomuseum.org ● Tlj 10h-17h (dernière admission 16h30). Entrée : 8 $; réduc ; gratuit le 4ᵉ mar du mois. Très belle collection de voitures et de motos, du début du XXᵉ s à aujourd'hui, avec notamment une DeLorean tout droit sortie de Retour vers le futur, une Bizzarini de 2 millions de dollars, une Ford T et une Cadillac de 1947 et sa remorque équipée d'un four, d'une télé, d'une table avec fer à repasser, d'un narguilé et d'une douche ! Elle offrait également la possibilité de changer sa roue tout en roulant en cas de crevaison. Dans la partie consacrée aux motos, on notera une Harley de 1916. Ce musée accueille tous les 3 mois une expo temporaire.

🏃 **Centro Cultural de la Raza :** 2125 Park Blvd. ☎ (619) 235-6135. ● centroraza. com ● Tlj sf lun 12h-16h. Entrée : 2 $. Créé pour préserver et promouvoir l'art des Native Californians : Indiens, Mexicains, Chicanos. Expos temporaires et intéressant magasin.

∞ **The Old Globe Theater :** 1363 Old Globe Way. ☎ (619) 234-5623. ● TheOldGlo be.org ● Représentations mar-dim. Proche du Museum of Man. Réplique de celui de Londres. Prix variables selon les pièces. Produit une quinzaine de spectacles par an. C'est l'un des théâtres les plus anciens de Californie.

Dans les quartiers nord de San Diego

🏃 **Old Town** (plan II) : à env 5 miles au nord-ouest de Downtown. Sortie Old Town Ave depuis la Hwy 5, ou Taylor St depuis la Interstate 8. En transports en commun, prendre le bus nº 5 ou 34 ou la ligne bleue du San Diego Trolley.
Ancien quartier de style espagnol, avec ses maisons en adobe, qui occupe environ 6 blocs. Créée en 1820, ce fut l'une des toutes premières implantations en Califor-nie. Depuis, on a pas mal restauré, notamment pour attirer les touristes. Résultat : beaucoup de magasins de souvenirs et de restos populaires dans un environne-ment relativement verdoyant, mais qui manque cruellement d'authenticité. Le cen-tre en est la plaza. Y aller dès l'ouverture, à 10h, pour découvrir les vestiges des premières demeures de San Diego : la Robinson Rose House (plan II, E5 ; de 1853), la **Casa de Machado Stewart** (plan II, E5, 7 ; de 1830), la **Casa Wrightington** (plan II, E5, 6), la Casa de Carillo (1820), la **Casa de Estudillo** (plan II, F5, 9 ; de 1827), etc. Visites guidées, par les park rangers, en principe tlj à 11h et 14h. Rdv à la Robinson Rose House, siège du Visitor Center, ouv 10h-17h.

Immanquable, le *Bazar del Mundo*, 4133 Taylor St ; tlj 10h-21h (17h30 dim-lun), copie d'une place de marché mexicaine, avec des boutiques autour d'une cour décorée de jolis jardins. Évidemment très commercial et très touristique...

🦌 ***Heritage Park*** *(plan II, F5) : 2455 Heritage Park Row.* Sur la colline surplombant Old Town, un bel ensemble d'anciennes demeures victoriennes, transportées jusqu'ici pour les sauver de la démolition. Très belle *Sherman Gilbert House* (1887). Un peu plus bas, dominant le gazon, le *Beit Israel,* construction en bois de 1889 et première synagogue de San Diego. Enfin, un peu plus au nord, sur Presidio Drive, on trouve un petit musée historique, le **Serra Museum,** installé dans un édifice de style colonial *(ven-dim 10h-16h30).*

🚶🚶 🧍🧍 ***SeaWorld*** *: 500 Seaworld Dr, à Mission Bay.* ☎ *1-800-25-SHAMU.* ● *sea world.com* ● *De Downtown, bus n*os *5 ou 34 (ou ligne bleue du San Diego Trolley) jusqu'au Old Town Transit Center, puis bus n*o *9. Ouv de 9h (10h hors saison) à 22h (la billetterie ferme 1h avt) ; en été, parfois des extensions d'horaires le w-e. Entrée : 59 $; 49 $ pour les 3-9 ans ; coupons de réduc jusqu'à 8 $/pers dans certaines brochures touristiques sur San Diego que l'on trouve dans ts les motels. San Diego 3 for 1 Ticket : billet combiné avec le zoo et Wild Animal Park valable 5 j. consécutifs, 109 $ (86 $ enfant).* Southern California Pass *: billet combiné avec Universal Studios Hollywood, valable 14 j. consécutifs, 100 $ (89 $ enfant).* Southern California Attractions Citypass *: billet combiné avec Universal Studios Hollywood, un pass de 3 j. pour Disneyland et California Adventure, le zoo ou Wild Animal Park, valable 14 j., 247 $ (200 $ enfant). Réduc (en principe) sur présentation de l'Ameripass (forfait proposé par* Greyhound, *voir « Transports » dans « Californie utile » en début de guide). Parking : 10 $.*
Grand parc présentant la vie marine sous toutes sortes de formes. Impressionnants spectacles de dauphins, baleines (tueuses, bien sûr) et otaries. Prévoir tout l'après-midi.
Deux attractions incontournables : le *Sea Lion and Otter Show,* un spectacle vraiment désopilant qui met en scène Seamoore le phoque et Clyde le lion de mer, ainsi que *Believe,* l'époustouflant spectacle des orques. Un conseil, si vous venez avec un costume en alpaga (ou même avec de jeunes enfants), évitez les dix premiers rangs qui sont abondamment arrosés... Le *Shark Encounter* permet d'admirer les squales en passant dans un tunnel transparent (tiens, on dirait *Les Dents de la mer*). Le *Wild Artic,* consacré à la vie sur la banquise, est particulièrement réussi : la visite commence par une simulation d'hélicoptère (facultative pour les émotifs), et se poursuit à l'intérieur d'une épave de bateau prise dans les glaces. Vous pourrez voir de très près belugas, ours polaires, et autres morses. De même, frissons garantis avec *Atlantis,* des montagnes russes aquatiques : vous en ressortirez trempé, de même que dans les *Shipwreck Rapids,* d'autant que des canons à eau (payants) sont à disposition des autres visiteurs pour s'assurer que vous avez goûté aux joies de l'eau. *Manatee Rescue* est un programme mis en place par le SeaWorld pour sauver les lamantins, mammifères marins qui ressemblent à des morses, avec une grosse nageoire caudale, et que l'on ne trouve qu'en Floride. Ne manquez pas *Le Cirque de la mer,* qui offre un spectacle magique sur l'eau. Très beau parc, donc, mais, comme pour tous les zoos, n'oublions pas qu'il s'agit, pour les animaux, d'une belle prison bleutée et que leur vrai espace de vie est ailleurs. La mort de 20 d'entre eux en 15 ans et les innombrables ulcères dus à la répercussion des sonars sur les murs des bassins en sont les signes les plus probants. Les associations de protection animale font régulièrement connaître leurs préoccupations sur ce point. Un autre reproche : les suppléments à payer pour les attractions *Bayride* et *Sky Tower* (le téléphérique au-dessus de la baie et la tour-ascenseur).

🚶🚶 ***Trolley Tours*** *: départ de Old Town Market.* ☎ *(619) 298-8687.* ● *trolleytours. com* ● *Tlj 9h-17h en hiver ; jusqu'à 18h-19h le w-e et 20h en été. Adulte : 32 $; réduc.* Une visite de San Diego en trolley, lequel, de Old Town, longe le port jusqu'au bout de l'île de Coronado, puis se dirige ensuite vers le zoo et les différents musées,

Downtown, avant de revenir à son point de départ. Le tour dure un peu plus de 3h et permet d'avoir un excellent aperçu de la ville.

🏃 *Scenic Drive :* ce circuit de 52 miles, balisé par des panneaux montrant des mouettes bleues, permet de visiter la ville en voiture. Il commence près de Broadway, traverse Balboa Park, Old Town, Mission Bay, Aquatic Park, passe par le sommet du mont Soledad, le Cabrillo National Monument, et revient sur Broadway par Shelter Island. Pas génial, on préfère celui de Santa Barbara ; il vaut mieux vous rendre directement à *Cabrillo National Monument,* à l'extrémité de Point Loma. En hiver, vous y apercevrez des baleines au large.

🏃🏃 *Cabrillo National Monument :* situé au bout de Point Loma. ☎ (619) 557-5450. Accessible en bus par la ligne n° 26 (du Old Town Transit Center). Tlj 9h-17h15. Dédié à l'explorateur portugais João Cabrilho (Juan Rodriguez Cabrillo), qui découvrit la côte californienne en 1542. De cette colline, on a une belle vue sur la baie (ne pas venir trop tôt le matin car il y a de la brume), avec ses installations maritimes, ses bateaux et les lointaines hauteurs du Mexique. De mi-décembre à mi-février, on peut observer la migration des baleines vers le sud. Il en passe alors une trentaine par jour (jusqu'à 200 mi-janvier). Des agences de North Harbor Drive (au niveau de l'*Holiday Inn on the Bay*) organisent l'observation des cétacés.

À La Jolla

Station balnéaire et résidentielle au nord de San Diego. Devenue fameuse pour ses luxueuses boutiques et ses galeries d'art, situées principalement le long de Prospect Street. Elle est également connue pour son rocher aux phoques : sur la plage, non loin du centre-ville, des phoques ont en effet établi domicile et ne semblent pas du tout gênés par la présence des touristes.
➤ *Pour s'y rendre, prendre la Freeway 5 ou le bus n° 30.*

🏃🏃 *Museum of Contemporary Art of San Diego :* 700 Prospect St. ☎ (858) 454-3541. ● mcasd.org ● Tlj sf mer 11h-17h (19h jeu). Entrée : 10 $; réduc ; gratuit pour les moins de 25 ans et le 3e mar du mois ; billet combiné avec le musée de Downtown, valable 7 j. Visites guidées 2 fois/j. À l'entrée, un penseur, genre Rodin mais version trublion, œuvre de Nathan Mabry, monte la garde à l'extérieur. À l'intérieur, peintures, sculptures, photos, installations, dessins, gravures, travaux multidisciplinaires... En tout, un fonds de plus de 3 000 œuvres (qui tourne tous les 4 mois) d'artistes américains et sud-américains contemporains, créées au cours des cinq dernières décennies. Tout dépendra donc de votre sensibilité à la sélection du moment (surtout que viennent s'ajouter également des collections privées), mais, dans l'ensemble, beaucoup d'œuvres de qualité, et une jolie vue sur l'océan.

🏃🏃 🚶 *Stephen Birch Aquarium-Museum :* 2300 Expedition Way. ☎ (858) 534-3474. ● aquarium.ucsd.edu ● Situé dans l'institut d'océanographie Scripps, dépendant de l'université. De l'Interstate 5, sortir à La Jolla Village Dr (au nord de La Jolla) et suivre la route sur env 1 mile, jusqu'à Expedition Way, qui se trouve sur la gauche. Tlj 9h-17h. Entrée : 11 $; réduc. L'aquarium présente les différents habitats marins de la côte pacifique, de l'Alaska à Mexico : poulpe géant, forêt de kelps, murènes, méduses, poissons tropicaux... À gauche de l'entrée, l'*Explorers Gallery* explique de manière très pédagogique les mécanismes des tremblements de terre, et dévoile les secrets de l'ADN. À l'extérieur, bassin à vagues avec étoiles de mer et oursins, et plusieurs requins. Agréable petit snack en terrasse devant l'entrée.

– *La Jolla Kayak :* 2199 Avenida de la Playa. ☎ (858) 459-1114. ● lajollakayak.com ● Agence qui loue des surfs, organise des sorties *snorkelling* (palmes, masque et tuba pour observer les poissons), mais également des virées en kayak de mer pour découvrir les grottes marines de la région. Compter, pour 2h de rando, 28 $ pour un kayak simple, 45 $ pour un double.

Sur l'île de Coronado (au sud)

🍴 **Hôtel del Coronado :** 1500 Orange Ave. ☎ (619) 435-6611. ● hoteldel.com ● Prendre l'extraordinaire Coronado Bridge ou le bus n° 901 (ou le n° 902) de Downtown (sur Broadway).

Vue magnifique sur la ville depuis le pont. On ne vous indique pas cet hôtel pour que vous y dormiez (les prix y sont plus que prohibitifs), mais parce que c'est un monument historique.

De style victorien, cette bâtisse extravagante a accueilli George W. Bush, dix de ses prédécesseurs présidents et une kyrielle de milliardaires octogénaires, rois en exil et stars de cinéma. Ce fut, lors de sa construction, la plus importante structure utilisant l'électricité... après la ville de New York ! Thomas Edison lui-même y alluma le premier sapin de Noël éclairé électriquement (l'arbre se trouve toujours à droite de l'entrée de l'hôtel). C'est là que le roi Edouard VIII d'Angleterre rencontra Wallis Simpson pour laquelle il dut abdiquer en faveur de George VI. Depuis son ouverture en 1888, l'histoire du Coronado se confond avec celle de la politique, de l'argent et du cinéma.

Les amateurs de science-fiction et de fantastique ne manqueront pas de lire le très beau roman de Richard Matheson, Le jeune homme, la mort et le temps, dont l'action se déroule dans cet hôtel. Enfin, si votre porte-monnaie vous l'autorise, y venir pour le fameux brunch du dimanche (voir « Où manger ? », plus haut).

> ### LE BAISER DU DIABLE
>
> L'Hôtel del Coronado connut son apothéose le jour où Billy Wilder réussit à y traîner Marilyn Monroe, Jack Lemmon et Tony Curtis pour tourner le très célèbre Certains l'aiment chaud (en 1959). On se rappelle les tensions entre les acteurs au moment du tournage. Tony Curtis, à qui un journaliste demandait quel effet ça lui faisait d'embrasser une des plus belles femmes du monde, répondit : « J'aurais préféré embrasser Hitler... »

🍴 **Ferry Landing Marketplace :** 1201 1st St, à l'angle avec B Ave, sur l'île de Coronado. ☎ (619) 234-4111. ● sdhe.com ● Pour s'y rendre, ferry de Broadway Pier (au bout de Broadway, dans Downtown). Départ ttes les heures 9h-21h30 (22h30 ven-sam). Dernier bateau pour rentrer : 21h30 (22h30 en été). Traversée : 3 $. De Corona, on achète son ticket au distributeur sur le quai, ou directement sur le bateau. Ancien débarcadère du ferry, transformé en centre commercial, avec cafés et restaurants (dont Spiro's Gyros, un resto grec pas cher et bien sympa). Lieu de balade familiale populaire. Belle vue sur la baie avec en toile de fond les gratte-ciel de Downtown. Bien entendu, assez touristique, mais vaut vraiment le détour.

Achats

🛍 **Seaport Village** (plan I, B3) : 849 W Harbor Dr (à la hauteur de Kettner Blvd). ☎ (619) 235-4014. Tlj 10h-22h. Reconstitution assez réussie reflétant ce qu'était cette partie du port il y a un siècle. Promenade agréable en fin de journée, surtout aux beaux jours, quand la brise de mer tempère un peu la moiteur de la journée. Maisons en bois au milieu d'une belle végétation. Ne pas manquer de rendre visite à Upstart Crow (très agréable librairie doublée d'un coffee shop). Quelques restos agréables aussi (voir « Où manger ? » à Downtown).

🛍 **Pannikin :** 675 G St. Sem 9h-18h ; w-e 10h-17h. Grande boutique à l'ancienne vendant cafés, thés, tasses, théières et gadgets divers. Le tout est importé des pays exotiques où les gens travaillent avec le sourire pour des clopinettes. Très plaisant !

🛍 **Horton Plaza** (plan I, B-C2-3) : situé entre Broadway et G St, 1st et 4th Ave. ☎ (619) 239-8180. Lun-sam 10h-21h (20h sam) ; dim 11h-17h. Immense centre commercial, œuvre d'Ernest W. Hahn, une archi massive, inesthétique au possible et sans âme aucune. Z'ont pas fait pire dans les villes russes au temps de l'URSS ! Mais on y trouve plus de 140 boutiques et restos et deux grands magasins répartis sur 6 niveaux. Souvent des concerts gratuits le midi sur les *plazas*. Avec validation d'achat par un commerçant, les trois premières heures de parking sont gratuites. De nombreux coupons de réductions pour les boutiques au *Plaza Concierge* situé au rez-de-chaussée.

Où surfer ?

De l'avis des experts, le meilleur spot est **Black's Beach**, à Torrey Pines, au nord de La Jolla, certainement un des meilleurs *beach-breaks* de toute la Californie. À la Jolla même, notez **Horseshoe, Big Rock** et **Windandsea.** Pas mal aussi sur Pacific Beach, mais les plus hardis iront aux **Sunset Cliffs.** Prendre Grand Avenue et tourner à droite dans Ingraham Street puis sortie « Sunset Cliffs Boulevard ». Mais attention, ça peut être chaud (présence de rochers et important ressac) ! Beaux *tubes* aussi à **Mission Beach** et **Imperial Beach,** plus au sud.

➤ *DANS LES ENVIRONS DE SAN DIEGO*

🏃🏃🏃 🚶 *Wild Animal Park* : 15500 San Pasqual Valley Rd, à **Escondido.** ☎ *(760) 747-8702.* ● wildanimalpark.org ● À ne pas confondre avec le zoo de San Diego. À 25 miles au nord-est de la ville. Prendre la Freeway 163 puis la 15, sortir à Via Rancho Parkway et suivre les indications pdt 6 miles. Tlj dès 9h ; heure de fermeture variable selon saison ; juin-août, tlj 9h-20h. Entrée : 29 $; 18 $ pour les 3-11 ans ; entrée combinée avec le zoo de San Diego, valable 5 j. : 55 $; 34 $ pour les 3-11 ans. Également des passes combinés avec SeaWorld (voir plus haut). Sur place, plusieurs formules : supplément de 10 $ pour le safari africain (durée 50mn) + 35 $ pour le safari, et le must : le snapshot d'une durée de 3h30 pour faire des photos de girafes ou de rhinos pour 150 $. Parking : 9 $. Endroit unique en son genre que nous préférons largement au zoo de San Diego si vous n'avez pas le temps de voir les deux. Ce gigantesque parc zoologique de 730 ha renferme plus de 3 000 animaux. À l'origine, il devait juste être un centre d'élevage de rhinocéros pour les zoos américains, dont celui de San Diego. Depuis sa création, 90 rhinocéros y sont nés et, aujourd'hui, 429 espèces d'animaux sauvages évoluent en semi-liberté parmi des rochers, au bord d'un lac ou dans la savane. D'ailleurs, découvrez-la à bord d'un minibus à wagonnets dans « A journey through Africa » (9h15-16h, plus tard en été ; 10 $). Vous pourrez ainsi observer les principaux habitants (de préférence pas trop tôt car, lors de leur toilette, ils ne sont pas visibles), notamment les grands classiques de la faune africaine : éléphants, girafes, zèbres, chimpanzés, lions, etc., qui vivent dans ce qui peut ressembler au plus près à leur milieu naturel. Parmi les espèces rares et menacées, il y a, entre autres, le rhinocéros, le gorille, le guépard (visibles au *Heart of Africa,* un très beau parcours pédestre dans la forêt tropicale) et les bonobos. Vous croiserez aussi des centaines d'écureuils et vous pourrez approcher les oiseaux de près dans les volières... de très près même. Également de nombreux spectacles, dont les heures varient en fonction du temps et des saisons mais en général l'après-midi. À voir notamment : *Frequent Flyers (*avec des oiseaux) et l'*Elephant Show.* Dernière grosse bébête à avoir été introduite dans le parc : le condor californien (3 m d'envergure !), que l'on peut observer au *Condor Ridge.* Enfin, possibilité aussi de nourrir certains animaux et de voir des petits (très nombreux, surtout au printemps), mais seulement si leur mère daigne vous les montrer car, après tout, on n'est pas au zoo ici !

🏕 Possibilité de *camper* une nuit *(et une seule, mai-sept)* au milieu du parc dans un superbe emplacement protégé par des arbres *(à partir de 150 $/pers).* Pour le prix, vous serez logé sous une tente (sac de couchage non fourni), nourri (dîner et petit déj), et vous visiterez le parc (entrée en sus) avec des rangers à la tombée de la nuit. Une fabuleuse expérience, vraiment unique, sauf que vous serez 15 minimum par groupe.

Naturellement, les places sont limitées. *Rens et résa (obligatoire)* : ☎ (619) 718-3050 ; *lun-ven 8h30-17h.*

RAMONA

C'est la première ville « western », située à 36 miles à l'est de San Diego, sur la route de Julian. Une longue Main Street bordée de quelques édifices caractéristiques du XIXᵉ s et du début du XXᵉ s. Ne nécessite franchement pas un détour, mais c'est sur le chemin de Julian !

🍴 *G. B. Woodward Museum of the Ramona Pioneer Historical Society :* 645 Main St. ☎ (760) 789-7644. *Jeu-dim 13h-16h. Fermé en été ! Entrée : env 3 $.* Intéressant musée comprenant chariots, vieilles machines, atelier de maréchal-ferrant, collections d'outils anciens, vêtements de femmes des *good old days,* mobilier, documents rares, etc.

SUR LA ROUTE DE JULIAN

La manière la plus agréable pour se rendre à Julian depuis San Diego est de prendre la Freeway 8, puis la sortie 40 pour la route 79. Cette charmante petite route serpente au cœur d'un paysage d'arènes granitiques phagocyté par une végétation dense. Beaux arbres morts ou à moitié brûlés. Le parc de Guyamaca et le petit hameau de *Guyamaca Lake* offrent de belles occasions d'observer l'avifaune locale. Un itinéraire bucolique au cœur du Grand Ouest. Au printemps, la floraison est magnifique.

JULIAN

L'excursion favorite des San-Diegans. Ancienne petite ville minière de l'Ouest, bien sûr très touristique (et le logement sur place est cher !), mais tellement dépaysante avec son allée centrale, ses maisons en bois peint et son petit musée ! Si vous passez par là, ne manquez pas de goûter la tarte aux pommes, l'*apple pie,* la spécialité locale. Julian en est la capitale ! En particulier, celle de chez *Mom's* (2119 Main St ; *lun-ven 9h-17h, w-e 8h-18h).*

Adresse utile

🛈 *Visitor Center :* dans le Julian Town Hall, 2129 Main St. ☎ (760) 765-1857. *Tlj 10h-16h.* Le personnel, très sympa-thique, connaît par cœur l'histoire de la petite ville.

Où dormir ?

🛏 *Julian Lodge B&B :* 4ᵗʰ & C St. ☎ (760) 765-1420 ou 1-(800) 542-1420. ● *julianlodge.com* ● *Double 90 $* (130 $ le w-e), petit déj inclus. Deux dou-zaines de chambres proprettes distribuées en coursive sur deux niveaux dans une ravissante maison en bois. À l'écart de la route (peu fréquentée, il est vrai), un bel endroit pour se mettre au vert. Chambres tout confort, au mobilier Chippendale assez bas de gamme, mais ça fait illusion ; bonne literie, TV, mini-salle de bains. Agréable salle de petit déj qui fait aussi salon-boudoir le soir. Piano. Pas d'accès Internet. Accueil moyen.

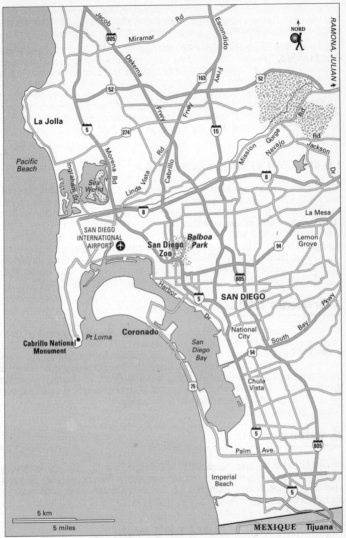

LES ENVIRONS DE SAN DIEGO

À voir

🎭🎭 *Visiter le* **Julian Pioneer Museum,** *intéressant musée régional, au 2811 Washington St, à l'entrée du village, sur la droite en venant de Ramona.* ☎ *(760) 765-0227. Avr-nov, jeu-dim 10h-16h ; déc-mars, slt ven-sam 10h-16h. Entrée : 3 $ de donation bienvenus.* Un assez grand musée consacré à la conquête de l'Ouest et surtout orienté sur l'or. On y trouve une foultitude d'objets du quotidien des chercheurs d'or, mais également de touchantes reliques de l'époque où la fièvre de l'or gagnait les plaines. Bric-à-brac incroyable constitué d'animaux empaillés, de vieux papiers, de photos surannées, de gamelles d'orpailleurs, de pièges en tous genres... Quelques *guns* et *Stetson* aussi. À ne pas rater si on passe dans le coin.

% *La mine d'or Eagle and High Pike :* ☎ *(760) 765-0036. Proche du centre-ville. Depuis Main St, prendre C St, direction nord ; monter jusqu'au bout d'un chemin de terre ; mal indiqué. Tlj 10h-13h30. Visite : 10 $; gratuit pour les moins de 13 ans.* Endroit authentique où rien n'a bougé depuis la fermeture de la mine en 1941. Aménagement rudimentaire. Environ 1h de visite (30 mn dans la mine) avec explications détaillées (en anglais) et démonstration de filtrage de l'or avec les *pans* comme à l'époque de la *gold rush.* Visite intéressante pour ceux qui n'ont pas pu voir les mines fantômes du nord de la Californie, où s'est concentrée la ruée vers l'or entre 1848 et 1856.

LE DÉSERT D'ANZA BORREGO

% À 2h de voiture de San Diego, un vrai et beau désert qui doit son nom à l'explorateur espagnol Juan Bautista de Anza et au mot espagnol *borrego,* une sorte de chèvre à grandes cornes. Pas très connu (faut dire qu'il y a beaucoup de déserts dans l'Ouest), mais c'est l'un des plus grands des États-Unis. Pour s'y rendre : Hwy 8, puis la 67 jusqu'à Santa Ysabel ; ensuite, la 79, puis les S 2 et S 22 jusqu'à Borrego Springs. Variante : la Hwy 15 N, puis la 78, etc. En mars-avril, extraordinaire floraison. On y trouve aussi douze variétés de cactus, des palmeraies et de nombreux animaux : 200 espèces d'oiseaux (dont le célèbre « bip bip », le *road-runner* et des aigles royaux), des daims, pumas, mouflons, renards, ratons laveurs, iguanes, etc.

Adresses utiles

🛈 **Visitor Center :** *Borrego Springs, à l'extrémité est de Palm Canyon Rd.* ☎ *(760) 767-5311. Oct-mai, tlj 9h-17h ; juin-sept, w-e et j. fériés 10h-15h.* Superbe expo sur la vie du désert et riche documentation. Bien sûr, très compétent sur toutes les possibilités de belles balades et d'excursions.

■ **Borrego Springs Chamber of Commerce :** *786 Palm Canyon Dr.* ☎ *(760) 767-5555.* • *borregosprings.org* • *Lunven 10h-14h.* Écrire pour avoir la doc sur la région. Une demi-douzaine de motels (dont certains à prix abordables) sont conseillés.

À faire

➢ **Les balades les plus populaires :** le *Borrego Palm Canyon* (2h), le *Glorieta Canyon* (intéressant au printemps uniquement), *Font's Point* pour le lever ou le coucher du soleil, les *Borrego Badlands,* etc. Tout cela à distance très raisonnable du *Visitor Center.*

PALOMAR MOUNTAIN STATE PARK

% Situé au nord de Julian, le parc est un lieu privilégié pour la découverte de la nature. Il offre des possibilités de camping toute l'année. À l'entrée (payante), plan des sentiers, dépliant pour apprendre à reconnaître les animaux d'après les traces laissées dans le sol, etc.

Dominant le parc, l'*observatoire du mont Palomar* est réputé pour la taille de son télescope de Hale géant (miroir de 5 m de diamètre et 14,5 t). Il a une portée d'un million d'années-lumière ! *Observatoire et musée ouv 9h-16h.* ☎ *(760) 742-2119. Entrée gratuite.*

Attention à l'essence, pas de station dans les montagnes.

TIJUANA (Mexique)

🗡 Pour se rendre à Tijuana, le passeport seul suffit. En fait, on peut entrer au Mexique à pied, sans montrer patte blanche, comme dans un moulin. La carte touristique, elle, n'existe que pour les ressortissants américains. Méfiez-vous du retour aux États-Unis ensuite : il y a souvent une longue attente.
ATTENTION, si vous voulez y aller avec une voiture de location, assurez-vous préalablement que votre contrat vous autorise à franchir la frontière avec le véhicule. Si tel est le cas, il vous faudra de toute façon prendre une assurance spéciale à la douane. En fait, le plus simple est d'attraper le trolley *(Blue Line)* sur C Street (dans le centre de San Diego) qui, pour quelques malheureux dollars, vous conduit à Tijuana. Compter 45 mn de trajet.
Cette ville frontière se trouve à 20 miles de San Diego. Franchement pas terrible : les bâtiments sont bas et construits à la va-vite, comme beaucoup de ces villes qui se sont développées trop rapidement. L'endroit est même devenu un peu glauque, voire sale et dangereux. Le samedi soir, les Californiens passent la frontière pour entrer dans les bars et y faire la fête, dans une ambiance indescriptible. Inutile de changer votre argent en pesos, à Tijuana tout se paie en dollars. Si vous dites que vous êtes français et si vous parlez l'espagnol, vous pouvez y faire de bonnes affaires.
Ce petit tour au Mexique est intéressant pour y faire quelques emplettes (fringues, bijoux, alcool... mais une seule bouteille de tequila autorisée !). Sur la route d'Ensenada (à 1,3 mile de la frontière), un immense marché d'artisanat.
Attention, on vous déconseille de boire des boissons alcoolisées dans la rue, même dans un sachet de papier, et surtout si vous avez une bouille de *gringo*. Vous aurez vite fait de vous retrouver en taule pour une malheureuse mousse. Si cette aventure vous arrivait, précisez immédiatement que vous êtes français (ou belge ou suisse...).
En tout cas, Tijuana est très intéressant pour comprendre les rapports Mexique-États-Unis : un mois de travail au Mexique, c'est une semaine de boulot à Tijuana, un jour de travail à San Diego...

Shopping entre San Diego et Tijuana

⊕ *Las Americas :* 4211 Camino de la Plaza, San Ysidro. ☎ (619) 934-8400. En venant de San Diego par l'Interstate 5, tourner à droite (« Last US Exit ») et suivre « Camino de la Plaza » ; c'est indiqué, à un bloc plus loin. Tlj 10h-21h (20h sam, 18h dim). Grand centre commercial regroupant 100 magasins d'usine dont *Levi Strauss, Nike* et *Ralph Lauren*. Prix très intéressants, mais attention aux petits défauts.

PALM SPRINGS   45 000 hab.   IND. TÉL. : 760

Située au cœur de la vallée de Coachella, à environ 110 miles de Los Angeles par l'Interstate 10 puis la 111 South, Palm Springs est considérée comme une ville de repos et de détente pour les habitants aisés des grandes métropoles des États-Unis. Elle abrite une importante communauté de retraités et d'homosexuels.
Selon la légende, elle ne devrait son essor qu'à l'impatience de Marlene Dietrich. En 1932, celle-ci aurait viré deux acteurs qui squattaient le seul court de tennis de la ville. En réaction, ils créèrent leur propre club (The Racquet Club) et invitèrent tous leurs amis du show-biz à venir l'inaugurer. L'affluence des stars ne s'est plus jamais arrêtée, et Sonny Bono (du duo Sonny and Cher) en fut même le maire dans les années 1990.
Aujourd'hui, ce sont plus de 50 clubs privés qui forment l'ossature de la « ville », avec leurs maisons en bordure de golf (une cinquantaine de parcours à Palm Springs même, et 127 dans la vallée de Coachella) et leurs grands murs autour.

L'arrivée sur la ville depuis Los Angeles est surprenante. Dans une cuvette, en plein désert, on traverse une forêt d'éoliennes et on débouche sur une véritable oasis, créée grâce au détournement des eaux du Colorado (comme à Las Vegas). Selon les habitants, les nappes phréatiques pourraient assurer à la ville 400 ans d'eau sans pluie. En été, très grosse chaleur et relativement peu d'ambiance, mais les hôtels sont beaucoup moins chers, car la saison touristique s'étend plutôt de janvier à mai.

Très facile de se repérer, la ville étant constituée de deux rues principales, chacune en sens unique : Palm Canyon Drive dans un sens et Indian Canyon Drive dans l'autre.

Adresses utiles

◼ *Visitor Center :* 2901 N Palm Canyon Dr. ☎ 778-8418 ou 1-(800)347-7746. ● palm-springs.org ● Au nord du centre (ne pas confondre avec le Desert Information Visitor Center, plus dans le centre, qui est une agence de voyages). Tlj 9h-17h (16h mai-sept). Aimable et efficace. Plans, brochures (dont le *Visitor Guide,* bien fait), infos sur les balades dans le désert, etc.

✉ *Poste :* 333 E Amado Rd. Dans une rue perpendiculaire à N Palm Canyon Dr (entre les n⁰ˢ 200 et 300 de celle-ci). Tlj sf dim 9h-17h (13h sam). Distributeur de timbres à l'extérieur.

◼ *Change :* chez Anderson Travel, 700 E Tahquitz Canyon Way. ☎ 325-2001 ; lun-ven 8h30-17h30. Le seul endroit à Palm Springs où changer de l'argent liquide (n'accepte pas les chèques de voyage).

Où dormir ?

Ici encore plus qu'ailleurs, c'est la loi de l'offre et de la demande qui gouverne. Selon l'affluence, les tarifs hôteliers varient du simple au double (voire triple !). Moralité : en période creuse (de juin à août), on peut se payer le grand luxe pour le prix d'un motel (par exemple le *Hyatt* pour moins de 100 $!). Inversement, en haute saison, mieux vaut avoir le portefeuille bien rempli, si vous voyez ce qu'on veut dire. Pour les hôtels qui suivent, nous vous indiquons la fourchette des prix, qui varient donc selon la saison et le jour de la semaine.

De bon marché à prix moyens

▲ *The Royal Sun Inn :* 1700 S Palm Canyon Dr. ☎ 327-1564 ou 1-800-619-4-SUN. ● royalsuninn.com ● Doubles 40-120 $, petit déj inclus. Malgré sa façade recouverte de pierre, typique des années 1960, cet hôtel est loin d'être vieillot ou démodé : les chambres sont spacieuses, avec même un gros fauteuil à bascule pour se relaxer. TV, AC, frigo, micro-ondes, coffre-fort et fer à repasser dans toutes. Salles de bains impeccables. Belle vue sur les montagnes ou la piscine. Compte tenu du buffet servi gracieusement pour le petit déj et de la piscine, c'est vraiment la meilleure affaire dans le coin en basse saison. Le reste de l'année, c'est un peu à la tête du client. Ne pas hésiter à discuter le bout de gras.

▲ *Motel 6 :* 660 S Palm Canyon Dr. ☎ 327-4200 ou 1-800-4-MOTEL6. Bien situé, près du centre. Doubles 55-65 $ (3 $/pers supplémentaire ; gratuit pour les moins de 17 ans dans la même chambre que les parents). Wi-fi payant. On vous le dit tout net : dans cette ville, vous ne trouverez pas de meilleur rapport qualité-prix que les *Motel 6,* surtout en haute saison, car les prix varient très peu. Les chambres sont tout à fait convenables, et puis il y a la piscine et le spa. Dommage que l'accueil ne suive pas. Vous trouverez 2 ou 3 autres *Motel 6* dans le coin, notamment un au 595 E Palm Canyon Dr (☎ 325-6129), avec de jolis espaces verts.

Plus chic

🛏 *Quality Inn* : 1269 E Palm Canyon Dr. ☎ 323-2775 ou 1-800-472-4339. Pour réserver : • qips1269@aol.com • Doubles 80-90 $ l'été et 115-125 $ en hte saison. Wi-fi gratuit. Grandes chambres dans les tons beige et bordeaux, équipées de TV, AC, frigo et machine à café. Salle de sports, jacuzzi et belle piscine entourée de chaises longues pour paresser au soleil. Pas de petit déj, mais 10 % de réduc au restaurant *Carrows* situé juste à côté (tlj 6h-minuit).

🛏 *Palm Mountain Resort & SPA* : 155 South Belardo Dr. ☎ 325-1301 ou 1-800-622-9451. • palmmountainresort. com • Double à 2 Queen beds 115 $ en sem l'été, 240 $ en hte saison certains w-e, petit déj inclus (à prendre au Ruby's Diner ; voir « Où manger ? »). Un bien bel hôtel situé en plein centre, avec des chambres spacieuses et bien aménagées donnant toutes sur la piscine. Internet à disposition des clients, jacuzzi extérieur sans supplément, tout à été conçu pour le confort des résidents. Centre de remise en forme attenant à l'hôtel, mais payant. Seul bémol, la clim' est un peu bruyante.

Où manger ?

Autant le dire tout de suite, ce n'est pas à Palm Springs que vous ferez des excès de table, tout au moins en qualité, entendons-nous bien. Ici la cuisine tient plutôt du remplissage « préparcours de golf » ou « prérando », et les quelques restos dits « *fine dining* » sont loin de nous avoir bluffés. Dans tous les cas, beaucoup de monde le week-end, alors mieux vaut réserver.

Spécial petit déjeuner

🍽 *Ruby's Diner* : 155 S Palm Canyon Dr. ☎ 406-7829. Tlj 7h-21h (22h ven-sam). Excellent breakfast pour 8-9 $. (voir ci-dessous).

🍽 *Bit of Country* : 418 S Indian Canyon Dr. ☎ 325-5154. Tlj 6h-14h. Compter 7-10 $. Au royaume des stars et du superficiel, ce petit resto tout en longueur est une oasis d'authenticité. Chaque jour, les habitués étudient attentivement le menu avant de choisir, ô surprise, la même omelette qui illumine chacune de leurs matinées. Les serveuses s'enquièrent de la santé des petits-enfants, on se plaint des réparations à faire sur la voiture... L'Amérique typique au saut du lit, et dans l'assiette : *French toast*, jambon à l'os, pommes de terre rôties, le tout arrosé d'un jus de chaussette. Un vrai bonheur !

De bon marché à prix moyens

🍽 *Ruby's Diner* : 155 S Palm Canyon Dr. ☎ 406-7829. Tlj 7h-21h (22h ven-sam). Plats 10-12 $. OK ; c'est un resto de chaîne, mais force est de constater que cela fonctionne, dans une ville où, de toute façon, vous êtes en plein délire américain ! Une foule de retraités s'y presse pour le lunch. C'est vrai qu'on y vient pour une petite cure de jouvence, le décor imprime encore de vieux souvenirs, et quand le personnel joue le jeu, c'est du pur plaisir... Dans l'assiette, tous les classiques du genre, des burgers, des frites, des salades bien servies, pour des prix plus que raisonnables. Un endroit très sympa pour prendre son petit déj aussi. Bref, l'Amérique du rêve américain, même si ça fait parfois un peu trop maison de retraite.

🍽 *Blue Coyote* : 445 N Palm Canyon Dr. ☎ 327-1196. Tlj 11h-22h (23h le w-e). Env 15-20 $. Une salle quelconque, mais on vient ici pour profiter de la terrasse rafraîchie par des brumisateurs, ou du patio où glougloute une fontaine (mais quelques odeurs de frites). Excellente cuisine tex-mex, mais aussi des steaks, des *ribs,* de l'agneau mariné au jus de pamplemousse... un régal ! Certains soirs, un guitariste agrémente votre repas de quelques accords. Service souriant.

🍽 *Las Casuelas Terraza* : 222 S Palm

Canyon Dr. ☎ 325-2794. Tlj 11h-22h (minuit le w-e). Plats 15-25 $. Compter dîner pour 40 $. Dans une jolie maison blanche aux châssis verts se cache un resto mexicain immense, et très agréable avec son architecture d'hacienda, composée de multiples petites salles disposées autour d'une terrasse. On y sert les classiques de la cuisine mexicaine, des *tacos* aux *burritos, chimichangas* et autres *quesadillas,* en quantités pantagruéliques bien sûr. La terrasse est très animée, musique live le soir. La liste impressionnante de tequilas met déjà dans l'ambiance. Une valeur sûre à Palm Springs, puisque cette affaire familiale a déjà ouvert 5 succursales dans les environs depuis 1958. Le week-end, tout le monde fait la queue sur le trottoir, allez-y tôt !

|●| *Billy Reed's :* 1800 N Palm Canyon Dr. ☎ 325-1946. Tlj 7h-21h (22h ven et sam). Spécialités américaines traditionnelles 15-20 $, mais des promos chaque j. Imaginez un repas dans la salle à manger d'Abraham Lincoln, avec la vaisselle de votre grand-mère, et vous aurez une idée de l'ambiance vieille Amérique de ce resto visiblement très apprécié des familles. Dans l'assiette, c'est du classique : *burgers,* sandwichs, *yankee pot roast,* agrémenté de spécialités plus originales, comme l'étonnante papaye farcie au poulet. Le tout bien présenté, et servi avec des petits pains faits maison. Thé dansant chaque soir 19h-21h30, après on prend ses pilules et on se couche. Vous l'aurez compris, pas très *rock & roll,* disons plutôt *senior.*

Où manger une glace ?

⍥ *Coldstone Creamery :* 149 S Palm Canyon Dr. Tlj 11h-21h30 (23h ven-sam). Vous voulez une glace avec brownie, noix de pécan, un soupçon de chocolat ? Et si on rajoutait aussi de la noix de coco et des bonbons ? *You want it,*

you got it ! Les ingrédients les plus divers selon votre envie (et votre faim) sont mélangés à votre parfum de glace préféré sur une version réfrigérée de la pierre à cuire. Totalement délirant et très sucré. À essayer absolument.

Où sortir le soir ?

L'animation se concentre sur South Palm Canyon Drive, entre Andreas et Baristo Road, pour ce qui est des hétéros. Les homos, eux, n'auront que l'embarras du choix pour se rendre dans l'une des nombreuses boîtes gays de Palm Springs à Palm Desert.

♼ ♪ |●| *The Village Pub :* 266 S Palm Canyon Dr. ☎ 323-3265. Tlj 11h-2h. Plat du jour 15 $. Un des endroits les plus fréquentés de la rue. Possibilité de se faire servir jusqu'à 2h d'énormes assiettes variées à partager, ou de plus classiques *burgers* ou salades (mais c'est pas de la grande cuisine). Au rez-de-chaussée, un petit *stage.* Rock alternatif *(tlj 21h30-1h30),* fait aussi dans la *dance,* ou le R & B ; à l'étage, un *bar-lounge* où il fait bon s'avachir quand les

oreilles commencent à refouler la bière. Également une terrasse brumisée l'été. Bondé le samedi soir.

♼ ♪ *Mixies (ex-Blue Guitar) :* 120 S Palm Canyon Dr. ☎ 327-1549. Un chouette endroit. Petit *stage* ouvrant sur une salle tout en long où un DJ œuvre *(tlj 20h-2h).* Le jeudi : musique des années 1980, pop le reste de la semaine. L'intérieur bleu et la terrasse en surplomb sont bien agréables. Les messieurs en couple sont les bienvenus.

À voir. À faire

– *Golf :* Palm Springs est le paradis des golfeurs, il serait donc dommage, pour les passionnés, de ne pas en profiter. Certains golfs sont publics et on peut faire un parcours, l'été, quand il fait 40° C à l'ombre, pour 30 à 50 $ (voire moins l'après-midi quand il fait 50° !). *Rens au* Visitor Center *(propose d'intéressants coupons de réduc).* Vous pouvez également obtenir des *discounts* auprès du centre de réservation en téléphonant chez *Stand-by Golf* (☎ *(866)* 224-2665 ou *(760)* 321-2665). Un des parcours les moins chers est celui de Tommy Jacob's à Palm Springs et celui de PGA à La Quinta.

➢ **Celebrity Tours :** 4751 E Palm Canyon Dr, suite C. ☎ 770-2700. ● celebrity-tours.com ● Tlj (mat et en début d'ap-m), d'une durée de 2h30 ; pas de tour le dim juin-oct. Résa obligatoire. Prix : 39 $. Visite des endroits célèbres de la ville et passage devant les maisons de stars. Attention, certaines ne sont venues qu'une ou deux fois ! Moins coûteuse, une carte des maisons de stars est disponible pour 5 $ au *Visitor Center.*

🏃🏃 **Aerial Tramway :** au nord de la ville, à env 6 miles (en remontant Palm Canyon Dr, prendre Tramway Rd à gauche, env 2 miles après le *Visitor Center*). ☎ 325-1391 ou 1-888-515-TRAM. ● pstramway.com ● Tlj 9h45-20h ou 21h en été, w-e dès 8h. Billet aller-retour : 22,50 $; réduc. Après 15h, pour 35,50 $ on peut en plus dîner au resto *Pines* avant de redescendre (attention, ils commencent à servir le dîner à 16h30, n'y allez pas trop tard !) ; l'autre resto, *Peaks*, est plus chic, et il faut payer son repas en plus du prix normal du billet de téléphérique.

Le téléphérique de Palm Springs a la particularité d'être rotatif : les cabines sont donc circulaires, et tournent sur elles-mêmes pendant l'ascension, une sensation assez unique d'autant que la pente est vertigineuse. En 10 mn, il vous porte de 800 m à plus de 2 800 m d'altitude, traversant cinq types de milieu naturel, du désert aux montagnes alpines. Du sommet, le panorama sur la vallée est à couper le souffle, et les températures beaucoup plus supportables que dans le désert. De nombreux chemins de randonnée partent de la station d'altitude au sein du Mount San Jacinto State Wilderness, et en hiver, on peut faire du ski. Possibilité de camper gratuitement toute l'année, mais il faut demander un permis *(rens : ☎ 951-659-2607. ● sanjac.statepark.org ●).*

🏃 **Shields :** 80-225 Hwy 111, Indio. ☎ 1-800-414-2555. Établi depuis 1924, c'est l'un des plus gros producteurs de dattes de la région (le comté de Palm Springs produit 90 % des dattes des États-Unis !). La visite se fait sur rendez-vous de préférence. Et si vous êtes dans les parages en février, ne manquez pas le festival d'Indio où vous pourrez goûter les dattes à toutes les sauces. Essayez donc la fameuse recette, coupée en deux, dénoyautée, fourrée avec du *stilton* et passée au four.

🏃🏃🏃 **Knott's Soak City :** 1500 S Gene Autry Trail (accès par E Palm Canyon Dr). ☎ 327-0499. ● knotts.com ● Tlj de mi-mars à août 10h-18h ; sept, slt w-e 10h-17h. Adulte : 29 $; enfant : 18 $; sérieuse réduc si entrée après 15h. Parking : 8 $. Grand parc d'attractions aquatiques. Tous les classiques du genre, comme la piscine à vagues, les toboggans tubulaires (dont un de plus de 25 m de long)... Dernière attraction en date, la *Pacific Spin* : en petit radeau de 4 personnes, on parcourt d'abord une quarantaine de mètres dans l'obscurité la plus totale, avant d'être entraîné dans les tourbillons d'un entonnoir géant. Idéal pendant les grosses chaleurs de l'été.

🏃🏃 **Indian Canyons :** de magnifiques balades à faire dans trois différents canyons où ont habité, jusqu'à la fin du XIXe s, les Indiens cahuillas. *Rens au* Visitor Center ou au ☎ 760-323-6018. ● indian-canyons.com ● Oct-juin, tlj 8h-17h ; juil-sept, slt ven-dim 8h-17h. Entrée : 8 $; réduc ; 3 $ de plus pour 1h30 de visite accompagné d'un ranger, à 10h et 13h30 lun-jeu. Murray Canyon, c'est une marche facile de 2 miles qui vous conduit dans une palmeraie et rejoint également le canyon suivant, *Andreas Canyon* dont la promenade aller-retour compte 1 mile (belles formations rocheuses et plus de 150 espèces de plantes différentes, dont le *Washingtonia filifera,* le palmier autochtone, dans son milieu naturel). Du troisième, *Palm Canyon,* on ne peut voir qu'une partie puisqu'il fait 15 miles de long dans des gorges, avec des vues magnifiques sur le désert et la superbe oasis. Possibilité de pique-niquer au bord du cours d'eau. Se procurer la carte détaillée et gratuite des différents treks auprès du *Visitor Center.*

Achats

✹ **Desert Hatter :** *155 S Palm Canyon Dr. Dans le centre de Palm Springs.* • *hatsunlimited.com* • *Tlj 10h-23h.* Si vous voulez porter le chapeau, c'est le moment ! Du plus classique au plus délirant, tout y est, pour toutes les têtes et toutes les occasions.

✹ **Desert Hills Premium Outlets :** *le long de l'Interstate n° 10, à 20 miles sur la route de Los Angeles* ☎ *(951) 849-6641. Dim-jeu 10h-18h ; ven 10h-21h ; sam 9h-21h.* Un megacentre commercial comme seuls – pour l'instant – les Américains savent le faire. Plus de 200 boutiques de marques, des distributeurs de cash en veux-tu en voilà, des entrées et des sorties de magasins climatisés... Ici, c'est la grande foire aux *outlets*, même les diamants sont bradés ! On y trouve également du prêt-à-porter pour animaux domestiques et un wagon de restaurants. Bref, la conso dans toute sa splendeur !

✹ **Cabazon Outlet :** *48750 Seminole Dr, à Cabazon. Tlj 10h-20h (au moins).* À côté du précédent, et tout pareil d'ailleurs.

➤ DANS LES ENVIRONS DE PALM SPRINGS

PALM DESERT

🎿 À une vingtaine de miles au sud de Palm Springs, par la 111 S. C'est la continuité de Palm Springs. D'ailleurs, entre les deux villes, pas d'interruption. Créée il y a une trentaine d'années, elle est née elle aussi du désert, avec ses terrains de golf, son *paseo*, sa rue principale bordée de boutiques chicos et ses palmiers illuminés comme à Noël. Ils sont fous ces Américains, on comprend mieux pourquoi ils n'ont pas ratifié les accords de Kyoto ! Impressionnant aussi toute cette flotte utilisée pour arroser piscines et terrains de golf dans ce désert torride en été, les brumisateurs insolents qui crachent dans les rues, sans compter les climatiseurs qui tournent en permanence... Et que dire des V8 et de leurs 40 litres au 100 ? Michel Polnareff y a trouvé refuge depuis plusieurs années, à l'abri des regards indiscrets. Sur le *paseo*, plusieurs restos à tous les prix. Enfin, on vous conseille de prendre le large, et de suivre, sur quelques miles, la route 111 West qui grimpe dans la montagne. Superbes paysages.

🏨 ❙◉❙ **Desert Springs JW Marriot :** *74855 Country Club Dr.* ☎ *862-1505.* • *desertspringsresort.com* • Compter une petite demi-heure en voiture depuis Palm Springs. Pour y aller, prendre la route 111, puis, à gauche, la Country Club Dr et la suivre sur env 4 miles. Sinon, de l'autoroute 10, sortie Country Club. Prix variables selon les restos, qui vont du *casual* au très chic. Un *resort* délirant où tout est composé sur le thème de l'eau : étangs, cascades, jets d'eau. Immense *lobby* en forme d'atrium. En descendant quelques marches, on retrouve de l'eau... et des petits bateaux qui vous conduisent dans l'un des 5 principaux restos de l'hôtel. Au choix : mexicain, italien, japonais, californien, ou poisson, plus 6 endroits pour se restaurer sur le pouce ou prendre un café. On peut aussi utiliser la navette pour se balader sur le lac et admirer les flamants roses *(lun-ven 17h-18h ; sam-dim 15h-18h)*. Pour continuer dans le délire, 5 piscines et 2 golfs 18 trous. Pour ceux que le luxe n'effraie pas, hors saison (en été donc) et en semaine, il est possible d'avoir une chambre dès 180 $. Une belle petite excursion dans le monde des anciens et des nouveaux riches.

JOSHUA TREE NATIONAL PARK

🎿🎿 À une trentaine de miles env au nord-est de Palm Springs. Ne pas rater, à la sortie de la ville, les champs d'éoliennes qui rappelleront des souvenirs aux cinéphiles *(Rain Man)*.

Toujours pour les *desert addicts*, le Joshua Tree National Park est une magnifique réserve naturelle, avec une grande variété d'animaux – coyotes, pumas, rats-kangourous, etc. – et de paysages – le parc se divise entre le désert du Colorado, sec et reconnaissable à ses nombreux cactus chollas, et le désert de Mojave, plus élevé et tempéré, où poussent les célèbres

> ## PAIX À SON ARBRE
>
> *Le parc doit également sa renommée à un album de U2 justement baptisé « Joshua Tree » ; pour la petite histoire, la photo de la pochette n'a pas été prise à Joshua Tree mais à Death Valley, plus au nord, et l'arbre qui y figure a, depuis, été abattu.*

Joshua Trees. De la famille des yuccas (et non des cactus), ils doivent leur nom aux mormons qui les premiers traversèrent cette étendue désertique ; ils crurent reconnaître en ces arbres à la forme vaguement humaine Josué qui leur indiquait le chemin vers la Terre promise. Le parc est très prisé par les mordus d'escalade qui viennent faire du bloc sur les formations rocheuses.

Attention, il y fait très chaud, et toutes les règles de prudence des balades dans le désert s'appliquent ici.

– *Entrée du parc* : de Palm Springs, suivre la route 62 (qui part de la Hwy 10) en direction de Yucca Valley, jusqu'au village de Joshua Tree ; là, prendre Park Blvd, à droite, jusqu'à la West Entrance Station. Parc ouv tlj 8h30-17h. Entrée : 15 $/ voiture. Interagency Annual Pass *accepté* (30 $). Le ticket est valable 1 semaine et permet même de camper sur les sites du parc prévus à cet effet. Bien le conserver, car vous devez le montrer en ressortant. Attention, pas de nourriture, pas d'eau et pas de carburant dans le parc, à l'exception de *Cottonwood* et de *Black Rock Campgrounds*.

Adresse utile

🛈 *Visitor Center* : 6554 Park Blvd (carrefour avec Palm Dr), au village de Joshua Tree. ☎ (760) 367-5500. ● nps.gov/jotr ● Tlj 8h-17h. Pour tout renseignement sur le parc, les possibilités de logement aux alentours, etc. Brochure en français.

Où dormir ? Où manger ?

⚔ Pas d'hôtel à l'intérieur du parc, mais 9 campings. *Emplacement 10-15 $ suivant le camp, pouvant accueillir 6 pers. Black Rock* et *Cottonwood* ont l'eau courante, mais *Hidden Valley* est le favori des campeurs. *Rens au* Visitor Center.

Dans les environs du parc, plusieurs motels à prix moyens.

🛏 *Joshua Tree Inn B & B* : 61259 Twentynine Palms Hwy, à l'entrée de la ville de Joshua Tree, sur la droite en venant de Palm Springs. ☎ (760) 366-1188. ● joshuatreeinn.com ● Double à partir de 85 $, petit déj inclus. Office ouv 15h-18h. Hôtel de seulement 10 petites chambres distribuées en L autour de la piscine, toutes décorées différemment et plutôt confortables. Un arrêt obligatoire pour les passionnés de rock et de folk : les Eagles, les Stones, Emmylou Harris et Donovan y ont séjourné ; le chanteur de folk Gram Parsons est mort d'une overdose de tequila et de mor-

phine dans la chambre n° 8, en 1973, à 27 ans. Ses admirateurs sont encore nombreux à faire le pèlerinage. À part ce côté un peu morbide, l'hôtel est accueillant, et la fraîcheur de la piscine est appréciable. Accueil sympa.

🍽 *29 Palms Inn* : 73950 Inn Ave, à TwentyNine Palms. ☎ (760) 367-3505. Tlj 11h (9h dim)-14h, 17h-21h. Env 8-12 $ le midi, 15-25 $ le soir. Prépare aussi des pique-niques pour les randonneurs. Situé dans l'oasis de Mara, ce petit resto attenant à l'hôtel du même nom *(double à partir de 110 $)* a l'originalité de proposer des plats dont la plupart des ingrédients sont cultivés sur place. Résultat : on a rarement mangé des salades, sandwichs et pâtes aussi goûteux et bien accommodés dans cette partie des USA ! Service attentif et relax.

À voir. À faire

Hidden Valley : un des premiers arrêts en entrant par l'ouest. Selon la légende, les voleurs de bétail y cachaient leurs prises. Petit parcours à pied d'environ 1 mile, dans une vallée étonnamment verte, dissimulée par d'énormes arènes granitiques (blocs de granite érodés en forme de boule).

Barker Dam : une retenue d'eau artificielle consécutive à la construction d'un barrage en 1800. Les animaux sauvages viennent s'y abreuver. On peut les voir de bonne heure le matin. Non loin de là, quelques gravures rupestres représentant des animaux. Se renseigner auprès des rangers.

Key's View : à 1 600 m, on embrasse d'un seul coup d'œil la vallée de Coachella, de Salton Sea au sud à Palm Springs. Quand la pollution de Los Angeles, poussée par les vents marins ne brouille pas trop la vue, on peut voir jusqu'au Mexique.

Cap Rock : à proximité de ce curieux rocher a été brûlé le corps du chanteur Gram Parsons, en 1973. Son cercueil, qui devait être rapatrié à La Nouvelle-Orléans pour y être enterré, a été volé par deux amis du chanteur, qui prétendaient que Parsons souhaitait finir son existence dans le parc. Une pierre commémore toujours l'endroit de l'immolation.

Skull Rock : une espèce de mamelon caractéristique du phénomène d'arénisation (érosion du granite en peau d'oignon créant des formes arrondies).

Arch Rock : un pont naturel comme on peut en voir souvent dans l'Ouest américain, mais cette fois-ci, il est en granite et non en grès. Situé à proximité de *White Tank Campground*, son accès est malheureusement interdit en été (le camp étant fermé).

Cholla Cactus Garden : on y voit le plus grand nombre de chollas. Jolie balade à faire, à la découverte des différents cactus et des animaux qui peuplent le désert.

Joshua Tree Ranch : à 1 mile env avt l'entrée ouest du parc. ☎ (760) 366-2788. Compter 55 $ la leçon de 1h à 2 h. 65 $ la balade d'1h30 et 85 $ celle de 2h30. Tenu de main de maîtresse par Kellie, une passionnée de cheval, ce centre équestre à dimension humaine propose des balades dans les environs du parc. Préférez y aller de février à début juin ou de septembre à novembre, c'est nettement plus agréable, car il fait moins chaud. Promenades d'1h30 à 2h30 pour les débutants, plus pour les cavaliers confirmés. Une bonne occasion pour goûter au déhanchement d'un *ride* sur un mustang et se prendre pour John Wayne !

– Pour les grimpeurs, sachez que les meilleurs sites pour faire de l'**escalade** sont *Oyster Bar*, *Hemingway* et *Hall of Horrors*.

Tout pour partir*

*bons plans, concours, forums,
magazine et des voyages à prix routard.

> www.routard.com

routard *com*

Chacun
sa route

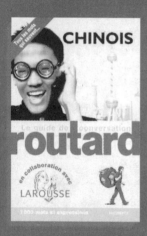

Cour pénale internationale :
face aux dictateurs et aux tortionnaires,
la meilleure force de frappe,
c'est le droit.

L'impunité, espèce en voie d'arrestation.

Fédération Internationale des ligues des droits de l'homme.

www.fidh.org

routard
ASSISTANCE
L'ASSURANCE VOYAGE
MONDE ENTIER

VOTRE ASSISTANCE « MONDE ENTIER » LA PLUS ETENDUE

RAPATRIEMENT MEDICAL **ILLIMITÉ**
(au besoin par avion sanitaire)
VOS DEPENSES : MEDECINE, CHIRURGIE, (env. 1.960.000 FF) **300.000 €**
   HOPITAL, GARANTIES A 100% SANS FRANCHISE
   HOSPITALISE : RIEN A PAYER ! ... (ou entièrement remboursé)
BILLET GRATUIT DE RETOUR DANS VOTRE PAYS : **BILLET GRATUIT**
  En cas de décès (ou état de santé alarmant) **(de retour)**
  d'un proche parent, père, mère, conjoint, enfant(s)
*BILLET DE VISITE POUR UNE PERSONNE DE VOTRE CHOIX **BILLET GRATUIT**
  si vous êtes hospitalisé plus de 5 jours **(aller - retour)**
  Rapatriement du corps – Frais réels **Sans limitation**

RESPONSABILITE CIVILE «VIE PRIVEE» A L'ETRANGER

Dommages CORPORELS (garantie à 100%) ....(env. 4.900.000 FF) **750.000 €**
Y compris Assistance Juridique (accidents)
Dommages MATERIELS (garantie à 100%) ....(env. 2.900.000 FF) **450.000 €**
(dommages causés aux tiers) **(AUCUNE FRANCHISE)**
Y compris Assistance Juridique (accidents)
EXCLUSION RESPONSABILITE CIVILE AUTO : ne sont pas assurés les dommages
causés ou subis par votre véhicule à moteur : ils doivent être couverts par un contrat
spécial : ASSURANCE AUTO OU MOTO.
CAUTION PENALE .... (env. 49.000 FF) **7.500 €**
AVANCE DE FONDS en cas de perte ou de vol d'argent ..(env. 6.500 FF) **1.000 €**

VOTRE ASSURANCE PERSONNELLE «ACCIDENTS» A L'ETRANGER

Infirmité totale et définitive (env. 490.000 FF) **75.000 €**
Infirmité partielle – (SANS FRANCHISE) **de 150 €** à **74.000 €**
   (env. 900 FF à 485.000 FF)
Préjudice moral : dommage esthétique (env. 98.000 FF) **15.000 €**
Capital DECES (env. 98.000 FF) **15.000 €**

VOS BAGAGES ET BIENS PERSONNELS A L'ETRANGER

Vêtements, objets personnels pendant toute la durée de votre voyage à l'étranger :
vols, perte, accidents, incendie, (env. 13.000 FF) **2.000 €**
Dont APPAREILS PHOTO et objets de valeurs (env. 1.900 FF) **300 €**

NOUVEAUTÉ
CONTRAT
"ROUTARD SÉNIOR"
Nous consulter Tél. : 01 44 63 51 00
Souscription en ligne : www.avi-international.com

À PARTIR DE 4 PERSONNES
TARIFS
"Spécial Famille"
Nous consulter Tél. : 01 44 63 51 00
Souscription en ligne : www.avi-international.com

routard
ASSISTANCE
L'ASSURANCE VOYAGE
MONDE ENTIER

BULLETIN D'INSCRIPTION

NOM : M. Mme Melle └┴┴┴┴┴┴┴┴┴┴┴┴┴┴┴┴┘

PRENOM : └┴┴┴┴┴┴┴┴┴┴┴┴┴┴┴┘

DATE DE NAISSANCE : └┴┴┴┴┴┴┴┴┘

ADRESSE PERSONNELLE : └┴┴┴┴┴┴┴┴┴┴┴┴┘

└┴┴┴┴┴┴┴┴┴┴┴┴┴┴┘

└┴┴┴┴┴┴┴┴┴┴┴┴┴┴┘

CODE POSTAL : └┴┴┴┴┘   TEL. └┴┴┴┴┴┴┴┴┴┘

VILLE : └┴┴┴┴┴┴┴┴┴┴┴┴┴┴┘

E-MAIL : ....

DESTINATION PRINCIPALE..

Calculer exactement votre tarif en SEMAINES selon la durée de votre voyage :

7 JOURS DU CALENDRIER = 1 SEMAINE

Pour un Long Voyage (2 mois...), demandez le ***PLAN MARCO POLO***
Nouveauté contrat Spécial Famille - Nous contacter

COTISATION FORFAITAIRE 2008-2009

VOYAGE DU └┴┴┴┴┴┴┘   AU └┴┴┴┴┴┴┘   = └┴┘
                                          SEMAINES

Prix spécial (3 à 50 ans) :   **22 € x** └┴┘   = └┴┴┴┘ €

De 51 à 60 ans (et – de 3 ans) :   **33 € x** └┴┘   = └┴┴┴┘ €

De 61 à 65 ans :   **44 € x** └┴┘   = └┴┴┴┘ €

Tarif "**SPECIAL FAMILLES**" 4 personnes et plus : **Nous consulter au 01 44 63 51 00**
Souscription en ligne : www.avi-international.com

Chèque à l'ordre de ROUTARD ASSISTANCE – *A.V.I. International*
28, rue de Mogador – 75009 PARIS – FRANCE - Tél. 01 44 63 51 00
Métro : Trinité – Chaussée d'Antin / RER : Auber – Fax : 01 42 80 41 57

ou Carte bancaire : Visa ☐   Mastercard ☐   Amex ☐

N° de carte : └┴┴┴┴┴┴┴┴┴┴┴┴┴┴┴┴┴┴┘

Date d'expiration : └┴┴┘ └┴┴┘   Signature

Cryptogramme : └┴┴┴┘ Notez les 3 derniers chiffres du numéro à
7 chiffres au verso de votre carte

Je déclare être en bonne santé, et savoir que les maladies
ou accidents antérieurs à mon inscription ne sont pas assurés.
Signature :

Faites des copies de cette page pour assurer vos compagnons de voyage.

INDEX GÉNÉRAL

Attention, les parcs nationaux de l'Ouest américain
et Las Vegas font l'objet d'un autre guide.

U-V

W

Y-Z

OÙ TROUVER LES CARTES ET LES PLANS ?

Nous avons divisé les États-Unis en plusieurs titres. En effet, la très grande majorité d'entre vous ne parcourent pas tout le pays. Et ces contrées sont tellement riches culturellement qu'elles nécessitent 6 ou 7 guides à elles seules. Rassemblés en un seul volume, nos ouvrages atteindraient 1 500, voire 2 000 pages. Ils seraient alors intransportables et coûteraient... 3 fois plus cher ! Nous souhaitons conserver un format pratique à un prix économique, tout en vous fournissant le maximum d'informations sur des régions qui méritent d'être développées. Voilà !

La rédaction.

Les **Routards** parlent aux **Routards**

Faites-nous part de vos expériences, de vos découvertes, de vos tuyaux.
Indiquez-nous les renseignements périmés. Aidez-nous à remettre l'ouvrage à jour.
Faites profiter les autres de vos adresses nouvelles, combines géniales... On adresse
un exemplaire gratuit de la prochaine édition à ceux qui nous envoient les lettres les
meilleures, pour la qualité et la pertinence des informations. Quelques conseils cependant :
– Envoyez-nous votre courrier le plus tôt possible afin que l'on puisse insérer vos
tuyaux sur la prochaine édition.
– N'oubliez pas de préciser l'ouvrage que vous désirez recevoir.
– Vérifiez que vos remarques concernent l'édition en cours et notez les pages du
guide concernées par vos observations.
– Quand vous indiquez des hôtels ou des restaurants, pensez à signaler leur adresse
précise et, pour les grandes villes, les moyens de transport pour y aller. Si vous le
pouvez, joignez la carte de visite de l'hôtel ou du resto décrit.
– N'écrivez si possible que d'un côté de la lettre (et non recto verso).
– Bien sûr, on s'arrache moins les yeux sur les lettres dactylographiées ou correctement écrites !
En tout état de cause, merci pour vos nombreuses lettres.

Les Routards parlent aux Routards :
122, rue du Moulin-des-Prés, 75013 Paris

e-mail : guide@routard.com
Internet : routard.com

Le Trophée du voyage humanitaire ROUTARD.COM
s'associe à VOYAGES-SNCF.COM

Ils ont aidé à la création d'un poste de santé autonome au Sénégal, à la reconstruction
d'un orphelinat à Madagascar... Et vous ?
Envie de soutenir un projet qui favorise la solidarité entre les hommes ? Le Trophée du
Voyage Humanitaire Routard.com est là pour vous ! Que votre projet concerne le
domaine culturel, artisanal, écologique, pédagogique, en France ou à l'étranger, le
Guide du routard et Voyages-sncf.com soutiennent vos initiatives et vous aident à les
réaliser ! Si vous aussi vous voulez faire avancer le monde, inscrivez-vous sur
● routard.com/trophee ● ou sur ● tropheesdutourismeresponsable.com ●

Routard Assurance *2009*

Routard Assurance et Routard Assurance Famille, c'est l'Assurance Voyage Intégrale
sans franchise que nous avons négociée avec les meilleures compagnies, Assurance
complète avec rapatriement médical illimité. Dépenses de santé et frais d'hôpital pris en
charge directement sans franchise jusqu'à 300 000 € + caution + défense pénale +
responsabilité civile + tous risques bagages et photos. Assurance personnelle accidents : 75 000 €. Très complet ! Le tarif à la semaine vous donne une grande souplesse.
Tableau des garanties et bulletin d'inscription à la fin de chaque *Guide du routard* étranger. Pour les départs en famille (4 à 7 personnes), demandez-nous le bulletin d'inscription famille. Pour les longs séjours, un nouveau contrat *Plan Marco Polo « spécial
famille »* à partir de 4 personnes. Enfin pour ceux qui partent en voyage « éclair » de 3 à
8 jours visiter une ville d'Europe, vous trouverez dans les Guides Villes un bulletin
d'inscription avec des garanties allégées et un tarif « light ». Pour les villes hors Europe,
nous vous recommandons Routard Assurance ou Routard Assurance Famille, mieux
adaptés. Si votre départ est très proche, vous pouvez vous assurer par fax : 01-42-80-
41-57, en indiquant le numéro de votre carte de paiement. Pour en savoir plus : ☎ 01-
44-63-51-00 ; ou, encore mieux, sur notre site : ● routard.com ●

Photocomposé par MCP - Groupe Jouve
Imprimé en France par Aubin
Dépôt légal : février 2009
Collection n° 13 - Édition n° 01
24/4465/1
I.S.B.N. 978-2-01-244465-2